KB196709

개정증보판

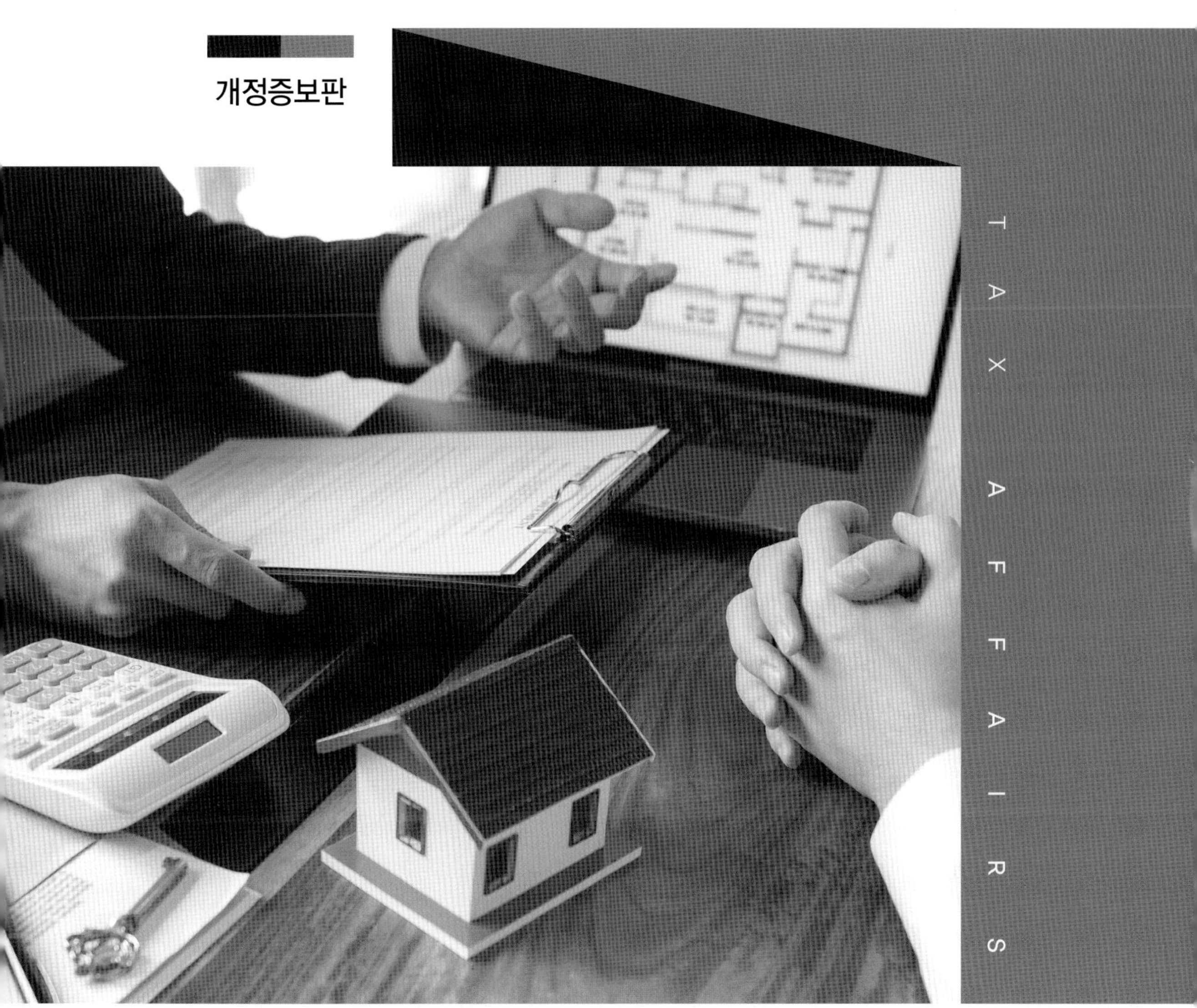

부동산세제 이론과 실무해설

김치태 · 박천수 · 김승한 · 이제희 공저
이우진 감수

SAMIL | 삼일인포마인

www.**samili**.com 사이트 **제품몰** 코너에서 본 도서 **수정사항**을 클릭하시면
정오표 및 중요한 수정 사항이 있을 경우 그 내용을 확인하실 수 있습니다.

2020년 개정7판을 내면서

2020년 초 코로나19 팬데믹 선언은 실물과 금융부문에서 대한민국을 넘어 전 세계를 전대미문의 위기로 몰아가고 있으며, 한국경제는 코로나19의 성공적인 방역에도 불구하고 마이너스 성장을 예고하고 있다. 정부 주도의 재정지출은 진보정권 출범 이후 지속적으로 확대되고 있는 추세에서 코로나19로 2차, 3차 추경 편성을 통해 그 규모는 상상을 초월한다.

최근 조세정책의 큰 틀은 경제활력 회복과 지속가능한 성장, 조세제도의 효율화・선진화를 통해 조세정의를 실현하는데 중점을 두고 있으며, 2020년에도 가업상속공제 자산・업종 유지의무 완화, 상속세 연부・연납특례 적용대상 확대, 임대등록주택 양도소득세 비과세 적용 시 거주요건 추가, 고가 조합원입주권의 양도소득금액 계산방법 개선, 탈세・회계부정 기업인의 가업상속 혜택 배제 등을 통해 조세합리화를 꾀하고 있다.

하지만 이러한 조세정책도 결국은 재정지출의 폭발적인 확대에 따른 탄탄한 세수확보가 목표이기 때문에 국민들의 세부담은 계속 증가할 것으로 보인다. 보유세 강화는 연일 언론 등에서 수시로 언급되고 있으며 다주택자・고소득자에 대한 과세 강화는 물론 양도소득세, 상속・증여세 등 부동산세제에 대한 집중 관리는 이미 시작되었다고 볼 수 있다.

정부 정책의 흐름에 맞게 개정판을 내지 못한 3년간의 공백 기간 동안 부동산세제에 많은 변화가 있었으나 이번 개정작업을 통해 양도, 상속・증여세 그리고 재산세를 중심으로 개정내용을 빠짐없이 반영하여 기본서로서의 역할을 충실히 하려고 노력하였다.

또한 재정지출의 확대는 내수경기 회복을 유도하고 부동산 시장의 활성화를 기대할 수 있을 것이다. 부동산 투자와 세금은 항상 붙어 다니는 관계로 부동산을 거래하고 관심이 있는 분들은 이 책을 통해 부동산세제를 이해하는데 나름의 보탬이 될 것으로 본다.

이 책의 부족한 부분에 대해서는 독자 제현의 따뜻한 충고를 바라며, 이번 개정판에 대한 아쉬움은 반성과 함께 좀 더 알찬 책으로 만들고자 하는 다짐으로 대신하고자 한다.

끝으로 이 책이 출판될 수 있도록 한결같은 지지와 지원을 해주신 삼일인포마인 이희태 대표이사님을 비롯한 임직원 여러분의 수고에 감사드리며,

아울러, 이 책을 쓰느라 함께 하지 못한 시간들을 기꺼이 이해해 주고 마음으로 응원해 준 사랑하는 가족들에게 고마운 마음을 전한다.

2020. 6.

저자 김치태 · 박천수 · 김승한 · 이제희

2017년 개정6판을 내면서

촛불민심에 따라 2017년 5월 새로운 진보정권이 출범하였다. 새정부는 정부 주도로 재정지출을 늘려 가계소득을 늘리는 방식으로 경제성장을 이루겠다는, 소위 '소득주도 성장론'을 표방하고 있다. 이는 종전 보수정부가 민간기업에 대한 규제를 완화하고 세부담을 줄여 경제성장을 이루고자 했던 정책방향과는 다른 것이다.

재정지출을 늘려 경제성장을 이루겠다는 새정부의 정책방향은 세입기반 확충을 전제하는 것이며, 이는 국민들의 세부담 증가를 의미하는 것이다. 부동산세제와 관련해서도 이미 언론 등을 통해 보유세 강화, 고소득자에 대한 소득세율 인상, 상속세 · 증여세의 신고세액 공제 축소 등이 언급되고 있다.

정부의 경제정책 방향, 좁게는 조세정책 방향의 커다란 변화가 예상되는 시점에 더 늦지 않게 이 책의 개정판을 내게 된 것을 다행스럽게 생각한다.

개정판을 내지 못했던 지난 4년간에도 부동산세제에 여러 가지 변화가 있었다. 양도소득세 다주택 중과 폐지, 비사업용토지에 대한 중과 완화와 증여세 완전포괄주의 규정의 정비, 상속세 영농 · 가업상속공제의 확대를 비롯해 지방세도 주택에 대한 취득세율 인하, 지역자원시설세 인상, 지방세징수법 분법 등을 포함해 많은 개정이 있었다.

금번 개정판에서는 지난 4년 동안의 부동산세제의 개정내용을 반영하는 한편, 상속 · 증여 등을 이용한 부의 이전에 대한 관심이 증가하는 현실을 감안하여 상속세 · 증여세 부분을 보강하였다. 특히 증여세 부분은 포괄주의 과세에 따라 다양한 증여유형에 대한 유기적인 파악이 요구되므로 상속세 및 증여세법상 증여예시, 증여의제, 증여추정에 대해 간략하게라도 빠짐없이 설명하고자 하였다.

아울러 이전과 달리 지방세에 대한 중요성이 부각됨에 따라 지방세제 업무를 오랫동안 담당해온 지방세 분야 전문가를 저자로 추가해 지방세 부분의 정확성을 제고하였다.

새정부의 출범과 함께 경기회복, 특히 내수경기 활성화에 대한 기대와 바람이 그 어느 때보다 큰 상황으로 이는 부동산 시장에 있어서도 예외가 아닐 것이다. 부동산 투자, 거래 등 부동산 활동에 있어 세금의 중요성은 아무리 강조해도 지나치지 않을 것이다. 이 책이 부동산에 관심이 있거나 이해관계가 있는 분들에게 부동산세제에 대한 이해 측면에서 작으나마 보탬이 되길 바래본다.

이 책의 부족한 부분에 대해서는 독자 제현의 따금한 충고를 바라며, 이번 개정판에 대한 아쉬움은 앞으로 이 책을 좀 더 알차고 볼 만한 책으로 만들어가는 노력으로 대신하고자 한다.

끝으로 이 책이 출판될 수 있도록 한결같이 지지해 주신 삼일인포마인 송상근 대표이사님을 비롯해 임직원 여러분의 수고에 감사드리며,

아울러, 공무로 바쁜 중에도 도움을 아끼지 않은 국민권익위원회 재정세무민원과 이제희 사무관, 유준호 사무관을 비롯한 지인들과 이 책을 쓰느라 함께 하지 못한 시간들을 기꺼이 이해해주고 마음으로부터 응원해 준 사랑하는 가족들에게 고마운 마음을 전한다.

2017. 6.

저자 김치태 · 박천수 · 이원주

2013년 개정5판을 내면서

2008년 이 책의 마지막 개정판이 나온 이후 상당한 시간이 흘렀다. 2008년 이명박 정부 출범에 따라 이전 정부에서 중점 추진하였던 여러 가지 정책들이 큰 변화를 맞게 되었고, 부동산 세제 분야도 예외가 될 수 없었다.

2008년 발생한 미국발 글로벌 경제위기에 따라 자산가격이 급락하는 등 경기가 급속히 위축되자 이명박 정부는 감세를 통해 경기를 부양하고자 하였으며, 종전 진보정권이 주택 및 토지 투기 등을 막기 위해 도입한 각종 부동산 관련 정책들을 대부분 완화·폐지하게 되었다.

이에 따라 2008년에는 종합부동산세의 세부담을 크게 경감하는 등의 큰폭의 「종합부동산세법」 개정이 이루어졌으며, 2009년에는 다주택자에 적용되는 양도소득세 중과세율 적용을 유예하는 조치를 취하였다. 「지방세법」에도 큰 변화가 있었는데 2010년 종전 「지방세법」을 「지방세기본법」, 「지방세법」, 「지방세특례제한법」으로 분법하고, 지방세 세목체계를 간소화하여 취득세와 등록세(취득관련분), 재산세와 도시계획세, 면허세와 등록세(취득무관분), 공동시설세와 지역개발세를 각각 통합하였다. 「지방세특례제한법」도 감면을 정비하고, 종전 일괄 일몰방식을 개별 일몰방식으로 전환하는 등의 변화를 주었다.

한편, 전반적인 세부담 완화 외에도 과세정상화를 위한 제도보완도 이루어졌는데, 2011년부터 허위계약서 작성시 양도소득세에 대한 비과세·감면 적용을 제한하는 입법이 이루어졌고, 변칙적인 상속·증여세 회피를 방지할 목적으로 특수관계법인간 일감 몰아주기에 따른 이익에 대한 증여세가 신설되었다.

박근혜 정부 출범 이후에는 사회적 문제로 대두된 주택시장 침체를 개선하기 위해 생애최초 취득자에 대한 취득세 한시 면제, 양도세 한시 감면 등을 포함하는 소위 4.1부동산 대책을 마련하는 등 부동산시장 활성화를 위한 각종 세제지원 방안을 강구하고 있다.

상당기간 위와 같은 많은 부동산세제의 변화에도 불구하고 2008년 이후 이 책의 개정판이 나오지 못한 점은 아쉽게 생각한다.

그간 부동산세제와 관련된 많은 변화들을 이번 개정판을 내면서 반영하는 일은 공·사적으로 매우 바쁜 시기와 겹쳐 힘든 작업이 되었다.

부동산세제 전반을 아우르는 작업을 처음 시작하셨던 이우진 교수님께 심심한 경의를 표하며, 이번 개정판에 남은 많은 아쉬움들은 독자 제현의 따끔한 충고와 스스로에 대한 반성을 바탕으로 이 책을 좀 더 알차고 볼 만한 책으로 만들어가는 것으로 대신하고자 한다.

끝으로 이 책이 출판될 수 있도록 한결같이 지지해 주신 삼일인포마인 이진영 대표이사님과 멋지게 편집해 주신 조원오 상무님, 조윤식 부장님 등 임직원 여러분의 수고에 감사드리며,

아울러, 「지방세법」 실무확인에 많은 도움을 준 강남구청 세무과 이민주님과, 이 책을 쓰느라 함께 하지 못한 시간들을 기꺼이 이해해주고 마음으로부터 응원해 준 사랑하는 가족들에게 고마운 마음을 전한다.

2013. 7.

저자 이우진 · 이원주 · 김완태

2008년 개정4판을 내면서

2004년 이 책이 출판된 후 벌써 네 번째 해를 맞이하게 되었다. 그간에 정부의 조세정책에 따라 부동산 관련 세제에 많은 변화가 있었다. '실사구시'의 실천의지로 독자에게 유용한 정보를 제공하고자 노력해오고 있지만 능력과 지식의 부족함을 느낀다. 최근 우리나라의 부동산 관련 세법의 변화가 국민생활과 부동산활동에 큰 영향을 주고 있다. 그리고 저자가 실무와 강의 등을 통하여 직접 얻게 된 내용을 추가 보완할 필요성을 느꼈다.

이번 개정판에서 추가·보완된 내용을 살펴보면 다음과 같다.

1. 부동산조세에 관한 이론 보완
2. 2007년 이후 최근 예규·판례 다수 추가(총 3,722개 예규·판례 요약)
3. 부동산개발업과 재건축부담금 관련법 추가(총 15개 부동산 관련법 요약)
4. 2007년 이후 개정 세법 내용 보완
   가. 양도소득 장기보유특별공제율 인상
   나. 농어촌 주택 취득자 양도소득세 과세특례요건 완화
   다. 배우자간 증여공제금액 확대
   라. 종합부동산세 신고납부제도에서 정부부과제도로 전환
   마. 재건축·재개발 아파트 실거래가 양도차익 산정방법 규정
   바. 수용에 따른 대토농지 취득기간 연장

2008년 출범한 정부에서 부동산 관련 조세정책에 대한 변화가 예상되며 이에 대한 내용은 개정 법률 시행에 맞추어 보완할 것을 독자들에게 약속드린다.

저자의 부동산조세론 연구에 큰 힘이 되어주신 건국대학교 부동산대학원과 강원대학교 부동산학과의 교수님, 그리고 학생들 모두에게 고마움을 느낀다. 끝으로 본서가 나오기까지 수고해주신 출판사 삼일인포마인의 임직원 여러분께 깊이 감사드린다.

2008. 3.

저자 이우진

이 책의 머리말

인간생활에 꼭 필요한 것을 의·식·주라고 할 때 그중 풍요로운 삶의 질은 주거환경 즉 주택에 의해 크게 좌우될 것이다. 주택은 가족과 함께 살아가는 보금자리이기에 더욱 그렇다.

나아가 기업은 토지, 노동, 자본으로, 국가는 국토, 주권, 국민으로 그 중요한 요소인 주택, 토지, 국토의 형태, 즉 부동산이 얼마나 중요한 부분이었는지 알 수 있다.

인간이 집단생활을 하면서부터 생성, 발달되어 온 세금이 자본주의가 발달될수록 그 중요성과 비중이 커지고 있으며, 과세대상인 세원을 부동산에서 찾으려는 국가정책을 보면 부동산 소유·이용·개발자에게 앞으로 더 많은 부담 요구가 있을 것으로 예측된다.

우리는 투자이론상 재산 3분법이라고 하여 투자대상을 부동산, 현금예금, 주식으로 분산해야 한다고 하며, 우리의 정서상 그중 부동산에 많은 관심을 갖고 있는 것이 사실이다. 오래전부터 부동산은 부의 척도가 되어 왔으며, 근대화 과정 이후에는 투자 수준을 넘어 투기수단으로 변하여 우리 경제에 부의 편중과 경제발전에 걸림돌이 되고 있는 측면이 있음도 부인할 수 없다.

최근 정부는 빈부격차, 부의 불균형을 해소하려는 부의 재분배 정책을 시민의 요구로 더욱 강력하게 시행하고 있다. 대개 이러한 정책은 부동산 취득, 보유, 양도, 이용에 관한 규제와 아울러 조세제도를 통한 목적달성을 하고자 하는 것 같다.

따라서 이 정책의 직접 이해당사자인 일반시민·기업은 물론 세무전문가들도 혼란스러울 정도로 관련 세법이나 기타 법률이 빈번하게 개정·신설되고 있는 실정이다.

본 저서는 이러한 주택·토지 등 부동산과 관련한 세제 및 관련 법규정의 정확한 이해를 돕고 그로 인한 적법한 납세는 물론 부동산의 소유·관리·개발·처분·상속·증여에 관한 의사결정에 필요한 유용한 정보자료를 얻을 수 있도록 하였다.

그간 국세청 등 과세관청에서 근무한 조사실무 경험과 세무회계사무소를 직접 운영하면서 터득한 know-how 그리고 대학원 등 각종 강의과정에서 축적된 지식을 부동산 관련 세제 및 관련 법률과 재건축·재개발사업 등 주택건설 및 각종 정비사업에 연결하여 세무와 회계 실무를 체계적으로 종합 정리하고자 하였다. 그리하여 부동산조세론의 발전과 아울러 세무회계업무종사자나 부동산이나 재건축사업 등에 관심이 있는 일반시민에게도 도움이 되었으면 하는 마음으로 본서를 발간하게 되었다.

본 저서는 다음과 같은 점에 역점을 두었다.

첫째, 부동산에 관련된 조세의 기초이론과 부동산의 취득, 보유, 양도, 개발(재건축사업 등) 단계별 해설 및 부동산 관련 제법규 편 해설로 나누어져 있다. 이는 부동산 소유권 및 개발단계 흐름에 따라 검토함으로써 독자의 이해를 돕고, 보유단계별 또는 개발사업 등의 진행과정별로 유용한 정보를 쉽게 접근할 수 있도록 하기 위함이다.

둘째, 현행 우리나라의 법률상 시행하고 있는 부동산 세제를 총망라함으로써 각 세목별로 이루어졌던 기존의 유사한 책과 달리 국세, 지방세, 재건축 등 개발세제까지도 한 권의 책으로 종합하여 독자로 하여금 간편하고 경제적인 방법으로 부동산 세제와 재건축 세무회계 문제에 접근할 수 있도록 하였다.

셋째, 부동산소유 및 거래, 개발 등과 관련된 제법규를 같이 설명함으로써 세법의 보다 정확한 이해와 아울러 부동산조세 외의 부동산 관련 제법률 분야의 검토도 할 수 있도록 하였다.

넷째, 원래 부동산 관련 세제는 세법적용 근거인 거래 등의 실체적 사실 파악과 이 사실을 세법에 적용하기가 어렵고 복잡하여 관계 전문가조차도 세법 적용에 큰 어려움을 느낄 수 있고 세법 개정 또한 빈번하므로 이를 해소하기 위하여 조문이해와 실무적용에 도움이 되도록 쉽게 해설하고, 각 단원별로 예규와 판례를 같이 나열함으로써 구체적 사안별 적용도 쉽게 하였다.

다섯째, 최근의 세법 개정 및 제정된 법률과 예규·판례를 반영하여 새로운 정보를 주고자 하였다.

여섯째, 세무사 등 조세전문가와 각 기업체의 세무 · 경리 담당 임직원, 재건축 · 재개발 업무 관련 종사자 및 정비사업 전문관리업자 등에게도 도움을 주고자 하였다.

또한 부동산학을 공부하는 대학(원)생과 부동산 관련 세제가 시험과목인 공인중개사, 기타 자격사 등 수험생에게도 도움이 될 수 있을 것이다.

본 저서는 내용면이나 체계면에서 완벽을 기하려고 노력했지만 오류와 문제점이 있다면, 앞으로 존경하는 선후배님, 그리고 은사님과 제자들과 선후배 동료 세무사님과 관계공무원님들께서 저에게 비판과 지도를 해 주실 것을 부탁드립니다.

본서의 미비점과 개정세법은 계속하여 개정 보완하고자 하오니 관심 있게 지켜봐 주시고 부동산 · 재건축세제실무에 반려로 삼아 주십시오.

끝으로 본서를 내놓기까지 수많은 분들의 도움이 있었으며, 지면을 통하여 이 점 깊이 감사드립니다. 특히 원고 교정작업과 예규 · 판례 자료수집 등을 도와준 송명섭 세무사와 본인 사무실에서 근무하고 있는 이영욱 세무사, 장도영 양에게도 감사드립니다.

– 네 시작은 미약하였으나 네 나중은 심히 창대하리라 –(욥기 8장 7절)

역삼동 사무실에서

2004. 2. 20.

세무사 이우진

일러두기

본 책자는 부동산세제의 이론과 실무를 위한 길라잡이로 실제 부동산세제 문제와 관련해서는 관련법령의 정확한 확인이 필요함을 강조드리며, 불명확한 부분에 대해서는 부동산세제 전문가의 도움을 받을것을 권해 드립니다.

이 책에서는 법령약어를 아래와 같이 사용하고 있습니다.

국기법 : 국세기본법
국기령 : 국세기본법 시행령
국기칙 : 국세기본법 시행규칙
국조법 : 국제조세조정에 관한 법률
농특법 : 농어촌특별세법
농특령 : 농어촌특별세법 시행령
법인법 : 법인세법
법인령 : 법인세법 시행령
법인칙 : 법인세법 시행규칙
부가법 : 부가가치세법
부가령 : 부가가치세법 시행령
부가칙 : 부가가치세법 시행규칙
상증법 : 상속세및증여세법
상증령 : 상속세및증여세법 시행령
상증칙 : 상속세및증여세법 시행규칙
소득법 : 소득세법
소득령 : 소득세법 시행령
소득칙 : 소득세법 시행규칙
조특법 : 조세특례제한법
조특령 : 조세특례제한법 시행령
조특칙 : 조세특례제한법 시행규칙
지세법 : 지방세법
지세령 : 지방세법 시행령
지세칙 : 지방세법 시행규칙
지기법 : 지방세기본법
지기령 : 지방세기본법 시행령
지기칙 : 지방세기본법 시행규칙
지특법 : 지방세특례제한법
지특령 : 지방세특례제한법 시행령
지특칙 : 지방세특례제한법 시행규칙
공취법 : 공익사업을 위한 토지 등의 취득 및 보상에 관한 법률
도정법 : 도시 및 주거환경정비법
환수법 : 개발이익 환수에 관한 법률

차례

제1편 조세의 기초 이론

제1장 조세의 기초 이론 ······ 27

|제1절| 조세의 개념과 기능 / 27

1. 조세의 정의 / 27
2. 조세의 목적과 기능 / 28

|제2절| 우리나라의 조세체계 / 31

1. 조세의 분류 / 31
2. 우리나라의 현행 조세 종류 / 32

제2장 부동산조세의 개요 ······ 33

1. 부동산조세의 의의 / 33
2. 부동산조세의 체계 / 38
3. 부동산조세의 과세표준 요약 / 40
4. 부동산조세의 세율표 / 41

제3장 과세요건 · 납세의무 · 조세용어 ······ 46

1. 과세요건 / 46
2. 납세의무의 성립과 확정 / 48
3. 조세용어의 정의 / 49

제4장 과세처분의 불복절차 ······ 56

1. 불복의 근거법 / 56
2. 불복절차의 전치주의 / 56
3. 국세와 지방세의 불복절차 / 56

제 2 편 부동산의 취득관련 세제

제1장 취득세 ························ 61

|제1절| 취득세 과세대상과 취득의 범위 ························ 61

1. 과세대상 / 61
2. 취득세 과세대상 부동산의 범위(지세법 §6) / 62
3. 취득의 범위(지세법 §6 ①) / 70

|제2절| 납세의무자 ························ 81

1. 부동산등의 일반적인 취득(지세법 §7 ①, ②) / 81
2. 건축물의 신축, 증축, 개축, 개수(지세법 §7 ①, ②, ③) / 83
3. 「지방세법」상 취득세의 의제 납세의무자 / 84

|제3절| 취득의 시기 ························ 98

1. 승계취득의 경우 취득시기 / 98
2. 원시취득의 경우 취득시기 / 100
3. 간주취득 / 101

|제4절| 취득세 과세표준 ························ 120

1. 시가표준액에 의하는 경우 / 121
2. 반드시 사실상 취득가액에 의하는 경우(지세법 §10 ⑤) / 123
3. 간주취득 등의 과세표준 / 126

|제5절| 신고납부 및 가산세 ························ 159

1. 납세지(지세법 §8) / 159
2. 세 율(지세법 §11~§16) / 160
3. 신고기한 · 납기 / 201
4. 면세점 / 202
5. 부족세액의 추징 및 가산세 / 202

|제6절| 취득세의 비과세와 감면 ························ 209

1. 비과세 / 209
2. 「지방세특례제한법」상 주요 취득세 감면 / 218
3. 지방자치단체(서울특별시)의 조례에 의한 주요 감면 / 258

제2장 등록면허세 ······ 259

|제1절| 등록분 등록면허세 ······ 259

1. 납세의무자(지세법 §24) / 260
2. 납세지(지세법 §25) / 260
3. 과세표준(지세법 §27) / 261
4. 세 율(지세법 §28) / 261
5. 비과세 · 감면 / 264
6. 신고 · 납부 / 265

제3장 상속세 ······ 276

|제1절| 상속세의 개념과 납부의무자 ······ 276

1. 상속세의 개념 / 276
2. 상속의 개념 및 승인과 포기 / 281
3. 납부의무(상증법 §3의2) / 283

|제2절| 상속세의 과세체계 ······ 293

1. 의 의 / 293
2. 과세체계 / 293
3. 상속재산의 계산 / 295
4. 상속세의 비과세(상증법 §11, §12) / 309
5. 상속세 과세가액(상증법 §13) / 310
6. 공익목적 출연재산의 상속세 과세가액 불산입 / 319
7. 상속세 과세표준 / 329
8. 상속세 세액의 계산(상증법 §26) / 355
9. 상속세 세액공제 / 357

|제3절| 부동산상속재산의 평가 ······ 362

1. 재산평가의 기준일(상증법 §60 ①) / 362
2. 재산평가의 원칙(상증법 §60) / 362
3. 부동산의 보충적 평가방법(상증법 §61) / 366
4. 담보제공된 재산 등의 평가 특례 / 370

|제4절| 상속세 신고납부 ······ 387

1. 상속세 과세표준 신고의무자 / 387
2. 상속세의 신고 · 납부 / 388

3. 상속세(증여세)의 연부연납(상증법 §71) / 389
4. 상속세의 물납(상증법 §73) / 390

제4장 증여세 ······ 395

|제1절| 증여세의 개념과 납세의무자 ······ 395
1. 증여세의 개념 / 395
2. 증여세 완전포괄주의의 도입 및 정비 / 397
3. 증여세 과세대상 및 납부의무 / 404

|제2절| 증여세의 과세체계 ······ 421
1. 증여재산 / 422
2. 증여재산의 취득(증여)시기(상증령 §32) / 423

|제3절| 증여재산 가액의 계산 ······ 429
1. 신탁이익의 증여(상증법 §33) / 429
2. 보험금의 증여(상증법 §34) / 432
3. 저가양수 또는 고가양도에 따른 이익의 증여 등(상증법 §35) / 434
4. 채무면제 등에 따른 증여(상증법 §36) / 440
5. 부동산 무상사용에 따른 이익의 증여(상증법 §37) / 442
6. 합병에 따른 이익의 증여(상증법 §38) / 447
7. 증자에 따른 이익의 증여(상증법 §39) / 448
8. 감자에 따른 이익의 증여(상증법 §39의2) / 452
9. 현물출자에 따른 이익의 증여(상증법 §39의3) / 452
10. 전환사채 등의 주식전환 등에 따른 이익의 증여 (상증법 §40) / 454
11. 초과배당에 따른 이익의 증여(상증법 §41의2) / 456
12. 주식등의 상장 등에 따른 이익의 증여(상증법 §41의3) / 458
13. 금전무상대출 등에 따른 이익의 증여(상증법 §41의4) / 459
14. 합병에 따른 상장 등 이익의 증여(상증법 §41의5) / 460
15. 재산사용 및 용역제공 등에 따른 이익의 증여(상증법 §42) / 461
16. 법인의 조직변경 등에 따른 이익의 증여(상증법 §42의2) / 463

CONTENTS

17. 재산 취득 후 재산가치 증가에 따른 이익의 증여 (상증법 §42의3) / 464

|제4절| 증여추정 및 증여의제 ······ 465

1. 배우자 · 직계존비속간의 양도시의 증여추정(상증법 §44) / 465
2. 재산취득자금 등의 증여추정(상증법 §45) / 468
3. 명의신탁재산의 증여의제(상증법 §45의 2) / 473
4. 특수관계법인과의 거래를 통한 이익의 증여의제 (상증법 §45의 3) / 480
5. 특수관계법인으로부터 제공받은 사업기회로 발생한 이익의 증여의제(상증법 §45의 4) / 482
6. 특정법인과의 거래를 통한 이익의 증여(상증법 §41) / 483
7. 증여세 과세특례(상증법 §43) / 484

|제5절| 증여세 과세가액 ······ 487

1. 「상속세 및 증여세법」상 비과세(상증법 §46) / 487
2. 「조세특례제한법」상 비과세 · 감면 · 과세특례 / 490
3. 과세가액 불산입 / 502
4. 증여재산가액에서 차감하는 채무(상증법 §47 ①) / 510
5. 증여재산 가산액(상증법 §47 ②) / 513

|제6절| 증여세의 과세표준 및 세액의 계산 ······ 517

1. 증여세 과세표준(상증법 §55) / 517
2. 증여재산공제(상증법 §53) / 518
3. 재해손실공제(상증법 §54) / 519
4. 감정평가수수료(상증법 §55) / 519
5. 증여세액의 계산 / 522
6. 직계비속에 대한 증여의 할증과세 / 523
7. 증여세 세액공제 / 523
8. 증여세의 신고 · 납부 / 525
9. 증여세의 연부연납 및 물납(상증법 §71, §73) / 525

제3편 부동산의 보유관련 세제

제1장 종합부동산세 ······ 531

|제1절| 총 설 ······ 531

1. 종합부동산세의 개요 / 531
2. 목 적(종부법 §1) / 532
3. 과세기준일과 부과징수(종부법 §3) / 532
4. 납세지(종부법 §4) / 533
5. 과세구분 및 세액(종부법 §5) / 534
6. 공정시장가액 / 535
7. 비과세 · 감면 등 / 535
8. 물 납 / 536
9. 분 납 / 536

|제2절| 주택에 대한 과세 ······ 538

1. 주택분 종합부동산세 납세의무자(종부법 §7) / 538
2. 1세대 1주택 / 539
3. 주택분 종합부동산세의 과세표준 / 548
4. 주택분 종합부동산세의 세율(종부법 §9 ①) / 563
5. 주택분 종합부동산세액의 계산(종부법 §9 ①) / 563
6. 주택분 종합부동산세 결정세액의 계산 / 563

|제3절| 토지에 대한 과세 ······ 568

1. 토지분 종합부동산세 납세의무자(종부법 §12) / 568
2. 토지분 종합부동산세 과세표준 / 571
3. 토지에 대한 종합부동산세의 세율 / 574
4. 토지분 종합부동산세 / 575
5. 토지분 종합부동산세액의 세부담 상한(종부법 §15) / 577

|제4절| 「조세특례제한법」상 과세특례 ······ 579

1. 향교 및 종교단체에 대한 종합부동산세 과세특례 (조특법 §104의 13) / 579
2. 주택건설사업자가 취득한 토지에 대한 과세특례 (조특법 §104의 19) / 579

CONTENTS

제2장 재산세 ······ 583

|제1절| 개 념 ······ 583

1. 재산세의 개념 / 583

|제2절| 재산세 과세요건 ······ 586

1. 과세대상(지세법 §105) / 586
2. 납세의무자(지세법 §107) / 597
3. 과세표준 및 세율 / 604
4. 기타 재산세 과세요건 / 610
5. 재산세 과세특례(도시지역분) / 611

|제3절| 토지분 재산세 과세대상의 구분과 세율적용 ······ 613

1. 종합합산과세대상(지세법 §106 ① 1호) / 613
2. 별도합산과세대상(지세법 §106 ① 2호) / 614
3. 분리과세대상(지세법 §106 ① 3호) / 614
4. 구체적 과세대상별 과세방법 요약 / 617

|제4절| 재산세의 비과세 및 감면 ······ 622

1. 재산세의 비과세(지세법 §109) / 622
2. 재산세의 감면 / 623

|제5절| 재산세 부과ㆍ징수 ······ 635

1. 신고의무(지세법 §120) / 635
2. 징수방법 등(지세법 §116) / 635
3. 분할납부(지세법 §118) / 636
4. 물 납 / 636

제3장 지역자원시설세 ······ 637

1. 지역자원시설세의 의의(지세법 §141) / 637
2. 과세대상(지세법 §142) / 637
3. 특정부동산에 대한 납세의무자(지세법 §143) / 638
4. 특정부동산에 대한 납세지(지세법 §144) / 638
5. 특정부동산에 대한 과세표준과 세율(지세법 §146) / 638
6. 부과ㆍ징수(지세법 §147) / 642
7. 비과세(지세법 §145) / 642
8. 감 면 / 642

제4편 부동산의 양도 · 개발 관련 세제

제1장 양도소득세 개요 ············ 645

|제1절| 양도소득세의 개념과 납세의무자 ············ 645

1. 양도소득세의 개념 / 645
2. 양도소득세 납세의무자 / 650

|제2절| 양도의 개념 ············ 653

1. 양도의 의의(소득법 §88) / 653
2. 자산의 사실상 유상이전 / 653
3. 자산의 양도로 보지 아니하는 경우 / 659
4. 명의신탁과 부동산실권리자명의등기 / 670

|제3절| 양도소득세 과세대상 자산 ············ 688

1. 토지 또는 건물 / 689
2. 부동산에 관한 권리 / 695
3. 주식 등(주식, 출자지분, 신주인수권, 증권예탁증권) / 697
4. 기타자산 / 705
5. 과세대상 자산의 구분 / 710

|제4절| 양도 또는 취득의 시기 ············ 720

1. 원 칙(소득법 §98) / 720
2. 예 외 / 720
3. 기타 양도 · 취득시기 관련 규정 / 726

|제5절| 기준시가 ············ 742

1. 기준시가의 개념 / 742
2. 토지의 기준시가 / 743
3. 일반건물의 기준시가 / 749
4. 오피스텔 및 상업용 건물의 기준시가 / 750
5. 주택의 기준시가 / 752
6. 토지 또는 건물의 기준시가 계산 시 공통적용 사항 / 754
7. 부동산을 취득할 수 있는 권리의 기준시가 / 756
8. 지상권 · 전세권 및 등기된 부동산임차권의 기준시가 / 756
9. 주식 등의 기준시가 / 757

10. 기타자산의 기준시가 / 762

제2장 양도소득세 계산 방법 ······ 770

|제1절| 양도소득세 계산 ······ 770

1. 양도소득세 계산 방법 / 770
2. 양도소득금액의 구분 계산 및 결손금의 통산 / 772
3. 양도차익의 계산 / 773

|제2절| 특수한 경우의 양도차익 계산 ······ 776

1. 환지예정지등의 양도 또는 취득가액의 계산(기준시가에 의하는 경우) / 776
2. 고가주택 등에 대한 양도차익 등의 계산 / 777
3. 재개발·재건축 입주권의 양도차익 계산 / 779
4. 재개발·재건축으로 신축된 주택의 양도차익 계산 / 782
5. 부담부증여에 대한 양도차익 계산 방법 / 785
6. 고가양수·저가양도에 따른 양도소득의 부당행위계산 (소득법 §101 ①) / 785

|제3절| 양도가액 ······ 795

1. 2007년 이후 양도분의 양도가액 / 795
2. 2006년 이전 양도분의 양도가액 적용 방법 / 795
3. 실지거래가액의 의미 / 801
4. 특수한 경우의 실지거래가액 / 801
5. 양도가액의 추계 결정·경정 / 802

|제4절| 필요경비 ······ 805

1. 취득가액 유형에 따른 기타필요경비 적용 방법 / 805
2. 취득가액 / 807
3. 자본적 지출액 등 / 813
4. 양도비 등 / 816
5. 필요경비 개산공제액 / 817

|제5절| 장기보유특별공제액 ······ 829

1. 의 의 / 829
2. 공제대상자산 / 829
3. 장기보유특별공제액의 계산 / 830
4. 공제율 / 831

| 제6절 | 양도소득 기본공제 ······ 839
1. 공제대상자산(소득법 §103) / 839
2. 공제금액 및 공제방법 / 839

| 제7절 | 과세표준 및 세율 ······ 840
1. 과세표준의 의의 / 840
2. 양도소득 과세표준 계산 방법 / 840
3. 양도소득세의 세율 / 840
4. 양도소득세액의 감면 / 847

| 제8절 | 신고와 납부 ······ 849
1. 양도소득 과세표준 예정신고와 납부 / 849
2. 양도소득 과세표준 확정신고와 납부 / 852
3. 양도소득세의 분납 / 854
4. 수정신고, 경정 등의 청구, 기한 후 신고 / 855
5. 양도소득 과세표준과 세액의 결정 및 경정 / 857
6. 가산세 / 861
7. 양도소득세의 부과제척기간 / 864

제3장 양도소득세의 중과 ······ 866

| 제1절 | 1세대 2주택 이상 중과 ······ 866
1. 개 요 / 866
2. 다주택 중과대상에서 제외되는 주택 / 874

| 제2절 | 비사업용 토지 중과 ······ 895
1. 비사업용 토지 중과 제도 / 895
2. 지목별 비사업용 토지 판정 방법 / 903

제4장 양도소득세 비과세 및 감면 ······ 934

| 제1절 | 비과세 및 감면 개요 ······ 934
1. 개 요 / 934
2. 비과세 또는 감면의 배제 / 934

| 제2절 | 「소득세법」상 양도소득세 비과세 ······ 936
1. 파산선고에 의한 처분으로 발생하는 소득 / 936
2. 농지의 교환 또는 분합으로 인한 소득 / 937

CONTENTS

3. 농지의 대토로 인하여 발생하는 소득 / 939

|제3절| 1세대 1주택 양도소득세 비과세 ······ 941

1. 1세대 1주택의 비과세 기본 요건 / 941
2. 1세대 요건 / 943
3. 1주택 보유 요건 / 945
4. 2년 이상 보유 요건 / 949
5. 1주택 보유요건의 특례 / 953
6. 조합원입주권 보유시 1세대 1주택 비과세 특례 / 969
7. 1세대 1주택의 부수토지 / 979
8. 겸용주택의 비과세 / 980
9. 조합원입주권을 양도하는 경우 / 981
10. 고가주택 / 983
11. 미등기 양도자산에 해당하는 경우 / 984

|제4절| 「조세특례제한법」상 양도소득세 감면 ······ 1041

1. 자경농지에 대한 양도소득세의 감면(조특법 §69) / 1042
2. 축사용지에 대한 양도소득세의 감면(조특법 §69의 2) / 1056
3. 어업용 토지등에 대한 감면(조특법 §69의 3) / 1066
4. 자경산지에 대한 감면(조특법 §69의 4) / 1071
5. 농지대토에 대한 양도소득세 감면(조특법 §70) / 1077
6. 공익사업용 토지 등에 대한 양도소득세의 감면(조특법 §77) / 1085
7. 대토보상에 대한 양도소득세 과세특례(조특법 §77의 2) / 1093
8. 개발제한구역 지정에 따른 매수대상 토지 등에 대한 양도소득세의 감면(조특법 §77의 3) / 1098
9. 장기임대주택에 대한 양도소득세의 감면(조특법 §97) / 1102
10. 신축임대주택에 대한 양도소득세의 감면특례 (조특법 §97의2) / 1110
11. 미분양주택에 대한 과세특례(조특법 §98) / 1115
12. 지방 미분양주택 취득에 대한 양도소득세 등 과세특례 (조특법 §98의 2) / 1118
13. 미분양주택의 취득자에 대한 양도소득세의 과세특례 (조특법 §98의 3) / 1121
14. 비거주자의 주택취득에 대한 양도소득세의 과세특례

(조특법 §98의 4) / 1129
15. 수도권 밖의 지역에 있는 미분양주택의 취득자에 대한 양도소득세의 과세특례(조특법 §98의 5) / 1130
16. 준공후 미분양주택의 취득자에 대한 양도소득세의 과세특례(조특법 §98의 6) / 1135
17. 미분양주택의 취득자에 대한 양도소득세의 과세특례(조특법 §98의 7) / 1139
18. 신축주택의 취득자에 대한 양도소득세의 감면(조특법 §99) / 1143
19. 신축주택의 취득을 위한 주택양도에 대한 양도소득세의 특례(조특법 §99의 2, 2005. 12. 31. 폐지) / 1150
20. 신축주택 등 취득자에 대한 양도소득세 과세특례(조특법 §99의 2, 2013. 5. 10. 신설) / 1150
21. 신축주택의 취득자에 대한 양도소득세의 과세특례(조특법 §99의 3) / 1157
22. 농어촌주택등 취득자에 대한 양도소득세 과세특례(조특법 §99의 4) / 1169
23. 중소기업 간의 통합에 대한 양도소득세의 이월과세(조특법 §31) / 1178
24. 법인전환에 대한 양도소득세의 이월과세(조특법 §32) / 1184
25. 영농조합법인에 현물출자시 양도소득세 면제 등(조특법 §66) / 1191
26. 영어조합법인에 현물출자시 양도소득세 면제(조특법 §67 ④) / 1193
27. 농업회사법인에 현물출자시 양도소득세 면제 등(조특법 §68) / 1194
28. 국가에 양도하는 산지에 대한 양도소득세의 감면(조특법 §85의 10) / 1196
29. 양도소득세 감면의 종합한도(조특법 §133) / 1196

참고문헌

저자약력

PART 1

조세의 기초 이론

제 1 장 조세의 기초 이론

제 2 장 부동산조세의 개요

제 3 장 과세요건 · 납세의무 · 조세용어

제 4 장 과세처분의 불복절차

Chapter 01

조세의 기초 이론

제 1 절 조세의 개념과 기능

1 조세의 정의

인류 역사를 볼 때 국가는 여러 형태의 조세와 같이 존재하였고 시대에 따라 조세의 목적과 내용은 변천되어 왔으며, 이는 앞으로도 계속될 것이다.

조세에 관한 정의는 실정법에는 없으나 재정학의 조세론에서 정의하고 있는 통설은 다음과 같다. "국가 또는 지방자치단체가 재정수요를 충족하기 위하여 법률이 정하는 바에 따라 직접적인 반대급부를 제공함이 없이 개인이나 법인에게 부과하는 경제적 부담"이라고 일반적으로 정의하고 있다.

가. 조세를 부과하는 주체(과세주체)

조세를 부과하는 주체는 국가 또는 지방자치단체이다. 국가가 주체인 경우에는 국세, 지방자치단체가 주체인 경우에는 지방세라고 한다.

나. 조세의 목적

국가 또는 지방자치단체의 재정수요 충족을 위한 국고적 목적과 비국고적 목적으로 나누어 볼 수 있다.

다. 조세법률주의(강제성)

조세법률주의란 국민의 재산권 보호를 위하여 조세의 부과·징수는 국회에서 제정하는 법률에 의하도록 하는 헌법상 원칙을 말한다. 헌법 제38조에서 "모든 국민은 법률이 정하는 바에 의하여 납세의 의무를 진다."고 규정하고 있으며, 제59조에서는 "조세의 종목과 세율은 법률로 정한다."고 규정하고 있다.

라. 조세의 비보상성

조세는 직접적인 반대급부를 제공하지 않는다. 따라서 특정한 행정서비스에 대한 대가로 지급되는 수수료나 사용료와는 다른 비보상성(非補償性)의 특성이 있다.

마. 조세의 부담자

조세의 부담자는 개인과 법인(주식회사 등)이다.

바. 조세의 부과 형태

조세는 원칙적으로 금전의 형태로 부과된다. 그러나 상속세, 재산세 등의 경우는 예외적으로 물납이 허용되고 있다.

2 | 조세의 목적과 기능

가. 조세의 목적

1) 국고적 목적(재정수입 목적) ➡ 재원 조달 기능

조세의 기본적 목적은 재원 조달을 통하여 국고적 기능을 달성하는 데 있다.

2) 비국고적 목적(부차적 목적, 조세의 작용 목적)

① 사회정책적 목적 ➡ 소득 재분배 기능
주로 조세의 소득 재분배 기능(누진세율)에 의하여 목적을 실현한다.
② 경제정책적 목적 ➡ 자원 배분 기능

자원 배분 기능을 통하여 조세가 특정 산업의 보호 육성, 자본의 축적 또는 민간소비의 억제와 같은 경제정책 목적에 이용된다.

③ 경기대책적 목적 ➡ 경기 조절 기능(경제 안정 기능)

경기대책의 수단으로 경기의 과열기에는 증세·정부지출을 삭감하고, 경기의 후퇴기에는 감세·정부지출의 증대 등을 도모한다.

④ 기타의 목적

㉠ 인구정책적 목적 : 인구수의 다과(多寡)에 따라 소득세의 부양가족공제액 등을 증감시킨다.

㉡ 토지 등 부동산 정책적 목적 : 주택과 토지 등 부동산 이용의 효율화, 주거 및 지가의 안정을 위하여 주택과 토지세제가 이용될 경우 주택과 토지의 수요 억제·공급촉진·개발이익의 환수에 영향을 미친다. 최근 우리나라의 부동산 관련 정책 중 조세정책 비중이 높아 그 중요성이 아주 크다고 할 수 있다. 따라서 부동산조세의 연구가 활발히 이루어져야 할 것이다.

㉢ 문화정책적 목적 : 교육·문화·예술 부문 등에 기부한 금액에 대하여 면세혜택을 줄 경우 문화정책이 촉진되기도 한다.

나. 조세의 기능

① 자원 배분의 기능 : 시장기능의 결함으로 자원의 효율적 배분이 이루어지지 않을 경우 조세는 자원 배분을 촉진하는 기능을 한다.

② 소득의 재분배 기능 : 누진세율의 적용 등으로 소득이나 부를 재분배한다.

③ 경기 조절 기능 : 조세는 납세자의 가처분 소득을 감소시키기 때문에 소비나 저축을 줄이거나 과세하기 전과 같은 소득을 얻기 위하여 근로를 증가시키며(소득효과), 근로의욕, 저축의욕 또는 투자의욕을 자극하거나 저해하는 작용을 한다(대체효과).

주식시장 등 금융시장의 자금과 부동산 시장의 자금 이동은 투자자의 의사에 따른 대체효과에 의한 것이라 할 수 있다.

다. 조세의 원칙

① 의 의

조세는 국가 · 지방자치단체가 강제 · 비보상적으로 징수하므로 국민의 재산권을 침해할 수 있고, 자원의 낭비와 비효율적 배분을 초래할 수 있다. 그러므로 조세부담은 일정기준과 방법에 따라야 한다. 즉 조세의 원칙이란 이상적 조세의 기준을 말하는 것으로서, 역사적 · 정치적 · 사회적 · 경제적 배경에 따라 많은 학자들 간에 논의되어 왔다. 결국, 현대에 있어 주요한 조세의 원칙은 공평과 효율이라 하겠다.

② 조세의 원칙

18세기 말 아담스미스(A.Smith)의 4원칙과 19세기 후반 아돌프와그너(A.H.G.Wagner)의 9원칙에 이어 1984년 리처드 머스그레이브(R.A.Musgrave)는 현대의 혼합경제체제 하에서의 이상적인 조세체계의 6개 원칙을 다음과 같이 제시하고 있다.

〈리처드 머스그레이브(R.A.Musgrave)의 6원칙〉

㉠ 조세부담의 공평성

㉡ 조세의 중립성

㉢ 조세정책의 공평성

㉣ 조세구조의 재정정책이용 촉진성

- 조세구조는 안정과 성장목적을 위한 재정정책의 이용을 촉진해야 한다.

㉤ 세무행정의 공정성

㉥ 최소징세비의 원칙

제2절 우리나라의 조세체계

우리나라의 조세는 과세주체에 따라 국세와 지방세로 구분되고, 세수의 사용 용도에 따라 보통세와 목적세로 구분되며, 다른 조세에 부가하여 부과되는 지 여부에 따라 독립세와 부가세(Sur tax)로 구분된다. 통상 국세는 내국세・관세・특별목적세로 분류되고, 지방세는 도세(특별시세・광역시세)와 시・군세(구세)로 분류된다. 그리고 준조세성격의 각종 부담금 등도 부과되고 있는 실정이다.

1 조세의 분류

가. 과세주체에 따른 구분

국세 : 국가가 부과하는 조세(내국세와 관세로 분류)
지방세 : 지방자치단체가 부과하는 조세(도세와 시・군세로 분류)

나. 세수의 사용 용도에 따른 구분

보통세 : 세수의 사용 용도를 특정하지 않고 일반경비에 충당
목적세 : 세수의 용도를 특정하여 그 특정경비에만 충당

다. 다른 조세에 부가되어 부과되는 지 여부에 따른 구분

독립세 : 부가세(Sur tax) 외의 조세
부가세(Sur tax) : 다른 조세에 부가되는 조세(교육세, 농어촌특별세 등)

참고 개별세법과 일반세법

- 개별세법 : 국세의 경우 세목(조세의 종류)을 별개의 법률로 규정하고 있는데 이처럼 각 세목의 종목과 세율을 정한 세법을 "개별세법"이라고 함.
- 일반세법 : 각 세목의 공통되는 사항을 규정한 별도의 세법을 "일반세법"이라고 하며, 국세 중 국세기본법, 국세징수법, 조세범처벌법, 조세범처벌절차법, 조세특례제한법, 국제조세조정에 관한 법률 및 지방세기본법, 지방세징수법, 지방세특례제한법을 말함.

2 | 우리나라의 현행 조세 종류

| 우리나라의 현행 조세 종류 |

- 조세
  - 국세
    - 보통세
      - 내국세 : 소득세, 법인세, 상속세, 증여세, 종합부동산세, 부가가치세, 개별소비세, 주세, 인지세, 증권거래세
      - 관세
    - 목적세 : 교육세, 교통·에너지·환경세, 농어촌특별세
  - 지방세
    - 특별시세 광역시세
      - 보통세 : 취득세, 레저세, 담배소비세, 지방소비세, 주민세, 지방소득세, 자동차세
      - 목적세 : 지역자원시설세, 지방교육세
    - 자치구세
      - 보통세 : 등록면허세, 재산세, 주민세*(재산분, 종업원분)
        * 광역시만 해당
    - 도세
      - 보통세 : 취득세, 등록면허세, 레저세, 지방소비세
      - 목적세 : 지역자원시설세, 지방교육세
    - 시·군세
      - 보통세 : 담배소비세, 주민세, 지방소득세, 재산세, 자동차세
  - 준조세* : 부담금, 유사부담금, 사회보험료(기업부담분), 수수료·사용료 등
    * 기업입장에서 본 조세 이외의 모든 비자발적 부담을 통칭하는 개념

Chapter

02

부동산조세의 개요

1 부동산조세의 의의

부동산조세론은 재정학의 영역으로써, 부동산 활동과 관련한 조세제도와 그 기능 및 효과 등을 다루는 분야이다.

부동산조세란 부동산에 대한 과세의 목적·대상·시기·방법 등에 따라 부동산과 직·간접적으로 관련되어 있는 여러 종류의 조세를 말한다. 우리나라의 경우 부동산조세라는 단일 세법은 존재하지 않으며, 개별 세법에 부동산 관련 규정이 산재해 있다.

이 때 부동산 세법이란 부동산조세에 관련된 세법으로 부동산과 관련된 과세주체와 부동산 경제활동 주체 간의 조세법률 관계를 규율하는 것이라 할 것이다.

부동산 경제활동이 복잡하고 다양해지면서 부동산조세도 목적과 범위가 확대되고, 부동산 세법 또한 복잡하고 다양하게 규정되고 있으며, 특히, 우리나라의 경우 국가 및 국민경제에서 부동산의 비중이 크고, 부동산정책 또한 국가 및 국민생활에 큰 영향을 주고 있는 실정으로 부동산조세의 연구와 관련제도의 정비가 더 한층 필요하다고 할 것이다.

가. 부동산의 범위

부동산의 개념과 범위에 대하여는 현재 과세목적에 따라 각각의 부동산세제별로 달리 규정하고 있으나, 모두 민법상 부동산의 정의를 그 기본으로 하고 있다. 이 장에서는 민법상 부동산과 의제부동산의 개념과 범위에 관하여 살펴보고 구체적인 개별세법에서의 내용은 각각의 세제에서 깊이 있게 검토해 보는 것으로 하겠다.

1) 협의의 부동산

「민법」 제99조 제1항에서 '토지 및 그 정착물은 부동산이다'라고 규정하고 있으며, 동조 제2항에서 '부동산 이외의 물건은 동산이다'라고 하여 부동산과 구별하고 있다. 결국 우리 민법 규정은 토지와 토지의 정착물을 별개의 부동산으로 취급하고 있음을 알 수 있다.

① 토 지

「민법」 제212조에서 '토지의 소유권은 정당한 이익이 있는 범위 내에서 토지의 상하에 미친다'라고 규정하고 있다. 따라서 토지소유권의 범위에는 실질적인 제한이 있음을 보여주고 있다. 토지의 소유권은 「광업법」에 의한 광물의 조광권이나 「항공법」에 의한 항공로에 대하여는 영향을 미치지 않는 것으로 규정하고 있다. 최근 지하공간의 증대와 건축물의 초고층화로 인하여 그 범위와 관련한 분쟁이 늘어나고 있으며, 법원판결에 의존하는 경향이 심해지고 있다.

한편, 토지를 소유권의 대상으로 볼 때 토지의 범위를 정할 필요가 있는데, 이를 1필의 토지라고 하며, 등기용지의 표시범위이고 또한 거래의 단위가 된다.

② 토지의 정착물

토지의 정착물로서의 부동산은 건물 혹은 담장, 콘크리트포장처럼 토지에 부가가치를 더한 영구적인 토지의 개량물을 말한다. 법률과 관습에 의하여 부동산의 매매시에는 토지와 건물을 함께 양도하는 것이 보통이다. 그런데 건물 이외의 공작물, 예컨대 교량 · 제방 · 터널 등은 토지의 일부를 이루고 있으므로 독립된 부동산으로 취급되지 않는다.

그러나 토지에 부착된 수목의 집단인 입목은 「입목에 관한 법률」에 의하여 소유권보존의 등기가 되어 있으면 독립된 부동산으로 보고 있다. 등기가 없는 수목이라 할지라도 명인방법(明認方法)이라고 하는 특수한 공시방법을 마련하면 토지와 분리하여 독립된 거래의 객체가 될 수 있다. 토지에 생존하고 있는 농작물도 마찬가지다.

2) 의제부동산(준부동산)

① 의 의

의제부동산(준부동산)은 학문적 관점에서 분류하고 있는 것으로 특정 동산이나 동산과 일체를 이루고 있는 부동산집단의 물권변동을 등기나 등록의 수단으로 공시하고 저당권을 설정할 수 있도록 하는 등 법률상 부동산에 준하는 취급을 해 주는데서 기인하고 있다.

② 종 류

「공장 및 광업재단 저당법」에 의하여 저당권의 목적물이 되고 있는 공장재단 및 광업재단과 등록의 수난이 인정되고 일반적으로 부동산에 관한 「민법」 기타 법령의 규정을 준용하고 있는 「광업법」에 의한 광업권 및 「수산업법」에 의한 어업권, 동산이면서 공적장부에 공시방법이 인정되고 있는 20톤 이상의 선박 · 자동차 · 항공기, 「건설기계관리법」에 의하여 등록된 건설기계 그리고 「입목에 관한 법률」에 의하여 소유권보존등기가 된 입목(立木)이 이에 해당된다.

나. 부동산조세의 기능

부동산조세는 이미 역사적으로 볼 때 재정수입의 중요한 위치를 점하고 있었다. 그러나 과거의 부동산조세와는 다르게 요즘의 부동산조세는 특히 사회정책적 목적을 위한 수단으로 많이 활용되고 있다.

경제활동이 복잡 · 다양해지면서 부동산조세는 중과 혹은 세부담 경감이 반복되고, 또한 경기대책적 수단으로도 이용되고 있어 경제 활동의 예측 가능성과 법적 안정성 측면에서 많은 시련이 있는 것 또한 사실이다.

이렇듯 여러 가지 목적을 수행하고 있는 부동산조세의 기능을 나열해 보면 다음과 같다.

① 재원조달의 기능

② 자원배분의 기능

③ 소득의 재분배 기능

④ 경제안정 기능

⑤ 불로소득 회수 기능

⑥ 특정지역의 부동산 가수요 억제 기능

⑦ 주택건설 및 토지개발촉진 기능

⑧ 부동산 경기조절 기능

다. 우리나라 부동산조세 변천사

1) 삼국시대 부동산조세

삼국시대에는 정치공동체를 형성하기 위해 일정한 공납제가 필요했으며 「租 · 庸 · 調」라는 조세제도가 시작되었다. 특히 이 시기는 토지제도가 문란한 시기로 볼 수 있다.

① 조(組)

토지를 대상으로 하는 곡물을 부과(오늘의 토지관련세)

② 용(庸)

노동력에 대한 부과(오늘의 근로소득세)

③ 조(調)

호주를 중심으로 부과하는 조세(오늘의 주민세 등)

2) 고려시대 부동산조세

토지제도의 문란이 통일신라의 붕괴원인이기도 하다. 이에 따라 공평한 과세를 위하여 「토지의 품등(品等)」을 정했다.

① 상품전(上品田)

매년 경작하는 전지

② 중품전(中品田)

1년 휴경지

③ 하품전(下品田)

2년 휴경지

3) 조선시대의 부동산조세

① 전국의 토지(田分)를 비옥도(肥沃度)에 따라 6등급으로 분류했다.

② 근대적 조세제도로 발전한 시기는 20세기 초반이었다.

㉠ 가옥세 신설(1909년) : 지방재정을 확보하기 위해 가옥세 징수

㉡ 한일합방(1910년)으로 토지조사 완료. 세제의 기초 마련

㉢ 세제조사위원회(1929년) 세제개혁 실시 : 수익세(개인소득세) 설정, 영업세, 자본이자세, 상속세, 골패세, 청량음료세, 인지세, 등록세 등이 신설

㉣ 그 후 일본의 군비확충을 위하여 다양한 세목이 확대되고 세율 인상이 있었다.

㉤ 일반소득세(1936년) 창설

4) 광복 후의 부동산조세

① 1945년 미군정 실시

과거의 세제가 그대로 시행

② 1948년 대한민국 정부수립(세제개혁위원회 설치)

㉠ 위원회의 방침은 소득세 부담을 완화하고, 부동산 과세를 지양하고 동산 및 음성소득에 중과세하고, 저소득자의 세부담을 경감하고 고소득자에 중과세

㉡ 1949년에 소득세와 특별소비세를 분리하고 법인세를 독립 그리고 면허세, 유흥음식세, 마권세, 통행세, 입장세, 전기가스세 신설

③ 1950년 6.25로 세제를 전시체제로 개선(조세증수조치)
법인세, 영업세, 물품세, 유흥음식세, 입장세 등을 개정

④ 1959년 경제개발을 위한 재정정책의 일환으로 세제개혁

㉠ 정기예금 이자에 대한 비과세

㉡ 법인세를 차등화(일반법인은 세율 인하, 무신고법인은 중과)

㉢ 영업세의 소액부징수제 신설

㉣ 물품세를 조정(국내 산업을 보호하기 위해)

⑤ 1961년(민주당 집권) 세제개혁에서 토지수득세를 물납제에서 금납제로 변경하였고, 5.16혁명 후 조세에 대한 특별조치법에서는 저축과 투자를 촉진할 수 있는 세제의 확립을 기본으로 하였다.

⑥ 1967년 부동산투기억제세 신설

⑦ 1975년 부동산 양도소득세 신설(부동산투기억제세 폐지 흡수) 및 법인세특별부가세 신설

⑧ 1977년 부가가치세 신설

⑨ 1986년 토지과다보유세 신설

⑩ 1989년 종합토지세 신설(토지과다보유세 통폐합) 및 토지공개념3법 신설(토지초과이득세, 택지초과소유부담금, 개발부담금제)

⑪ 1994년 토지초과이득세 헌법불합치 판정(1998년 폐지), 농어촌특별세 신설

⑫ 1999년 택지초과소유부담금제 위헌결정 폐지

⑬ 2002년 법인세특별부가세 폐지

⑭ 2005년 종합부동산세 신설 및 종합토지세를 재산세로 통합

⑮ 2011년 취득세 및 취득 관련 등록세를 취득세로 통합
취득과 무관한 등록세와 면허세를 등록면허세로 통합
공동시설세 및 지역개발세를 지역자원시설세로 통합

2 | 부동산조세의 체계

현행 우리 세법 중 부동산조세의 체계를 종합 · 정리하면 다음과 같다.
이해를 돕기위해 부동산의 취득 · 보유 · 처분활동의 순서로 보기로 한다.

| 부동산조세의 체계 |

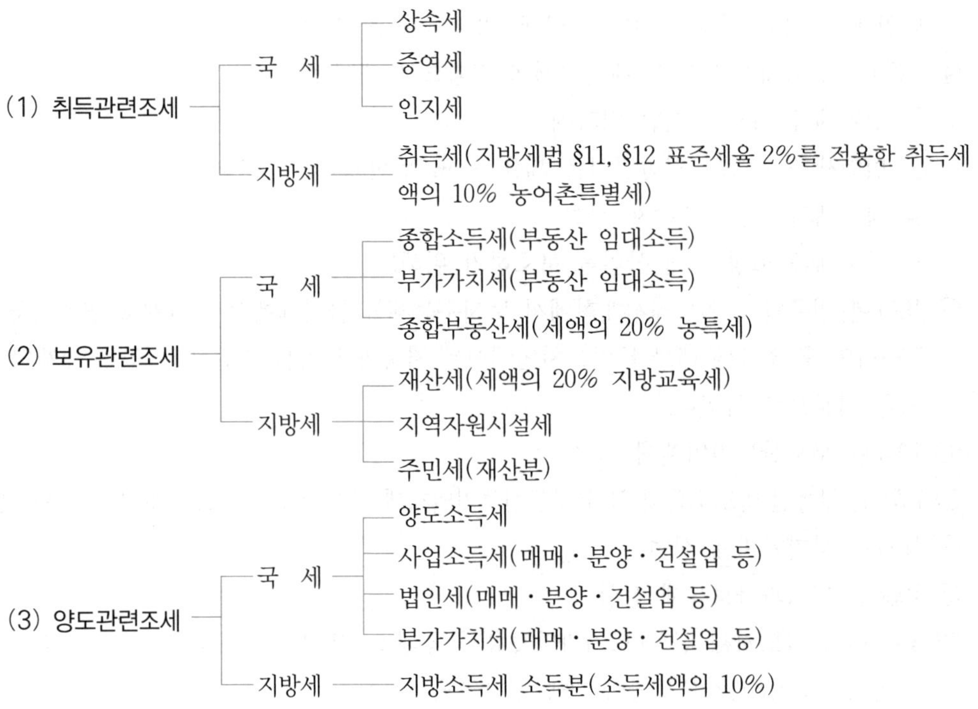

| 부동산조세의 개요(2020년) |

구 분		세 목	세 율	중요 내용
취득단계 6종	국세	상속세	10~50%	사망 · 실종 → 상속인에게 과세
		증여세	10~50%	무상기부 · 증여 → 수증자에게 과세
		인지세	개별	부동산 매매계약서, 도급계약서 등
	지방세	취득세 (농특세)	1.0~4.0% (취득세율을 2%로 적용한 취득세의 10%)	승계취득 : 매매, 교환, 출자, 상속, 증여 원시취득 : 간척, 신축, 증축, 재건축, 재개발 간주취득 : 지목변경, 개수(자본적 지출), 과점주주, 리모델링
		(지방교육세)	취득세액*의 20%	용지구입시, 건물신축 관련 등기시 과세 * 취득세율에서 1천분의 20을 뺀 세율을 적용 산출한 취득세액을 과표로 함.
보유단계 7종	국세	소득세	6~42%	토지, 주택, 건물 등 개인의 임대수입에 대한 과세(개인)
		법인세	10~25%	토지, 주택, 건물 등 법인의 임대수입에 대한 과세(법인)
		부가가치세	10%	토지 · 건물임대 개인, 법인사업자에 과세. 단, 주택의 임대는 면세
		종합부동산세	0.5~3.2% (농특세 세액의 20%)	과세기준일 현재 주택분, 토지분 재산세 납세의무자로서 과세기준금액을 초과하는 자에게 과세
	지방세	재산세	개별	과세기준일 현재 토지, 건축물, 주택, 선박 및 항공기를 사실상 소유하고 있는 자에게 과세
		지역자원시설세	0.04~0.12%	특정자원 및 시설 등에 대해 과세
		주민세 (재산분)	㎡당 250원	주민세(균등분)의 경우 개인 4,800원, 사업소개인 50,000원, 사업소 법인 50,000~500,000(자본금과 종업원수 감안)
양도분양단계 6종	국세	(양도)소득세	6~70%	토지, 건물, 권리 등 양도차익에 과세(비사업자)
		(사업)소득세	6~42%	토지, 건물, 주택의 분양, 매매소득(사업자)
		토지 등 양도소득에 대한 추가 법인세	10%	토지 등(지정지역 주택, 비사업용토지 등 특정 부동산) 양도소득에 대해 일반 법인세 외에 추가 법인세 부담, 미등기 양도 40% 세율 적용
		법인세	10~25%	법인의 사업소득세
		부가가치세	10%	건물, 국민주택초과분 분양판매 → 과세 토지의 분양 · 판매와 국민주택건설과 분양 → 면세
	지방세	지방소득세	10%	소득세, 법인세액의 각각 10% 부과, 종업원분의 경우 종업원에게 지급한 해당 월급여 총액의 0.5%

3 부동산조세의 과세표준 요약

| 주택 등 부동산 세목별 과세표준 요약(2020년) |

<table>
<tr><th colspan="2">구 분</th><th>토 지</th><th>주택제외 일반건축물</th><th>주 택</th></tr>
<tr><td rowspan="3">지방세</td><td rowspan="2">취득세</td><td>시가표준액(공시가격)과 신고가액 중 큰 것</td><td>시가표준액과 신고가액 중 큰 것
〈건축물시가표준액〉
건물신축가격기준액(m²당 730,000원)에 기준 구조·용도·위치 지수 등을 곱하여 산정</td><td>시가표준액(공시가격)과 신고가액 중 큰 것</td></tr>
<tr><td colspan="3">※ 예외 : 국가 등으로부터의 취득, 법인장부 등 취득가격이 증명되는 취득, 부동산 거래신고 등에 관한 법률에 따라 검증된 취득은 사실상의 취득가액</td></tr>
<tr><td>재산세</td><td>시가표준액(공시가격)×
공정시장가액비율(70%)
※ 시가 적용 없음</td><td>지방세 시가표준액 ×
공정시장가액비율(70%)
※ 시가 적용 없음</td><td>시가표준액(공시가격) ×
공정시장가액비율(60%)
※ 시가 적용 없음</td></tr>
<tr><td rowspan="5">국세</td><td>종합
부동산세</td><td>• 종합합산 :
(세대별 나대지 등에 대한 공시가격합계액−5억원)×90%
• 별도합산 : (세대별 상가·사무실 부속토지 등에 대한 공시가격합계액 −80억원)×90%</td><td>• 비주거용 일반건축물은 종합부동산세 과세안됨</td><td>• 주택의 경우 부수토지가액 포함
• 주택분 종부세 과세표준 = (세대별 공시가격 합계액−6억원*)×90%

* 1세대 1주택은 9억원</td></tr>
<tr><td>양도
소득세</td><td>• 실지거래가격 원칙
• 양도가액−필요경비−장기보유·양도소득기본공제
※ 예외 : 실가 확인·인정 불능시 매매사례가액·감정가액. 실가 등 모두 확인되지 않는 경우는 기준시가
※ 기준시가 : 공시가격</td><td>• 실지거래가격 원칙
• 양도가액−필요경비−장기보유·양도소득기본공제
※ 예외 : 실가 확인·인정 불능시 매매사례가액·감정가액. 실가 등 모두 확인되지 않는 경우는 기준시가
※ 기준시가 : 국세청기준시가, 다만, 일정 오피스텔 및 상업용 건물의 경우는 국세청장 고시가액</td><td>• 실지거래가격 원칙
• 양도가액−필요경비−장기보유·양도소득기본공제
※ 예외 : 실가 확인·인정 불능시 매매사례가액·감정가액. 실가 등 모두 확인되지 않는 경우는 기준시가
※ 기준시가 : 공시가격</td></tr>
<tr><td>상속세
증여세</td><td>시가 원칙
예외 : 공시가격</td><td>시가 원칙
예외 : 기준시가</td><td>시가 원칙
예외 : 공시가격</td></tr>
<tr><td>(사업)소득세
법인세</td><td colspan="3">실지거래가액(분양가) 원칙</td></tr>
<tr><td>부가
가치세</td><td colspan="3">실지거래가액(분양가) 원칙</td></tr>
</table>

4 | 부동산조세의 세율표

| 주택 등 부동산조세의 세목별 세율표(2020년) |

가. 양도소득세(부동산) 세율

구 분	과세표준금액	세 율	누진공제액
▪ 기본세율(2년 이상 보유시)	1,200만원 이하	6%	0
	4,600만원 이하	15%	108만원
	8,800만원 이하	24%	522만원
	1.5억원 이하	35%	1,490만원
	3억원 이하	38%	1,940만원
	5억원 이하	40%	2,540만원
	5억원 초과	42%	3,540만원
▪ 비사업용토지(기타자산에 해당하는 부동산과다보유 법인 주식 중 비사업용토지 과다보유 법인 주식 포함)*	1,200만원 이하	16%	0
	4,600만원 이하	25%	108만원
	8,800만원 이하	34%	522만원
	1.5억원 이하	45%	1,490만원
	3억원 이하	48%	1,940만원
	5억원 이하	50%	2,540만원
	5억원 초과	52%	3,540만원
▪ 단기양도자산	1년 이상 2년 미만	40%	
	1년 미만	50%	
▪ 미등기양도자산		70%	

* 2009. 3. 16. ~ 2012. 12. 31.까지 취득한 자산을 양도하는 경우에는 기본세율 적용
소득세법 제104조의 2 제2항에 따른 지정지역의 경우 100분의 10을 더한 세율 적용

나. 다주택자 양도소득세 중과세율(입주권 포함, 2018. 4. 1. 이후 양도분)

<table>
<tr><th colspan="2">구 분</th><th>보유기간</th><th>세 율</th><th>비고</th></tr>
<tr><td rowspan="4">2주택</td><td rowspan="2">조정대상지역</td><td rowspan="2">1년 미만</td><td>① 40%</td><td rowspan="2">①, ② 중
산출세액이 큰 것</td></tr>
<tr><td>② 기본세율 + 10%</td></tr>
<tr><td rowspan="2">일반지역</td><td>1년 미만</td><td>40%</td><td></td></tr>
<tr><td>2년 미만</td><td>기본세율</td><td></td></tr>
<tr><td rowspan="7">3주택 이상</td><td rowspan="2">조정대상지역</td><td rowspan="2">1년 미만</td><td>① 40%</td><td rowspan="2">①, ② 중
산출세액이 큰 것</td></tr>
<tr><td>② 기본세율 + 20%</td></tr>
<tr><td rowspan="2">일반지역</td><td>1년 미만</td><td>40%</td><td></td></tr>
<tr><td>2년 미만</td><td>기본세율</td><td></td></tr>
<tr><td rowspan="3">지정지역
('17. 8. 3.~'18. 3. 31.)</td><td rowspan="2">1년 미만</td><td>① 40%</td><td rowspan="2">①, ② 중
산출세액이 큰 것</td></tr>
<tr><td>② 기본세율 + 10%</td></tr>
<tr><td>2년 미만</td><td>기본세율 + 10%</td><td></td></tr>
</table>

다. 상속세·증여세 세율

과세표준금액	세 율	누진공제액
1억원 이하	10%	0
5억원 이하	20%	1천만원
10억원 이하	30%	6천만원
30억원 이하	40%	1억 6천만원
30억원 초과	50%	4억 6천만원

라. 종합부동산세 세율

<table>
<tr><th colspan="2">구 분</th><th>과세표준금액</th><th>세 율</th><th>누진공제액</th></tr>
<tr><td rowspan="6">주 택</td><td rowspan="6">일반</td><td>3억원 이하</td><td>0.5%</td><td></td></tr>
<tr><td>3억원 초과 6억원 이하</td><td>0.7%</td><td>60만원</td></tr>
<tr><td>6억원 초과 12억원 이하</td><td>1%</td><td>240만원</td></tr>
<tr><td>12억원 초과 50억원 이하</td><td>1.4%</td><td>720만원</td></tr>
<tr><td>50억원 초과 94억원 이하</td><td>2.0%</td><td>3,720만원</td></tr>
<tr><td>94억원 초과</td><td>2.7%</td><td>10,300만원</td></tr>
</table>

구 분		과세표준금액	세 율	누진공제액
주 택	3주택 등	3억원 이하	0.6%	
		3억원 초과 6억원 이하	0.9%	90만원
		6억원 초과 12억원 이하	1.3%	330만원
		12억원 초과 50억원 이하	1.8%	930만원
		50억원 초과 94억원 이하	2.5%	4,430만원
		94억원 초과	3.2%	11,010만원
토 지	종합합산	15억원 이하	1%	0
		15억원 초과 45억원 이하	2%	1,500만원
		45억원 초과	3%	6,000만원
	별도합산	200억원 이하	0.5%	0
		200억원 초과 400억원 이하	0.6%	2,000만원
		400억원 초과	0.7%	6,000만원

마. 재산세 세율

구 분		과세표준금액	세 율	누진공제액
주 택*		6천만원 이하	0.1%	
		6천만원 초과 1억5천만원 이하	0.15%	3만원
		1억5천만원 초과 3억원 이하	0.25%	18만원
		3억원 초과	0.4%	63만원
토 지	종합합산	5천만원 이하	0.2%	
		1억원 이하	0.3%	5만원
		1억원 초과	0.5%	25만원
	별도합산	2억원 이하	0.2%	
		10억원 이하	0.3%	20만원
		10억원 초과	0.4%	120만원
건축물		중과대상 골프장·고급오락장용 건축물	4%	
		지정 주거지역·지정공장용 건축물	0.5%	
		일반 건축물	0.25%	

* 고급별장은 4%

바. 취득세(부동산)의 표준세율

구 분		세율(%)
① 상속	농지	2.3
	농지외	2.8
② 무상취득(상속외)	일반	3.5
	비영리사업자	2.8
③ 원시취득		2.8
④ 공유물 분할 및 부동산의 공유권 해소 지분이전		2.3
⑤ 합유 및 총유물 분할		2.3
⑥ 유상거래 주택	6억원 이하	1.0
	6억원 초과 9억원 이하	1.0 ~ 3.0
	9억원 초과	3.0
⑦ 기타	농지	3.0
	농지외	4.0
⑧ 중과기준세율		2.0

사. 등록분 등록면허세(부동산)의 세율

<table>
<tr><th colspan="2">등기·등록 구분</th><th>과세표준</th><th>세 율</th></tr>
<tr><td colspan="2">소유권 보존</td><td rowspan="4">부동산 가액</td><td>0.8%</td></tr>
<tr><td rowspan="2">소유권의 이전</td><td>유상이전</td><td>2%</td></tr>
<tr><td>무상이전
(상속)</td><td>1.5%
(0.8%)</td></tr>
<tr><td rowspan="5">소유권 외의 물권과
임차권의 설정 및 이전</td><td>지상권</td><td rowspan="9">0.2%</td></tr>
<tr><td>저당권</td><td>채권금액</td></tr>
<tr><td>지역권</td><td>요역지 가액</td></tr>
<tr><td>전세권</td><td>전세금액</td></tr>
<tr><td>임차권</td><td>월임대차 금액</td></tr>
<tr><td colspan="2">경매신청</td><td rowspan="3">채권금액</td></tr>
<tr><td colspan="2">가압류</td></tr>
<tr><td colspan="2">가처분</td></tr>
<tr><td colspan="2">가등기</td><td>부동산 가액</td></tr>
<tr><td colspan="2">기타 등기</td><td>건당</td><td>6천원</td></tr>
</table>

아. 기타 부동산 관련 세율

세 목	과세표준	세 율
법인세	2억원 이하	10%
	2억원 초과 200억원 이하	20%
	200억원 초과 3,000억원 이하	22%
	3,000억원 초과	25%
토지 등 양도소득에 대한 법인세	주택(부수토지 포함), 비사업용토지 추가 과세	10%(미등기 40%)
부가가치세	부가가치세 과세분 과세표준	10%
주민세	재산분 사업장 면적기준	㎡당 250원

Chapter

03

과세요건 · 납세의무 · 조세용어

1 과세요건

가. 과세요건의 의의

세법상 조세채권 · 채무 성립의 요건을 과세요건(課稅要件)이라 한다. 즉 과세요건은 조세를 부과함에 있어 필요한 법적 요건을 의미한다. 모든 조세의 경우 과세요건이 충족되면 납세의무가 성립하며, 부동산조세도 이와 같다. 납세의무가 성립되면 조세가 부과되고, 그 부과된 조세에는 징수가 뒤따르게 된다.

조세채권이 성립하기 위하여는 과세권자와 납세의무자가 있어야 하고, 과세의 물적 기초가 되는 과세대상이 있어야 한다. 이러한 과세대상이 어떤 사람과 어느 곳에서 언제 결합되는가 하는 귀속문제가 결정되면 과세대상을 계량화한 과세표준(課稅標準)을 정하고 이것에 세율을 적용하여 납부할 세액을 산출한다.

따라서 이러한 과세권자 · 납세의무자 · 과세대상 · 과세물건의 귀속 · 과세표준 및 세율을 통칭하여 과세요건이라 하며, 과세요건이 충족됨으로써 별도의 신고행위나 행정처분이 없어도 납세의무가 성립되는 것을 추상적(抽象的) 납세의무라 하고, 이러한 추상적 납세의무는 납세의무자의 신고행위나 과세권자의 과세처분 등의 절차를 거침으로써 구체적(具體的) 납세의무가 되는 것이다.

나. 과세요건의 분류

1) 당사자(누가?)

① 과세권자(과세주체) : 누가 과세권자가 되느냐 하는 요건으로 국가가 과세권자가 되면 국세가 되고, 지방자치단체가 과세권자가 되면 지방세가 된다.

② 납세의무자 : 누가 어떤 조세의 납세의무를 부담하느냐 하는 요건을 말한다. 즉, 세법에 의하여 조세를 납부할 의무가 있는 자를 말한다.

2) 과세물건(과세객체)(무엇에?)

조세를 부과하는 과세대상 물건이 무엇인가 하는 요건을 말한다. 즉, 조세의 과세대상이 되는 목적물 또는 과세물건을 말한다. 개별세법에서 정하는 과세물건은 소득, 수익, 재산, 행위 또는 거래 등으로 나눌 수 있다.

3) 과세물건의 귀속(歸屬)

납세의무자와 과세물건이 구체적으로 결합되는 요건을 말한다.

① 귀속주체의 문제(누가?) : 과세물건이 결합되는 납세의무자를 명의자로 할 것인가 또는 실질귀속자에게 할 것인가 하는 문제

② 귀속장소의 문제(어디서?) : 과세물건이 납세자와 결합되는 장소를 어느 곳으로 하여 관할세무서 등을 결정할 것인가 하는 문제

③ 귀속시기의 문제(언제?) : 과세물건이 납세의무자와 결합되는 시기를 언제로 하여 과세연도 등을 결정할 것인가 하는 문제

4) 과세표준(課稅標準)(어느 금액?)

납세의무자와 과세물건이 구체적으로 결합되었을 경우 그 귀속된 과세물건의 금액이나 수량을 얼마로 할 것인가 하는 요건을 말한다. 과세표준이란 세법에 의하여 직접적으로 세액산출의 기초가 되는 과세물건의 수량 또는 금액을 말한다.

5) 세율(稅率)(어떻게?)

세액을 결정하기 위하여 과세표준에 곱할 비율을 말한다. 이를 산식으로 표시하면 다음과 같다.

과세표준 × 세율 = 산출세액

세율에는 과세표준에 관계없이 항상 일정하게 적용되는 비례세율(比例稅率)과 과세표준에 따라 달리 적용되는 누진세율(累進稅率)이 있으며, 여기서 누진세율은 단순누진세율과 초과누진세율로 나뉜다.

2 납세의무의 성립과 확정

가. 납세의무의 성립

납세의무는 세법이 규정하고 있는 과세요건이 충족되는 때에 성립한다. 납세의무의 성립과 그 성립된 납세의무를 이행하는 것은 다르므로 납세의무의 성립을 추상적 조세채무(抽象的 租稅債務)라고 한다. 일반적으로 납세의무의 성립을 추상적 납세의무, 납세의무의 확정을 구체적 납세의무라고 한다.

민법상 채권채무의 성립원인은 돈을 빌려준다든지, 용역을 제공한다든지, 납품을 하는 등 구체적이고 개별적인 사실행위에 근거한다. 그러나 조세의 채권채무관계는 구체적이고 개별적인 사실행위에 근거하는 것이 아니고 법률에서 규정하고 있는 어떤 행위・사실 또는 소득 등의 요건이 충족되면 일방적으로 납세의무가 성립된다. 납세의무가 성립되면 이의 이행을 위하여 세액이 결정되어야 하는데, 이를 납세의무의 확정이라 한다. 구체적인 납세의무의 성립시기는 다음과 같다.

1) 국 세[1)]

① 소득세・법인세・부가가치세는 과세기간이 종료하는 때
② 상속세는 상속이 개시되는 때
③ 증여세는 증여에 의하여 재산을 취득하는 때
④ 인지세는 과세문서를 작성한 때

2) 지방세[2)]

① 취득세는 과세물건을 취득하는 때
② 등록면허세 중 등록에 대한 등록면허세는 재산권 등 그 밖의 권리를 등기・등록하는 때
③ 재산세・지역자원시설세 중 특정부동산・종합부동산세는 과세기준일
④ 주민세 중 재산분은 과세기준일
⑤ 지방소득세 중 소득분은 그 과세표준이 되는 소득에 대해 소득세・법인세의 납세의무가 성립하는 때

1) 국세의 구체적인 납세의무 성립시기는 「국세기본법」 제21조 참조
2) 지방세의 구체적인 납세의무 성립시기는 「지방세기본법」 제34조 참조

나. 납세의무의 확정

납세의무의 확정이란 조세의 납부 또는 징수를 위하여 세법이 정하는 바에 따라 납부할 세액을 납세의무자 또는 세무관청의 일정한 행위나 절차를 거쳐서 구체적으로 확정하는 것을 말하며, 납세의무의 성립과 동시에 법률상 당연히 확정되는 것(예: 인지세), 납세의무 성립 후 특별한 절차가 요구되는 것으로서 납세자의 신고에 의하여 확정(신고납세제도)되는 것 그리고 정부의 결정에 의하여 확정(정부부과제도)되는 것이 있다. 우리 세법은 국세 중 상속세 · 증여세 및 종합부동산세(납세의무자가 신고하는 경우에는 신고에 의하여 확정) 및 지방세의 자동차세 등 일부를 제외하곤 대체로 신고납세제도를 채택하고 있다(국기령 §10의2, 지기법 §35).

3 조세용어의 정의

가. 세원과 지방자치단체

1) 세원(稅源)

조세가 사실상 지불되는 원천을 말하며, 구체적으로는 납세자의 소득 · 재산 · 자본이다.

2) 지방자치단체

특별시 · 광역시 · 도 · 시 · 군 · 구(특별시와 광역시의 구)를 말한다.

3) 지방자치단체의 장

특별시장 · 광역시장 · 도지사 · 시장 · 군수 · 구청장(특별시와 광역시의 구청장)을 말한다.

나. 과세주체 · 납세의무자 및 납세자

1) 과세주체(課稅主體)

조세를 부과할 수 있는 권리를 갖고 있는 주체(국가 · 지방자치단체)를 말한다.

2) 납세의무자

세법에 의하여 세금을 납부할 의무(세금을 징수하여 납부할 의무 제외)가 있는 자를 말한다.

3) 납세자(納稅者)

납세의무자(연대 납세의무자와 제2차 납세의무자 및 보증인 포함)와 세금을 징수하여 납부할 의무를 지는 자(국세의 원천징수의무자 및 지방세의 특별징수의무자)를 말한다.

① 연대 납세의무자 : 하나의 납세의무를 2인 이상이 연대하여 납부할 의무를 지는 것을 말한다.

② 제2차 납세의무자 : 납세자가 납세의무를 이행할 수 없는 경우에 납세자에 갈음하여 납세의무를 지는 자를 말한다.

③ 보증인(保證人) : 납세자의 국세 · 지방세 · 가산금 · 체납처분비의 납부를 보증한 자를 말한다.

다. 과세물건과 과세기간

1) 과세물건(과세객체)

세법이 세금을 부과하는 대상으로 규정하고 있는 과세객체를 말한다. 즉, 과세물건(課稅物件)이란 납세의무의 성립과 발생을 위하여 필요로 하는 물적 요소로서 과세의 목표 또는 원인이 되는 물건 · 소득 · 행위 · 사실을 말한다. 과세물건과 유사한 개념으로 실정법상 과세객체(지방세법), 과세대상(부가가치세법 · 개별소비세법) 등 혼용하고 있으나 이들은 모두 과세물건이라고 할 수 있다.

2) 과세기간과 기한

과세기간(課稅期間)이란 세법에 의하여 국세의 과세표준 계산에 기초가 되는 기간을 말한다. 즉, 개별 세법에서 과세표준을 산출하는 데 있어 일정한 기간을 단위로 하여 계산하는 경우 해당 단위가 되는 기간을 과세기간이라 한다. 소득세의 과세기간은 매년 1월 1일부터 12월 31일까지이다.

기한(期限)은 법률행위의 효력을 발생 또는 상실케 하는 하나의 시점으로서 시기(始期)와 종기(終期)가 있다. 세법상 중요한 것은 법정신고기한과 납부기한이 있다. 기한의 종기가 공휴일에 해당하는 때에는 그 공휴일의 다음날을 기한으로 한다.

라. 과세표준과 세율

1) 과세표준

세법에 의하여 직접적으로 세액산출의 기초가 되는 과세물건의 수량 또는 가액을 말한다. 과세표준(課稅標準)을 과세물건의 수량 · 면적 · 건수 등에 의하여 산출하는 조세를 종량세(從量稅), 가액(금액)에 의하여 산출하는 조세를 종가세(從價稅)라 한다.

과세표준 × 세율 = 산출세액(B × R = T)

2) 세 율

세액을 결정하기 위하여 과세표준에 곱할 비율을 말한다. 과세표준을 B, 세액을 T라고 할 때 세율 R은 다음과 같이 표시된다.

B × R = T, R = T/B

① **비례세율** : 부가가치세 · 취득세 · 등록면허세의 세율로서 과세표준의 증가(대소)에 관계없이 항상 일정하게 적용되는 세율을 말한다.

▶▶ 과세표준의 증가비율 = 세금의 증가비율

② **누진세율, 초과누진세율** : 소득세 · 법인세 · 상속세 · 증여세 · 종합부동산세, 재산세, 지역자원세의 세율로서 과세표준의 증가에 따라 그에 적용되는 세율이 순차적으로 높아지는 세율을 말한다.

▶▶ 과세표준의 증가비율 〈 세금의 증가비율

누진세율에는 과세표준금액을 여러 단계로 구분하고 각 단계의 과세표준 전체에 대하여 단순하게 고율의 세율을 적용하는 단순누진세율과 과세표준금액을 여러 단계로 구분하고 각 단계를 초과하는 초과분에 대하여 각기 다른 누진세율을 적용하며 그 합계를 세액으로 하는 초과누진세율이 있다. 즉 초과누진세율은 과세표준이 증가하는 경우 그 초과부분에 대하여만 누진세율이 적용된다.

③ **역진세율**(逆進稅率) : 누진세율의 반대로서 과세표준이 증가함에 따라 그에 적용되는 세율은 낮아지는 세율로 실정법에서 실행된 바 없다.

▶▶ 과세표준의 증가비율 〉 세금의 증가비율

④ **정액세율**(定額稅率) : 금액으로 표시되는 세율을 말한다. 정액세율에는 과세표준이 커짐에 따라 순차적으로 높은 금액의 세율을 적용하는 계급(階級)정액세율과 과세표준의 증가와 관계없이 일정한 금액의 세율이 적용되는 단순(單純)정액세율이 있다.

⑤ **표준세율**(標準稅率) : 지방세를 부과할 경우 통상 적용하여야 할 세율(통상세율)로서 재정상 기타 특별한 사유가 없을 경우에는 통상세율을 적용하고, 특별한 사유가 있다고 인정할 경우에는 이에 따르지 아니할 수 있는 세율을 말한다.

⑥ **제한세율**(制限稅率) : 최고세율을 정한 다음에 그 범위 내에서 과세주체의 의사에 따라 변경 가능한 세율을 말한다.

마. 세액의 일반적인 계산

① 과세표준 × 세율 = 산출세액
② 산출세액 - 공제감면세액 + 가산세 = 결정세액
③ 결정세액 - 기납부세액 = 납부세액

바. 가산세 및 체납처분비

1) 가산세

가산세(加算稅)란 세법에 규정하는 의무의 성실한 이행을 확보하기 위하여 그 세법에 의하여 산출한 세액에 가산하여 징수하는 금액을 말한다. 따라서 가산세는 세법상의 협력의무를 이행하지 않는 데 대한 제재로서 부과하는 벌과금의 성질을 갖고 있다. 가산세의 종류에는 무신고가산세, 과소신고 · 초과환급신고가산세, 납부지연가산세, 원천징수납부 불성실가산세 등이 있다.

2) 납부지연가산세

① 법정납부기한의 다음날부터 납부일까지의 기간(납세고지일부터 납세고지서에 따른 납부기한까지의 기간은 제외) × 0.25%
② 법정납부기한까지 납부하여야 할 세액 중 납세고지서에 따른 납부기한까지 납부하지 아니한 세액 또는 과소납부세액 × 3%

3) 체납처분비

체납처분비(滯納處分費)란 국세징수법 중 체납처분에 관한 규정에 의한 재산의 압류·보관·운반과 공매에 소요된 비용을 말한다.

사. 지방세의 징수방법

① **신고납부** : 납세의무자가 과세표준과 세액을 기한 내에 자진신고납부하는 것을 말한다.
② **보통징수** : 세무공무원이 납세고지서를 납세의무자에게 발급하여 지방세를 징수하는 것을 말한다.
③ **특별징수(국세의 원천징수의무자)** : 지방세를 징수할 때 편의상 징수할 여건이 좋은 자로 하여금 징수하게 하고 그 징수한 세금을 납부하게 하는 것을 말한다.

아. 과세최저한과 소액부징수

1) 과세최저한(면세점)

과세최저한(課稅最低限)은 과세되는 최저한의 금액 또는 가액을 의미하는 데 대하여 면세점(免稅點)은 과세되지 아니하는 최고한도의 금액 또는 가액(취득세는 취득가액이 50만원 이하이면 면세점)을 의미하기 때문에 전자는 과세되는 측면에서, 후자는 면세되는 측면에서 규정한 것이다.

2) 소액부징수(少額不徵收)

산출세액(과세표준 × 세율 = 산출세액)이 일정한 금액에 미달하는 경우에는 세금을 부과하지 않는데, 이를 소액부징수라 한다(재산세, 지역자원시설세 및 소득분 지방소득세의 세액이 2,000원 미만인 때는 소액부징수에 해당한다). 국세의 경우 고지할 국세(인지세 제외)·가산금 또는 체납처분비를 합친 금액이 1만원 미만일 때에는 그 금액은 없는 것으로 보도록 하고 있다.

자. 출자자의 제2차 납세의무

1) 제2차 납세의무(국기법 §39)

법인(상장법인 제외)의 재산으로 그 법인에게 부과되거나 그 법인이 납부할 국세 가산금과 체납처분비에 충당하여도 부족한 경우에는 그 국세의 납세의무의 성립일 현재 무한책임사원과 과점주주 중 다음 각 호의 1에 해당하는 자는 그 부족액에 대하여 제2차 납세의무를 진다. 여기서 과점주주(寡占株主)라 함은 주주 또는 유한책임사원 1명과 그의 특수관계인 중 대통령령으로 정하는 자로서 그들의 소유주식 합계 또는 출자총액이 해당 법인의 발행주식 총수 또는 출자총액의 50%를 초과하면서 그에 관한 권리를 실질적으로 행사하는 자들을 말한다.

2) 출자자의 제2차 납세의무의 특수관계인의 범위

특수관계인 중 대통령령으로 정하는 자라 함은 다음 어느 하나에 해당하는 자를 말한다.

① 친족관계

- 6촌 이내의 혈족
- 4촌 이내의 인척
- 배우자(사실상의 혼인관계에 있는 자를 포함)
- 친생자로서 다른 사람에게 친양자 입양된 자 및 그 배우자·직계비속

② 경제적 연관관계

- 임원과 그 밖의 사용인
- 본인의 금전이나 그 밖의 재산으로 생계를 유지하는 자
- 위 임원과 그 밖의 사용인 및 본인의 금전이나 그 밖의 재산으로 생계를 유지하는 자와 생계를 함께하는 친족

③ 경영지배관계

- 본인이 개인인 경우
  - 본인이 직접 또는 그와 친족관계 또는 경제적 연관관계에 있는 자를 통하여 법인의 경영에 대하여 지배적인 영향력을 행사하고 있는 경우 그 법인
- 본인이 법인인 경우
  - 개인 또는 법인이 직접 또는 그와 친족관계 또는 경제적 연관관계에 있는 자를 통하여 본인인 법인의 경영에 대하여 지배적인 영향력을 행사하고 있는 경우 그 개인 또는 법인
  - 본인이 직접 또는 그와 경제적 연관관계 또는 위의 관계에 있는 자를 통하여 어느 법인의 경영에 대하여 지배적인 영향력을 행사하고 있는 경우 그 법인

- 지배적인 영향력 행사의 요건
  - 영리법인의 경우

    법인의 발행주식 총수 또는 출자총액의 100분의 50 이상을 출자한 경우 또는 임원의 임면권의 행사, 사업방침의 결정 등 법인의 경영에 대하여 사실상 영향력을 행사하고 있다고 인정되는 경우
  - 비영리법인의 경우

    법인이 이사의 과반수를 차지하는 경우 또는 법인의 출연재산(설립을 위한 출연재산만 해당한다)의 100분의 50 이상을 출연하고 그 중 1인이 설립자인 경우

Chapter

04

과세처분의 불복절차

1 불복의 근거법

국세나 지방세의 조사결과나 고지처분의 통지를 받은 자로서 권리나 이익의 침해 등을 받은 경우 국세기본법과 지방세기본법에 의해 그 처분의 취소나 변경을 요구할 수 있다(국기법 §55, 지기법 §89).

2 불복절차의 전치주의

① 국세는 필요적 전치주의를 취하고 있으므로 행정소송의 제기에 앞서 국세청 심사청구, 국세심판원 심판청구 및 감사원 심사청구 중 하나를 선택하여 제기하여야 한다(이의신청을 거치지 않고 곧바로 심사청구 및 심판청구를 제기할 수 있음).

② 지방세는 심사청구나 심판청구를 하지 않고 직접 행정소송을 제기할 수 있는 임의적 전치주의를 취하고 있으나 2021년부터는 조세심판원 심판청구나 감사원 심사청구 중 선택하여 심사·심판청구를 거친 후에 행정소송을 제기하도록 개정되었다.

3 국세와 지방세의 불복절차

국세와 지방세의 불복절차는 다음 표와 같으며, 고지 전에는 '과세전적부심사' 제도에 따라 사전적 구제를 받을 수도 있다.

| 국세 행정심판절차 |

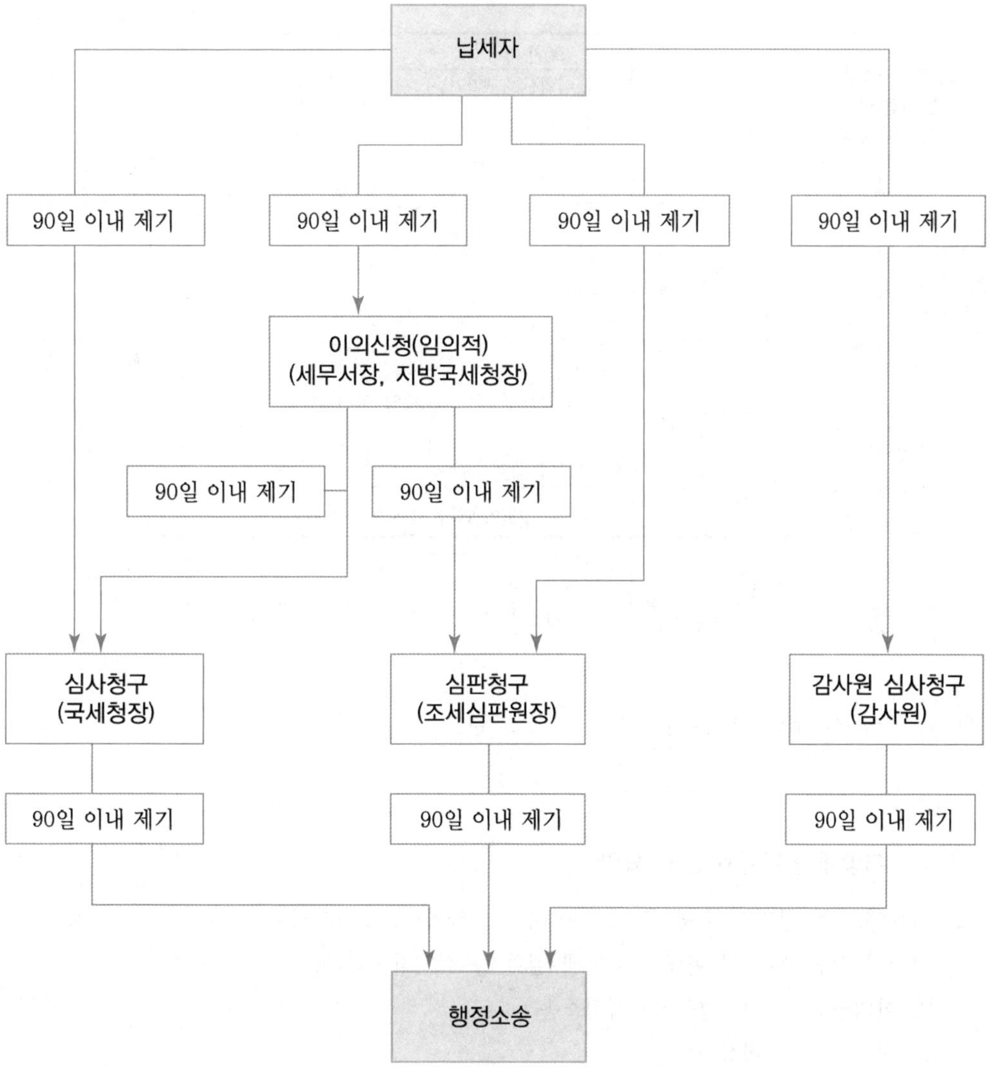

납세자

90일 이내 제기

90일 이내 제기

90일 이내 제기

90일 이내 제기

이의신청(임의적)
(세무서장, 지방국세청장)

90일 이내 제기

90일 이내 제기

심사청구
(국세청장)

심판청구
(조세심판원장)

감사원 심사청구
(감사원)

90일 이내 제기

90일 이내 제기

90일 이내 제기

행정소송

| 지방세 행정심판절차 |

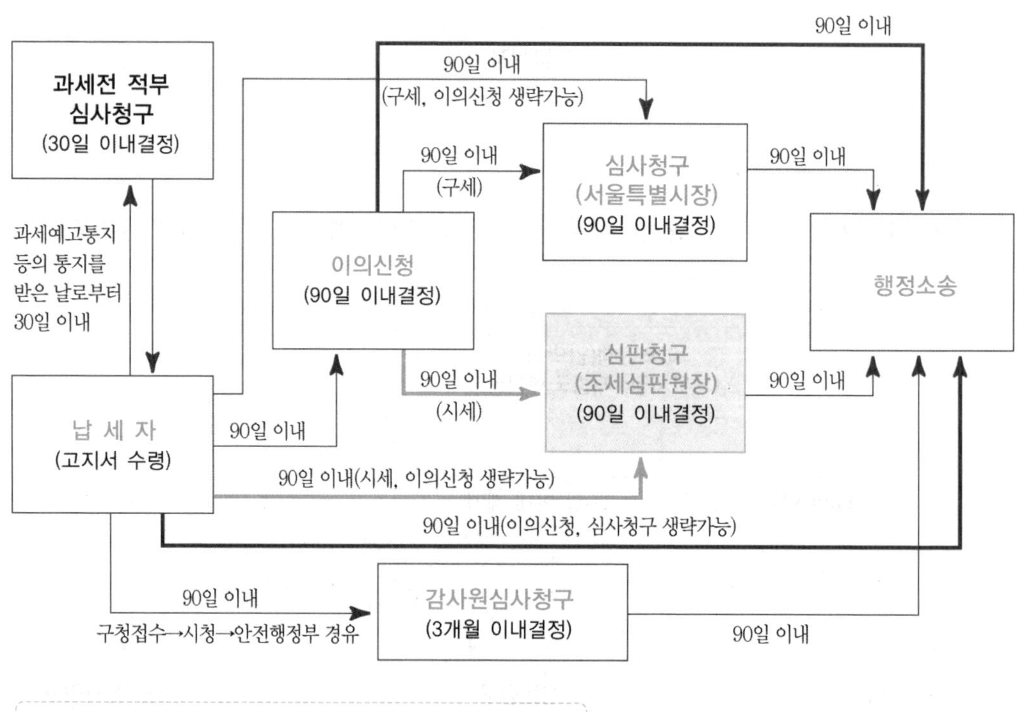

참고 **지방세 불복절차 순서 요약**

1) 과세예고 등 통지서 수령 후(30일 이내) ⇒ 과세전적부심사청구
2) 고지서 수령 후(90일 이내) ⇒ 아래 절차 중 선택하여 불복
   ① 이의신청 → 심사청구 → 행정소송
   ② 심사청구 → 행정소송
   ③ 감사원심사청구 → 행정소송
   ④ 심판청구 → 행정소송
   ⑤ 행정소송(직접)

PART 2

부동산의 취득관련 세제

제 1 장 취득세
제 2 장 등록면허세
제 3 장 상속세
제 4 장 증여세

Chapter 01

취득세

제 1 절 취득세 과세대상과 취득의 범위

1 과세대상

부동산(토지, 건축물), 차량, 기계장비, 항공기, 선박, 입목, 광업권, 어업권, 골프회원권, 승마회원권, 콘도미니엄 회원권, 종합체육시설 이용회원권 또는 요트회원권을 취득한 경우에는 그 취득한 자에게 취득세를 부과한다(지세법 §7). 여기에서 취득이란 매매, 교환, 상속, 증여, 기부, 법인에 대한 현물출자, 건축, 개수(改修), 공유수면의 매립, 간척에 의한 토지의 조성 등과 그 밖에 이와 유사한 취득으로서 원시취득(수용재결로 취득한 경우 등 과세대상이 이미 존재하는 상태에서 취득하는 경우는 제외한다), 승계취득 또는 유상·무상의 모든 취득을 말한다.

이를 표로 보면 다음과 같다.

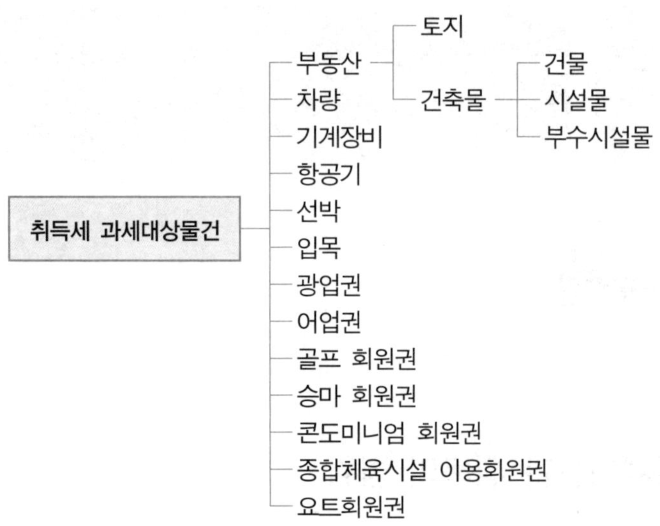

2 | 취득세 과세대상 부동산의 범위(지세법 §6)

취득세의 과세대상이 되는 부동산이란 토지 및 건축물을 말한다(지세법 §6 2호).

취득세는 부동산 등 특정자산의 취득이라는 행위에 대하여 과세한다는 점에서 거래세 성격을 지니고 있는데, 따라서 취득의 개념이 매우 중요하다.

또 취득시기로부터 일정기간 내에 취득세를 신고 및 자진납부하게 되어 있고, 동 기간 내에 신고 및 자진납부하지 않으면 무신고가산세, 납부불성실가산세 등 과중한 가산세를 부과하고 있어 취득시기의 판정이 정상적인 납세의무이행의 관건이 되고 있다.

「지방세특례제한법」 제4조에서 지방자치단체는 서민생활 지원, 농어촌 생활환경 개선, 대중교통 확충 지원 등 공익을 위하여 지방세의 감면이 필요하다고 인정될 때와 특정지역의 개발, 특정산업・특정시설의 지원을 위하여 지방세의 감면이 필요하다고 인정될 때에는 조례를 제정할 수 있도록 되어 있으므로 취득세 과세여부 등의 검토시에는 「지방세법」, 「지방세특례제한법」 및 해당 지방자치단체의 조례는 물론 각종 국세와 지방세의 감면 등을 규정하고 있는 「조세특례제한법」 등도 함께 검토하여야 한다.

취득세가 과세되기 위해서는 그 부동산이 첫째, 법에서 열거한 취득세 과세대상 부동산이어야 하고, 둘째, 등기・등록에 관계없이 취득행위가 있어야 한다.

가. 토지의 범위

「공간정보의 구축 및 관리 등에 관한 법률」에 따라 지적공부의 등록대상이 되는 토지와 그 밖에 사용되고 있는 사실상의 토지를 말한다(지세법 §6 3호). 지목은 주된 사용목적에 전・답・과수원・목장용지・임야・광천지・염전・대(垈)・공장용지・학교용지・주차장・주유소용지・창고용지・도로・철도용지・제방(堤防)・하천・구거(溝渠)・유지(溜池)・양어장・수도용지・공원・체육용지・유원지・종교용지・사적지・묘지・잡종지로 구분(총 28종)된다.

나. 건축물의 범위

건축물이라 함은 「건축법」 제2조 제1항 제2호의 규정에 의한 건축물(이와 유사한 형태의 건축물을 포함)과 토지에 정착하거나 지하 또는 다른 구조물에 설치하는 레저시설, 저장시설, 도크시설, 접안시설, 도관시설, 급수・배수시설, 에너지공급시설 그 밖에 이와 유사한 시설(이에 부수되는 시설을 포함)을 말한다.

1) 건축물

① 「건축법」상 건축물 : 토지에 정착된 주택, 점포, 사무실, 창고, 수상건물 등 지붕과 벽 또는 기둥이 있는 것을 말하며, 건물에 부속 또는 부착된 소화전 및 자동화재탐지기 등과 같은 건물의 필수적 종물은 건물과 함께 취득할 경우 과세대상에 포함되나 이를 별도로 취득할 경우에는 과세대상으로 보지 않는다. 그리고 건물에 부수된 시설로서 독립하여 거래될 수 없는 담장, 굴뚝, 출입문, 장독대 등도 건물에 부수되는 시설로서 과세대상에 포함된다.

② 이와 유사한 건축물 : 「건축법」상의 건축물과 유사한 건축물을 뜻하는데, 즉 위 ①은 「건축법」상의 건축물을 우선 과세대상으로 규정한 것이고 이것과 유사한 건축물도 과세대상으로 삼겠다는 의미이며, 잔교(棧橋), 기계식 또는 철골조립식 주차장, 차량 또는 기계장비 등을 자동으로 세차 또는 세척하는 시설, 방송중계탑 및 무선통신기지국용 철탑을 말한다.

2) 시 설

시설이란 「지방세법 시행령」 제5조(시설의 범위) 각 호에 따른 다음의 것을 말한다.

① 레저시설 : 수영장, 스케이트장, 골프연습장(「체육시설의 설치 · 이용에 관한 법률」에 따라 골프연습장업으로 신고된 20타석 이상의 골프연습장만 해당한다), 전망대, 옥외 스탠드, 유원지의 옥외오락시설(유원지의 옥외오락시설과 비슷한 오락시설로서 건물 안 또는 옥상에 설치하여 사용하는 것을 포함한다)
② 저장시설 : 수조, 저유조, 저장창고, 저장조 등의 옥외저장시설(다른 시설과 유기적으로 관련되어 있고 일시적으로 저장기능을 하는 시설을 포함한다)
③ 도크(dock)시설 및 접안시설 : 도크, 조선대(造船臺)
④ 도관시설(연결시설을 포함한다) : 송유관, 가스관, 열수송관
⑤ 급수 · 배수시설 : 송수관(연결시설을 포함한다), 급수 · 배수시설, 복개설비
⑥ 에너지 공급시설 : 주유시설, 가스충전시설, 환경친화적 자동차 충전시설, 송전철탑(전압 20만 볼트 미만을 송전하는 것과 주민들의 요구로 「전기사업법」 제72조에 따라 이전 · 설치하는 것은 제외한다)
⑦ 그 밖의 시설 : 잔교(棧橋)(이와 유사한 구조물을 포함한다), 기계식 또는 철골조립식 주차장, 차량 또는 기계장비 등을 자동으로 세차 또는 세척하는 시설, 방송중계탑(「방송법」 제54조 제1항 제5호에 따라 국가가 필요로 하는 대외방송 및 사회교육방송 중계탑은 제외한다) 및 무선통신기지국용 철탑을 말한다.

3) 건축물에 부수되는 시설물

건축물에 부수되는 시설물이라 함은 「지방세법 시행령」 제6조(시설물의 종류와 범위)에 따른 다음의 시설을 말한다.

① 승강기(엘리베이터, 에스컬레이터, 기타 승강시설)
② 시간당 20킬로와트 이상의 발전시설
③ 난방용 · 욕탕용 온수 및 열 공급시설
④ 시간당 7,560킬로칼로리급 이상의 에어컨(중앙조절식만 해당)
⑤ 부착된 금고
⑥ 교환시설
⑦ 건물의 냉 · 난방, 급 · 배수, 방화, 방범 등의 자동관리를 위하여 설치하는 인텔리전트 빌딩시스템 시설
⑧ 구내의 변전 · 배전 시설

관련예규 및 판례요약

취득세 과세대상 : 지세법 §6

토지의 범위와 관련된 예규, 판례

부동산세제과-467, 2019. 9. 19.

공유수면에 육지화된 구조물이 설치된 경우, 재산세 과세대상 토지로 볼 수 없음.

대법 2014두 41435, 2014. 12. 24.

처분청이 주차장부지로 사용하여 오던 토지를 취득하는 과정에서 공부상 지목인 전으로 원상회복을 하여 주기로 하였음에도 처분청에서 이를 이행하지 않아 주차장부지 상태에서 취득한 경우라면 처분청의 귀책에서 비롯된 것이므로 그 현황이 분명하지 않은 경우로 보아 공부상 지목으로 취득세를 부과하는 것이 타당함.

조심 2012지 792. 2013. 1. 24.

이 건 안벽 등은 쟁점공유수면매립토지 내에 시설된 것으로서 매립토지와 일체를 이루어 화물하역부두용 토지로 이용되고 있으므로 그 소요비용을 공유수면매립토지의 취득가액에 포함하여 취득세를 신고·납부한 것은 잘못이 없음.

지방세운영-2545, 2009. 6. 24.

신탁이라 함은 위탁자가 특정의 재산권을 수탁자에게 이전하거나 기타의 처분을 하고 수탁자로 하여금 일정한 자의 이익을 위하여 또는 특정의 목적을 위하여 그 재산권을 관리, 처분하게 하는 법률관계를 말하는 것으로서(「신탁법」 제1조 제2항), 부동산의 신탁에 있어서 수탁자 앞으로 소유권이전등기를 마치게 되면 대내외적으로 소유권이 수탁자에게 완전히 이전되고, 위탁자와의 내부관계에 있어서 소유권이 위탁자에게 유보되어 있는 것은 아니라 할 것이어서(대법원 2000다 70460, 2002. 4. 12.) 「자본시장과 금융투자업에 관한 법률」에 따라 집합투자업자(자산운용사)가 투자자(수익자)들로부터 모은 자금 등으로 투자신탁재산(부동산펀드)을 투자·운용하기 위하여 집합투자업자는 위탁자(A법인)로 하고 신탁업자는 수탁자(C은행)로 하여 신탁계약을 체결하고 투자신탁 재산의 보관 및 관리를 위하여 수탁자 명의로 부동산을 취득하고 신탁법에 의한 신탁등기를 이행한 경우 「신탁법」 및 「자본투자업법」의 법리에 의하여 수탁자인 (C은행)이 당해 부동산에 대한 소유자라 할 것이므로 위탁자인 집합투자업자 A법인이 법인분할 또는 다른 집합투자업자에게 사업양도를 하여 신탁계약상 위탁자의 지위가 집합투자업자 B법인으로 변경된 경우 B법인이 위탁자의 지위를 승계하면서 동 부동산펀드의 재산인 신탁부동산을 사실상으로 취득하지 않는 한 B법인은 부동산 취득에 따른 취득세 및 등록세 납세의무는 없는 것임.

세정-306, 2003. 7. 1.

기존 공장을 승계취득시, 공장의 울타리와 부속시설인 정화조는 공장용 건물의 부수시설물로, 구내(포장)도로는 공장의 부속토지의 일부에 해당함.

건축물의 범위와 관련된 예규, 판례

지방세운영-2285, 2016. 9. 2.

「해양법에 관한 국제연합 협약」 제60조 제2호에서 배타적 경제수역에서의 인공섬, 시설 및 구조물에 대하여 연안국은 관세·재정·위생·안전 및 출입국관리 법령에 관한 관할권을 포함한 배타적 관할권을 가진다고 규정하고 있으므로, 배타적 경제수역 상 취득세 과세대상 물건에 대해서 우리나라의 과세권이 미친다고 볼 수 있음. 한편, 「지방세법」 제8조 제1항 제1호에서 부동산의 납세지는 부동산 소재지를 납세지로 규정하고 있는바, 해당 가스관은 배타적 경제수역 상 설치한 가스전에서 생산한 천연가스를 육상처리시설까지 운반하기 위한 도관시설에 해당하는 것이므로, 영해 밖으로 연장되는 연결시설에 대해 육상처리시설에 위치한 해당 자치단체를 납세지로 보는 것이 합리적이라고 할 것임.

지방세운영-2286, 2016. 9. 2.

구내의 변전·배전시설이라 함은 건물구내에서 시설의 유지관리를 위하여 사용되는 전력의 전압변경을 위한 시설과 배전을 위한 시설을 의미한다고 할 것이고, 일반의 수요에 공하기 위한 변전·배전시설 등은 이러한 의미에서의 건축물의 부수시설물이 아니라 할 것(대법원 2006두 7416, 2006. 7. 28. 판결)이며, 생산설비의 가동을 위한 변전·배전시설의 경우에는 취득세 과세대상에서 제외된다(행자부 도세 13421-30, 1994. 1. 13.)고 할 것이므로, 공장의 생산설비 가동용과 사무용으로 공용으로 사용하는 경우라면, 합리적인 비율로 안분하여 생산시설에 해당하지 아니하는 비용에 대해서는 취득세 과세대상에 해당한다고 할 것임.

조심 2015지 1122, 2016. 1. 27.

쟁점설비는 쟁점부동산으로부터 분리가 가능하고 분리 후에도 별개의 거래상 객체가 되는 점 등에 비추어 쟁점설비를 건축물의 효용을 증가시키는 부수시설로 보기 어려우므로 쟁점설비의 설치비용 등을 쟁점부동산의 취득가격에 포함하여 이 건 취득세 등을 부과한 처분은 잘못이 있음.

조심 2014지 1132, 2016. 1. 21.

청구인이 출입구를 설치한 것이 새로운 지붕과 벽 또는 기둥을 신축하는 건축행위를 한 것으로 보기 어려운 점 등에 비추어 처분청이 쟁점건축물을 취득세 과세대상이 되는 건축물로 보아 이 건 취득세 등을 부과한 처분은 잘못이 있음.

조심 2015지 873, 2015. 12. 24.

쟁점시설은 고정식 부도크(Floating Dock)로서 설치된 위치에 고정되어 있어 이동성을 갖춘 선박으로 보기 어려운 점 등에 비추어 쟁점시설을 항해에 사용되는 선박으로 보기 보다는 「지방세법」상 건축물의 범위에 포함되는 '도크'로 보는 것이 타당함.

조심 2015지 724, 2015. 12. 14.

① 야간조명제어시설, ② TEE전원장치, ③ 오수처리장치, ④ CCTV옥외자동제어시설, ⑤ 옥외 TV의 경우 클럽하우스와 별도로 설치되어 있고, 클럽하우스의 부수시설에도 해당하지 아니할 뿐만 아니라 취득세 과세대상에 해당하지 아니하므로 처분청이 이 건 취득세 등을 부과한 처분은 잘못이 있다고 판단됨.

지방세운영－2359, 2015. 7. 31.

잔금지급 및 전매 이후 원시취득이 도래한 경우 취득세 납세의무 성립 여부 관련하여 아파트를 분양받은 자가 원시취득일 전에 잔금지급 및 분양권을 전매한 경우, 사용승인 등의 사유로 원시취득이 이루어지기 전에는 잔금지급의 대상은 아파트가 아닌 분양권에 해당하는 점, 「지방세법」 제7조 제1항에서 취득세의 과세대상을 부동산, 차량, 기계장비, 항공기, 선박 등을 취득한 자로 열거하여 한정하고 있는 바, 분양권은 취득세 과세대상이 아니라는 점 등을 감안할 때, 사실상 취득이 성립되지 아니한다고 판단됨.

조심 2014지 98, 2015. 7. 22.

쟁점구조물이 건물의 효용을 증대시키기 위하여 설치한 것이라기 보다는 공장의 기계장치의 보조장치로서의 역할을 수행하는 시설에 해당된다고 보는 것이 타당하므로 쟁점구조물의 취득비용을 쟁점공장용건축물의 신축비용에 포함하여 취득세 등을 부과한 처분은 잘못임.

지방세운영－2604, 2014. 8. 7.

입법 취지 및 과세형평성을 고려하여 "건축물"의 범위 중 급・배수시설에 비점오염저감시설이 포함된다고 보는 것이 타당하며 이에 따라 취득세 과세대상에 해당한다고 판단됨.

지방세운영－793, 2014. 3. 7.

본 건 시설의 일부 장치는 잔디의 생육을 위한 수분 공급 등 기타 용도에 사용될 수 있고 대법원에서는 이와 같은 경우 급・배수시설에 해당된다고 판시하고 있는 점(대법원 89누 5638, 1990. 7. 13.), 급・배수시설이라 함은 구조, 형태, 용도, 기능 등을 전체적으로 고려했을 때 급수와 배수기능을 하는 시설이라면 족한 점, 워터 쿨링 타워, 스노우 메이킹 쿨링 타워, FAN 제설기는 스키장 개장시기에만 가동되는 점 등을 종합적으로 감안했을 때, 워터 쿨링 타워,

스노우 메이킹 쿨링 타워, FAN 제설기는 생산설비로 기타 시설은 급 · 배수시설로 보아 취득세를 각각 과세제외, 과세하는 것이 타당할 것으로 판단됨.

세제-11272, 2013. 9. 3.

흡수식냉온수기는 낮은 압력과 온도에서 냉매(물)를 증발시키는 원리로 건물의 냉난방 효과를 얻는 장치로써 이는 기계장치에 의하여 자동적으로 공기의 온도 · 습도 등을 조절하는 에어컨으로 봄이 타당하며, 설치된 흡수식냉온수기의 냉방능력과 난방능력이 시간당 7천560킬로칼로리 이상이며 중앙조절식에 해당하는 경우라면 위 규정에 따라 지방세법상 취득세 과세대상에 해당(같은 사례 조심 2008지 0552, 2008. 11. 25.)됨으로 판단됨.

대법 2012두 1600, 2013. 7. 11.

양수발전소의 지상과 지하발전소 등을 연결하는 발전소진입터널, 발전소하부진입터널, 하부조압수조진입터널, 모선터널을 발전소건축물의 부수시설로 보아 취득세 과세대상에 포함됨.

지방세운영-161, 2013. 1. 16.

공급관리소 내 생산설비인 가스필터, 가스히터, 정압기를 연결하는 가스관은 「도시가스사업법」 등에 따른 가스배관시설 중 본관에 해당되는 점, 배관에 의한 가스공급이 주요 사업행태인 가스업의 특성상 가스관은 계속적으로 연결되어야 하는 점 등을 감안했을 때 생산설비들을 연결하는 가스관이라고 하여 일반 가스관과 달리 보기는 어려우므로 취득세 과세대상에 해당된다고 판단됨.

지방세운영-3665, 2010. 8. 18.

비록 잔교를 취득한 후 의장안벽용으로 임대를 하였다고 하더라도 취득당시 잔교의 구조와 기능을 갖추고, 지상에 고착화 되지 않아 향후 잔교의 기능으로 사용할 수 있는 경우라면 취득세 과세대상에 해당됨.

지방세운영-3399, 2010. 8. 5

액비저장조는 「건축법」 제2조에 의한 건축물이 아니며, 가축분뇨 등을 단순히 저장하는 시설이라기보다는 지상에 고착된 상태로 분뇨의 고형성분이 침전되지 않도록 동력을 이용한 수중교반기로 지속적으로 섞어주고, 분뇨가 액비로 잘 발효시키기 위한 필수요소인 공기를 동력을 이용한 신기장치로 지속적으로 주입시켜 분뇨를 액비로 가공 · 생산하는 생산시설의 일종으로 「지방세법」 제104조 제4호의 시설물도 아닌 기계장치라고 볼 수 있다. 따라서 액비저장조가 취득세 과세대상에 해당되는지 여부는 과세요건이나 비과세요건 또는 조세감면 요건을 막론하고 조세법률주의에 따라 액비저장조는 「지방세법」 제104조 제4호의 취득세 과세대상인 건축물에 해당되지 않아 취득세 과세대상에 해당되지 않는 것임.

지방세심사 2007-535, 2007. 10. 1.

건축물 중 조작 기타 부대설비에 속하는 부분으로서 주체구조부와 일체가 되어 건축물로서의 효용가치가 있는 것은 별도 계약방식으로 설치하였더라도 아파트 취득세 과세표준에 포함됨.

지방세심사 2007-440, 2007. 8. 27.

건축물의 분양가격에 빌트인 가전제품의 대금이 모두 포함되어 있고 다른 시설과 같이 노무비와 각종 경비를 투입하여 설치하였음을 볼 때 건축물의 효용과 가치를 증가시켰다고 할 것임. 취득세 과세대상인 건축물에 포함함.

지방세심사 2007-464, 2007. 8. 27.

건축물에 설치된 창고 자동화설비를 건축물과 일괄하여 취득한 경우 취득세 등의 과세대상에 해당함.

세정-1790, 2007. 5. 16.

골프장 내 분수시설은 취득세 과세대상이 아니며, 조정지로 구분 등록되어 있는 유지는 골프코스와 관계없이 별도로 오수처리 등을 위해 설치된 경우를 제외하고는 취득세 중과대상에 해당함.

세정-1868, 2006. 5. 10.

수력발전소의 설비 중 수로터널(조압수조, 수압철관) 설비가 급수와 배수기능을 발휘하는 것이라면 「지방세법 시행령」 제75조의 2 제5호에서 규정한 급·배수시설로서 취득세 과세대상임.

감심 2005-109, 2005. 10. 13.

분양대금의 99.20%를 납부한 상태에서 분양권을 양도하여 사실상 아파트를 취득하여 양도한 것으로 보아 취득세를 과세함.

세정-802, 2005. 5. 20.

건축법상 건축중인 건축물을 건축주 명의변경한 경우 명의변경시점에 취득세 과세대상 물건이 존재하지 아니하므로 취득세 납세의무가 발행하지 않는 것임.

지방세심사 2004-357, 2004. 11. 30.

아파트 분양대금 중 일부 잔금을 미납한 상태에서 제3자에게 매각한 경우에도 건축주가 당해 아파트에 대한 사용승인을 받았고 동 아파트에 대한 권리의무를 양도한 것이 사실상 취득에 해당하여 취득세를 부과한 사례

세정-1314, 2004. 5. 27.

존속기간이 1년을 초과하는 가설건축물을 승계취득한 경우 그 사실상의 잔금지급일이 취득일이 되며 그 취득일로 30일 이내에 취득세를 신고납부해야 함.

지방세심사 2004-89, 2004. 4. 26.

대물변제로 인한 토지의 매매계약을 체결하였으나 잔금지급일 전에 임의경매 개시결정으로 유효한 취득이 이뤄지지 않은 경우 계약상 잔금지급일의 경과를 사유로 취득세 부과 및 체납에 대한 압류처분은 부당한 사례

세정-426, 2003. 7. 10.

남편이 중도금만 납부한 상태의 공동주택의 분양권을 부인에게 증여하는 경우 공동주택의 취득행위가 성립하기 전에 양도한 것으로 보아 취득세 등의 납세의무가 발생하지 않음.

감심 2003-21, 2003. 3. 4.

'납골묘'는 취득세 과세대상인 건축물 또는 시설물에 해당하지 않아, 납골묘 설치에 따른 공사비 등은 제외하고 그 토지 취득가액만이 취득세 과세표준이 됨.

세정 13407-434, 2002. 5. 10.

건설회사가 아파트를 신축하다가 82% 공정에서 회사의 부도로 공사가 중단된 경우, 당해 아파트에 대해 사용승인 등을 하지 않은 경우에는 취득세 과세대상 아님.

세정 13407-337, 2002. 4. 6.

당초 가설건축물의 존속기간을 1년이 초과하는 것으로 신고했으나, 1년 미만으로 변경하고 실제 1년 미만 이내에 철거했음이 입증되면 취득세 비과세대상임.

세정 13407-286, 2002. 3. 23.

단순한 소방시설(소화전, 감지기, 경보시설 등) 증설공사는 취득세 과세대상인 '시설물'을 설치한 경우에 해당하지 않음.

세정 13407-246, 2002. 3. 13.

토지에 정착하는 공작물 중 지붕과 기둥 또는 벽이 있는 것은 물론이고, 지상에 정착하지 않더라도 이와 유사한 형태의 해상구조물도 과세대상인 건축물로 봄.

3 취득의 범위(지세법 §6 ①)

지방세법에서 취득(取得)이라 함은 매매·교환·증여·기부(寄附)·법인에 대한 현물출자·건축·개수(改修)·공유수면의 매립·간척(干拓)에 의한 토지의 조성 등과 기타 이와 유사한 취득으로서 원시취득(수용재결로 취득한 경우 등 과세대상이 이미 존재하는 상태에서 취득하는 경우는 제외한다)·승계취득 또는 유상·무상을 불문한 일체의 취득을 말한다.

그리고 소유권의 이전이나 건축 등에 의하여 취득하는 것이 아니더라도 토지의 지목변경, 건축물의 개축, 차량·기계장비·선박의 종류 변경, 과점주주의 주식취득 등도 취득으로 간주하여 취득세의 과세대상으로 하고 있다. 취득은 사실상의 취득(승계취득·원시취득)과 간주취득(취득의 의제)으로 구분할 수 있으며, 이를 요약하면 다음 표와 같다.

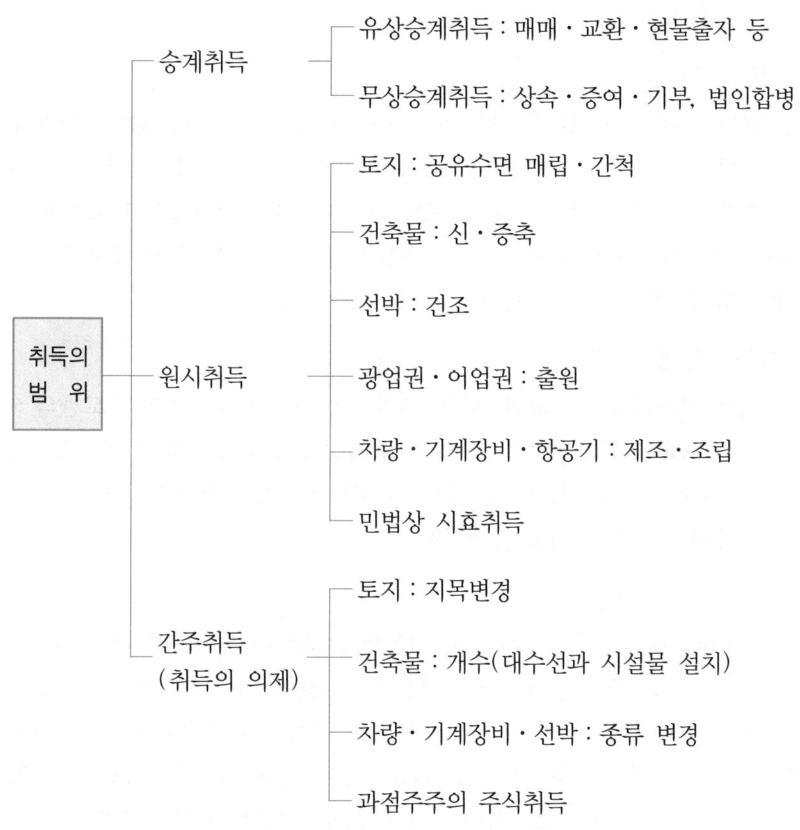

관련예규 및 판례요약

취득세 과세대상 : 지세법 §6

취득의 범위와 관련된 예규, 판례

대법 2017두 67810, 2018. 2. 8.

양도인들이 쟁점부동산에 관한 지분을 모두 포기하고 그 지분을 이 사건 담보신탁계약 해지 후 원고에게 이전하기로 하는 내용의 지분양도 관련 기본계약을 체결하였지만 사회통념상 대금의 거의 전부가 지급되었다고 볼 만한 정도의 대금지급을 이행하였다고 보기 어려운 경우 위탁자의 지위 이전은 취득세의 과세대상인 부동산의 취득에 해당하지 않으므로, 새로운 위탁자가 해당 신탁재산을 사실상 취득한 것으로 볼 수 없음.

대법 2016두 41927, 2016. 9. 8.

교환 약정이 제대로 이행되지 아니하였음에도 대리인이 서류를 위조하여 원고들의 의사에 반하여 이루어진 소유권이전등기에 따른 이 사건 취득신고 처분이 무효에 해당되는지 여부 관련하여 과세관청은 취득세 등 신고에 부합하는 실체관계가 있는지 여부에 대한 실질적 심사권이 없어 지방세법상 유효한 신고는 적법함.

지방세운영-701, 2016. 3. 21.

계약해제를 파기해 당초계약을 유효화한 경우 취득세 납세의무(A→B→A→B : B의 납세의무) 관련하여 계약을 소급적으로 실효시키는 약정에 기초하여 원상회복 조치로 그 소유권을 취득하는 것은 취득세 과세대상에 해당하지 않으므로, 부동산을 매수한 자(B)가 소유권을 매도자(A)에게 되돌리는 계약을 소급적으로 실효시키는 약정에 기초하여, 그 소유권을 매수자(B) 앞으로 원상회복하는 경우에도 취득세 납세의무가 성립하지 않는 것으로 보는 것이 타당함.

지방세운영-2034, 2015. 7. 9.

소유권이전등기의 원인이었던 계약을 소급적으로 실효시키는 합의해제 약정에 기초하여 소유권이전등기를 말소하는 원상회복조치의 결과로 그 소유권을 취득한 것은 「지방세법」 제6조 제1호의 취득세 과세대상이 되는 부동산취득에 해당하지 않으며(대법원 93누 11319, 1993. 9. 14. ; 조심 2014지 930, 2014. 10. 6. 등), 합의해제가 계약의 소급적 소멸을 목적으로 했다면 그 합의해제로 인하여 매수인 앞으로 이전되었던 부동산의 소유권이 당연히 매도인에게 복귀되는 것이므로 매도인이 원상회복의 방법으로 소유권이전등기를 했다고 하더라도 부동산

취득에 해당하지 않는다(대법원 85누 1008, 1986. 3. 25.)는 등의 판시내용을 감안할 때, 이미 자기 앞으로 소유권을 표상하는 등기가 되어 있었던 자가 원인무효 등기의 외관을 제거하고 소유권을 원상회복할 경우 취득세 과세대상 부동산을 취득한 것으로 볼 수 없다고 할 것임.

지방세운영-1419, 2015. 5. 11.

위탁자로부터 수탁자에게 이전된 수탁자 명의의 신탁재산(토지)에 대해서 사실상 지목변경이 이루어진 경우 이에 따른 납세의무자에 대한 판단은, 「신탁법」상 해당 토지의 관리 등의 사유로 수탁자가 지목변경을 통해 획득한 토지 가액의 증가라는 산물은 신탁재산에 속하는 점(제27조), 수탁자 앞으로 소유권이전등기가 이루어진 신탁재산의 소유권은 대내외적으로 수탁자에게 완전히 이전되었다고 볼 수 있는 점, 취득세 법리상 소유권이 수탁자에게 이전된 이후 이루어진 지목변경 행위에 대한 간주 취득세 납세의무는 사실상 지목변경 시점의 소유자인 수탁자에게 있다고 보는 것이 합리적인 점, 최근 대법원 판례(대법원 2012. 6. 14. 선고, 2010두 2395 판결 참조)에서도 신탁되어 있는 토지의 지목변경에 따른 취득세 납세의무를 수탁자가 부담하여야 한다고 판단한 점 등을 종합적으로 감안할 때, 사실상 지목변경이 완료된 시점에서 대내외적인 소유권을 가진 수탁자에게 납세의무가 있다고 할 것임.

대법 2014두 10967, 2014. 11. 27.

제3자가 부동산 취득자의 의사와 관계없이 법무사에세 취득신고를 위임하여 취득신고를 한 경우 그 취득신고 및 이에 기초하여 이루어진 처분청의 징수처분은 취득자의 의사에 기하지 아니한 취득신고 및 이에 기한 징수처분은 무효인 처분에 해당함.

대법 2011다 15476, 2014. 4. 10.

담보가등기 이후 채무를 변제하지 않아 본등기를 한 후, 법원에서 당해 본등기를 무효라는 이유로 말소를 명하는 판결이 있었던 경우, 본 등기자가 당초 신고한 취득세 및 등록세 신고는 명백한 하자로 볼 수 없어 당연무효로 볼 수 없음.

대법 2009두 12501, 2014. 3. 27.

등기와 같은 소유권이전의 형식도 갖추지 못하고, 계약금 등 매매대금도 지급하지 않아 실질적 취득의 요건도 갖추지 못한 상태에서 이루어진 취득신고라고 한다면 형식적, 실질적 취득 요건을 갖추지 못한 상태에서의 취득신고는 당연무효에 해당함.

대법 2013두 6138, 2013. 10. 11.

사인증여를 원인으로 한 취득하는 경우에는 상속외 무상취득으로 보아 1.5%의 세율을 적용하여 증여자의 사망일로부터 60일이내 취득세를 신고납부하여야 함.

대법 2011다 91470, 2013. 7. 25.

부동산(도로)을 취득한 후 취득세를 자진신고납부하고 등기까지 마친 이후, 매도자와 국가간의 부당이득금 반환의 소에서 당해 부동산이 매도자가 아닌 국가소유로 보아야 한다는 판결이 있었던 경우, 매수자의 취득세 자진신고행위가 명백한 하자로 볼 수 없어 당연무효에 해당하여 부당이득금 반환 대상에 해당되지 않음.

지방세운영-861, 2013. 5. 30.

전기사업법에 의한 전기사업자가 한국전력공사와 전력수급계약에 의해 판매목적으로 전력을 생산·공급하기 위하여 태양광 발전시설을 옥외 토지상에 설치한 경우, 동 발전시설이 건축물에 부수되어 효용가치를 증가시키는 시설물이 아닌 전기생산을 위한 발전사업용으로 공여되는 생산시설이라면 「지방세법 시행령」 제76조 제2호에 따른 취득세 과세대상으로 볼 수 없다고 판단되나, 이에 해당하는지는 과세권자가 구조, 형태, 용도, 기능 등을 종합적으로 고려하여 사실판단 할 사항임.

대법 2013두 1027, 2013. 4. 25.

명의신탁 약정에 따라 소유권보전등기를 마쳤으나 부동산실명법상 그 약정이 무효가 된 경우, 이러한 명의신탁 과정에서 명의수탁자가 취득세를 스스로 신고·납부한 것이 당연무효 또는 이중과세에 해당하지 않음.

대법 2012두 26388, 2013. 3. 14.

잔금지급으로 사실상 취득 후 소유권이전등기를 위해 매매계약서 및 대금완납증명서를 첨부하여 취득신고를 하였으나 해제조건의 성취로 매매계약이 합의해지된 경우라도 당초 취득신고를 당연무효로 볼 수 없음.

대법 2012두 27015, 2013. 3. 14.

소유권이전등기를 마친 후 법원의 화해권고 결정으로 매매계약을 해제한 경우라도 당초 취득·등록세 납세의무에 영향이 없어 당연무효 아님.

대법 2012다 204075, 2013. 2. 28.

처분청 담당자의 감면대상이 아니라는 설명을 믿고 취득세를 자진신고납부를 하였으나, 해석상 다툼이 있었고 불복청구 등을 할 수 있었음에도 5년 7개월이 지난 시점에 비로소 소를 제기한 경우 당연무효로 볼 수 없음.

조심 2013지 6, 2013. 2. 25.

취득세는 그 취득자가 실질적으로 완전한 내용의 소유권을 취득하는가의 여부에 관계없이 소유권이전의 형식에 의한 부동산 취득의 모든 경우를 포함하여 매 거래단계마다 과세하는 것인바, 청구법인이 기 건 토지를 당초 매도인으로부터 사실상 취득하여 성립한 취득세 납세의무와 명의수탁자로부터 이 건 토지를 취득하여 성립한 납세의무는 각각 별개의 납세의무에 해당한다 할 것이므로 청구법인의 경정청구를 거부한 처분은 적법함.

지방세운영-298, 2011. 1. 17.

조합원이 추가분담금 지급 후 미입주상태에서 조합원 지위를 양도한 경우, 조합원이 재개발 조합에서 건축하는 주택의 사용승인을 받은 경우라면 조합원이 입주하여 사용·수익하지 않은 경우라도 취득세 납세의무가 성립함.

지방세운영-3493, 2010. 8. 10.

부동산 취득에 관하여 민법 등 기타 관계법령에 의하여 등기 등을 이행하지 아니한 경우라도 부동산을 매수하고 잔금을 청산한 경우라면 사실상 취득행위가 있는 것임.

대법 2009다 5001, 2009. 4. 23.

잔금을 완납하지 아니한 채 계약을 합의해제 하였다면 사실상 취득이 있었다고 볼 수 없음.

대법 2008두 11716, 2009. 2. 12.

매매대금의 지급이나 등기이전과 같은 실질적 및 형식적 요건을 결여하고 취득신고를 하였다면 신고행위는 당연무효로 봄이 타당함.

조심 2008지 514, 2008. 12. 23.

하도급공사를 하면서 공사대금을 대물로 받기로 하고 소유권이전등기 없이 건설사에서 직접 분양자에게로 소유권이전된 경우 청구인(대물수취한 자)에게 취득세 납세의무가 있음.

대법 2008두 8949, 2008. 7. 24.

부동산에 관한 증여계약이 성립하면 동 계약이 무효이거나 취소되지 아니한 이상 그 자체로 취득세의 과세객체가 되는 사실상의 취득행위가 존재하게 되어 그에 대한 조세채권이 당연히 발생하는 것임.

조심 2008지 15, 2008. 6. 25.

「지방세법」 제105조 제1항의 부동산의 취득이란 부동산 취득자가 실질적으로 완전한 내용의 소유권을 취득하는지 여부와 관계없이 소유권 이전의 형식에 의한 부동산취득의 모든 경우를 포함함.

감심 2008-151, 2008. 5. 15.

건축허가서는 허가된 건물에 관한 실체적인 권리의 득실변경의 공시방법이 아니므로 자기 비용과 노력으로 건물을 신축한 자는 건축허가가 타인의 명의로 된 여부와 관계없이 소유권을 원시취득한 것임.

감심 2008-101, 2008. 4. 3.

공구보관용 컨테이너 및 욕실장의 설치비용, 취득세 등의 비과세대상 공사비에서 과세대상 공사비로 변경된 공사비에 대한 일반관리비, 아파트단지 밖의 포장 및 석재공사비 등은 취득세 등 과세표준에 포함되는 것임.

지방세심사 2008-56, 2008. 1. 28.

부동산 매수당시 명의신탁 약정에 따라 수탁자 명의로 소유권이 이전된 후 수탁자가 취득세를 납부하였음에도 신탁자에게 다시 취득세를 부과처분한 것은 적법함.

지방세심사 2007-697, 2007. 12. 26.

각 토지상에 존재하는 건축물의 개별적인 부속토지를 교환계약서를 작성하여 취득세 등을 신고하고 교환을 등기원인으로 하여 등기를 경료한 이상 취득세 등 부과대상임.

세정-5267, 2007. 12. 10.

증여계약으로 소유권이전등기 후 당사자간 증여계약의 합의해제로 소유권이전등기가 말소되어 당초 소유자에게 원상회복되는 경우 취득세 납세의무가 없음.

세정-4411, 2007. 10. 26.

타인의 점유취득시효가 완성된 이후에 상속으로 취득하였다가 점유취득시효 판결에 의해 타인에게 소유권 이전된 경우 취득세와 등록세를 환부할 수 없음.

세정-3838, 2007. 9. 17.

매매를 원인으로 부동산 소유권이전등기를 경료한 후 소유권이전등기를 말소하는 원상회복조치의 결과로 그 소유권을 환원 취득한 것은 취득세 과세대상이 되는 부동산 취득에 해당되지 않음.

지방세심사 2007-398, 2007. 7. 23.

국가 또는 지방자치단체의 계획에 따라 제3자에게 공급을 목적으로 토지를 취득(수용)하면서 지상의 건축물에 대한 보상금의 지급은 건축물의 취득에 해당함.

세정-2741, 2007. 7. 16.

소유지분의 교환이 병행되는 공유물 분할은 교환에 의한 소유권이전등기에 해당된다고 봄이 타당함.

지방세심사 2007-343, 2007. 6. 25.

법원에 의한 원인무효 여부가 확정되지 아니한 소유권이전등기는 기 과세된 취득세 등의 부과처분에 영향이 없음.

지방세심사 2007-266, 2007. 5. 28.

경매목적 부동산의 소유권은 경락대금을 실질적으로 부담한 자가 누구인가에 상관없이 그 명의인이 적법하게 취득한다고 할 것임.

지방세심사 2007-279, 2007. 5. 28.

특정된 토지를 구분하여 취득·점유하고 있는 상태에서 토지등기부상 공유지분으로 등재된 토지소유권의 명의를 명의신탁해지를 원인으로 소유권을 이전하는 경우 취득세 과세대상에 해당함.

지방세심사 2007-312, 2007. 5. 28.

분양가액 중 잔금의 미미한 부분만 미지급되고 있으므로 사실상 취득으로 보아 취득세 등을 과세한 것은 정당함.

대법 2005두 13360, 2007. 5. 11.

부동산을 매수한 다음 소유권이전등기를 마치지는 않았지만 매도인들에게 매매대금 전부를 지급함으로써 부동산을 사실상 취득하였다고 볼 것이어서 취득세 납세의무를 부담함.

대법 2006두 1982, 2007. 5. 10.

상속에 의하여 취득한 부동산이 취득세 비과세대상에 해당하지 않는 한 상속인에게 그 부동산에 관한 취득세 납부의무가 있다고 할 것임.

세정-1901, 2005. 7. 27.

지역주택사업을 원활히 추진하기 위하여 연합조합을 먼저 설립하여 주택부지를 취득한 후 주택법상 사업시행을 위하여 그 실질이 동일한 지역주택조합의 명의로 이전하는 경우 취득세 납세의무가 있는 것임.

세정-1902, 2005. 7. 26.

매매계약서상 잔금지급일부터 「민법」 제543조 내지 제546조의 규정에 의한 원인으로 계약이 해제된 사실이 화해조서 등에 의하여 입증되는 경우와 사해행위 등으로 원인무효임이 확정판결문에 의하여 입증되는 경우에 취득으로 보지 아니하는 것임.

지방세심사 2005-213, 2005. 7. 25.

모델하우스가 1년을 초과한 가설건축물에 해당하고 무상양도로 취득한 것에 해당하므로 취득세 등을 부과한 처분은 타당함.

세정-1528, 2005. 7. 7.

대물변제라 함은 본래의 채무에 갈음하여 다른 급부를 현실적으로 하는 때에 성립하는 요물계약으로써, 다른 급부가 부동산의 소유권이전인 때에는 그 소유권이전등기를 완료하여야만 대물변제가 성립되어 기존채무가 소멸하는 것임.

세정-1476, 2005. 7. 4.

부동산매매로 인하여 소유권이전등기가 이뤄졌다면 추후 매매계약이 해제되어 소유권이전등기 말소가 이뤄졌다 하더라도 원인무효판결을 받지 아니하는 한 등기명의자에게 취득세 납세의무가 있는 것임.

지방세심사 2004-327, 2004. 10. 27.

법인장부에 의한 부동산 취득에 따른 잔금지급일에 조세채권은 적법하게 성립하는 것이므로 이후의 매매계약을 해제한 경우에는 이미 성립한 조세채권에는 영향을 줄 수 없음.

지방세심사 2004-326, 2004. 10. 27.

매수인의 잔금미지급을 사유로 매매계약해제에 따른 원상회복의 방법으로 매수인으로부터 매도인 앞으로 소유권이전등기를 필한 경우는 취득세 등의 납세의무는 성립되지 아니하고, 등록세는 소유권이전등기가 아닌 기타 등기에 해당하는 세율을 적용하는 것임.

지방세심사 2004-325, 2004. 10. 27.

종교단체가 종교용으로 취득한 부동산을 정당한 사유 없이 2년 이상 종교용으로 직접 사용하지 않고 계약의 합의해제를 원인으로 소유권이전등기의 말소등기를 필한 경우에도 이미 성립한 조세채권에는 영향을 줄 수 없는 것이므로 기 비과세한 취득세 등을 추징함.

지방세심사 2004-222, 2004. 8. 30.

재건축조합이 재건축 후 일반분양하는 아파트 등의 부속토지는 조합원으로부터 소유권을 취득하여 제3자에게 매각하는 것이므로 취득세 납세의무가 성립하고, 여기서 취득은 실질적 요건만 갖추면 취득으로 인정됨.

세정-2577, 2004. 8. 17.

명의신탁해지를 원인으로 한 공유지분이전등기청구의 소를 제기하여 지분이전등기를 한 경우 취득세 과세대상임.

감심 2004-57, 2004. 8. 12.

당초 명의신탁한 토지에 대한 취득세 납부는 명의수탁자를 대신한 것이므로 명의신탁해지를 원인으로 소유권을 이전받은 명의신탁자에게 취득세를 부과함은 이중과세 아님.

지방세심사 2004-108, 2004. 4. 26.

매매를 원인으로 유효하게 부동산 소유권이 이전등기된 후 합의해제의 형식으로 원소유자에게 소유권이 환원된 것은 사실상의 새로운 '취득'으로 보아 취득세 납세의무 있음.

지방세심사 2003-272, 2003. 12. 24.

부동산매매계약서상 잔금지급일에 검인 및 취득신고하고 취득일로부터 30일 이내에 계약해제사실이 화해조서・인낙조서・공정증서 등에 의해 매매계약의 해제가 입증되지 않는 경우, '취득'으로 보아 취득세 납세의무 있음.

세정-516, 2003. 7. 18.

원시취득, 승계취득 또는 유상무상을 불문한 일체의 취득은 모두 취득세 과세대상임.

지방세심사 2003-100, 2003. 5. 26.

명의신탁이나 명의신탁해지로 인해 부동산을 소유권이전등기한 경우 새로이 취득한 것으로 보아 취득세 과세함은 정당함.

※ 신탁법에 의한 경우 비과세 적용

세정 13407-342, 2003. 4. 29.

경매부동산의 소유자가 당해 부동산을 경락받은 경우에는 당해 부동산을 새로이 취득한 것이 아니므로 취득세 납세의무가 없음.

세정 13407-323, 2003. 4. 23.

부동산처분신탁에 따라 신탁회사로부터 그 수익자가 신탁부동산의 소유지분이 표시된 '수익권증서'를 발급받는 것은, 당해 증서에 표시된 신탁부동산의 소유지분을 취득한 것으로 볼 수 없음.

감심 2003-28, 2003. 3. 25.

농지를 증여받은 후 농지법상 농지취득자격증명을 받지 못해 증여를 철회했더라도, 그 '증여취득' 사실에 대해 취득세 부과함은 정당함.

지방세심사 2003-48, 2003. 3. 24.

부동산매매계약서상 잔금지급일 이후 검인 및 취득 신고했으나, 금융기관의 대출을 받지 못해 사실상 잔금지급 못한 것으로 추정되고, '취득'을 입증할 구체적인 증빙 없어 취득세 과세함은 부당함.

지방세심사 2003-36, 2003. 2. 24.

장학재단이 토지를 증여받은 후, 근저당권이 설정됐다는 사유로 주무관청이 기본재산 편입을 불허함에 따라 원소유자에게 환원했더라도, 당초 '증여'로 인한 취득세 과세에 영향 없음.

지방세심사 2003-4, 2003. 1. 27.

재건축조합이 조합원으로부터 신탁받은 토지 중 일반분양용에 해당하는 토지에 대한 취득세 등 부과처분은 정당함.

지방세심사 2003-12, 2003. 1. 27.

토지의 공부상 등재와 사실상 점유상태가 상이해 잘못된 경계선을 법원판결로 바로잡아 공부만을 정리하고 시효완성을 취득원인으로 소유권이전등기한 경우, '취득'에 해당하지 않음.

세정 13407-55, 2003. 1. 22.

본인이 모르게 부동산의 소유권이전등기가 이루어진 경우, 그 진위 여부가 확인되지 않아 법원의 원인무효판결 없으면 취득세 부과처분의 취소대상 아님.

감심 2002-193, 2002. 12. 18.

환지예정지 지정 후 사업시행자로부터 체비지를 매수한 자가 환지처분공고 전에 이를 제3자에게 전매했더라도, '취득'으로서 취득세 등 부과됨.

세정 13407-1113, 2002. 11. 22.

부동산매매로 소유권이전등기된 후 매수인의 의무불이행으로 인해 소유권이전등기 말소판결받아 원상회복 등기된 경우, 당초 매수인은 취득세 납세의무 있으나 소유권을 회복한 매도인은 없음.

세정 13407-1067, 2002. 11. 8.

임야가 상속되어 상속자 명의로 등기된 후 명의신탁해지 판결에 의해 임야의 소유권이 종중대표자에게 이전되는 경우, 상속자와 종중은 각각 취득세 등의 납세의무가 있음.

세정 13407-1010, 2002. 10. 28.

부동산매매계약하고 잔금지급일 전에 소유권이전등기한 경우, 그 등기일이 취득일이 되므로, 그 후 합의해제했더라도 취득세 납세의무 있음.

제2절 납세의무자

1 부동산등의 일반적인 취득(지세법 §7 ①, ②)

부동산등의 취득은 「민법」, 「자동차관리법」, 「건설기계관리법」, 「항공안전법」, 「선박법」, 「입목에 관한 법률」, 「광업법」 또는 「수산업법」 등 관계 법령에 따른 등기·등록 등을 하지 아니한 경우라도 사실상 취득하면 각각 취득한 것으로 보고 해당 취득물건의 소유자 또는 양수인을 각각 취득자로 한다. 따라서 「신탁법」 제10조에 따라 신탁재산의 위탁자 지위이전이 있는 경우에는 새로운 위탁자가 해당 신탁재산을 취득한 것으로 본다. 다만, 위탁자 지위이전에도 불구하고 신탁재산에 대한 실질적인 소유권 변동이 있다고 보기 어려운 「자본시장과 금융투자에 관한 법률」에 따른 부동산집합투자기구의 집합투자업자가 그 위탁자의 지위를 다른 집합투자업자에게 이전하는 경우 등과 경우에는 취득으로 보지 않는다.

부동산등의 취득에 대한 납세의무자는 부동산을 사실상 취득한 자인데, 여기서 사실상 취득이란 당해 부동산의 배타적인 사용수익권, 즉 소유권을 취득하는 것을 의미하고, 공부상의 등기·등록 여부와는 관계가 없다. 따라서 사실상의 취득행위가 있어야 하므로 당초의 취득행위가 조건부인 때 그 조건이 성취되지 못하여 원상회복 되든지 또는 사기 등 부정한 방법에 의한 취득행위가 사후에 확인됨으로써 원상회복 되는 경우에는 그 등기 여부에 불구하고, 사실상의 취득행위가 있었다고 볼 수 없으므로 취득세를 과세할 수 없다.

또 법에서 정한 취득시기가 도래하여 취득과정이 완료되어야만 취득행위가 유효하게 성립된 것으로 보아야 하므로 취득을 위한 매매계약 또는 건축이 있었다 할지라도 제3절에서 설명할 취득시기 도래 전에 제3자에게 당해 부동산을 이전했을 경우에는 취득세 납세의무자로 볼 수 없다고 할 것이다.

부동산 취득세는 재화의 이전이라는 사실 자체에 대한 일종의 유통세로서 그 사용, 수익 등 이익에 따라 부과하는 것이 아닌바, 이미 유효하게 성립한 취득을 상호합의에 의하여 매매계약을 해제하여 환원등기하더라도 이는 재취득으로 보아 취득세 과세대상으로 본다(내심 89-82, 1989. 7. 20. 참조).

관련예규 및 판례요약

조심 2018지 3218, 2019. 9. 25.

법원으로부터 "○○○ 명의로 등기되어 있는 이 건 토지의 소유권을 명의신탁 해지를 원인으로 하여 청구인에게 이전등기하라"는 판결을 받고 이 건 토지 일부의 소유권을 청구인 명의로 이전등기하였으나 청구인 명의로 이전등기하지 못한 사실이 등기사항전부증명서 등에 의하여 확인되는 점, 청구인이 쟁점토지의 전소유자에게 취득대금을 지급한 사실이 나타나지 아니하는 점 등에 비추어, 청구인이 쟁점토지를 사실상 또는 형식상 취득한 것으로 보기는 어려움.

조심 2018지 3259, 2019. 6. 26.

표준대차대조표와 연간 계정별원장(토지) 내역에 취득한 사실이 반영되어 있지 아니하고, 특정기간에 보통예금 거래내역서에 취득신고일에 입・출금(이 건 취득세 등이 납부된 것으로 보인다)된 사실 외에 계약금이나 잔금 지급과 관련한 내역이 나타나지 않는 등의 경우는 원소유자로부터 사실상 취득한 것이라고 단정하기 어려움.

조심 2018지 1094, 2019. 5. 29.

잔금지급자가 소유권이전등기를 하는 통상의 사례에 비추어 청구인이 매도인에게 잔금을 지급하였다고 보기 어려운 점 등에 비추어 청구인이 쟁점아파트를 사실상 취득하였다고 보기는 어려움.

대법 2016두 34332, 2016. 6. 9.

국세청의 부동산 양도사실 통보는 있었으나 양수인이 소유권이전등기라는 형식상 요건과 대금지급이라는 사실상 요건을 갖추지 못한 경우 취득세를 과세할 수 있는지 여부 관련하여 국세청의 양도통보에도 불구하고 부동산 취득의 형식적 또는 사실적 요건을 충족하지 못한 경우 취득의 성립으로 볼 수 없음.

대법 2015두 55820, 2016. 2. 18.

B가 A와 매매계약을 체결하고 잔금을 미지급한 상태에서 C에게 매수인 지위를 이전하여 C가 A에게 잔금을 지급한 경우 B의 취득세 납세의무 성립 여부 관련하여 C가 A에게 잔금지급 시점에 B가 사실상 취득하였고, 이와 동시에 A에게 매도하였다고 할 것으로 B는 취득세 납세의무가 있음.

지방세운영-811, 2015. 3. 11.

건축주와 대금지급자가 다를 경우 취득세 납세의무자 관련하여 처음부터 종교용 건축물을 종교단체로 귀속시킬 목적이었고 종교단체가 건축자금을 제공하였다면 종교단체를 해당 건축물의 원시취득자로 보는 것이 타당하고, 건축편의상 종교단체 대표자 개인명의로 건축허가 및 사용승인을 받았다고 하더라도 개인명의로 등기가 이루어지지 아니한 이상 개인에게는 취득세 납세의무가 성립되지 않음.

2 | 건축물의 신축, 증축, 개축, 개수(지세법 §7 ①, ②, ③)

가. 신 축

신축이란 건축물이 없는 대지(기존 건축물이 철거되거나 멸실된 대지를 포함)에 건축물과 시설물을 새로이 축조하는 것(「건축법 시행령」 제2조 제1호, 개축 · 재축 제외)을 말하며, 건축주가 당해 건축물의 납세의무자가 된다. 완공이라는 실질적 취득이 있어야 과세대상으로 볼 수 있는바, 여기서 완공이란 공부 또는 관계기관의 사용승인서(임시사용승인 포함) 교부와는 관계없이 사실상의 완공을 의미한다. 즉 건축물이 용도상의 목적이나 기능을 발휘할 수 있어 이를 독립한 부동산의 개념으로 볼 수 있을 때를 완공시점이라 할 것이다.

신축의 경우 납세의무자는 완공시의 건축주가 되는바, 완공 전에 건축허가명의가 변경되었거나, 행정규제상 건축주의 명의변경이 되지 못하였으나 사실상 변경이 확인되는 경우 변경된 건축주 또는 사실상의 건축주에게 납세의무가 있다고 본다.

나. 증 축

기존 건축물이 있는 대지 안에서 건축물의 건축면적, 연면적, 층수 또는 높이를 증가시키는 것으로 납세의무의 성립은 신축과 동일하다.

다. 개 축

기존 건축물의 전부 또는 일부[내력벽, 기둥, 보, 지붕틀(한옥의 경우에는 지붕틀의 범위에서 서까래는 제외한다) 중 셋 이상이 포함되는 경우]를 철거하고 그 대지 안에 종전과 동일한 규모의 범위 안에서 건축물을 다시 축조하는 것을 말하며, 납세의무의 성립은 신축과 동일하다.

라. 개 수

다음 중 어느 하나에 해당하는 것을 말하며, 납세의무는 신축과 동일하다.

1) 「건축법」 제2조 제1항 제9호에 따른 대수선(건축물의 기둥, 보, 내력벽, 주계단 등의 구조나 외부 형태를 수선·변경하거나 증설하는 것으로 증축·개축 또는 재축에 해당하지 아니하는 것)
2) 건축물 중 레저시설, 저장시설, 도크(dock)시설, 접안시설, 도관시설, 급수·배수시설, 에너지공급시설 및 그 밖에 이와 유사한 시설(이에 딸린 시설을 포함) 등 대통령령으로 정하는 것(지세령 §5)을 수선하는 것
3) 건축물에 딸린 시설물 중 승강기, 발전시설(시간당 20kw 이상), 난방용·욕탕용 보일러, 시간당 7천560킬로칼로리급 이상의 에어컨(중앙조절식), 부착된 금고, 교환시설, 인텔리전트 빌딩시스템 시설, 구내의 변전·배전시설 등(지세령 §6) 시설물을 설치하거나 수선하는 것을 말한다. 이 경우 해당 시설이 건축물에 부속되어야 취득세 과세대상에 해당되므로 건축물에 부속되지 아니하거나 공장의 제조공정 중 설치되는 승강기 등은 시설물이라고 하더라도 과세대상에 해당하지 않는다.

3 「지방세법」상 취득세의 의제 납세의무자

가. 건축물의 주체구조부에 속하는 부대설비(지세법 §7 ③)

건축물 중 조작설비, 그 밖의 부대설비에 속하는 부분으로서 그 주체구조부와 하나가 되어 건축물로서의 효용가치를 이루고 있는 것에 대하여는 주체구조부 취득자 외의 자가 가설한 경우에도 주체구조부의 취득자가 함께 취득한 것으로 본다.

나. 토지 지목의 변경 및 선박, 차량, 기계장비의 종류(지세법 §7 ④)

토지의 지목을 사실상 변경하거나 선박, 차량과 기계장비의 종류를 변경함으로써 그 가액이 증가한 경우에는 취득으로 보아 취득세 납세의무가 있다.

지목변경이 과세표준대상이 되기 위해서는 그 가액의 증가가 있어야 하므로 판결문 또는 법인장부에 의하여 객관적으로 토지의 지목변경이 입증되는 경우에는 그 지출비용을 사실

상의 가액증가분으로 보아 과세표준으로 하나, 판결문 또는 법인장부 등과 같이 객관적으로 그 지출비용을 입증하기 어려운 경우에는 지목변경 전후의 공시지가의 차액을 가액증가분으로 보아 과세표준으로 한다. 또한, 2016년부터는 「공간정보의 구축 및 관리등에 관한 법률」 제67조에 따른 대(垈) 중 「국토의 계획 및 이용에 관한 법률」 등 관계법령에 따른 택지공사가 준공된 토지의 지목을 건축물과 그 건축물에 접속된 정원 및 부속시설물의 토지로 사실상 변경함으로써 그 가액이 증가한 경우에도 취득세 과세대상에 포함되었다. 다만, 2020년부터는 종전 건축물 건축 시 조경·도로포장 등의 공사비는 모두 토지 지목변경 비용에 포함하여 지목변경 취득세율 2% 적용하던 것을 정원, 조형물 설치 등 조경공사와 도로포장공사 등 건축과정에서 발생되는 비용은 건축물의 건축비용에 포함하여 건축물 신축 취득세율인 2.8%를 과세하고, 택지 조성 등 지목변경을 수반하는 경우로서 건축물의 부속토지로 사용되지 않는 토지에 설치되는 조경공사비 등은 지목변경 비용에 포함하여 2%를 과세하도록 개정하였다.

관련예규 및 판례요약

대법 2016두 45912, 2016. 9. 28.

취득 이전에 공장용지로 형질변경된 토지에 상업용 건물을 신축함으로써 형질변경된 지목으로 변경된 경우 간주취득세 과세대상 여부 관련하여 취득 이후에 공업용에서 상업용으로 용도가 변경되고, 지가도 상승하였다면 간주취득세 과세대상인 사실상 지목변경에 해당됨.

지방세운영-1419, 2015. 5. 11.

신탁재산이 수탁자에게 이전된 이후 지목변경시 납세의무자 관련하여 「신탁법」상 해당 토지의 관리 등의 사유로 수탁자가 지목변경을 통해 획득한 토지 가액의 증가라는 산물은 신탁재산에 속하는 점(제27조), 수탁자 앞으로 소유권이전등기가 이루어진 신탁재산의 소유권은 대내외적으로 수탁자에게 완전히 이전되었다고 볼 수 있는 점, 취득세 법리상 소유권이 수탁자에게 이전된 이후 이루어진 지목변경 행위에 대한 간주 취득세 납세의무는 사실상 지목변경 시점의 소유자인 수탁자에게 있다고 보는 것이 합리적인 점 등을 고려시 지목변경 시점에서 대내외적인 소유권을 가진 수탁자에게 납세의무가 있다고 보는 것이 합리적임.

다. 과점주주 간주취득(지세법 §7 ⑤)

법인의 주식 또는 지분을 50%를 초과하여 취득함으로써 「지방세기본법」 제47조 제2호에 따른 과점주주가 되었을 때에는 그 과점주주는 해당 법인의 부동산, 차량, 기계장비, 항공기, 선박, 입목, 광업권, 어업권, 골프회원권, 승마회원권, 콘도미니엄 회원권, 종합체육시설 이용회원권 또는 요트회원권을 취득 주식의 지분만큼 취득한 것으로 본다. 이 경우 법인이 「신탁법」에 따라 신탁한 재산으로서 수탁자 명의로 등기 · 등록이 되어 있는 부동산등을 포함하되, 법인설립 시에 발행하는 주식 또는 지분을 취득함으로써 과점주주가 된 경우에는 취득으로 보지 않는다.

과점주주에 대한 취득세를 과세함에 있어 대도시 내 법인 본점 또는 주사무소의 사업용 부동산 등에 대하여는 중과세를 하지 않는다. 아울러 과점주주의 납세의무성립 당시 당해 법인의 취득시기가 도래되지 아니한 물건에 대하여는 과점주주에게 납세의무가 없고, 연부취득 중인 물건에 대하여는 연부 취득시기가 도래된 부분에 한하여 납세의무가 있다(지세법 통칙 7-3).

참고 과점주주의 요건(지기법 §47 2호)

주주 또는 유한책임사원 1명과 그의 특수관계인 중 대통령령으로 정하는 자로서 그들의 소유주식의 합계 또는 출자액의 합계가 해당 법인의 발행주식 총수 또는 출자총액의 100분의 50을 초과하면서 그에 관한 권리를 실질적으로 행사하는 자들을 말한다.

1) 법인의 과점주주 아닌 주주 등이 주식 등을 취득하여 과점주주가 된 경우

법인의 과점주주가 아닌 주주 또는 유한책임사원이 다른 주주 또는 유한책임사원의 주식 또는 지분을 취득하거나 증자 등으로 최초로 과점주주가 된 경우에는 최초로 과점주주가 된 날 현재 해당 과점주주가 소유하고 있는 법인의 주식등을 모두 취득한 것으로 보아 과점주주에 대한 취득세를 부과한다(지세령 §11 ①).

예컨대, 2010. 1. 1. 현재 A사(비상장법인)의 발행주식총수는 100,000주이고, 주주들의 보유현황은 甲이 20,000주, 乙이 10,000주, 丙이 40,000주, 丁이 30,000주를 각각 보유하고 있다. 여기서 甲과 乙은 특수관계자에 해당한다. 이 경우 甲이 2011. 6. 30.에 丙으로부터 25,000주를 취득한 경우 간주취득에 대한 과세표준은 다음과 같이 산정한다.

최초로 과점주주가 된 경우

일 자	주주 甲·乙의 주식보유현황	간주취득에 대한 과세표준
2010. 1. 1.	30,000주(30%) - 비과점주주	-
2011. 6. 30.	55,000주(55%) - 최초과점주주	2011. 6. 30. 현재 과세대상 자산의 총가액 × 55%

2) 과점주주가 가진 주식 등의 비율이 증가된 경우

이미 과점주주가 된 주주 또는 유한책임사원이 해당 법인의 주식등을 취득하여 해당 법인의 주식등의 총액에 대한 과점주주가 가진 주식등의 비율이 증가된 경우에는 그 증가분을 취득으로 보아 과점주주에 대한 취득세를 부과한다. 다만, 증가된 후의 주식등의 비율이 해당 과점주주가 이전에 가지고 있던 주식등의 최고비율보다 증가되지 아니한 경우에는 취득세를 부과하지 아니한다(지세령 §11 ②). 종전에는 5년 이내의 주식등의 최고비율을 기준으로 증가된 주식등의 비율에 대해 과세하였으나 2016. 1. 1.부터는 종전 주식등의 최고비율을 기준으로 하도록 개정하였다. 다만, 지방세법 시행령 제11조 제3항 적용대상과의 형평성 등을 고려하여 개정전에 납세의무가 성립된 부분에 대하여도 적용한다.

예컨대, 앞의 사례 1에서 乙이 2016. 7. 5.에 丁으로부터 15,000주를 취득한 경우 간주취득에 대한 과세표준은 다음과 같이 산정한다.

과점주주의 지분비율이 증가한 경우

일 자	주주 甲·乙의 주식보유현황	간주취득에 대한 과세표준
2010. 1. 1.	30,000주(30%) - 비과점주주	-
2010. 6. 30.	55,000주(55%) - 최초과점주주	2010. 6. 30. 현재 과세대상 자산의 총가액 × 55%
2016. 7. 5.	70,000주(70%) - 과점주주	2016. 7. 5. 현재 과세대상 자산의 총가액 × 15%

3) 과점주주가 과점주주에 해당하지 아니한 후 다시 과점주주가 된 경우

과점주주였으나 주식등의 양도, 해당 법인의 증자 등으로 과점주주에 해당하지 아니하게 되었다가 해당 법인의 주식등을 취득하여 다시 과점주주가 된 경우에는 다시 과점주주가 된 당시의 주식등의 비율이 그 이전에 과점주주가 된 당시의 주식등의 비율보다 증가된 경우에만 그 증가분만을 취득으로 보아 위 2)의 예에 따라 취득세를 부과한다(지세령 §11 ③).

예컨대, 위의 사례 2에서 2016. 8. 10.에 甲이 丁에게 20,000주를 양도하였다. 그 후 2016. 9. 10.에 乙이 丙으로부터 15,000주를 취득하였고, 2016. 11. 20.에 甲이 丁으로부터 15,000주를 취득하였다. 이 경우에 간주취득에 대한 과세표준은 다음과 같다.

사례 3 비과점주주가 되었다가 다시 과점주주가 된 경우

일 자	주주 甲·乙의 주식보유현황	간주취득에 대한 과세표준
2010. 1. 1.	30,000주(30%) - 비과점주주	-
2011. 6. 30.	55,000주(55%) - 최초과점주주	2011. 6. 30. 현재 과세대상 자산의 총가액×55%
2016. 7. 5.	70,000주(70%) - 과점주주	2016. 7. 5. 현재 과세대상 자산의 총가액×15%
2016. 8. 10.	50,000주(50%) - 비과점주주	-
2016. 9. 10.	65,000주(65%) - 과점주주	종전 최고 지분비율(70%)보다 증가되지 아니함
2016. 11. 20.	80,000주(80%) - 과점주주	2016. 11. 20. 현재 과세대상 자산의 총가액×10%

관련예규 및 판례요약

과점주주의 범위 : 지세법 §7 ⑤, 지세령 §11

과점주주의 범위와 관련된 예규, 판례

지방세운영과-337, 2019. 2. 7.

합병 이후 유상증자로 과점주주의 지분이 변동(A법인 : B법인, 50% : 50% → 56% : 44%)된 경우에는 과점주주의 지분증가율(100% → 100%)이 없으므로 납세의무가 없는 것으로 판단됨.

조심 18지 1804, 2018. 11. 26.

청구인은 이 건 주식발행법인이 이 건 자동차에 대한 취득세 등을 면제받았으므로 청구인에

게 과점주주 취득세 등을 부과하면서 이 건 자동차를 포함한 것은 부당하다고 주장하나, 자동차매매사업자로 등록된 이 건 주식발행법인이 매매용으로 이 건 자동차를 취득한 것이라서 취득세 등을 면제받은 것이므로 주식을 취득함에 따라 납세의무가 성립한 과점주주 취득세에 대해서 해당 감면규정을 적용할 수는 없음.

대법 2016두 43763, 2016. 10. 27.

주식양도양수계약서의 양수인 명의에도 불구하고 주식등변동상황명세서의 양수인을 사실상의 주주로 보아 과세하는 처분의 정당성 여부 관련하여 주식양도양수계약서상의 양수인 명의에도 불구하고 주식등변동상황명세표상의 양수인을 사실상의 주주로 보아 과세하는 처분은 정당함.

지방세운영-1661, 2016. 6. 27.

과점주주 취득세의 납세의무를 지우기 위해서는 형식적 요건을 갖추어야 할 뿐만 아니라 당해 과점주주가 법인의 운영을 실질적으로 지배할 수 있는 지위에 있음을 요한다(대법원 92누11138, 1994. 5. 24. 판결 등 참조)고 할 것인데, 해당 수탁기관은 「공직자윤리법」에 따라 수탁받은 주식을 특별한 사유가 없는 이상 60일 이내에 처분하여야 하는 점에서 볼 때, 과점비율에 해당하는 주식을 수탁받는다고 하더라도 이는 법인의 자산을 우회적으로 취득하기 위한 목적이 아니며, 법인의 자산에 대해 실질적으로 관리·처분권을 행사할 수 있는 지위에 있게 된다고 보기 어려우므로 「공직자윤리법」에 따라 수탁기관이 재산공개대상자의 주식을 처분할 목적으로 수탁받으면서 과점주주가 되는 경우, 과점주주 간주취득세 납세의무가 없다고 할 것임.

대법 2011두 26046, 2016. 3. 10.

법인 설립 당시 실질적 지배자가 주식 일부를 명의신탁약정하여 타인 명의로 주주명부에 등재한 이후, 5년 이내 명의신탁약정한 주식을 취득하여 과점주주 비율이 증가한 경우 간주취득세 과세대상 여부 관련하여 설립 당시 실질적 지배자가 타인 명의로 명의신탁약정한 주식의 취득은 주주명부상 명의에도 불구하고 과점주주 비율증가에 따른 간주취득세 과세대상에 해당되지 않음.

지방세운영-3860, 2015. 12. 11.

과점주주가 주식 또는 지분을 취득하지 아니하여 과점주주가 되거나 과점비율이 증가한 경우, 법인과 과점주주가 과점비율만큼 동일시 되어 지배력을 행사할 수 있음에도 취득세를 부담하지 아니한 것으로, 과점주주가 주식 또는 지분을 취득하여 기존 간주 취득세를 부담하였던 과점비율보다 증가한 경우라면, 주식 또는 지분 취득시점의 과점비율에서 자기주식 취득 전의 과점비율을 차감한 비율에 대해서 취득세 납세의무가 성립한다고 할 것임. 다만, 자기주식 취득 등으로 동일시 된 시점 이후에 추가로 취득한 자산에 대해서는 그 시점의 과점비율을 상회하는 비율에 한하여 납세의무가 성립한다고 할 것임.

대법 2015두 39217, 2015. 6. 11.

주식을 제3자에게 명의신탁하였다가 신탁을 해지하고 신탁자 명의로 원상회복하는 과정에서 형식상 새로운 과점주주가 된 경우 간주취득에 따른 취득세 납세의무가 성립하지 않음.

지방세운영-1419, 2015. 5. 11.

주식의 명의신탁과 관련하여 과점주주 취득세 납세의무에 대해서 살펴보면, 실질적인 주주가 주주명부에 명의대여자 명의로 등재하였다고 하여도 주식을 인수하고 대금을 납부한 실질소유자가 주주가 되며, 단순히 명의를 대여한 자는 명의만을 대여했을 뿐 주주명부에 등재가 주주의 권리를 대외적으로 공시하는 방법도 아니어서 본래 의미의 명의신탁이 인정되지 않으므로 주주명부상 명의대여자를 주주로 볼 수 없어(대법원 97다 50619, 1998. 4. 10. 참조), 명의신탁자가 실질적으로 주식의 소유자가 아닌 명의 수탁자로부터 주주명부상의 명의만 회복하는 명의신탁해지는 간주취득세 과세대상 주식을 취득한 것으로 볼 수 없으나, 과세관청에서 주식 취득 경위와 목적, 명의신탁계약서의 신빙성, 주금납부금액의 출처, 명의 수탁자의 주금납부 능력(재산상태 및 소득수준), 명의신탁 당시 취득세 회피 목적, 위탁자와 지배관계 등의 사실관계를 면밀히 조사하여 종합적으로 판단할 사항임.

대법 2013두 18384, 2014. 1. 16.

○○보험공사가 구상금채권을 출자전환하는 과정에서 과점주주가 된 경우에도 간주취득에 따른 취득세 납세의무 성립함.

대법 2013두 19523, 2013. 12. 26.

법인의 과점주주이었던 자가 현물출자로 주식을 교부받아 총주식보유비율이 증가한 경우에는 사실상 임의처분하거나 관리운용할 수 있는 부동산은 변동이 없으므로 간주취득세 납세의무가 없음.

대법 2012두 12495, 2013. 7. 25.

당해법인의 주주가 아니었던 법인이 주식의 교환으로 기존과점주주와 특수관계를 형성하면서 기존 주주의 주식을 이전 받아 새로운 과점주주가 되는 경우 간주취득세 납세의무가 성립되는지 여부 관련하여 주식비율 변동이 없다면 간주취득세 납세의무 미성립함.

대법 2011두 12252, 2012. 6. 28.

유상증자시 일부 주주가 신주인수를 포기하여 특정주주의 주식의 비율이 증가되어 과점주주 요건(50% 초과)을 갖춘 경우 과점주주 취득세 납세의무는 성립함

대법 2012두 331, 2012. 2. 14.

현물출자를 하고 주식을 취득함으로써 과점주주가 된 경우 현물출자한 부동산도 간주취득

과세대상에 해당하지 않음

지방세운영-191, 2011. 1. 12.

구「지방세법」(2007. 12. 31. 법률 제8835호) 제22조 제2호에서 규정하는 과점주주의 범위가 법인의 "발행주식총수의 51% 이상"에서 "발생주식총수의 50% 초과"로 개정된 것과 관련하여, 유상증자 전 지분율이 50.13%로 구 지방세법상 과점주주가 아니었으나 개정 후 균등유상증자시 지분율 변동은 없지만 신주취득행위를 한 경우에는 과점주주 취득세 납세의무는 성립함.

조심 2010지 243, 2010. 10. 6.

과점주주 취득세 납세의무는 주식의 명의개서와 동시에 발생되는 것이며, 명의개서일 이후 법원의 판결을 통하여 주식이 다시 환원되었다 하더라도 이미 성립된 납세의무는 소멸되지 않는 것임.

대법 2010두 8669, 2010. 9. 30.

법인이 주식을 취득함으로써 과점주주가 된 때에만 취득세 납세의무가 있는 것으로서, A법인이 자기주식을 취득함으로써 A의 주주인 갑은 그 지분율 상승에 따라 과점주주가 된 것일 뿐 갑이 주식을 취득하여 A의 과점주주가 된 것으로 볼 수 없음.

지방세운영-3593, 2010. 8. 16.

법인이 자기주식을 취득한 경우 발행주식총수에서 제외되므로 이로 인하여 주식소유비율이 상승되어 50%를 초과하여 보유하게 되었다고 하더라도 과점주주 취득세 납세의무는 없음.

지방세운영-3127, 2010. 7. 22.

명의신탁 해지로 인하여 주식 명의를 회복하는 것은 주식의 취득에 해당하지 않으므로 그에 따라 과점주주가 되는 경우는 과점주주 간주취득세 납세의무가 성립되었다고 볼 수 없음.

서울고법 2009나 100106, 2010. 4. 7.

과점주주에 해당하는지 여부는 주주명부상의 명의를 기준으로 형식적으로 판단할 것이 아니고 실질적으로 과반수 주식의 소유집단의 일원인지에 의하여 판단하여야 함.

세정-666, 2008. 2. 28.

100% 보유하고 있는 과점주주가 주식을 전부양도하여 법인의 주주가 아니었다가 5년 이내에 다시 주식을 100% 취득한 경우에도 종전 지분보다 증가하지 않았으므로 과점주주의 주식취득에 따른 취득세 납세의무가 없음.

지방세심사 2007-653, 2007. 11. 26.

특수관계인 내부 간의 거래에 해당하지 아니하므로 과점주주 취득세 부과대상에 해당함.

행법 2007구합 4988, 2007. 10. 31.

모회사를 주주로 파악하지 아니하는 한, 법인의 주식을 50%씩 소유한 자회사들끼리는 특수관계가 없으므로, 모회사와 자회사들 모두 취득세의 납부의무를 지는 과점주주에 해당되지 아니함.

지방세심사 2007-588, 2007. 10. 29.

주주명의를 도용당하였거나 실질소유주의 명의가 아닌 차명으로 등재되었다는 등의 사정이 있는 경우에는 주주가 아님을 주장하는 명의자가 입증하여야 할 것임.

지방세심사 2007-487, 2007. 10. 1.

새로운 과점주주가 기존의 과점주주와 법인운영 등에 대한 지배집단의 성격이 다르다고 보는 것이 실질과세의 원칙상 합리성이 있으므로 별개의 과점주주로 보아 과세한 것은 정당함.

지방세심사 2007-355, 2007. 6. 25.

객관적인 반증을 하지 않는 한 세무서에 제출한 주식등변동상황명세서를 근거로 과점주주로 보아 취득세 등을 부과한 처분은 적법함.

세정-799, 2007. 3. 23.

개인 A가 갑법인의 주식 40% 소유, 을법인의 주식 100% 소유하고, 을법인이 병법인의 주식 100%를 소유하고 있으면서 병법인이 갑법인의 주주로부터 30%의 주식을 인수한 경우 A와 병법인은 특수관계가 성립함.

감심 2007-6, 2007. 2. 15.

주식의 소유사실은 과세관청이 주주명부나 주식이동상황명세서 또는 법인등기부등본 등 자료에 의하여 이를 입증하면 되고 명의상 주주라는 주장은 명의자가 입증하여야 함.

지방세심사 2006-1062, 2006. 11. 27.

과점주주에 대한 취득세 부과는 형식적인 요건뿐만 아니라 당해 과점주주가 법인의 운영을 실질적으로 지배할 수 있는 지위에 있음을 요하는 것임.

지방세심사 2006-1063, 2006. 11. 27.

회사정리법에 의하여 회사정리 절차 중인 법인의 주식을 취득하여 과점주주가 된 경우 법인의 운영을 실질적으로 지배할 수 없는 경우 취득세 납세의무가 없음.

세정-3817, 2005. 11. 17.

지주회사의 요건을 갖추지 못하였으나 3월 후 지주회사 탈피신고를 하였다 하더라도 그 효력은 당해 사유가 발생한 날로 소급하여 적용되는 것이므로 당해 기간에 과점주주에 대한 취득세가 감면되지 아니함.

세정-3817, 2005. 11. 17.

과점주주 성립 당시 지주회사로서의 요건을 갖추었다면 추후 지주회사로서의 자격이 상실되었다 하여 취득세를 소급하여 부과할 수는 없는 것임.

세정-3817, 2005. 11. 17.

합병으로 인하여 과점주주가 된 경우에는 형식적인 취득으로 보아 과점주주로 인한 취득세 납세의무가 없는 것임.

세정-3795, 2005. 11. 16.

특수관계에 있는 자의 주식보유비율이 50%를 초과하지 않는 경우 과점주주로 인한 취득세 납세의무가 없는 것임.

세정-3334, 2005. 10. 19.

특수관계인간 내부거래라 하더라도 과점주주비율 전체를 취득하여 새로운 과점주주를 이루는 경우에는 취득세 납세의무가 있는 것임.

세정-2704, 2005. 9. 15.

과점주주에 대한 취득세 납세의무에 있어 과점주주와 친족 기타 특수관계인 상호간에 주식이 양도·양수되더라도 과점주주의 주식비율에 변동이 없는 경우에는 취득세 납세의무가 없는 것임.

세정-1855, 2005. 7. 25.

「조세특례제한법」상의 기업분할 감면요건을 갖추고 분할신설됨으로써 다른 법인의 과점주주가 된 경우 형식적인 취득에 해당되어 과점주주 취득세 납세의무가 없는 것임.

세정-1735, 2005. 7. 19.

동일한 과세대상에 과점주주로 인한 취득과 사업양수도로 인한 취득이 순차적으로 이루어진 경우 사업양수도로 인한 신고납부액에서 과점주주로 인한 취득세 신고납부액이 공제되는 것은 아님.

세정-1736, 2005. 7. 19.

법인간의 간접적인 출자관계는 있으나 지방세법상 특수관계에 해당하지 아니한 경우 주식거래에 대한 과점주주로 인한 취득세 납세의무가 있는 것임.

세정-1737, 2005. 7. 19.

기존의 과점주주의 사망으로 특수관계에 해당하는 상속인이 과점주주 주식비율 전체를 상속받아 새로운 과점주주가 된 경우 과점주주로 인한 취득세 납세의무가 있음.

세정-1650, 2005. 7. 13.

특수관계자인 개인들이 소유하고 있는 당해 법인의 주식이 50%를 초과하지 아니하므로 다른 법인의 주주인 당해 법인은 개인주주들과 특수관계자에 해당하지 아니함.

세정-1548, 2005. 7. 8.

조세특례제한법상의 기업분할 감면요건을 갖추고 분할신설됨으로써 다른 법인의 과점주주가 된 경우에는 과점주주 취득세 납세의무가 없으며 향후 주식을 추가 취득하였을 경우 지분 증가분에 대해서만 과점주주로 인한 취득세 납세의무가 있는 것임.

세정-1563, 2005. 7. 8.

100% 무상감자 후 증자를 통하여 특수관계가 없는 기업들이 주식을 새로이 33.33%씩 취득한 경우 과점주주에 해당하지 아니함.

지방세심사 2005-196, 2005. 6. 27.

주식 등 변동상황명세서는 주주명부에 개서된 사항을 기준으로 작성된다는 점에 비추어 볼 때 주식 등 변동상황명세서상 주식양수・도일을 기준으로 과점주주 여부를 판단하여 취득세 등을 부과한 처분은 타당함.

세정-1241, 2005. 6. 18.

과점주주 내부간의 거래에 해당하는 경우 과점주주에 대한 취득세 납세의무는 없는 것임.

세정-1221, 2005. 6. 16.

회사정리절차 중 주식을 취득하여 과점주주가 된 경우라 하더라도 회사정리절차가 종결되기 전에는 정리회사의 운영을 실질적으로 지배할 수 있는 지위에 있지 아니하므로 과점주주에 따른 취득세 납세의무는 없음.

세정-1084, 2005. 6. 9.

주주 또는 유한책임사원이 법인인 경우에는 그 법인의 소유주식 등이 발행주식총수의 50% 초과한 법인과 소유주식수 등이 해당 법인의 발행주식총수의 50% 초과한 법인 또는 개인에 해당하는 경우 과점주주에 해당함.

세정-1076, 2005. 6. 8.

회사정리절차 개시결정 이후에 공개경쟁 입찰방식으로 정리회사를 인수함으로써 과점주주가 된 경우라 하더라도 회사정리절차가 종결되기 전에는 정리회사의 운영을 실질적으로 지배할 수 있는 지위에 있다고 볼 수 없으므로 과점주주에 따른 취득세 납세의무는 없는 것임.

세정-974, 2005. 6. 1.

감자(소각)로 인하여 과점주주가 되었을 경우 과점주주 취득세 납세의무가 발생되는 것은 아니며, 향후 유상증자·승계취득 등으로 과점주주비율이 변동한 경우 감자로 인한 과점주주 상태에서 증가된 과점주주비율만큼만 취득세 납세의무가 발생됨.

세정-4055, 2004. 11. 11.

특수관계인에 해당되는 법인이 기존의 과점주주로부터 주식을 취득하는 경우에는 과점주주간의 주식이동이므로 과점주주에 따른 취득세 납세의무는 없음.

대법 2003두 9008, 2004. 10. 15.

주식양수대금 지급 후 주주명부의 명의개서로 과점주주가 되었다면, 이 후의 해제조건 성취에 의한 계약실효 여부는 이미 성립한 조세채권에 영향을 주지 아니하며, 원심에서 주장한 바 없는 새로운 사실을 상고심에서 주장하는 것은 원심판결에 대한 적법한 상고이유가 될 수 없음.

세정-3461, 2004. 10. 12.

법인의 합병으로 과점주주가 된 경우에는 취득세 납세의무가 성립되지 아니하며 향후 증자를 통해 당해 법인의 과점주주 지분율이 최초과점주주로 된 당시의 지분율보다 증가한다면 그 증가된 부분에 대하여 취득세 부과대상이 되는 것임.

세정-2970, 2004. 9. 9.

丙법인의 주식을 소유한 甲법인(3%)과 乙법인(49%)이 각각 별개로 운영되다가 乙법인이 甲법인의 子회사로 편입되면서 丙법인의 과점주주가 된 후 乙법인이 丙법인의 주식을 추가로 취득하는 경우 증가된 부분은 취득으로 보아 취득세를 부과함.

지방세심사 2004-183, 2004. 7. 26.

특별법에 의하여 설립된 영농조합법인의 출자지분을 100% 양수한 양수인을 과점주주로 보아 취득세를 부과한 처분은 타당하며, 동 취득은 자경농민에 대한 취득세 감면의 적용대상이 아님.

지방세심사 2004-125, 2004. 5. 31.

과점주주의 취득세 납부의무는 기업규모와 상관없으며, 주식이동상황명세서상의 주식소유 변동상황을 근거로 취득세를 부과고지한 처분은 정당함.

지방세심사 2004-7, 2004. 1. 29.

명의신탁해지를 원인으로 과점주주가 된 경우, 과점주주가 된 시기를 명의신탁을 한 때가 아니고 명의신탁해지를 한 때로 보아 명의신탁해지 당시의 과세대상을 기준으로 취득세를 과세함.

지방세심사 2004-33, 2004. 1. 29.

청구인이 쟁점 법인에 출자한 사실이 없고 사용 또는 고용관계에 있지도 아니하여 특수관계에 있지 아니하므로, 유상증자 후 소유주식비율이 증가한 것으로 보아 취득세 등을 부과한 처분은 부당함.

지방세심사 2004-10, 2004. 1. 29.

납세고지일로부터 90일 이내에 이의신청을 제기하지 아니하였으나, 소유권이전등기 자체가 원인무효로 되었으므로 취득세 등 부과처분을 취소함.

라. 상속으로 취득하는 경우(지세법 §7 ⑦)

상속(피상속인이 상속인에게 한 유증 및 포괄유증과 신탁재산의 상속을 포함)으로 인하여 취득하는 경우에는 상속인 각자가 상속받는 취득물건(지분을 취득하는 경우에는 그 지분에 해당하는 취득물건)을 취득한 것으로 본다. 이 경우 상속인은 「지방세기본법」 제44조 제1항 및 제5항에 따라 연대납세의무를 진다.

마. 주택조합 등이 취득하는 조합주택용 부동산(지세법 §7 ⑧)

「주택법」 제11조에 따른 주택조합과 「도시 및 주거환경정비법」 제16조 제2항에 따른 주택재건축조합이 해당 조합원용으로 취득하는 조합주택용 부동산(공동주택과 부대시설·복리시설 및 그 부속토지)은 그 조합원이 취득한 것으로 본다. 다만, 조합원에게 귀속되지 아니하는 부동산은 제외한다.

바. 기 타

① 양도담보계약해제, 명의신탁 해지 등의 경우

양도담보계약해제, 명의신탁 해지로 취득하는 경우에는 그 취득의 방법·절차에 불구하고 그 권리의 인수자가 취득하는 경우로 보아 취득세의 납세의무가 있다(지세법통칙 7-1).

② 연부취득

연부라 함은 매매계약서상 연부계약형식을 갖추고 일시에 환납할 수 없는 대금을 2년 이상에 걸쳐 일정액씩 분할하여 지급하는 것을 말한다(지세법 §6 20호). 연부로 취득하는 것의 취득시기는 「지방세법 시행령」 제20조 제5항에 따라 그 사실상의 연부금 지급일을 취득일로 보는 것이며, 연부취득자가 취득세 납세의무자가 된다. 다만 연부취득 중인 과세물건을 마지막 연부금 지급일 이전에 계약해제하는 경우에는 이미 납부한 취득세는 환급한다.

연부로 취득중인 부동산을 경개계약에 의하여 연부로 취득한 경우, 경개계약 시점에서의 경개계약자는 당초 계약자가 지급한 금액에 대한 취득세를 납부하여야 하며, 그 이후부터는 연부금 지급일마다 매 연부금액에 대한 취득세를 납부하여야 한다. 이 경우 종전 계약 해지지가 납부한 취득세는 환급한다. 아울러, 일시취득 조건으로 취득한 부동산에 대한 대금지급방법을 연부계약형식으로 변경한 경우에는 계약변경 시점에서 그 이전에 지급한 대금에 대한 취득세의 납세의무가 발생하며, 그 이후에는 사실상 매 연부금 지급일마다 취득세를 납부하여야 한다(지세법통칙 7-5)

제 3 절 취득의 시기

취득세의 납세의무는 취득세 과세대상 물건을 취득하는 때에 성립하며, 취득한 날로부터 60일(상속은 상속개시일이 속하는 달의 말일부터 6개월. 다만, 외국에 주소를 둔 상속인이 있는 경우에는 9개월) 이내에 세액을 신고납부함으로써 납세의무가 확정된다. 따라서 취득의 시기는 취득세 납세의무의 성립 및 확정에 있어서 매우 중요하며, 취득의 시기를 각 거래유형별로 살펴보면 다음과 같다.

1 | 승계취득의 경우 취득시기

가. 유상승계취득(지세령 §20 ②)

유상승계취득의 경우에는 다음 1), 2)에서 정한 날에 취득한 것으로 보며, 그 취득일 전에 등기 또는 등록을 한 경우에는 그 등기일 또는 등록일에 취득한 것으로 본다.

1) 아래 어느 하나에 해당하는 유상승계취득의 경우 : 사실상의 잔금지급일

① 국가, 지방자치단체 또는 지방자치단체조합으로부터의 취득
② 외국으로부터의 수입에 의한 취득
③ 판결문・법인장부 중 취득가격이 증명되는 취득
④ 공매방법에 의한 취득

2) 위 1)에 해당하지 않는 개인간 유상승계취득 : 계약상의 잔금지급일(계약상 잔금지급일이 명시되지 아니한 경우에는 계약일부터 60일이 경과한 날)

다만, 해당 취득물건을 등기・등록하지 아니하고 위 2)에 해당하는 유상취득의 경우에는 취득일부터 60일 이내에 계약이 해제된 사실이 화해조서・인낙조서로 입증되거나, 취득일로부터 60일 이내에 공증 받은 공정증서(사서증서 포함)로 계약이 해제된 사실이 입증되거나 취득일로부터 60일 이내에 계약해제 신고서(부동산거래계약 해제 등 신고서 포함)를 과세기관에 제출한 경우에는 취득한 것으로 보지 않는다. 이 경우 잔금을 계약상의 지급일 전에 사실상 지급한 경우에는 그 사실상의 잔금지급일에 취득한 것으로 본다.

① 어음으로 대금을 지급하는 경우 : 동 어음의 결제일
② 토지거래허가구역의 경우 : 해당 토지 거래의 허가를 받지 않은 경우는 그 거래 계약의 효력이 발생되지 아니한 것이므로 허가 전에 잔금을 지급하였다 하더라도 허가받은 날, 허가구역의 지정해제일 또는 축소일을 취득시기로 보는 것이다.

나. 무상승계취득(지세령 §20 ①, ⑪)

증여, 기부 등 무상승계취득의 경우에는 그 계약일(상속 또는 유증으로 인한 취득의 경우에는 상속 또는 유증 개시일)에 취득한 것으로 본다. 다만, 해당 취득물건을 등기·등록하지 아니하고 취득일부터 60일 이내에 계약이 해제된 사실이 화해조서·인낙조서로 입증되거나, 취득일로부터 60일 이내에 공증 받은 공정증서(사서증서 포함)로 계약이 해제된 사실이 입증되거나 취득일로부터 60일 이내에 계약해제신고서를 과세기관에 제출한 경우에는 취득한 것으로 보지 않는다. 아울러 유상승계취득과 마찬가지로 위 취득일 전에 등기·등록을 한 경우에는 그 등기일 또는 등록일에 취득한 것으로 본다.

다. 연부취득(지세령 §20 ⑤)

연부로 취득하는 경우로서 그 취득가액의 총액이 면세점(50만원)을 초과하는 것에 있어서는 그 사실상의 연부금 지급일을 취득일로 보아 그 연부금(매회 사실상 지급되는 금액을 말하며, 취득금액에 포함되는 계약보증금을 포함)을 과세표준으로 하여 취득세를 부과한다.

라. 현물출자에 의한 취득

부동산의 현물출자는 부동산과 주식의 교환으로 부동산취득대금을 주식으로 지급하는 것으로 볼 수 있다. 따라서 법인입장에서 부동산현물출자의 대가로 주식을 교부한 때를 일반적인 취득에 있어 잔금청산일로 유추할 수 있을 것이다. 즉 주식교부일이 당해 현물출자 부동산의 취득시기가 된다고 본다. 주식교부 전에 법인이 당해 부동산을 등기·등록했을 경우에는 등기·등록일이 취득일이 되는 것이다.

2 | 원시취득의 경우 취득시기

가. 토지의 매립, 간척 등(지세령 §20 ⑧)

관계법령의 규정에 의한 매립, 간척 등으로 토지를 원시취득한 경우에는 공사준공인가일을 취득일로 본다. 다만, 공사준공인가일 전에 사용승낙·허가를 받거나 사실상 사용하는 경우에는 사용승낙일·허가일 또는 사실상 사용일 중 빠른날을 취득일로 본다.

나. 건축물의 건축(지세령 §20 ⑥)

건축물을 건축 또는 개수하여 취득하는 경우에는 사용승인서를 내주는 날(사용승인서를 내주기 전에 임시사용승인을 받은 경우에는 그 임시사용일을 말하고, 사용승인서 또는 임시사용승인서를 받을 수 없는 건축물의 경우에는 사실상 사용이 가능한 날)과 사실상 사용일 중 빠른 날을 취득일로 본다.

다. 재건축된 아파트 등의 건축으로 인한 취득시기(지세령 §20 ⑦)

「도시개발법」에 따른 도시개발사업이나 「도시 및 주거환경정비법」에 따른 정비사업(주택재개발사업 및 도시환경정비사업만 해당)으로 건축한 주택을 「도시개발법」 제40조에 따른 환지처분 또는 「도시 및 주거환경정비법」 제54조에 따른 소유권 이전으로 취득하는 경우에는 환지처분 공고일의 다음 날 또는 소유권 이전 고시일의 다음 날과 사실상의 사용일 중 빠른 날을 취득일로 본다. 다만, 도시개발사업·주택재개발사업·도시환경정비사업을 제외한 재건축사업과 직장·지역조합 등의 사업으로 인한 취득하는 경우는 위에서 설명한 건축물의 건축에 있어서의 취득시기를 적용해야 한다고 보았으나, 일반 건축물과 재개발사업 등으로 인한 건축물의 취득세 형평을 위하여 「도시개발법」에 따른 도시개발사업으로 건축한 건축물과 「도시 및 주거환경정비법」에 따른 정비사업으로 건축한 건축물의 취득시기 기준 시점을 환지처분 공고일 또는 소유권 이전 고시일에서 준공검사 증명서 또는 준공인가증을 내주는 날 등으로 변경하였다.

라. 시효취득

「민법」상 '시효취득'이란 타인의 물건을 일정기간 계속하여 점유하는 자에게 그 소유권을 취득하게 하는 것을 말한다. 부동산이 자기명의로 등기되어 있을 때에는 점유개시일로부터 10년이 경과한 경우, 자기명의로 등기되어 있지 않을 때에는 점유개시일로 부터 20년이 경과해야 시효취득으로 보며, 부동산 이외의 동산인 경우에는 10년(선의점유 5년)이 경과하면 시효취득한다. 이 경우 취득시기는 점유취득 시효가 완성된 날이 된다(대법 2003두13342, 2004. 11. 25.).

3 간주취득

가. 토지의 지목변경(지세령 §20 ⑩)

토지의 지목변경의 경우에는 토지의 지목이 사실상 변경된 날과 공부상 변경된 날 중 빠른 날을 취득일로 본다. 다만, 토지의 지목변경일 이전에 사용하는 부분에 대해서는 그 사실상의 사용일을 취득일로 본다.

나. 차량 등의 종류 변경(지세령 §20 ⑨)

차량·기계장비 또는 선박의 종류변경은 사실상 변경한 날과 공부상 변경한 날 중 빠른 날을 취득일로 본다.

다. 과점주주의 주식취득

과점주주의 간주취득은 잔금지급일과 명의개서일 중 빠른 날에 취득한 것으로 본다.

관련예규 및 판례요약

취득의 시기 : 지세령 §20

유상승계취득시기와 관련된 예규, 판례

대법 2015두 51439, 2016. 1. 14.

기존의 차용금채무 변제 미이행시 건물을 이전하는 매매계약을 체결하였으나, 잔금이 미지급되고 매도자 배임행위로 소유권이전이 이루어지지 않는 경우 취득세 납세의무성립은 차용금채무 변제 대신 매수인 지위를 부여받아 매매계약을 하였던 바, 매매계약서상 잔금지급일에 사실상 취득이 이루어짐.

대법 2014두 42100, 2015. 3. 26.

매매계약이 해제되어 그 효력이 소급적으로 소멸하였다 하더라도 이미 사실상 취득에 상응하는 소외 조합으로의 소유권이전이라는 취득세의 과세요건이 발생한 이상, 사실상 취득으로서의 소유권이전에는 아무런 영향을 줄 수 없음.

지방세운영-606, 2015. 2. 23.

도급공사비를 현물인 토지로 받는 경우 취득시기 관련하여 매수자인 A(법인)가 현물지급용지대금확인서 상에서 상계를 완료한 날 사실상 취득이 이루어져 취득세 납세의무가 성립되었다고 보아야 하므로, 상계를 완료한 후에 해당 토지에 대한 권리의무승계를 통해 갑(개인)에게 매매하였다고 하더라도, 당초 적법하게 성립한 취득세 납세의무에는 영향을 미치지 않는다고 보는 것이 타당함.

대법 2014두 41831, 2015. 1. 15.

망인은 재개발조합이 이 사건 관리처분계획을 인가받은 후에 사망하였으므로, 원고가 상속받은 것은 이 사건 토지 자체가 아니라 재개발사업으로 건축될 공동주택을 취득할 수 있는 권리인 입주권으로 볼 수 있음.

대법 2014두 12741, 2014. 12. 24.

채권자에 대한 소유권이전등기 회피를 목적으로 교회대표자가 교회명의로 부동산에 대한 소유권이전등기를 하였으나 동 소유권이전등기가 원인무효로 확정된 경우라면 취득세 납세의무는 성립되지 아니함.

대법 2014두 11625, 2014. 12. 11.

금융기관 및 건축주로부터 받은 대출금, 보증금 등으로 분양대금을 지급한 이후 대출금을 변제하기 못해 소유권이전등기를 하지 못한 상태에서 특약에 따라 분양계약이 해지된 경우라도 취득세 납세의무가 소멸되지 아니함.

대법 2014두 10042, 2014. 11. 13.

학교용 건축물을 신축함에 있어 신축비용 부담 및 도급계약 등은 종교단체가 하였으나 당초부터 당해 건축물의 소유권을 학교로 귀속시키기 위하여 건축허가나 준공 및 소유권보전등기를 학교명의로 한 경우 원시취득에 따른 취득세 납세의무자를 학교가 원시취득자임.

대법 2011두 13613, 2014. 5. 29.

상가분양계약에 따른 분양대금 납부하고 대금정산을 합의한 이후 당초 전용면적대로 분양받는 것이 불가능하여 분양계약을 해지한 경우라도 산합의로 분양대금을 모두 납부한 이상 사실상 취득이 성립되어, 이후 정산합의가 해제되었다고 하더라도 당초 취득세 납세의무에 영향이 없음.

대법 2013두 24693, 2014. 3. 13.

공유물을 경매방법에 의하여 분할하는 경우 경매 전에 보유하고 있던 종전 자기보유 공유지분에 대한 이전등기에 관하여는 등록세 부과대상(등기 또는 등록을 받는 자)이 되는 등기에 해당하지 아니하여 등록세 등을 부과할 수 없음.

대법 2013두 18018, 2014. 1. 23.

사업권을 포함한 사업용 토지를 378억원에 매수하기로 하고 8억원(2%)을 제외한 370억원을 지급한 경우에는 사회통념상 잔금을 모두 지급한 것이 아니므로 사실상 취득으로 볼 수 없음.

대법 2013두 2778, 2013. 6. 28.

종교단체가 종교용 건축물 신축을 조건으로 임야를 증여받아 소유권이전등기를 한 이후 건축제한으로 해당 임야에 종교용 건축물을 건축하지 못하게 되자, 법원판결에 의하여 그 계약이 취소되고 소유권이전등기가 말소된 경우 증여에 따른 취득세 납세의무도 소멸되지 않음.

대법 2012두 28117, 2013. 3. 28.

제3자간 등기명의신탁에 있어 부동산을 사실상 취득한 명의신탁자가 명의수탁자에게 소유권이전등기를 마쳤다가 부동산실명법에 따라 무효가 된 명의수탁자 명의의 소유권이전등기를 말소한 다음 매매를 원인으로 명의신탁자에게 소유권이전등기를 한 경우 취득세 납세의무 없음.

대법 2011두 532, 2013. 1. 10.

주택조합 등이 조합원으로부터 신탁받은 금전으로 비조합원용 토지를 취득한 후 조합명의로 취득세를 납부하고 소유권이전등기를 한 경우에도, 주택 사용검사 시점에 주택조합 등이 당해 토지를 조합원으로부터 취득한 것으로 보아 취득세를 재부과할 수 없음.

대법 2012두 16695, 2012. 11. 29.

토지거래 허가구역 내에서 토지를 취득한 경우 그 신고납부 기준일을 잔금지급일과 토지거래 허가일 중 언제를 기준으로 하여야 하는지 관련하여 토지거래 허가일을 기준으로 60일 내 취득세를 신고납부하면 됨.

지방세운영-3743, 2010. 8. 19.

단순히 금전거래가 없는 교환취득이라는 사유로 「지방세법 시행령」 제73조 제1항 제2호에서의 유상승계취득에 해당되지 않는다고 판단하여 감산율 적용을 배제할 이유는 없는 것임.

지방세운영-3372, 2010. 8. 4.

분양대금을 거의 납부한 상태에서 전매한 경우 분양대금을 거의 납부한 시기를 사실상 취득한 것으로 볼 수 있음.

대법 2010두 2586, 2010. 3. 16.

경락대금을 납입하여 부동산에 대한 소유권을 취득한 경우 부동산을 언제 인도받았는지 여부와는 관계없이 경락대금을 납입한 날이 부동산의 취득일이 됨.

조심 2008지 1015, 2009. 6. 29.

법원의 화해권고결정을 받아 소유권보존등기를 경료한 경우 취득시기는 화해권고결정문상의 취득일이 아닌 소유권보존등기일로 봄이 타당함.

대법 2009두 4982, 2009. 6. 11.

토지를 사실상으로 취득한 때가 분명하지 아니한 이상 이 사건 토지의 취득시기는 그 등기일로 봄이 타당함.

지방세운영-197, 2009. 1. 15.

법원의 확정판결에서 대물반환예약 완결을 원인으로 한 가등기의 본등기 이행판결을 받은 경우 취득시기는 소유권이전등기일임.

지방세운영-2520, 2008. 12. 16.

공익사업을 위한 토지 등의 취득 및 보상에 관한 법률 상 수용재결에 의한 취득에 있어 토지수용개시일 이전에 잔금을 지급한 경우 취득의 시기는 잔금지급일임.

지방세운영-2302, 2008. 11. 26.

토지조성사업 완료 후 측량결과에 따라 면적의 증감이 있어 정산하기로 한 경우 취득시기는 당초의 매매대금이 모두 지급된 시점을 사실상의 잔금지급일로 봄이 타당함.

지방세운영-1938, 2008. 10. 24.

법원의 무변론 판결에 의하여 소유권이전등기절차를 이행하는 판결을 받아 소유권이전등기를 경료한 경우 소유권이전등기일을 취득의 시기로 봄이 타당함.

감심 2007-32, 2007. 4. 4.

분양대금의 대부분을 납부하였고 사업시행자가 아파트 사용승인을 받았으며 잔금지급일도 경과하였으므로 사실상 취득한 후 양도한 것으로 보는 것이 타당함.

지방세심사 2007-129, 2007. 3. 26.

토지거래허가를 받았지만 농지전용협의가 이루어지기 전에 잔금을 지급한 것이 확인되고 있으므로 잔금지급시기를 취득시기로 보는 것임.

지방세심사 2007-16, 2007. 1. 29.

사실상 잔금을 지급하지 아니하였고 등록세 미사용 증명서를 발급받은 점으로 보아 취득세의 납세의무가 성립되었다고 보기 어려움.

세정-6419, 2006. 12. 21.

취득일(매매계약서상 잔금지급일)부터 60일 이내에 매매계약을 해제한 사실이 화해조서·인낙조서·공정증서(검인계약 취하신고서 포함) 등에 의하여 입증되는 경우 취득한 것으로 보지 아니함.

지방세심사 2006-271, 2006. 6. 27.

검인을 받은 부동산 매매계약서상 잔금지급일로부터 30일이 경과한 후 매매계약해지 계약서를 다시 검인받은 경우에도 이미 성립한 납세의무는 소멸되지 아니함.

세정-1621, 2006. 4. 20.

공동주택의 취득일 후에 미분양 공동주택에 대한 매매계약을 체결하면서 계약금과 입주금을 아파트 입주시에, 잔금을 2년 후에 지급하기로 하는 경우 연부취득으로 보아 연부금지급일이 취득시기가 됨.

지방세심사 2005-445, 2005. 9. 26.

오피스텔 분양대금 일부(0.24%)를 미납한 상태에서 사용승인을 받은 후 매각한 경우 부동산의 취득으로 보아 취득세 등을 부과함.

세정-1602, 2005. 7. 12.

취득은 공부상 등기 또는 등록 행위 여부와 상관없이 취득세 과세대상이 되는 부동산 등을 취득하는 행위를 말함.

지방세심사 2005-91, 2005. 4. 6.

잔금을 지급하지 아니한 상태에서 소유권이전등기를 한 후 매매계약을 합의해제하고 소유권 이전등기를 말소한 경우에도 취득세 납세의무가 성립함.

지방세심사 2004-192, 2004. 7. 26.

매매계약의 검인을 받은 후 취득세 등의 신고를 하였으나 잔금지급이나 제3자 확인 가능한 계약해제의 공증증서 없이 2개월 이상 경과하였다면 최초 신고한 검인계약서를 기초로 취득세 등을 부과함.

지방세심사 2004-132, 2004. 5. 31.

유상승계취득의 경우, 대금의 지급과 같은 소유권 취득의 실질적 요건 또는 등기·등록 등 소유권 이전을 위한 형식적 요건을 갖추지 아니한 이상, 잔금지급일이 도래하였다고 하여 취득세 납세의무가 성립하는 것은 아님.

대법 2003두 9411, 2004. 3. 12.

법인의 장부 등에 의해 취득가격이 입증되는 경우에는 법인의 장부가액을 사실상의 취득가액으로 보지만, 장부가액이 사실상의 취득가격에 부합되는지 여부에 관계없이 무조건 법인의 장부가액을 취득세의 과세표준으로 하는 것은 아님.

지방세심사 2003-190, 2003. 9. 29.

유상승계취득의 경우 매매계약을 해제하였다면 취득일부터 60일 이내 화해조서, 인낙조서, 공정증서 등에 의하여 입증하여야 함에도 그 사실이 없으므로 그 부동산을 취득한 것으로 봄(법인거래 등이 아닌 경우).

지방세심사 2003-48, 2003. 3. 24.

부동산매매계약서상 잔금지급일 이후 검인 및 취득 신고했으나, 금융기관의 대출을 받지 못해 사실상 잔금지급 못한 것으로 추정되고, '취득'을 입증할 구체적인 증빙 없어 취득세 과세함은 부당함.

감심 2002-193, 2002. 12. 18.

환지예정지 지정 후 사업시행자로부터 체비지를 매수한 자가 환지처분공고 전에 이를 제3자에게 전매했더라도, '취득'으로서 취득세 등 부과됨.

무상승계취득시기와 관련된 예규, 판례

지방세운영-1553, 2016. 6. 17.

비영리재단법인간에 합병을 하면서 해산법인의 잔여재산의 처분은 주무관청의 허가가 있어야만 가능한 경우에는, 존속법인이 소멸법인의 부동산을 취득하는 시기는 합병기일이 된다고 할 것이고, 다만, 민법상 허가를 받기 전까지 그 거래가 유동적 무효상태에 있는 경우라면 그 신고·납부기한은 잔여재산처분 허가가 있는 날로부터 60일 이내로 보는 것이 합리적이라 할 것임.

대법 2012두 4357, 2012. 6. 14.

매매계약이 체결되고 사실상 취득이 이루어지지 아니한 상태에서 매도자가 사망하였고 이후 당초 매매계약에 근거하여 매수자에게 바로 소유권이전등기가 이루어진 경우 상속에 따른 취득세 납세의무가 있음.

조심 2008지 809, 2009. 8. 25.

변론없이 종결된 법원 판결문상의 증여일은 명백한 취득시기로 볼 수 없으므로 소유권이전등기일에 취득한 것으로 보아 취득세를 부과한 처분은 정당함.

조심 2008지 601, 2009. 3. 17.

점유 시효취득을 원인으로 점유자 명의로 소유권이전등기절차를 완료한 경우 취득시기는 취득시효 완성일이 아닌 소유권이전등기일로 봄이 타당함.

감심 2008-33, 2008. 2. 21.

증여를 원인으로 소유권이전등기를 한 후 새로운 부담부 증여계약을 체결하고 부담부 증여계약서를 다시 제출하였다 하더라도 먼저 성립한 무상승계취득에 따른 취득세 등의 납세의무에 영향을 줄 수 없음.

지방세심사 2006-334, 2006. 7. 31.

아파트 취득일 이전인 취득세 납세의무가 성립되지 아니한 상태에서 취득세 등을 신고·납부하자 이를 수납하여 징수 결정한 처분은 잘못된 것임.

세정-1718, 2006. 4. 28.

갑과 을이 증여를 받아 부동산 소유권이전등기가 되었다가 증여계약을 합의해제하여 소유권이전등기를 말소한 후 다시 갑과 병이 증여를 받은 경우 갑과 을은 당초 증여계약에 따른 취득세 납세의무가 있음.

세정-158, 2005. 12. 21.

증여계약 후 소유권이전등기를 완료하였다면 취득일로부터 60일 이내에 계약이 해제되었다는 사실이 화해조서 등에 의거 입증되더라도 기 납부한 취·등록세는 환부되지 아니함.

세정-654, 2005. 2. 4.

골프장 지목변경에 따른 취득세 납세의무성립일은 사실상 사용일이며, 법인의 합병으로 인한 무상 취득은 합병 당시 시가표준액을 과세표준으로 함.

감심 2003-28, 2003. 3. 25.

농지를 증여받은 후 농지법상 농지취득자격증명을 받지 못해 증여를 철회했더라도, 그 '증여취득' 사실에 대해 취득세 부과함은 정당함.

지방세심사 2003-36, 2003. 2. 24.

장학재단이 토지를 증여받은 후, 근저당권이 설정됐다는 사유로 주무관청이 기본재산 편입을 불허함에 따라 원소유자에게 환원했더라도, 당초 '증여'로 인한 취득세 과세에 영향 없음.

세정 13407-1009, 2002. 10. 28.

무상승계취득의 경우 그 계약일에 취득한 것으로 보나, 등기하지 않고 60일 이내에 계약해제 사실이 화해조서나 인낙조서 또는 공정증서 등에 의해 입증되면 '취득'으로 보지 않음.

지방세심사 2002-197, 2002. 5. 27.

종교단체가 부동산을 증여받아 소유권이전등기했다가 당초 증여계약을 합의해제하고 말소등기했더라도 증여로 인한 '취득'에 영향 없고, 비과세 요건 상실로 취득·등록세 추징됨.

지방세심사 2002-113, 2002. 3. 25.

부동산의 합유자가 임의 및 비임의로 탈퇴하는 사유가 발생해 탈퇴자를 제외한 나머지 합유자 명의로 명의변경등기를 하는 경우, '취득'으로서 취득세 과세됨.

세정 13407-370, 2001. 9. 26.

상속개시 당시 피상속인으로부터 승계받은 것으로 보는 '상속재산 협의분할'은 상속등기가 이루어진 경우에는 또다시 취득세 해당하지 않음.

세정 13407-183, 2001. 2. 15.

증여취득한 부동산에 대해 사해행위를 원인으로 한 취소판결로 인해 소유권등기가 말소되고 소유권환원된 경우, 증여취득으로 기납부한 취득세는 환부대상임.

지방세심사 2000-779, 2000. 10. 31.

종교단체가 법인등기 전에 사실상 토지를 취득해 소유해 왔어도 법인설립 등기 후 출연을 원인으로 법인명의로 이전등기한 날에 새로이 취득한 것으로 봄.

지방세심사 2000-733, 2000. 10. 31.

다른 법정상속인들이 상속재산 중 유류분을 반환받은 경우, 상속을 원인으로 상속개시일에 취득한 것으로 보아 취득·등록세 과세됨.

건축에 의한 취득시기와 관련된 예규, 판례

지방세운영-3159, 2016. 12. 19.

가설건축물 승계취득시 존속기간 판단 기준관련하여 해당 가설건축물을 승계취득하여 철거 없이 사용한 경우에 있어, 종전 건축주의 취득시(축조신고서상 존치기간의 시기(始期)와 사실상 사용일 중 빠른 날)부터 철거 등으로 사실상 사용이 불가능하게 되는 날까지의 기간이 1년을 초과하는 경우라면, 승계취득일을 취득일로 보아 취득세를 신고납부하여야 할 것임.

대법 2016두 34875, 2016. 6. 9.

임시건축물의 사실상 존속기간은 1년 미만이라도 건축법에 따른 가설건축물 축조신고서에 기재된 존치기간이 1년 초과로 신고된 경우 취득세를 과세할 수 있는지 여부 관련하여 축조신고서 존치기간에도 불구하고 사실상 존속기간을 적용

지방세운영-161, 2013. 1. 16.

「도시가스사업법」 제15조 제2항 및 제16조 제1항에 따르면 도시가스사업자가 가스공급시설 설치공사나 변경공사를 한 경우에는 그 감리자로부터 사용적합판정이나 임시사용승인을 받아야 가스관을 사용할 수 있으므로 공사의 특성상 시공감리증명서 등을 여러 건으로 발급받는다 하더라도 각 시공감리증명서 발급일 등이 취득시기임.

지방세운영-5117, 2010. 10. 27.

집단에너지시설 중 열수송관의 설치가 건축허가 대상이 아니라고 하더라도 열사용공사를 완료하고 산업통상자원부장관으로부터 사용허가를 받은 날이 취득시기에 해당됨.

조심 2009지 967, 2010. 7. 22.

송전철탑은 송전선로의 일부로서 구 전기사업법에 의한 인가를 받아 건축하는 이상 건축허가를 받아 건축하는 건축물에 준하는 것으로 볼 수 있으므로 임시사용승인일이 취득일임.

지방세운영-1701, 2010. 4. 26.

소유권보존등기된 미준공 건축물과 토지를 함께 공매 취득한 경우 미준공 건축물에 대하여는 취득의 시기가 도래하지 않아 취득세가 과세되지 아니함.

지방세운영-1155, 2010. 3. 19.

열수송관 공사를 구간별로 완료하고 허가관청으로부터 사용전검사를 받았다면 그 이전에 사실상으로 사용하지 않은 이상 사용전검사일을 취득의 시기로 봄이 타당함.

세정-651, 2007. 3. 16.

아파트 사용승인서 교부일 전에 분양대금을 완납한 경우 취득시기는 사용승인서 교부일임.

세정-3869, 2005. 11. 18.

클럽하우스 건축물의 취득의 시기는 사용승인서 교부일(사용승인서 교부일 이전에 사실상 사용하거나 임시사용승인을 받은 경우에는 그 사실상의 사용일 또는 임시사용승인일)이 취득일이 되는 것임.

지방세심사 2005-444, 2005. 9. 26.

사용승인서교부일 이전에 사실상 사용하였다고 주장하는 내용이 객관적으로 확인되지 않아 교부일에 취득하였다고 보아 취득세 등을 과세함.

지방세심사 2005-242, 2005. 8. 29.

아파트 분양대금의 일부(0.52%)를 미납한 상태에서 사용승인을 받고 입주지정일을 경과하여 잔금을 완납한 경우 사용승인일에 취득한 것으로 보는 것임.

세정-1718, 2005. 7. 19.

지역주택조합의 취득세 과세표준이 되는 취득가격은 조합원이 지급한 확정분담금이 아니라 주택 취득에 소요된 시공법인의 장부상 입증되는 실제 공사비가 되는 것임.

지방세심사 2004-205, 2004. 7. 26.

아파트 분양대금을 미납한 상태에서 건축주가 사용승인서를 교부받은 경우에도 사실상의 잔금청산일이 취득시기이며 이때 취득세 납세의무가 있는 것임.

세정-1735, 2004. 6. 25.

건축허가를 받아 건축중인 건축물이 채권자의 대위등기에 의해 소유권보존등기가 된 경우라도 건축물의 미완성 등으로 사용승인서(임시사용승인 포함)를 교부받지 않거나 사실상 사용하지 않은 경우는 건축주가 당해 건물을 취득한 것으로 볼 수 없음.

대법 2002두 12762, 2003. 8. 22.

재개발아파트가 완공되어 임시사용승인이 나서 조합원이 관리처분계획에 따라 징수금을 납부하였어도, 주택재개발조합으로부터 조합원이 취득하는 부동산의 취득일은 '분양처분고시일의 익일'임.

대법 2001두 11090, 2003. 8. 19.
분양처분이 있기 전에는 관리처분계획에 의하여 재개발조합원이 재개발조합에 대하여 아파트에 대한 청산금을 모두 지급하였다고 하더라도 그 시점에서 아파트를 취득하였다고 볼 수는 없음.

세정-381, 2003. 7. 7.
증축시 임시사용승인을 각 층별로 득하여 사용하는 경우라면 각 층별로 사용승인서교부일, 사실상사용일, 임시사용승인일 중 빠른 날을 취득일로 보아 취득세를 신고납부한 후 전체공사가 완료된 후 수정 신고하여야 함.

세정 13407-203, 2003. 3. 15.
사용승인 등을 받지 않은 미완공 건축물이 채권자대위 소유권보존등기된 후 제3자에게 소유권이전된 경우, 해당 미완공 건축물은 취득세 과세대상 아님.

세정 13407-308, 2002. 3. 26.
신축건축물이 위법건축물에 해당되어 검찰에 고발됐더라도 사실상 사용했다면 그 사실상의 사용일을 취득일로 보아 취득세 납세의무 있음.

세정 13430-203, 2002. 3. 4.
A법인이 건축허가 받아 건축중인 건물을 B법인이 취득한 경우 취득세 납세의무가 없으며, 당해 건축물의 취득세 납세의무성립일은 사용승인서교부일 또는 임시사용승인일 중 빠른 날이 됨.

세정 13430-79, 2002. 1. 18.
개인이 법인으로부터 분양받은 아파트의 사용승인서교부일 또는 임시사용승인일 이전에 당해 아파트 분양대금을 완납한 경우, 그 취득시기는 사용승인서교부일 또는 임시사용승인일 중 빠른 날임.

세정 13407-41, 2002. 1. 10.
주택재개발조합으로부터 조합원(승계조합원 포함)이 취득하는 부동산의 취득일은 '분양처분 고시일의 익일'이 되나, 건축물의 경우 그 전에 사용승인 또는 사실상 사용시는 사용승인서교부일 또는 임시사용일 중 빠른 날임.

세정 13407-8, 2002. 1. 3.
'대수선 및 증축' 건축물의 취득시기는 사용승인서교부일 또는 사실상사용일 중 빠른 날이 되며, 대도시 내 당해 증축건축물 부분을 법인본점용으로 사용시는 취득세 중과세대상임.

세정 13407-371, 2001. 9. 26.
주택조합의 당초 조합원이 1999년 5월에 조합원자격의 명의양도에 따른 잔금을 완납받고 조합원 명의변경승인이 안 된 상태에서 가사용 승인된 건물분 취득세의 납세의무는 당초 조합원에게 있음.

지방세심사 2001-470, 2001. 9. 24.

재개발구역 내에서 건축물을 신축한 경우, 도시재개발법 등의 규정에 불구하고 지방세법에 의해 취득세 과세대상이 되는 그 취득시기를 판단함.

세정 13407-154, 2001. 7. 30.

분양받은 아파트에 대해 건설회사의 부도로 인해 입주자가 보존등기하는 경우, 취득세 납세의무자는 건축주가 명의변경된 것인지 등의 여부에 따라 사실 판단함.

환지처분 및 도시 및 주거환경정비법에 의한 취득시기와 관련된 예규, 판례

지방세운영-3642, 2012. 11. 12.

토지구획정리사업시행자로부터 체비지를 양수한 자는 토지의 인도 또는 체비지대장에의 등재 중 어느 하나의 요건을 갖추면 당해 토지에 관하여 물권 유사의 사용수익권을 취득하여 당해 체비지를 배타적으로 사용·수익할 수 있음은 물론이고 이를 제3자에게 처분할 수도 있는 권능을 가지며, 그 후 환지처분공고가 있으면 그 익일에 최종적으로 체비지를 점유하거나 체비지대장에 등재된 자가 그 소유권을 원시적으로 취득하게 되는 점을 감안했을 때, 환지처분공고일 이전이라 하더라도 체비지에 대한 잔금을 지급하였거나 체비지대장 등재 중 어느 하나의 요건을 갖추면 체비지에 대한 취득행위가 있었던 것으로 보는 것이 타당하다고 할 것이다.

세정-1367, 2005. 6. 28.

환지예정지를 취득할 경우 매수자가 취득하는 토지의 면적은 권리면적 또는 환지예정지 면적이 아니라 종전 토지의 면적으로 보아야 하고, 취·등록세의 시가표준액은 종전 토지의 면적에 환지예정지의 개별공시지가를 곱하여 산정하는 것임.

대법 2002두 12984, 2004. 8. 20.

재건축사업이 진행 중이던 아파트 분양권을 매수한 경우 취득세 및 등록세의 과세표준을 정하기 위한 지분면적은 종전 노후주택의 부속토지를 기준으로 하여야 하며, 매수 당시 대지공유지분의 지상에는 국민주택규모의 주거용 건물이 없으므로 농어촌특별세가 비과세되지 않음.

세정-2227, 2004. 7. 28.

토지구획정리사업에 따라 사업시행자로부터 체비지를 매수(분양)한 자가 환지처분공고일 전에 잔금을 완납한 경우는 "부동산을 취득할 수 있는 권리"의 취득으로 보아야 할 것이므로 체비지에 대한 잔금납부 여부에 관계없이 사실상 사용하지 않았다면 환지처분공고일의 익일

이 취득일임.

연부취득시기와 관련된 예규, 판례

대법 2016두 46803, 2016. 10. 27.

B가 연부취득 중이던 토지의 일부를 A에게 되팔되, 이를 다시 C에게 매각하여 잔대금과 상계하고 사실상 취득한 경우, A에게 그 대금을 미리 지급한 C의 취득세 성립 여부 관련하여 이 사건 토지의 매매대금을 A에게 미리 지급한 C의 경우, B가 그 매매대금을 완납한 시점에 사실상 취득하였다고 판단됨.

지방세운영-1558, 2016. 6. 17.

계약서상 잔금일을 특정일로 정하지 않은 경우 연부취득 해당 여부 관련하여 계약서상으로는 "토지사용 승낙일 또는 사업준공일 중 빠른날"로 규정하고 있어 잔금지급일을 특정하지는 않았으나 시행사의 별도의 공문 등에서 사업준공일이 2년 이후에 도래하는 것으로 예정되어 있다면, 사업준공예정일인 2018. 12. 31.을 변경된 계약서상의 잔금지급일로 보아 연부여부를 판단하여야 할 것임.

지방세운영-4923, 2011. 10. 20.

임대주택법상 분납임대주택의 공급이 임대차계약 형식을 통해 이루어지긴 하나 10년의 임대기간에 걸쳐 약 4년 단위로 초기분납금, 중간분납금, 최종분납금이 분할지급되는 연부취득에 해당하므로 매 분납금 납부시에 취득세를 납부해야 함.

지방세운영-2584, 2008. 12. 18.

잔금지급 기한의 경과로 실제 대금지급기간이 2년 이상이 된 경우 매매계약서상 대금지급기간을 2년 이상으로 변경하지 않았다면 연부취득에 해당된다고 볼 수 없음.

세정-3481, 2007. 8. 27.

연부로 취득하는 것으로서 그 취득가액의 총액이 「지방세법」 제113조의 적용을 받지 아니하는 것에 있어서는 그 사실상의 연부금 지급일을 취득일로 보아 그 연부금액을 과세표준으로 함.

세정-1235, 2005. 3. 21.

승계취득한 연부물건의 취득세 과세표준은 거래 상대방에게 지급한 일체의 비용(연부이자 포함)임.

세정-24, 2003. 5. 30.

연부계약이 아닌 계약에서 계약일로부터 2년을 경과하여 잔금을 지급한 경우에는 연부취득으로 보지 않고, 사실상 잔금지급일을 취득시기로 보는 것임.

지방세심사 2003-69, 2003. 4. 28.

2년 이상에 걸쳐 일정액씩 분할 지급기로 연부계약한 후 2년 내의 중도에 나머지 할부금을 일시에 지급한 경우, 계약금 및 기지급된 할부금은 그 지급한 날에 취득세 납세의무 성립함.

지방세심사 2002-394, 2002. 12. 23.

연부취득 중인 부동산 매수인의 지위를 승계한 경우, 당해 권리의무 승계계약일부터 잔금지급일까지의 연부기간이 2년 미만이면 '연부취득'에 해당하지 않음.

세정 13407-928, 2002. 10. 4.

연부계약 중에 연부금에 대한 취득세를 신고납부하지 않은 상태에서 분양계약자를 변경하는 경개계약 체결시, '경개계약자'가 취득세(가산세 포함) 납세의무 있음.

세정 13407-227, 2002. 3. 9.

연부매매계약에 의한 연부취득의 경우, 계약보증금부터 연부취득으로 보아 취득세 납세의무가 발생하며, 그 취득시기는 '사실상의 연부금지급일'임.

세정 13430-204, 2002. 3. 4.

법인이 연부취득 중인 부동산에 대해 마지막 연부금지급일 전에 그 계약을 해제한 사실이 입증되면 법인장부상 고정자산으로 계상됐더라도 이미 납부한 취득세는 환부대상임.

세정 13407-89, 2002. 1. 24.

연부취득자가 경정계약에 의해 당초 연부계약서상의 명의자를 타인에게 양도할 경우, 타인에게 양도하기 이전의 연부계약자가 '종전계약해지자'에 해당됨.

지방세심사 2001-455, 2001. 9. 24.

등록이 제한된 화물자동차를 연부로 취득 중 경정계약에 의해 제3자에게 양도한 것이라 하나, 법인장부 및 세금계산서에 의해 '취득'한 것으로 확인되므로 취득세 납세의무 있음.

세정 13430-337, 2001. 9. 15.

콘도미니엄 회원권을 연부취득형식의 계약을 하고 계약금만 납부한 상태에서 당해 콘도를 10년간 사용하다 계약금을 반환받거나 잔금을 지급하는 경우, 그 계약시를 연부취득으로 보아 그 계약금을 과세표준으로 취득세 과세됨.

세정 13407-114, 2001. 7. 23.

법인이 토지를 연부취득 중 파산으로 인해 그 연부계약 해제시는 연부금 납부시 기납부한 취득세는 환부대상이며 환부이자 계산됨.

지목변경에 의한 취득시기와 관련된 예규, 판례

지방세운영-2838, 2012. 9. 8.

별도의 토지형질 변경허가를 받지 않은 주택단지 개발행위자가 정지작업을 마친 토지를 분양하고 이에 대한 수분양자들은 토지 분양전에 이미 건축허가를 받은 건축주들로서 토지를 분양받은 후 신축을 완료하였다면 이는 건축공사가 수반되는 지목변경에 해당되는 것으로 보이며, 따라서 지목변경으로 인한 각 토지의 취득시기는 주택의 사용승인서 교부일과 그 사실상의 사용일 중 빠른 날이 되고 납세의무자는 지목변경 취득 당시의 소유자가 된다고 판단됨.

대법 2010두 2395, 2012. 6. 14.

신탁법상 신탁 중에 있는 토지상에 건축물이 준공되어 지목이 변경된 경우 지목변경에 따른 취득세 납세의무를 수탁자에게 있음.

조심 2010지 192, 2011. 1. 20.

청구인이 이 건 토지를 취득할 당시에는 전 소유자가 이미 이 건 토지상에 단독주택 건축을 위한 건축허가를 받고 건축공사에 착공하여 사실상 지목이 변경된 상태에서 이를 취득한 것으로 보여지고, 청구인이 이 건 토지의 형식상 지목을 임야에서 대지로 변경하였다고 하여 지목변경으로 인하여 이 건 토지의 가액이 증가되었다고 보기도 어렵다고 할 것이다. 따라서 재산가치의 증가가 전혀없는데도 불구하고 단지 공부상 "임야"이었을 때의 공시지가와 지목을 "대지"로 변경하였을 때의 공시지가가 높아졌다는 이유만으로 이를 부동산의 새로운 취득이라 볼 수 없을 뿐 아니라 지목변경 이후의 공시지가보다 높은 가격을 기준으로 하여 이미 취득세를 납부한 청구인에게 단지 지목변경으로 공시지가가 증가하였다는 이유만으로 취득세를 납부하여야 한다는 처분청의 주장은 실질과세의 원칙에도 반하는 것으로 판단된다.

조심 2010지 58, 2010. 10. 25.

지목이 사실상 변경된 후에 토지를 취득하였으므로 비록 취득 후 변경된 사실상의 지목에 맞게 공부상의 지목을 변경하였다 할지라도 당해 토지소유자가 취득세 과세물건을 새로이 취득한 것으로 간주할 수 없는 것임.

세정-5579, 2007. 12. 26.

지목이 전·과수원·대지인 일단의 토지에 대하여 원상복구를 조건으로 임시로 풋살경기장(주차장 포함)을 조성한 경우 지목변경에 따른 취득세 납세의무가 성립되었다고 볼 수 있음.

지방세심사 2007-322, 2007. 5. 28.

토지 지목변경 전 시가표준액과 지목변경 후의 시가표준액의 차액을 과세표준으로 하여 취득세 등을 신고한 것은 적법함.

세정－1513, 2006. 4. 14.

계속적인 시범라운딩을 통해 골프장으로서의 기능을 하고 있다면 시범라운딩 등 사실상 골프장으로 사용하는 때가 취득일임.

지방세심사 2006－132, 2006. 3. 27.

토지의 지목이 변경된 경우 개별 필지별로 지목변경 전의 시가표준액과 지목변경 후의 시가표준액을 비교하여 판단함.

세정－2599, 2004. 8. 19.

토지형질변경 공사로 지목변경된 후에 자체적으로 소요된 매립, 성토 비용이 법인장부에 의해 객관적으로 입증되지 아니하면 무상의 지목변경으로서 지목변경 전·후의 시가표준액의 차액을 과세함.

지방세심사 2003－268, 2003. 12. 24.

주택신축공사를 완료한 후 지목을 잡종지에서 대지로 변경한 경우, 그 신축공사완료일을 사실상 지목변경일로 보아 지목변경 전·후의 시가표준액 차액에 대해 취득세 과세함은 정당함.

대법 2002두 10650, 2003. 2. 11.

골프장용 토지의 지목변경에 의한 간주취득시기는 골프장 조성공사가 준공되어 체육용지로 지목변경되는 때이므로, 토목공사는 물론 잔디파종 및 식재비용, 임목의 이식비용 등은 취득세 과세표준에 포함되고 중과세율이 적용됨.

지방세심사 2002－278, 2002. 7. 29.

골프장용 토지의 경우, 취득세 중과세 납세의무가 성립한 체육시설업 등록일 이후 5년 내의 지목변경에 소요된 비용은 취득세 중과세대상임.

지방세심사 2002－123, 2002. 3. 25.

취득세 납세의무가 성립된 지목변경일 현재 '토지의 소유자'와 비영리사업자인 '영유아보육시설을 운영하는 자'의 명의가 달라 지목변경 전·후의 시가표준액 차액에 대해 취득세 과세함은 정당함.

대법 99두 9919, 2001. 7. 27.

골프장조성에 따른 토지의 지목변경에 의한 간주취득시기는 골프장조성공사가 준공됨으로써 체육용지로 지목변경되는 때임.

지방세심사 2000－746, 2000. 10. 31.

공장용지로 지목변경을 위한 토지취득의 경우, 토지 및 지상정착물 취득시점과 지목변경시점에 각각 별개의 취득행위 및 취득시기가 되어 취득세 과세됨.

지방세심사 2000-176, 2000. 3. 29.

토지 취득 후 5년 경과됐어도 토지의 '지목변경비용'은 사실상 지목변경일이 취득일이 되므로 그날 이후 5년이 경과 안 된 경우 취득세 과세됨.

지방세심사 99-594, 1999. 10. 27.

법인에게 토지를 사용승낙하여 건물을 신축해 사용승인을 받음으로써 사실상 지목이 변경된 경우로서, 그 법인의 장부상 확인되는 토목공사비 등을 지목변경에 소요된 비용으로 보아 과세함은 정당함.

공유수면매립 등에 의한 원시취득시기와 관련된 예규, 판례

세정 13407-22, 2001. 1. 8.

공유수면매립공사 준공 전 토지사용 허가받아 사용하는 자와 그 매립면허를 받은 자가 다른 경우 매립면허를 받은 자가 원시취득자로 취득세 납세의무 있음.

세정 13407-330, 2000. 2. 29.

공유수면매립실시계획 인가받아 제방공사만 완료하고 취득세 등을 신고납부했으나, 공유수면매립 중에 있고 그 준공인가 받기 전이라면 '취득' 전이어서 과오납대상임.

대법 98두 11502, 1999. 6. 11.

공유수면매립면허 등을 받은 자 A로부터 매립지를 매수하여 취득하는 경우 유상승계취득으로서 잔금지급일이 취득시기이며, 다만 그 이후에 A의 원시취득일이 도래하는 경우는 A의 원시취득일을 매수자의 취득일로 봄.

지방세심사 99-100, 1999. 2. 27.

공유수면매립에 따른 부지조성비에 대한 취득시기는 그 공사준공인가일이 원칙이고 사실상 지목변경이 안 된 것이므로 매립중인 토지의 정지비용을 지목변경비용으로 보아 과세함은 부당함.

지방세심사 98-736, 1998. 12. 28.

공유수면매립토지를 '분양'받은 경우는 잔금지급일이 취득시기이며, 추후 면적·금액의 증가로 인한 정산분은 그 정산일이 별도의 취득시기가 됨.

기타 과세 대상물건의 취득시기와 관련된 예규, 판례

대법 2013두 26996, 2014. 4. 10.

납세자가 골프장에 대한 지목변경이 사실상 완료되었다고 보아 취득신고를 하였음에도 처분청에서 취득시기가 도래하지 않았다고 보아 신고서를 반려한 것은 적법함.

감심 2007-8, 2007. 2. 15.

토지에 대한 취득시기를 명의신탁 해지를 원인으로 한 소유권이전등기일로 보아 취득세 등을 부과·고지한 처분이 적법함.

세정-6096, 2006. 12. 6.

토지의 거래대금을 완납하였다 하더라도 토지거래허가를 받지 아니한 경우에는 취득한 것으로 볼 수 없으므로 당해 토지의 취득일은 토지거래허가를 받은 날 또는 토지거래허가구역 지정이 해제되는 날이 되는 것임.

세정-183, 2005. 12. 22.

법원의 조정조서에서 과거 대물반환을 원인으로 한 소유권이전의 본등기 절차를 이행하라는 조정이 성립되었다면 취득의 시기는 소유권이전등기일이 되는 것임.

세정-4150, 2005. 12. 7.

부동산을 교환받기 위하여 지급한 잔금인 보충금이 교환계약서상에서 확인이 된다면 교환계약서상의 보충금 지급일이 취득일이 되는 것임.

세정-3372, 2005. 10. 21.

취득이 발생한 택지를 사업시행자의 사정으로 택지변경이 이루어져 새로운 택지를 대체해줌으로써 취득한 택지는 별개의 취득에 해당되어 취득세 납세의무가 있음.

세정-2030, 2005. 8. 2.

이미 취득원인이 명의신탁해지를 원인으로 하는 소유권이전등기 절차를 이행하라는 판결을 받았다면 소유권이전등기일이 취득일이 되는 것임.

지방세심사 2005-212, 2005. 7. 25.

재건축조합이 조합원으로부터 신탁취득한 일반분양용 아파트의 그 부속토지에 대하여 취득세를 부과한 처분은 적법함.

세정-1397, 2005. 6. 29.

재건축조합의 일반분양분 아파트 부속토지는 조합원용으로 취득한 것이 아니므로 취득세 과세대상이며 재건축조합에서 취득세 납세의무가 있는 것임.

지방세심사 2005-101, 2005. 5. 2.

재건축조합이 조합원으로부터 신탁받은 토지 중 일반분양용 및 상가부분의 부속토지에 대한 취득세 등의 부과처분은 적법함.

세정-2041, 2004. 7. 13.

명의신탁해지를 원인으로 한 소유권이전등기절차이행 판결은 명의신탁자가 취득하였다고 주장하는 날까지 소급하여 명의신탁자의 소유임을 인정하는 것이 아니라 판결 시점에서 명의신탁자의 소유임을 인정한 새로운 취득에 해당함.

세정-190, 2004. 2. 25.

법원의 조정에 의해 부동산의 취득 여부가 확정되는 경우 조정조서에 명시된 금액이 아니라 납세자의 신고가액이 과세표준이 되나 신고가액이 시가표준액에 미달되는 경우 시가표준액이 과세표준이 되며, 소유권이전등기절차를 이행하라는 조정조서를 작성한 경우 등기일이 취득일이 됨.

세정-285, 2004. 1. 20.

대금지급이 수반되지 아니하고 당사자간의 양도·양수에 관한 약정을 이행하지 않아 그 이행을 목적으로 소송이 진행된 후 판결확정을 받고 판결에 따라 소유권이전등기를 하는 경우 등기일이 취득일이 됨.

세정 13407-678, 2002. 7. 24.

부동산을 교환취득시, 소유권이전등기일이나 반대급부가 이행되는 날 중 빠른 날이 취득시기가 됨.

제 4 절 취득세 과세표준

제1원칙은 취득당시의 가액이고, 취득당시의 가액은 취득자가 신고한 가액이다(「지방세법」 §16 ①·② 본문).

제2원칙은 신고한 가액이 없거나 신고한 가액이 시가표준액보다 적은 때는 시가표준액이다(「지방세법」 §16 ② 단서).

제3원칙은 국가·지방자치단체 또는 지방자치단체조합으로부터의 취득, 외국으로부터의 수입에 의한 취득, 판결문·법인장부 등 대통령령으로 정하는 것에 따라 취득가액이 증명되는 취득, 공매방법에 의한 취득 및 「부동산 거래신고에 관한 법률」 제3조에 따른 신고서를 제출하여 같은 법 제6조에 따라 검증이 이루어진 취득에 따라 사실상 취득가격이 입증되는 경우에는 제2원칙에도 불구하고 그 신고가액이다(사실상 취득가격).

▶▶ 시가표준액이 사실상 취득가격보다 높고 낮음에 관계없이 사실상 취득가격이다(「지방세법」 §10 ⑤ 1~5호).

※ 허위신고 취득세 과표개선(2020.1.1. 납세의무성립분부터 적용)

❏ 개정전 현황 「부동산 거래신고 등에 관한 법률」 제3조에 따른 신고서를 제출하여 같은 법 제5조에 따라 검증이 이루어진 취득금액을 사실상 취득가격으로 하여 과세 ❏ 개정내용 부동산실거래 허위(과소)신고의 경우 지자체 조사결과 및 국세청 통보자료에 의해 확인된 가액을 기준으로 취득세를 과세(부족세액 추징)할 수 있도록 개선

제4원칙은 증여·기부, 그 밖의 무상취득 및 「소득세법」 제101조 제1항 또는 「법인세법」 제52조 제1항에 따른 특수관계인간 거래로 조세부담을 부당히 감소시키는 경우에는 제3원칙을 인정하지 않고(「지방세법」 §10 ⑤ 본문괄호), 제1원칙과 제2원칙에 따라 신고한 가액과 시가표준액 중 높은 가액을 적용한다.

1 | 시가표준액에 의하는 경우

가. 시가표준액에 의한 과세표준 해당 거래 등

취득세의 과세표준은 신고에 의한 사실상 취득가액으로 결정하는 것이 원칙이지만, 현실적으로 사실상 취득가액을 취득자가 사실대로 신고하는 것을 기대하기는 매우 어려운 실정이다. 이런 점들을 고려하여 다음과 같은 경우에는 지방세 시가표준액을 과세표준으로 하고 있다.

① 무신고 또는 신고를 하였으나 신고가액의 표시가 없을 때
② 신고가액이 시가표준액에 미달하는 때
③ 증여·기부 기타 무상취득의 경우

나. 시가표준액의 의의

시가표준액이란 납세자의 취득신고가 없거나 사실상의 취득가액을 입증하기 어려운 때 취득세 과세표준액을 결정하는 기준이 되는 가액을 말한다.

다. 시가표준액의 결정

1) 토 지

「부동산 가격공시에 관한 법률」에 의하여 가격이 공시되는 토지는 동법에 의하여 공시된 가액.

단, 개별공시지가가 공시되지 아니한 경우에는 특별자치시장, 특별자치도지사, 시장·군수 또는 구청장이 같은 법에 따라 국토교통부장관이 제공한 토지가격비준표를 사용하여 산정한 가액으로 한다.

2) 주 택

「부동산 가격공시에 관한 법률」에 의하여 가격이 공시되는 주택은 동법에 의하여 공시된 가액.

단, 개별주택가격이 공시되지 아니한 경우에는 지방자치단체의 장이 같은 법에 따라 국토교통부장관이 제공한 주택가격비준표를 사용하여 산정한 가액으로 하고, 공동주택가격

이 공시되지 아니한 경우에는 대통령령으로 정하는 기준에 따라, 특별자치시장, 특별자치도지사, 시장·군수 또는 구청장이 산정한 가액으로 한다.

3) 위 2) 이외의 건축물(새로 건축하여 건축 당시 개별주택가격 또는 공동주택가격이 공시되지 아니한 주택으로서 토지부분을 제외한 건축물을 포함)

「소득세법」 제99조 제1항 제1호 나목의 규정에 의하여 산정·고시하는 건물신축가격기준액(2020년의 경우 m^2당 730,000원)에 다음을 적용한다.

① 건물의 구조별·용도별·위치별 지수

② 건물의 경과연수별 잔존가치율

③ 건물의 규모·형태·특수한 부대설비 등의 유무 및 그 밖의 여건에 따른 가감산율

참 고 **시가표준액 산정 방식**

시가표준액 = 신축기준가액 × 구조·용도 등 지수 × 잔존가치율 × 가감산율

※ 위의 산출에 필요한 각종 변수는 실제 확인에 의하여 각각 계산하여야 하는 수고가 필요하다.

4) 선박·항공기 그 밖의 과세대상

거래가격, 수입가격, 신축·건조·제조가격 등을 참작하여 정한 기준가격에 종류·구조·용도·경과연수 등 특성을 감안한다.

위 3), 4)의 결정은 매년 1월 1일 현재 특별자치시장·특별자치도지사·시장·군수 또는 구청장이 행정안전부장관이 정하는 기준에 따라 산정하여 특별자치시장 및 특별자치도지사는 직접 결정하고, 시장·군수·구청장(특별자치시장 및 특별자치도지사는 제외)은 특별시장·광역시장 또는 도지사의 승인을 받아 결정한다. 다만, 시가의 변동 또는 그 밖의 사유로 이미 결정한 시가표준액을 그대로 적용하는 것이 불합리하다고 인정되는 경우에는 도지사, 특별자치시장 또는 특별자치도지사는 행정안전부장관의 승인을 받아 해당 시가표준액을 변경 결정할 수 있다.

2 | 반드시 사실상 취득가액에 의하는 경우(지세법 §10 ⑤)

가. 일반적인 경우

「지방세법」 제10조 제5항에 의하면 다음과 같은 취득의 경우에는 동법 동조 제2항 및 제3항에 불구하고 사실상의 취득가액 또는 연부금액을 취득세 과세표준으로 한다고 규정되어 있다.

① 국가, 지방자치단체 또는 지방자치단체조합으로부터의 취득
② 외국으로부터의 수입에 의한 취득
③ 판결문 · 법인장부 중 대통령령으로 정하는 것에 따라 취득가격이 증명되는 취득
④ 공매방법에 의한 취득
⑤ 「부동산 거래신고 등에 관한 법률」 제3조에 따른 신고서를 제출하여 같은 법 제5조에 따라 검증이 이루어진 취득

「지방세법」 제10조 제5항에서 "제2항 및 제3항에 불구하고"의 의미는 취득가액을 신고하지 않았거나 신고가액(또는 취득가액)이 시가표준액보다 낮은 경우에도 사실상의 취득가액에 의하여 과세표준을 결정하겠다는 의미이다.

그러나 상기 ①~⑤의 경우에 해당하는 취득이라도 그것이 증여, 기부 그 밖의 무상취득 및 부당행위계산부인거래(소득법 §101 ①)로 인한 취득(2005. 12. 31. 개정)일 때에는 신고가액 또는 시가표준액에 의하여 취득세가 계산되어야 한다. 교환에 의한 취득의 경우 종전에는 증여, 기부 등과 같이 실거래가격 적용대상에서 제외하여 신고가액 또는 시가표준액에 의하여 취득세가 과세되도록 규정하였으나 교환의 경우 당해 토지 등을 객관적으로 평가하여 그 차액은 현금 등으로 보전해 주므로 그 거래의 성격이 현금거래와 하등 다를 것이 없다할 것이므로 상기 ①~⑤ 경우에 해당하는 취득이라면 사실상의 취득가액 또는 연부금액에 의하여 취득세가 부과되도록 하고 있고, 상기 ⑤에 따른 취득의 경우에는 그 사실상의 취득가격이 「지방세법」 제103조의 59에 따라 세무서장이나 지방국세청장으로부터 통보받은 자료 또는 「부동산 거래신고 등에 관한 법률」 제6조에 따른 조사 결과에 따라 확인된 금액보다 적은 경우에는 상기 ⑤에도 불구하고 그 확인된 금액을 과세표준으로 한다.

나. 판결문, 법인장부에 의하여 취득가액이 입증되는 경우

여기서 판결문이라 함은 민사소송 및 행정소송에 의하여 확정된 판결문을 말하며, 화해·포기·인낙 또는 자백간주에 의한 것은 제외한다. 법인장부는 법인이 작성한 원장, 보조장, 출납전표, 결산서를 말한다.

판결문에 대하여 살펴보면 판결문에 항상 취득가액을 입증할 수 있는 내용이 포함되는 것은 아니므로, 예를 들어 소유권에 관한 쟁송의 판결문에 소유권 귀속에 대하여만 언급이 있고 구체적인 부동산가액의 표시가 없을 경우, 취득가액이 입증되는 경우가 아니므로 취득자의 신고가액(시가표준액보다 낮은 경우에는 시가표준액)에 의하여 과세표준이 결정된다.

법인장부에 의하여 취득가액이 입증되는 경우라 함은 개인이 법인으로부터의 취득과 법인이 개인으로부터의 취득을 모두 포함하는 개념으로 이해되며 법인이 허위장부를 만든다든지, 장부가 부실하여 실제취득가액을 입증하기 어려울 때는 신고가액과 시가표준액에 의하여 과세표준이 결정된다.

법인장부에 의하여 실제취득가액이 입증된다 함은 법인장부에 의해 발생비용이 전혀 없는 것이 확인되는 경우도 포함하는 개념이므로 법인이 토지취득 후 형질변경 없이 공부상 지목만 변경되는 경우 이에 소요비용이 없는 한 과세되지 않는다.

다. 취득가격의 범위

취득가격 또는 연부금액은 취득시기를 기준으로 그 이전에 해당 물건을 취득하기 위하여 거래 상대방 또는 제3자에게 지급하였거나 지급하여야 할 직접비용과 다음의 어느 하나에 해당하는 간접비용 및 이에 준하는 비용의 합계액으로 한다. 다만, 취득대금을 일시급 등으로 지급하여 일정액을 할인받은 경우에는 그 할인된 금액으로 한다.

① 건설자금에 충당한 차입금의 이자 또는 이와 유사한 금융비용

② 할부 또는 연부(年賦) 계약에 따른 이자 상당액 및 연체료. 다만, 법인이 아닌 자가 취득하는 경우는 취득가격에서 제외한다.

③ 「농지법」에 따른 농지보전부담금, 「산지관리법」에 따른 대체산림자원조성비 등 관계법령에 따라 의무적으로 부담하는 비용

④ 취득에 필요한 용역을 제공받은 대가로 지급하는 용역비·수수료

⑤ 취득대금 외에 당사자의 약정에 따른 취득자 조건 부담액과 채무인수액

⑥ 부동산을 취득하는 경우 「주택도시기금법」 제8조에 따라 매입한 국민주택채권을 해당 부동산의 취득 이전에 양도함으로써 발생하는 매각차손. 이 경우 행정안전부령으로 정하는 금융회사 등 외의 자에게 양도한 경우에는 동일한 날에 금융회사등에 양도하였을 경우 발생하는 매각차손을 한도로 한다.
⑦ 「공인중개사법」에 따른 공인중개사에게 지급한 중개보수. 다만, 법인이 아닌 자가 취득하는 경우는 취득가격 또는 연부금액에서 제외한다.
⑧ 붙박이 가구・가전제품 등 건축물에 부착되거나 일체를 이루면서 건축물의 효용을 유지 또는 증대시키기 위한 설비・시설 등의 설치비용
⑨ 정원 또는 부속시설물 등을 조성・설치하는 비용
⑩ ①~⑨까지의 비용에 준하는 비용

취득가격의 범위와 관련하여 아래의 비용은 취득가격에 포함되지 않는다.
① 취득하는 물건의 판매를 위한 광고선전비 등의 판매비용과 그와 관련한 부대비용
② 「전기사업법」, 「도시가스사업법」, 「집단에너지사업법」, 그 밖의 법률에 따라 전기・가스・열 등을 이용하는 자가 분담하는 비용
③ 이주비, 지장물 보상금 등 취득물건과는 별개의 권리에 관한 보상 성격으로 지급되는 비용
④ 부가가치세
⑤ 위 ①에서 ④까지의 비용에 준하는 비용

라. 연부취득(지세법 §10 ① 단서)

연부취득의 경우에는 각각의 실지 연부금 지급액이 과세표준이 된다. 연부금 실제지급일이 취득세 납세의무성립일이 되므로 연부금의 지연지급으로 인한 연체료 등은 과세표준에 포함된다.

마. 법인이 아닌 자가 건축물을 건축하거나 대수선하여 취득하는 경우 (지세법 §10 ⑥)

법인이 아닌 자가 건축물을 건축하거나 대수선하여 취득하는 경우로서 취득가격 중 100분의 90을 넘는 가격이 법인장부에 따라 입증되는 경우에는 다음의 금액을 합한 취득가격을 과세표준으로 한다.

① 법인이 작성한 원장 · 보조장 · 출납전표 · 결산서 등 법인장부로 증명된 금액
② ①에서 나열된 법인장부로 증명되지 아니하는 금액 중 「소득세법」 제163조에 따른 계산서 또는 「부가가치세법」 제32조에 따른 세금계산서로 증명된 금액
③ 부동산을 취득하는 경우 「주택도시기금법」 제8조에 따라 매입한 국민주택채권을 해당 부동산의 취득 이전에 양도함으로써 발생하는 매각차손. 이 경우 금융회사등 외의 자에게 양도한 경우에는 동일한 날에 금융회사등에 양도하였을 경우 발생하는 매각차손을 한도로 한다.

3 | 간주취득 등의 과세표준

가. 건축(신축, 재축은 제외), 개수, 종류변경 또는 지목변경의 경우 (지세법 §10 ③)

건축물을 건축(신축, 재축은 제외) 또는 개수한 경우와 선박, 차량 및 기계장비의 종류변경 또는 토지의 지목을 사실상 변경한 경우에는 그로 인하여 증가한 가액을 각각 과세표준으로 한다(지세법 §10 ③). 이 경우 과세표준의 신고 또는 신고가액의 표시가 없거나 신고가액이 시가표준액에 미달하는 때에는 그 시가표준액에 의한다.

구체적인 과세표준액 산정방법을 살펴보면 건축의 경우 취득세의 납세의무자나 그와 거래관계에 있었던 자가 장부나 그 밖의 증명서류를 갖추고 있는 경우에는 이에 따라 계산한 가액이 과세표준이 된다. 한편, 관련 장부나 증명서류를 갖추고 있지 아니하거나 그 내용 중 취득경비 등의 금액이 시가표준액에 미달하는 경우에는 당해 취득물건과 유사한 물건을 취득하는 경우에 일반적으로 소요된 것으로 인정되는 자재비, 인건비, 기타 취득에 필요한 경비 등에 관하여 매년 1월 1일 현재의 시가를 기초로 하여 특별자치시장 · 특별자치도지사 · 시장 · 군수 또는 구청장이 정한 시가표준액에 의하여 산정한 금액으로 과세표준을 결정한다(지세령 §16).

토지의 지목변경은 토지의 지목이 사실상 변경된 때를 기준으로 하여 지목변경으로 증가한 시가표준액의 차액을 과세표준으로 하나 판결문, 법인장부에 의하여 지목변경에 소요된 비용이 입증되는 경우에는 그 입증되는 비용을 과세표준으로 한다(지세령 §17).

나. 과점주주의 간주취득(지세법 §10 ④)

과점주주의 간주취득에 대한 과세표준은 다음의 산식에 의한 금액으로 한다.

$$\text{과세표준} = \frac{\text{해당 법인의 취득세}}{\text{과세대상 부동산등의 총가액}} \times \frac{\text{과점주주가 취득한 주식, 출자의 수}}{\text{그 법인의 주식, 출자의 총수}}$$

이 경우 과점주주는 조례가 정하는 바에 의하여 과세표준 및 그 밖의 필요한 사항을 신고하여야 한다. 다만, 신고 또는 신고가액의 표시가 없거나 신고가액이 과세표준보다 적을 때에는 지방자치단체의 장이 해당 법인의 결산서 및 그 밖의 장부 등에 의한 취득세 과세대상 자산총액을 기초로, 위의 계산방법에 의하여 산출한 금액을 과세표준으로 한다.

관련예규 및 판례요약

취득세 과세표준 : 지세법 §10

취득당시의 가액과 관련된 예규, 판례

대법 2019두 35602, 2019. 6. 13.

취득세의 과세표준에 학교용지부담금을 포함시켜서 취득세를 부과하는 것 자체가 위법하다고 볼 수는 없으나, 행정자치부는 2005. 1. 26. '학교용지부담금은 취득세 과세표준 취득가격에 포함되지 않는다'고 유권해석한 사실(행정자치부 2005. 1. 26.자 세정-429 질의회신)과 감사원 심사 결정(감사원 2009.6.25.자 감심 2009-143)을 근거로 해당 과세관청에서 2015. 12. 말경에 이르기까지 상당한 기간에 걸쳐 학교용지부담금을 취득세 과세표준 취득가격에서 제외하고 이를 기초로는 과세하지 아니하는 비과세관행이 성립되어 있었다고 봄이 타당함.

지방세운영과-3161, 2018. 12. 28.

공동주택을 신축하는 경우 조경공사비, 도로포장비 등은 건축물 신축에 대한 과세표준에 포함됨.

대법 2016두 61907, 2018. 3. 29.

도시개발사업 시행과정에서 부담한 광역교통개선부담금, 하수도원인자부담금, 폐기물처리훼

손부담금 등은 토지의 지목변경, 건축물 신축에 필수적으로 소요되는 비용으로 취득세 과세표준에 포함된다.

대법 2015두 45380, 2017. 1. 12.

골프장 취득 합의서에 따라 토지와 구별되게 별개의 목적물로 취득한 구축물 등을 토지에 부합된 물건으로 보아 과표에 포함할 수 있는지와 관련하여 토지와 구별되게 취득한다는 합의에도 불구하고 골프장의 구축물・코스 등이 토지의 부합물에 해당되는 이상 토지의 과세표준에 포함하여야 함.

지방세운영-3160, 2016. 12. 19.

주택의 건물 또는 부속 토지만을 취득하는 경우 취득세 시가표준액 적용방법 관련하여 공시된 주택가격을 기준으로 「지방세법」 제4조에 따른 토지의 공시지가와 건축물의 시가표준액 비율로 안분하여 산정함이 타당함

대법 2016두 50631, 2016. 12. 1.

법원 경매과정에서 유치권을 신고한 경우로서, 유치권 해소를 위해 지출한 비용이 취득한 물건의 과세표준에 포함되는지 여부와 관련하여 유치권 인정에 대한 다툼이 있는 경우로서 그 해소 비용을 과세표준에 포함시키려면 과세권자가 이를 입증해야 되는 바, 입증하지 못하면 과세표준에 포함할 수 없음. 다만, 적법한 유치권으로 인정되고, 이의 해소를 위해 지출되어진 비용이라면 취득세 과세표준에 포함된다고 할 것임.

지방세운영-2445, 2016. 9. 22.

취득시기 도래 후 당초 분양특약사항에 따라 잔금의 일부를 할인받은 경우 취득세 과표에서 제외할 수 있는지 여부 관련하여 취득세 과세표준이 되는 취득가격은 취득시기를 기준으로 판단하여야 할 것으로, 취득시점에 적법하게 성립되어 확정된 취득가격에 대해 사후적으로 할인받는다고 하더라도, 이미 성립된 취득가격에 미치는 영향은 없다고 할 것임.

지방세운영-2444, 2016. 9. 22.

취득시기 도래 후 반환된 부담금의 취득세 과세표준 제외 여부 관련하여 취득세 과세표준이 되는 취득가격은 취득시기를 기준으로 판단하여야 할 것으로, 취득시점에 적법하게 성립되어 확정된 취득가격에 포함된 부담금의 경우, 사후적으로 일부 또는 전부를 반환받는다고 하더라도, 이미 성립된 취득가격에 미치는 영향은 없다고 할 것임.

대법 2016두 35434, 2016. 6. 28.

봉안당을 신축・취득함에 있어 건물 내부에 설치된 납골안치시설의 취득비용이 취득세 과세표준에 포함되는지 여부 관련하여 봉안당 신축시 설치된 납골안치시설의 취득비용은 취득세 과세표준에 포함됨.

지방세운영-3861, 2015. 12. 11.

학교용지부담금 등이 취득세 과세표준에 포함 여부 관련하여 취득세 과세대상 단독 또는 공동주택을 취득하지 않을 경우 지출이 필요없는 비용에 해당하고, 이는 「학교용지확보등에 관한 특례법」에 따라 의무적으로 부담해야 하는 비용이므로 취득세 과세표준에 포함하여야 할 것이며, 이 외 다른 부담금도 취득시기 이전에 지급원인이 발생·확정되며, 관계법령에 따라 의무적으로 부담하는 경우에 해당한다면, 취득가격에 포함하여야 할 것임.

지방세운영-3843, 2015. 12. 11.

제3자에게 기부 조건 저가 매입시 취득세 과표 포함 여부 관련하여 취득세의 과세표준인 과세대상물건의 취득가액에는 당해 물건 자체의 가격인 직접비용 및 당해 물건 자체의 가격으로 지급되었다고 볼 수 있는 간접비용이 포함되는데, 적극적으로 금원 등을 지출하는 방법뿐만 아니라 소극적으로 보유자산 등을 포기하는 방법을 통해 당해 물건을 취득하는 경우가 있을 수 있고, 이러한 경우에는 당해 물건을 취득하기 위해 포기한 자산 등의 경제적 가치를 취득가액으로 봄이 타당함.

대법 2010두 24586, 2011. 2. 24.

명도비용이 부동산 취득을 위하여 지급한 것이 아니라 건물을 조속히 명도받아 건물 신축사업을 조속히 실행하기 위하여 임차인들에게 임차권·영업권 등에 대한 보상금 명목 등으로 지급된 것이므로 부동산의 취득가격에 포함할 수 없다고 본 사례

대법 2009두 23075, 2011. 1. 13.

아파트의 신축분양사업과 관련된 차입금·분양대금을 투명하게 관리하기 위하여 자금관리를 신탁하고 지급한 신탁수수료는 아파트 신축·분양사업에 관한 자금관리비용일 뿐 아파트의 취득과는 무관한 비용이므로 취득세 과세표준에 포함되지 않음.

대법 2010두 672, 2010. 12. 23.

주택분양보증수수료를 아파트의 사실상 취득가격에 포함시킬 경우 아파트의 분양시기에 따라 아파트 신축비용이 달라지는 문제가 생기는 점 등을 감안할 때 동 수수료는 취득세 과세표준에 포함되지 않음.

감심 2010-91, 2010. 9. 9

종전 토지의 취득가액에는 미래예상가치에 대한 지불인 프리미엄이 포함되므로 재건축아파트를 취득하기까지의 과세표준 합계액이 입주권의 실제 취득가액을 초과하더라도 이를 부당하다고 할 수 없음.

지방세운영-2225, 2010. 5. 27.

부동산 교환시 시가차액에 대하여 보충금을 지급한 경우 취득세 과세표준은 당초 소유하고 있던 물건의 가액에 보충금을 감안한 거래가액과 취득한 부동산의 시가표준액 중 높은가액으로 적용함.

지방세운영-208, 2010. 1. 15.

건물의 취득시기 이전에 별도의 시공사와 차양막설치 공사를 체결한 후 실제 공사는 취득시기 이후 진행되는 경우 동 공사의 계약금액은 그 지급원인이 신축건물 취득시기 이전에 발생 또는 확정된 것이라면 신축건물의 취득가격에 포함됨.

감심 2009-103, 2009. 5. 7.

상수도 원인자 부담금은 취득세 과세표준에 포함되지 않음.

조심 2008지 610, 2009. 4. 7.

건축물을 신축하면서 건축물 옥상에 조경시설을 설치한 경우 조경공사비는 건축물의 신축비용에 해당됨.

대법 2008두 21843, 2009. 1. 30.

계약금만 지급된 분양권을 취득한 경우 전 매도자가 지급한 계약금은 취득세 과세표준에 포함됨.

지방세운영-111, 2009. 1. 8.

토지를 취득하면서 토지보상협의 및 물건조사 등 당해 토지의 취득과 관련된 출장여비를 지급한 경우라면 동 토지의 취득과정에 소요된 비용으로 취득세등 과세표준에 포함됨.

조심 2008지 549, 2008. 12. 9.

주택재개발조합으로부터 아파트를 분양받은 후 아파트 시공사와 발코니확장공사를 체결하고 사용인가일 이후에 아파트의 분양잔금 및 발코니확장공사 대금을 납부한 경우 취득세 과세표준에 포함됨.

지방세심사 2007-445, 2007. 8. 27.

신축한 건축물의 법인장부가액을 취득가액으로 하여 취득세 등을 부과한 처분은 적법함.

세정-2512, 2007. 7. 2.

사업양수도를 하면서 토지가격 이외에 별도로 지급한 사업권 양수비용은 토지취득과표에서 제외됨.

지방세심사 2007-329, 2007. 6. 25.

공동사업자의 계약해지로 인하여 그 일방에게 지불한 분양사업권 양수금액은 토지 취득과 관련된 취득가액으로 봄이 타당함.

- 지방세심사 2007-344, 2007. 6. 25.

분양대금 이자를 분양사가 대납한 경우 당해 지급이자는 취득세 과세표준에 포함되지 아니함.

- 지방세심사 2007-376, 2007. 6. 25.

건축물 신축과 관련된 설계용역비는 취득세 과세표준에 포함됨.

- 세정-1655, 2007. 5. 9.

미수채권 상계 및 제3자의 채권을 인수하는 조건으로 미완성 건축물을 양수하여 건축물을 신축한 경우 과세표준은 미수채권, 제3자 채권, 추가공사 비용을 합한 금액이 됨.

- 지방세심사 2007-222, 2007. 4. 30.

법인장부 가액으로 매매계약을 체결하고 그 가액을 과세표준으로 하여 취득세 등을 신고 납부한 후, 감정평가액을 과세표준으로 수정신고하는 경우 취득세 과세표준으로 인정할 수 없음.

- 지방세심사 2006-1105, 2006. 12. 27.

환불된 분양선수금 원금 외 법원의 조정에 의하여 별도의 금액이 지급된 경우 취득세 과세표준에 해당함.

- 지방세심사 2006-1126, 2006. 12. 27.

아파트 준공전에 설치된 가전제품 등 빌트인 제품 가액은 취득세 과세표준에 포함됨.

- 지방세심사 2005-510, 2005. 12. 26.

법인장부상 건설용지계정에 기장되어 있는 가액 중 사업시행권승계금액(신축사업인허가, 컨설팅, 설계 및 계획)은 토지취득에 대한 직·간접적인 부대비용으로 취득세 과세표준에 포함됨.

- 세정-2672, 2005. 9. 14.

리스회사가 리스차량의 채권이 회수되지 않아 부실리스채권의 매각과 리스차량의 소유권을 이전해 주는 경우 취득세 과세표준은 매도인의 법인장부상 입증되는 가격(부실채권 실매각금액)이 되는 것임.

- 세정-1900, 2005. 7. 26.

주택건설사업 추진과 관련하여 사업권양수에 따른 권리에 대한 대가로 지급한 사업권양도양수비는 부동산 자체의 가격이라고 볼 수 없으므로 취득세 과세표준에 포함하지 아니함.

- 세정-4139, 2004. 11. 17.

법인과 개인(또는 법인) 간의 부동산(주유소)에 대한 매매거래는 법인장부에 의하여 입증되는 취득가격을 취득세 과세표준으로 하지만 법인장부가 조작되었다면 부가가치세를 제외한 사실상의 취득가격을 과세표준으로 함.

지방세심사 2004-166, 2004. 6. 28.

골프연습장 영업권을 10년간 보장받는 조건으로 골프연습장을 신축하여 기부한 경우 이러한 기부행위에 의한 건축물의 취득이 무상취득이 되기 위해서는 어떠한 대가성도 없어야 할 것이나, 사회통념상 무상으로 기부한다는 것은 예상할 수 없어 대가성이 있다고 보아 유상취득으로 본 사례

지방세심사 2004-135, 2004. 5. 31.

매도자의 부채를 인수하는 조건으로 부동산을 취득하는 경우에 당해 부채는 그 취득비용에 해당함.

지방세심사 2003-181, 2003. 8. 25.

부담부조건으로 부동산을 증여 취득한 경우 수증자가 인수한 임대보증금을 공제하지 아니한 과세표준으로 하여 산출한 취득세 등을 신고납부한 것이 적법함.

지방세심사 2003-173, 2003. 8. 25.

법인의 원장 등 법인장부에 의하여 명백히 입증되는 사실상의 취득가격을 취득세 과세표준으로 함.

세정-506, 2003. 7. 16.

보일러 · 냉동기 등 건축물 부대시설의 설치비용도 취득세 과세표준에 포함됨.

무상취득의 가액과 관련된 예규, 판례

조심 2012지 386, 2012. 10. 12.

(1) 취득세의 과세표준에 포함되는 건설자금에 충당하는 이자는 당해 과세대상 물건의 취득시점을 기준으로 그 이전에 발생된 이자만을 포함하는 것이고, 취득일 이후에 발생한 건설자금이자는 취득세 과세표준에 포함되지 아니함.

(2) 청구법인 소유의 토지를 국가 등에 기부채납하고, 이 건 제2토지를 처분청으로부터 무상양여 받았으므로 청구법인이 취득한 이 건 제2토지의 취득세 등의 과세표준은 청구법인이 국가 등에 기부채납한 토지의 법인장부상 가액이 되는 것임.

조심 2008지 221, 2008. 6. 30.

부동산을 상속 취득한 경우 취득세 등의 과세표준으로 시가표준액을 적용함이 타당함.

- 지방세심사 2005-254, 2005. 8. 29.

재판상 화해에 의하여 재산분할을 원인으로 취득세 과세대상물건을 무상승계취득하는 경우 그 시가표준액을 과세표준으로 하는 것임.

- 대법 2002두 240, 2003. 9. 26.

법인이 증여받은 부동산의 취득·등록세 감면신청시, 시가표준액보다 높은 장부가액으로 기재해 감면받고 그에 따른 농특세를 신고납부했더라도, 그 감면받은 취득·등록세 추징시의 과세표준은 그 '시가표준액'을 초과할 수 없음.

- 세정 13407-42, 2003. 1. 16.

법인소유 토지가 등록사항 정정으로 경계경정 후 그 면적증가분에 대해 대가 지급시는 유상승계취득으로 보아 '법인장부상 가액'이, 무상취득시는 '시가표준액'이 각각 취득세 과세표준이 됨.

- 지방세심사 2001-59, 2001. 2. 27.

무상취득한 토지의 경우, 그 증여계약서상 금액을 사실상의 취득가액으로 보아 취득·등록세 과세함은 부당하고, 신고 여부에 관계없이 '시가표준액'을 과세표준으로 함.

- 세정 13407-922, 1999. 7. 26.

상법상 회사분할의 경우 신설회사가 분할 전 회사소유의 부동산을 이전받은 경우 무상취득으로서 과세표준은 시가표준액이 되나, '물적 분할'인 경우는 유상취득으로 보아 법인장부에 의해 입증되는 취득가액이 과세표준임.

- 세정 13407-834, 1999. 7. 9.

'인적 분할'에 해당하는 회사분할로 인한 신설분할회사가 분할 전 회사소유의 부동산을 이전받는 것은 무상으로 취득하는 경우로서, 취득·등록세 과세표준은 그 신고가액이 시가표준액에 미달하는 때에 시가표준액이 됨.

연부취득의 가액과 관련된 예규, 판례

- 지방세운영-2290, 2016. 9. 2.

각 연부금 지급시 발생한 이자비용의 취득가격 포함여부 관련하여 취득이 완료되었다고 볼 수 없어, 그 기간동안에 발생한 건설자금이자의 경우 해당 토지의 취득을 위한 비용으로 사용된 것으로 보는 것이 합리적이라 할 것이므로, 연부취득이 완료된 시점까지 발생한 건설자금이자의 경우에는 취득세 과세표준에 포함하는 것이 타당하다고 할 것임.

지방세운영-3433, 2010. 8. 9.

아파트를 분양받아 중도금 납부 중 분양계약을 변경하여 아파트 준공 후 나머지 분양대금을 할부금으로 3년에 걸쳐 연부금 방식으로 납부하는 경우라면 그 사실상의 연부금 지급일을 취득일로 하고 그 납부한 연부금액을 과세표준으로 한 취득세를 부과하는 것임.

도세-843, 2008. 5. 13.

주택재건축사업을 하면서 부동산의 목적물이 존재하지 않고 건물과 토지의 위치, 면적 등이 특정되어 있지 않다면 계약일로부터 2년 이상에 걸쳐 대금이 지급되더라도 연부취득에 해당하지 않음.

세정-629, 2007. 3. 15.

당초 매수인이 계약을 해제하지 아니한 채 제3자와 공동으로 당초 계약에 관한 권리의무를 승계하기로 하였을 뿐 다른 연부계약 조건에 변경이 없는 경우라면 이미 납부한 취득세는 환부되지 아니함.

지방세심사 2006-88, 2006. 2. 27.

연부취득 계약을 체결하고 2년이 경과하지 않은 경우 연부금 지급일을 취득일로 보아 취득세를 부과하는 것은 적법함.

지방세심사 2005-531, 2005. 12. 26.

연부계약에 따라 부동산을 취득하였으나 취득세 등을 신고·납부하지 아니하여 가산세를 포함하여 취득세 등을 부과함.

세정-1164, 2005. 6. 14.

연부취득이란 취득세 과세물건이 존재한 상태에서 계약일부터 잔금지급기간이 2년 이상인 경우를 말하는 것으로 매회 연부금 지급시마다 납부하는 연부금액에 대하여 취득세를 신고 납부하는 것임.

세정-1195, 2005. 3. 18.

취득세 과세표준이 되는 연부금액은 분할납부이자(연부이자)를 포함하여 매회 사실상 지급되는 금액임.

지방세심사 2004-400, 2004. 12. 29.

연부취득에서 '연부'라 함은 계약서상 연부계약 형식을 갖추고 대금지급방법을 2년 이상에 걸쳐 일정액씩 분할지급 약정하는 것이므로, 대금지급기간이 2년 미만인 경우 연부취득에 해당되지 않아 할부이자는 취득세 등의 과표에서 제외되어야 함.

지방세심사 2003-69, 2003. 4. 28.

2년 이상에 걸쳐 일정액씩 분할 지급하기로 연부계약한 후 2년 내의 중도에 나머지 할부금을 일시에 지급한 경우, 계약금 및 기지급된 할부금은 그 지급한 날에 취득세 납세의무 성립함.

지방세심사 2002-394, 2002. 12. 23.

연부취득 중인 부동산의 매수인의 지위를 승계한 경우, 당해 권리의무 승계계약일부터 잔금 지급일까지의 연부기간이 2년 미만이면 '연부취득'에 해당하지 않음.

대법 99두 3058, 2001. 1. 16.

토지매매계약서상 토지대금을 31개월간 7회에 걸쳐 나누어 지급하기로 한 경우 '연부취득'에 해당함.

신고가액 인정과 관련된 예규, 판례

조심 2012지 253, 2012. 4. 27.

교환거래에 있어서 각각의 부동산 가액을 평가하고 그에 대한 차액을 보충금으로 지급하거나 지급받기로 하는 경우 그 거래는 무상거래가 아니라 자기 소유의 부동산을 상대방에게 유상으로 양도하고 상대방 소유의 부동산을 유상으로 취득하는 두 번의 거래가 동시에 일어나는 것이라 할 것인바, 상대방 소유 부동산의 취득가액은 당해 부동산을 취득하기 위하여 지급하였다고 신고한 가액과 당해 부동산의 시가표준액 중 더 높은 가액이라고 보는 것이 타당함.

서울고법 2008누 7559, 2008. 9. 11.

부동산의 거래계약에 대한 신고필증을 교부받았다는 사실만으로 그 거래가액이 부동산의 객관적인 가치를 반영한 실지거래가액으로 볼 수 없음.

지방세심사 2006-1071, 2006. 11. 27.

재건축 조합원의 토지를 승계취득한 경우 과세표준은 신고한 가액에 의함(신고한 가액이 시가표준액보다 높음).

세정-2351, 2006. 6. 9.

주택 및 상가(토지 포함)를 구입하면서 실거래신고가액을 신고하여 부동산거래관리시스템의 검증결과가 '적정'으로 판정된 경우 당해 실거래신고가액이 취득세 및 등록세의 과세표준이 되는 것임.

세정-83, 2005. 4. 7.

상가분양 취득이 관련 법인장부(매도인 또는 시공법인) 등에서 사실상 취득가격이 입증된다면 실거래가격(분양가격)이 취득세 과세표준이 되나 입증 여부는 과세권자가 사실조사 후 판단함.

세정-190, 2004. 2. 25.

법원의 조정에 의해 부동산의 취득 여부가 확정되는 경우 조정조서에 명시된 금액이 아니라 납세자의 신고가액이 과세표준이 되나 신고가액이 시가표준액에 미달되는 경우 시가표준액이 과세표준이 되며, 소유권이전등기절차를 이행하라는 조정조서를 작성한 경우 등기일이 취득일이 됨.

대법 2002두 1564, 2002. 7. 23.

법인이 타법인으로부터 매수한 토지와 건물에 대한 취득세 신고가액이 시가표준액에 미달하지 않음에도 매매계약서에 기재된 사실상의 취득가격을 과세표준으로 함은 위법임.

지방세심사 2000-831, 2000. 11. 28.

법인이 토지를 증여로 무상취득했으나 그 감정가액을 장부에 기장해 취득가격으로 신고한 가액을 과세표준으로 함은 정당함.

건축물의 신·증·개축시의 가액과 관련된 예규, 판례

지방세운영-1845, 2016. 7. 14.

시공사에 일괄도급하여 신축한 경우 시행사에서 발생한 급여, 접대비 등의 비용이 취득세 과표에 포함되는지 여부 관련하여 시행사가 시공사에 신축 공사 관련 일괄도급을 위임하였다고 하더라도, 시행사에서 발생한 비용이 해당 부동산 취득과 관련성이 있다면(신축건물의 판매와 관련된 비용은 제외), 취득시기까지 발생한 비용은 취득세 과세표준에 포함된다고 할 것임.

지방세운영-1552, 2016. 6. 17.

철거비, 부지정지공사 관련비용의 과세표준 포함 여부 관련하여 기존 건축물을 철거하고, 부지조성공사 등을 거쳐 건축공사를 진행하는 경우 부지정지공사 비용 등은 건축공사와 불가분의 관계에 있는 일련의 건축공사의 일부라고 볼 수 있으므로 신축건물의 과표에 포함(부지조성공사 등을 추진하면서 지목변경이 함께 수반되는 경우에는 해당 공사의 발생원인 등 사실관계를 따져 지목변경 관련 비용은 지목변경 과세표준에, 이외의 비용은 건축물 신축 과세표준에 포함)하는 것이 타당하다고 할 것임.

대법 2016두 33605, 2016. 5. 12.

준공된 아파트의 분양권을 양도한 경우 취득세 과세표준이 당초 분양받은 금액인지 아니면 프리미엄 등이 붙은 사실상 거래가액인지 여부 관련하여 준공된 아파트의 양도는 분양권 거래에 해당되지 않아 분양가액을 아파트의 취득세 과세표준으로 적용해야 함.

대법 2015두 59877, 2016. 3. 24.

수분양자 비용을 지불한 발코니 공사비용을 시행사인 원시취득자가 취득하는 취득원가에 포함할 수 있는지 여부 관련하여 수분양자가 발코니 공사비용을 지불하였더라도 그 비용은 주체구조부 취득자인 원시취득자의 취득가격에 포함되어야 함.

대법 2015두 39828, 2015. 7. 10.

취득세의 과세표준을 산정함에 있어서도 원고들이 취득하는 인입배관의 취득가격에서 도시가스사용자가 부담하는 비용을 공제하는 것이 취득세 과세가격에 관하여 규정하고 있는 구 법인세법 시행령」 제18조의 입법취지 및 세법의 통일적·체계적 해석에 부합하므로 도시가스「인입배관 설치에 따라 사업자가 50% 부담하고 있는 해당 공사비를 취득세 과세표준에 포함함.

대법 2014두 41640, 2014. 12. 24.

법인이 건축물을 건축함에 있어 시공사에게 지급하는 공사대금의 지급 지체에 따른 지연이자의 경우 사실상의 취득가격에 포함되는 연체료로 보아 취득세 과세표준에 포함함(소득세법, 법인세법, 기업회계 기준을 준용하여 과표에서 제외할 수 있는지).

대법 2012두 16404, 2014. 9. 26.

취득자가 1필지의 토지를 취득하면서 부분별로 구분하지 않고 일괄 대금을 정하여 취득한 경우에는 단위면적당 균일가격으로 볼 수 있으므로, 부분별 감정가액이 아닌 면적비율로 안분하여야 함.

대법 2014두 4757, 2014. 7. 10.

공유수면 매립을 통한 부두 축조과정에서 선박이 접안하는 안벽과 관련된 공사비 등을 토지의 원시취득과 관련된 비용으로 보아 과표에 포함할 수 있는지 여부 관련하여 안벽은 전체 공유수면 매립지의 일부로 취득세 과세대상 토지에 해당하므로, 그 관련 공사비 등을 과표에 포함하는 것이 타당함.

대법 2013두 22178, 2014. 2. 13.

건축물 신축에 따른 경영진단과 사업수지 검토 등을 위해 지급한 자문수수료는 과표에 산입되나, 분양을 위한 자문수수료 및 신축공사 후 분양사업의 시행이익을 정산하여 도급공사비 증액방식으로 지급하기로 하였으나 정산이 이루어지지 않아 지급하지 않은 비용을 취득세 과세표준에 포함할 수 없음.

대법 2013두 18506, 2013. 12. 26.

35백만원에 경락을 받은 부동산을 41백만원에 취득신고를 하였음에도 579백만원에 해당하는 시가표준액을 취득세 과표로 결정한 것이 현저히 불합리한 것으로 위법한 것인지 여부(다만, 최초감정가액 420백만원이었고, 최초분양가액은 시가표준액보다 높았음) 관련하여 현저히 불합리한 것으로 위법하다고 볼 수 없음.

대법 2013두 5517, 2013. 9. 12.

골프장 건설과정에서 투입한 접대비, 인근주민 찬조금, 급여, 복리후생비, 교통비, 차량유지비, 통신비, 수도광열비, 운반비, 도서인쇄비, 운영을 위한 코스관리·컨설팅 비용 등 중 골프장 운영을 위한 코스관리·컨설팅 비용을 제외하고 모두 포함됨.

대법 2013두 3641, 2013. 6. 27.

도시개발사업을 추진하면서 얻은 신용·명성·거래선과 같은 영업상의 이점과 사업시행 등에 있어서 가질 수 있는 우선적인 지위 등의 일환으로 지급 받은 사업권의 양수비는 취득세 과세대상인 토지를 취득과는 별도의 권리에 해당하므로 과표에 포함할 수 없음.

대법 2011두 27773. 2013. 1. 16.

채권입찰제로 공급하는 공동주택건설용지를 매입하는 과정에서 발생하는 제3종 국민주택채권의 처분손실이 토지 취득에 따른 취득세 과표에 포함됨.

대법 2011두 29472, 2012. 1. 16.

취득세 과세표준의 기준이 되는 취득가격의 범위에 채권매입비, 교통시설부담금, 행정용역비, 철거비, 금융비용 등을 포함할 수 있음.

감심 2010-120, 2010. 11. 18.

기반시설부담금은 건축허가를 받은 날을 기준으로 부과되므로 주택을 취득하기 이전에 지급원인이 발생 및 확정된 비용이고, 건축연면적이 $200m^2$를 초과하는 주택 취득에 필수적으로 요구되는 법정비용이므로 취득가격에 포함됨.

세정-719, 2008. 2. 26.

부동산을 취득 한 후 기존건축물을 철거하고 새로운 건축물을 신축하기 위하여 임차인과 영업권 보상 및 시설투자에 대한 보상 약정에 따라 보상금을 지급한 경우 건축물 신축에 따른 취득가격에 포함되지 않음.

세정-3483, 2007. 8. 27.

기존 건물에 증축공사가 진행중인 상태에서 건물 전체를 경매 취득하고 낙찰자가 그에 따른 취득세를 납부한 후 낙찰자 명의로 건축주의 명의를 변경한 다음 임시사용승인을 받거나 사실상 사용하지 아니한 채 공사를 진행하여 증축부분에 대하여 사용승인을 받은 경우라면 경매 취득시 기존 건물에 대하여는 취득이 성립되었다 하겠으나, 사용승인을 받지 아니한 증축이 진행중인 부분은 이때 취득이 이루어졌다고 볼 수 없고, 사용승인을 받은 때에 취득이 이루어 진 것으로 보아야 하겠으므로 이 부분에 대하여 경매 취득시 낙찰자가 신고납부한 취득세는 환부되어야 하고, 건축주(낙찰자)는 증축에 따른 사용승인서 교부일부터 30일 이내에 신고하고 납부함이 타당하다 할 것이고, 이 때 취득세의 과세표준은 전체 경락대금 중 해당부분에 대하여 안분한 가액에 경락 취득 이후 추가로 지급한 공사비용을 합한 금액으로 봄이 타당하다고 사료됨.

지방세심사 2006-126, 2006. 3. 27.

자동보세창고인 건물의 로칼공사비(전등, 전열공사), 동력배전시설비는 건물의 전기설비공사비로 판단되어 취득세 등의 과세표준에 포함하여 부과함.

세정-167, 2006. 1. 16.

건물 신축공사시 건물 내부에 설치하는 시스템에어컨설비는 건물신축에 따른 취득세 등 과세표준에 포함되는 것임.

세정-45, 2005. 12. 13.

건축공사가 종료된 이후에 발생할 비용을 미리 계산한 하자보수충당금 및 건축비용과 별개인 퇴직급여충당금은 취득세 과세표준에 포함하지 아니함.

세정-3885, 2005. 11. 21.

미술장식품(조형물)설치비, 단지외부에 접한 도로의 하수관로 교체공사 및 포장공사비용(설계비 포함), 토지차입금이자는 건축물 신축과 관련된 비용으로 볼 수 없어 취득세 과세표준에 포함하지 아니함.

세정-3885, 2005. 11. 21.

분양촉진을 위하여 회사가 부담한 무이자비용과 업무대행약정(분양업무, 광고업무 등)에 대한 용역수수료, 취득 이후 발생한 개발부담금산정을 위한 용역비는 건축물 신축과 관련된 취득세 과세표준에 포함하지 아니함.

세정-154, 2005. 1. 11.

기존 건축물의 철거비용은 건물의 신축에 필수 불가결한 준비행위에 소요된 취득원가이므로 신축 건축물의 취득세 과세표준에 포함됨.

감심 2004-56, 2004. 8. 12.

주택조합이 일반분양 아파트와 조합원용 아파트를 함께 건축하면서 총공사비를 조합원용과 일반분양용 아파트 연면적비율에 따라 안분하여 취득세 과세표준을 산정함은 정당함.

세정-1965, 2004. 7. 8.

건축물 개수와 관련하여 취득세 과세표준액은 거래상대방 또는 제3자에게 지급하였거나 또는 지급하여야 할 일체의 비용이 되므로 필수 불가결한 부대시설인 전기공사에 지급된 비용 등도 취득세 과세표준액에 포함됨.

세정-1055, 2004. 5. 6.

재건축조합아파트 신축방식이 지분제로 계약한 경우 취득·등록세 과세표준은 시공사가 부담한 비용 중 분양광고비, 보존등기비용 중 등록세 및 등기수수료는 제외되며 금융비용, 사업승인조건의 토지 추가매입비 등은 과세표준에 포함됨.

세정 13407-1189, 2002. 12. 17.

공동주택 신축공사시 토지의 지목변경을 수반하는 공동주택단지 내 조경공사비와 포장공사비는 '토지의 지목변경에 소요된 비용'으로서 취득세 과세표준에 포함됨.

대법 2000두 6404, 2002. 6. 14.

호텔 주변의 '조경'은 토지의 구성부분이고 '조형물'은 독립된 거래의 객체이므로 조경공사비 및 조형물제작비는 호텔 '건축물'의 취득세 과세표준에 포함하지 않음.

세정 13407-427, 2002. 5. 8.

공동주택을 신축한 경우로서 법인장부 등에 의거 취득가액이 입증되는 경우, 그 취득시기(사용승인일)를 기준으로 지급했거나 지급할 일체의 비용이 취득세 과세표준이 됨.

세정 13407-250, 2002. 3. 13.

사무실 및 다세대주택 겸용건물을 신축취득한 경우, 그 과세표준은 총공사비에서 각각의 건물용도대로 시가표준액에 의해 안분계산함.

세정 13407-100, 2002. 1. 28.

주택건설업체로부터 분양받은 아파트의 취득 전에 베란다새시공사를 한 경우와 동 아파트 취득 이후 '개수' 공사시, 이에 소요된 금액은 취득세 과세표준에 포함됨.

감심 2001-142, 2001. 12. 11.

취득세 과세대상인 '난방용 보일러'는 보일러 기계 본체와 배관설비 등의 결합체를 말하므로 보일러 본체만을 교체한 경우, 새로운 '취득'이 아닌 '개수'로 보아 그 증가된 가액분만이 과세대상임.

세정 13407-542, 2001. 11. 14.

임시용 건축물의 존속기간이 1년 초과시 취득세 납세의무자는 당해 건축물 소유자인 바, 그 과세표준은 법인인 경우는 장부가액, 개인인 경우는 사실상 취득가액 또는 그 가액이 시가표준액에 미달시는 시가표준액이 됨.

지방세심사 2001-504, 2001. 10. 29.

신축건물의 취득세 등 과세표준을 공사도급계약서 및 시공법인의 VAT 신고내용에 의해 입증되는 신축공사비 및 설계감리비에 의한 처분은 정당함.

지방세심사 2001-355, 2001. 7. 30.

신축다세대주택의 취득세 과세표준은 시가표준액이 아니라 공사도급계약서 및 법인(수급자) 장부상 확인되는 사실상 취득가격에 의함은 정당함.

과점주주의 취득과 관련된 예규, 판례

대법 2014두 5095, 2016. 5. 12.

주식의 명의신탁이 이루어진 경우에도 불구하고 주식양도·양수계약서 및 주식변동명세서의 내용에 따라 취득세 부과대상 과점주주로 볼 수 있는지 여부 관련하여 주식의 명의신탁이 이루어진 경우는 그 명의만으로 주주로 볼 수 없음.

대법 2011두 24842, 2013. 3. 14.

회사가 주권을 발행하기 이전에 주식의 양도에 관한 계약을 체결한 경우 주식양도계약일, 주식양도대금지급일 등 언제를 기준으로 과점주주 의제취득세 납세의무성립일로 볼 수 있는지 관련하여 주식매매계약 당시 이루어진 체결한 주식양도의 효력발생 시기가 취득일임.

※ 주식양도의 효과를 유보한 경우가 아니면 통상 양도계약일에 이루어진 것으로 봄.

대법 2011두 27506, 2012. 2. 9.

법인이 부동산등을 취득하면서 취득세를 면제받았다고 하여, 해당 법인의 과점주주에 대한 간주취득에 취득세 납세의무도 함께 면제되는 것은 아님.

대법 2009두 20816, 2011. 1. 27.

과점주주 간주취득세도 「지방세법」 등에 의하여 비과세 등 요건에 해당하는 경우 당연히 비과세 등이 되며, 이는 2005년말 「지방세법」 개정시 제105조 제6항 단서 중 "과점주주 취득세 납세의무성립일 현재 취득세가 비과세·감면되는 부분에 대하여는 그러하지 아니하다"는 부분이 삭제되었더라도 달라지지 아니함.

지방세운영-4552, 2010. 9. 28.

법인의 100% 과점주주였던 자가 주식 전부를 양도하여 주주가 아니었다가 5년 이내에 주식을 다시 100% 양수하여 과점주주가 된 경우 과점주주 취득세 납세의무가 없음.

지방세운영-3947, 2010. 8. 30.

A법인의 대주주 甲법인이 인적분할 되면서 A법인 관련 소유 주식 전부를 乙법인이 이전받아 A법인의 새로운 대주주가 된 경우라고 하더라도 간주취득세 과세대상에 해당하지 않고, 아울러 인적분할로 인하여 주식을 취득하여 과점주주가 된다고 하더라도 「조세특례제한법」상 감면대상에 해당되며, 乙법인이 주식을 취득하였다고 하더라도 과점주주 비율이 증가되지 아니한 경우 지분 변동이 없는 기존 과점주주(丙법인, 丁법인) 지분비율이 과세대상에 포함되지는 않음.

대법 2010다 34036, 2010. 8. 26.

간주취득세 등을 신고 납부한 이후에 주식을 명의신탁한 사실이 밝혀져 그 명의신탁한 주식에 대하여 증여세가 부과되었다고 하여, 신고, 납부한 간주취득세와 명의신탁주식에 대한 증여세의 부과가 서로 모순된 판단을 전제로 한 것으로 볼 수 없음.

대법 2009두 8601, 2009. 8. 27.

명의신탁해지로 인한 주주명부상의 명의개서로 과점주주가 되었다면 과점주주에 대한 간주취득세 납세의무가 없음.

대법 2006다 81257, 2009. 4. 23.

과점주주로서 법인의 취득세 과세대상 자산에 대해 간주취득세를 납부한 후 동 법인으로부터 사업양수도방식으로 자산을 취득한 경우 간주취득세 상당액 부분은 동일한 물건의 취득에 대한 이중과세임.

지방세운영-2649, 2008. 12. 23.

과점주주일 현재 법인장부상 재고자산(미분양주택)이 과점주주 취득세 과세대상에 해당함.

지방세운영-251, 2008. 7. 16.

상환주식의 상환으로 주식을 소각함에 따라 지분비율이 증가되는 경우에는 법인의 지분을 주주·사원으로부터 취득하여 과점주주의 소유비율이 증가한 것이 아니므로 과점주주의 취득세 납세의무 없음.

지방세운영-231, 2008. 7. 15.

유가증권시장에 상장된 법인의 주식을 취득하여 과점주주가 된다 하더라도 취득세 부과대상에 해당하지 않음.

지방세운영-232, 2008. 7. 15.

회사정리절차중인 법인의 주식을 60% 취득하여 과점주주가 된 경우라 하더라도 취득한 기존지분은 과점주주 취득세 납세의무 성립당시 정리절차가 진행중인 법인을 사실상 지배할 수 있는 지위에 있지 아니한 상태에서 취득한 것이므로 회사정리절차가 종결되는 시점에 추가로 취득한 지분이 없다면 과점주주 취득세 납세의무가 없는 것임.

감심 2008-91, 2008. 4. 3.

명의신탁 해지로 주식을 명의개서한 것에 불과한데도 이를 새로운 취득으로 보고 지분 증가분에 해당하는 법인의 부동산에 대하여 과점주주 취득세를 부과한 것은 정당함.

감심 2007-125, 2007. 9. 20.

주식을 명의신탁하였다가 환원한 것이라는 것이 객관적인 증빙에 의해 확인되지 아니하여 새로운 주식을 취득한 것으로 보아 과점주주에 대한 취득세 등을 부과함.

세정-2810, 2007. 7. 20.

기존 과점주주인 갑의 사망으로 특수관계에 있는 상속인인 을이 소유주식 전체를 상속받아 새로운 과점주주가 된 경우 과점주주 간의 내부이동으로 볼 수 없어 취득세 납세의무가 있는 것임.

지방세심사 2007-345, 2007. 6. 25.

과점주주 성립 당시 법인의 부동산을 매각하고 잔금을 받지 않았다면 과점주주에 대한 취득세 납세의무가 있음.

지방세심사 2007-294, 2007. 5. 28.

명의신탁이 객관적으로 확인되지 아니하므로 주식등변동상황명세서를 근거로 과점주주로 보아 취득세 등을 부과고지한 것은 적법함.

지방세심사 2007-295, 2007. 5. 28.

과점주주의 과세표준을 산정하면서 법인장부상의 가액을 그대로 적용하였다 하더라도 이를 이중과세에 해당된다고 볼 수 없음.

세정-1440, 2007. 4. 27.

과점주주의 간주취득에 대한 취득세 납세의무에 있어 과점주주와 친족 기타 특수관계인 상호 간에 주식이 양도·양수되더라도 과점주주의 주식비율이 변동이 없는 경우 취득세 납세의무가 없음.

지방세심사 2005-545, 2005. 12. 26.

법인의 과점주주와 특수관계에 있는 자가 그 과점주주 소유주식 전체를 증여받아 새로운 과점주주가 된 경우 취득세 납세의무가 성립함.

토지의 지목변경 · 종류변경 등과 관련된 예규, 판례

대법 2016두 42395, 2016. 9. 8.

지목변경에 따른 취득세 시가표준액 산출을 위한 개별공시지가 산정에 있어 주차장으로 사용되고 있는 토지의 비교표준지를 공장건물이 있는 공장용으로 선정하는 것이 위법한지 여부 관련하여 지목은 다르나 용도지역, 이용상황, 도로접면이 유사한 토지를 비교표준지로 선정한 것은 관계 법령 및 지침에 따른 것으로 적법함.

대법 2015두 57888, 2016. 3. 10.

부동산 지목변경에 대한 법인의 장부가액이 있음에도 불구하고 시가표준액을 취득세 등의 과세표준으로 할 수 있는지 여부 관련하여 지목변경 취득세 등을 과다하게 납부할 특별한 사정이 없는 한 법인의 장부가액을 과세표준으로 봄이 타당함.

조심 2011지 565, 2011. 10. 25.

지목변경에 소요된 사실상의 비용이 법인장부 등에 의하여 입증하지 못하는 청구인들의 경우에는 지목변경전 · 후의 시가표준액의 차액을 취득세의 과세표준으로 할 수 밖에 없는 것이고, 청구인이 주장하는 개발부담금 산정을 위한 개발비용을 지목변경에 소요된 비용으로 적용할 수 있는 근거도 없음.

조심 2009지 105, 2009. 8. 21.

토지의 지목변경에 따른 취득세 과세표준액을 산정함에 있어 지목변경 후의 개별공시지가가 결정 · 공시되지 아니한 때는 인근 유사토지의 가액을 기준으로 평가한 가액으로 함.

지방세운영 – 902, 2008. 7. 10.

개발행위 허가에 따른 농지전용부담금, 대체산림자원조성비, 대체초지조성비, 산림전용부담금, 대체조림비, 허가관련 면허세는 지목변경을 수반한 경우라면 지목변경에 따른 취득세 과세표준에 포함됨.

세정 – 2283, 2004. 8. 2.

개인의 경우 토지의 지목변경으로 인해 증가한 가액은 토지의 지목이 사실상 변경된 때를 기준으로 지목변경 전의 시가표준액과 지목변경 후 시가표준액의 차액으로 하나, 법인의 경우 법인장부에 의해 지목변경에 소요된 비용이 입증되는 경우는 그 비용으로 함.

지방세심사 2003-214, 2003. 10. 27.

법인장부에 의하여 지목변경에 소요된 비용이 입증된 경우로서 법인장부에 지목변경비용과 기타의 비용이 포함되어 있는 경우 이 중 지목변경비용을 선별하여 과세표준액으로 하여야 함.

세정-506, 2003. 7. 16.

공장용 건축물 취득시 출입구 밖의 도로포장비는 공장용 건축물의 취득비용이 아니라 토지의 지목변경비용에 해당됨.

세정-149, 2003. 6. 11.

지목변경 취득일 현재 당해 연도 적용할 개별공시지가 미결정고시된 경우 직전 연도의 개별공시지가와 지목변경 후 개별공시지가의 차액이 과세표준임.

대법 2002두 10650, 2003. 2. 11.

골프장 코스 및 클럽하우스 주변에 조경용으로 식재한 '수목' 등에 대해, 독립된 물건으로 그 소유권을 공시하는 '명인방법'을 취한 것이 아니므로, 골프장 토지의 지목변경에 의한 간주취득의 과세표준에 포함됨.

대법 2002두 10650, 2003. 2. 11.

골프장용 토지의 지목변경에 의한 간주취득시기는 골프장 조성공사가 준공돼 체육용지로 지목변경 되는 때이므로, 토목공사는 물론 잔디파종 및 식재비용, 임목의 이식비용 등은 취득세 과세표준에 포함되고 중과세율이 적용됨.

세정 13407-1189, 2002. 12. 17.

공동주택 신축공사시 토지의 지목변경을 수반하는 공동주택단지 내 조경공사비와 포장공사비는 '토지의 지목변경에 소요된 비용'으로서 취득세 과세표준에 포함됨.

세정 13407-1048, 2002. 11. 6.

신설회원제 골프장 내 입목을 식재하여 지목변경일 전에 임목등기를 한 경우, 토지가 지목변경됐더라도 당해 임목을 토지의 과세표준에 포함해 중과세할 수 없음.

지방세심사 2002-83, 2002. 2. 25.

건축허가 취소로 환급받은 '농지조성비 및 농지전용부담금'은 토지의 취득세 과세표준이 되는 '지목변경비용'이 될 수 없음.

세정 13407-60, 2002. 1. 17.

조성된 골프장을 법인의 분할합병에 의해 취득한 후 '회원제 골프장'으로 구분등록시 취득세 과세표준은 골프장으로서의 구분등록시점에서 법인의 분할합병 전후 소요된 골프장 조성비용을 취득가격으로 함.

대법 99두 9919, 2001. 7. 27.
골프장용 토지의 지목변경에는 토목공사는 물론 잔디파종 및 식재비용, 임목의 이식비용 등을 포함해 그 과세표준이 됨.

세정 13407-62, 2001. 7. 9.
법인장부 등에 의해 지목변경에 사용된 비용이 사실상 입증된 경우가 아니면 지목변경전·후의 개별공시지가에 적용비율을 곱해 산정한 차액을 지목변경의 과세표준으로 함.

지방세심사 2001-302, 2001. 6. 25.
골프장업 법인이 영업개시 전까지 '창업비'로 계상한 임직원 급료 등은 일반관리비 성격이므로 골프장 지목변경과 관련해 발생한 간접비용으로 볼 수 없음.

사실상 취득가액 인정과 관련된 예규, 판례

대법 2018두 64221, 2019. 3. 14.
부동산 매매약정시에 매매대금 중 일부는 매도인의 금융기관 대출채무를 승계하기로 하고 잔여대금은 매도인의 미지급 공사대금을 지급하기로 약정한 경우에도 사실상 취득한 것으로 봄이 타당함.

대법 2013두 19431, 2013. 12. 26.
증거에 의하여 매매가액의 입증이 이루어진 상태에서 분쟁의 조속하고 원만한 해결을 위하여 강제조정 결정이 이루어진 경우, 이를 민사소송에 의하여 확정된 판결문에 준하는 것으로 보아 동 조정결정상의 취득가액을 사실상의 취득가액으로 인정하여 취득세 과표로 적용할 수 있는지 여부 관련하여 조정조서상의 취득가액을 사실상 취득가액으로 인정할 수 있음.

대법 2012두 16138, 2012. 10. 11.
가격검증 체계를 구축하지 못한 국가책임이나 국세인 양도소득세에서 부동산실거래신고가액을 과표로 사용하고 있는 점을 들어 가격검증이 없는 부동산실거래신고가를 사실상 취득가격으로 인정하여 과표로 활용할 수는 없음.

지방세운영-4359, 2011. 9. 15.
건축물을 건축(신축과 재축 제외)하거나 개수한 경우에는 그 증가한 가액을 과세표준으로 하여 취득일로부터 60일 이내에 신고·납부하여야 함.

대법 2010두 2807, 2010. 5. 27.

경매 또는 공매 등의 방법에 의한 취득의 경우 그 취득세의 과세표준은 사실상의 취득가격으로서 경매 또는 공매대금 자체가 과세표준이 되는 것은 아님.

대법 2009두 1327, 2009. 4. 9.

과세관청은 구 「지방세법」 제111조 제5항의 요건에 해당하지 아니하는 이상 계약서 등에 의하여 사실상의 취득가격을 입증하는 방법으로 취득세 및 등록세 등의 조세를 부과할 수 없음.

지방세운영-1077, 2009. 3. 13.

갑과 을이 공매대금을 공동부담하여 갑의 단독명의로 낙찰받은 경우라면 공매대금을 공동으로 부담하였다 하더라도 갑이 공매에 따른 취득자가 되므로 과세표준은 공매방법에 의하여 입증되는 사실상의 취득가격이 되는 것이나, 을이 갑으로부터 지분의 일부를 취득하는 것은 개인간의 거래에 해당되어 공매가격을 사실상의 취득가액으로 인정할 수 없는 것이므로, 을이 신고한 가격이 공인중개사의 업무 및 부동산거래신고에 관한 법률에 의한 '부적정' 판정으로 검증받지 못하였다면 이 경우의 과세표준은 신고한 가격과 시가표준액을 비교하여 높은 가격이 되는 것이 타당함.

세정-5371, 2007. 12. 13.

위탁자가 건축허가를 받은 후 신탁계약에 따라 수탁자 명의로 건축주를 변경하여 공사를 완료하였다면 위탁자가 취득세 등을 납부하고 위탁자의 취득원가로 계상하였다 하더라도 수탁자가 납부할 취득세 등의 과세표준에 포함할 수 없음.

지방세심사 2007-657, 2007. 11. 26.

정당한 거래가액을 취득가격으로 하여 취득신고를 하였어야 할 것임에도 불구하고 허위로 이중 매매계약서를 작성하여 취득신고를 하였다면 당해 취득신고가액은 정당한 과세표준이 될 수 없음.

세정-2794, 2007. 7. 19.

판결문에 잔금지연 납부에 대한 지연손해금이 언급되어 있다면 판결문상의 매매대금을 사실상의 취득가액으로 인정함이 타당함.

감심 2007-60, 2007. 6. 29.

시가표준액보다 높은 검인계약서상 신고가액을 취득세 등 과세표준으로 하여 부과처분을 한 것은 적법함.

지방세심사 2007-303, 2007. 5. 28.

부동산 취득당시 법인장부상 가액이 착오 기재되었다고 보기 어려우므로 취득세 과소신고분에 대하여 취득세 등을 과세한 것은 적법함.

지방세심사 2007-155, 2007. 3. 26.
인테리어공사가 부동산을 취득한 날까지 계속 진행 중이었고 잔금도 지급되지 아니하였으므로 인테리어공사비용 중 선급금 및 중도금을 취득가격에 포함하여 취득세 등을 부과한 것은 부당함.

지방세심사 2007-156, 2007. 3. 26.
건축물의 신축에 사용하지 아니하고 폐기한 설계비용은 건축물의 취득가격과는 관련없는 매몰비용으로 보는 것이 타당하므로 건축물의 취득가격에 포함되지 아니함.

지방세심사 2007-157, 2007. 3. 26.
개발이익금(대출수수료) 등이 토지를 취득하기 위하여 제3자인 금융기관에 지급한 일체의 비용에 해당하므로 토지의 취득가격에 포함하여 취득세 등을 부과한 것은 정당함.

감심 2007-19, 2007. 3. 9.
토지를 취득하면서 토지가액을 초과하여 지급한 금액에 대하여 영업권이 아닌 지목변경비용의 일부로 보아 취득세 등을 부과·징수하는 것은 적법함.

지방세심사 2007-97, 2007. 2. 26.
법인의 채무자가 중도금을 지불하지 못하여 계약이 파기된 상태에서 다시 법인이 매매계약을 체결하고 채무자에게서 돌려받지 못한 금액을 선급금(토지)으로 기장한 경우 취득세 등 과세표준에 포함됨.

지방세심사 2007-26, 2007. 1. 29.
주택건설사업 추진과 관련하여 공동사업자의 권리를 양수하면서 지급한 금액을 토지 취득가액에 포함하여 취득세 등을 부과한 처분은 적법함.

지방세심사 2005-456, 2005. 10. 31.
매도법인의 장부상 기장된 취득가액과 매매계약서상 취득가액이 상이한 경우 기장된 장부가액이 잘못되었다는 반증이 없는 한 장부상 취득가액을 과세표준으로 취득세를 부과함.

지방세심사 2005-459, 2005. 10. 31.
신축건물의 목욕장업을 위한 찜질방시공 및 사우나인테리어 공사비용 등은 건물과 일체를 이루고 있는 부대시설에 해당됨으로 취득세 과세표준에 포함됨.

지방세심사 2005-470, 2005. 10. 31.
자산유동화 증권을 발행하여 그 매각대금을 부동산 취득가액으로 지급한 경우 유동화 증권과 관련된 비용은 취득세 등의 과세표준에 포함됨.

대법 2003두 6856, 2004. 10. 28.

취득시기 이전에 지급원인이 발생 또는 확정된 것이면 취득 이전에 현실적 지급이 없어도 취득세의 과세표준인 사실상의 취득가격에 해당하므로 토지매수구역선의 확정, 감정평가·보상가격결정 등의 업무에 관한 위탁계약에 따라 지급하는 위탁수수료는 취득가액에 포함됨.

세정-3761, 2004. 10. 27.

시공사(법인)와 재건축조합이 공동 건축주가 되어 건축한 건축물의 취득세 과세표준인 법인장부상의 취득가격에는 건축물의 취득시기를 기준으로 그 이전에 거래상대방 또는 제3자에게 지급하였거나 지급하여야 할 일체의 비용이 포함되어야 함.

지방세심사 2004-292, 2004. 9. 22.

민사조정법상 조정은 재판상의 화해와 동일한 효력이 있는 것이므로 법원의 조정조서상 취득가격은 사실상의 취득가격으로 볼 수 없음.

세정-1807, 2004. 7. 1.

법인이 작성한 원장·보조장·출납전표·결산서에 의하여 취득가격을 신고하는 경우 그 신고가액이 시가표준액에 미달하여도 신고가액을 취득세·등록세 과세표준액으로 함.

세정-1073, 2004. 5. 8.

개인이 법인으로부터 분양권을 취득하여 소유권이전등기를 한다면 법인장부가액이 취득세·등록세의 과세표준이 됨.

세정-515, 2003. 7. 18.

법인이 취득하는 송전철탑의 과세표준은 사실상의 취득가액(법인장부가액)이 되는 것이나 이에는 전력선, 권리확보비용, 민원해소비용 및 진입로공사비 등은 제외됨.

세정 13407-1111, 2002. 11. 22.

법인이 토지를 취득해 기존 건물을 철거한 후 건물을 신축한 경우, 기존 건물의 장부가액은 토지의 취득세 과세표준(취득가격)에 포함하지 않음.

세정 13407-913, 2002. 9. 30.

국가, 법인 등으로부터 취득 등 취득가액이 입증되는 경우에는 사실상의 취득가액을 취득세 과세표준으로 함.

세정 13407-549, 2002. 6. 11.

공동주택 분양권 매수자가 법인인 당해 공동주택의 건설회사에 최종잔금을 지급함으로써 당해 공동주택 취득시, 그 과세표준은 법인장부상 입증되는 사실상 취득가액으로 함.

세정 13407-161, 2002. 2. 14.

법인이 다른 법인의 부동산을 일괄 취득하는 경우, 취득·등록세 과세표준은 매도법인의 장부가액 중 과세대상 물건의 가액비율을 매수법인의 총매입가액에 곱해 산출된 가액이 됨.

세정 13407-154, 2002. 2. 8.

주택건설업체로부터 분양받은 아파트의 취득세 과세표준은 '분양가액'이 되며, '베란다새시 공사대금'은 아파트 취득 전의 것은 포함되나 아파트 취득 후 설치한 것은 제외대상임.

지방세심사 2002-10, 2002. 1. 28.

법원의 화해·인락 등은 사실상 취득가액이 입증되는 경우에서 제외되므로 법원의 조정조서상 취득가액이 아닌 시가표준액을 과세표준으로 함은 정당함.

공정증서·계약서 등 입증가액과 관련된 예규, 판례

대법 2014두 41060, 2014. 11. 18.

무변론 판결문상에 적시되어 있는 가액을 판결문에 의하여 입증되는 사실상의 취득가액으로 보아 시가표준액에도 불구하고 그 가액을 취득세 과세표준으로 사용할 수 있는지 여부 관련하여 무변론 판결은 의제자백에 의한 판결문에 해당하여 사실상의 취득가액으로 인정하기 어려워 곧바로 취득세 과세표준으로 사용할 수 없음.

대법 2013두 11680, 2013. 10. 24.

판결문상에 취득가격이 기재되어 있으나, 당해 가격이 시가감정을 하여 그 감정가액의 차액에 대한 정산절차를 수반하여 산정된 것이 아니라 당사자의 합의에 의하여 가액의 차액을 지급하는 방식으로 단순교환을 한 경우에도 사실상의 취득가격이 입증되는 경우로 보아 판결문상의 가액을 취득세 과세표준으로 적용할 수 있는지 여부 관련하여 시가감정 없는 단순교환은 사실상 취득가격으로 보아 과표적용 불가함.

대법 2013두 7322, 2013. 8. 23.

회사의 장부상 자산을 높여 금융기관으로부터 신용대출을 용이하게 받기 위해 그 취득가액을 허위로 높게 작성한 경우 당해 법인장부가액을 취득세 과세표준으로 적용할 수 없음(실제 취득가액으로 신고납부한 것을 부정하고 장부가액으로 부과할 수 있는지).

대법 2012두 21079, 2013. 1. 24.

법인이 토지를 취득하는 과정에서 매매금액을 사후에 조정하기로 하였으나, 법인장부에는 조정금액을 배제한 금액만을 기재하여 취득신고를 한 경우, 이를 사실상의 취득가액에 부합되지 않는다고 보아 시가표준액을 과표로 하여 취득세를 부과할 수 있음.

대법 2008두 22044, 2009. 2. 26.

표준도급계약서는 사실상 취득가액을 인정할 수 있는 법인장부에 해당하지 않음.

세정-2549, 2007. 7. 4.

공동주택을 취득하고 건물 등기와 대지권 등기를 구분하여 따로 하는 경우 대지권 등기에 따른 등록세 과세표준은 신고가액과 환산가액(주택가격을 시가표준액으로 안분) 중 높은가액으로 함.

지방세심사 2006-383, 2006. 8. 28.

검인계약서상 매매가액과 법인장부상 가액이 상이한 경우 법인장부상 가액을 과세표준으로 함.

지방세심사 2006-60, 2006. 2. 27.

객관적인 매매대금의 증빙을 확인할 수 없어 검인계약서상 매매대금으로 취득세 등의 과세표준을 산정함.

세정-3808, 2005. 12. 5.

「지방세법」 제111조 제5항 및 동법 시행령 제82조의 2에서 규정하고 있는 법인은 법률에 의하여 성립한 법인격 있는 사단·재단 기타 단체를 의미함.

세정-3038, 2004. 9. 14.

확정판결문에 의하여 취득가격이 입증된 경우에는 시가표준액에 미달하는 경우에도 당해 판결문상의 취득가격이 당해 물건의 과세표준이 되는 것임.

헌재 2002헌바 71, 2003. 4. 24.

취득세 과세표준 적용상, 재판상 화해(포기·인낙 포함) 및 의제자백에 의한 판결을, 객관적 자료에 의해 사실상 취득가격이 입증되는 경우에서 제외하여 시가표준액 적용대상으로 함은 위헌 아님.

세정 13407-42, 2003. 1. 16.

법인소유 토지가 등록사항 정정으로 경계경정 후 그 면적증가분에 대해 대가 지급시는 유상승계취득으로 보아 '법인장부상 가액'이, 무상취득시는 '시가표준액'이 각각 취득세 과세표준이 됨.

지방세심사 2002-346, 2002. 9. 30.

재건축조합은 '법인'이 아니므로 동 조합으로부터 취득한 상가에 대한 취득세 등 과세표준액을 '시가표준액'으로 함은 정당함.

대법 2001두 5521, 2002. 7. 26.

'재판상 화해'로 정해진 취득가격은 「지방세법」상 취득세 및 등록세 등의 과세표준을 정함에 있어서의 '사실상 취득가격'에 해당하지 않음.

세정 13407-427, 2002. 5. 8.

공동주택을 신축한 경우로서 법인장부 등에 의거 취득가액이 입증되는 경우, 그 취득시기(사용승인일)를 기준으로 지급했거나 지급할 일체의 비용이 취득세 과세표준이 됨.

지방세심사 2002-116, 2002. 3. 25.

그 취득가액에 영업권이 포함된 것으로 입증 안 되므로 법인이 토지취득 등기 당시 장부상 계상한 취득가격을 과세표준으로 취득·등록세 과세함은 정당함.

세정 13407-282, 2002. 3. 23.

'법원의 조정조서'는 취득가격이 입증되는 '판결문'에 해당하지 않아, 그 조정조서에 의한 금액을 사실상의 취득가격으로 적용할 수 없음.

세정 13407-58, 2002. 1. 17.

사실상 취득가격으로서 취득세 과세표준이 되는 '법인장부가액'이란 당해 법인이 작성한 원장·보조장·출납전표·결산서 등에 의해 입증되는 가액임.

시가표준액 적용과 관련된 예규, 판례

대법 2019두 60694, 2019. 2. 14.

지방세법상 '부당행위계산의 부인'에 관한 인용규정은 자산을 저가양도한 경우에 해당되나, 저가양수한 거래상대방의 자산에 대해서도 지방세법으로 규제할 필요성이 있어, 부당행위계산 부인의 대상이 되는 거래에 포함하여야 함.

지방세운영-5005, 2009. 11. 27.

부동산을 상속으로 취득하면서 감정기관이 감정평가한 금액을 부동산의 취득가격으로 제시하였다 하더라도 무상취득의 경우로서 위 규정에서 말하는 신고한 가액으로 볼 수 없으므로 동 부동산에 대한 취득세 등 과세표준은 「지방세법」 제111조 규정에 따른 시가표준액을 적용하여야 할 것임.

- 지방세심사 2007-553, 2007. 10. 29.

건축물 신축 취득가격의 일부(설계비용)가 법인장부로 입증되지 아니하고 신고가액이 시가표준액에 미달하는 경우에 시가표준액을 취득세 등의 과세표준액으로 적용하는 것은 적법함.

- 지방세심사 2007-559, 2007. 10. 29.

건축물 시가표준액과 토지 시가표준액을 합산한 가액이 거래된 시가보다 높은 경우 건물시가표준액 조정기준에 의한 감산특례에 따라 감산율을 적용한 가액을 취득세 과세표준액으로 한 것은 적법함.

- 지방세심사 2007-605, 2007. 10. 29.

시가표준액보다 낮은 재개발사업자의 감정평가액을 거래가액으로 신고한 경우 이를 검증된 가격으로 보아 이를 사실상의 취득가격으로 인정할 수 없음.

- 지방세심사 2007-536, 2007. 10. 1.

건축물 신축 취득가액의 일부가 법인장부로 입증되지 아니하고 신고가액 또한 시가표준액에 미달하는 경우 취득세 등의 과세표준을 시가표준액으로 적용함이 타당함.

- 세정-3140, 2004. 9. 21.

법인이 장부기재나 취득세 신고 없이 개인으로부터 부동산을 취득·양도한 경우 취득세 과세표준은 시가표준액이 됨.

- 세정 13407-158, 2003. 2. 28.

법인의 대표이사가 당해 법인의 가지급금으로 부동산을 취득하였어도 개인 명의로 등기를 경료하였고, 당해 법인의 자산이 아니라면 개인간의 거래로 보아 취득세 과세표준을 산정함.

- 세정 13407-979, 2002. 10. 16.

개인간 부동산 거래시, 취득자가 신고한 가액과 시가표준액 중 높은 금액이 취득세 과세표준이 됨.

- 세정 13407-424, 2002. 5. 8.

증여, 기부 등 무상승계취득하는 경우에는 사실상 취득가액이 없는 것이므로 시가표준액이 과세표준이 되는 것임.

- 지방세심사 2002-160, 2002. 4. 29.

부동산을 법원경매에 의해 낙찰받았으나 경매대금을 납부 않고 소유자와 직접매매로 취득한 것으로 취득가액이 법인장부에 의해 입증 안 되므로 시가표준액이 과세표준이 됨.

세정 13407-134, 2002. 2. 5.

개인이 법원의 경매로 취득한 부동산의 일정지분을 형제들에게 증여하는 경우로서 그 경락가액이 시가표준액보다 낮은 경우, 증여취득 당시의 시가표준액에 의해 취득세를 납부해야 함.

토지의 시가표준액과 관련된 예규, 판례

지방세운영-2015, 2010. 5. 12.

공시지가 산정시 개별공시지가 조사·산정 지침에 따라 가지번 부여 및 토지이용 현황 등이 제대로 반영되지 않았더라도 적법한 절차에 따라 공시되었다면 개별공시지가가 공시되지 아니한 경우에 해당하지 아니함.

조심 2008지 799, 2009. 9. 28.

개별공시지가가 공시되지 아니한 토지에 대하여 토지가격비준표를 사용하여 산정한 가액을 적용하여 시가표준액을 산정한 것은 적법함.

지방세심사 2007-212, 2007. 4. 30.

기존 건물이 있는 토지를 취득하고 그 건물을 철거하는 경우 기존 건물의 철거관련 비용은 토지의 취득원가에 포함하여 취득세 과세표준이 됨.

세정-582, 2006. 2. 7.

토지의 시가표준액을 정정하기 위해서는 「부동산가격공시 및 감정평가에 관한 법률」에서 정한 불복절차를 거치거나, 처분청을 상대로 행정소송을 제기하여야 정정이 가능함.

세정-4038, 2005. 11. 30.

환지예정지를 거래하는 경우 매수자가 실제로 취득하는 토지는 환지처분으로 받게 될 환지예정지를 취득하는 것이므로 취득세의 시가표준액은 환지예정지면적에 환지예정지공시지가를 적용하는 것임.

세정-4469, 2004. 12. 8.

환지처분공고일 이전에 환지예정지가 지정되어 있는 상태에서 종전의 토지를 매매에 의해 취득하는 경우, 매수자가 취득하는 토지의 면적을 종전 토지의 면적으로 보아 취득세 등의 시가표준액을 종전 토지의 면적에 환지예정지의 개별공시지가를 곱하여 산정함.

지방세심사 2002-277, 2002. 7. 29.

「토지구획정리사업법」에 의해 환지예정지가 지정된 경우에는 개별공시지가가 없는 새로운 토지로 보아 시가표준액을 결정함.

건물의 시가표준액과 관련된 예규, 판례

대법 2006두 8761. 2007. 6. 14.

관할구역 내 주택의 시가표준액을 경정함에 있어서 그 시가를 반영하는 수단으로 국세청 공동주택기준시가를 활용한 가감산율을 적용한 것은 적법함.

세정-563, 2007. 3. 9.

건축물 용도지수 적용은 공부상의 용도에 의하여 적용되는 것이 아니라 실질적으로 사용되고 있는 현황에 따라 적용됨.

지방세심사 2006-1076, 2006. 11. 27.

건물의 신축 취득가액이 시가표준액에 미달하는 경우 시가표준액을 과세표준으로 하여 취득세 등을 과세함.

세정-3928, 2006. 8. 24.

구청장이 건물시가표준액 조정기준에 따라 위치지수를 고려하여 시가표준액을 산정하도록 특별시장의 승인을 얻어 건물시가표준액을 결정고시한 경우 위치지수를 포함하여 건물시가표준액을 산정하는 것이 타당함.

세정-3477, 2006. 8. 4.

개별주택의 증축 및 개수에 따른 시가표준액 산정은 「지방세법」 제111조 제2항 제1호 단서 규정에 의한 주택가격비준표를 사용하여 산정한 가액을 시가표준액으로 사용하는 것이 타당함.

지방세심사 2004-309, 2004. 10. 27.

건물분 재산세 과세표준은 결정 고시된 건물 시가표준액에 따라서 결정되는 것이므로 경기침체로 주택가격이 하락하였다는 이유로 전년보다 인상된 건물분 재산세 과세표준이 적법하지 않다고 할 수는 없음.

지방세심사 2004-56, 2004. 2. 23.

일괄취득한 건축물이 층별로 취득가격이 구분되지 않는 경우에 일괄취득한 가격을 기준으로 시가표준액 비율로 안분한 금액을 층별 취득가액으로 적용함.

세정-88, 2003. 6. 5.

건축물대장상 고압벽돌조로 기재된 5층 공동주택의 경우, 2003년도 건물시가표준조정기준 적용상, 철근콘크리트조(지수 100)와 같은 구조지수를 적용함.

세정 13407-363, 2003. 5. 3.

부동산투기과열 등 특정지역으로 지정되었더라도 자치단체장이 승인한 경우에 한하여 가산율 적용할 수 있음.

세정 13407-359, 2003. 5. 2.

건축물 시가표준 산정시 건축물대장상 '고압벽돌조'로 기재되어 있는 5층 공동주택의 경우 철근콘크리트조와 같은 구조지수 적용함.

지방세심사 2003-75, 2003. 4. 28.

IBS 시설을 갖춘 건축물로 보아 35%의 가산율을 적용해 재산세 과세표준을 산출했으나, 조명 · 전기 등 빌딩관리요소가 중앙관제장치시스템의 의해 자동제어되지 않고, 각각 개별적으로 제어관리되고 있어 부당함.

지방세심사 2003-74, 2003. 4. 28.

건축물에 설치된 공조 · 전기 · 조명 등 빌딩관리요소가 중앙관제장치시스템에 의해 자동제어되지 않고, 방제실 · 기계실 · 전기실에 각각 설치되어 개별적으로 제어관리되므로, IBS 시설을 갖춘 건축물로 보아 35% 가산율을 적용해 재산세 과세표준을 산정함은 부당함.

세정 13407-1210, 2002. 12. 23.

2002년도 건물시가표준액조정기준 '용도지수' 적용에 있어, 주택이 아닌 일반건축물의 주차장은 지수 80을 적용함.

세정 13407-956, 2002. 10. 9.

호텔 내의 공조 · 전기 · 조명 등을 수동으로 제어하고 중앙관제장치시스템에 의해 자동제어하는 시설이 3가지 미만인 경우, '빌딩자동화 시설'이 설치된 건물로 볼 수 없음.

구축물의 시가표준액과 관련된 예규, 판례

지방세심사 2002-139, 2002. 3. 25.

경락으로 토지의 지상권과 그 지상건축물을 일괄취득한 경우, 지상권은 취득세 과세대상에 해당하지 않아 '사실상의 취득가격이 입증되는 취득'의 경우로 볼 수 없어, 그 대상 토지의 시가표준액을 등록세 과세표준으로 함은 정당함.

세정 13407-1218, 1996. 10. 22.

대도시 내 공장 지방이전시, 이전 전후 동일공장규모 초과액 산정은 건물과 토지를 각각 대비하여 산정하지 않고 부동산 전체를 대비하여 초과한 가액을 취득 · 등록세 등 과표로 함.

소개수수료와 관련된 예규, 판례

지방세심사 2006-325, 2006. 7. 31.

대출대행수수료가 토지의 취득과 관련하여 발생한 금융비용에 해당하며 토지를 취득하기 전부터 토지를 취득하기 위한 절차비용으로서 지불하기로 약정이 되어 있으므로 취득세 과세표준에 포함됨.

대법 95누 4155, 1996. 1. 26.

취득자금이자 · 설계비 · 소개수수료 · 준공검사비용 등은 취득가격에 포함되나, 지상물보상금 및 이주비 등 보상금은 취득의 대상이 아닌 물건이나 권리에 관하여 그 지급원인이 발생 · 확정된 것이므로 포함되지 아니함.

건설자금이자와 관련된 예규, 판례

대법 2013두 5517, 2013. 9. 12.

특정차입금 건설자금 이자에 대한 취득세 과표산정시 차입금을 실제사용기간하는 날만 기산하는 것이 아니고 사용하기 전에 미리 차입한 경우라도 그에 관한 이자를 모두 포함하여야 하고, 이자수익을 차감하여야 함.

지방세운영-1764, 2008. 10. 13.

부동산 취득 이후 발생되는 지급이자를 선급하여 지급한 것이라면 건설자금에 충당된 이자라고 볼 수 없어 당해 부동산의 취득가격에서 제외되는 것임.

세정-5200, 2007. 12. 5.

회계처리방법의 차이에 상관없이 건설자금의 이자가 있는 경우에는 이를 취득세 과세표준에 포함하여 적용함이 타당함.

세정-4656, 2007. 11. 8.

토지 취득일 이후에 발생되는 건설자금이자분과 토지 취득을 위해 기존 대출금을 상환할 목적으로 금융기관으로부터 받은 대출금에 대한 지급이자분은 취득세 과세표준에 포함된다고 볼 수는 없음.

지방세심사 2007-654, 2007. 11. 26.

비용으로 처리한 건설자금이자 및 생보부동산 신탁수수료가 토지 및 건축물의 취득과 관련하여 발생한 것이므로 취득세 과세표준에 포함되는 것임.

지방세심사 2007-459, 2007. 8. 27.

중도금 대납이자는 건축공사비의 일부로 지급한 것이라기보다는 분양을 촉진하기 위하여 일부를 부담한 금액이므로 취득세 과세표준에 포함되지 아니함.

지방세심사 2007-228, 2007. 4. 30.

비용으로 회계처리한 건설자금이자와 대출수수료는 취득세 등의 과세표준에 포함됨.

지방세심사 2006-16, 2006. 1. 23.

법인이 기업회계기준에 따라 자산이 아닌 비용으로 계상한 건설자금이자도 취득세 과세표준에 포함되는 것임.

지방세심사 2005-457, 2005. 10. 31.

골프장 조성공사를 진행하는 과정에서 발생하는 건설자금이자는 취득세 과세표준에 포함됨.

세정-323, 2004. 1. 27.

토지의 취득일을 기준으로 지급하였거나 지급하여야 할 일체의 비용에 해당하는 건설자금이자인 경우 취득세 과세표준에 포함되나 토지취득일 이후 발생되는 건설자금이자분은 포함되지 아니함.

지방세심사 2003-193, 2003. 9. 29.

건축물의 과세표준에 포함된 일반 차입금이자로서 법인세법상 건설자금이자로 인정되지 않는 분은 취득세 과세표준에 해당하지 않음.

세정 13407-182, 2003. 3. 7.

'건설자금이자'로 계상했더라도, 사업용 고정자산의 건설 등에 소요 여부가 불분명한 차입금의 지급이자임이 명확히 입증되면, 취득세 과세표준에 포함하지 않음.

제 5 절 신고납부 및 가산세

이 절에서는 취득세의 신고와 납부에 관련된 사항을 간단히 요약 정리하고자 한다.

1 납세지(지세법 §8)

취득세는 도세이며 당해 취득세 과세물건의 소재지를 관할하는 특별자치시, 특별자치도, 도, 서울특별시와 광역시에서 그 취득자에게 부과한다. 실제로 취득세의 과세권은 특별자치시, 특별자치도,도, 서울특별시와 광역시도의 권한을 위임받은 시장, 군수 그리고 구청장이 행사하게 된다.

취득세의 납세지는 다음과 같으며, 납세지가 분명하지 않은 경우에는 해당 취득물건의 소재지를 그 납세지로 하고, 같은 취득물건이 둘 이상의 지방자치단체에 걸쳐 있는 경우에는 각 시·군에 납부할 취득세를 산출할 때 그 과세표준은 취득당시의 가액을 취득물건의 소재지별 시가표준액 비율로 나누어 계산한다.

① **부동산** : 부동산 소재지
② **차량** : 「자동차관리법」에 따른 등록지. 다만, 등록지가 사용본거지와 다른 경우에는 사용본거지를 납세지로 하고, 철도 차량의 경우에는 해당 철도차량의 청소, 유지, 조성, 검사, 수선 등을 주로 수행하는 철도차량기지의 소재지를 납세지로 한다.
③ **기계장비** : 「건설기계관리법」에 따른 등록지
④ **항공기** : 항공기의 정치장(定置場) 소재지
⑤ **선박** : 선적항 소재지
⑥ **입목** : 입목 소재지
⑦ **광업권** : 광구 소재지
⑧ **어업권** : 어장 소재지
⑨ **골프회원권, 승마회원권, 콘도미니엄 회원권, 종합체육시설 이용회원권 또는 요트회원권** : 골프장·승마장·콘도미니엄, 종합체육시설 및 요트보관소의 소재지

2 | 세 율(지세법 §11~§16)

가. 표준세율

2010년까지 취득세의 표준세율은 취득가액의 2%였으나 2011년부터 등록세가 취득세에 통합되었기 때문에 현 취득세 세율은 종전의 두 세목의 세율을 합한 것과 같다. 종전에 취득세나 등록세 중 한 세목만 비과세되거나 과세되었던 경우, 취득세나 등록세 중 한 세목만 중과세되었던 경우의 취득행위에 대하여는 「지방세법」 제15조 '세율의 특례'에서 따로 규정하고 있다. 그리고 지방자치단체의 장은 조례로 정하는 바에 따라 취득세의 표준세율을 100분의 50의 범위에서 가감할 수 있기 때문에 실제 적용세율은 각 지방자치단체마다 다를 수 있다(지세법 §14).

1) 취득세(부동산)의 표준세율(지세법 §11)

<table>
<tr><th colspan="3">구 분</th><th>취득세</th><th>농어촌특별세[주1)]</th><th>지방교육세[주2)]</th><th>합계</th></tr>
<tr><td rowspan="7">주택*
유상취득</td><td rowspan="2">6억 이하</td><td>85㎡ 이하</td><td>1%</td><td>비과세</td><td>0.1%</td><td>1.1%</td></tr>
<tr><td>85㎡ 초과</td><td>1%</td><td>0.2%</td><td>0.1%</td><td>1.3%</td></tr>
<tr><td rowspan="2">6억 초과
9억 이하</td><td>85㎡ 이하</td><td rowspan="2">1%
초과
3%
미만[주3)]</td><td>비과세</td><td>0.2%</td><td>2.2%</td></tr>
<tr><td>85㎡ 초과</td><td>0.2%</td><td>0.2%</td><td>2.4%</td></tr>
<tr><td>9억 초과</td><td>85㎡ 이하</td><td>3%</td><td>비과세</td><td>0.3%</td><td>3.3%</td></tr>
<tr><td></td><td>85㎡ 초과</td><td>3%</td><td>0.2%</td><td>0.3%</td><td>3.5%</td></tr>
<tr><td colspan="2">1세대 4주택[주4)]</td><td>4%</td><td>0.2%</td><td>0.4%</td><td>4.6%</td></tr>
<tr><td colspan="3">주택 외 유상취득(토지, 건축물)</td><td>4%</td><td>0.2%</td><td>0.4%</td><td>4.6%</td></tr>
<tr><td colspan="3">원시취득, 상속(농지 외)</td><td>2.8%</td><td>0.2%</td><td>0.16%</td><td>3.16%</td></tr>
<tr><td colspan="2" rowspan="2">무상취득(증여)</td><td>비영리사업자 외</td><td>3.5%</td><td>0.2%</td><td>0.3%</td><td>4.0%</td></tr>
<tr><td>비영리사업자</td><td>2.8%</td><td>0.2%</td><td>0.16%</td><td>3.16%</td></tr>
<tr><td colspan="2" rowspan="2">농지</td><td>매매</td><td>3.0%</td><td>0.2%</td><td>0.2%</td><td>3.4%</td></tr>
<tr><td>상속</td><td>2.3%</td><td>0.2%</td><td>0.06%</td><td>2.56%</td></tr>
<tr><td colspan="3">공유물 분할</td><td>2.3%</td><td>0.2%</td><td>0.06%</td><td>2.56%</td></tr>
</table>

주1) 구취득세액(2%)의 10%를 농특세로 부과. 단, 국민주택(85㎡ 이하)은 비과세

주2) 구등록세액(취득세율-2%)의 20%를 지방교육세로 부과
(주택의 경우, 표준세율(1~3%)에 50%를 곱한 세율의 20%)

* 주택유상거래세율 적용제외
건축물대장, 사용승인서 또는 등기부상에 주택에만 주택세율을 적용(건축허가를 받거나 신

고가 있는 것으로 보는 경우를 포함)하고, 건축물의 용도가 어린이집, 공동생활가정, 지역아동센터, 노인복지시설(분양형 노인복지시설은 제외)은 주택세율적용대상에서 제외한다.

주3) $\left(\text{해당 주택의 취득당시가액} \times \frac{2}{\text{3억 원}} - 3\right) \times \frac{1}{100}$

※ 2020.1.1. 납세의무성립분부터 적용. 다만 2019.12.31.까지 계약한 경우로서 법 시행 후 3개월(분양의 경우 3년) 내 취득완료시 종전세율 2% 적용

주4) 세대별 주민등록표(외국인은 외국인등록표)를 기준으로 세대를 판단하되, 배우자와 미혼인 30세 미만 자녀는 분가하더라도 동일세대로 간주

- 주택은 공부상 주택(주거용 오피스텔 등 제외)으로 하되, 지분으로 소유한 경우도 1주택으로 간주(단, 부부 공동명의는 1세대가 1주택을 소유한 것임)

※ 2020.1.1. 납세의무성립분부터 적용. 다만 2019.12.3.까지 계약한 경우. 법 시행(2020.1.1.) 후 3개월(분양의 경우 3년) 내 취득완료 시 1세대 4주택 이상의 취득으로 보지 않음.

2) 취득세(부동산외)의 표준세율(지세법 §12)

<table>
<tr><th colspan="4">구분</th><th>취득세</th><th>농특세</th><th>지방교육세</th><th>합계세율</th></tr>
<tr><td rowspan="8">선박</td><td rowspan="5">등기·등록 대상 (소형제외)</td><td colspan="2">상속취득</td><td>2.5%</td><td>0.2%</td><td>0.1%</td><td>2.8%</td></tr>
<tr><td colspan="2">상속 외 무상취득</td><td>3.0%</td><td>0.2%</td><td>0.2%</td><td>3.4%</td></tr>
<tr><td colspan="2">원시취득</td><td>2.02%</td><td>0.2%</td><td>0.004%</td><td>2.224%</td></tr>
<tr><td colspan="2">수입·주문건조 취득</td><td>2.02%</td><td>0.2%</td><td>0.004%</td><td>2.224%</td></tr>
<tr><td colspan="2">그 밖의 원인의 취득</td><td>3.0%</td><td>0.2%</td><td>0.2%</td><td>3.4%</td></tr>
<tr><td rowspan="2">소형 선박</td><td colspan="2">소형선박</td><td>2.02%</td><td>0.2%</td><td>0.004%</td><td>2.224%</td></tr>
<tr><td colspan="2">동력수상레저기구</td><td>2.02%</td><td>0.2%</td><td>0.004%</td><td>2.224%</td></tr>
<tr><td colspan="3">그 밖의 선박</td><td>2.0%</td><td>0.2%</td><td>–</td><td>2.2%</td></tr>
<tr><td rowspan="7">차량</td><td rowspan="2">비영업용 승용자동차</td><td colspan="2"></td><td>7.0%</td><td rowspan="7">비과세</td><td rowspan="7">비과세</td><td>7.0%</td></tr>
<tr><td colspan="2">경자동차</td><td>4.0%</td><td>4.0%</td></tr>
<tr><td rowspan="4">그밖의 자동차</td><td rowspan="2">비영업용</td><td></td><td>5.0%</td><td>5.0%</td></tr>
<tr><td>경자동차</td><td>4.0%</td><td>4.0%</td></tr>
<tr><td colspan="2">영업용</td><td>4.0%</td><td>4.0%</td></tr>
<tr><td colspan="2">이륜자동차</td><td>2.0%</td><td>2.0%</td></tr>
<tr><td colspan="3">위 외의 자동차</td><td>2.0%</td><td>2.0%</td></tr>
</table>

구분		취득세	농특세	지방교육세	합계 세율
기계 장비	등록대상	3.0%	0.2%	0.2%	3.4%
	등록대상이 아닌 것	2.0%	0.2%	–	2.2%
항공기	미등록 대상 항공기	2.0%	0.2%	–	2.2%
	그 밖의 항공기	2.02%	0.2%	0.004%	2.224%
	최대이륙 중량 5,700kg 이상	2.01%	0.2%	0.002%	2.222%
입목		2.0%	0.2%	비과세	2.2%
광업권 · 어업권		2.0%	0.2%		2.2%
골프, 승마, 콘도, 종합체육, 요트 회원권		2.0%	0.2%		2.2%

3) 유상취득의 예외(지세법 §7 ⑪)

① 배우자 또는 직계비속의 부동산 등을 취득하는 경우에는 증여로 취득한 것으로 본다. 다만, 다음의 어느 하나에 해당하는 경우에는 유상으로 취득한 것으로 본다.

㉮ 공매(경매를 포함한다)를 통하여 부동산 등을 취득한 경우

㉯ 파산선고를 위하여 처분되는 부동산 등을 취득한 경우

㉰ 권리의 이전이나 행사에 등기 또는 등록이 필요한 부동산 등을 서로 교환한 경우

㉱ 해당 부동산 등의 취득을 위하여 그 대가를 지급한 사실이 다음의 어느 하나에 의하여 증명되는 경우

㉠ 그 대가를 지급하기 위하여 취득자의 소득이 증명되는 경우

㉡ 소유재산을 처분 또는 담보한 금액으로 해당 부동산을 취득한 경우

㉢ 이미 상속세 또는 증여세를 과세(비과세 또는 감면 받은 경우를 포함한다) 받았거나 신고한 경우로서 그 상속 또는 수증재산의 가액으로 그 대가를 지급한 경우

㉣ ㉠~㉢까지에 준하는 것으로서 취득자의 재산으로 그 대가를 지급한 사실이 입증되는 경우

② 상속개시 후 상속재산에 대하여 등기 · 등록 명의개서 등에 의하여 각 상속인의 상속분이 확정되어 등기 등이 된 후, 그 상속재산에 대하여 공동상속인이 협의하여 재분할한 결과 특정상속인이 당초 상속분을 초과하여 취득하게 되는 재산가액은 그 재분할에 의하여 상속분이 감소한 상속인으로부터 증여 받아 취득한 것으로 본다. 다만, 다

음의 어느 하나에 해당하는 경우에는 그러하지 아니하다.

㉮ 취득세 신고납부기한 내에 재분할에 의하여 취득한 경우

㉯ 상속회복청구의 소에 의한 법원의 확정판결에 의하여 상속인 및 상속재산에 변동이 있는 경우

㉰ 「민법」 제404조에 따른 채권자대위권의 행사에 의하여 공동상속인들의 법정상속분대로 등기등이 된 상속재산을 상속인 사이의 협의분할에 의하여 재분할하는 경우

4) 증여취득의 예외(지세법 §7 ⑫)

증여자의 채무를 인수하는 부담부(負擔附) 증여의 경우에는 그 채무액에 상당하는 부분은 부동산등을 유상으로 취득하는 것으로 본다.

나. 중과세율

국가의 정책목적 등에 따라 특정한 자산의 취득에 대하여는 아래에서 설명하는 바와 같이 중과세율을 적용하고 있다. 이 경우 같은 취득물건에 대하여 둘 이상의 세율이 적용되는 경우에는 그 중 높은 세율을 적용하나, 아래 1)과 2)가 동시에 적용되는 경우에는 표준세율에 100분의 300을 적용하고, 아래 2)와 3)이 동시에 적용되는 경우에는 표준세율의 100분의 300에 중과기준세율의 100분의 200을 합한 세율을 적용하도록 하고 있다(지세법 §13 ⑥, ⑦).

아울러, 지방자치단체의 장은 조례로 정하는 바에 따라 취득세의 세율을 100분의 50의 범위에서 가감할 수 있도록 되어 있는데 이는 표준세율에 제한되는 것으로 중과세율은 가감조정할 수 없음에 주의하여야 한다(지세법 §14).

1) 과밀억제권역 안 취득 등 중과(지세법 §13 ①)

「수도권정비계획법」 제6조에 따른 과밀억제권역에서 법인의 본점 또는 주사무소의 사무소로 사용하는 부동산(본점이나 주사무소용 건축물을 신축하거나 증축하는 경우와 그 부속토지 및 「신탁법」에 따른 수탁자가 취득한 신탁재산 중 위탁자가 신탁기간 중 또는 신탁종료 후 위탁자의 본점이나 주사무소의 사업용으로 사용하는 부동산을 포함)과 그 부대시설용 부동산(기숙사, 합숙소, 사택, 연수시설, 체육시설 등 복지후생시설과 향토예비군 병기고 및 탄약고는 제외)을 취득하는 경우와 같은 조에 따른 과밀억제권역(「산업집적활성화 및 공장설립에 관한 법률」을 적용받는 산업단지・유치지역 및 「국토의 계획 및 이용에

관한 법률」을 적용받는 공업지역은 제외)에서 공장을 신설하거나 증설하기 위하여 사업용 과세물건을 취득하는 경우의 취득세율은 「지방세법」 제11조 및 제12조의 세율에 1천분의 20의 100분의 200을 합한 세율을 적용한다(지세법 §13 ①).

아울러, 당초 토지나 건축물의 취득시에는 상기 과밀억제권역 안 취득 등 중과에 해당하지 않았으나 취득 후 5년 이내에 해당 토지나 건축물이 본점이나 주사무소의 사업용 부동산(본점 또는 주사무소용 건축물을 신축하거나 증축하는 경우와 그 부속토지만 해당) 및 공장의 신설용 또는 증설용 부동산에 대한 중과대상에 해당되는 경우에는 상기 세율을 적용하여 취득세를 추징한다(지세법 §16 ①).

중과 적용세율 = 표준세율 + 중과가산세율[중과기준세율 2% × 2배]

과밀억제권역, 성장관리권역 및 자연보전권역의 범위*

* 「수도권정비계획법 시행령」 별표1, 2017. 1월 현재

과밀억제권역	성장관리권역	자연보전권역
• 서울특별시 • 인천광역시(강화군, 옹진군, 서구 대곡동 · 불로동 · 마전동 · 금곡동 · 오류동 · 왕길동 · 당하동 · 원당동, 인천경제자유구역 및 남동 국가산업단지는 제외한다) • 의정부시 • 구리시 • 남양주시(호평동, 평내동, 금곡동, 일패동, 이패동, 삼패동, 가운동, 수석동, 지금동 및 도농동만 해당한다) • 하남시 • 고양시 • 수원시 • 성남시 • 안양시 • 부천시 • 광명시 • 과천시 • 의왕시 • 군포시 • 시흥시[반월특수지역(반월특수지역에서 해제된 지역을 포함한다)	• 동두천시 • 안산시 • 오산시 • 평택시 • 파주시 • 남양주시(와부읍, 진접읍, 별내면, 퇴계원면, 진건읍 및 오남읍만 해당한다) • 용인시(신갈동, 하갈동, 영덕동, 구갈동, 상갈동, 보라동, 지곡동, 공세동, 고매동, 농서동, 서천동, 언남동, 청덕동, 마북동, 동백동, 중동, 상하동, 보정동, 풍덕천동, 신봉동, 죽전동, 동천동, 고기동, 상현동, 성복동, 남사면, 이동면 및 원삼면 목신리 · 죽릉리 · 학일리 · 독성리 · 고당리 · 문촌리만 해당한다) • 연천군 • 포천시 • 양주시 • 김포시 • 화성시 • 안성시(가사동, 가현동, 명륜동,	• 이천시 • 남양주시(화도읍, 수동면 및 조안면만 해당한다) • 용인시(김량장동, 남동, 역북동, 삼가동, 유방동, 고림동, 마평동, 운학동, 호동, 해곡동, 포곡읍, 모현면, 백암면, 양지면 및 원삼면 가재월리 · 사암리 · 미평리 · 좌항리 · 맹리 · 두창리만 해당한다) • 가평군 • 양평군 • 여주군 • 광주시 • 안성시(일죽면, 죽산면 죽산리 · 용설리 · 장계리 · 매산리 · 장릉리 · 장원리 · 두현리 및 삼죽면 용월리 · 덕산리 · 율곡리 · 내장리 · 배태리만 해당한다)

과밀억제권역	성장관리권역	자연보전권역
은 제외한다]	숭인동, 봉남동, 구포동, 동본동, 영동, 봉산동, 성남동, 창전동, 낙원동, 옥천동, 현수동, 발화동, 옥산동, 석정동, 서인동, 인지동, 아양동, 신흥동, 도기동, 계동, 중리동, 사곡동, 금석동, 당왕동, 신모산동, 신소현동, 신건지동, 금산동, 연지동, 대천동, 대덕면, 미양면, 공도읍, 원곡면, 보개면, 금광면, 서운면, 양성면, 고삼면, 죽산면 두교리 · 당목리 · 칠장리 및 삼죽면 마전리 · 미장리 · 진촌리 · 기솔리 · 내강리만 해당한다) • 인천광역시 중 강화군, 옹진군, 서구 대곡동 · 불로동 · 마전동 · 금곡동 · 오류동 · 왕길동 · 당하동 · 원당동, 인천경제자유구역, 남동 국가산업단지 • 시흥시 중 반월특수지역(반월특수지역에서 해제된 지역을 포함한다)	

2) 대도시 법인 설립 중과(지세법 §13 ②)

대도시(「수도권정비계획법」 제6조에 따른 과밀억제권역으로 「산업집적활성화 및 공장설립에 관한 법률」을 적용받는 산업단지 제외)에서 법인을 설립[휴면(休眠)법인 인수 포함]하거나 지점 또는 분사무소를 설치하는 경우 및 법인의 본점 · 주사무소 · 지점 또는 분사무소를 대도시로 전입함에 따라 대도시의 부동산을 취득[그 설립 · 설치 · 전입 이후 5년 이내 부동산 취득(「신탁법」에 따른 수탁자가 취득한 신탁재산을 포함한다) 포함. 다만, 채권을 보전하거나 행사할 목적의 부동산 취득은 제외]하는 경우와 대도시(「산업집적활성화 및 공장설립에 관한 법률」을 적용받는 유치지역 및 「국토의 계획 및 이용에 관한 법률」을 적용받는 공업지역은 제외)에서 공장을 신설하거나 증설함에 따라 부동산을 취득하는 경우의 취득세는 제11조 제1항의 표준세율의 100분의 300에서 중과기준세율의 100분의 200을 뺀 세율을 적용(주택의 경우에는 표준세율과 중과기준세율의 100분의 200을 합한 세율을 적용)한다.

다만, 「수도권정비계획법」 제6조에 따른 과밀억제권역(「산업집적활성화 및 공장설립에 관한 법률」을 적용받는 산업단지 제외)에 설치가 불가피하다고 인정되는 대도시 중과 제외 업종(지세령 §26 참고)에 직접 사용할 목적으로 부동산을 취득하거나, 법인이 사원에 대한 분양 또는 임대용으로 직접 사용할 목적으로 사원 주거용 목적 부동산(1구의 건축물 전용면적이 60m^2 이하인 공동주택 및 그 부속토지)을 취득하는 경우의 취득세는 표준세율을 적용하나, 「지방세법」 제13조 제3항 제1호 및 제2호 각 목에 따라 정당한 사유없이 1년이 경과할 때까지 대도시 중과제외 업종에 직접사용하지 아니하는 경우 또는 부동산 취득일부터 2년 이상 해당 업종 또는 용도에 직접 사용하지 아니하는 경우 등의 사유에 해당되면 표준세율의 적용이 배제된다.

아울러, 취득한 부동산이 취득 후 5년 이내에 상기 대도시 법인 설립 중과 대상에 해당하는 경우에는 상기 세율을 적용하여 취득세를 추징한다(지세법 §16 ④).

대도시 중과제외 업종(지세령 §26)

* 「수도권정비계획법 시행령」 별표1, 2017. 1월 현재

1. 「사회기반시설에 대한 민간투자법」 제2조 제2호에 따른 사회기반시설사업(부대사업 포함)
2. 「한국은행법」 및 「한국수출입은행법」에 따른 은행업
3. 「해외건설촉진법」에 따라 신고된 해외건설업(해당 연도에 해외건설 실적이 있는 경우로서 해외건설에 직접 사용하는 사무실용 부동산만 해당한다) 및 「주택법」 제4조에 따라 국토교통부에 등록된 주택건설사업(주택건설용으로 취득한 후 3년 이내에 주택건설에 착공하는 부동산만 해당한다)
4. 「전기통신사업법」 제5조에 따른 전기통신사업
5. 「산업발전법」에 따라 산업통상자원부장관이 고시하는 첨단기술산업과 「산업집적활성화 및 공장설립에 관한 법률 시행령」 별표 1 제2호 마목에 따른 첨단업종
6. 「유통산업발전법」에 따른 유통산업, 「농수산물유통 및 가격안정에 관한 법률」에 따른 농수산물도매시장 · 농수산물공판장 · 농수산물종합유통센터 · 유통자회사 및 「축산법」에 따른 가축시장
7. 「여객자동차 운수사업법」에 따른 여객자동차운송사업 및 「화물자동차 운수사업법」에 따른 화물자동차운송사업과 「물류시설의 개발 및 운영에 관한 법률」 제2조 제3호에 따른 물류터미널사업 및 「물류정책기본법 시행령」 제3조 및 별표 1에 따른 창고업
8. 정부출자법인 또는 정부출연법인(국가나 지방자치단체가 납입자본금 또는 기본재산의 100분의 20 이상을 직접 출자 또는 출연한 법인만 해당한다)이 경영하는 사업
9. 「의료법」 제3조에 따른 의료업
10. 개인이 경영하던 제조업. 다만, 행정안전부령으로 정하는 바에 따라 법인으로 전환하

는 기업만 해당하며, 법인전환에 따라 취득한 부동산의 가액(법 제4조에 따른 시가표준액을 말한다)이 법인 전환 전의 부동산가액을 초과하는 경우에 그 초과부분과 법인으로 전환한 날 이후에 취득한 부동산은 제외

11. 「산업집적활성화 및 공장설립에 관한 법률 시행령」 별표 1 제3호 가목에 따른 자원재활용업종
12. 「소프트웨어산업 진흥법」 제2조 제3호에 따른 소프트웨어사업 및 같은 법 제27조에 따라 설립된 소프트웨어공제조합이 소프트웨어산업을 위하여 수행하는 사업
13. 「공연법」에 따른 공연장 등 문화예술시설운영사업
14. 「방송법」 제2조 제2호 · 제5호 · 제8호 · 제11호 및 제13호에 따른 방송사업 · 중계유선방송사업 · 음악유선방송사업 · 전광판방송사업 및 전송망사업
15. 「과학관의 설립 · 운영 및 육성에 관한 법률」에 따른 과학관시설운영사업
16. 「산업집적활성화 및 공장설립에 관한 법률」 제28조에 따른 도시형공장을 경영하는 사업
17. 「중소기업창업 지원법」 제10조에 따라 등록한 중소기업창업투자회사가 중소기업창업지원을 위하여 수행하는 사업. 다만, 법인설립 후 1개월 이내에 같은 법에 따라 등록하는 경우만 해당
18. 「광산피해의 방지 및 복구에 관한 법률」 제31조에 따라 설립된 한국광해관리공단이 석탄산업합리화를 위하여 수행하는 사업
19. 「소비자기본법」 제33조에 따라 설립된 한국소비자원이 소비자 보호를 위하여 수행하는 사업
20. 「건설산업기본법」 제54조에 따라 설립된 공제조합이 건설업을 위하여 수행하는 사업
21. 「엔지니어링산업 진흥법」 제34조에 따라 설립된 공제조합이 그 설립 목적을 위하여 수행하는 사업
22. 「주택도시기금법」에 따른 주택도시보증공사가 주택건설업을 위하여 수행하는 사업
23. 「여신전문금융업법」 제2조 제12호에 따른 할부금융업
24. 「통계법」 제22조에 따라 통계청장이 고시하는 한국표준산업분류에 따른 실내경기장 · 운동장 및 야구장 운영업
25. 「산업발전법」(법률 제9584호 산업발전법 전부개정법률로 개정되기 전의 것을 말한다) 제14조에 따라 등록된 기업구조조정전문회사가 그 설립 목적을 위하여 수행하는 사업. 다만, 법인 설립 후 1개월 이내에 같은 법에 따라 등록하는 경우만 해당
26. 「지방세특례제한법」 제21조 제1항에 따른 청소년단체, 같은 법 제45조 제1항에 따른 학술연구단체 · 장학단체 · 과학기술진흥단체 및 같은 법 제52조 제1항에 따른 문화예술단체 · 체육진흥단체가 그 설립 목적을 위하여 수행하는 사업
27. 「중소기업진흥에 관한 법률」 제69조에 따라 설립된 회사가 경영하는 사업
28. 「도시 및 주거환경정비법」 제18조에 따라 설립된 조합이 시행하는 같은 법 제2조 제2호의 정비사업
29. 「방문판매 등에 관한 법률」 제38조에 따라 설립된 공제조합이 경영하는 보상금지급책

임의 보험사업 등 같은 법 제37조 제1항 제3호에 따른 공제사업
30. 「한국주택금융공사법」에 따라 설립된 한국주택금융공사가 같은 법 제22조에 따라 경영하는 사업
31. 「민간임대주택에 관한 특별법」 제5조에 따라 등록을 한 임대사업자 또는 「공공주택 특별법」 제4조에 따라 지정된 공공주택사업자가 경영하는 주택임대사업
32. 「전기공사공제조합법」에 따라 설립된 전기공사공제조합이 전기공사업을 위하여 수행하는 사업
33. 「소방산업의 진흥에 관한 법률」 제23조에 따른 소방산업공제조합이 소방산업을 위하여 수행하는 사업

4) 과밀억제권역 안 취득 등 중과세율 구조 및 현황(지세법 §13)

취득세의 중과세율 구조는 표준세율(구취득세 + 구등록세)을 기준으로, 중과기준세율(2%, 구취득세율)을 더하거나 빼는 방식이다.

- 구취득세만 중과인 경우 : 표준세율 + 중과기준세율 × 2배(4배)
  예) 통합전 : 구취득세 10%(2%* × 5배 중과) + 구등록세 2%** = 12%
  → 통합후 : 4%(2%* + 2%**)+ 8%(2% × 4배) = 12%
- 구등록세만 중과인 경우 : (표준세율 × 3배) - (중과기준세율 × 2배)
  예) 통합전 : 구취득세 2%* + 구등록세 6%(2%** × 3배) = 8%
  → 통합후 : 12%[(4% = 2%* + 2%**) × 3배) - 4%(2% × 2배) = 8%

중과세 대상		세율예시	비고
대도시 내법인	①-1. 본점용 부동산 신·증축 위한 부동산의 취득	· 건물신축 : 2.8%*+(2%×2배)=6.8% · 토지취득 : 4%**+(2%×2배)=8%	구취득세만 3배
	①-2. 공장 신·증설 위한 부동산의 취득	· 공장신축 : 2.8%+(2%×2배)=6.8% · 토지취득 : 4%+(2%×2배)=8%	구취득세만 3배
	②-1. 법인설립, 지점설치, 전입 관련 부동산의 취득	· 건물신축 : 2.8%×3배-(2%×2배)=4.4% · 토지취득 : 4%×3배-(2%×2배)=8%	구등록세만 3배
	②-2. 공장 신·증설하기 위한 부동산의 취득	· 공장신축 : 2.8%×3배-(2%×2배)=4.4% · 토지취득 : 4%×3배-(2%×2배)=8%	구등록세만 3배
	① 및 ②에 동시 적용되는 경우 (예 : 법인설립 후 5년 내 본점 신축)	· 건물신축 : 표준세율(2.8%*)×3배=8.4% · 토지취득 : 표준세율(4%*)×3배=12%	구취·등록세 3배

중과세 대상		세율예시	비고
사치성 재산	③-1. 별장, ③-2. 골프장, ③-3. 고급주택, ③-4. 고급오락장, ③-5. 고급선박	· 건물신축 : 2.8%+(2%×4배)=10.8% · 토지취득 : 4%+(2%×4배)=12% · 고급주택취득 : 2-3%+(2%×4배)=10-11%	구취득세만 5배
	②과 ③이 동시 적용되는 경우 (예 : 법인이 대도시 내 고급주택 취득)	· 표준세율(2-3%)+중과기준세율(2%) × 6배=14-15%	구취득(5배) ·등록세(3배)

* 건물신축시 표준세율 : 2.8%[구취득세 2% + 구등록세 0.8%(소유권보존등기)]

** 부속토지 취득시 표준세율 : 4%[구취득세 2% + 구등록세 2%(소유권이전등기)]

관련예규 및 판례요약

과밀억제권역 중과세 : 지세법 §13 ①

유상 취득세율 적용 관련 예규, 판례

지방세운영과-2183, 2019. 7. 19.

사해행위 취소소송의 판결에 따라 단독상속인과 채무자 사이의 상속재산분할협의계약을 취소하고, 채무자로 소유권 이전절차를 이행하는 경우에 등록면허세(1.5%) 과세가 정당함.

지방세특례제도과-2221, 2019. 6. 11.

담당공무원의 착오로 인한 감면결정 통지 후 감면대상이 아님을 알고 과소신고가산세 등을 포함하여 과세예고한 경우, 처분청의 감면결정 통지사실을 신뢰하여 납세의무를 불이행하게 된 것이라 보는 것이 타당하다고 할 것인 바 「지방세기본법」 제57조 제1항에서 규정하고 있는 가산세 감면의 정당한 사유에 해당함.

대법 2018두 64221, 2019. 3. 14.

특정하여 구분소유하고 있다고 인정된 면적(구분소유적 공유면적)이 등기부상 공유지분 면적을 초과하고 있음이 인정되었다고 하여 취득세 특례 세율(1천분의 3)을 달리 볼 것은 아님.

지방세운영-121, 2017. 1. 11.

주택의 부속토지 부분과 건축물 부분의 매도자가 달라 각각 별도의 매매계약서를 작성하더라도, 같은 날 취득이 이루어져 1주택의 전체 취득가격을 알 수 있는 경우라면, 「지방세법」

제11조 제1항 제8호의 지분 취득 계산식 적용대상에서 제외된다고 보아야 할 것임.

대법 2016두 32008, 2016. 5. 12.

공유물분할계약에 따라 특정지분을 단독으로 소유하면서 당초 지분권을 초과하는 부분도 공유물분할에 따른 저율의 취득세율을 적용할 수 있는지 여부 관련하여 당초 지분권을 초과하는 부분은 공유물분할로 볼 수 없음.

대법 2016두 32367, 2016. 4. 28.

수 인이 하나의 주택을 공유지분으로 취득한 때에 그에 적용되는 취득세율을 결정함에 있어 그 주택 전체의 가액을 기준으로 할 것인지 아니면 각 공유지분의 가액을 기준으로 할 것인지 여부 관련하여 주택의 공유지분을 취득했더라도 전체 주택가액을 기준으로 취득세율을 적용함이 타당함.

지방세운영－3859, 2015. 12. 11.

대지권 없는 노후아파트의 건물분을 취득하는 등의 경우 지분 계산식을 적용시 불합리한 취득가격 및 세율이 산출되는 경우라면, 인근 유사 공동 주택가격 및 실거래가 등을 기준으로 합리적인 취득세율을 적용하여야 할 것임.

과밀억제권역 내 본점 및 공장 신 · 증설과 관련된 중과세 범위의 예규, 판례

조심 18지 1090, 2018. 11. 5.

대도시 내에서 법인 설립 이후 5년 기간의 기산기점 관련하여 기간의 계산은 특별한 규정이 있는 것을 제외하고는 민법에 따르도록 규정하고 있고, 민법에서는 초일을 산입하지 않는다고 하고 있어 그 설립일의 다음날부터 5년을 기산하는 것이 타당함.

지방세운영－2439, 2016. 9. 22.

대도시 내 기존 본점 건물과는 별도로 건물을 신축하여 교육원으로 사용하는 경우 본점에 해당하는 것으로 보아 중과세를 적용할 수 있는지 여부 관련하여 회원사 등 불특정 다수인 대국민을 상대로 프로그램을 운영하고 있으며, 협회(본점) 직원이 교육을 수강하기 위해서는 유료로 운영되고 있는 점에서 볼 때, 본점 직원을 위한 부대시설용 부동산으로 보기도 어려운 점 등을 볼 때, 해당 교육원은 협회(본점)와는 독립된 지점으로서 「지방세법」 제13조 제1항에서 규정하는 본점 사업용 부동산의 범위에 해당하지 않는다고 판단됨.

대법 2012두 25569, 2013. 2. 28.

대도시 내에 본점을 가지고 있던 법인이 동일 대도시 내에 건축물을 신축하여 기존 본점을 이전하는 경우 대도시 내 본점 사업용 부동산의 취득으로 보아 취득세를 중과할 수 있는지 여부 관련하여 동일 대도시 내 본점의 이전인지 여부와 관계없이 중과대상임.

대법 2010두 19812, 2012. 3. 29.

등록세 중과대상인 대도시 내 법인설립 후 5년 이내 취득하는 부동산등기에 공유물분할등기로 포함되는지 여부 관련하여 인구집중의 억제라는 중과취지 등을 고려시 중과대상에 해당하지 아니함.

세정-4997, 2007. 11. 23.

공장용건축물 및 그 부속토지를 취득한 날부터 5년이 경과한 후 공장을 증설한 경우 부속토지는 취득세 중과대상에서 제외되나 증축한 공장용건축물 부분은 공장증설로 보아 취득세를 중과세함.

지방세심사 2007-437, 2007. 8. 27.

취득 토지 중 일부가 도시계획상 도로로 계획되어 있다 하더라도 취득 당시의 현황이 도로가 아닌 이상 공장용 건물의 부속토지에서 제외할 것이 아님.

지방세심사 2006-181, 2006. 4. 24.

도시계획법상 공업지역 내의 법인이 공장용 건축물을 증축한 후 일부를 본점 사무실로 사용하고 있는 경우 취득세를 중과할 수 없음.

세정-199, 2005. 12. 23.

공장의 설치가 금지 또는 제한된 지역 안에서 개인사업자가 500㎡ 이상에 해당하는 자동차정비공장을 운영하기 위하여 사업용 과세물건을 취득하는 경우 취·등록세의 중과세대상임(세정-182, 2005. 12. 22. 변경).

세정-756, 2004. 4. 9.

본점 또는 주사무소가 아닌 사업용 부동산의 취득은 취득세가 중과세되지 않음.

세정-322, 2004. 1. 27.

「부가가치세법」상의 사업자등록을 하였으나 실질적으로 인적·물적 설비를 갖추고 계속적으로 사무 또는 사업을 한 사실이 없다면 취득세 및 등록세의 중과대상이 되지 아니하는 것임.

세정-3, 2004. 1. 2.

부동산을 취득한 후 5년 이내에 본점 또는 주사무소용 건축물을 신축 또는 증축하는 경우에 취득세가 중과세되고, 대도시 내 법인 설립 후 5년 이내에 취득하는 일체의 부동산에 대한 등기에 대하여는 등록세를 중과세

세정 13407 - 932, 2002. 10. 4.

1997. 9. 26. 대도시 내에서 가설건축물의 사용승인을 받아 공장으로 사용시, 동 공장이 1997. 7. 10. 개정된 관련법령에 의한 '도시형 공장'에 해당하면 취득세 등이 중과세되지 않음.

세정 13407 - 200, 2001. 8. 9.

법인이 과밀억제권역 내에서 건물을 임차해 사용하다 승계취득한 경우, '본점용 부동산'으로 취득세 중과 안 되나, '공장 신·증설'에 해당시는 취득·등록세 중과대상임.

세정 13407 - 175, 2001. 8. 7.

분양을 목적으로 기존 공장용 건축물을 리모델링하거나 멸실하여 신축할 경우도 공장의 신설 또는 증설에 해당되어 취득세가 중과세됨.

세정 13407 - 115, 2001. 7. 23.

과밀억제권역 내의 도시계획법의 적용을 받는 공업지역 내에서 '본점용 부동산' 신축 취득시는 취득세 중과되나, 신설되는 '공장용 부동산'은 취득세 중과 배제됨.

세정 13407 - 441, 2001. 4. 21.

과밀억제권역 안의 '본점용 또는 공장용'이 아닌 부동산 취득시는 취득세 중과 제외되며, 등록세 중과시는 비업무용 등 여부를 불문하고 일체의 부동산등기에 대해 적용됨.

과밀억제권역 내에서의 본점용 부동산 취득과 관련된 예규, 판례

조심 2018지 2018, 2019. 7. 1.

청구법인의 지점인 ○○○타워에 인접해 있고 공중보행로로 연결되어 있으며 ○○○타워와 동일한 업태의 부동산 임대업을 영위하는 사업장으로, ○○○타워에 소재한 타워업무지원센터에서 일괄하여 관리를 총괄하고 있는 것으로 보여, 동일한 사업장으로 볼 수 있고, 청구법인은 이 건 부동산에 대하여 별도의 자동차관리사업을 등록 및 사업자등록도 신청하지 아니한 점 등을 볼 때 별개의 사업장이나 지점으로 보기 어려움.

조심 2010지 791, 2011. 3. 15.

차고지도 법인의 본점이 위치한 1구내에 위치하고 있고 법인의 고유업무인 여객자동차운송사업에 필수불가결한 토지로써 그 사업에 사용되는 토지인 만큼 이를 본점사업용 토지에서 제외하기 어려움.

대법 2009두 24085, 2010. 4. 15.

취득세 중과규정이 규제하고자 하는 대상은 과밀억제권역 내에서 부동산을 신축하여 취득하는 것 자체가 아니라, 신축된 부동산이 본점 또는 주사무소의 용도로 사용되면 인구유입과 산업집중 등을 유발하므로 그러한 경우를 규제하려는 것인 점, 법인이 과밀억제권역 내에 본점 등 사업용 부동산을 신축하여 취득한 후 같은 권역 내에서 본점 등 사업용 부동산을 신축하여 본점을 이전하는 경우에는 위 조항의 입법취지인 인구유입과 산업집중 등과 관계가 없을 뿐만 아니라, 최초의 부동산 취득시에 이미 취득세가 중과되므로 새로운 부동산을 신축하여 본점을 이전할 때 다시 중과하지 않더라도 위 규정을 면탈할 우려가 없다고 보이는 점 등에 비추어 보면, 개정된 조항의 해석에 있어서도, 과밀억제권역 내에 본점 또는 주사무소용 부동산을 신축하여 취득한 후 같은 권역 내에서 본점 등 사업용 부동산을 신축한 경우에는 그 본점의 이전이 과멸억제권역 내의 인구유입 또는 경제력 집중을 유발하지 않는다면 취득세 중과대상에 해당하지 않는다고 봄이 상당하다.

지방세운영-3186, 2009. 8. 6.

법인의 본점은 영리법인의 주된 사무소를 의미하며 주된 사무소의 범위는 본점등기를 기준으로 판단하는 것이 아니라 법인의 중추적인 의사결정 등의 주된 기능을 수행하는 장소를 의미하고, 법인 본점 신축시 임대목적으로 취득하였으나 임대할 수 없어 한시적으로 직접 본점으로 사용하였다면 본점 부동산 신축과는 연관성이 없음.

지방세운영-2592, 2008. 12. 18.

과밀억제권역 내 본점용 건물에 대한 증축 허가 후 리모델링 공사를 병행하면서 증축공사를 시행하여 기존건물의 연면적 일부가 감소한 경우, 그 증축을 위해 지급하였거나 지급할 비용에 대하여는 취득세 중과세율을 적용함.

세정-4503, 2007. 11. 1.

지점으로 등기된 건설부분 대표이사가 전사조직인 법인 이사회의 의장인 경우 이사회 의장인 건설부문 대표이사의 사무실이 본점의 범위에 포함되어 취득세가 중과됨.

세정-6360, 2006. 12. 20.

법인의 본점 건물을 증축하는 과정에 제3자 소유의 토지를 취득하여 당해 법인의 대지경계가 된 경우라면 취득 당시에는 취득세 중과세 대상이 되지 아니하나 증축 후 본점의 사업용으로 사용한다면 사용하는 시점에서 건축물 부분은 물론, 취득한 공유지분도 안분하여 취득세 중과세 대상이 되는 것으로 판단됨.

세정-6003, 2006. 12. 4.

대도시 내의 법인이 제3자가 건축한 건축물을 공사비 대신 대물변제 받아 승계취득하였다면 취득세의 중과세대상이 되지 아니함.

지방세심사 2006-130, 2006. 3. 27.

대도시 외 법인이 대도시 내 상가건축물을 신축한 후 그 일부에서 인적·물적 설비를 갖추고 본점 업무를 수행하는 경우 본점 전입에 따른 부동산 취득·등기에 해당함.

지방세심사 2006-56, 2006. 2. 27.

기존 건축물에 있던 본점사무소를 증축된 건축물로 이전한 경우 취득세가 중과됨.

감심 2006-26, 2006. 2. 23.

처분청 담당자가 법인의 본점 이전 관련 지방세 중과 여부를 구두로 잘못 답변하였으나 이는 공적인 의사표명으로 볼 수 없어 취득세 등을 중과함.

감심 2005-121, 2005. 11. 4.

건물을 신축하면서 공사대금의 대부분을 부담하는 등 건물을 사실상 원시취득한 것에 해당하여 과밀억제권역 안에서 본점 사무소의 신축으로 보아 중과세한 처분은 정당함.

세정-3404, 2005. 10. 24.

대도시 내의 법인이 본점 사무소용으로 사용하던 건축물을 멸실한 후 새로운 건물을 건축하여 본점 사무소용으로 사용하는 경우 본점 사무소용으로 사용하는 부분은 취득세의 중과세 대상이 되는 것임.

세정-656, 2005. 2. 7.

과밀억제권역 내에서 본점으로 사용하는 건축물이 취득세가 중과되는 경우 건축물의 부수토지는 사무실 사용부분에 대한 토지 부분을 안분하여 취득세가 중과되는 것임.

지방세심사 2005-25, 2005. 2. 3.

건물의 일부만을 사용하는 경우 본점 또는 주사무소의 사업용 부동산의 범위에서 제외되는 연수시설에 해당하지 않음.

세정-3984, 2004. 11. 9.

이미 과밀억제권역 안에서 본점 또는 주사무소의 사업용 부동산을 소유하고 있다가 같은 권역 안으로 사무실을 신축 또는 증축하여 이전하는 경우에도 「지방세법」 제112조 제3항의 규정에 의거 취득세가 중과세되는 것임.

세정-3274, 2004. 10. 1.

과밀억제권역 안에서 신축한 건축물에 지점등기 및 지점으로 사업자등록을 하고 사실상으로도 지점용으로 사용하는 경우에는 본점 또는 주사무소의 사업용 부동산이 아니므로 취득세 중과세를 배제함.

세정-621, 2004. 3. 29.

도소매업 법인이 과밀억제권역 내에 건축물을 신축하여 본점 및 본점용 창고로 사용하는 경우 그 창고도 본점의 부대시설에 해당하므로 취득세 중과세대상임.

세정-299, 2004. 3. 4.

과밀억제권역 안에서 부동산을 취득한 후 5년 이내에 본점 또는 주사무소용 건축물을 신축 또는 증축하는 경우와 공장(도시형 공장 제외)을 신설 또는 증설하기 위하여 사업용 과세물건을 취득하는 경우에는 취득세가 중과세되는 것임.

지방세심사 2004-14, 2004. 1. 29.

차고지로 인가받은 토지를 본점 사업용 건축물의 부속토지로 사용하는 경우 취득세 중과대상인 본점 사업용 부동산에 해당함.

지방세심사 2004-13, 2004. 1. 29.

대도시 내에서 건축물을 신축 취득한 후 그 일부를 본점 사업용으로 사용하는 경우 취득세 중과대상에 해당함.

세정-360, 2004. 1. 28.

종업원 후생복지시설인 연수시설의 경우 본점의 사무소용 부동산에서 제외됨.

대도시 내 법인설립 등에 따른 중과세 : 지세법 §13 ②

대도시 내 법인설립에 따른 부동산취득과 관련된 예규, 판례

대법 2015두 54582, 2016. 1. 28.

폐업신고를 마쳤다가 다시 사업자등록을 하고 5년 이내에 주주를 변경한 경우 취득세 중과대상인 5년 이내 휴면법인 인수한 경우 폐업하였다가 다시 사업자등록 후 5년 이내 주주 변경시 취득세 중과대상 휴면법인 인수에 해당됨.

대법 2011두 12726, 2013. 7. 11.

기존법인간 합병과정에서 피합병법인의 종전 본점이나 지점 소재지에 존속법인의 지점을 설치한 다음 그로부터 5년 이내에 그 지점에 관계되는 부동산을 취득하여 등기하는 경우 등록세 중과세 대상에 해당 안됨.

조심 2013지 30, 2013. 3. 7.

처분청의 확인결과 쟁점건축물을 청구법인의 본점 사무실의 부대시설로 사용하고 있는 사실이 확인되고 있는 이상 쟁점건축물에 대해 취득세를 중과세한 것은 달리 잘못이 없음.

조심 2012지 770, 2012. 12. 20.

2010. 1. 1.「지방세법」의 개정으로 대도시 내에서 휴면법인을 인수하여 사실상 법인을 새로이 설립하는 경우에는 그 설립에 따른 부동산등기에 대하여 취득세를 중과세하도록 신설되었고, 청구법인은「지방세법」이 개정된 이후인 2011. 5. 6. 이 건 부동산을 취득한 이상 중과세율을 적용하여 취득세를 부과한 것은 달리 잘못이 없음.

지방세운영-2092, 2011. 5. 4.

법인의 설립등기는 창설적인 효력을 가지며 그에 관한 규정은 강행규정으로 기존 법인이 하자 있는 설립등기를 원인으로 이와 별도의 신설법인의 설립등기를 한 경우, 기존 법인의 모든 권리·의무를 승계하였다 하여 기존 법인의 "사실상 영업개시일" 또는 "법인설립 등기일"을 신설법인의 법인설립일로 볼 수 없으며, 신설법인의 법인설립 등기일부터 5년 이내 취득한 모든 부동산은 중과대상에 해당한다 할 것임.

서울고법 2008누 3083, 2008. 7. 25.

건설교통부에 등록된 주택건설사업 부동산을 등기 또는 등록일로부터 정당한 사유없이 3년이 경과할 때까지 당해 업종에 직접 사용하지 아니한 경우에는 등록세율을 중과세하는 것임.

지방세심사 2006-324, 2006. 7. 31.

대도시 내 법인설립 이후 5년 이내에 오피스텔 건축물을 신축하여 보존등기를 필한 경우 등록세가 중과세되는 것임.

세정-2741, 2006. 7. 4.

대도시 내에서 설립한 지 5년 미만의 법인이 다른 법인에게 물품공급 후 그 대금을 회수하지 못하여 다른 법인 직원명의로 등기되어 있는 오피스텔을 물품대금 명목으로 이전등기 받은 경우 등록세 중과세 대상임.

지방세심사 2006-262, 2006. 6. 27.

「법인세법」상 요건을 갖춘 분할로 설립된 법인에 해당된다 하더라도 대도시 내 법인이 설립 이후 5년 이내에 취득하는 부동산등기는 등록세 중과대상임.

지방세심사 2005-476, 2005. 11. 28.

도시관리계획상 지구단위계획구역지정을 받지 못하여 주택건설사업용(등록세 중과세 예외업종)으로 취득한 토지를 그 용도에 사용하지 아니하고 매각한 것은 정당한 사유에 해당하지 아니함.

세정-3069, 2005. 10. 6.

과밀억제권역 안인 서울에서 부동산을 경락받아 증축을 하였으나 본점 사업용으로 사용하지 않고 임대용으로 사용하고 있다면 취득세 중과세가 적용되지 않는 것임.

세정-1268, 2005. 6. 21.

대도시 안에 설립된 지 5년이 경과한 당해 법인이 대도시 안에 설립된 후 5년이 경과되지 아니한 법인과 합병하는 경우 합병당시 당해 법인에 대한 자산비율에 해당하는 부분은 등록세 중과세 대상으로 보지 않는 것임.

세정-562, 2005. 2. 1.

대도시 내에서 설립후 5년이 경과된 법인이 5년이 경과하지 아니한 법인을 흡수합병하고 소유권 이전된 부동산을 제3자에게 매각하는 경우 등록세 중과세 대상이 아님.

대도시 내 지점, 분사무소 설치에 따른 부동산취득과 관련된 예규, 판례

조심 2018지 2018, 2019. 7. 1.

청구법인의 지점인 ○○○타워에 인접해 있고 공중보행로로 연결되어 있으며 ○○○타워와 동일한 업태의 부동산 임대업을 영위하는 사업장으로, ○○○타워에 소재한 타워업무지원센터에서 일괄하여 관리를 총괄하고 있는 것으로 보여, 동일한 사업장으로 볼 수 있고, 청구법인은 이 건 부동산에 대하여 별도의 자동차관리사업을 등록 및 사업자등록도 신청하지 아니한 점 등을 볼 때 별개의 사업장이나 지점으로 보기 어려움.

대법 2016두 33872, 2016. 5. 12.

종전부터 존재하던 개인사업자 사무실을 법인이 승계취득하여 사용한 경우 취득세 등 중과대상 지점 등의 설치로 볼 수 있는지 여부 관련하여 개인사업자 사무실을 법인이 승계취득하여 지점으로 사용시는 중과대상 지점 등의 설치에 해당됨.

대법 2014두 1116, 2014. 5. 29.

동일 대도시 내에 있는 본점의 일부 기능을 법인이 신축한 건축물로 이전한 경우 본점사업용 부동산으로 보아 취득세를 중과세 할 수 있음.

대법 2012두 20984, 2014. 4. 10.

등록세 중과대상인 법인이 대도시 내로 전입 이전에 '본점의 용도로 직접 사용하기 위하여 취득하는 부동산'의 범위에 법인의 본점사무실 이외의 용도로 사용하는 법인이 인적·물적 설비를 갖추고 본점의 사업활동에 하는 장소도 중과대상에 해당함.

대법 2013두 15620, 2014. 2. 13.

경기 소재에 본점등기를 하고 있으나, 서울 소재 사무실에서 본점업무의 일부를 수행하고 있었던 경우, 당해 서울 사무소를 실질적인 본점으로 보아 경기도에서 서울시로 본점을 전입하기 위해 취득한 부동산에 대한 등록세 중과세를 배제할 수 있음[원고는 제조·판매회사로서 본점 등기가 된 경기 소재 부동산(총무, 업무·자재, 생산관리, 기술운영 등)이 서울사무소(자금경리·기획·영업·전산·무역 등)보다 근무인원과 사업장 규모가 큰 사례임].

조심 2013지 459, 2013. 6. 19.

청구법인은 대도시 내에서 지점 사업자등록을 필한 후 인적·물적 설비를 갖추고 대외적인 업무를 수행하고 있는 사실이 제출된 자료에 의하여 확인되는 이상 이 건 부동산은 지점설치에 따른 부동산으로서 취득세 중과세 대상에 해당한다 할 것임.

지방세운영-87, 2011. 1. 7.

법인 또는 지점 등이 그 설립·설치·전입 이전에 법인의 본점·주사무소·지점 또는 분사무소의 용도로 직접 사용하기 위하여 취득하는 부동산이란 당해 본점 또는 지점용 사무실 및 그 부대시설용 등을 의미하는 것으로, 직접 사용이 아닌 임대 등을 목적으로 취득한 부동산의 경우에는 등록세 중과 대상에 해당하지 아니하나, 이에 해당 여부는 과세권자가 사실관계 등을 확인하여 판단함.

지방세운영-87, 2011. 1. 7.

임대용 부동산에 사업자등록을 하였으나 당해 임대업을 영위하는 직원을 상주시키지 아니한 장소는 지점이 되지 않으며, 이 장소에 임대업을 영위하는 직원을 상주시키면 이 때 비로소 지점이 된다 할 것임.

조심 2010지 340, 2010. 7. 27.

법인이 부동산을 취득한 후 사업자등록을 필하고 대표이사 외 2명의 근로소득세 등을 이 건 부동산 소재지로 하여 납부하였다는 사실만으로는 인적·물적 설비를 갖추고 계속적인 영업활동 내지는 대외적인 업무를 수행하는 지점을 설치하였다고는 볼 수 없음.

조심 2009지 563, 2010. 5. 24.

대도시 내에서 공동주택 등을 신축한 주택건설법인의 판매시설부분 토지에 대하여 건축허가일을 기준으로 등록세를 중과세할 수 있음.

지방세운영-3656, 2009. 9. 9.

임대사업자가 수도권과밀억제권역 내 지점설치 전 임대하기 위하여 취득한 부동산 중 직접 임대부동산 관리를 위해 사용할 부분 이외의 임대용으로 사용하기 위한 부분은 등록세 중과대상이 아님.

지방세운영-2346, 2008. 11. 28.

대도시 외의 법인이 「법인세법 시행령」 제82조 제3항 제1호 내지 제3호의 요건을 갖춘 인적 분할로 법인(분할신설법인)을 신설하면서 종전의 법인(분할법인)으로부터 승계받은 대도시 내의 지점을 그 분할기일에 신규로 사업자등록을 한 후, 그 분할등기일로부터 5년이 경과하기 전에 당해 분할과는 무관하게 새로이 신축하여 취득한 건축물로 동 지점을 이전하는 경우라면, 동 건축물에 대한 부동산 등기는 「지방세법」 제138조 제1항 제3호 후단 소정의 등록세 중과세대상에 해당되는 것으로 판단됨.

지방세운영-706, 2008. 8. 20.

「유통산업발전법」 제8조 및 동법 시행규칙 제5조 제4항에 따라 대규모점포개설등록을 할 경우 대도시 내에서 지점 설치에 따른 부동산 등기시 등록세 중과세 대상에서 제외됨.

서울고법 2007누 31043, 2008. 6. 17.

관리사무소가 인적·물적 설비를 갖추고 원고 회사의 지휘·감독을 받으며 부동산임대와 관련한 업무를 수행하므로 실질적으로 지점으로서의 역할을 하고 있는 것으로 봄.

지방세운영-251, 2008. 6. 4.

지점에 사용할 부동산을 취득하는 경우 「지방세법」 제138조에 의한 등록세 중과규정을 적용함에 있어서 설립 후 5년의 기산일은 「부가가치세법」상 사업자등록일을 기준으로 판단함.

대법 2008두 969, 2008. 3. 27.

종전회사를 흡수합병하면서 그 지점을 소속만 합병회사의 지점으로 바꾸어 유지·존속한 것은 구 「지방세법」 제138조 제1항 제3호 후단에서 규정하는 대도시 내에서의 지점 설치에 해당함.

감심 2008-41, 2008. 2. 28.

등록세 중과시 지점이라 함은 「법인세법」·「부가가치세법」 또는 「소득세법」의 규정에 의하여 등록된 사업장으로서 그 명칭 여하를 불문하고 인적·물적 설비를 갖추고 계속하여 당해 법인의 사무 또는 사업이 행하여지는 장소임.

세정-5627, 2007. 12. 28.

등록세 중과대상이 되는 일체의 부동산등기라 함은 당해 법인(본점) 또는 당해 지점 등과 관계되어 그 설립 설치·전입 이후 5년 이내에 취득하는 일체의 부동산등기를 의미하는 것임.

세정-1185, 2007. 4. 12.

부동산 취득 등기 후 5년 이내에 당해 부동산에 지점을 설치하는 경우에는 법인 설립 후 5년 경과 여부에 관계없이 당해 지점에 대하여 등록세가 중과세되는 것임.

세정-921, 2007. 3. 30.

대도시 외에서 주택건설업 등을 목적사업으로 설립된 법인이 대도시로 본점을 이전하여 기존 주상복합건물의 건축과 관련된 업무를 하는 경우 주택건설을 위하여 취득한 부동산을 제외한 일체의 부동산은 등록세의 중과대상에 해당함.

대법 2003두 7620, 2006. 4. 27.

지점(설치후 5년 이내)과 본점(설치후 5년 경과) 모두에 관계되어 토지를 취득한 것이므로 부동산등기로서 중과세 대상은 지점에 관계되는 부분에 한함.

대도시 내로의 본점, 주사무소 전입에 따른 부동산취득과 관련된 예규, 판례

대법 2015두 55462, 2016. 2. 18.

대도시 외에 설립한 본점 외에 대도시 내에 업무 수행 사무실을 설치·운영한 경우 구 등록세 중과대상 대도시 내 본점 전입에 해당 여부 관련하여 대도시 외에서 인적·물적 설비를 유지하면서 중요한 의사결정 등 사업총괄 본점의 기능을 유지하였다면 대도시 내 전입에 해당되지 않음.

지방세운영-4794, 2010. 10. 11.

기존법인의 본점 사무소용 건축물보다 연면적을 증가하여 사용하는 경우에는 증가되는 부분에 대하여는 본점 사무소용 중과세 대상으로 과세함.

감심 2010-82, 2010. 7. 29.

하나의 법인이 성격이 현저히 다른 둘 이상의 사업을 영위하면서 부문으로 나누어 각각 독립된 별개의 인적·물적 설비를 갖추고 독립적으로 영업을 하고 있으면서 부문 전체를 통할하는 인적·물적 설비를 두지 않고 있는 경우에는 각 부분이 본점의 기능을 하는 것임.

조심 2009지 896, 2010. 7. 26.

본점 전입 이후 5년 이내에 부동산취득등기를 한 이상 임대 여부와 관계없이 당해 부동산을 포함한 부동산등기는 등록세 중과세 대상에 해당됨.

지방세운영-2248, 2009. 6. 5.

대도시 내에서 부동산을 취득·등기한 후 5년이 경과한 후에 동 대도시 내의 부동산에 법인의 본점·주사무소·지점 또는 분사무소 등을 설립·설치 또는 전입하는 경우 등록세 중과대상이 아님.

지방세운영-462, 2008. 6. 18.

특별시 외의 지역에서 특별시 내로 전입한 이후 5년이 경과되기 전에 물적 분할을 통하여 법인을 신설하고 등기하는 경우에는 그 등기에 대한 등록세를 중과세하는 것임.

대법 2008두 5742, 2008. 6. 12.

본점의 전입과는 아무런 관련없이 취득한 공장을 그 후의 사정변화로 인하여 본점으로 사용하게 된 경우에 해당하므로 대도시 내로의 법인의 본점 전입에 따른 부동산등기에 해당하지 아니함.

세정-716, 2008. 2. 22.

매출실적이 없는 법인이 임원 전원과 주주 전원 및 본점소재지를 이전한 다음 자본금 증자등기가 이루어진 경우 사실상 휴면상태에 있는 법인을 인수하여 사업을 재개한 것으로 보아 부동산 취득에 따른 등록세를 중과함.

세정-29, 2008. 1. 3.

5년 전부터 서울특별시 내의 다른 사무실을 임차하여 사실상 본점으로 사용하고 있는 상태에서 서울특별시 내의 부동산을 취득한 다음 이에 대한 등기를 하는 경우 등록세 중과대상이 아님.

지방세심사 2007-779, 2007. 12. 26.

부동산을 재고자산으로 회계처리하였으며 일시적으로 사용하였다 하여 이를 본점 전입에 따른 부동산 등기에 해당된다고 보지 못할 아무런 이유가 없으므로 등록세를 중과한 것은 정당함.

지방세심사 2007-663, 2007. 11. 26.

과밀억제권역 내에서 본점용 부동산을 소유하고 있다가 동 부동산을 매각하고 같은 과밀억제권역 내에서 본점용 부동산을 신축한 경우 취득세 중과세 대상에 해당함.

세정-993, 2007. 4. 4.

대도시지역에서 설립된 법인이 대도시 외 지역으로 이전한 후 다시 대도시 지역으로 이전한 경우 다시 대도시 지역으로 이전한 날부터 5년 이내에 취득하는 부동산은 등록세 중과대상에 해당함.

대법 2006두 2503, 2006. 6. 15.

등기부상 본점 소재지에는 직원의 일부만이 근무하고 대부분의 직원은 대도시 내에 상주하고 있어 대도시 내로 본점을 전입한 것으로 보아 등록세를 중과함.

세정-299, 2004. 3. 4.

대도시 내에서 대체취득하는 부동산에 대하여 등록세가 비과세 된 이후에 대도시 내로 본점을 전입하면서 당해 대체취득 부동산에 본점을 설치하는 경우에는 등록세가 중과세(당초 비과세 받은 금액 제외)되는 것임.

대도시 내로의 지점, 분사무소 전입에 따른 부동산취득과 관련된 예규, 판례

대법 2016두 39122, 2016. 7. 29.

원고의 사무실을 임차하여 주로 사용하는 별개의 법인 대표자와 원고의 대표자가 동일인인 경우로서 원고가 동 사무실을 간헐적으로 사용하는 경우 사실상 대도시 내 본·지점 사용으로 보아 중과세할 수 있는지 여부 관련하여 원고의 대표자와 별개 법인의 대표자가 동일인이라고 하더라도 원고가 별개의 법인에게 사무실을 임대하고서 간헐적으로 사용한 경우는 대도시 내 본·지점 사용(전입)으로 볼 수 없음.

대법 2014두 4023, 2014. 6. 26.

법인이 대도시 내에 위치한 골프사업용 부동산을 취득한 후 이를 다른 법인에게 임대가 아닌 위탁운영 형식으로 운영하는 경우에 있어, 위탁법인이 골프장 사업에 대한 지휘·감독권이 없고 수탁법인의 전적인 책임하에 운영하고 있는 경우에도 대도시 내 새로운 지점의 설치로 보아 취득세를 중과할 수 없음.

대법 2009두 607, 2009. 4. 9.

부동산의 전부가 당해 법인(본점) 또는 당해 지점 등에 사용되어야 하는 것은 아니라 하더라도 다른 지점 등과 관계되어 취득한 부동산의 등기는 등록세 중과세 대상이 아님.

조심 2008지 616, 2009. 2. 10.

대도시에서 분사무소를 설치 등기한지 5년이 경과한 법인이 같은 대도시 내로 분사무소 소재지를 이전등기하고 처음으로 사업자등록을 한 경우 중과세한 처분은 부당함.

지방세심사 2006-465, 2006. 10. 30.

지점이전용 건축물의 일부를 별도의 지점이 관리하고 있다는 사실만으로 부동산등기를 대도시 내로의 지점 전입 이후 5년 이내에 취득하는 부동산등기로 보아 중과한 처분은 타당하지 않음.

대도시에서 공장 신·증설에 따른 부동산 취득과 관련된 예규, 판례

대법 2008두 6325, 2008. 7. 10.

법인이 설립 후 5년 이내에 취득하는 일체의 부동산에 관한 등기로서 중과대상은 공장의 신설에 따르는 부동산등기도 포함됨.

세정-199, 2005. 12. 23.

공장의 설치가 금지 또는 제한된 지역안에서 개인사업자가 500㎡ 이상에 해당하는 자동차정비공장을 운영하기 위하여 사업용 과세물건을 취득하는 경우 취·등록세의 중과세 대상임.

세정-905, 2004. 4. 22.

주형 및 금형제조업은 「산업집적활성화 및 공장설립에 관한 법률」에서 규정하고 있는 첨단업종으로서 대도시 내에서 공장의 신설 또는 증설에 따른 부동산 등기시 등록세의 중과세 대상이 아님.

대도시 법인 중과세의 예외와 관련된 예규, 판례

대법 2019두 39918, 2019. 9. 10.

유통산업을 대도시 중과 제외 업종으로 규정하고 있고, 유통산업의 범위를 유통산업발전법에 따라 임대가 허용되는 유통산업발전법에 따른 대규모점포 만을 의미한다고 볼 근거가 없어 중소규모점포도 포함된다고 보아야 함.

대법 2013두 19844, 2014. 2. 13.

영화상영관을 대도시 내 중과 배제업종인 사회기반시설사업으로 볼 수 있는지 여부(사회기반시설사업 중 민간투자방식으로 설치한 시설물만 중과배제대상 사회기반시설로 볼 수 있는지) 관련하여 민간투자방식이 이외 방법으로 설치한 영화상영관도 등록세 중과배제 대상 사회기반시설사업에 해당함.

대법 2013두 20202, 2014. 1. 16.

모회사의 공사비 채권을 인수할 목적으로 설립된 법인이 모회사로부터 당해 공사비 채권을 인수하고 담보신탁물인 채무법인의 부동산을 취득한 후 당해 부동산 내의 시설을 운영하는 사업을 정상화시킨 후에 매각하기 위해 일시적으로 지점을 설치하고 사업을 영위한 경우라도 당해 부동산을 채권보전용 부동산으로 보아 등록세 중과세를 배제할 수 있음.

대법 2011두 5940, 2013. 12. 26.

대도시 내에서 신설법인이 대도시 내 등록세 중과대상에서 제외되는 주택건설용 토지를 취득한 이후, 대도시 내 설립된지 5년이 경과된 법인과 합병되어 당해 토지를 주택건설 이외의 용도로 사용하게 된 경우, 정당한 사유가 있다고 보아 존속법인에게 부과된 피합병법인의 등록세 중과세액을 취소할 수 없음.

대법 2011두 14777, 2013. 7. 12.

법인이 대도시 내에서 개인사업자로부터 사업을 포괄양수하면서 사업용부동산을 취득하는 경우 대도시 내 등록세 중과대상에서 배제안됨.

대법 2012두 28940, 2013. 5. 9.

사립학교 법인의 대도시 외에서 대도시 내로 주사무소 전입에 따른 등록세 중과를 적용함에 있어 법인설립으로 보아 과표 및 세율을 적용하기 때문에, 이를 등록세 비과세 대상인 사립학교 법인의 설립 등기로 보아 중과세를 배제할 수 있는지 여부 관련하여 사립학교법에 의한 학교법인 등의 '설립과 합병의 등기'에 대하여만 등록세 비과세 규정을 둔 것으로 비과세 및 중과배제 대상이 아님.

대법 2012두 6407, 2013. 2. 15.

주상복합아파트 상가부분의 부속토지를 대도시 내 취득세 중과제외 업종인 주택건설사업용 부동산으로 볼 수 있는지 여부 및 중과세액의 신고납부 기준일을 건축허가일, 건축착공일 및 착공유예기간(3년) 종료일 중 언제로 보아야 하는지 관련하여 상가부분 부속토지의 경우 대도시 내 취득세 중과대상에 해당하고, 건축착공일을 기준으로 중과세액을 신고납부하여야 함.

지방세운영-3440, 2012. 10. 29.

'채권을 보전하거나 행사할 목적'의 부동산 취득이라 함은 불량채권 등의 회수를 위한 방편으로서 일시적으로 부동산을 취득하는 것(구 행자부 세정 13407-677, 2001. 6. 20. 참조)으로 동 부동산을 취득한 후 당해 법인의 사업용이나 수익사업에 사용하는 경우에는 채권을 보전하기 위하여 일시적으로 취득한 부동산으로 볼 수 없는 것(구 행자부 심사결정 2006-310, 2006. 7. 31. 참조)이므로 채권보전용으로 취득한 경우라도 5년 내에 당해 부동산에 지점을 설치・사용하는 경우라면, 당해 부동산 취득은 지점의 설치에 따른 부동산 취득에 해당되어 취득한 부동산 중 지점설치와 직접 관련된 부분에 대하여는 취득세 중과세대상에 해당되는 것(행정안전부 지방세운영과 2009. 4. 30. 참조)이라고 할 것임.

지방세운영-1985, 2011. 4. 29.

취득건물의 사용용도가 판매 및 유통시설인 보관, 배송, 포장을 위한 장소에 해당되고 판매행위를 주업으로 하는 전자상거래업의 경우 취득 건물 중 상품의 판매와 이를 지원하는 용역의 제공에 직접 사용되는 부분은 유통산업용 부동산에 해당함.

3) 사치성 재산 등 중과(지세법 §13 ⑤)

다음의 사치성 부동산등을 취득하는 경우(별장 등을 구분하여 그 일부를 취득하는 경우 포함)의 취득세는 표준세율과 중과기준세율의 100분의 400을 합한 세율을 적용한다. 이 경우 골프장은 그 시설을 갖추어 「체육시설의 설치 · 이용에 관한 법률」에 따라 체육시설업의 등록(시설을 증설하여 변경등록하는 경우 포함)을 하는 경우 뿐만 아니라 등록을 하지 아니하더라도 사실상 골프장으로 사용하는 경우에도 적용하며, 별장 · 고급오락장에 부속된 토지의 경계가 명확하지 아니할 때에는 그 건축물 바닥면적의 10배에 해당하는 토지를 그 부속토지로 본다.

아울러, 당초 토지나 건축물의 취득시에는 상기 사치성 재산 등 중과에 해당하지 않았으나 취득 후 5년 이내에 해당 토지나 건축물이 사치성 재산 등 중과대상인 별장, 골프장, 고급주택 또는 고급오락장에 해당하게 된 경우에는 상기 세율을 적용하여 취득세를 추징하며(지세법 §16 ①), 별장, 골프장, 고급주택 또는 고급오락장용 건축물을 증축 · 개축 또는 개수한 경우와 일반건축물을 증축 · 개축 또는 개수하여 고급주택 또는 고급오락장이 된 경우에 그 증가되는 건축물의 가액에 대하여 적용할 취득세의 세율은 상기 세율을 적용한다.

① **별장** : 주거용 건축물로서 늘 주거용으로 사용하지 아니하고 휴양 · 피서 · 놀이 등의 용도로 사용하는 건축물과 그 부속토지(읍 · 면에 있는 대통령령으로 정하는 농어촌 주택과 부속토지는 제외)

② **골프장** : 「체육시설의 설치 · 이용에 관한 법률」에 따른 회원제 골프장용 부동산 중 구분등록의 대상이 되는 토지와 건축물 및 그 토지 상(上)의 입목

③ **고급주택** : 주거용 건축물 또는 그 부속토지의 면적과 가액이 대통령령으로 정하는 기준을 초과하거나 해당 건축물에 67제곱미터 이상의 수영장 등 대통령령으로 정하는 부대시설을 설치한 주거용 건축물과 그 부속토지. 다만, 주거용 건축물을 취득한 날부터 60일[상속의 경우 상속개시일이 속하는 달의 말일부터 6개월] 이내에 주거용이 아닌 용도로 사용하거나 고급주택이 아닌 용도로 사용하기 위하여 용도변경공사를 착공하는 경우는 제외

④ **고급오락장** : 도박장, 유흥주점영업장, 특수목욕장, 그 밖에 이와 유사한 용도에 사용되는 건축물과 그 부속토지. 다만, 고급오락장을 취득한 날부터 60일[상속으로 인한 경우는 6개월(납세자가 이루어 주소는 둔 경우는 9개월)] 이내에 고급오락장이 아닌 용도로 사용하거나 고급오락장이 아닌 용도로 사용하기 위하여 용도변경공사를 착공하는 경우는 제외

⑤ **고급선박** : 비업무용 자가용 선박(시가표준액 1억원 초과 선박으로 실험 · 실습 등의 용도에 사용할 목적으로 취득하는 것은 제외)

중과세 대상	세율예시	비고
1. 별장, 2. 골프장, 3. 고급주택, 4. 고급오락장, 5. 고급선박	· 건물신축 : 2.8%*+(2%×4배)=10.8% · 토지취득 : 4%**+(2%×4배)=12% · 고급주택취득 : 2-3%+(2%×4배)=10 - 11%	구취득세만 5배

* 건물신축시 표준세율 : 2.8%[구취득세 2% + 구등록세 0.8%(소유권보존등기)]

** 부속토지 취득시 표준세율 : 4%[구취득세 2% + 구등록세 2%(소유권이전등기)]

별장에서 제외되는 농어촌주택의 범위

주택이 읍·면지역에 위치해 있고, 아래 ①, ②, ③ 요건을 모두 갖춘 경우에 해당됨.

① 대지면적이 660제곱미터 이내이고 건축물의 연면적이 150제곱미터 이내일 것

② 건축물의 가액(영 제4조 제1항 제1호를 적용하여 산출한 가액)이 6,500만원 이내일 것

③ 아래 ㉮, ㉯, ㉰, ㉱의 어느 하나에 해당하는 지역에 있지 아니할 것

㉮ 광역시에 소속된 군지역 또는 「수도권정비계획법」 제2조 제1호에 따른 수도권 지역. 다만, 「접경지역지원법」 제2조 제1호에 다른 접경지역은 제외

㉯ 「국토의 계획 및 이용에 관한 법률」 제6조 및 제117조에 따른 도시지역 및 허가구역

㉰ 「소득세법」 제104조의 2 제1항에 따라 기획재정부장관이 지정하는 지역

㉱ 「조세특례제한법」 제99조의 4 제1항 제1호 가목 4)에 따라 정하는 지역

고급주택의 범위

아래 ①, ②, ③, ⑤의 경우에는 취득 당시의 시가표준액이 6억원을 초과하는 경우만 해당

① 1구의 건축물의 연면적(주차장면적 제외)이 331제곱미터를 초과하는 것으로서 그 건축물의 가액이 9천만원을 초과하는 주거용 건축물과 그 부속토지

② 1구의 건축물의 대지면적이 662제곱미터를 초과하는 것으로서 그 건축물의 가액이 9천만원을 초과하는 주거용 건축물과 그 부속토지

③ 1구의 건축물에 엘리베이터(적재하중 200킬로그램 이하의 소형엘리베이터 제외)가 설치된 주거용 건축물과 그 부속토지(공동주택과 그 부속토지 제외)

④ 1구의 건축물에 에스컬레이터 또는 67제곱미터 이상의 수영장 중 1개 이상의 시설이 설치된 주거용 건축물과 그 부속토지(공동주택과 그 부속토지 제외)

⑤ 1구의 공동주택(여러가구가 한 건축물에 거주할 수 있도록 건축한 다가구주택을 포함하되 이 경우 한 가구가 독립하여 거주할 수 있도록 구획된 부분은 각각 1구의 건축물로 본다)의 건축물 연면적(공용면적 제외)이 245제곱미터(복층형은 274제곱미터로 하되, 한 층의 면적이 245제곱미터를 초과하는 것은 제외)를 초과하는 공동주택과 그 부속토지

고급오락장의 범위

아래 ①, ②, ③, ④의 경우에는 해당

① 당사자 상호간에 재물을 걸고 우연한 결과에 따라 재물의 득실을 결정하는 카지노장(외국인 카지노는 제외)

② 사행행위 또는 도박행위에 제공될 수 있도록 자동도박기[파친코, 슬롯머신, 아케이드 이퀴프먼트(arcade equipment) 등을 말한다]를 설치한 장소

③ 머리와 얼굴에 대한 미용시설 외에 욕실 등을 부설한 장소로서 그 설비를 이용하기 위하여 정해진 요금을 지급하도록 시설된 미용실

④ 아래 ㉮, ㉯ 어느 하나에 해당하는 유흥주점(공용면적 포함하여 100제곱미터를 초과하는 경우만 해당됨)

㉮ 손님이 춤을 출 수 있도록 객석과 구분된 무도장을 설치한 영업장소(카바레 · 나이트클럽 · 디스코클럽 등을 말한다)

㉯ 유흥접객원(임시로 고용된 사람을 포함한다)을 두는 경우로, 별도로 반영구적으로 구획된 객실의 면적이 영업장 전용면적의 100분의 50 이상이거나 객실 수가 5개 이상인 영업장소(룸살롱, 요정 등을 말한다)

관련예규 및 판례요약

사치성 재산의 중과 : 지세법 §13 ⑤

별장과 관련된 예규, 판례

대법 2016두 38365, 2016. 8. 19.

관광진흥법에서 규정한 숙박시설인 휴양콘도미니엄을 주거용 건축물을 대상으로 하는 별장으로 보아 취득세를 중과세할 수 있는지 여부 관련하여 숙박시설인 휴양콘도미니엄이라도 휴양 · 피서 등 별장으로 사용시는 지방세 중과대상에 해당됨.

대법 2014두 12529, 2015. 3. 12.

고도의 보안을 요하는 관련 업무 처리를 위해 사무실 이외 장소에서 업무 협의 용도로 사용하였고 임직원들의 휴양 · 피서 · 위락 등의 용도로 사용하지 않은 경우 별장으로 볼 수 있음.

대법 2013두 21465, 2014. 2. 14.

공유제 방식의 콘도를 특정인 또는 특정법인이 독점적 배타적으로 이용하고 있는 경우 이를 별장으로 보아 취득세를 중과세할 수 있음(이 사건의 경우 매점 등 부대시설이 없고 숙박 명부 등이 비치되어 있지 아니하였으며, 상시 주거하지도 아니한 사례임).

조심 2012지 292, 2012. 9. 26.

특정 콘도미니엄에 대한 소유권을 전용으로 소유하고 있으면서 타인은 일체 사용할 수 없고, 소유권자만이 독자적・배타적으로 이용하면서 상시 주거용이 아닌 휴양・피서・위락용 등의 용도로만 사용되는 경우에는 숙박시설로는 볼 수 없다 할 것이므로 취득세가 중과세되는 별장으로 보아야 할 것임.

대법 2012두 11676, 2012. 9. 13.

건물부분의 소유는 회사이고 부속토지 부분의 소유는 개인인 경우에도 별장으로 보아 취득세를 중과할 수 있는지 여부와 관련하여 건물 및 부속토지의 구분소유와 관계없이 중과할 수 있음.

감심 2011-8, 2011. 1. 13.

소유권자만이 독자적・배타적으로 이용하면서 상시 주거용・업무용이 아닌 임・직원의 휴양시설 등으로 사용되고 있으므로 취득세 중과세율 적용대상인 별장에 해당됨.

감심 2008-324, 2008. 12. 11.

건축물의 실제 운영현황(세미나 및 워크숍 등을 실시)을 고려하지 아니하고 단지 휴일에 휴양시설로 사용하고 있다는 사유만으로 별장으로 보아 과세한 처분은 부당함.

지방세심사 2007-640, 2007. 11. 26.

연간 190여 일을 거주하였고 이러한 거주사실이 전기사용량 등에서 확인되더라도 주말에만 사용하는 등 상시 거주하는 주택으로 볼 수 없으므로 별장으로 보아 중과세한 것은 정당함.

세정-5973, 2006. 12. 1.

고객상담 및 주중에만 대표이사 숙소용으로 사용하는 오피스텔은 취득세 중과대상 별장에 해당하지 아니하며, 대도시 내에서 설립 후 5년이 경과된 법인이 취득하는 부동산은 등록세 중과대상이 아님.

대법 2006두 4806, 2006. 6. 29.

전통 문화재 보관 장소로 활용하고 있을 뿐 휴양, 위락 등의 용도로는 사용하지 않고 있어 별장으로 보지 않음.

지방세심사 2006-110, 2006. 3. 27.

별장을 관리하고 있는 관리인이 상시 주거용으로 사용하고 있는 단독주택은 별장으로 볼 수 없음.

지방세심사 2005-223, 2005. 7. 25.

주택으로 전입신고하기는 하였으나 상시 거주하지 아니하고 휴양 등의 용도로 사용하는 건축물에 해당하므로 취득세 등의 중과세대상에 해당함.

세정-960, 2005 3. 2.

법인 소유 오피스텔이 종업원들의 본점 출장용 숙소로 사용할 경우 취득세 중과대상 별장에 해당하지 않음.

지방세심사 2001-366, 2001. 7. 30.

법인이 취득한 주택을 상시 주거용으로 사용하지 않고, 임·직원의 휴양용 또는 외국바이어의 접대용 숙소인 '별장'으로 보아 취득세 중과세한 사례는 적법.

지방세심사 2001-267, 2001. 5. 28.

상속으로 취득한 주택을 상시 주거용으로 사용하지 않으며 매각 또는 임대를 추진한 사실입증 안 되고 휴양 등에 적합한 전원주택단지에 있어 '별장'으로 보아 취득세 중과세함.

골프장과 관련된 예규, 판례

조심 2009지 723, 2010. 4. 1.

골프장내 조경 및 차폐기능을 위하여 수목을 집단적으로 식재하여 생육하고 있는 경우에도 당해 수목은 취득세 과세대상 입목에 해당되며 취득세 중과대상임.

조심 2009지 785, 2010. 2. 4.

원형보존 토지가 골프장 경계구역 밖에 소재한 자연림 상태의 임야로 골프코스 등과는 상당한 거리를 사이에 두고 위치하고 있다면 주된 용도가 임야에 해당하는 것으로 보는 것이 타당함.

지방세운영-5411, 2009. 12. 22.

회원제 골프장과 병설 운영되는 대중제 골프장 내의 '조정지'가 회원제 골프장 코스와의 사이에 위치한 경우 비록 대중제 골프장으로 등록되어 있다 하더라도 실제 현황이 회원제 골프장 코스의 일부로 사용되는 등 회원제 골프장과 대중제 골프장에 공동이용으로 인정할 만한 사정이 있다면 그 조정지 전체를 대중제 골프장으로 보아 일반세율만을 적용할 수는 없고, 실제 회원제 골프장으로 사용되는 부분을 안분계산하여 사실상 회원제 골프장으로 사용되는 부분에 대하여는 중과세하여야 할 것임.

대법 2008두 7175, 2008. 8. 21.

골프장을 준공하기 이전이라도 골프장의 이용대상, 이용의 목적, 이용에 따른 대가의 징수여부 등 제반사정에 비추어 골프장을 실질적인 사업운영의 목적으로 사용하는 경우 중과세 취득세를 부과함.

세정-5564, 2007. 12. 24.

「체육시설의 설치・이용에 관한 법률 시행령」 제20조 제4항 본문 및 제4호에서 관리시설 및 그 부속토지를 구분등록 대상으로 하면서, 사무실・휴게실・매점・창고 기타 골프장 안의 모든 건축물을 포함하되, 수용장・테니스장・골프연습장・연수시설・오수처리시설 및 태양열 이용설비 등 골프장의 용도에 직접 사용되지 아니하는 건축물을 제외한다고 규정되어 있으므로 회원제 골프장 내에 위치한 골프텔이 골프장 이용객과 골프장을 운영하는 법인 소속 직원들의 숙소로 제공되는 경우라면 당해 골프장의 용도에 직접 사용되는 건축물로 볼 수 없음.

행법 2007구합 1252, 2007. 10. 11.

골프장을 준공하기 이전이라도 골프장의 이용 대상, 이용의 목적, 이용에 따른 대가의 징수 여부 등 제반사정에 비추어 골프장을 실질적인 사업운영의 목적으로 사용하는 경우 중과세 취득세를 부과할 수 있음.

세정-2793, 2007. 7. 19.

골프장용 부동산 구분등록 제외대상 토지상에 위치한 물탱크는 취득세 중과대상이 아니나, 구분등록대상 토지 지하에 설치된 지하댐은 중과대상임.

세정-2509, 2007. 7. 2.

골프장을 조성 중인 상태에서 코스와 조경계획 등 불합리한 부분을 점검하고자 일정기간 동안만 한시적으로 골프회원권을 취득한 회원들을 초청하여 무료로 코스시설을 사용하는 경우 취득세 납세의무가 없음.

세정-6044, 2006. 12. 6.

골프장 사업자에게 골프회원권의 잔금을 지급하지 아니한 상태에서 제3자에게 다시 전매한 경우에는 사실상 골프회원권을 취득하지 아니한 것이므로 골프회원권 취득에 따른 취득세 납세의무는 없음.

지방세심사 2006-449, 2006. 10. 30.

골프장 조성공사가 완료되어 등록되기 전에 형질변경 준공인가된 경우 지목변경이 완료된 시기를 조성공사가 완료된 시기로 봄.

세정-4873, 2006. 10. 9.

골프장을 건설하기 위하여 공부상으로만 체육용지로 지목변경된 국유지를 취득한 경우라 하더라도 취득세의 중과세대상이 되는 것임.

세정-1677, 2006. 4. 26.

우수에 따른 골프장 피해 방지를 위해 골프장으로 구분등록 대상이 아닌 골프장 옆 원형보존지 도랑을 정비하여 배수로를 설치한 것이라면 취득세 중과세대상이 되지 아니함.

지법 2005구합 2206, 2006. 4. 20.

2004. 6. 30. 이전에 골프장 등록을 하지 않은 채 사실상 골프장으로 사용하고 있는 골프장은 2004. 7. 1.부터 사실상 골프장으로 사용한 것으로 보아 취득세가 중과됨.

지방세심사 2005-540, 2005. 12. 26.

회원제 골프장 내 설치한 스프링쿨러는 취득세 중과대상에 해당함.

세정-2547, 2005. 9. 7.

골프장 코스 완공일과 클럽하우스 완공일 간의 시차가 발생하여 골프장 코스를 점검하기 위하여 회원들을 초청하여 요금을 받지 않고 연습라운딩을 하는 것은 사실상 골프장을 사용했다고 보기 어려움.

지방세심사 2005-231, 2005. 7. 25.

회원제 골프장을 취득한 것이 아니라 골프장을 조성중인 부동산을 취득한 것으로 시범라운딩을 개시함으로써 비로소 중과대상인 회원제 골프장을 최초로 취득하는 것으로 보는 것임.

세정-3874, 2004. 11. 3.

신규로 골프장을 조성하여 등록하기 직전에 시설점검을 위하여 일시적으로 일정기간 동안만 소수의 인원이 시설사용료(Green Fee) 없이 사용하였다면 사실상 골프장으로 사용하는 경우가 아니므로 취득세 중과세율 적용대상에 해당하지 아니함.

세정-3669, 2004. 10. 22.

인접골프장 토지 일부를 취득한 후 형질변경으로 증설변경등록을 하였다면 증설부분 중 구분등록대상이 되는 토지와 건축물은 취득세 중과세대상에 해당함.

세정-3161, 2004. 9. 22.

대중골프장은 중과세대상 아니고, 대중골프장 내의 건축물은 사용승인서교부일을 토지는 지목이 변경된 날을 취득일로 보되 공부상 지목변경 전에 사실상 사용을 개시한 경우는 사실상 사용일이 취득일이 됨.

대법 2002두 10650, 2003. 2. 11.

골프장 코스 및 클럽하우스 주변에 조경용으로 식재한 '수목' 등에 대해, 독립된 물건으로 그 소유권을 공시하는 '명인방법'을 취한 것이 아니므로, 골프장 토지의 지목변경에 의한 간주취득의 과세표준에 포함됨.

대법 2002두 10650, 2003. 2. 11.

골프장용 토지의 지목변경에 의한 간주취득시기는 골프장 조성공사가 준공되어 체육용지로 지목변경되는 때이므로, 토목공사는 물론 잔디파종 및 식재비용, 임목의 이식비용 등은 취득세 과세표준에 포함되고 중과세율이 적용됨.

세정 13407-1165, 2002. 12. 9.

골프장은 그 시설을 갖추어 체육시설업의 등록시(또는 증설해 변경등록시)에 한해 취득세 중과세되므로, 골프장에 대한 과점주주의 취득세는 중과세되지 않음.

세정 13407-1048, 2002. 11. 6.

신설회원제 골프장 내 입목을 식재하여 지목변경일 전에 입목등기를 한 경우, 토지가 지목변경됐더라도 당해 입목을 토지의 과세표준에 포함해 중과세할 수 없음.

지방세심사 2002-278, 2002. 7. 29.

골프장용 토지의 경우, 취득세 중과세 납세의무가 성립한 체육시설업 등록일 이후 5년 내의 지목변경에 소요된 비용은 취득세 중과세대상임.

고급주택과 관련된 예규, 판례

대법 2016두 54725, 2017. 1. 18.

경매로 취득한 건물의 주차장이 주거공간으로 불법 개조되어 있는 사실을 확인하고 부동산 인도일부터 1개월이 지난 후 착공하여 주차장으로 원상복구한 경우 고급주택에 해당되는지 여부 관련하여 고급주택 중과세 제외는 취득일부터 30일 내 용도변경 공사에 착공한 경우이므로 인도일부터 30일이 지나 착공시는 중과세에 해당됨.

대법 2016두 41958, 2016. 8. 26.

고급주택으로 사용·수익할 의사 없이 1년 이내에 매도하여 당초 채권보전 목적을 달성한 경우에도 취득세 중과세대상에 해당되는지 여부 관련하여 채권보전 목적이나 고급주택으로 사용 여부와는 별개로 취득 당시에 고급주택에 해당되면 취득세 중과세대상에 해당됨.

대법 2014두 38040, 2014. 10. 30.

주택 주위에 설치되어 있는 울타리 내에 있는 농수로를 복개한 후 그 위에 잔디와 수목을 식재한 경우 해당 농수로용 토지를 주택의 부속토지에 포함하여 고급주택으로 보아 취득세를 중과세 할 수 있는지 여부 관련하여 주된 목적이 농수로로 사용하기 위한 것인 이상 일부 구거 경관에 기여하였다고 하여 주택을 부속토지로 지목변경 된 것으로 보아 간주취득세 부과 못함.

대법 2014두 37351, 2014. 9. 24.

1구내에 위치한 지목이 전, 과수원으로 되어 있는 토지가 사실상 주택의 텃밭으로 사용되고 있고, 본체와 별도 건축되어 있는 주택의 부속건물이 관리동 수준에 불과한 경우 이를 1구의 건물 및 그 부속토지로 보아 고급주택 중과세 대상에 해당함.

대법 2013두 12126, 2013. 9. 26.

옥탑면적이 건축법에 따라 공부상 연면적에 포함되지는 아니하였으나 실제 주택과 일체를 이루어 주거용으로 쓰일 구조를 가지고 있다면 고급주택의 판단기준인 연면적에 산입대상임.

대법 2013두 3474, 2013. 5. 23.

건물 내 부설주차장 면적 중 고급오락장 부분에 해당하는 안분면적을 포함하여 취득세 중과 대상인 고급오락장에 해당하는지 여부를 판단하는 것이 적법함(원고는 공용주차장이 건물내 함께 위치한 모텔전용으로 사용되므로 고급오락장 면적에 포함할 수 없다는 주장임).

대법 2012두 18608, 2012. 11. 29.

지하층과 1층 간의 내부통로를 합판으로 막아 놓은 경우, 각층을 독립된 1구의 주택으로 보아 각 층의 면적이 고급주택을 요건에 미달하는 경우 취득세 중과를 배제할 수 있음.

대법 2012두 2191, 2012. 5. 10.

건축물 사용승인 후 추가로 다락방에 돌음계단을 설치하고 PIT실에 출입문을 설치하는 공사를 한 경우 해당 면적을 포함하여 취득세 중과대상 고급주택 여부를 판단하는 것이 타당함.

지방세운영-4023, 2011. 8. 26.

발코니란 건축물의 내부와 외부를 연결하는 완충공간으로서 전망이나 휴식등의 목적으로 건축물 외벽에 접하여 부가적으로 설치되는 공간으로서 건물 외벽 밖으로 돌출된 외부 개방형 발코니 뿐만 아니라, 건물 본체와 일체로 조적 벽체를 세우고 창호를 설치하는 등 본체와 유사하게 설치하여 건축물 내부면적이 증가하는 효과를 가져오는 내부형 발코니(커튼월)의 경우라도 건축물 관리대장 등 공부상으로 건축물의 연면적에서 제외되는 서비스 면적에 해당되는 경우 취득세 중과대상 고급주택 연면적 계산에서도 제외된다(대법 2009두 23419, 2010. 9. 9.)고 할 것이므로 사용검사일전에 주거용으로 확장되는 경우라도 발코니 면적이 공동주택 건축물의 연면적에서 제외되는 서비스 면적에 해당되는 경우라면 고급주택 연면적 계산에서 제외함이 타당함.

대법 2008두 16919, 2008. 12. 11.

고급주택이 아닌 용도로 변경은 단순히 건축물의 용도변경 신고를 한 것만으로는 부족하고 구체적으로 용도변경공사에 착공한 것으로 볼 수 있을만한 건축행위가 있어야 함.

지방세운영-2230, 2008. 11. 20.

고급주택인지의 여부를 판단함에 있어 건물의 가액이 9,000만원을 초과하는지 여부는 시가표준액이 9,000만원을 초과하는지 여부에 따라 판단함.

대법 2008두 7243, 2008. 7. 10.

고급주택 판정시 1구의 주택에 부속된 토지인지 여부는 당해 토지의 취득 당시 현황과 이용실태에 의하여 결정되고 토지의 권리관계·소유형태 또는 필지수를 불문하는 것임.

지방세심사 2007-788, 2007. 12. 26.

건축물대상장 각층에 각각의 세대가 독립하여 거주할 수 있는 다가구주택으로 등재되어 있으나 각층이 내부계단으로 연결되어 있고 사실상 1세대가 단독으로 사용하는 경우 고급주택으로 봄.

세정-5158, 2007. 12. 3.

공부상으로는 주거용 건물로 등재되어 있으나 실제로는 주거 이외의 용도로 쓰여지는 부분이 있으면 이러한 부분은 제외하고 고급주택 해당여부를 결정하는 것이 타당함.

지방세심사 2007-645, 2007. 11. 26.

주택의 효용과 편익을 위하여 하나의 주거생활단위로 제공되고 있는 것이라면 독점적·배타적으로 사용 가능한지 여부를 불문하고 1구의 건물에 포함된다 할 것임.

지방세심사 2007-646, 2007. 11. 26.

단독주택 1구의 부속토지의 면적이 실제 면적으로 처리되어 사실상 사용하지 않을 경우에도 이를 고급주택 요건인 1구의 대지면적에 포함되는 것임.

지방세심사 2007-647, 2007. 11. 26.

공동주택이 공용면적을 제외한 면적으로 시행령 규정상 기준면적(245m^2)보다 초과된 이상 중과세율로 취득세 등을 부과한 처분은 정당함.

감심 2007-73, 2007. 7. 12.

실내수영장과 헬스장의 경우 주택의 거주자가 내부에서 출입할 수 있고 외부인이 출입할 수 없는 구조로 되어 있어 주택의 일부로 보아 고급주택 여부를 판단함.

지방세심사 2007-237, 2007. 4. 30.

주택 내에 있는 주차장과 기계실은 고급주택을 판단하는 시가표준액에 포함됨.

세정-164, 2007. 2. 9.

1구의 건물의 대지면적이 662제곱미터를 초과하는 대지에 주택과 보일러실, 창고, 개인찜질방이 있는 경우 주택 부속시설로서 건축물 가액의 합계액이 9천만원을 초과하는 경우 고급주택에 해당됨.

지방세심사 2007-13, 2007. 1. 29.

취득세에 있어 과세관청이 자진신고납부서나 자납용고지서를 교부하는 행위는 납세의무자의 편의를 도모하기 위한 단순한 사무행위에 불과하므로 신고납부에 대한 책임은 납세자에게 있음.

지방세심사 2007-14, 2007. 1. 29.

담당공무원이 발부한 신고납부서대로 취득세 등을 신고한 경우에도 중과세대상(고급주택)임이 확인되어 추징하는 경우 가산세를 포함하여 부과한 것은 적법함.

지방세심사 2007-15, 2007. 1. 29.

주택과 경제적 일체를 이루고 있는 토지로서 사회통념상 주거생활공간으로 인정되는 대지로 보는 것이 합당하므로 고급주택의 부수토지로 보아 취득세를 중과한 것은 정당함.

지방세심사 2006-1122, 2006. 12. 27.

고급주택의 부속토지의 일부를 증여 취득한 경우 취득세가 중과됨.

지방세심사 2005-542, 2005. 12. 26.

동일 필지상에 위치한 고급주택과 창고시설이 창고시설의 벽면과 철조망 등으로 경계되어 있는 경우 동일 필지를 1구 내의 토지로 보아 건축물이 차지하는 면적비율에 따라 안분계산함.

지방세심사 2005-469, 2005. 10. 31.

일부 면적만 농작물을 경작하고 나머지 면적을 정원수를 식재하여 정원으로 조성한 경우 농지로 볼 수 없어 고급주택의 부속토지로 취득세 등을 부과함.

감심 2005-114, 2005. 10. 27.

주거용 건물과 한울타리 안에 있는 토지는 특별한 용도구분이 있는 등 다른 사정이 없는 한 주택의 부수토지로 봄.

감심 2004-113, 2005. 9. 16.

당해 주택의 부속주차장 및 전용진입로는 고급주택의 부속토지에 해당함.

지방세심사 2005-233, 2005. 7. 25.

주택신축 취득 당시 고급주택의 요건을 갖추고 있고 주택취득일 30일 이내에 주거용 건축물이 아닌 용도로 사용하거나 고급주택이 아닌 용도로 사용하기 위하여 용도변경공사를 착공한 사실도 없으므로 중과대상임.

지방세심사 2005-234, 2005. 7. 25.

지하층이 대피소이고 창고로 사용되고 있다고 하나 당해 건물 취득 당시 주거용으로 즉시 사용이 가능한 상태였으므로 고급주택에 해당함.

대법 2004두 7788, 2004. 10. 27.

취득 후 30일 이내에 고급주택이 아닌 용도로 용도변경공사에 착수하였다고 볼 수 없다면 고급주택에서 제외될 수 없고, 고급주택의 판정에서 부속토지인지 여부는 토지의 취득 당시 현황과 이용실태에 의하여 결정되고 토지의 권리관계·소유형태 또는 필지수를 불문함.

세정-3677, 2004. 10. 22.

피상속인(아버지)이 고급주택인 건물 소유권의 2분의 1과 그 부속토지의 전부를 소유하고 있던 것을 상속인(어머니, 자녀)이 상속받을 경우 「지방세법」 제112조 제2항 및 동법 시행령 제84조의 3 제6항에서 규정하는 고급주택을 2인 이상이 구분하여 취득하는 경우에 해당되므로 고급주택을 취득하는 데 따른 중과세 적용대상이 되는 것임.

지방세심사 2004-251, 2004. 8. 30.

아파트신축부지로 사용하기 위하여 고급주택을 취득한 후 30일 이내에 공동주택 건축허가 신청도 없이 단지 철거·멸실 신고접수와 철거공사 도급계약만 있고 철거공사를 착공도 하지 않았다면 고급주택에 해당함.

지방세심사 2004-200, 2004. 7. 26.

타인 소유의 토지를 포함하여야 고급주택 요건에 해당하지만 실질이 동 주택의 부수토지로 이용되고 있다면 이에 대한 취득세 중과세율 적용이 타당함.

지방세심사 2003-123, 2003. 6. 30.

잔디와 정원수가 식재된 토지가 주택의 담장에 의해 경계가 구분되나 출입이 자유롭고 주택의 정원으로 배타적으로 사용할 수 있어, '고급주택' 판정시 대지면적에 포함됨.

지방세심사 2003-85, 2003. 4. 28.

전용면적 245m^2 초과 공동주택으로 시공 및 사용승인을 받아 '고급주택'으로 취득세 중과세된 후, 창고나 보일러실을 발코니 시설로 변경해 전용면적이 245m^2 이하가 된 경우, 당초 취득세 중과세분 정당함.

감심 2002-177, 2002. 11. 19.

층별로 2가구가 주거할 수 있는 다가구용 단독주택으로 사용승인 받은 후, 왕래할 수 있도록 내부구조를 변경해 1세대에 임대한 경우, '1구의 고급주택'으로 본 사례

지방세심사 2002-341, 2002. 9. 30.

지상 1층과 지상 2·3층이 각각 별도의 출입구를 갖추고 있더라도 각각 독립된 1구의 주택으로 볼 수 없어 고급주택에 해당하는 사례

세정 13407-664, 2002. 7. 19.

공동주택의 하층면적이 245m²를 초과하는 경우로서 상층면적이 8.69m²에 불과하다면 '복층형 공동주택'으로 볼 수 없어 고급주택에 해당함.

감심 2002-117, 2002. 7. 16.

지하 1층 및 지상 2층의 다가구주택이 구조상 내부계단으로 연결돼 하나의 주거생활 단위로 제공되므로 '1구의 건물'로 보아 '고급주택'에 해당하는 사례

고급오락장과 관련된 예규, 판례

조심 2018지 951, 2019. 3. 19.

노래연습장의 등록을 한 임차인이 단순히 주류판매 및 주류반입 등을 이유로 행정처분을 받았다는 사실만으로 이 건 노래연습장을 곧바로 주로 주류와 음식물을 조리·판매하고 유흥접객원을 둘 수 있는 룸살롱 등으로 보기는 어려운 점 등에 비추어 청구인이 소유한 쟁점부동산을 고급오락장(유흥주점영업장)으로 보아 취득세를 중과세한 처분은 잘못이 있음.

대법 2016두 41873, 2016. 8. 24.

중과대상 유흥주점이라도 지특법 제94조에 따라 취득일부터 1년 이내에 업무용으로 직접 사용한다면, 취득일부터 30일 이내에 다른 용도로 사용 또는 용도변경공사에 착공하지 않았다고 하더라도 지특법 제93조의 감면 제외대상에 해당되지 않는다고 볼 수 있는지 여부 관련하여 1년 이내에 감면대상 업무용으로 직접 사용한다고 하더라도 취득일부터 30일 이내 용도변경공사에 미착공한 경우라면 지특법 제93조의 감면 제외대상에 해당되지 않음.

다. 세율 특례

2010년 구취득세와 구등록세 통합전에 1개 세목만 비과세가 되는 경우를 특례세율로 규정하여 통합에도 불구하고 종전 세부담을 유지하기 위한 특례임.

1) 형식적 취득 등의 세율적용 특례

다음의 어느 하나에 해당하는 형식적 취득에 대한 취득세의 세율은 표준세율에서 중과기

준세율을 뺀 세율로 하되, 「지방세법」 제11조 제1항 제8호에 따른 주택의 취득에 대한 취득세는 해당 세율에 100분의 50을 곱한 세율을 적용한다. 다만, 취득물건이 「지방세법」 제13조 제2항에 따른 '대도시 법인 설립 중과'에 해당하는 경우에는 표준세율에서 중과기준세율을 뺀 세율의 100분의 300을 적용한다.

① 환매등기를 병행하는 부동산의 매매로서 환매기간 내에 매도자가 환매한 경우의 그 매도자와 매수자의 취득

② 상속으로 인한 취득 중 다음 각 목의 어느 하나에 해당하는 취득

가. 대통령령으로 정하는 1가구 1주택 및 그 부속토지의 취득

나. 「지방세특례제한법」 제6조 제1항에 따라 취득세의 감면대상이 되는 농지의 취득

③ 법인의 합병으로 인한 취득. 다만, 법인의 합병으로 인하여 취득한 과세물건이 합병 후에 제16조에 따른 과세물건에 해당하게 되는 경우는 그러하지 아니하다.

④ 공유물의 분할 또는 「부동산 실권리자명의 등기에 관한 법률」 제2조 제1호 나목에서 규정하고 있는 부동산의 공유권 해소를 위한 지분이전으로 인한 취득(등기부등본상 본인 지분을 초과하는 부분의 경우에는 제외한다)

⑤ 건축물의 이전으로 인한 취득. 다만, 이전한 건축물의 가액이 종전 건축물의 가액을 초과하는 경우에 그 초과하는 가액에 대하여는 그러하지 아니하다.

⑥ 「민법」 제834조 및 제839조의 2 및 제840조에 따른 재산분할로 인한 취득

⑦ 그 밖의 형식적인 취득 등 대통령령으로 정하는 취득

구 등록세만 과세되는 세율의 특례 예시

세율특례 대상		세율예시
舊 취득세만 비과세되는 경우	1. 환매기 병행 부동산 환매기간 내 취득	• 토지 유상취득 : 4% − 2% = 2%
	2. 상속으로 인한 취득 − 1가구 1주택 − 자경농지	• 주택상속 : 1 − 3%×50% = 0.5 − 1.5% • 농지상속 : 2.3% − 2% = 0.3%
	3. 법인합병으로 인한 취득	• 토지 무상취득 : 3.5% − 2% = 1.5%
	4. 공유물 분할	• 공유토지 분할 : 2.3% − 2% = 0.3%
	5. 건축물의 이전	• 건물신축 이전 : 2.8% − 2% = 0.8%
	6. 이혼에 따른 재산분할	• 토지 재산분할 : 3.5% − 2% = 1.5%
	7. 원목생산을 위한 입목 취득	• 입목 취득 : 2% − 2% = 0%

관련예규 및 판례요약

대법 2016두 36864, 2016. 8. 30.

재판상 이혼에도 불구하고 사실혼 관계를 유지하다가 사실혼 관계를 해소하면서 재산분할이 이루어진 경우 지방세법 제15조 제1항 제6호에 따른 '재산분할로 인한 취득'으로 볼 수 있는지 여부 관련하여 사실혼 해소 관련 재산분할도 지방세법 제15조 제1항 제6호에 따른 '재산분할로 인한 취득'에 해당됨.

2) 등기 · 등록이 필요하지 않은 취득 등의 세율적용 특례

다음의 어느 하나에 해당하는 취득에 대하여는 중과기준세율을 적용하되 취득물건이 「지방세법」 제13조 제1항 '과밀억제권역 안 취득 등 중과'에 해당하는 경우에는 중과기준세율의 100분의 300을, 같은 조 제5항 '사치성 재산 등 중과'에 해당하는 경우에는 중과기준세율의 100분의 500을 각각 적용한다.

① 개수로 인한 취득(「지방세법」 제11조 제3항에 해당하는 경우는 제외한다). 이 경우 과세표준은 같은 법 제10조 제3항에 따른다.

② 「지방세법」 제7조 제4항에 따른 선박 · 차량과 기계장비 및 토지의 가액 증가. 이 경우 과세표준은 같은 법 제10조 제3항에 따른다.

③ 「지방세법」 제7조 제5항에 따른 과점주주의 취득. 이 경우 과세표준은 같은 법 제10조 제4항에 따른다.

④ 「지방세법」 제7조 제6항에 따라 외국인 소유의 취득세 과세대상 물건(차량, 기계장비, 항공기 및 선박만 해당한다)을 임차하여 수입하는 경우의 취득(연부로 취득하는 경우로 한정한다)

⑤ 「지방세법」 제7조 제9항에 따른 시설대여업자의 건설기계 또는 차량 취득

⑥ 「지방세법」 제7조 제10항에 따른 취득대금을 지급한 자의 기계장비 또는 차량 취득. 다만, 기계장비 또는 차량을 취득하면서 기계장비대여업자 또는 운수업체의 명의로 등록하는 경우로 한정한다.

⑦ 「지방세법」 제7조 제14항 본문에 따른 토지의 소유자의 취득

⑧ 「지방세법」 제5조에 따른 레저시설, 저장시설, 도크시설 및 접안시설, 도관시설, 급수 · 배수시설, 에너지 공급시설의 취득

⑨ 무덤과 이에 접속된 부속시설물의 부지로 사용되는 토지로서 지적공부상 지목이 묘지인 토지의 취득

⑩ 법 제9조 제5항 단서에 해당하는 임시건축물의 취득

⑪ 「여신전문금융업법」 제33조 제1항에 따라 건설기계나 차량을 등록한 대여시설이용자가 그 시설대여업자로부터 취득하는 건설기계 또는 차량의 취득

⑫ 건축물을 건축하여 취득하는 경우로서 그 건축물에 대하여 법 제28조 제1항 제1호 가목 또는 나목에 따른 소유권의 보존 등기 또는 소유권의 이전 등기에 대한 등록면허세 납세의무가 성립한 후 제20조에 따른 취득시기가 도래하는 건축물의 취득

구 등록세만 과세되는 세율의 특례 예시

세율특례 대상		세율예시
舊 등록세만 비과세되는 경우	1. 개수로 인한 취득	• 2%(중과기준 세율) – 세목 통합전 취득세만 과세
	2. 선박등 용도변경, 지목변경	
	3. 과점주주 간주취득	
	4. 외국소유물건 임차수입(연부한정)	
	5. 시설대여업자 건설기계, 차량 취득 (이용자 명의로 등록된 경우)	
	6. 지입차주 건설기계, 차량 취득 (운수업체 명의로 등록된 경우)	
	7. 택지개발준공 후 대지에서 건축물 등 준공까지 대지변경을 위한 기반시설 등 취득	
	8. 시설물의 취득	
	9. 묘지의 취득	
	10. 임시건축물 취득	
	11. 리스이용자의 대여업자로부터 취득 (리스이용자 명의로 등록된 경우)	
	12. 등록세 납부후 취득시기 도래 건축물	

관련예규 및 판례요약

지방세운영-1977, 2016. 7. 27.

합유물 분할 시 취득세 적용 세율관련하여 합유등기된 조합의 공동소유 자산을 조합의 해산 등으로 당초 조합원의 지분대로 분할하는 경우라면, 공유물의 분할로 보아 「지방세법」 제15

조 제1항 제4호 규정을 적용하여 1천분의 3의 세율을 적용

지방세운영-1009, 2016. 4. 2.

공유토지 특례법상 동의자의 취득세 과세 여부 관련하여 모든 공유자가 동의하여 분할하는 경우에는 지번변동이 없음에도 1천분의 3에 해당하는 세율로 취득세 납세의무를 부담하는 반면, 분할에 동의하였음에도 특례법을 적용받는 경우에는 취득세를 비과세한다면, 공유물 분할로 새로운 등기부가 개설되어 취득세 납세의무가 발생함에도 과세하지 않게 되어 일반적인 공유물분할 취득과의 형평에 맞지 않는 점 등을 감안할 때, 특례법에 따른 분할 시 동의한 자에 대해서는 「지방세법」 제11조 제1항 제5호 및 제15조 제1항 제4호에 따른 1천분의 3의 세율 적용

3 신고기한 · 납기

취득세 과세물건을 취득한 자는 그 취득한 날부터 60일[상속은 상속개시일이 속하는 달의 말일부터 6개월(납세자가 외국에 주소를 둔 경우는 9개월)] 이내에 취득세를 신고·납부하여야 한다.

취득세 과세물건을 취득한 후에 그 과세물건이 「지방세법」 제13조 제1항부터 제7항까지의 중과세율 등의 적용대상이 되었을 때에는 「지방세법 시행령」 제34조에 따른 날부터 60일 이내에 중과세율 등을 적용하여 산출한 세액에서 이미 납부한 세액(가산세 제외)을 공제한 금액을 세액으로 하여 신고·납부하여야 한다.

지방세법령 등에 따라 취득세를 비과세, 과세면제 또는 경감받은 후에 취득세 부과대상 또는 추징대상이 되었을 때에는 그 사유 발생일부터 60일 이내에 이미납부한 세액(가산세 제외)을 공제한 금액을 세액으로 하여 신고·납부하여야 한다.

다만, 위의 신고·납부기한 이내에 재산권과 그 밖의 권리의 취득·이전에 관한 사항을 공부(公簿)에 등기하거나 등록하려는 경우에는 등기 또는 등록을 하기 전까지 취득세를 신고납부하여야 한다.

관련예규 및 판례요약

대법 2016두 40511, 2016. 8. 17.

취득세 과세대상 해당 여부에 대한 법원의 확정판결이 취득세 수정신고의 요건에 해당되는지 여부 관련하여 과세대상 여부 확정판결은 수정신고 요건에 해당되지 않음.

4 | 면세점

취득가액이 50만원 이하인 경우에는 취득세를 부과하지 아니한다. 이 경우 토지 또는 건축물을 취득한 자가 그 취득한 날로부터 1년 이내에 그에 인접한 토지 또는 건축물을 취득한 경우에는 각각 그 건축의 취득에 관한 토지 또는 건축물의 취득을 1건의 토지의 취득 또는 1구의 건축물의 취득으로 간주하여 50만원 여부를 판단한다.

5 | 부족세액의 추징 및 가산세

취득세 납세의무자가 신고・납부 의무를 다하지 아니하면 취득세 산출세액 또는 그 부족세액에 「지방세기본법」 제53조의 2부터 제53조의 4까지의 규정에 따라 산출한 가산세를 합한 금액을 세액으로 하여 보통징수의 방법으로 징수한다(지세법 §21).

가. 무신고 가산세(지기법 §53의 2)

납세의무자가 법정신고기한까지 취득세를 신고하지 않은 경우에는 산출세액의 100분의 20에 상당하는 금액을 가산세로 부과하며, 사기나 그 밖의 부정한 행위로 신고하지 아니한 경우에는 산출세액의 100분의 40에 상당하는 금액을 가산세로 부과한다.

나. 과소신고 가산세(지기법 §53의 3)

납세의무자가 법정신고기한까지 취득세를 신고하였으나 신고하여야 할 산출세액보다 적게 신고한 경우에는 과소신고분 세액의 100분의 10에 상당하는 금액을 가산세로 부과하며, 사기나 그 밖의 부정한 행위로 과소신고한 경우에는 사기나 그 밖의 부정한 행위로 인한 과소신고분 세액의 100분의 40에 상당하는 금액과 과소신고분 세액에서 부정과소신고분 세액을 뺀 금액의 100분의 10에 상당하는 금액을 합한 금액을 가산세로 부과한다.

다만, 신고 당시 소유권에 대한 소송으로 상속재산으로 확정되지 아니하여 과소신고한 경우에는 가산세를 부과하지 아니한다.

다. 납부불성실 가산세(지기법 §53의 4)

납세의무자가 취득세 납부기한까지 납부하지 않거나 납부하여야 할 세액보다 적게 납부한 경우에는 다음의 계산식에 따라 산출한 금액을 가산세로 부과한다.

$$\text{납부불성실 가산세의 계산} = \text{납부하지 아니한 세액 또는 과소납부분 세액} \times \text{납부기한의 다음 날부터 자진납부일 또는 납세고지일까지의 기간} \times 0.03\%$$

라. 중가산세(지세법 §21 ②)

납세의무자가 취득세 과세물건을 사실상 취득한 후 취득세 신고를 하지 아니하고 매각하는 경우에는「지방세법」제21조 제1항 및「지방세기본법」제53조의 2, 제53조의 4의 규정에도 불구하고 산출세액에 100분의 80을 가산한 금액을 세액으로 하여 보통징수의 방법으로 징수한다. 다만, 등기·등록이 필요하지 아니한 과세물건 등 다음의 과세물건에 대하여는 중가산세를 부과하지 않는다.

① 취득세 과세물건 중 등기 또는 등록이 필요하지 아니하는 과세물건(골프회원권, 승마회원권, 콘도미니엄 회원권 및 종합체육시설이용 회원권 및 요트회원권은 제외)

② 지목변경, 차량·기계장비 또는 선박의 종류 변경, 주식등의 취득 등 취득으로 보는 과세물건

마. 기한 후 신고 및 가산세 경감(지기법 §52, §54)

법정신고기한까지 과세표준신고서를 제출하지 아니한 자는 지방자치단체의 장이 지방세의 과세표준과 세액을 결정하여 통지하기 전에는 납기 후에 과세표준신고서(기한후 신고서)를 제출할 수 있으며, 기한후 신고서를 제출한 자로서 납부하여야 할 세액이 있는 경우에는 기한후 신고서의 제출과 동시에 그 세액을 납부하여야 한다.

① 이 경우 과세표준신고서를 법정신고기한까지 제출한 자가 법정신고기한이 지난 후 2년 이내에 제49조에 따라 수정신고한 경우(제54조에 따른 가산세만 해당하며, 지방자치단체의 장이 과세표준과 세액을 경정할 것을 미리 알고 과세표준수정신고서를 제출한 경우는 제외한다)에는 다음 각 목의 구분에 따른 금액을 가산세를 경감한다.

가. 법정신고기한이 지난 후 1개월 이내에 수정신고한 경우 : 해당 가산세액의 100분의 90에 상당하는 금액

나. 법정신고기한이 지난 후 1개월 초과 3개월 이내에 수정신고한 경우 : 해당 가산세액의 100분의 75에 상당하는 금액

다. 법정신고기한이 지난 후 3개월 초과 6개월 이내에 수정신고한 경우 : 해당 가산세액의 100분의 50에 상당하는 금액

라. 법정신고기한이 지난 후 6개월 초과 1년 이내에 수정신고한 경우 : 해당 가산세액의 100분의 30에 상당하는 금액

마. 법정신고기한이 지난 후 1년 초과 1년 6개월 이내에 수정신고한 경우 : 해당 가산세액의 100분의 20에 상당하는 금액

바. 법정신고기한이 지난 후 1년 6개월 초과 2년 이내에 수정신고한 경우 : 해당 가산세액의 100분의 10에 상당하는 금액

② 과세표준신고서를 법정신고기한까지 제출하지 아니한 자가 법정신고기한이 지난 후 6개월 이내에 제51조에 따라 기한 후 신고를 한 경우(제53조에 따른 가산세만 해당하며, 지방자치단체의 장이 과세표준과 세액을 결정할 것을 미리 알고 기한 후 신고서를 제출한 경우는 제외한다)에는 다음 각 목의 구분에 따른 금액을 경감한다.

가. 법정신고기한이 지난 후 1개월 이내에 기한 후 신고를 한 경우 : 해당 가산세액의 100분의 50에 상당하는 금액

나. 법정신고기한이 지난 후 1개월 초과 3개월 이내에 기한 후 신고를 한 경우 : 해당 가산세액의 100분의 30에 상당하는 금액

다. 법정신고기한이 지난 후 3개월 초과 6개월 이내에 기한 후 신고를 한 경우 : 해당 가산세액의 100분의 20에 상당하는 금액

③ 제88조에 따른 과세전적부심사 결정·통지기간 이내에 그 결과를 통지하지 아니한 경우(결정·통지가 지연되어 해당 기간에 부과되는 제55조에 따른 가산세만 해당한다)에는 해당 기간에 부과되는 가산세액의 100분의 50에 상당하는 금액을 경감한다.

관련예규 및 판례요약

부족세액의 추징 및 가산세 : 지세법 §21

가산세와 관련된 예규, 판례

조심 2019지 573, 2019. 7. 5.

취득세 납세의무 성립여부에 처분청과 다툼이 있는 상태에서 처분청이 청구법인에게 당초 취득세 등의 신고·납부행위가 정당하다고 통보하였다가 2018.9.5. 조세심판원 결정(조심 2016지 533)에 따라 취득시기가 도래하지 아니한 것이라 하여 취소되었는바 등 이러한 사유는 단순한 법률의 부지나 오해의 범위를 넘어 세법 해석상 견해가 대립하는 등으로 인한 사유로 신고하지 아니한 것에 그 책임을 귀속시킬 수 없는 합리적인 이유가 있거나, 그 의무의 이행을 기대하기 어려운 사정이 있는 것으로서 그 의무를 게을리한 점을 비난할 수 없는 정당한 사유임.

조심 2019지 1576, 2019. 4. 25.

100분의 75가 감면된다는 사실은 다툼이 없는 점 등에 비추어 청구법인이 이 건 토지의 지목변경에 따른 취득세 등을 법정신고기한까지 신고하지 아니하였다 하더라도 그 무신고가산세는 「지방세법」과 「지방세특례제한법」을 함께 적용하여 산출한 취득세 ○○○원의 20%에 상당하는 세액을 말함.

조심 2018지 1432, 2019. 1. 16.

금융감독원의 유권해석에 기인한 과세실무와 달리 지방소득세를 신고·납부하는 것을 기대하기 어려웠을 것인 점 등에 비추어 청구법인이 해당 의무를 이행하지 아니한 데에는 이를 탓하기 어려운 정당한 사유가 있는 것으로 보임.

대법 2016두 44711, 2016. 10. 27.

납세자 변경, 과세표준 산정오류 등의 사유가 있는 경우 취득세 등 가산세 면제의 정당한 사유에 해당되는지 여부 관련하여 납세자 변경, 과세표준 산정오류 등의 사유가 있는 경우는 취득세 등 가산세 면제의 정당한 사유에 해당됨.

대법 2016두 36529, 2016. 6. 23.

납세의무자가 신고의무를 제대로 이행하려 했으나 담당공무원이 개정된 세법규정을 잘못 해석하고 적극적으로 개입하여 명백히 어긋나게 신고납부하여 가산세가 부과된 경우 납부해태의 정당한 사유 해당 여부 관련하여 담당공무원의 적극개입으로 잘못 신고납부한 경우 그 납부해태를 탓할 수 없는 정당한 사유가 있음.

조심 2012지 781, 2012. 12. 11.

청구인들이 유류분 반환청구의 소에 대한 법원의 확정판결 및 조정결정이 있기 전까지는 사실상 이 건 토지를 상속 취득할 수 없는 사정이 있었다고 인정되므로 상속개시일부터 6월 이내에 청구인들이 취득세 등을 신고납부할 수 없는 정당한 사유가 있다고 보는 것이 타당함.

지방세운영-88, 2011. 1. 7.

납세의무자가 대체취득으로 하여 취득세 등 비과세 신청하였으나 부재부동산에 해당하여 비과세한 취득세 등을 추징하는 경우 신고불성실 및 납부불성실 가산세를 부과하는 것임.

감심 2010-117, 2010. 11. 12.

승강기 교체공사가 완료됨으로써 취득세 신고·납부의무가 당연 성립되었다고 볼 것이고 납부안내 등을 하지 않음에 따라 취득세 과세대상에 해당한다는 사실을 알 수 없었다는 것은 가산세를 부과할 수 없는 정당한 사유가 아님.

지방세운영-3027, 2010. 7. 14.

조세심판원 심판결정에 따라 취득세의 납세의무자가 변경된 경우라도 납세의무자의 법령 부지 등으로 인한 납부지연인 경우에는 납부지연의 정당한 사유로 볼 수 없어 납부불성실 가산세가 부과됨.

조심 2009지 630, 2009. 11. 17.

농지를 법인이 취득할 수 없어 개인명의로 명의신탁하여 양도하는 경우 취득세 등에 100분의 80에 해당하는 가산세율을 적용하여 과세한 처분은 정당함.

조심 2009지 45, 2009. 9. 28.

취득세·등록세 면제대상에 해당되지 아니함에도 담당공무원이 사실관계를 오인하여 취득세·등록세를 면제하였다가 추징하는 경우 가산세 부과는 정당함.

지방세운영-1720, 2008. 10. 8.

신축건물의 부합물 내지 종물에 해당하여 당초 취득신고 당시 과세표준에 포함하여야 할 부분을 누락하여 취득세를 신고한 경우 납부불성실가산세는 신축건물의 취득일로부터 60일이 경과한 날로부터 기산함.

지방세심사 2007-111, 2007. 2. 26.

사실상 미등기전매를 한 토지에 대하여 중가산세를 포함하여 취득세 등을 부과고지한 것은 적법함.

- 지방세심사 2007-510, 2007. 10. 1.

토지 취득일부터 60일 이내에 실거래가액을 과세표준으로 하여 신고납부하지 아니하고 시가표준액으로 신고 납부한 이상 그 차액에 대한 취득세 등에는 가산세가 포함되어야 함.

- 지방세심사 2007-311, 2007. 5. 28.

공동주택의 승강기를 교체한 후 취득세를 신고납부하지 아니한 경우 신고 및 납부불성실 가산세를 부과한 것은 적법함.

- 지방세심사 2006-1083, 2006. 11. 27.

법령의 부지・착오 등으로 장례식장을 취득세 등이 면제되는 것으로 신고한 것은 의무위반에 대한 정당한 사유에 해당하지 않으므로 가산세를 부과한 것은 정당함.

- 지방세심사 2006-70, 2006. 2. 27.

실권리자명의 등기의무 위반혐의로 과징금 부과를 받은 자가 부동산을 미등기 전매한 경우 당초 취득세액에 100분의 80을 가산하여 취득세를 부과함.

- 대법 2004두 6136, 2005. 10. 13.

농지를 취득할 수 있는 자격이 없어서 농지취득등기를 하지 아니한 경우 등기를 할 수 없는 정당한 사유에 해당하지 않아 취득세 중가산세가 부과됨.

- 지방세심사 2005-255, 2005. 8. 29.

취득세 등의 감면대상이 해당되지 아니함에도 감면하였다가 그 후 감면대상이 아니라고 하여 감면한 취득세 등을 추징하면서 가산세를 가산한 처분은 적법함.

- 지방세심사 2005-107, 2005. 5. 2.

담당공무원이 발부한 신고납부서대로 취득세를 납부한 이후 세무조사시 중과세대상임을 확인하여 추징하는 경우에도 가산세를 포함하여 과세함.

- 지방세심사 2004-334, 2004. 10. 27.

취득세 과세물건을 취득한 후 취득신고 없이 납부만 한 경우로서 처분청의 귀책사유로 기한 후 신고를 누락했다면 신고불성실 가산세를 경감하고, 부족납부액에 대해서는 납부불성실 가산세를 부과함.

- 지방세심사 2004-294, 2004. 9. 22.

취득세는 신고납부방식이므로, 세무공무원의 잘못으로 일반세율로 계산한 납부서를 발부하였다가 추후 중과세율을 적용하여 세액을 추징하면서 가산세를 가산한 처분은 적법함.

지방세심사 2004-285, 2004. 9. 22.

헌법재판소의 헌법불일치 결정(2003헌바 16, 2003. 9. 25.)으로 납세자의 취득세 가산세가 종전보다 줄었거나 동일하게 되었으므로, 개정된 지방세법을 적용하여 동 가산세를 부과한 처분은 소급입법금지의 원칙에 위배되지 아니함.

세정-2500, 2004. 8. 12.

개인간에 거래를 하면서 매매계약서에 실지거래가액을 1억원 이상으로 기재하여 토지를 매도하였음에도 매수자가 14,400,000원으로 매수한 것으로 매매계약서에 기재하여 검인을 받아 취득신고를 하고 등기를 한 경우 과세권자가 그 부족세액을 추징함.

세정-2378, 2004. 8. 6.

당초 신고한 부동산 매매거래가액이 개인간의 거래로서 실지로 거래된 가액임에도 실거래가로 신고할 경우 산출된 세액이 많다고 보아 이를 낮추기 위해 그 후에 실거래가보다 낮은 가액으로 신고한 사실이 명백히 입증된 경우는 과세권자가 그 부족세액을 추징함.

세정-930, 2004. 4. 23.

시행사가 보존등기를 하고 상가의 1개 층을 전부 매입하여 취득일로부터 2년 이내에 등기 또는 취득신고를 하지 않고 제3자에게 분양한다면 산출세액에 100분의 80을 가산한 금액을 세액으로 하여 보통징수의 방법에 의해 징수함.

감심 2003-133, 2003. 10. 9.

장학단체가 취득한 부동산을 장학사업을 위한 수익을 얻고자 정관상의 목적사업인 임대사업에 사용하는 경우라도 취득세 등 면제대상 아니며, 당해 취득세 등 가산세 부분은 헌법불합치 및 적용중지 결정되었는바 동 조항의 개정시 재산정해야 하는 것임.

세정-634, 2003. 7. 28.

법정이혼절차에 따른 소유권이전의 경우는 기감면된 취득세 등의 추징사유가 아님.

제6절 취득세의 비과세와 감면

1 | 비과세

가. 국가 등에 대한 비과세(지세법 §9 ①, ②)

국가, 지방자치단체, 지방자치단체조합, 외국정부 및 주한국제기구의 취득에 대하여는 취득세를 부과하지 아니한다. 다만, 대한민국 정부기관의 취득에 대해 과세하는 외국정부의 취득에 대하여는 취득세를 부과한다.

국가, 지방자치단체 또는 지방자치단체조합에 귀속 또는 기부채납(「사회기반시설에 대한 민간투자법」 제4조 제3호에 따른 방식으로 귀속되는 경우를 포함)을 조건으로 취득하는 부동산 및 「사회기반시설에 대한 민간투자법」 제2조 제1호 각 목에 해당하는 사회기반시설에 대하여는 취득세를 부과하지 않는다. 다만, 국가 등에 귀속 등의 조건을 이행하지 아니하고 타인에게 매각·증여하거나 귀속 등을 이행하지 아니하는 것으로 조건이 변경된 경우 및 국가 등에 귀속 등의 반대급부로 국가 등이 소유하고 있는 부동산 및 사회기반시설을 무상으로 양여 받거나 기부채납 대상물의 무상사용권을 제공받은 경우에는 취득세를 과세한다.

나. 신탁 재산의 취득에 대한 비과세(지세법 §9 ③)

신탁(「신탁법」에 따른 신탁으로서 신탁등기가 병행되는 것만 해당)으로 인한 신탁재산의 취득으로서 다음에 해당하는 경우에는 취득세를 부과하지 않는다. 다만, 신탁재산의 취득 중 주택조합등과 조합원 간의 부동산 취득 및 주택조합등의 비조합원용 부동산 취득은 제외한다.

① 위탁자로부터 수탁자에게 신탁재산을 이전하는 경우
② 신탁의 종료로 인하여 수탁자로부터 위탁자에게 신탁재산을 이전하는 경우
③ 수탁자가 변경되어 신(新)수탁자에게 신탁재산을 이전하는 경우

다. 기타 재산의 취득에 대한 비과세(지세법 §9 ④~⑥)

1) 동원대상지역 내의 환매권 행사 매수 토지에 대한 비과세

「징발재산정리에 관한 특별조치법」 또는 「국가보위에 관한 특별조치법 폐지법률」 부칙 제2항에 따른 동원대상지역 내의 토지의 수용·사용에 관한 환매권의 행사로 매수하는 부동산의 취득에 대하여는 취득세를 부과하지 않는다.

2) 임시건축물 등에 대한 비과세

임시흥행장, 공사현장사무소 등(「지방세법」 제13조 제5항에 따른 과세대상은 제외) 임시건축물의 취득에 대하여는 취득세를 부과하지 않는다. 다만, 존속기간이 1년을 초과하는 경우에는 취득세를 부과한다.

3) 시가표준액 9억원 이하 공동주택의 개수로 인한 취득세 면제

「주택법」 제2조 제2호에 따른 공동주택의 개수(「건축법」 제2조 제1항 제9호에 따른 대수선은 제외)로 인한 취득 중 시가표준액 9억원 이하의 주택과 관련된 개수로 인한 취득에 대하여는 취득세를 면제한다.

관련예규 및 판례요약

취득세 비과세 : 지세법 §9

국가 등에 의한 비과세와 관련된 예규, 판례(기부채납 조건부취득 비과세)

지방세운영-2041, 2015. 7. 8.

취득대가로 국가 등에 이전하는 경우 기부채납 비과세 여부 관련하여 「국유재산법」상 행정재산의 용도를 폐지하는 경우 그 용도에 사용될 대체시설을 제공한 자 등이 용도폐지된 재산을 양여받을 조건으로 그 대체시설을 기부하는 경우를 기부에 조건을 붙은 재산으로 보지 않는다고 규정하고 있는 바, 해당 사안과 같이 용도폐지된 행정재산이 아닌 일반재산을 양여하는 조건인 대물변제 계약만을 체결하고 토지매매대금의 변제를 위해 건물을 신축하여 이전하는 경우라면 국유재산법 상 기부채납에 해당하지 아니하므로 취득세 비과세 대상이 아니라고 판단됨.

지방세운영-3254, 2011. 7. 8.

'귀속 또는 기부채납을 조건으로 취득하는 부동산'이란 귀속 또는 기부채납의 시기, 용도 등을 충족했는 지 여부와는 상관없이 국가 등에 귀속에 대한 의사표시를 하고 국가 등이 이에 대하여 승낙의 의사표시가 있는 이후에 취득하는 부동산을 의미한다(대법 2003다 43346, 2005. 5. 12.)고 할 것이고, 귀속 또는 기부채납에 '「사회기반시설에 대한 민간투자법」 제4조 제3호에 따른 방식으로 귀속되는 경우를 포함한다'고 함은 준공 후 바로 국가에 소유권이 귀속되는 형식의 같은 조 제1호 및 제2호에 따른 추진방식뿐만 아니라 준공후 일정기간 사업시행자에게 시설의 소유권이 인정되고, 기간만료시 소유권이 국가 등에 귀속되는 형식인 제3호의 추진방식까지 포함한다는 의미의 사업시행 추진방식에 관한 내용이라고 할 것이므로 같은 조 제3호의 방식으로 국가 등에 귀속되더라도 당해 부동산이 반드시 사회기반시설이어야 하는 것은 아니므로 귀문과 같이 사회기반시설이 아닌 음식점이라고 하더라도 부동산이면 족하고 부동산을 국가 등에 공여함에 있어 경제적 이익을 취득할 목적이 있었다고 하더라도 부동산이 귀속 또는 기부채납의 형식으로 되어 있고, 국가 등이 이를 승낙하는 채납의 의사표시를 한 이후에 취득하는 경우에는 위 규정 취득세 비과세 대상에 해당된다(대법 2005두 14998, 2006. 1. 26.) 할 것임.

대법 2010두 21341, 2011. 1. 13.

건축물 공사 진행 전에 자치단체에 기부채납방식으로 증여하겠다는 의사표시가 있었고 이를 전제로 자치단체가 그 건축물의 활용방안 등을 검토하는 등 사실상 기부채납에 대한 승낙표시가 있었으므로 취득세 비과세대상으로 봄이 타당함.

지방세운영-1015, 2010. 3. 12.

도정법에서 정비기반시설의 무상귀속을 강제하고 있다고 할지라도 취득당시에 기부채납 조건을 약정하지 아니한 경우 기부채납을 조건으로 취득한 부동산으로 볼 수 없음.

지방세운영-5340, 2009. 12. 17.

기부채납을 조건으로 부동산을 취득·등록하여 취득·등록세를 비과세 받은 후, 당해 부동산을 포함한 사업 일체를 다른 사업자에게 양도하는 경우 취득·등록세가 과세됨.

지방세운영-1222, 2008. 9. 16.

기부채납은 기부자가 그의 소유재산을 국가나 지방자치단체의 공유재산으로 증여하는 의사표시를 하고, 국가나 지방자치단체는 이를 승낙하는 채납의 의사표시를 함으로써 성립하는 증여계약(대법 96다 20581, 1996. 11. 8.)이므로 당해 자치단체로부터 주택건설사업 승인절차의 하나인 교통영향평가 심의의 결과를 통보받은 경우라도 구체적으로 공공시설용지로 편입될 토지에 관하여 기부채납을 하도록 승인조건을 부과하는 "주택건설사업 승인일"이전에 부동산을 취득한 경우라면, 이는 기부채납에 대한 의사의 합치가 있었던 것으로 볼 수 없어 기부채납을 조건으로 취득한 부동산에 해당하지 아니한다고 판단됨.

지방세운영-536, 2008. 8. 7.

시행사가 제3자와 공유로 취득한 공공시설용지를 공유자와 공유분할 정리과정에서 당초 시행사의 공유지분보다 추가되는 경우라도 당초 사업승인시 확정된 기부채납을 조건으로 하는 토지에 포함된 경우 비과세대상임.

세정-841, 2008. 2. 27.

기부채납 부동산 중 사업구역 외의 토지로서 공원부지로 도시계획결정이 되지 아니하였고 기부채납 대상토지가 특정되어 있지 아니하였다면 기부채납을 조건으로 취득한 부동산에 해당하지 않음.

세정-319, 2008. 1. 22.

기부채납 대상 공공시설용지의 위치・면적 등이 구체적으로 확정된 상태에서 변경된 사업시행자가 전 사업시행자로부터 취득하여 지방자치단체에 기부채납하는 당해 공공시설용지는 취득세・등록세의 비과세 대상에 해당함.

세정-1894, 2007. 5. 23.

국방과학연구소 소속기구인 국방품질관리소가 국방품질관리원으로 법인화되면서 그 소유자산을 승계하는 경우 무상취득에 해당하여 취득세 등의 납세의무가 있음.

세정-191, 2007. 2. 12.

국가 등에 대한 기부채납 조건으로 건축허가를 받은 토지를 당초의 기부채납 조건의 변경없이 승계 취득한 경우에는 취득세・등록세의 비과세대상임.

세정-6231, 2006. 12. 14.

아파트 신축을 위한 관련 행정관청의 교통영향평가시 사업지 주변에 완화차로를 설치하여 사용승인 전까지 도로관청에 기부채납하도록 하는 조건이행을 위해 그 사업승인 이전에 취득한 부동산은 취득세 비과세대상임.

세정-4688, 2006. 9. 26.

근로복지공단과 같이 국가에 기부채납하는 것을 승인받지 않고 부동산을 취득한 후 추후 국가에 기부채납하는 경우 취득세 등의 비과세대상이 되지 아니함.

지방세심사 2006-418, 2006. 9. 25.

도시개발사업의 시행자로 지정된 후 도시개발사업에 관한 실시계획 인가 전에 그 구역 내의 기부채납대상토지를 취득한 경우 지방자치단체에 귀속 또는 기부채납을 조건으로 취득・등기하는 경우에 해당하지 아니함.

세정-3715, 2006. 8. 16.

행정관청으로부터 공동주택 건설을 위한 건축허가를 받은 후 그 건축허가서에 명시된 기부채납을 이행하기 위하여 취득한 토지는 취득세와 등록세의 비과세대상이 됨.

세정-2715, 2006. 7. 3.

대한주택공사가 택지개발사업을 시행하면서 학교용지나 공공청사 용지 등을 조성한 후 해당기관에 매각하기 위하여 취득하는 경우 취득세 등의 비과세대상이 되지 아니함.

세정-3189, 2005. 10. 12.

지방자치단체 소유의 토지를 무상 양여받고 당해 토지가 아닌 도시환경정비사업 추진에 따라 설치되는 도로와 녹지를 기부채납하는 조건으로 사업시행인가를 받은 경우 취득세 비과세대상이 아님.

세정-822, 2005. 5. 21.

민자역사 건설법인이 역무시설은 국가소유로 기타 상업시설은 민자역사 건설법인이 일정기간 사용 후 국가에 기부채납하는 경우 기부채납하는 상업시설은 취득세 등의 비과세대상에 해당함.

세정-2283, 2004. 8. 2.

국가·지방자치단체 등에 귀속 또는 기부채납을 조건으로 취득하는 부동산에 대해 취득세를 비과세 받기 위해서는 취득일 이전에 국가·지방자치단체 등으로부터 귀속 또는 기부채납 승낙을 받아야 하고 취득일 이후 귀속 또는 기부채납 승낙을 받는 경우는 취득세가 비과세되지 않음.

세정-124, 2004. 2. 20.

토지 취득 후 지방자치단체에 기부채납한 경우에는 기납부한 취득세 등이 환부되지 아니함.

세정-1911, 2003. 11. 15.

도로를 개설·준공하여 국가·지방자치단체에 기부채납하는 경우는 당해 도로부지 취득일 이전에 기부채납할 것이 결정되어 있는 경우에 한해 취득세 등이 비과세되는 것임.

세정-750, 2003. 8. 7.

관할교육청과 매매계약을 통하여 취득원가로 소유권을 이전하는 경우, 당해 학교부지의 취득에 대해서는 취득세 등이 비과세되지 아니함.

세정-355, 2003. 7. 3.

상속재산을 '상속개시일 이후'에 지방자치단체에 기부채납하는 경우, '상속개시 당시' 취득세 비과세 요건을 충족하지 않아 취득세 등 비과세되지 않음.

세정－12, 2003. 5. 28.

건물을 취득하면서 기부채납의 승낙을 얻지 아니하고 멸실한 경우는 국가 등에 기부채납하는 경우로 볼 수 없어 취득세 등 비과세 안 됨.

세정 13407－409, 2003. 5. 19.

부동산을 취득한 후 '취득시점'이 아닌 '등기시점'에서 지방자치단체에 '기부채납'이 결정된 경우 취득세는 비과세되지 않으나 등록세는 비과세대상임.

세정 13407－1016, 2002. 10. 28.

'사회간접자본시설'의 준공과 동시에 그 소유권이 국가에 귀속되며 동 사업시행자는 일정기간 그 관리운영권을 얻는 경우, 그 사업시행자는 건물 등을 취득하지 않아 취득세 등 납세의무 없음.

세정 13407－644, 2002. 7. 9.

부동산취득일 이후 등기일 이전에 기부채납이 결정된 경우, 취득세는 비과세 안 되고 등록세는 비과세대상이나, 과오납한 등록세 납부일로부터 5년 경과시는 시효소멸로 환부되지 않음.

세정 13407－596, 2002. 6. 25.

공장부지에 '편입되는 도로'를 대체하기 위해 토지를 취득해 도로 건설 후 국가에 '기부채납'하고, 편입된 도로는 국가가 무상양여하는 경우, 사실상 '교환'에 해당돼 취득세 등 비과세대상 아님.

세정 13407－524, 2002. 6. 5.

동물원 부대시설을 건설해 지방자치단체 등에 해당하지 않는 '광역시 도시개발공사'에 기부채납하는 경우에는 취득세 비과세대상 아님.

세정 13420－218, 2002. 3. 7.

우리나라 정부기관의 재산에 대하여 부과하는 외국정부의 재산에 대하여는 비과세하지 않는 것임.

지방세심사 2002－7, 2002. 1. 28.

법인이 신축비용을 부담해 '마을회'에 기부채납한 건축물의 경우, 국가 등에 기부채납한 것이 아니므로 당해 법인은 취득세 납세의무 있음.

세정 13407－284, 2001. 9. 3.

'복개설비'는 취득세 과세대상으로서 지방자치단체에 기부조건이 아닌 경우 납세의무 있음.

세정 13407－526, 2001. 5. 16.

국가의 노후 시설물을 다른 곳에 신축해 기부채납하는 것은 비과세되나, 동 기부채납에 대한 급부로서 노후 시설물 보관 국유재산을 양여받는 것은 과세됨.

지방세심사 2001-198, 2001. 4. 30.

'인천국제공항공사'가 구 '수도권신공항건설공단'으로부터 포괄승계한 토지 중, '국유재산의 현물출자'분은 취득세 면제되며, 도시계획실시인가를 받은 도로부지는 취득세 비과세대상임.

세정 13407-334, 2001. 3. 27.

신축소방서가 「도시계획법」에 따라 무상귀속을 조건으로 하는 공공시설인 경우에는 취득·등록세 비과세되므로 기납부한 취득세는 취소 또는 변경대상임.

신탁으로 인한 신탁재산의 취득 비과세와 관련된 예규, 판례

지방세운영-3082, 2010. 7. 19.

「지방세법」 제110조 제1호에서 신탁이라도 「신탁법」에 의한 신탁등기가 병행되는 것에 한정하여 비과세를 규정하고 있는데, 이는 실질적 소유권 취득이 아닌 명백하게 형식적인 취득의 경우에만 취득세를 비과세하겠다는 입법취지라고 할 것인점, 도시개발사업의 시행자가 관리하는 체비지대장의 등재도 체비지에 관한 소유권 등 권리관계를 알리는 공시방법에 해당하고, 체비지대장의 등재요건을 먼저 갖춘 체비지의 양수인은 다른 양수인에게 그 권리의 취득을 대항할 수 있는 점, 「도시개발법」 제42조에 의거 환지처분 공고가 있으면 그 익일에 최종적으로 체비지를 점유하거나 체비지대장에 등재된 자가 그 소유권을 원시적으로 취득하게 되는 점에 비추어 볼 때, 등기부 등본이 존재하지 아니한 환지처분공고일 이전에 체비지 대장의 역할은 등기부등본과 유사하다고 할 것인바, 체비지를 신탁하면서 신탁계약서 등을 첨부하여 체비지대장의 명의를 변경하는 경우에 한정해 신탁등기를 병행하는 것으로 의제하여 취득세를 비과세함이 타당함.

지방세운영-1659, 2010. 4. 23.

조합원이 신탁한 토지와 조합이 금전신탁 받아 취득한 토지가 혼재되어 있는 경우 비조합원용 토지에 대한 취득세는 비조합원분 토지에서 토지신탁분과 금전신탁분을 안분하여 과세함.

지방세운영-499, 2009. 2. 3.

부동산처분 신탁계약에 의하여 위탁자, 수탁자, 수익자를 정하고 부동산 신탁등기를 하는 경우 신탁재산의 원본의 수익자와 위탁자가 다른 경우에도 수탁자는 취·등록세가 비과세됨.

지방세운영-2124, 2008. 11. 11.

위탁자가 수탁자와 부동산 신탁계약에 의하여 신탁회사로 소유권을 이전한 후 전·답인 토지상에 수탁자가 상가건축물을 신축한 경우 지목변경에 따른 취득세 납세의무 있음.

지방세운영 - 1893, 2008. 10. 21.

부동산담보신탁이 위법 또는 불능으로 「신탁법」 제5조 제2항의 무효에 해당하는 경우라면, 이는 그 등기 또는 등록을 함으로써 제3자에게 대항할 수 있는 신탁등기 자체가 무효에 해당한다고 할 것이므로, 「신탁법」에 다른 신탁재산으로서 신탁등기가 병행되는 경우에 한정한 취・등록세 비과세 요건을 충족하는데 중대한 하자가 있다고 생각됨.

지방세운영 - 366, 2008. 7. 24.

시행사가 취득한 임시용건축물(모델하우스)를 신탁자인 시공사로 명의변경하는 경우 신탁등기가 병행되지 않는 경우에는 형식적인 소유권의 취득에 대한 비과세에 해당하지 아니함.

세정 - 4605, 2007. 11. 6.

신탁법에 의한 신탁등기에 의하지 않고 명의신탁 사실확인서를 공증받은 경우 신탁재산의 취득에 따른 취득세 비과세규정이 적용되지 아니함.

지방세심사 2007 - 492, 2007. 10. 1.

재건축주택조합이 조합원으로부터 신탁받은 토지 중 일반분양용 공동주택 부속토지는 취득세 납세의무가 있음.

세정 - 2716, 2007. 7. 13.

종중원 명의의 임야를 증여의 형식으로 종중 명의로 환원등기를 하는 경우 명의신탁해지를 원인으로 원소유자인 종중에게 소유권이전등기하는 경우로 보아 취득세와 등록세의 납세의무가 있음.

지방세심사 2007 - 327, 2007. 6. 25.

조합유사단체의 구성원 전체가 건축주가 되어 주상복합 건축물을 취득한 후 조합유사단체에게 신탁한 경우 조합원용 건축물 이외의 일반분양용 건축물의 부속토지에 대해 취득세를 부과할 수 없음.

지방세심사 2007 - 332, 2007. 6. 25.

주택재건축조합이 조합원으로부터 신탁받은 토지 중 일반분양용 공동주택 부속토지에 대하여 취득세 등의 납세의무 있음.

지방세심사 2005 - 505, 2005. 12. 26.

재건축주택조합이 조합원으로부터 신탁취득한 일반분양용 토지에 대하여 취득세 등을 부과함.

지방세심사 2004 - 299, 2004. 10. 27.

재건축사업을 완료한 후 재건축조합이 주체가 되어 일반분양하는 아파트 등의 부속토지에 대하여 이는 제3자에게 매각하는 것이므로 취득세를 과세하지만, 주택건설사업계획승인서에 주거전용면적이 85m^2 이하로 이미 확정되어 있다면 농어촌특별세는 과세하지 아니함.

지방세심사 2004-266, 2004. 9. 22.

재건축사업 완료 후 재건축조합이 일반분양하는 아파트 등의 부속토지는, 조합이 조합원으로부터 소유권을 취득하였다가 제3자에게 매각하는 것으로 보아 동 조합에게 취득세 납세의무가 성립됨.

지방세심사 2004-222, 2004. 8. 30.

재건축조합이 재건축 후 일반분양하는 아파트 등의 부속토지는 조합원으로부터 소유권을 취득하여 제3자에게 매각하는 것이므로 취득세 납세의무가 성립하고, 여기서 취득은 실질적 요건만 갖추면 취득으로 인정됨.

지방세심사 2004-128, 2004. 6. 28.

재건축주택조합이 조합원으로부터 신탁 받은 토지 중 일반분양용 및 상가부분에 해당하는 토지에 대한 취득세 등을 부과하며 그 취득시기를 재건축공사 완료 후 관리처분계획에 따라 분양처분이 되는 시점이 아닌 토지신탁이 완료된 시점으로 보는 것임.

※ 2008년 「지방세법 시행령」 개정으로 준공일이 취득시점이 된다.

세정-748, 2003. 8. 7.

공동주택을 신탁해지를 원인으로 하여 조합원에게 이전하는 경우, 당해 조합원은 신탁의 해지로 자기 지분만큼만 취득하는 것에 한하여 취득세가 비과세되는 것임.

세정-84, 2003. 6. 5.

토지소유자들이 공동사업으로 공동주택 신축사업을 하면서 주택조합을 구성하지 않고 대표자 개인명의로 당해 토지를 신탁등기한 경우, 당해 대표자는 취득세 납세의무 없음.

지방세심사 2003-4, 2003. 1. 27.

조합이 조합원으로부터 신탁받은 토지 중 일반분양용에 해당하는 토지에 대한 취득세 등 부과처분은 정당함.

지방세심사 2002-287, 2002. 7. 29.

부동산의 명의신탁자가 수탁자 명의의 부동산에 관해 신탁해지를 원인으로 소유권이전등기한 경우, 새로운 취득으로서 취득세 과세대상임.

세정 13407-411, 2002. 5. 2.

신탁의 종료 또는 해지로 인하여 수탁자로부터 위탁자에게 신탁재산을 이전하는 경우의 취득에 대하여는 취득세가 비과세되는 것임.

세정 13407-197, 2002. 3. 4.

신탁등기가 병행되지 않는 명의신탁인 경우로서 공유물분할에 따른 자기지분을 초과해 취득한 경우, 그 초과된 부분은 취득세 과세대상임.

2 「지방세특례제한법」상 주요 취득세 감면

2010년 「지방세특례제한법」이 제정됨에 따라 지방세의 감면 관련 규정을 일괄 규정하게 되었다. 「지방세특례제한법」상 주요 취득세 감면 내용은 아래와 같으며, 이외에도 「조세특례제한법」 및 해당 지방자치단체의 조례 등으로 취득세 감면 관련 내용을 규정하고 있으므로 실제 실무에서는 세밀한 확인이 필요하다 할 것이다.

가. 농어업을 위한 지원

1) 자경농민의 농지 등에 대한 감면(지특법 §6)

농업을 주업으로 하는 사람으로서 2년 이상 영농에 종사한 사람 또는 후계농업경영인 등 자경농민이 직접 경작할 목적으로 취득하는 농지 및 농지를 조성하기 위하여 취득하는 임야에 대하여는 취득세의 100분의 50을 경감한다.

2) 농업법인에 대한 감면(지특법 §11)

영농조합법인과 농업회사법인이 영농에 사용하기 위하여 법인설립등기일부터 2년 이내에 취득하는 부동산에 대하여는 취득세를 농업법인의 설립등기에 대하여는 등록면허세를 각각 2020년 12월 31일까지 100분의 50을 경감하며, 농업법인이 영농・유통・가공에 직접 사용하기 위하여 취득하는 부동산에 대하여는 2020년 12월 31일까지 취득세의 100분의 50을 경감한다.

3) 농어촌 주택개량에 대한 감면(지특법 §16)

생활환경정비사업의 계획에 따라 주택개량 대상자로 선정된 사람과 같은 사업계획에 따라 자력(自力)으로 주택을 개량하는 대상자로서 해당 지역에 거주하는 사람(과밀억제권역에서는 1년 이상 거주한 사실이 「주민등록법」에 따른 주민등록표 등에 따라 증명되는 사람으로 한정) 및 그 가족이 상시 거주할 목적으로 취득하는 연면적 150제곱미터 이하의 주거용 건축물 및 그 부속토지에 대하여 2021년 12월 31일까지 취득세를 280만원까지 면제(공제)한다.

관련예규 및 판례요약

자경농민의 농지 등에 대한 감면(지특법 §6) 관련 예규, 판례

조심 2019지 197, 2019. 10. 31.

토지를 취득한 후, 설계용역(2013. 6. 7.), 농지전용허가 신청(2013. 10. 11.), 농지전용허가 불허(2013. 10. 14.), 사업계획 변경(2013. 10. 29.), 사업계획 승인(2013. 12. 22.), 건축허가(2014. 4. 4.), 공사입찰(2014. 4. 8.), 공사재입찰(2014. 5. 27.), 공사착공(2014. 7. 29.), 공사업체 부도(2014. 10.), 공장신축(2016. 7. 21.)에 이르기까지의 전반적인 과정을 종합하여 살펴볼 때, 청구법인은 이 건 토지를 취득한 후 1년 이라는 비교적 짧은 기간 내에 공장신축을 위해 진지한 노력을 다한 것으로 보이는 점 등으로 볼 때 정당한 사유가 있음.

대법 2016두 49587, 2016. 12. 1.

농협중앙회가 유통자회사인 농협유통에 임대하여 생필품 등을 판매한 경우 재산세 감면대상인 구매・판매 등에 직접 사용에 해당되는지 관련하여 농협중앙회와 하나로마트 운영주체인 농협유통은 별개의 법인격이므로 농협유통이 임차・운영한 경우 직접 사용으로 볼 수 없음.

대법 2014두 46027, 2015. 4. 23.

건축물을 농업용 화훼재배 목적으로 사용하다가 일시적으로 판매시설로 전환하였으나 2년의 유예기간이 경과되기 이전부터 다시 화훼재배 농지로서 포도묘목 재배 등에 사용한 경우 이는 추징대상에 해당됨.

대법 2014두 43097, 2015. 3. 26.

농업협동조합이 고유업무에 직접 사용하기 위한 부동산을 법인에게 현물출자한 후 해당 용도로 2년 이상 사용하였다면 이를 농업협동조합이 고유업무에 직접 사용하였다고 볼 수 있는지 여부 관련하여 감면받은 기간 내에 소유자 지위를 상실한 이상 현물출자를 통해 해당 용도에 사용되고 있다고 하더라도 추징사유에 해당됨.

대법 2014두 45468, 2015. 3. 12.

농업법인의 취득 부동산은 전소유자가 국비보조사업으로 취득하여 다른 용도로 변경하는 것이 불가능하였고, 행정청으로부터 부동산 취득 당시 용도변경이 불가능하다는 점에 대하여 안내받지 못한 것을 정당한 사유로 볼 수 없어 추징대상임.

대법 2014두 4771, 2014. 5. 2.

농지를 취득한 이후 전체 토지의 일부에만 채소를 심어 재배하고 있고 대부분 개간되지 않고 방치되어 있는 경우 유예기간 내 영농에 직접 사용하지 않은 것으로 보아 감면분 취득세를 추징하는 것이 타당함.

대법 2013두 22840, 2014. 2. 14.

교통수단 발전으로 20㎞에 밖에 거주하더라도 자경이 충분히 가능함에도 물리적인 거리의 개념만으로 파악하여 이를 벗어난 거리에 거주하고 있다고 하여 취득세 감면을 배제하는 것이 거주이전 자유 등에 위배되는 위법한 처분이 아님.

대법 2013두 35037, 2014. 2. 13.

농업법인이 농산물 가공공장 및 보관창고 등을 신축하기 위해 취득한 임야에 고구마, 고추 등을 재배하면서 건축을 준비하고 있는 과정에 추징유예기간 1년이 경과한 경우 고유업무에 직접 사용한 것으로 보아 취득세 추징을 배제할 수 없음.

대법 2012두 1426, 2012. 4. 26.

농업이 주된 직업이 아닌 자가 주말이나 부업으로 농사를 짓거나 농지원부 등재되어 있는 경우 취득세 감면대상 자경농민으로 볼 수 없음.

지방세운영-967, 2010. 3. 10.

농지소유자인 부모와 동거하며 직계비속으로서 2년 이상 영농에 종사하는 경우 증여 당시 농지가 없었더라도 해당 직계비속자는 영농에 종사하는 자에 해당함.

지방세운영-113, 2008. 6. 17.

사실상 벼농사를 경작하고 있는 답에 해당하나, 공부상 지목이 하천부지인 경우에는 취득세·등록세 감면대상 농지로 볼 수 없음.

세정-5529, 2007. 12. 21.

취득세와 등록세의 감면대상이 되는 "자경농민"은 반드시 전업농을 요구하는 것은 아니고, 「지방세법 시행령」 제219조의 요건을 충족하는 여부에 따라 판단하는 것임.

농어촌 주택개량에 대한 감면(지특법 §16) 관련 예규, 판례

지방세운영-797, 2012. 3. 14.

'2012년도 귀농 농업창업 및 주택구입 지원 사업'에 따라 주택개량 대상자로 선정되어 지원을 받은 경우라도 「농어촌정비법」 또는 「농어촌주택개량사업 촉진법」에 따른 생활환경정비사업이나 농어촌주거환경개선사업 계획에 따른 농어촌 주택개량 대상자에 해당되지 아니한 경우라면 취득세 면제대상으로 볼 수 없음.

나. 사회복지를 위한 지원

1) 어린이집 및 유치원에 대한 감면(지특법 §19)

「영유아보육법」에 따른 어린이집 및 「유아교육법」에 따른 유치원을 설치·운영하기 위하여 취득하는 부동산에 대해서는 2021년 12월 31일까지 취득세를 면제한다.

2) 노인복지시설에 대한 감면(지특법 §20)

「노인복지법」 제31조에 따른 노인복지시설과 관련하여 무료 노인복지시설에 사용하기 위하여 취득하는 부동산에 대하여는 2020년 12월 31일까지 취득세를 면제하고, 그 외의 노인복지시설에 사용하기 위하여 취득하는 부동산에 대하여는 2020년 12월 31일까지 취득세의 100분의 25를 경감한다.

3) 사회적기업에 대한 감면(지특법 §22의 4)

「사회적기업 육성법」 제2조 제1호에 따른 사회적기업(중소기업 한정)에 대해서는 그 고유업무에 직접 사용하기 위하여 취득하는 부동산에 대해서는 2021년 12월 31일까지 취득세의 100분의 50을 경감한다.

4) 임대주택 등에 대한 감면(지특법 §31)

「공공주택특별법」에 따른 공공주택사업자 및 「민간임대주택에 관한 특별법」에 따른 임대사업자(임대목적물로 하여 취득일부터 60일 이내에 해당 임대용부동산을 임대목적물로 하여 임대사업자로 등록한 경우를 말함)가 제2조 제4호에 따른 임대사업자가 임대할 목적으로 공동주택을 건축하는 경우 그 공동주택과 임대사업자가 임대할 목적으로 건축주로부터 공동주택 또는 「민간임대주택에 관한 특별법」 제2조 제1호에 따른 오피스텔을 최초로 분양받은 경우 그 공동주택 또는 오피스텔(주택거래신고지역에 있는 공동주택 또는 오피스텔 제외)에 대하여는 다음에서 정하는 바에 따라 지방세를 감면한다. 다만, 토지 취득 후 정당한 사유 없이 2년 이내에 공동주택을 착공하지 아니한 경우는 제외한다.

① 전용면적 60제곱미터 이하인 공동주택 또는 오피스텔을 취득하는 경우에는 취득세를 면제한다.

② 「민간임대주택에 관한 특별법」 또는 「공공주택특별법」에 따라 8년 이상 장기임대 목적으로 전용면적 60제곱미터 초과 85제곱미터 이하인 장기임대주택을 20호(戶) 이상 취득하거나, 20호 이상의 장기임대주택을 보유한 임대사업자가 추가로 장기임대주택

을 취득하는 경우(추가로 취득한 결과로 20호 이상을 보유하게 되었을 때에는 그 20호부터 초과분까지를 포함)에는 취득세의 100분의 50를 경감한다.

아울러, 「한국토지주택공사법」에 따라 설립된 한국토지주택공사가 「공공주택특별법」 제43조 제1항에 따라 매입하여 공급하는 것으로서 「건축법 시행령」 별표 1 제1호 나목의 다중주택 및 그 부속토지와, 같은 호 다목의 다가구주택 및 그 부속토지에 대하여는 취득세를 면제한다.

관련예규 및 판례요약

영유아어린이집 및 유치원에 대한 감면(지특법 §19) 관련 예규, 판례

조심 2018지 2015, 2019. 6. 20.

재산세 과세기준일(6. 1.) 현재 쟁점부동산을 소유한 종교단체의 대표자와 쟁점부동산의 사용자(어린이집 대표자)가 다르다고 하더라도 어린이집의 실제 운영 주체가 쟁점교회인 것으로 판단되는 이상, 교회 등 종교단체가 직접 사용하는 경우에 해당함.

대법 2019두 34968, 2019. 5. 30.

어린이집 대표자인 부인명의로 취득세를 감면받은 후 대표자를 남편으로 변경한 경우 해당 부동산은 직접 사용하지 않은 것으로 보아 취득세 감면분을 추징하여야 함.

대법 2013두 13754, 2013. 10. 25.

유치원을 공동으로 상속받아 상속인 중 1인이 대표자로 유치원을 운영하고 있는 경우 대표자 외 다른 상속자 지분도 감면할 수 있는지 여부 관련하여 상속자가 운영에 참여하지 않는 이상 무상여부와 관계없이 감면 배제됨.

대법 2012두 232, 2012. 4. 26.

사단인 교회명의로 유치원 허가를 득할 수 없어 교회 대표자 명의로 허가를 득하여 유치원을 설치·운영하고자 교회명의로 취득한 부동산의 취득세 감면대상에 해당되지 않음.

대법 2011두 29755, 2012. 3. 15.

영유아보육시설을 설치·운영하기 위해 부동산을 공유지분으로 취득한 후 공유취득자 중 1인을 대표자 및 시설장으로 하여 위탁경영토록 한 경우에도 '직접 사용'하지 않은 것으로 볼 수 없음.

지방세운영 - 4588, 2009. 10. 28.

영유아보육시설을 운영하기 위하여 취득한 부동산을 주거와 겸용하는 경우, 해당시설 중 주거용도로 사용되는 부분(안방 등)에 대하여는 과세, 보육 용도로 사용되는 부분(거실, 조리실 등)에 대하여는 면제

조심 2008지 646, 2009. 1. 21.

아파트에 거주하지 않고 가정보육시설로만 운영하고 있는 경우 가정보육시설 이외의 용도로 사용한 것으로 볼 수 없어 지방세 감면대상임.

지방세심사 2007 - 615, 2007. 11. 26.

영유아보육시설용으로 부동산을 취득한 후 유예기간 내에 영유아보육시설 대표자 명의를 변경하여 운영하는 경우 취득세 등을 추징하는 것은 적법함.

지방세심사 2006 - 109, 2006. 3. 27.

영유아보육시설을 운영하는 자가 부동산을 취득한 후 보육시설로 사용하지 아니하고 피아노학원, 속셈학원 등을 운영하고 있는 경우 기 비과세된 취득세 등을 추징함.

지방세심사 2005 - 511, 2005. 12. 26.

부동산취득자와 영유아보육사업 인가자 명의가 동일하여야만 영유아보육시설에 대한 취득세 등 비과세 혜택을 받을 수 있음.

지방세심사 2004 - 331, 2004. 10. 27.

영유아보육시설을 운영하는 자가 영유아보육시설용으로 사용하기 위하여 취득한 토지를 사회복지법인에 증여하여 영유아보육시설용으로 사용하도록 한 경우 취득목적이 그대로 유지되었다고 할 수 있으므로 비과세한 취득세 등을 추징하지 아니함.

지방세심사 2004 - 186, 2004. 7. 26.

부동산 취득일 현재 보육시설신고필증을 교부받지 않았더라도 실질적으로 영유아보육시설을 운영하려는 자의 부동산 취득은 비과세대상임.

지방세심사 2004 - 52, 2004. 2. 23.

영유아보육시설의 운영자인 법인이 아닌 법인의 대표이사 명의로 지목을 변경한 경우 취득세 등이 비과세되지 않음.

노인복지시설에 대한 감면(지특법 §20) 관련 예규, 판례

대법 2013두 18582, 2014. 2. 13.

의료법인이 의료법에서 부대사업으로 정하고 있는 노인의료복지시설 중 하나인 노인요양시설을 운영하는 것을 의료업에 직접 사용하는 것으로 볼 수 없어 취득세 면제대상으로 볼 수 없음.

지방세운영-387, 2010. 1. 28.

재단법인이 노인복지시설을 운영하기 위하여 취득한 부동산을 「노인장기요양보험법」에 의한 재가급여 사업을 위한 시설로 사용하는 경우 취득세 비과세 대상이 아님.

지방세심사 2004-322, 2004. 10. 27.

신축한 노인복지시설의 일부를 의료시설 등에 임대하고, 사업관리를 위한 사무실 및 직원을 배치한 경우 임대시설을 포함한 건축물 전체가 대도시 내 지점설치이므로 등록세 중과대상이지만, 감면조례에 의해 유료노인복지시설용 부동산은 등록세가 면제됨.

임대주택 등에 대한 감면(지특법 §31) 관련 예규, 판례

대법 2016두 46212, 2016. 11. 10.

○○공사와의 매매약정에 따라 소규모 공동주택을 신축하여 ○○공사에 일괄매각한 경우, 취득세 감면대상인 분양할 목적으로 소규모 공동주택을 건축한 경우에 해당되는지 여부 관련하여 '분양'에는 '일괄매각'이 포함되지 아니하므로 공동주택을 신축하여 ○○공사에 일괄매각한 경우는 취득세 감면대상에 해당되지 않음.

지방세운영-2758, 2011. 6. 13.

임대주택 건설사업자가 당초는 분양할 목적으로 주택건설사업계획 승인을 받은 후 토지를 구입하여 취득세를 납부하던 중 이후 주택건설 사업계획을 변경하여 임대목적으로 공동주택을 건축할 경우 기 납부한 취득세는 감면되지 않음.

대법 2008두 1414, 2008. 7. 2.

취·등록세 면제대상이 되는 1구당 건축면적이 60m^2 이하의 공동주택에는 여러 가구가 한 건물에 거주할 수 있도록 건축된 다가구용주택 중 1구당 건축면적 60m^2 이하의 주택이 포함됨.

다. 교육 및 과학기술 등에 대한 지원

1) 학교 및 외국교육기관에 대한 면제(지특법 §41)

「초·중등교육법」 및 「고등교육법」에 따른 학교, 「경제자유구역 및 제주국제자유도시의 외국교육기관 설립·운영에 관한 특별법」 또는 「기업도시개발 특별법」에 따른 외국교육기관을 경영하는 자가 해당 사업에 사용하기 위하여 취득하는 부동산에 대하여는 취득세를 면제한다. 다만, 다음의 어느 하나에 해당하는 경우 그 해당 부분에 대해서는 면제된 취득세를 추징한다.

① 취득일부터 5년 이내에 수익사업에 사용하는 경우

② 정당한 사유 없이 그 취득일부터 3년이 경과할 때까지 해당 용도로 직접 사용하지 아니하는 경우

③ 해당 용도로 직접 사용한 기간이 2년 미만인 상태에서 매각·증여하거나 다른 용도로 사용하는 경우

관련예규 및 판례요약

대법 2016두 54855, 2017. 1. 25.

도시관리계획시설(학교) 결정 변경안을 제안하고, 학교부지 사용계획을 수립하여 일관되게 추진한 경우 고유업무 미사용에 대한 정당사유 여부와 관련하여 학교부지로 사용하기 위하여 계획을 수립하고 일관되게 추진한 점 등을 고려시 3년 내 고유업무에 사용하지 못한 정당한 사유가 있음.

대법 2014두 40333, 2014. 11. 27.

영상고등학교가 영상관 건물을 제3자의 프로게이머 온라인 생중계 장소로 제공하고 있고, 프로그램 제작에 차질이 없는 범위 내에서 학생들의 실습장소로 제공하고 있으나, 매월 기부금을 받고 있는 경우 당해 부동산을 임대수익사업용으로 보아 감면을 배제하는 것이 타당한지 여부

대법 2013두 21953, 2014. 3. 13.

비영리사업자인 학교가 구성원인 외국인교수의 사택이나 숙소용으로 제공하기 위해 취득한 학교 구외 위치한 오피스텔이 취득세 감면대상인 학교의 목적사업에 직접 사용하기 위한 부

동산으로 볼 수 있는지 여부 관련하여 사택이나 숙소의 제공이 단지 구성원의 편의를 도모하기 위한 것이라면 감면대상에 해당하지 않음.

대법 2012두 5190, 2012. 6. 28.
학교 경계구역을 학교에서 임의로 사용하고 있다고 주장하는 경우에 있어 비과세 해당 여부 관련하여 사실관계 고려시 비과세 대상에 해당하지 않음.

대법 2012두 3187, 2012. 5. 9.
학교부지 내 녹지로 활용하기 위하여 취득한 임야를 학교사업에 직접 사용하는 것으로 보아 비과세 할 수 있음.

2) 학술연구단체 및 장학단체에 대한 감면(지특법 §45)

학술연구단체 · 장학단체 · 과학기술진흥단체가 그 고유업무에 직접 사용하기 위하여 취득하는 부동산에 대하여는 취득세를 면제하며, 「공익법인의 설립 · 운영에 관한 법률」에 따라 설립된 장학법인이 장학금을 지급할 목적으로 취득하는 임대용 부동산에 대하여는 취득세의 100분의 80을 경감한다.

관련예규 및 판례요약

학교 및 외국교육기관에 대한 면제(지특법 §41)에 대한 감면 관련 예규, 판례

대법 2014두 40333, 2014. 11. 27.
영상고등학교가 영상관 건물을 제3자의 프로게이머 온라인 생중계 장소로 제공하고 있고, 프로그램 제작에 차질이 없는 범위 내에서 학생들의 실습장소로 제공하고 있으나, 매월 기부금을 받고 있는 경우 당해 부동산을 임대수익사업용으로 보아 감면을 배제하는 것이 타당한지 여부 관련하여 교육사업에 직접 사용하는 것이 아니라 부동산 임대에 사용한 것으로 보아야 하므로 감면배제 대상에 해당함.

지방세운영-2305, 2012. 7. 18.
해당 토지는 소수의 대학부설 연구소 관계자가 산양삼을 식재하여 재배지로 사용하는 자연림 상태의 임야로서 다수의 학생 또는 교직원이 항시 이용할 수 있는 토지가 아니라 할 것이므로 대학의 구성원으로서 필요불가결한 존재인 학생 및 교직원의 교육 및 연구활동에 직접 사용되는 부동산으로 볼 수 없다고 판단됨.

지방세운영-4397, 2011. 9. 16.

초빙교수는 학교 운영에 필요불가결한 중추적인 지위에 있다 볼 수 없고, 해당 부동산이 초빙교수의 주거를 위한 사택으로 사용되고 있다면 학교 고유목적사업에 직접 사용하는 부동산으로 보기는 어려움.

지방세운영-2602, 2009. 6. 30.

학교법인이 교육용으로 사용하던 부동산을 캠퍼스 이전으로 일부는 교육용으로 직접 사용하고 일부는 장기간 방치되어 있는 경우 방치된 부분은 목적사업에 직접 사용한 것으로 볼 수 없음.

지방세심사2007-503, 2007. 10. 1.

병원을 운영하는 학교법인이 간호사의 숙소 등으로 사용하기 위하여 병원 구외에 소재하는 부동산을 취득한 경우 취득세 등의 비과세 대상이 아님.

지방세심사 2007-446, 2007. 8. 27.

학생편의복지시설이 기숙사 거주학생들과 일반 학생들의 후생복지를 위한 시설이므로 교육사업에 사용하는 것으로 보아야 함.

지방세심사 2007-593, 2007. 10. 29.

학교법인이 증여받은 토지를 유예기간 내에 학교의 기본재산이 될 수 없다고 인정되어 원소유자에게 반환한 것은 정당한 사유가 있었다고 볼 수 없음.

지방세심사 2007-504, 2007. 10. 1.

행정관청이 학교용지 지정 미승인이 학교 건축을 착공하지 못한 정당한 사유에 해당하지 아니하므로 취득세 등을 부과고지한 것은 적법함.

지방세심사 2007-446, 2007. 8. 27.

학생편의 복지시설이 기숙사 거주학생들과 일반 학생들의 후생복지를 위한 시설이므로 교육사업에 사용하는 것으로 보아야 함.

지방세심사 2007-447, 2007. 8. 27.

학교법인이 교육사업에 직접 사용한다고 함은 학교의 교지, 체육장 등과 같이 당해 토지의 사용용도가 학교법인의 교육사업 자체에 직접 사용되는 것을 의미함.

세정-1808, 2005. 7. 21.

학교설립자의 지위승계를 받으면서 기존의 학교부지와 건물을 단순히 지위승계자에게 소유권이전 하는 것은 지방세법 제107조와 제127조에 의한 취득세와 등록세의 비과세대상이 되지 아니함.

지방세심사 2004-173, 2004. 6. 28.

학교법인이 취득한 건축물 중 일부를 제3자에게 구내식당용으로 위탁운영토록 하고 임대료 등을 받는 경우, 교육사업에 직접 사용하기 위하여 취득하고 그 사업목적에 직접 사용하고 있는 것이라고 볼 수 없음.

지방세심사 2007-594, 2007. 10. 29.

학교법인이 취득한 건축물(강당 및 체육관)을 학교법인의 부족한 재원에 대한 자구책으로 교회에 임대하여 준 경우 학교가 목적사업에 직접 사용하였다고 볼 수 없음.

지방세심사 2007-211, 2007. 4. 30.

부동산 취득 후 1년 내 개발행위허가제한지역이 또 다시 2년간 연장되어 학교목적사업에 사용하지 못한 경우 학교용지로 사용하지 못한 정당한 사유로 볼 수 없음.

지방세심사 2007-153, 2007. 3. 26.

학교법인의 고유목적 사업용 재산을 산학협력차원에서 벤처기업이 임차하여 사용하는 경우 교육용에 직접 사용하고 있는 것으로 볼 수 없음.

지방세심사 2005-442, 2005. 9. 26.

학교법인이 취득한 건축물 중 일부를 후생복지시설로 제3자에게 위탁운영하고 임대료 등을 받은 경우 수익사업에 사용한 것으로 보아 비과세한 취득세 등을 추징함.

지방세심사 2005-32, 2005. 2. 3.

학교법인이 불특정 다수인이 이용하는 골프연습장을 운영하면서 간헐적으로 학생들의 골프 실습장으로 사용하고 있는 경우는 수익사업으로 보아 취득세를 부과함.

지방세심사 2004-262, 2004. 9. 22.

의대부속병원에서 직접 운영하는 장례식장은 필수적인 부대시설로 보아야 하며, 고유목적과 관련된 필수부대시설을 일정한 수익을 받으면서 직접 경영할 경우에도 비과세하는 것과 형평성의 측면에서 달리 볼 수 없음.

학술연구단체 및 장학단체에 대한 감면(지특법 §45) 관련 예규, 판례

지방세심사-2005-544, 2005. 12. 26.

장학단체가 취득한 부동산을 매각한 경우 매각대금으로 장학사업을 하더라도 고유목적에 사용하지 않은 때에는 면제한 취득세 등을 추징함.

라. 문화 및 관광 등에 대한 지원

1) 종교 및 제사 단체에 대한 면제(지특법 §50)

종교 및 제사를 목적으로 하는 단체가 해당 사업에 사용하기 위하여 취득하는 부동산에 대하여는 취득세를 면제한다.

2) 문화 · 예술 지원을 위한 과세특례(지특법 §52)

정부로부터 허가 또는 인가를 받거나 「민법」 외의 법률에 따라 설립되거나 그 적용을 받는 문화예술단체 · 체육진흥단체 및 행정안전부장관이 문화체육관광부장관과 협의하여 고시하는 단체 등 문화예술단체 또는 체육진흥단체가 그 고유업무에 직접 사용하기 위하여 취득하는 부동산에 대하여는 취득세를 면제한다.

관련예규 및 판례요약

종교 및 제사 단체에 대한 면제(지특법 §50) 관련 예규, 판례

- 대법 2019두 46808, 2019. 10. 31.

  종교단체가 매매계약상 특약에 따라 감면 유예기간 내에 부동산 계약을 합의해제하고 취득한 부동산의 등기까지 말소하였다면, 해당 목적에 직접 사용하여야 할 세법상의 의무가 소멸하므로 직접 사용하지 못한 정당한 사유가 있다 할 것임.

- 조심 2019지 1800, 2019. 7. 8.

  「부동산 실권리자명의 등기에 관한 법률」 제8조에서 종교단체의 명의로 그 산하 조직이 보유한 부동산에 관한 물권을 등기한 경우 명의신탁을 인정하고 있는 점, 청구인이 소속된 기독교대한감리회의 교리와 장정(제28조 제1항)에서 감리회 소속 개체교회 · 기관 · 단체가 소유하고 있는 부동산은 재단법인 기독교대한감리회 유지재단 명의로 등기하여 관리하도록 규정하고 있는 점 등에 비추어 볼 때 소유권을 유지재단 명의로 이전등기하였다 하더라도 사실상 증여하였다고 보기 어려움.

- 대법 2016두 47611, 2016. 11. 24.

  은퇴 이후에도 설교, 강연, 심방 등 사목활동을 담당하고 있는 원로목사도 담임목사처럼 교회의 종교활동에 필요불가결한 중추적인 지위에 있다고 볼 수 있는지 여부 관련하여 원로목사는 담임목사처럼 교회의 종교활동에 필요불가결한 중추적인 지위에 있다고는 볼 수 없음.

- 대법 2016두 37430, 2016. 7. 7.

  종교시설로부터 직선거리로 약 437m 떨어진 부동산을 취득하여 주차공간으로 사용할 경우 취득세 감면대상에 해당하는 종교시설의 부설 주차장으로 볼 수 있는지 여부 관련하여 직선거리 200m 초과한 경우 부설주차장 설치기준에 불부합하여 종교시설의 부설주차장으로 볼 수 없음.

- 대법 2016두 37676, 2016. 6. 23.

  종교단체가 건축물 신축을 위해 설계가 진행 중인 경우 종교목적 사업에 사용한다고 볼 수 있는지 여부 관련하여 건축물 신축을 위한 설계가 진행 중인 경우는 건축공사에 착수한 것으로 볼 수 없어 목적사업에 사용한다고 볼 수 없음.

- 대법 2016두 34707, 2016. 6. 10.

  종교단체가 종교용으로 취득한 부동산을 사용 2년 이내에 산하재단에 증여하여 계속 종교용에 사용하는 경우 추징대상에 해당되는지 여부 관련하여 종교용도에 계속 사용하더라도 사용 2년 이내에 법인격을 달리한 재단에 증여시는 추징대상에 해당함.

- 대법 2015두 40958, 2016. 2. 18.

  종중이 지특법 제50조 제2항에 따른 재산세 등 감면대상에 해당하는 '제사를 목적으로 하는 단체'에 해당되는 지 여부 관련하여 종중은 '제사를 목적으로 하는 단체'에 해당되지 않음.

- 대법 2015두 54773, 2016. 1. 28.

  종교목적을 감면받고 2년 이내 임대하여 추징대상이 되자, 취득신고 1년 전에 작성한 원계약서를 제출한 경우, 이를 인정하여 원계약서의 취득일로 소급하여 2년을 계상할 수 있는 지 여부 관련하여 취득신고한 매매계약서 이외 원계약서를 나중에 제출한 경우라도 이가 사실상 계약서로 인정된다면 이의 취득일로 소급 적용 가능

- 대법 2014두 125050, 2015. 5. 28.

  관광진흥법에 의한 관광단지개발사업시행자의 범위에 관광단지 조성계획의 승인을 받지 않은 민간개발자도 포함할 수 있는지 여부 관련하여 구 지방세법 제277조 제1항에서 정한 '관광진흥법에 의한 관광단지개발사업시행자'는 관광단지의 지정은 물론 관광진흥법에 따라 조성계획의 승인까지 받은 사업시행자를 의미하므로 관광진흥법 제55조 제2항에 따른 시・도지사의 승인을 받지 아니한 경우는 감면대상이 될 수 없음.

대법 2014두 1697, 2014. 5. 16.

종교단체가 부동산을 취득 후 2년 이상 종교용으로 직접 사용한 이후 수익사업인 임대용으로 전환한 경우 비과세 배제대상으로 보아 취득세 등을 부과할 수 있는지 여부 (이 사건의 경우 사실관계 확인 결과 2년 이상 종교사업에 사용하지 않고 임대용으로 전환된 사안) 관련하여 2년 이상 종교용에 사용하고 수익사업에 전환한 경우에는 추징을 할 수 없으나, 이 건은 2년 이상 종교용에 사용하지 않아 비과세 배제대상임.

대법 2013두 15545, 2013. 11. 14.

사실상 재단법인인 교회에서 부동산 매수자금을 조달하였으나 착오로 교회대표자 명의로 소유권이전등기를 마쳤으나, 이후 당해 부동산을 교회에 증여한 후 교회 예배당으로 사용하고 있는 경우 실질과세를 적용하여 취득세를 감면할 수 있는지 여부 관련하여 개인명의로 취득이 이루어진 이상 감면을 적용할 수 없음.

대법 2013두 7247, 2013. 7. 25.

교회가 초・등교육법에 따라 적법한 설립인가를 받지 않고 설립・운영하는 대안학교 및 유치원용 부동산을 종교단체 또는 학교가 고유업무에 직접 사용하는 것으로 보아 감면을 적용할 수 있는지 여부 관련하여 교회가 고유업무에 직접 사용한 것으로 볼 수 없어 감면대상 아님.

대법 2013두 529, 2013. 4. 11.

종교단체(재단법인)의 정관상 목적사업에 유치원 경영이 포함되어 있는 경우 이를 종교단체의 고유업무로 보아 감면을 적용할 수 있는지 여부 (추징유예기간 3년을 적용 가능한지) 관련하여 유치원은 종교단체의 고유업무로 볼 수 없어 감면적용 불가함.

대법 2013두 1997, 2013. 3. 15.

교회가 부동산을 취득 후 선교를 위해 당해 부동산을 여성노숙자 쉼터인 비영리 복지시설로 사용하고 있는 경우 이를 종교사업에 직접 사용하는 것으로 보아 취득세를 감면할 수 있는지 여부 관련하여 종교사업의 필수불가결한 시설로 볼 수 없어 감면할 수 없음.

대법 2013두 2693, 2013. 3. 15.

매매예약 당시 교회가 직접 임대차계약을 체결할 수 있는 상태에 있었음에도 전 소유자인 매도자 명의로 임대차계약서를 작성한 이후, 교회가 당해 부동산을 취득하고 그 임대차계약을 유지한 경우 수익사업에 사용한 것으로 보아 유예기간 내라도 바로 추징대상이 됨.

대법 2012두 24719, 2013. 1. 15.

교회가 교회신축을 위해 취득한 주택과 상가를 일시 부목사 사택이나, 교회물품 보관창고로 사용한 경우 이를 고유업무에 직접 사용한 것으로 보아 취득세 등 비과세 추징을 배제할 수 있는지 여부 관련하여 종교단체의 고유업무에 직접 사용한 것으로 볼 수 없음.

대법 2011두 15183, 2012. 5. 24.

선교회 대표자가 거주하는 주택을 종교활동의 중추적인 요소로 보아 취득세 등을 감면할 수 있는지 여부 관련하여 필수불가결 요소가 아니므로 비과세 불가함.

대법 2011두 27223, 2012. 2. 23.

종교단체가 취득당시의 존재하고 있던 요인 때문에 유예기간 내에 고유업무에 직접 사용하지 못한 경우 감면분 취득세 추징을 배제할 수 있는 정당한 사유가 있다고 볼 수 있는지 여부 관련하여 취득당시 원인과 동일한 이유 때문이라면 정당한 사유 인정 불가함.

지방세운영-5281, 2011. 11. 17.

종교단체가 취득하는 부동산이라 하더라도 종교의식・예배・축전・종교교육・선교 등 종교목적으로 직접 사용하는 부동산에 한하여 취득세 등의 비과세 대상에 해당된다고 할 것이라는 점. 자연림으로서 등산로나 자연학습장 등으로 간헐적으로 이용되는 경우 비영리사업자의 고유목적 사용으로 볼 수 없다고 할 것이라는 점 등을 고려할 때, 신도들의 수행을 위한 산책길로 이용하는 임도가 개설되어 있다고 하더라도 임도에 별도의 종교목적의 시설물이 설치되지 아니한 채 간헐적으로 이용되는 순수자연림 상태라면 종교용에 직접 사용되고 있다고 보기는 어렵다고 할 것이나, 각 시설물의 경우 종교목적 사용빈도, 타용도로 사용 현황 등 당해 종교단체의 사업목적과 취득목적을 고려하여 당해 과세권자가 그 실제의 사용관계를 기준으로 판단할 사안임.

지방세운영-2606, 2011. 6. 6.

종중소유의 제실 등이 제사목적에 일부 사용된다 하더라도 특정인 또는 특정 집단의 이익만을 위한 종중명의의 제실 및 그 부속토지는 취득세 감면대상에 해당하지 않는 것임.

지방세운영-1672, 2010. 4. 25.

종교단체가 불교경전을 해설하는 연구소로 활용하기 위하여 아파트를 증여받아 취득하였을 경우 취득세와 등록세가 비과세되는 종교목적용 부동산에 해당하지 않음.

대법 2009두 8144, 2009. 8. 27.

종교단체가 취득한 부동산의 대출금을 승계할 수 없어, 당초 매매계약을 해제하고 종교단체 대표자 배우자 명의로 다시 매매계약을 하고 종교용으로 사용하였다면 비과세한 취득세 등을 추징할 수 없음.

감심 2009-164, 2009. 7. 30.

주차공간 부족으로 신도 등을 위한 주차장으로 사용한 경우 종교사업에 직접 사용한 것으로 봄이 타당함.

대법 2007두 20027, 2009. 6. 11.
은퇴신부의 사택용으로 사용되는 이 사건 아파트는 그 사업에 직접 사용하는 부동산이라고 할 수 없어 비과세대상에 해당하지 않음.

지방세운영-2507, 2008. 12. 15.
개인소유 부동산이 종교시설인 예배장으로 사용 될 경우 재산세 비과세대상에 해당함.

지방세운영-1813, 2008. 10. 15.
교회가 임대인인 동시에 임차인으로 임대차계약을 체결하고 무상으로 사용하더라도 평생교육원으로 운영하는 부분은 종교단체가 종교용으로 직접 사용하는 것으로 볼 수 없어 취득세 등의 비과세대상이 아님.

서울고법 2007누 9817, 2008. 6. 27.
종교의 보급 기타 교화에 현저히 기여하는 사업을 영위하는 단체가 그 고유의 사업목적을 위하여 일시적 또는 실비로 공급하는 용역은 수익사업에 해당하지 아니함.

지방세심사 2007-604, 2007. 10. 29.
재단법인으로 등록된 종교법인이 소속 교회로부터 부동산을 증여받아 취득한 후 그 취득일부터 2년 이내에 매각한 경우 기 비과세한 취득세 등을 추징한 처분이 적법함.

지방세심사 2007-495, 2007. 10. 1.
종교단체가 교육관용으로 부동산을 취득·등기한 후 그 일부를 부목사의 사택으로 사용하고 있는 경우 기 비과세한 취득세 등을 부과고지한 것은 적법함.

지방세심사 2005-490, 2005. 11. 28.
교회가 종교용으로 취득한 부동산을 3년 이내에 소속재단에 매각하였으나 계속하여 종교용으로 사용하고 있는 경우 취득세 등 비과세대상이 되는 것임.

지방세심사 2005-499, 2005. 11. 28.
종교단체가 담임목사 사택으로 사용하기 위하여 취득한 아파트를 그 사용일로부터 2년 이내 매각한 경우에 기비과세한 취득세 등을 부과한 처분은 적법함.

지방세심사 2005-463, 2005. 10. 31.
종교단체가 취득한 부동산을 목회자 자녀 등의 기숙사로 사용하고 있는 경우 종교용에 직접 사용하고 있다고 볼 수 없어 취득세 등을 추징함.

세정 - 2669, 2005. 9. 13.

사회복지법인이 아닌 종교재단법인이 취득하는 사회복지시설용 부동산은 취득세 등의 비과세대상이 되지 아니함.

세정 - 4159, 2004. 11. 18.

종교용에 사용하기 위한 부동산을 종교단체가 아닌 담임목사 개인명의로 취득(등기)하였다면 「지방세법」 제107조 제1호에서 규정하는 취득세 등의 비과세대상에 해당되지 아니함.

감심 2004 - 130, 2004. 10. 21.

종교용으로 취득한 임야를 사찰 건축허가를 받지 못하여 3년 이내에 사용하지 못하고 있다면 이는 정당한 사유가 아니고, 상시 공여되는 상태가 아닌 야외 종교행사에 일시적 사용은 직접 사용이 아니므로 종교사업에 직접 사용되는 토지에 대한 취득세, 등록세 등의 비과세는 적용되지 아니함.

지방세심사 2004 - 225, 2004. 8. 30.

교회 경내 종교용 건물에 부속되어 있는 사택은 비영리법인의 고유목적에 '직접 사용'한 것으로 볼 수 있지만, 이 건물이 실제 피아노학원 등의 수익목적으로 사용되었다면 비영리사업자의 증여에 해당하므로 과세함.

감심 2004 - 70, 2004. 8. 12.

법정 주차 규모를 초과하는 성당 경계구역 밖의 토지를 한시적인 성당 주차장 용도로 사용하였으나, 종교사업에 사용한 것으로 보아 취득세 등을 비과세한 사례

지방세심사 2004 - 91, 2004. 4. 26.

교회에 연접한 부동산을 취득하여 교회 부설 주차장으로 사용하는 경우 고유한 종교목적으로 사용하는 부동산으로 보아 취득세 등의 비과세대상임.

세정 - 2894, 2007. 7. 26.

교회가 임대차관계가 지속되는 부동산 중 일부 부동산인 고급오락장 등 사치성 재산을 취득한 경우 상가임대차보호법의 적용대상이라 하더라도 취득세와 등록세의 비과세대상이 아님.

지방세심사 2007 - 223, 2007. 4. 30.

종교단체가 종교용에 사용하기 위하여 취득한 부동산을 유치원으로 제공하고 있는 경우 기 비과세한 취득세 등을 추징함.

고법 2006누 11028, 2007. 4. 5.

수영장 사용료를 헌금 목적으로 계속적으로 받고 있다면 수익사업에 해당된다고 볼 수 있음.

지방세심사 2004-208, 2004. 7. 26.

종교단체가 취득한 부동산을 제3자에게 임대하고 임대료를 받는 경우 수익사업에 사용하는 것으로 보아 비과세한 취득세 등을 추징함.

지방세심사 2004-116, 2004. 4. 26.

공원묘지 유지관리 등의 사업을 영위하는 종교단체가 납세의무 성립 당시 등기부등본상 종교목적이 아닌 장묘사업에 중점을 둔 수익사업인 것으로 보아 기면제한 취득세 등을 추징함은 타당한 사례.

지방세심사 2004-11, 2004. 1. 29.

종교단체가 취득하여 비과세 받은 부동산을 종교단체의 산하단체에 실비를 받고 임대하는 경우 종교용에 직접 사용한 것으로 보나, 제3자에게 임대하는 경우에는 그러하지 아니함.

지방세심사 2005-467, 2005. 10. 31.

여러 종단의 종교인들이 모여 생명 및 환경, 사회문제 등을 연구하고 대화와 토론을 통한 사회활동을 하는 단체는 종교를 목적으로 하는 단체에 해당하지 않음.

세정-779, 2005. 5. 21.

취득세 등을 비과세하는 종교단체란 특정 행정관청의 허가를 득하거나 등록된 단체를 의미하는 것이 아니라 사실상 종교활동을 하는 종교단체를 의미하는 것임.

마. 기업구조 및 재무조정 등에 대한 지원

1) 과점주주의 간주취득에 대한 취득세 감면 (지특법 §57의2 ⑤)

다음의 어느 하나에 해당하는 사유로 「지방세기본법」 제47조 제2호에 따른 과점주주(寡占株主)에 해당하게 되는 경우 그 과점주주에 대하여는 「지방세법」 제7조 제5항에 따른 과점주주의 간주취득 규정을 적용하지 2021년 12월 31일까지 않는다.

① 「금융산업의 구조개선에 관한 법률」 제10조에 따른 제3자의 인수, 계약이전에 관한 명령 또는 계약이전결정에 따라 부실금융기관으로부터 주식 또는 지분을 취득하는 경우

② 금융기관이 법인에 대한 대출금을 출자로 전환함에 따라 해당 법인의 주식 또는 지분을 취득하는 경우

③ 「독점규제 및 공정거래에 관한 법률」에 따른 지주회사(금융지주회사를 포함)가 되거나 지주회사가 같은 법 또는 「금융지주회사법」에 따른 자회사의 주식을 취득하는 경우

④ 예금보험공사 또는 정리금융회사가 「예금자보호법」 제36조의 5 제1항 및 제38조에 따라 주식 또는 지분을 취득하는 경우

⑤ 한국자산관리공사가 「금융회사부실자산 등의 효율적 처리 및 한국자산관리공사의 설립에 관한 법률」 제26조 제1항 제1호에 따라 인수한 채권을 출자전환함에 따라 주식 또는 지분을 취득하는 경우

⑥ 「농업협동조합의 구조개선에 관한 법률」에 따른 농업협동조합자산관리회사가 같은 법 제30조 제3호 다목에 따라 인수한 부실자산을 출자전환함에 따라 주식 또는 지분을 취득하는 경우

⑦ 「조세특례제한법」 제38조 제1항 각 호의 요건을 모두 갖춘 주식의 포괄적 교환・이전으로 완전자회사의 주식을 취득하는 경우. 다만, 제38조 제2항에 해당하는 경우(같은 조 제3항에 해당하는 경우는 제외)에는 감면받은 취득세를 추징한다.

관련예규 및 판례요약

과점주주의 간주취득에 대한 취득세 감면 특례 등(지특법 §57의2)과 관련된 예규, 판례

대법 2011두 13682, 2014. 1. 16.

자본시장법(구 간접투자법)에 따른 사모투자전문회사 또는 투자목적회사가 공정거래법에서 규정하고 있는 지주회사의 형식적 요건을 충족하더라도 10년동안 공정거래법에 의한 지주회사에 관한 적용을 받지 않는 경우에도 공정거래법상의 지주회사로 보아 과점주주 간주취득에 따른 취득세를 감면할 수 있는지 여부 관련하여 과점주주 간주취득세 감면대상 공정거래법상 지주회사로 볼 수 없음.

대법 2013두 18384, 2014. 1. 16.

한국무역보험공사를 금융기관으로 보아 조특법상 간주취득세 감면규정(금융기관이 법인에 대한 출자금을 출자전환하는 과정에서의 주식을 취득하는 경우)을 적용할 수 있는지 여부 관련하여 한국무역보험공사는 금융기관으로 볼 수 없으므로 감면대상으로 볼 수 없음.

2) 벤처기업 등에 대한 과세특례(지특법 §58)

① 「벤처기업육성에 관한 특별조치법」에 따라 지정된 벤처기업집적시설 또는 신기술창업집적지역을 개발・조성하여 분양 또는 임대할 목적으로 취득하는 부동산에 대하여

는 취득세의 100분의 50을 경감한다.

② 「벤처기업육성에 관한 특별조치법」에 따라 지정된 벤처기업집적시설 또는 「산업기술단지 지원에 관한 특례법」에 따라 조성된 산업기술단지에 입주하는 자(벤처기업집적시설에 입주하는 자 중 벤처기업이 아닌 자는 제외)에 대하여 취득세, 등록면허세 및 재산세를 과세할 때에는 「지방세법」 제13조 제1항부터 제4항까지, 제28조 제2항・제3항 및 제111조 제2항의 중과세율을 적용하지 아니한다.

③ 「벤처기업육성에 관한 특별조치법」 제17조의 2에 따라 지정된 신기술창업집적지역에서 산업용 건축물・연구시설 및 시험생산용 건축물로서 대통령령으로 정하는 산업용 건축물을 신축하거나 증축하려는 자(공장용 부동산을 중소기업자에게 임대하려는 자를 포함)가 취득하는 부동산에 대하여는 취득세의 100분의 50을 경감한다.

④ 「벤처기업육성에 관한 특별조치법」에 따른 벤처기업이 「벤처기업육성에 관한 특별조치법」 제18조의 4에 따른 벤처기업육성촉진지구에서 그 고유업무에 직접 사용하기 위하여 취득하는 부동산에 대해서는취득세의 1000분의 379을 경감한다.

관련예규 및 판례요약

벤처기업 등에 대한 과세특례(지특법 §58) 관련 예규, 판례

대법 2019두 43917, 2019. 9. 26.

취득 전에 존재한 법령상의 장애사유가 있는 경우 특별한 사정이 없는 한, 그 법령상의 장애사유는 취득한 재산을 해당 사업에 직접 사용하지 못한 것에 대한 정당한 사유가 될 수 없음.

대법 2018두 60335, 2019. 2. 14.

부동산을 현물출자한 것은 개인사업체를 법인으로 전환하여 사업 운영의 편익을 얻기 위한 것으로써 직접 사용하지 못하고 현물출자 할 수밖에 없었던 외부적, 내부적 장애 사유가 있었다고 볼 수 없음.

대법 2011두 11549, 2014. 3. 27.

종전 사업체의 유휴설비나 사실상 폐업한 사업체의 자산을 임차하여 동종의 사업을 개시하는 경우에도 창업중소기업으로 보아 취득세를 감면할 수 있는지 여부 관련하여 원시적인 사업창출의 효과가 없으므로 감면대상으로 볼 수 없음.

서울고법 2007누 19395, 2008. 5. 22.

「벤처기업육성법」에 의하여 지정된 벤처기업집적시설에 입주하는 벤처기업에 대하여 부동산의 사용 및 그 기간 등에 별다른 제한을 두지 아니함.

3) 창업중소기업 등에 대한 취득세 감면(지특법 §58의3)

창업하는 창업중소기업 및 창업벤처중소기업이 해당 사업을 하기 위하여 창업일부터 4년 이내에 취득하는 사업용 재산에 대하여는 취득세의 100분의 75를 경감한다. 다만, 취득일부터 3년 이내에 그 재산을 정당한 사유 없이 해당 사업에 직접 사용하지 아니하거나 다른 목적으로 사용・처분(임대를 포함)하는 경우 또는 정당한 사유 없이 최초 사용일부터 2년간 해당 사업에 직접 사용하지 아니하고 다른 목적으로 사용하거나 처분하는 경우에는 면제받은 세액을 추징한다.

관련예규 및 판례요약

대법 2016두 51559, 2016. 12. 15.

창업 이후 추가한 업종의 매출이 50% 이상이라고 주장한 경우 종전과 같은 종류의 사업을 계속하지 아니한 경우로 창업에 해당되는지 여부 관련하여 추가 업종에 대한 매출액이 정확하게 확인되지 않고, 창업 전후의 식육포장처리업과 육가공제조업은 구한국표준산업분류표상 동일한 세분류에 속하여 창업으로 볼 수 없음.

대법 2016두 38730, 2016. 7. 7.

창업중소기업이 부동산 취득일로부터 2년 이내에 매매로 소유권이전등기를 하였으나, 15일 이내에 합의해제 및 말소등기를 하고 계속 사용하고 있는 경우 취득세 추징사유 중 하나인 '처분'에 해당되는지 여부 관련하여 매매계약 해제나 실질적 사용에도 불구하고 2년 이내 소유권이전은 면제세액 추징사유인 처분에 해당됨.

대법 2016두 30576, 2016. 4. 15.

창업중소기업의 사업자등록증 등 형식적 기재내용과 실제로 영위하는 업종이 다른 경우 동종업종 해당 여부 관련하여 창업중소기업 동종업종 여부는 사업자등록증 등 형식적 기재에도 불구하고 실제 영위하는 업종의 내용에 따라 판단하여야 함.

바. 수송 및 교통에 대한 지원

1) 물류단지 등에 대한 감면(지특법 §71)

① 「물류시설의 개발 및 운영에 관한 법률」 제27조에 따른 물류단지개발사업의 시행자가 같은 법 제22조 제1항에 따라 지정된 물류단지를 개발하기 위하여 취득하는 부동산에 대하여는 취득세의 100분의 35를 경감하고, 그 부동산에 대하여는 그 재산세의 100분의 35를 경감한다.

② 물류단지에서 물류사업을 직접 하려는 자가 취득하는 물류사업용 부동산에 대하여는 취득세의 100분의 50을 경감한다.

 **관련예규 및 판례요약**

 물류단지 등에 대한 감면(지특법 §71) 관련 예규, 판례

대법 2016두 37232, 2016. 7. 29.

관리형토지신탁계약에 따른 수탁자를 지특법 제71조에 따른 취득세 감면대상 '물류단지에서 물류사업을 직접하려는 자'로 볼 수 있는지 여부 관련하여 물류창고에서 '임대창고' 내지 '수탁창고' 방식으로 영위한 경우 취득세 감면대상 '물류사업을 직접하려는 자'로 볼 수 있음.

대법 2015두 40514, 2015. 7. 9.

물류터미널 단지 내에 위치한 이 사건 주유소는 「도시계획시설의 결정·구조 및 설치기준에 관한 규칙」에서 정한 위 물류터미널의 부대시설이고, 주유소가 대로변에 있어서 외부의 불특정 다수의 차량이 이용할 우려가 있다는 사정만으로 주유소를 물류단지시설에 해당하지 않는다고 볼 수 없음.

지방세운영-4021, 2011. 8. 26.

운송사업자가 물류단지내 물류창고 설치 후 5년 내 같은 구역에 신축한 주유소는 불특정 다수에게 판매하는 일반주유시설로써 물류창고의 본질적인 업무처리와 직접 관련이 없는 부수시설이므로 취득세 면제대상 물류사업용 부동산이 아님.

사. 국토 및 지역개발에 대한 지원

1) 토지수용 등으로 인한 대체취득에 대한 감면(지특법 §73)

「공익사업을 위한 토지 등의 취득 및 보상에 관한 법률」등 관계 법령에 따라 토지 등을 수용할 수 있는 사업인정을 받은 자에게 부동산이 매수, 수용 또는 철거된 자가 계약일 또는 해당 사업인정 고시일 이후에 대체취득할 부동산등에 관한 계약을 체결하거나 건축허가를 받고, 그 보상금을 마지막으로 받은 날부터 1년 이내(자경농민의 농지 등에 대한 감면이 적용되는 경우에 해당 농지의 경우는 2년 이내)에 다음 구분에 따른 지역에서 종전의 부동산등을 대체할 부동산등을 취득하였을 때에는 그 취득에 대한 취득세를 면제한다. 다만, 새로 취득한 부동산등의 가액 합계액이 종전의 부동산등의 가액 합계액을 초과하는 경우에 그 초과액에 대하여는 취득세를 부과하도록 하고 있으며, 「지방세법」 제13조 제5항에 따른 별장, 골프장, 고급주택, 고급오락장 등을 취득하는 경우와 부재부동산 소유자가 부동산을 대체취득하는 경우에는 취득세를 부과한다.

① 농지 외의 부동산등

㉠ 매수 · 수용 · 철거된 부동산등이 있는 특별시 · 광역시 · 특별자치시 · 도 · 특별자치도 내의 지역

㉡ 가목 외의 지역으로서 매수 · 수용 · 철거된 부동산등이 있는 특별자치시 · 시 · 군 · 구와 잇닿아 있는 특별자치시 · 시 · 군 · 구 내의 지역

㉢ 매수 · 수용 · 철거된 부동산등이 있는 특별시 · 광역시 · 특별자치시 · 도와 잇닿아 있는 특별시 · 광역시 · 특별자치시 · 도 내의 지역. 다만, 「소득세법」 제104조의 2 제1항에 따른 지정지역은 제외

② 농지(자경농민의 농지등에 대한 감면이 적용되는 경우 해당 자경농민이 농지 경작을 위하여 총 보상금액의 100분의 50 미만의 가액으로 취득하는 주거용 건축물 및 그 부속토지를 포함)

㉠ 상기 ① 농지외의 부동산등에 따른 지역

㉡ ㉠ 외의 지역으로서 「소득세법」 제104조의 2 제1항에 따른 지정지역을 제외한 지역

2) 도시개발사업 등에 대한 감면(지특법 §74)

도시개발사업과 재개발사업의 시행으로 해당 사업의 대상이 되는 부동산의 소유자가 환지계획 및 토지상환채권에 따라 취득하는 토지, 관리처분계획에 따라 취득하는 토지 및 건

축물에 대해서는 취득세를 2022년 12월 31일까지 면제한다. 다만, 다음 각 호에 해당하는 부동산에 대해서는 취득세를 부과한다.

① 환지계획 등에 따른 취득부동산의 가액 합계액이 종전의 부동산 가액의 합계액을 초과하여 「도시 및 주거환경정비법」등 관계 법령에 따라 청산금을 부담하는 경우에는 그 청산금에 상당하는 부동산

② 환지계획 등에 따른 취득부동산의 가액 합계액이 종전의 부동산 가액 합계액을 초과하는 경우에는 그 초과액에 상당하는 부동산. 이 경우 사업시행인가 이후 환지 이전에 부동산을 승계취득한 자로 한정한다.

도시개발사업의 사업시행자가 해당 도시개발사업의 시행으로 취득하는 체비지 또는 보류지에 대해서는 취득세의 100분의 75를 2022년 12월 31일까지 경감한다.

「도시 및 주거환경정비법」 제2조 제2호 가목에 따른 주거환경개선사업(이하 이 조에서 "주거환경개선사업"이라 한다)의 시행에 따라 취득하는 주택에 대해서는 다음 각 호의 구분에 따라 취득세를 2022년 12월 31일까지 감면한다. 다만, 그 취득일부터 5년 이내에 「지방세법」 제13조 제5항 제1호부터 제4호까지의 규정에 해당하는 부동산이 되거나 관계 법령을 위반하여 건축한 경우에는 감면된 취득세를 추징한다.

① 주거환경개선사업의 시행자가 주거환경개선사업의 대지조성을 위하여 취득하는 주택에 대해서는 취득세의 100분의 75를 경감한다.

② 주거환경개선사업의 시행자가 「도시 및 주거환경정비법」 제74조에 따라 해당 사업의 시행으로 취득하는 체비지 또는 보류지에 대해서는 취득세의 100분의 75를 경감한다.

③ 「도시 및 주거환경정비법」에 따른 주거환경개선사업의 정비구역지정 고시일 현재 부동산의 소유자가 같은 법 제23조 제1항 제1호에 따라 스스로 개량하는 방법으로 취득하는 주택 또는 같은 항 제4호에 따른 주거환경개선사업의 시행으로 취득하는 전용면적 85제곱미터 이하의 주택에 대해서는 취득세를 면제한다.

개발사업의 시행에 따라 취득하는 부동산에 대해서는 다음 각 호의 구분에 따라 취득세를 2022년 12월 31일까지 경감한다. 다만, 그 취득일부터 5년 이내에 「지방세법」 제13조 제5항 제1호부터 제4호까지의 규정에 해당하는 부동산이 되거나 관계 법령을 위반하여 건축한 경우 및 제3호에 따라 대통령령으로 정하는 일시적 2주택자에 해당하여 취득세를 경감받은 사람이 그 취득일부터 3년 이내에 대통령령으로 정하는 1가구 1주택이 되지 아니한 경우에는 감면된 취득세를 추징한다.

① 재개발사업의 시행자가 재개발사업의 대지 조성을 위하여 취득하는 부동산에 대해서는 취득세의 100분의 50을 경감한다.

② 재개발사업의 시행자가 「도시 및 주거환경정비법」 제74조에 따른 해당 사업의 관리처분계획에 따라 취득하는 주택에 대해서는 취득세의 100분의 50을 경감한다.

③ 「도시 및 주거환경정비법」에 따른 재개발사업의 정비구역지정 고시일 현재 부동산의 소유자가 재개발사업의 시행으로 주택(같은 법에 따라 청산금을 부담하는 경우에는 그 청산금에 상당하는 부동산을 포함한다)을 취득함으로써 대통령령으로 정하는 1가구 1주택이 되는 경우(취득 당시 대통령령으로 정하는 일시적으로 2주택이 되는 경우를 포함한다)에는 다음 각 목에서 정하는 바에 따라 취득세를 경감한다.

㉠ 전용면적 60제곱미터 이하의 주택을 취득하는 경우에는 취득세의 100분의 75를 경감한다.

㉡ 전용면적 60제곱미터 초과 85제곱미터 이하의 주택을 취득하는 경우에는 취득세의 100분의 50을 경감한다.

3) 법인의 지방 이전에 대한 감면(지특법 §79)

과밀억제권역에 본점 또는 주사무소를 설치하여 사업을 직접 하는 법인이 해당 본점 또는 주사무소를 매각하거나 임차를 종료하고 과밀억제권역(「산업집적활성화 및 공장설립에 관한 법률」을 적용받는 산업단지는 제외) 외의 지역으로 본점 또는 주사무소를 이전하는 경우에 해당 사업을 직접 하기 위하여 취득하는 부동산에 대하여는 취득세를 면제한다.

4) 공장의 지방 이전에 따른 감면(지특법 §80)

대도시[과밀억제권역(「산업집적활성화 및 공장설립에 관한 법률」을 적용받는 산업단지는 제외)]에서 공장시설을 갖추고 사업을 직접 하는 자가 그 공장을 폐쇄하고 대도시 외의 지역으로서 공장 설치가 금지되거나 제한되지 아니한 지역으로 이전한 후 해당 사업을 계속하기 위하여 취득하는 부동산에 대하여는 취득세를 면제한다.

5) 이전공공기관을 따라 이주하는 소속 임직원 등에 대한 감면(지특법 §81)

아래 감면대상자가 해당 지역에 거주할 목적으로 주거용 건축물과 그 부속토지를 취득함으로써 1가구 1주택이 되는 경우에는 아래 감면내용과 같이 취득세를 감면한다.

① 감면 대상자

㉠ 이전공공기관을 따라 이주하는 소속 임직원

㉡ 「신행정수도 후속대책을 위한 연기・공주지역 행정중심복합도시 건설을 위한 특별법」 제16조에 따른 이전계획에 따라 행정중심복합도시로 이전하는 중앙행정기관 및 그 소속기관(이전계획에 포함되어 있지 않은 중앙행정기관의 소속기관으로서 행정중심복합도시로 이전하는 소속기관을 포함하며, 이하 이 조에서 "중앙행정기관등"이라 한다)을 따라 이주하는 공무원(1년 이상 근무한 기간제근로자로서 해당 소속기관이 이전하는 날까지 계약이 유지되는 종사자 및 「국가공무원법」 제26조의 4에 따라 견습으로 근무하는 자를 포함한다. 이하 이 조에서 같다)

㉢ 행정중심복합도시건설청 및 세종청사관리소 소속 공무원

② 감면 내용

㉠ 전용면적 85제곱미터 이하의 주거용 건축물과 그 부속토지 : 면제

㉡ 전용면적 85제곱미터 초과 102제곱미터 이하의 주거용 건축물과 그 부속토지 : 1천분의 750을 경감

㉢ 전용면적 102제곱미터 초과 135제곱미터 이하의 주거용 건축물과 그 부속토지 : 1천분의 625를 경감

관련예규 및 판례요약

수용으로 인한 대체취득 감면(지특법 §73) 범위와 관련된 예규, 판례

조심 2018지 374, 2019. 4. 24.

도로 등으로 용도가 지정되어 있는 쟁점토지를 취득한 것은 처분청에게 기부채납하기 위한 것일 뿐 다른 목적이 없는 점, 청구법인은 「지방세법」 제9조 제2항 각 호의 비과세 배제사유에도 해당되지 아니하는 점, 쟁점토지를 취득하거나 기부채납할 당시에 쟁점사업의 시행자가 신탁회사이었고 신탁회사 명의로 신탁등기된 후 기부채납된 점 등을 볼 때 비과세 대상임.

대법 2013두 15590, 2014. 4. 24.

사업인정고시일 이후에 건축허가를 받아 수용에 따른 마지막 보상금을 받은 날부터 1년 이내

에 대체취득하는 부동산에 대한 취득세 감면을 적용함에 있어 택지개발예정지구 지정·고시일을 사업인정고시일로 보아 감면을 판단할 수 있는지 여부 관련하여 구 택지개발촉진법 하에서는 택지개발계획 승인·고시일을 사업인정고시일로 보아야 하기 때문에 택지개발예정지구 지정·고시일로 볼 수 없음.

대법 2013두 14528, 2013. 11. 15.

수용부동산 소재지에 주민등록을 유지하고 있다가 질병치료를 위해 일시 주민등록을 이전하였으나 실제적으로는 양주소지에 모두 거주하고 있었고, 처와 자녀들은 계속 수용부동산 소재지에 주민등록을 유지하고 있었던 경우 대체취득 비과세 배제대상자인 부재지주에 해당함.

대법 2012두 27596, 2013. 4. 11.

대체취득에 따른 취득세 감면을 배제하는 부재부동산소유자의 거주기간 판단기준인 "계약일"을 판단함에 있어 사업인정고시일 이전에 계약하는 것 이외 사업인정고시일 이후에 계약하는 경우도 포함되는지 여부 (사업인정고시일이 아닌 사업인정고시일 이후 계약일을 기준으로 1년을 적용가능 한지) 관련하여 사업인정고시일 이후에 계약하는 경우는 포함되지 아니함.

대법 2012두 21130, 2013. 2. 14.

모노레일카 사업을 민자사업으로 추진하면서, 그 시설물을 준공 후 20년간 민자사업자가 무상으로 운용하다가 운영기간 종료 후 지자체에 무상으로 기부채납하기로 한 경우 모노레일카 본체, 주행레일 및 전기시설을 취득세 비과세 대상 기부채납용 부동산으로 볼 수 있음.

지방세운영-3924, 2012. 12. 6.

사업인정을 받은 자에게 토지를 수용당하여 새로이 조성되는 이주자택지를 공급받는 경우로서 공급약정에 따라 잔금을 지급한 경우라면, 그 '잔금지급일'을 '취득이 가능한 날'로 봄이 타당하다고 할 것이나, 잔금지급일에 토지사용이 불가능한 경우에는 '잔금지급일'에도 불구하고 당해 토지사용가능시기(일)을 '그 취득이 가능한 날'로 보아야 할 것임.

지방세운영-1308, 2011. 3. 21.

동일 사업지구내에서 당초토지 보상과정에서 수필지로 분할되어 각각의 매매계약에 의해 별도의 보상이 이루어졌더라도 일단의 토지로 보아 마지막으로 보상받은 필지에 대한 보상금을 받은 날을 기준으로 취득세 감면규정을 적용함.

대법 20008두 19864, 2010. 12. 23.

자연인이나 법인 또는 비법인사단 등인지 여부를 불문하고 사업자등록을 하고 사업을 수행할 수 있는 자는 사업자에 해당한다고 보아야 하고 사업자등록 및 실질적인 사업수행 여부를 판단받아 부재부동산 소유자에 대한 과세 또는 비과세여부를 결정함.

대법 2010두 11047, 2010. 9. 30.

수용물건과 대체취득물건의 종류가 반드시 일치하는 경우로 한정하는 것은 아니며 그 상호간 시회통념상 대체물로 볼 수 있는 정도의 유사성이 인정된다면 비록 그 물건의 종류와 구성에 다소의 차이가 있더라도 전체적으로 평가하여 대체취득 비과세여부를 판정하는 것임.

지방세운영-4258, 2010. 9. 13.

수용 등으로 대체취득하는 부동산에 대하여는 비과세 규정을 적용함에 있어 도농복합형태의 시에 있어서 동지역에 한한다라고 함은 연접한 동지역 전체를 의미함.

지방세운영-4588, 2009. 10. 28.

사업인정고시일 이후 보상협의(보상금 수령)가 이루어지지 않은 상태에서 사업인정고시일 이후 대체할 부동산 등의 계약을 체결하고 대체부동산을 취득·등기하는 경우 취득세 및 등록세 비과세 적용.

[세정운영기준]

보상협의 전에는 토지등 수용확인서의 발급이 불가능하므로 우선 취득·등록세를 신고납부토록 하고 보상협의가 이루어져 토지등수용확인서가 제출된 경우 수정신고 대상으로 보아 비과세를 적용하여 기납부한 세금을 환부토록 세정운영

지방세운영-801, 2009. 2. 20.

토지등 수용확인서 발급시 부동산의 범위에는 토지 및 건축물 이외 건축설비 및 부속건축물이 모두 포함됨.

지방세운영-2195, 2008. 11. 17.

사업인정고시일 이후에 부동산을 협의매수(수용)한 경우의 부재부동산 소유자 판단기준일은 사업인정고시일임.

지방세운영-557, 2008. 6. 20.

주택재개발정비사업조합이 「도시 및 주거환경정비법」에 의하여 사업시행 인가를 받은 사업시행자라면 「지방세법」 제109조 제1항의 사업인정을 받은 자에 포함됨.

지방세심사 2008-14, 2008. 1. 28.

사업시행자의 사정으로 보상금 수령이 늦어졌다 하더라도 개정 「지방세법」 시행 이후 보상금을 최초로 수령한 이상 대체취득한 부동산에 대한 취득세 등 비과세 여부는 개정세법을 적용함.

감심 2008-102, 2008. 4. 3.

택지개발 사업지구 내 토지를 수용 당한 자가 사업시행자로부터 사업지구 내 단독주택용지를 특별 분양 받느라 보상금 수령 후 1년 이상 경과하여 대체 취득한 경우 취득세 등의 비과

세 대상임.

세정-3143, 2007. 8. 9.

공익사업 시행자에게 수용된 자가 계약일 또는 당해 사업인정고시일 이후에 대체 취득할 부동산 등의 계약을 체결하거나 건축허가를 받고 그 보상금을 마지막으로 받은 날부터 1년 이내에 대체부동산 등을 취득한 때 취·등록세를 비과세함.

지방세심사 2007-350, 2007. 6. 25.

개정「지방세법」시행 이전에 소유부동산에 대한 협의계약을 체결하고 사업시행자에게 보상금 지급 신청을 하였으나, 사업시행자의 사정으로「지방세법」개정 이후 보상금이 지급된 경우 취득세 등이 비과세되지 않음.

지방세심사 2007-359, 2007. 6. 25.

소규모 공동 주차장 건설계획에 따라 공동 주차장 부지로 편입된 토지에 대한 보상금으로 부동산을 취득한 경우 취득세 등이 비과세 되지 않음.

세정-590, 2007. 3. 13.

서울에 사업자등록을 한 종중이 소유하던 경기도 소재 농지가 수용되는 경우 부재부동산 소유주에 해당함.

세정-141, 2007. 2. 9.

토지 등의 수용에 의한 토지보상금 수령 후 건축물 보상금을 수령한 경우로서 그 건축물보상금 수령일로부터 1년 이내에 대체취득하는 부동산은 취득세 등의 비과세대상임.

세정-34, 2007. 1. 4.

택지개발사업지구로 사업인정고시된 부동산이 수용되어 그 보상금을 수령하여 1년 이내에 대체부동산을 취득한 경우 취득세 등을 부과하지 않음(부재지주 제외).

세정-6486, 2006. 12. 27.

수용된 토지(답) 소재지로부터 주민등록주소지를 이전한 지역까지의 거리가 20킬로미터 미만에 해당되고 그 후 계속 경작하던 중 토지공사에 수용되어 다른 부동산을 대체취득한 경우 취득세 등의 비과세대상임.

세정-5446, 2006. 11. 3.

이주대책대상자로 선정되어 개발하는 택지를 특별분양 받았으나 택지개발사업추진이 늦어져 보상금을 받은 날부터 1년 이내에 특별분양 받은 택지를 취득하지 못한 경우 취득세 등의 비과세대상이 되는 것임.

세정-4134, 2006. 9. 1.

매도계약체결일을 기준으로 1년 전부터 협의매수에 응하여 매도하는 토지소재지에 주민등록을 하고 계속 농사를 지으면서 거주하고 있었다면 부재부동산 소유자에 해당되지 아니함.

지방세심사 2005-509, 2005. 12. 26.

부동산 대체취득시 그 초과액을 계산함에 있어서 차감하는 매수·수용당한 토지의 시가표준액은 사업인정고시일이 아닌 협의매매계약일의 시가표준액을 기준으로 함.

세정-3802, 2005. 11. 16.

토지수용에 따른 초과액 산정시 매수·수용·철거 당시의 시가표준액을 사업인정고시일 현재의 시가표준액으로 적용하는 것임.

세정-1906, 2005. 7. 26.

공익사업 조성공사 시행자에게 당해 사업인정고시일 이전에 협의매수에 응하여 토지를 매도한 자가 그 보상금을 마지막 받은 날부터 1년 이내에 대체할 부동산을 대체취득하는 경우 취·등록세가 비과세되는 것임.

세정-1685, 2005. 7. 15.

토지수용 사업인정고시가 된 지역 내의 부동산에 대하여 계약일 이후 보상금 수령 전에 수용에 따른 부동산을 대체취득하였다면 대체취득한 부동산에 대한 취득세는 수용된 부동산가액의 범위 내에서 비과세되는 것임.

세정-107, 2005. 4. 11.

부동산이 수용된 자가 그 보상금을 마지막 받은 날부터 1년 이내에 대체할 부동산을 법원의 경매에 의하여 취득한 경우 취득시기는 경매받은 부동산의 잔금납부일임.

세정-1251, 2005. 3. 22.

대체취득한 부동산의 시가표준액이 수용된 부동산의 시가표준액을 초과한다면 그 차액에 대하여 취·등록세의 납세의무 있음.

세정-1168, 2005. 3. 17.

토지를 수용할 수 있는 사업인정을 받지 않은 행정관청 등과 단순한 협의에 의하여 부동산을 매매한 것은 공공용지 수용에 따른 대체취득 부동산에 대한 취득세 등의 비과세대상이 아님.

세정-945, 2005. 3. 2.

「지방세법」 제109조 제1항의 대체취득에 따른 부재부동산 소유자 여부를 판단시기는 계약일 또는 사업인정고시일 현재를 기준으로 부동산소유자의 주소지와 부동산소재지 인접 여부를 판단하는 것임.

세정－4265, 2004. 11. 24.

1차 보상금 수령 1년 이내 설계변경이 있고 이로 인하여 추가 수용되는 부동산의 2차 보상금을 수령하고, 1년 이내 대체부동산을 취득한다면 1차 및 2차 보상금에 해당하는 부동산의 취득세는 비과세됨.

세정－4230, 2004. 11. 23.

「지방세법」 제109조 제1항의 규정 중 '1년 이내에 이에 대체할 부동산 등을 취득한 때'에 있어서의 '취득'이라 함은 동법 시행령 제73조 제4항에서 규정하는 취득일을 의미하므로 신축한 건축물의 사용승인서교부일 또는 사실상 사용일 · 임시사용승인일 중 빠른 날이 취득일이 됨.

세정－4098, 2004. 11. 16.

「국토의 계획 및 이용에 관한 법률」 등 관계법령의 규정에 따라 부동산이 수용된 자는 당해 사업인정고시일(시기) 이후 그 보상금을 마지막으로 받은 날부터 1년이 되는 날까지 대체할 부동산을 취득한다면 보상금을 받기 전에 취득한 경우에도 수용된 부동산 가액의 범위 내에서는 취득세가 비과세됨.

세정－3999, 2004. 11. 9.

사업인정고시일 현재 1년 전부터 계속하여 주민등록을 하고 사실상 거주한 거주자로서 그 주민등록자가 보상금 수령일 1년 이내에 대체취득한 농지로부터 직선 20km 이내라면 취득세 등이 비과세됨.

세정－3840, 2004. 11. 2.

대체부동산 취득을 위한 계약을 체결하고 수용부동산에 대한 보상금을 마지막으로 수령하는 날부터 1년이 경과하기 전에 대체부동산을 취득하는 경우 취득세가 비과세되지만, 신규 취득부동산이 2곳 이상에 분산된 경우 그 합계액이 종전 부동산가액을 초과하는 부분은 취득세를 부과함.

지방세심사 2004－299, 2004. 10. 27.

재건축사업을 완료한 후 재건축조합이 주체가 되어 일반분양하는 아파트 등의 부속토지에 대하여 이는 제3자에게 매각하는 것이므로 취득세를 과세하지만, 주택건설사업계획승인서에 주거전용면적이 85m^2 이하로 이미 확정되어 있다면 농어촌특별세는 과세하지 아니함.

세정－3760, 2004. 10. 27.

사업인정고시일 이후에 대체취득한 부동산에 대한 계약을 체결하고, 보상금을 받은 날로부터 1년 이내에 토지를 취득하고 건축물을 신축 · 준공하였다면 취득세 비과세대상에 해당함.

세정-3460, 2004. 10. 12.

사업시행자가 공익사업수행을 위한 토지를 사업인정 전에 협의로 취득했지만 사업인정을 받지 못한 경우라도 매도자는 대체취득에 대한 취득세 비과세대상임.

세정-3621, 2004. 10. 9.

상속으로 부동산을 취득한 후 행정구역 변경으로 계약일 또는 사업인정고시일 현재 거주지와 상속부동산이 연접하지 않고 있다면 동 부동산의 소유자는 부재부동산 소유자에 해당함.

세정-3277, 2004. 10. 1.

사업시행자가 공익사업수행을 위한 토지를 사업인정 전에 협의로 취득했지만 사업인정을 받지 못한 경우라도 매도자는 대체취득에 대한 취득세 비과세대상임.

세정-1020, 2004. 5. 1.

대체취득시 비과세대상물건은 부동산, 선박, 어업권 및 광업권만 감면대상이며, 이주정착지원금, 과수목, 입목 등의 가액은 종전 부동산 등의 가액에 산입되지 않음.

세정-525, 2004. 3. 19.

사업인정고시일 현재 고시지구 내에 매수·수용 또는 철거되는 부동산을 소유하지 아니한 자가 추후에 고시지구 내 부동산을 취득하더라도 부재부동산 소유자에 해당되어 취득세가 비과세되지 아니함.

관련예규 및 판례요약

수용으로 인한 대체취득 감면(지특법 §73) 배제와 관련된 예규, 판례

대법 2013두 8370, 2013. 8. 22.

「구도시 및 주거환경정비법」 제30조의 3에 따라 LH공사에 기부채납하는 재건축소형주택의 부속토지를 국가나 지방자치단체에 기부채납하는 토지로 보아 취득세를 비과세 할 수 없음.

대법 2012두 16695, 2012. 11. 29.

토지거래 허가구역 내에서 토지에 대한 매매잔금을 지급한 이후에 도시개발사업에 관한 실시계획인가 및 토지거래 허가가 이루어진 경우, 기부채납에 따른 취득세 비과세를 적용받을 수 있는지 관련하여 국가나 지방자치단체에 귀속 또는 기부채납될지 알 수 없는 상태에서 이를 매수하였으므로 '국가 또는 지방자치단체에 귀속 또는 기부채납을 조건으로 취득한 부동산'에 해당하지 않음

- 대법 2011두 14524, 2012. 3. 15.

개인소유 부동산에 개인사업자등록을 하고 있던 중 개인사업을 법인으로 전환한 경우, 개인사업자와 법인을 영속성이 있는 것으로 보아 대체취득에 따른 취득세 비과세 배제대상 부재부동산소유주 판단기준인 사업기간(1년)을 산정할 수 있는지 여부 관련하여 양자를 별개로 보아 사업기간(1년)을 판단하여야 함.

- 지방세운영-2339, 2010. 6. 3.

A법인이 소유 부동산의 수용으로 보상금을 받은 후 B법인에게 흡수합병되어 B법인이 그 일부 보상금으로 부동산을 대체취득하는 경우 대체취득에 대한 취득세 비과세를 적용받을 수 없음.

- 지방세운영-1505, 2010. 4. 13.

부동산이 수용되어 수용된 자 명의로 보상금을 수령한 후 각 수용된 자가 조합을 결성하여 조합명의로 부동산을 대체취득하는 경우 대체취득에 따른 비과세대상에 해당하지 않음.

- 지방세운영-129, 2009. 1. 9.

공익사업으로 소유 부동산이 수용된 분할회사가 보상금을 수령하였으나 그 대체할 부동산은 물적분할로 설립된 분할신설회사가 취득한 경우 대체취득 비과세 대상 아님.

- 조심 2008지 225, 2008. 7. 28.

수용된 부동산의 소재지에 주민등록이 되어 있지 않은 자가 보상금으로 부동산을 대체취득하는 경우 취득세 등의 비과세 대상이 되지 아니함.

- 세정-3023, 2007. 8. 2.

사업인정을 받은 자에게 부동산 협의매수에 응하면서 국민주택 특별공급 대상자로 통보받고 부동산 수용에 따른 보상금을 수령하였으나 보상금 수령일부터 1년 이내에 국민주택이 완성되지 아니한 경우 대체취득이 불가능한 경우에 해당함.

- 지방세심사 2007-489, 2007. 10. 1.

주거용 주택을 분양받은 것이 아니라 건축허가를 받아 1년 내 취득하지 못한 경우에 해당하므로 대체취득 비과세대상이 아님.

- 지방세심사 2007-300, 2007. 5. 28.

수용부동산의 소재지로부터 20킬로미터를 초과한 지역에서 거주하고 있으므로 대체취득 비과세대상이 아닌 부재부동산 소유자에 해당함.

지방세심사 2007-301, 2007. 5. 28.

수용부동산이 소재하는 지역과 연접하는 시·군·구가 아닌 곳에 전입하여 주민등록을 한 사실이 확인되므로 대체취득에 따른 비과세 제외대상인 부재부동산 소유자에 해당함.

지방세심사 2007-233, 2007. 4. 30.

사업인정고시일 이전에 매매계약을 체결하고 사업인정고시일 이후 부동산을 취득한 경우 대체취득에 따른 취득세 등의 비과세대상에 해당하지 않음.

지방세심사 2007-149, 2007. 3. 26.

종전 소유부동산 수용에 관한 사업인정고시일 이전에 공동주택의 매매계약을 체결하였음이 입증되므로 대체취득에 대한 비과세대상이 아님.

세정-94, 2007. 2. 6.

법원 판결에 의해 수용된 부동산의 최종 보상금 수령일로부터 1년 이내에 대체취득하는 부동산은 취득세 등의 비과세대상임.

세정-16, 2007. 1. 31.

토지 등을 수용할 수 있는 사업인정을 받은 자와 협의 매수 전에 대체취득할 부동산의 계약을 체결한 경우 취득세 등의 비과세대상이 되지 않음.

지방세심사 2005-250, 2005. 8. 29.

수용부동산 소재지 이외의 지역에서 일시적으로 주소지를 두었던 부재부동산 소유자가 부동산을 대체취득한 경우 취득세 등 비과세대상에 해당하지 아니함.

세정-1522, 2005. 7. 6.

본인의 토지가 수용된다는 사실만을 갖고 사업인정고시일 이전에 대체토지를 취득한 경우라면 취득세 및 등록세가 비과세되지 아니하는 것임.

지방세심사 2005-106, 2005. 5. 2.

주택재개발사업시행에 있어 조합원이 분양신청하지 않아 관리처분대상이 아닌 보류지대상으로 취득한 경우 취득세 등 비과세(감면)대상에 해당하지 않음.

지방세심사 2005-110, 2005. 5. 2.

토지소유자인 사업시행자가 도시환경정비사업(구 도시재개발사업)으로 인하여 취득하는 건축물은 사업시행자가 취득하는 체비지에 해당하지 아니하므로 취득세 등이 부과됨.

세정-162, 2005. 4. 13.

사업인정고시일 이전에 공동주택 분양계약을 체결하여 취득한 것은 「지방세법」 제109조의 수용으로 인한 대체취득에 해당하지 아니하므로 취득세 등 비과세대상에 해당하지 않음.

세정-930, 2005. 2. 28.

사업인정고시일 1년 전부터 수용된 부동산 소재지에 주민등록을 하고 거주한 사실이 없는 경우 대체취득에 따른 취득세 및 등록세비과세 대상이 되지 않음.

세정-765, 2003. 8. 8.

토지 등을 수용할 수 있는 사업인정을 받은 자에게 부동산이 매수·수용·철거된 자가 사치성 재산 및 부재부동산을 대체취득하는 경우는 취득세 등을 비과세하지 아니함.

세정 13407-931, 2002. 10. 4.

수용된 부동산 등에 대한 보상금을 받은 날로부터 1년이 경과 후 대체취득하는 경우에는 취득세 등이 비과세되지 않음.

세정 13407-801, 2002. 8. 26.

'부재부동산 소유자'가 토지수용 등으로 인해 대체취득하는 부동산은 취득세 등 비과세대상 아님.

대법 2000두 1836, 2002. 8. 23.

대체취득 부동산의 취득세 등 비과세 배제되는 '부재부동산 소유자' 판단시, 피상속인이 수용부동산 소재 지역에 '주민등록'을 하지 않은 경우에는 '사실상 거주'했어도, 상속인의 거주기간과 합산할 수 없음.

지방세심사 2002-227, 2002. 6. 24.

사업인정고시일 현재 1년 전부터 계속하여 수용부동산 소재지 또는 그와 연접한 '구'에 주민등록 안 된 경우, 대체취득 부동산의 취득세 등 비과세대상 아님.

지방세심사 2002-114, 2002. 3. 25.

수용토지가 공부상 농지이나 사실상 현황이 나대지이므로 20km 이내 지역 거주 여부와는 관계없이, 연접한 구·시·읍·면 지역에 거주하지 않아 '부재부동산 소유자'로서 대체취득 부동산에 대한 취득·등록세 비과세 배제됨.

도시개발사업 등에 대한 감면(지특법 §74)과 관련된 예규, 판례

대법 2014두 40975, 2014. 11. 14.

주택재개발 사업시행자에게 사업 허가조건으로 개발정비구역에 포함되어 있지 아니한 인근 하천구역 예정지의 토지를 취득하도록 한 후 당해 토지를 처분청에서 유상으로 재매입하도록 한 경우, 당해 토지를 '주택개발사업의 대지 조성을 위하여 취득하는 토지' 또는 '지자체에 귀속을 조건으로 취득하는 부동산'으로 보아 취득세 등을 면제할 수 있는지 여부 관련하여 주택재개발정비구역에 포함되어 있지 아니한 토지는 주택재개발사업의 대지 조성을 위해 취득하는 부동산으로 보기 어렵고, '귀속'이란 법률규정에 의한 소유권의 취득만을 의미하므로 법률행위에 의한 유상 매입은 이에 해당하지 않아 취득세 면제대상이 아님.

대법 2014두 38262, 2014. 10. 15.

도시환경정비사업 구역 내에 토지 등의 소유자가 사업시행자 1인 경우에 있어, 관리처분계획을 수립하지 않고 정비사업을 시행한 경우 ①취득세 감면대상 환지계획 등에 의한 취득으로 볼 수 있는지 및 이 경우 사업시행자가 투입한 건축비용 전체를 청산금으로 보아 ①에도 불구하고 감면을 배제할 수 있는지 여부 관련하여 사업시행자만이 토지 등의 소유자인 경우 관리처분 없이 사업을 시행하더라고 취득세 감면대상 환지계획 등에 의한 취득으로 볼 수 있으나, 이 경우 투입된 건축비용은 사실상 청산금에 해당되어 종국적으로는 감면이 배제됨.

대법 2010두 1828, 2012. 5. 10.

도시개발사업에 따른 비과세 배제대상인 환지계획 등에 따른 취득부동산의 가액 합계액이 종전 부동산의 합계액을 초과하는 경우에 있어 '취득부동산의 가액의 합계액'에서 건축물 공사비 상당액을 공제할 수는 없음.

지방세운영-384, 2013. 2. 6.

주택재개발사업 조합원의 분양 주택 취득은 소유권보존을 위한 원시취득에 해당된다고 할 것이므로 비록, 조합원이 분양 주택을 취득하면서 청산금을 부담하는 경우라도 이를 유상거래를 원인으로 취득하였다고 보기는 어렵다고 할 것임.

지방세운영-4733, 2011. 10. 10.

체비지는 「도시개발법」 제42조 제5항에 따라 환지처분이 공고된 날의 다음 날에 사업시행자가 원시취득한다고 할 것이고, 이는 「지방세법」 제74조 제1항에 따라 취득세 면제대상이라고 할 것이나 이후 사업시행자(조합)로부터 매수(소유권 이전)하는 경우는 승계취득에 해당된다고 할 것이고, 사업시행자로부터 승계취득에 대한 경우에는 별도의 면제규정이 없어 취득세 납세의무가 있다고 할 것이며, 그 승계취득자가 공동시행자이거나 공사비 대가로 취득하는 경우라 하더라도 체비지를 원시적으로 취득하지 아니한 이상 취득세 면제대상에 해당된다고 보기는 어렵다고 할 것임.

지방세운영-4861, 2010. 10. 15.

승계 취득자로서 환지계획 등에 의한 취득부동산가액이 종전 부동산가액의 합계액을 초과한 경우로서 관계법령에 따라 청산금을 부담한 경우, 그 청산금에 대한 취득세와는 별도로 그 초과액(=취득부동산의 가액-승계취득 당시 취득가액)을 과세표준으로 하여 취득세를 과세함.

지방세운영-3997, 2009. 9. 23.

주택재건축사업의 일환으로 재건축아파트 조합원이 원시취득하는 신축아파트의 경우 환지계획등에 의한 취득부동산으로 보아 취득세를 비과세할 수 없음.

지방세운영-532, 2008. 8. 7.

환지계획 등에 의한 환지처분 결과 동일사업지구 내에서 청산금을 수령하는 토지와 청산금을 부담하는 토지가 동시에 있는 경우 전체 필지가액의 합계가 감소하여 청산금 교부금액이 많은 경우 취득세 납세의무가 없음.

세정-555, 2008. 2. 11.

주택재개발사업의 시행으로 인하여 당해 사업의 대상이 되는 부동산의 소유자가 관리처분계획에 의하여 취득하는 아파트의 경우로서 청산금을 부담하는 경우 청산금을 과세표준으로 하여 취득세 등을 신고하고 납부하여야 함.

지방세심사 2007-71, 2007. 2. 26.

토지소유자인 사업시행자가 도시환경정비사업으로 인하여 취득한 건축물이 토지 보다 초과하여 취득한 것은 체비지에 해당하지 아니함.

세정-3756, 2006. 8. 17.

환지처분 공고와 함께 체비지 또는 보류지로 정하기 위하여 사업시행자가 금전청산 대상 토지를 취득하는 토지는 체비지나 보류지에 해당되지 아니하므로 취득세 등의 비과세 대상이 아님.

법인의 지방 이전에 대한 감면(지특법 §79)과 관련된 예규, 판례

지방세특례제도과-1856, 2019. 5. 17.

이전공공기관(본사)의 지방 이전일 후 지사 직원이 본사로 인사발령 난 경우에도 '이전공공기관을 따라 이주하는 소속 임직원'에 해당되는 시점을 달리 규정하고 있지 않은 점 등을 고려할 때 감면대상에 해당함.

지방세특례제도과-1913, 2019. 5. 17.

'산업용 건축물등'은 공장 및 그 제조시설을 지원하기 위한 부대시설이므로 본점용 건축물은 「산업입지 및 개발에 관한 법률」 제2조 제1호에서 규정하는 공장으로 볼 수 없어 감면대상이 아님.

지방세심사 2007-778, 2007. 12. 26.

사실상 대도시 내의 본점 이전을 목적으로 취득한 부동산이라기 보다는 본점과 결합되어 운영되던 공장을 과밀억제권역 외의 지역으로 이전하기 위하여 취득한 것이므로 취득세 등 과세면제 대상이 아님.

세정-4608, 2004. 12. 16.

대도시 외의 지역으로 이전한 후의 감면대상이 되는 본점용 부동산 가액의 합계액이 이전전의 본점용 사무실로 사용하는 면적에 해당하는 부동산 가액의 합계액을 초과하는 경우 그 초과액에 대해서는 취득세를 과세함.

세정-2756, 2004. 8. 27.

종전의 본점 또는 주사무소(공장)용 부동산을 매각(폐쇄)하지 아니한 채 법인의 서울사무소로 개설하여 사용한 경우 법인(공장)의 지방 이전에 따른 취득세 등의 감면대상에 해당하지 않음.

공장의 지방 이전에 대한 감면(지특법 §80)과 관련된 예규, 판례

지방세운영-5118, 2010. 10. 27.

대도시 내에서 공장시설을 갖추고 사업을 영위하는 자가 그 공장을 폐쇄하고 대도시 외의 지역으로서 공장설치가 제한된 지역으로 이전한 후 당해 사업을 계속 영위하기 위하여 취득하는 부동산에 대하여는 취·등록세가 면제되지 아니함.

세정-5834, 2006. 11. 27.

연면적이 200m^2 이상인 임차공장으로서 2년 이상 계속하여 조업을 하다가 대도시 외로 이전하기 위하여 취득하는 부동산에 대하여는 취득세와 등록세를 면제하는 것임.

세정-4617, 2006. 9. 22.

대도시 외로 공장을 이전하기 위하여 대도시 외 지역에 공장 신축부지를 취득하였으나 육류가공공장의 신·증설이 금지되는 등의 사유로 육류가공공장 착공을 할 수 없었다면 정당한 사유에 해당됨.

세정-4608, 2004. 12. 16.

공장을 폐쇄하는 것에는 대도시 외로 공장을 이전할 자가 공장을 매각하고 매수자가 공장을 영위하는 경우도 포함됨.

아. 감면 제외대상(지특법 §177)

「지방세특례제한법」에 따른 감면을 적용할 때 「지방세법」 제13조 제5항에 따른 부동산 등은 감면대상에서 제외된다.

자. 지방세감면특례의 제한(지특법 §177의 2)

「지방세특례제한법」에 따라 취득세가 면제(지방세법에 따른 세율 전부 감면 포함)되는 경우에는 100분의 85에 해당하는 감면율을 적용한다. 다만, 아래 ①, ②의 어느 하나에 해당하는 경우에는 그러하지 아니하다.

① 「지방세법」에 따라 산정한 취득세액이 200만원 이하인 경우

② 제7조부터 제9조까지, 제11조 제1항, 제13조 제3항, 제16조, 제17조, 제17조의 2, 제20조 제1호, 제29조, 제30조 제3항, 제33조 제2항, 제35조의 2, 제36조, 제41조 제1항부터 제6항까지, 제50조, 제55조, 제57조의 2 제2항(2020년 12월 31일까지로 한정한다), 제57조의 3 제1항, 제62조, 제63조 제2항 · 제4항, 제66조, 제73조, 제76조 제2항, 제77조 제2항, 제82조, 제84조 제1항, 제85조의 2 제1항 제4호 및 제92조에 따른 감면

차. 감면된 취득세의 사후관리 및 추징(지특법 §178)

「지방세특례제한법」에 따른 취득세 감면 규정에서는 대부분 사후관리 규정을 두고 있다. 따라서 취득세를 감면받은 경우에도 그 감면 성격에 따라 수익사업에 사용하는 경우, 정당한 사유없이 일정기한까지 해당 용도로 직접 사용하지 아니하는 경우, 해당 용도로 직접 사용한 기간이 일정기간 미만인 상태에서 매각 등 다른 용도로 사용하는 경우 등에 있어서는 해당 감면받은 취득세를 추징하도록 규정하고 있으므로 각 규정상 사후관리 규정을 확인할 필요가 있다.

한편, 「지방세특례제한법」에서는 부동산에 대한 감면 적용시 공통적으로 적용하는 사후관리 규정을 두고 있는데 특별히 규정한 경우를 제외하고는 다음의 어느 하나에 해당하는 경우 그 해당 부분에 대해서는 감면된 취득세를 추징하도록 하고 있다.

① 정당한 사유 없이 그 취득일부터 1년이 경과할 때까지 해당 용도로 직접 사용하지 아니하는 경우

② 해당 용도로 직접 사용한 기간이 2년 미만인 상태에서 매각 · 증여하거나 다른 용도로

사용하는 경우

카. 중복 감면의 배제(지특법 §180)

동일한 과세대상에 대하여 지방세를 감면할 때 둘 이상의 감면 규정이 적용되는 경우에는 그 중 감면율이 높은 것 하나만을 적용한다. 다만, 「지방세특례제한법」 제73조(토지수용 등으로 인한 대체취득에 대한 감면), 제74조(도시개발사업 등에 대한 감면), 제92조(천재지변 등으로 인한 대체취득에 대한 감면) 및 제92조의 2(자동계좌이체 납부에 대한 세액공제)의 규정과 다른 규정은 두 개의 감면규정(제73조, 제74조 및 제92조 간에 중복되는 경우에는 그 중 감면율이 높은 것 하나만을 적용한다)을 모두 적용할 수 있다.

관련예규 및 판례요약

감면된 취득세의 사유관리 등(지특법 §178)과 관련된 예규, 판례

대법 2013두 18582, 2014. 2. 13.

당초 감면신청을 한 감면규정이 아니더라도 취득 당시 해당 규정에 의한 감면요건을 갖추고 있었다면 감면신청 여부와 관계없이 감면을 적용받을 수 있는 지 여부 관련하여 감면신청을 하지 않았더라도 감면을 적용받을 수 있음.

대법 2012두 27213, 2013. 3. 28.

당초에는 구 지방세법(제289조)에 의한 공공사업용 토지로 감면신청을 하였으나 처분청에서 감면대상이 아니라고 추징을 하자, 추징대상에 해당하지 아니하는 도세감면조례에 의한 임대주택 감면대상이라고 주장하는 경우 추징을 배제할 수 있는지 여부 관련하여 감면규정을 바꾸어 감면주장이 가능하므로 추징을 할 수 없음.

대법 2010두 26414, 2012. 1. 27.

당초 적용했던 감면규정상의 감면요건에 충족하지 아니하여 사후에 다른 감면규정의 추징규정에 따라 추징을 하게 되는 경우, 당초 감면결정에 대하여 취소결정 절차 없이 바로 추징할 수 있음.

3 | 지방자치단체(서울특별시)의 조례에 의한 주요 감면

가. 종교단체의 의료업에 대한 감면(서울시세감면조례 §4)

「지방세특례제한법」 제38조에 따라 종교단체(「민법」에 따라 설립된 재단법인에 한함)가 의료업에 직접 사용할 목적으로 취득하는 부동산에 대하여는 취득세의 100분의 20를 경감한다.

나. 공연장에 대한 감면(서울시세감면조례 §5)

「공연법」 제9조에 따라 등록된 공연장을 설치·운영하기 위하여 취득하는 부동산에 대하여는 취득세를 면제한다.

다. 준공업지역 내 도시형공장에 대한 감면(서울시세감면조례 §8)

「국토의 계획 및 이용에 관한 법률 시행령」 제30조에 따른 준공업 지역 내에서 「산업직접활성화 및 공장설립에 관한 법률」 제28조에 따른 도시형공장을 신설 또는 증설하기 위하여 취득하는 부동산에 대하여는 취득세의 100분의 50을 경감한다.

라. 전통시장 등에 대한 감면(서울시세감면조례 §10)

「전통시장 및 상점가 육성을 위한 특별법」 제20조에 따른 상업기반시설 현대화사업으로서 보조금 지원 사업의 시행으로 인하여 취득하는 건축물에 대하여는 취득세를 면제한다.

마. 주택재개발 등에 대한 감면(서울시세감면조례 §12)

2008. 3. 11. 이전에 「도시 및 주거환경 정비법」에 따라 정비구역으로 지정받은 주택재개발사업 또는 주거환경개선사업 구역 내에서 같은 법에 의한 재개발사업의 최초 시행인가일 또는 주거환경개선계획의 최초 고시일 현재 부동산을 소유한 자에 대하여는 「지방세특례제한법」 제74조 제3항 및 같은 법 시행령 제35조 제3항 제3호 및 제5호를 준용하여 취득세를 면제한다.

Chapter 02

등록면허세

제 1 절 등록분 등록면허세

등록면허세에서 "등록"이라 함은 재산권과 그 밖의 권리의 설정 · 변경 또는 소멸에 관한 사항을 공부에 등기하거나 등록하는 것을 말한다. 이 경우 취득세 과세대상인 취득을 원인으로 이루어지는 등기 또는 등록은 제외되나, 광업권 및 어업권의 취득에 따른 등록 및 외국인 소유의 취득세 과세대상 물건(차량, 기계장비, 항공기 및 선박만 해당)의 연부 취득에 따른 등기 또는 등록은 포함된다. 아울러 "면허"란 각종 법령에 규정된 면허 · 허가 · 인가 · 등록 · 지정 · 검사 · 검열 · 심사 등 특정한 영업설비 또는 행위에 대한 권리의 설정, 금지의 해제 또는 신고의 수리(受理) 등 행정청의 행위를 말한다. 이 절에서는 등록분 등록면허세 위주로 설명하고자 하니 참고바란다.

등록면허세는 등기 · 등록의 권원이 실질적으로 정당한가의 여부나 그 경위의 합법성 여부를 불문하고 외형상으로 등기 · 등록의 형식적 요건만 있으면 등기 · 등록에 포함되어 등록면허세를 과세하는 형식주의 과세를 따르고 있다(대법판 85누 858).

등록세는 1911년 국세로 창설된 후 수차례 개정되어 사용되다가, 1976. 12. 31. 세법 개정 시 지방세로 이양되어 1977. 1. 1.부터 과세되었으며, 2010년도에 지방세 분법 및 전면개정 시 취득과 관련된 등록세는 취득세와 통합되었고, 취득과 무관한 등록세는 면허세와 통합하여 등록면허세로 과세하게 되었다.

1 | 납세의무자(지세법 §24)

등록을 하는 자 및 면허를 받는 자(변경면허를 받는 자를 포함)는 등록면허세를 납부할 의무를 진다. 이 경우 "등록을 하는 자"란 재산권 기타 권리의 설정·변경 또는 소멸에 관한 사항을 공부에 등기 또는 등록을 받는 등기·등록부상에 기재된 명의자를 말한다.

2 | 납세지(지세법 §25)

등록에 대한 등록면허세의 납세지는 다음과 같으나 납세지가 분명하지 아니한 경우에는 등록관청 소재지를 납세지로 한다. 다만 같은 등록에 관계되는 재산이 둘 이상의 지방자치단체에 걸쳐 있어 등록면허세를 지방자치단체별로 부과할 수 없을 때에는 등록관청 소재지를 납세지로 하며, 같은 채권의 담보를 위하여 설정하는 둘 이상의 저당권을 등록하는 경우에는 이를 하나의 등록으로 보아 그 등록에 관계되는 재산을 처음 등록하는 등록관청 소재지를 납세지로 한다.

① 부동산 등기 : 부동산 소재지
② 선박 등기 : 선적항 소재지
③ 자동차 등록 : 「자동차관리법」에 따른 등록지. 다만, 등록지가 사용본거지와 다른 경우에는 사용본거지를 납세지로 한다.
④ 건설기계 등록 : 「건설기계관리법」에 따른 등록지
⑤ 항공기 등록 : 정치장 소재지
⑥ 법인 등기 : 등기에 관련되는 본점·지점 또는 주사무소·분사무소 등의 소재지
⑦ 상호 등기 : 영업소 소재지
⑧ 광업권 및 조광권 등록 : 광구 소재지
⑨ 어업권 등록 : 어장 소재지
⑩ 저작권, 출판권, 저작인접권, 컴퓨터프로그램 저작권, 데이터베이스 제작자의 권리 등록 : 저작권자, 출판권자, 저작인접권자, 컴퓨터프로그램 저작권자, 데이터베이스 제작권자 주소지
⑪ 특허권, 실용신안권, 디자인권 등록 : 등록권자 주소지
⑫ 상표, 서비스표 등록 : 주사무소 소재지
⑬ 영업의 허가 등록 : 영업소 소재지
⑭ 지식재산권담보권 등록 : 지식재산권자 주소지
⑮ 그 밖의 등록 : 등록관청 소재지

3 | 과세표준(지세법 §27)

부동산, 선박, 항공기, 자동차 및 건설기계의 등록에 대한 등록면허세의 과세표준은 등록 당시의 가액으로 한다. 이 경우 과세표준은 각 지방자치단체에서 조례로 정하는 바에 따라 등록자의 신고에 따르는 것이나, 신고가 없거나 신고한 가액이 시가표준액보다 적은 경우에는 시가표준액을 과세표준으로 하도록 하고 있다.

다만, 「지방세법」 제10조 제5항에 따른 국가 등으로부터의 취득, 공매방법에 의한 취득, 법인 장부 등에 따라 취득가격이 증명되는 취득 등은 그 사실상의 취득가격으로, 같은 조 제6항에 따라 건축물의 건축등에 있어 취득가격 중 100분의 90을 넘는 가격이 법인 장부에 따라 입증되는 경우에는 그 계산한 취득가격을 과세표준으로 하도록 하고 있다. 다만, 등록 당시에 자산재평가 또는 감가상각 등의 사유로 그 가액이 달라진 경우는 변경된 가액을 과세표준으로 한다.

4 | 세 율(지세법 §28)

등록면허세는 등록에 대하여 등록세 과세표준에 다음에서 정하는 세율을 적용하여 계산하도록 하고 있다.

가. 부동산 등기의 세율

구 분		과세표준	세 율
소유권의 보존		부동산가액	0.8%
소유권의 이전	유상	〃	2.0%
	무상	〃	1.5%
	상속	〃	0.8%
지상권 설정·이전		〃	0.2%
저당권 설정·이전 (지상·전세권에 대한 저당권 포함)		채권금액	0.2%
지역권 설정·이전		요역지가액	0.2%
전세권 설정·이전		전세금액	0.2%
임차권 설정·이전		월 임대차금액	0.2%

구 분	과세표준	세 율
경매신청·가압류·가처분·가등기 (부동산권리에 대한 경매신청 등 포함)	채권금액 또는 부동산가액(가등기 한정)	0.2%
그 밖의 등기	매 1건당	6,000원

※ 등록면허세액의 20%에 해당하는 지방교육세가 추가로 부과됨.

※ 산출세액이 6,000원 미만일 때는 6,000원

나. 법인 등기의 세율

등기별	원인별	과세표준	세 율
① 상사회사, 영리법인의 설립·합병	• 설립과 납입	납입·출자금액, 출자가액	0.4%
	• 자본·출자 증가	납입금액·출자가액	
② 비영리법인의 설립·합병	• 설립과 납입	납입 출자총액 또는 재산가액	0.2%
	• 출자총액 또는 재산총액의 증가	납입한 출자 또는 재산가액	
③ 자산재평가 적립금에 의한 자본·출자금의 증가		증가한 금액	0.1%
④ 본점 또는 주사무소의 이전		매 1건당	112,500원
⑤ 지점 또는 분사무소의 설치		〃	40,200원
⑥ ① 내지 ⑤ 이외의 등기		〃	40,200원

※ 등록면허세액의 20%에 해당하는 지방교육세가 추가로 부과됨.

※ ①~③의 산출세액이 112,500원 미만일 때는 112,500원

다. 부동산, 법인등기 이외의 등기의 세율

구 분			과세표준	세 율
과세대상	과세원인			
선 박	소유권 등기		선박가액	0.2%
	저당권 설정·이전		채권금액	0.2%
	그 밖의 등기		매 1건당	15,000원
자 동 차	소유권	비영업용 승용	자동차가액	5.0%, (경차)2.0%
		그밖의 비영업용	〃	3.0%, (경차)2.0%
		그밖의 영업용		2.0%
	저당권 설정·이전		채권금액	0.2%

구 분			과세표준	세 율
과세대상	과세원인			
자 동 차	지입관련 등록		매 1건당	15,000원
	그 밖의 등록		매 1건당	15,000원
기계장비	소유권의 등록		기계장비가액	1.0%
	저당권 설정 · 이전		채권금액	0.2%
	지입관련 등록		매 1건당	10,000원
	그 밖의 등록		매 1건당	10,000원
항공기	이륙중량 7,500kg 이상등록		항공기 가액	0.01%
	위 이외 등록		항공기 가액	0.02%
공장재단 광업재단	저당권 설정 · 이전		채권금액	1.0%
	그 밖의 등기		매 1건당	9,000원
동산 · 채권 · 지식재산권 담보등록	저당권 설정 · 이전		채권금액	1.0%
	그 밖의 등기		매 1건당	9,000원
상호 등 등기	상호의 설정 · 취득		매 1건당	78,700원
	지배인 선임, 대리권 소멸		매 1건당	12,000원
	선박관리인 선임, 대리권 소멸		매 1건당	12,000원
광업권 등록	광업권 설정		매 1건당	130,500원
	광업권	증구, 증감구	매 1건당	66,500원
		감구	매 1건당	15,000원
	광업권 이전	상속	매 1건당	26,200원
		그밖의 이전	매 1건당	9,000원
조광권 등록	조광권 설정		매 1건당	130,500원
	조광권 이전	상속	매 1건당	26,200원
		그밖의 이전	매 1건당	9,000원
어업권 등록	어업권 이전	상속	매 1건당	6,000원
		그밖의 이전	매 1건당	12,000원
	어업권 지분이전	상속	매 1건당	3,000원
		그밖의 이전	매 1건당	21,000원
	그 밖의 등록		매 1건당	9,000원
저작권 등	상속		매 1건당	9,000원

<table>
<tr><th colspan="3">구 분</th><th rowspan="2">과세표준</th><th rowspan="2">세 율</th></tr>
<tr><th>과세대상</th><th colspan="2">과세원인</th></tr>
<tr><td rowspan="3">저작권 등</td><td rowspan="2">상속외 등록</td><td>프로그램 등</td><td>매 1건당</td><td>20,000원</td></tr>
<tr><td>이외</td><td>매 1건당</td><td>40,200원</td></tr>
<tr><td colspan="2">그 밖의 등록</td><td>매 1건당</td><td>3,000원</td></tr>
<tr><td rowspan="2">특허권 등</td><td colspan="2">상속 이전</td><td>매 1건당</td><td>12,000원</td></tr>
<tr><td colspan="2">그밖의 이전</td><td>매 1건당</td><td>18,000원</td></tr>
<tr><td rowspan="3">상표 · 서비스표</td><td colspan="2">설정 및 갱신</td><td>매 1건당</td><td>7,600원</td></tr>
<tr><td rowspan="2">이전</td><td>상속</td><td>매 1건당</td><td>12,000원</td></tr>
<tr><td>그밖의 이전</td><td>매 1건당</td><td>18,000원</td></tr>
<tr><td colspan="3">위 등기 이외의 등기</td><td>매 1건당</td><td>12,000원</td></tr>
</table>

라. 중과세율(지세법 §28 ②)

다음의 어느 하나에 해당하는 등기를 할 때에는 그 세율을 등록면허세 세율의 100분의 300으로 한다. 다만, 「수도권정비계획법」 제6조에 따른 과밀억제권역(「산업집적활성화 및 공장설립에 관한 법률」을 적용받는 산업단지는 제외)에 설치가 불가피하다고 인정되는 업종 등 대도시 중과 제외 업종(지세령 §26 ① 각 호)에 대하여는 그러하지 아니하다.

① 대도시에서 법인을 설립(설립 후 또는 휴면법인을 인수한 후 5년 이내에 자본 또는 출자액을 증가하는 경우 포함)하거나 지점이나 분사무소를 설치함에 따른 등기

② 대도시 밖에 있는 법인의 본점이나 주사무소를 대도시로 전입(전입 후 5년 이내에 자본 또는 출자액이 증가하는 경우를 포함)함에 따른 등기. 이 경우 전입은 법인의 설립으로 보아 세율을 적용한다.

5 비과세 · 감면

가. 비과세(지세법 §26)

다음에 어느 하나에 해당하는 등록 또는 면허에 대하여는 등록면허세를 비과세 한다.

① 국가, 지방자치단체, 지방자치단체조합, 외국정부 및 주한국제기구가 자기를 위하여 받는 등록 또는 면허. 다만, 대한민국 정부기관의 등록 또는 면허에 대하여 과세하는

외국정부의 등록 또는 면허의 경우에는 등록면허세를 부과한다.

② 회사의 정리 또는 특별청산에 관하여 법원의 촉탁으로 인한 등록. 다만, 법인의 자본금 또는 출자금의 납입, 증자 및 출자전환에 따른 등기 또는 등록은 제외한다.

③ 행정구역의 변경, 주민등록번호의 변경, 지적(地籍) 소관청의 지번 변경, 계량단위의 변경, 등록 담당 공무원의 착오 및 이와 유사한 사유로 인한 등록으로서 주소, 성명, 주민등록번호, 지번, 계량단위 등의 단순한 표시변경 · 회복 또는 경정 등록

④ 그 밖에 지목이 묘지인 토지 등 대통령령으로 정하는 등록

⑤ 면허의 단순한 표시변경 등 등록면허세의 과세가 적합하지 아니한 것으로서 대통령령으로 정하는 면허

나. 감 면

「지방세특례제한법」등에 등록면허세 관련 다양한 감면 규정을 두고 있으며, 취득세 감면 등과 함께 적용되는 경우가 많으므로 이 책의 취득세 편 및 해당 조문을 확인하시기 바란다.

6 | 신고 · 납부

가. 일반적인 경우(지세법 §30 ①)

등록을 하려는 자는 등기 또는 등록 신청서를 등기 · 등록 관서에 접수하는 날까지 등록면허세를 납세지 관할 지방자치단체의 장에게 신고 · 납부하여야 한다. 다만, 등록면허세의 경우 신고의무를 다하지 아니한 경우에도 등록면허세 산출세액을 등록을 하기 전까지 납부하였을 때에는 신고를 하고 납부한 것으로 보며, 「지방세기본법」 제53조의 2 및 제53조의 3에 따른 가산세를 부과하지 않는다.

나. 중과세율의 적용대상인 경우(지세법 §30 ②)

등록면허세 과세물건을 등록한 후에 해당 과세물건이 등록면허세 중과세율의 적용대상이 되었을 때에는 「지방세법 시행령」 제48조 제2항에서 정하는 날부터 60일 이내에 중과세율을 적용하여 산출한 세액에서 이미 납부한 세액을 공제한 금액을 세액으로 하여 납세지를 관할하는 지방자치단체의 장에게 신고하고 납부하여야 한다.

다. 추징대상인 경우(지세법 §30 ③)

등록면허세 비과세, 면제 또는 경감받은 후에 등록면허세 추징대상이 되었을 때에는 그 사유발생일로부터 60일 이내에 산출된 세액[경감받은 경우에는 이미 납부한 세액(가산세는 제외한다)을 공제한 세액을 말한다]을 납세지를 관할하는 지방자치단체의 장에게 신고·납부하여야 한다.

관련예규 및 판례요약

등록면허세 납세의무자, 과세표준 등 : 지세법 §24 외

등록면허세 납세의무자와 관련된 예규, 판례

대법원 16두 65602, 2018. 11. 29.

서울특별시 이외의 대도시에서 서울특별시로 법인이전시 수도권 중과세 대상 해당 여부 관련하여 서울특별시 이외의 대도시에서 서울특별시로 이전하는 경우를 특별히 대도시로의 전입으로 간주하고 있는데, 이는 이 사건 법률 조항의 취지를 구체화하여 대도시 중에서도 특히 서울특별시로의 인구집중이나 경제집중으로 인한 폐단을 방지하기 위하여 예외적으로 마련된 것으로 중과세 대상에 해당됨.

지방세운영-1844, 2016. 7. 14.

수필지의 부동산을 공동담보하는 1건의 근저당권의 등록면허세 관련하여 수 개의 부동산에 공동담보를 하더라도 1건의 등록면허세 납세의무가 발생하는 것이므로, 공동담보된 근저당권에 대해 이전등기를 이행하면서 각 필지마다 등록면허세를 기납부한 경우라면 그 등록에 관계되는 재산을 처음 등록하는 등록관청에 납부한 1건을 제외한 나머지 등록면허세는 환급대상에 해당한다고 할 것임.

지방세운영-2093, 2011. 5. 4.

한국철도시설공단(A)이 철도건설사업에 편입된 토지를 A명의로 구분지상권 설정등기를 하는 경우 등록면허세 납세의무자는 A이며, 그 등기의 효력이 국가에 발생하는 것도 아니므로 국가를 등록면허세의 납세의무자로 볼 수 없음.

조심 2008지 412, 2008. 8. 12.

등기 또는 등록명의자와 실질적인 권리귀속 주체가 다르거나 일단 공부에 등재되었던 등기 또는 등록이 뒤에 원인무효로 말소되었다 하더라도 등록세 부과처분의 효력에 아무런 영향이 없음.

지방세심사 2008-31, 2008. 1. 28.

명의신탁 부동산에 대하여 명의수탁자의 상속인이 상속등기를 한 경우 등록세 납세의무가 있는 것임.

지방세심사 2007-590, 2007. 10. 29.

토지의 일부지분에 대한 가처분등기를 실행하면서 등기기관의 착오로 전체 토지를 대상으로 가처분등기를 한 경우 실제 가처분등기 대상 토지에 대하여만 등록세를 부과함이 타당함.

세정-4552, 2006. 9. 20.

채권자가 채무자의 부동산 가압류를 신청하여 법원에서 가압류 결정을 하였으나 가압류 결정이 취소됨으로써 채권자가 항소하여 다시 가압류 결정됨에 따라 가압류 등기를 하는 경우 등록세 납세의무가 있음.

대법 2004두 6761, 2006. 6. 30.

등록세 부과시 「신탁법」 제19조의 규정에 의하여 신탁재산에 속하는 부동산의 신탁등기에 있어서 등기 또는 등록을 받는 자는 등기권리자인 수탁자를 의미함.

세정-1682, 2006. 4. 27.

피상속인이 사회복지법인에게 출연한 기본재산을 소유권이전등기 아니한 상태에서 상속인에게 상속등기 되었다가 다시 사회복지법인으로 소유권이전등기가 된 경우 상속등기시 납부한 취득세는 환부되나 등록세는 환부되지 아니함.

세정-346, 2006. 1. 27.

당초 계약을 해제하고 소유권이전말소등기를 하더라도 등록세를 환부하는 것이 아님.

세정-205, 2006. 1. 18.

법원의 강제이전 판결에 따라 자동차를 이전등록하는 경우 등록세 납세의무자는 이전등록을 받는 자(양수인)임.

세정-185, 2006. 1. 17.

교회명의로 등기를 하여야 함에도 신청착오로 담임목사 개인명의로 등기를 하고 등기 명의인 경정을 원인으로 등기권리자를 교회명의로 변경한 경우 당초 개인명의로 납부한 등록세는 환부되지 아니함.

- 세정 - 3071, 2005. 10. 6.

부동산 매입에 따라 매수인이 소유권이전 사항을 공부상 등기하는 행위와 채권확보를 위하여 공부상 근저당권을 설정하는 행위는 각각 등록세가 부과됨.

- 세정 - 4613, 2004. 12. 16.

건축물 신축 중 부도발생으로 인해 건축주를 대신하여 채권자가 대위등기를 하고 건축물에 대한 처분금지가처분등기를 한 경우, 대위등기에 대한 등록세의 납세의무자는 등기명의자인 건축주가 되고, 처분금지가처분등기에 대한 등록세의 납세의무자는 가처분권자가 됨.

- 감심 2004 - 136, 2004. 10. 28.

분양권 매매로 주택조합원으로부터 토지를 승계취득하면 실질적인 소유권이전에 따른 등록세 납세의무가 성립하고, 동 납세의무는 재산권 기타 권리를 등기하는 때에 성립하므로 등기 또는 등록을 하기 전까지 등록세를 신고·납부하지 아니한 경우에는 가산세를 부과함.

- 지방세심사 2004 - 203, 2004. 7. 26.

주택조합의 조합원 지위승계자는 당초 조합원과의 매매계약에서 등록세의 포함 여부는 별도로 하고, 주택조합과의 신탁해지로 사실상의 소유권을 이전받은 때 등록세를 납부하여야 함.

- 세정 - 401, 2004. 3. 11.

주택조합의 부동산 중 조합원지분에 대해서는 취득세와 등록세가 비과세되는 것이고, 일반분양분 및 상가 등 기타 지분에 대하여는 주택조합에게 취득세 및 등록세의 납세의무가 있는 것임.

- 지방세심사 2004 - 44, 2004. 2. 23.

등록세는 등기행위가 발생할 때마다 등기를 하는 사람에게 각각 납세의무가 성립되는 것이므로, 지역주택조합의 승계조합원이 신탁해지로 취득한 조합주택의 부속토지에 대한 등록세 부과처분은 이중과세에 해당하지 않음.

- 지방세심사 2002 - 381, 2002. 11. 25.

소유권이전등기 후에 등기신청착오를 원인으로 소유권이전말소등기했더라도 이미 성립한 등록세 납세의무에 영향 없음.

- 감심 2002 - 188, 2002. 11. 19.

신탁회사가 신탁받은 토지 위에 신축한 건축물을 신탁회사 명의로 소유권보존등기한 경우, 위탁자가 아닌 신탁회사가 그 소유권보존등기에 따른 등록세(중과세분 포함)의 납세의무자임.

- 대법 2000두 7896, 2002. 6. 28.

등기(등록)의 명의자와 실질적인 권리귀속주체가 다르거나 원인무효로 말소됐어도 그 등기

(등록)에 따른 등록세 부과처분에 영향 없음.

지방세심사 2002-141, 2002. 3. 25.

법인이 주사업장을 이전함에 따라 법인명의로 등록된 건설기계의 사용 본거지 변경등록을 하는 경우, 그 소유 개인의 주민등록상 주소지 이전과는 달리, 등록세 과세대상임.

세정 13407-212, 2002. 3. 5.

부동산의 신탁수익권을 취득했더라도 그 소유권이전등기 등이 이루어지지 않으면 등록세 납세의무 없으며, 부동산 신탁등기시 수익자와 위탁자가 동일인이 아니면 등록세 비과세대상 아님.

감심 2002-22, 2002. 1. 29.

시장용 부동산의 공매에 참가해 낙찰받아 소유권이전등기한 것에 대해 입주상인들을 대리한 것이라 하나, 공매 및 계약과 등기과정에서 그 대리의사 표명사실 없어 등기명의인에 대한 등록세 과세 정당함.

부동산 등의 등록면허세 과세표준과 관련된 예규, 판례

지방세운영-2446, 2016. 9. 22.

근저당권이전계약에 따라 피담보채권이 확정되기 전 계약 일부 양도를 원인으로 한 근저당권이전등기 신청 시 납부할 등록면허세 과세표준 관련하여 근저당권설정 등기를 필한 후 근저당권의 피담보채권이 확정되지 아니한 상태에서 근저당권에 대해 일부 이전등기를 하는 경우라면, 이전되는 지분이나 채권금액의 표시가 없다면 이전부분만의 채권금액을 달리 정할 수 없으므로, 「지방세법」 제27조 제4항에 따라 채권의 목적이 된 채권최고액 전체, 즉 기존 근저당권의 채권최고액 전액을 등록면허세 과세표준으로 하여야 할 것임.

대법 2011두 9683, 2013. 2. 28.

부동산에 관한 처분금지가처분등기의 경우 일정한 채권금액이 없는 것으로 보아 채권금액이 아닌 당해 부동산의 가액을 등록세 과표로 보는 것이 타당함.

지방세운영-684, 2012. 3. 2.

분양보증사고가 발생하자 대한주택보증(주)이 수분양자들의 분양대금을 시행사 대신 변제하고, 이에 대한 충당을 위해 시행사 명의로 보존등기된 미준공 건축물을 자기 명의로 이전등기하는 것이므로 대한주택보증(주)이 해당 물건을 취득하기 위해 지급한 직·간접비용 즉 분양대금의 변제액(구상채권과 소송대지급금등) 등은 취득가격에 포함된다고 판단되나, 시행사가 대한주택보증(주)에 지급하는 과태료는 대한주택보증(주)이 해당 물건을 취득하기 위하여 지급한 직·간접비용으로 보기에는 어려우므로 취득가격에 포함되지 않는다고 판단됨.

대법 2006두 15509, 2007. 1. 11.

취득세나 등록세 부과대상인 건물을 취득한 후 「지방세법」 제111조 제2항이나 제130조 제2항에 의한 신고를 하였다 하더라도 취득가액이 입증되면 위 각 규정에 의하여 그 입증된 사실상의 취득가액이 과세표준임.

세정-847, 2006. 2. 28.

매수인이 부동산 매매대금의 일부를 지급하거나 완납한 후 부동산 처분금지 가처분 등기를 설정하는 경우 등록세 과세표준은 가처분 등기 설정시점까지 매수인이 거래상대방에게 지급한 금액이 되는 것임.

지방세심사 2006-66, 2006. 2. 27.

신축건물의 취득일 이후 등록일까지 발생한 건설자금이자는 등록세 과세표준에 포함됨.

세정-3604, 2005. 11. 4.

법인의 장부가액이 사실상의 취득가격에 부합되는지 여부에 관계없이 무조건 법인의 장부가액을 취득세와 등록세의 과세표준으로 하여야 하는 것은 아님.

세정-152, 2005. 1. 11.

토지구획정리사업지구 내의 환지예정지 토지를 취득하여 등기하는 경우 등록세 과세표준액은 토지의 취득금액임.

대법 2002두 12984, 2004. 8. 20.

재건축사업이 진행중이던 아파트 분양권을 매수한 경우 취득세 및 등록세의 과세표준을 정하기 위한 지분면적은 종전 노후주택의 부속토지를 기준으로 하여야 하며, 매수 당시 대지공유지분의 지상에는 국민주택 규모의 주거용 건물이 없으므로 농어촌특별세가 비과세되지 않음.

지방세심사 2004-199, 2004. 7. 26.

법인이 취득세 등을 신고납부하였으나 추후 장부가 조작되었음이 확인된다면 부가가치세를 제외한 부동산매매계약서상의 매매대금을 과세표준으로 하고, 등록세는 등기부에 등기된 부분만을 대상으로 함.

세정-1807, 2004. 7. 1.

법인이 작성한 원장·보조장·출납전표·결산서에 의하여 취득가격을 신고하는 경우 그 신고가액이 시가표준액에 미달하여도 신고가액을 취득세·등록세 과세표준액으로 함.

세정-1073, 2004. 5. 8.

개인이 법인으로부터 분양권을 취득하여 소유권이전등기를 한다면 법인장부가액이 취득세 · 등록세의 과세표준이 됨.

지방세심사 2004 - 43, 2004. 2. 23.

민사소송에 의하여 확정된 판결문에 의해 사실상 취득가격이 입증되는 경우에는 그 사실상의 취득가격을 등록세 과세표준으로 함.

세정 13407 - 138, 2002. 2. 5.

부동산매매계약서상 면적측량 결과 당초 면적보다 증가한 경우 그 매매가격을 정산하도록 하였다면 그 증가된 면적은 취득 · 등록세 과세대상임.

세정 13430 - 65, 2002. 1. 17.

건물의 급 · 배수를 위한 옥외설비배관과 각 건물에 부속된 구축물 등에 대한 가액은 건물의 등록세 과세표준에 산입됨.

등록면허세 과세표준액의 적용과 관련된 예규, 판례

지방세심사 2006 - 11, 2006. 1. 23.

개인간 거래에 있어 검인계약서상 매매가격보다도 시가표준액이 높은 경우 시가표준액을 과세표준으로 하여 취득세 등을 부과한 처분은 적법함.

세정 - 1156, 2005. 6. 14.

「지방세법」 개정 전 등록세를 신고납부하였다 하더라도 「지방세법」 개정 후 부동산등기가 완료하였다면 등록세는 등기 · 등록 당시의 과세표준액을 적용하는 것임.

세정 - 1158, 2005. 6. 14.

공시지가가 새로이 공시된 경우 공시일 이후의 취득과 등기 · 등록에 대한 취득세 및 등록세 과세표준의 적용은 공시일부터 적용되는 것임.

세정 - 899, 2005. 5. 26.

취득가격으로 취득세를 신고납부하였다 하더라도 등기 당시 공동주택가격공시로 인하여 시가표준액이 신고한 가액보다 높다면 높은 시가표준액을 적용하는 것임.

지방세심사 2004 - 250, 2004. 8. 30.

다른 객관적 증빙이 없다면 국세청의 세무조사 결과 제출된 매매계약서상의 매매가액을 사실상의 취득가액으로 하여 취득세 등을 과세함.

지방세심사 2004 - 95, 2004. 4. 26.

일부 토지에 대한 소유권이전등기 청구소송을 위해 전체 토지에 대한 가처분등기를 하는 경우 등록세는 전체 토지가액을 과세표준으로 하여 과세함.

대법 2002두 240, 2003. 9. 26.

법인이 증여받은 부동산의 취득·등록세 감면신청시, 시가표준액보다 높은 장부가액으로 기재해 감면받고 그에 따른 농특세를 신고납부했더라도, 그 감면받은 취득·등록세 추징시의 과세표준은 그 '시가표준액'을 초과할 수 없음.

지방세심사 2003-70, 2003. 4. 28.

부동산 취득시 잔금지급이 연체되어 지급한 연체료는 취득·등록세 과세표준에 포함됨.

세정 13407-158, 2003. 2. 28.

법인의 대표이사가 당해 법인의 가지급금으로 부동산을 취득하였어도 개인 명의로 등기를 경료하였고, 당해 법인의 자산이 아니라면 개인간의 거래로 보아 취득세 과세표준을 산정함.

지방세심사 2002-139, 2002. 3. 25.

경락으로 토지의 지상권과 그 지상건축물을 일괄취득한 경우, 지상권은 취득세 과세대상에 해당하지 않아 '사실상의 취득가격이 입증되는 취득'의 경우로 볼 수 없어, 그 대상 토지의 시가표준액을 등록세 과세표준으로 함은 정당함.

지방세심사 2002-116, 2002. 3. 25.

그 취득가액에 영업권이 포함된 것으로 입증 안 되므로 법인이 토지취득 등기 당시 장부상 계상한 취득가격을 과세표준으로 취득·등록세 과세함은 정당함.

세정 13407-161, 2002. 2. 14.

법인이 다른 법인의 부동산을 일괄취득하는 경우, 취득·등록세 과세표준은 매도법인의 장부가액 중 과세대상물건의 가액비율을 매수법인의 총매입가액에 곱해 산출된 가액이 됨.

세정 13430-65, 2002. 1. 17.

과세대상물건의 도급건설공사에 있어, 당해 건설공사와 관련해 지급된 '발주자'의 인건비 및 경비도 등록세 과세표준에 포함됨.

세정 13407-57, 2002. 1. 17.

지방자치단체가 개발한 택지를 지방자치단체로부터 분양받은 경우, 그 분양가액이 등록세 과세표준이 됨.

부동산등기의 등록면허세율과 관련된 예규, 판례

대법 2011두 9683, 2013. 2. 28.

부동산에 관한 처분금지가처분등기의 경우 일정한 채권금액이 없는 것으로 보아 채권금액이 아닌 당해 부동산의 가액을 등록세 과표로 보는 것이 타당함.

대법 2010두 6731, 2012. 2. 9.

주식회사를 유한회사로 조직변경할 경우 법인 등록세 세율을 법인의 새로운 설립(불입금액의 0.4%)으로 보아야 하는지 아니면 기타 등기로 보아 건당 23,000원을 적용대상임.

세정-4601, 2007. 11. 6.

사업시행자가 토지개발사업 완료 후 토지등기부 정리를 위해 토지개발사업의 시행으로 조성된 토지에 대해 소유권보존등기라는 형식으로 등기를 하는 것은 기타등기에 해당하는 세율을 적용함.

지방세심사 2007-465, 2007. 8. 27.

피상속인이 상속인이 아닌 자에게 한 포괄적 유증을 상속으로 보지 아니하고 무상증여로 보아 취득세 및 등록세를 과세한 것은 부당함.

지방세심사 2007-338, 2007. 6. 25.

법원의 조정조서에 의하여 진정명의회복을 원인으로 한 소유권이전등기 절차를 이행하는 경우 무상으로 인한 소유권의 취득에 해당함.

세정-2143, 2007. 6. 11.

공유물 분할이란 단순히 소유지분대로 나누는 것을 의미하며, 소유지분의 교환이 병행되는 경우에는 이에 해당하지 아니하므로 교환에 의한 소유권이전등기에 해당함.

지방세심사 2007-278, 2007. 5. 28.

토지의 특정부분을 구분하여 매수하고 구분소유적 공유관계에 있는 상태에서 공유자가 공유자들을 상대로 상호 명의신탁해지를 원인으로 하는 지분이전등기를 하는 경우 공유물 분할에 해당하지 아니함.

세정-1707, 2007. 5. 11.

공동상속인인 갑과 을이 상속재산 분할협의를 원인으로 갑명의로 상속등기 후 재산분할협의를 통해 을명의로 소유권경정등기를 하는 경우, 당해 상속재산은 소급하여 을의 상속취득으로 보아 취·등록세를 부과함.

세정-33, 2007. 1. 4.

기 등기된 집합 건축물에 대한 소유권 기타의 권리에 대한 등기를 말소하고 이를 표제부에 기재하는 경우 구분소유자들이 건축물을 취득한 것으로 볼 수 없고 변경등기에 따른 등록세율이 적용됨.

세정-2923, 2005. 9. 29.

협의분할 후 상속인간의 재합의에 의해 재협의분할할 경우 무상취득으로 인한 소유권이전등기에 해당함.

지방세심사 2005-217, 2005. 7. 25.

대금정산이 없는 공유물분할로 당초 지분을 초과하여 취득한 것(내부적으로 약정면적임)은 1,000분의 30의 등록세율을 적용하는 것임.

세정-1469, 2005. 7. 4.

필지분할 후 분할필지를 단독소유로 하면서 공유물분할 전과 분할 후의 지분비율에 변동이 없다면 교환이 아닌 공유물분할에 해당하는 것이며, 취득세는 비과세되고 등록세율은 1,000분의 3이 적용되는 것임.

세정-1364, 2005. 6. 28.

주택이 무허가건물이라 하더라도 사실상 주택으로서의 기능을 하고 있는 경우 무허가건물의 부속토지도 주택의 부수토지에 해당하므로 개인간 유상거래시 등록세 경감규정을 적용하는 것임.

지방세심사 2005-201, 2005. 6. 27.

매수인이 토지대금을 완납하였으나 계약서상 정산절차를 이행하지 못한 상태에서 사망하자 그 배우자가 정산을 거쳐 소유권이전등기를 한 경우 매매로 인한 소유권취득등기로 보는 것임.

세정-1310, 2005. 6. 23.

총유물분할에 의한 등기인 경우 1,000분의 3의 세율을 적용하는 것이나 상속 이외의 무상으로 인한 소유권의 취득등기에 해당하는 경우 1,000분의 8의 세율을 적용하는 것임.

세정-975, 2005. 6. 1.

채권금액이 없는 토지처분금지가처분등기 신청시 등록세 과세표준액은 목적 부동산 공시지가 전액으로 하는 것이 타당함.

세정-938, 2005. 5. 30.

전세권을 근저당설정등기하는 경우 등록세는 그 채권금액의 1,000분의 2의 세율을 적용하는 것임.

세정-943, 2005. 5. 30.

전세권을 근저당설정등기하는 경우 매 1건당 3,000원의 등록세를 납부하여야 함.

세정-896, 2005. 5. 26.

배임으로 제3자에게 이전된 부동산을 법원으로부터 진정한 명의회복을 위한 소유권이전 판결을 받아 소유권을 이전등기하는 경우 기타 등기세율(매 1건당 3,000원)을 적용하는 것임.

지방세심사 2004-326, 2004. 10. 27.

매수인의 잔금미지급을 사유로 매매계약해제에 따른 원상회복의 방법으로 매수인으로부터 매도인 앞으로 소유권이전등기를 필한 경우는 취득세 등의 납세의무는 성립되지 아니하고, 등록세는 소유권이전등기가 아닌 기타 등기에 해당하는 세율을 적용하는 것임.

세정-1165, 2004. 5. 14.

매수인 명의로 등기된 소유권이전등기를 매매계약 합의해제를 원인으로 매도인 명의로 원상회복등기하는 경우 「지방세법」 제131조 제1항 제8호(매 1건당 3,000원)에 의하여 신고하고 납부하여야 함.

세정-263, 2004. 3. 3.

종중토지가 명의신탁해지를 원인으로 소유권이전이 되는 경우로서 반대급부를 지급하지 않는 경우에는 무상으로 인한 소유권의 취득으로 보아 1,000분의 15의 등록세율이 적용되는 것임.

세정-18, 2004. 2. 12.

각 필지별로 공유로 소유하고 있던 토지를 각 필지별로 단독소유로 등기하는 경우 각 필지별 단독소유자의 초과지분에 대하여는 상호 교환으로 보아 공유물분할에 해당되지 아니하므로 1,000분의 30의 등록세율이 적용되는 것임.

세정-518, 2003. 7. 18.

'진정 명의 회복을 원인으로 한 소유권이전등기 청구소송'에서 승소하여 소유권을 회복한 경우 확정판결일이 취득시기가 되는 것이며, 동 소송이 상속상의 원인이라면 '상속으로 인한 소유권취득'으로 보아 등록세율을 적용함.

지방세심사 2003-73, 2003. 4. 28.

토지대장상 지목이 '답'인 농지이나, 재산세 과세대장상 지목이 '대지'이고, 나대지 상태로서, '휴경지'로 볼 수 없어 '대지'인 등록세율을 적용함은 정당함

Chapter

03 상속세

제 1 절 상속세의 개념과 납부의무자

1 상속세의 개념

상속세는 상속이 개시된 사실에 대하여 상속재산의 가액을 과세대상으로 하여 상속인에게 과세하는 조세이다.

상속세는 상속에 의한 취득사실에 대하여 과세하는 점에서 취득세의 성질이 있고, 상속재산의 소유사실에 대하여 과세하는 점에서는 재산과세의 성질이 있다.

상속세도 조세이기 때문에 재정수요의 충족이라는 국고적 목적과 기능을 갖고 있지만, 주된 기능은 소득재분배 기능(부의 집중억제)에 있다. 따라서 소득세의 보완세로서 불로소득에 중과세하는 경향에 따라 고율로 과세하고 있으며, 생전 증여를 통한 상속세 회피 방지를 위해 증여세 제도를 두고 있다.

한편, 증여세와의 관계를 보면 상속과 증여는 모두 경제적 가치가 있는 재산이 무상으로 타인에게 이전된다는 사실은 동일하지만, 그 원인에 있어서 상속은 상속의 개시사실(사망)에 의하여 상속권자에게 재산권이 이전되는 반면, 증여는 상속개시 전(생전)에 증여자와 수증자의 의사표시에 의하여 재산을 취득한다는 점에서 차이가 있다. 그러나 재산권을 취득하는 상속인 또는 수증인의 입장에서 보면 무상으로 재산권을 취득한다는 점에서는 차이가 없다.

「상속세 및 증여세법」은 이와 같은 상속과 증여의 실질적인 유사성 때문에 생전 증여사실에 대하여 증여세를 부과하는 것은 물론 상속개시일로부터 소급하여 일정기간 내에 증여한 재산에 대하여는 이미 증여세를 과세하였다 하더라도 이를 다시 상속재산 가액에 합산하여 상속세를 과세하면서 이미 과세되었던 증여세는 상속세에서 공제해 주고 있다.

가. 상속세 과세의 효과

1) 피상속인의 생전활동에 미치는 효과

상속세가 과세됨으로써 피상속인은 생전에 재산의 취득·소유·처분 활동에 영향을 미친다. 더 많은 재산을 후손에게 물려주려는 욕구를 만족시킬 수 없다거나 미흡하다고 생각할 경우 근로의욕을 저하시키며, 소비를 증대시키는 효과를 가져온다. 재산의 생전처분에 대한 욕구로 인하여 공익법인에 재산을 출연하는 방법 등으로 상속세 부담을 하지 아니하면서 상속될 재산에 대하여 피상속인의 자손에 의한 간접적인 관리를 가능하게 하는 방안을 강구하는 유인이 된다. 또한 상속세 부담을 적게 하려는 욕구는 저축에 저해작용을 하게 되며 재산구성을 유동화하게 되어 산업구조를 위약하게 한다고 한다.

최근 중소·중견기업의 가업상속 등에 세부담을 경감하는 정책의 취지도 위와 같은 이유 때문으로 볼 수 있다.

2) 상속인에게 미치는 효과

상속인들은 경제활동에 관계없이 일시에 많은 재산을 무상으로 얻게 되고 그 얻은 재산에서 상속세를 부담하게 됨으로써 부담세액이 큰 경우 상속받은 재산을 처분하여 납부하여야 하는 점에서 기업유지 및 지속적인 기업활동을 저해하는 요인이 되기도 한다.

그러나 많은 학자들은 상속세 과세가 창의적 경제활동 및 기업활동에 충격이 없는 것으로 주장하고 있다. 그리고 상속인이 그 상속받은 재산을 소비용에 제공하는 데 반하여 상속세 세입으로 도로 등 사회간접자본 형성 등에 투자한다면 상속세 과세가 오히려 생산자본을 증가시킬 것이기 때문에 상속세 과세제도가 반드시 경제발전의 기반인 생산자본을 고갈시킨다고 보기도 어렵다 할 것이고, 경우에 따라서는 생산자본형성에 적극적이기도 또는 소극적이기도 하다고 할 것이다[1]. 만약 상속세로 거둬들인 세금이 생산적 자금이 되지 못한다면 기업에 대한 상속과세는 신중하게 취급되어야 할 것이다.

---

1) 신용주, 상속세법의 이론과 실무, 32p

나. 상속세의 현대적 기능

1) 부의 집중 억제 기능

현대국가에서 상속세나 증여세는 재정수요의 충족이라는 국고적 목적을 위한 조세로서의 성격은 희박하고, 소득과 재산의 재분배와 부의 집중억제를 주된 목적으로 한다고 보는 견해가 보편적이다. 그러나 상속·증여세의 재정기여도로 볼 때 그 자체가 소득과 재산의 재분배에 기여하는 정도는 대단한 것이 못되고, 재분배기능이란 상징적·이념적 의미를 가지는 것에 불과하다는 견해도 있다.

2) 소득세의 보완세

상속세는 상속개시(사망)로 인한 재산의 무상이전을 과세대상으로 하기 때문에, 상속재산에 대하여 소득원천설의 입장을 취하는 「소득세법」에서는 소득세가 과세되지 않는다. 그러나 피상속인이 생존 중에 정책적 또는 조세회피로 인한 소득세 누락분이 있다면 그 소득을 재산으로 하여 상속세가 과세되므로 이러한 소득세의 보완적 기능을 이유로 상속세를 소득세의 보완세라고도 한다. 아울러, 상속세가 소득세의 보완세로서 고율의 초과누진세율로 과세되고 있음을 악용하여 생전 증여를 통해 재산을 분산증여 함으로써 상속세를 회피하는 것을 방지하기 위하여 상속세의 보완세로서 증여세 제도를 두고 있다.

다. 상속세의 특징

① 상속세는 상속인 또는 수유자가 취득하는 상속재산을 과세물건으로 하는 인세(人稅)이다.
② 상속세는 조세체계상 국세로서 조세를 수득세, 재산세, 소비세, 유통세로 구분할 때 재산세군에 속한다.
③ 상속세는 1세목 1세법의 예외로서 상속세와 증여세를 하나의 법률에 규정하고 있다.
④ 상속세는 무상이전(사망, 실종선고, 유증, 사인증여, 특별연고자에 대한 분여)에 대하여 과세하는 조세이다.
⑤ 상속세는 상속재산 전체를 과세대상으로 하는 유산세 체계의 조세이다.
⑥ 상속세는 불로소득에 대한 중과세 성격이 강하며 응능부담에 적합한 조세다.
⑦ 상속세는 피상속인의 생존 중 부의 원천인 소득의 과세누락에 대한 보완적 의미가 있으므로 일생의 세부담을 정산하는 효과가 있다.

⑧ 상속세는 세부담이 타인에게 쉽게 전가되지 않는 직접세이다.
⑨ 상속세는 과세물건이 재산이므로 확실하며 세수입이 용이하고 징세하기도 쉬운 조세다.
⑩ 상속세는 고율의 초과누진세율로 되어 있어 부의 재분배효과가 크고 소비억제효과가 있다.
⑪ 상속세는 상속시에만 과세되는 일시 과세제도이다.

라. 상속세의 과세근거

일반적으로 사회주의자 내지 사회정책론자들은 상속이란 제도 자체가 불필요한 제도라고 보고 이 제도를 인정한다 하더라도 사회적 불공평과 부의 배분관계를 시정하는 의미에서 상속세의 중과(重課)를 주장하는 데 반하여, 자유주의론자들은 상속제도 자체가 자기가 모은 재산을 자손에게 물려주고 싶어 하는 인간 본성에 맞는 제도라고 인정하고 고유 가족제도를 파괴하고 재산의 원본을 침식하고 민간자본의 축적을 방해함으로써 경제발전을 저해하는 결과를 가져오므로 상속세의 폐지 내지 될 수 있는 한 경과(輕課)해야 한다고 주장한다.

1) 국가귀속설

토지소유권이 국가에 있었던 것을 전제로 유산이란 본래 주인없는 재산이며 따라서 피상속인의 유언이 없는 경우 그 재산은 국가로 이전해야 한다는 설

2) 국가공동상속권설

사망자의 재산에 대한 국가봉토권사상을 전제로 국가도 상속인들과 함께 사망자의 재산에 대하여 공동상속권을 가진다는 설

3) 국가과세권력설

상속제도는 법의 창조물이며 법에 의하여 창설된 상속권행사에 대하여 국가는 조건과 제한을 붙일 수 있는 것이고 조세를 징수하는 것도 법에 의하여 할 수 있다고 보는 설

4) 국가용역대가설

정부에 의해 부과 징수되는 조세는 국가가 제공한 용역의 대가라고 보는 설

5) 소급과세설

상속세는 피상속인의 생존시에 회피 또는 포탈한 조세 해당액을 소급하여 추징하는 것이라는 설

6) 사회정책설

오늘날 대다수의 견해는 상속세 과세근거를 사회정책설에서 찾고 있다.

① 재분배효과설

사회적 부의 편재를 방지하고 재분배를 실현함으로써 조세의 부담을 공평하게 하고 사회정의를 구현해야 한다는 설

② 불로소득과세설

상속인이 무상으로 재산을 취득하게 되면 불로소득의 불건전한 사회풍토가 조장될 염려가 있으므로 중과세하여야 한다는 설

③ 소득세보완설

피상속인의 유산은 세제상 특전에 의해 축적된 것으로 소득세의 보완세로서 과세하여야 한다는 설

마. 상속세 과세유형

상속세의 과세를 피상속인(사망자)의 상속재산 전체를 기준으로 할 것인지, 상속인이 취득한 재산을 기준을 할 것인지에 따라 상속세의 근본구조가 상이한 바 유산세 과세방식과 유산취득세 과세방식으로 구분하여 볼 수 있다.

현재 우리나라의 상속세는 유산세 방식을 채택하고 있다.

1) 유산세 방식(Estate Type)

피상속인의 상속재산 전체를 과세가액으로 하여 초과누진세율을 적용한 세액을 산출하여 상속인에게 부담시키는 제도이다. 각 상속인들은 결정된 총상속세액 중 상속인들이 각각 받을 자기 몫의 재산분배지분비율에 따라 계산된 금액의 상속세를 부담하게 된다.

이 제도는 우리나라를 비롯해 미국, 영국 등에서 채택하고 있다.

- **장점** : 분할상속으로 인한 조세부담의 회피를 방지할 수 있으며, 세무행정상 집행이

용이하다.

- **단점** : 상속인 개개인의 담세능력이 고려되지 않고 세율이 고율일 때는 조세마찰의 소지가 있다.

2) 유산취득세 방식(Inheritance Type)

피상속인이 남긴 재산 중 상속인 또는 수유자가 상속 또는 유증에 의하여 취득한 재산가액을 과세가액으로 하여 여기에 초과누진세율을 적용한 세액을 상속인에게 부담시키는 제도이다.

이 제도는 일본, 독일, 프랑스에서 채택하고 있다.

- **장점** : 상속인이 취득한 재산을 기준으로 상속세를 부담하기 때문에 응능부담의 원칙에 적합하다.
- **단점** : 세수가 줄어들고, 조세부담을 회피하기 위하여 각자의 상속받을 재산을 위장분산시킬 염려가 있으며, 행정상 조세징수에 어려움이 있다.

2 | 상속의 개념 및 승인과 포기

가. 상속의 개념과 민법

종전 「상속세 및 증여세법」에서는 별도로 '상속'에 대해 정의하고 있지 않았으나 2015년 말 개정시 「상속세 및 증여세법」 상 정의규정이 신설되면서 "상속"에 대해서도 규정하게 되었다. 개정 상증법 제2조 제1호에서 "상속"이란 「민법」 제5편에 따른 상속을 말하며, 유증(遺贈)[2]과 사인증여[3], 특별연고자[4]에 대한 상속재산의 분여(分與)를 포함하는 것으로 정의하고 있다.

아울러 "상속재산"에 대해서도 규정하였는데 "상속재산"이란 피상속인에게 귀속되는 모든 재산을 말하되 금전으로 환산할 수 있는 경제적 가치가 있는 모든 물건 및 재산적 가치가 있는 법률상 또는 사실상의 모든 권리를 포함하고, 피상속인의 일신에 전속하는 것으로

2) 유언자가 유언에 의하여 재산을 수증자에게 무상으로 증여하는 단독행위

3) 증여자의 사망으로 인하여 효력이 발생하는 것으로서 생전에 미리 계약을 맺으나 그 효력발생은 증여자의 사망을 법정조건으로 하는 증여

4) 「민법」 제1057조의 2에 따른 피상속인과 생계를 같이 하고 있던 자, 피상속인의 요양간호를 한 자 및 그 밖에 피상속인과 특별한 연고가 있던 자

서 피상속인의 사망으로 인하여 소멸되는 것은 제외된다(상증법 §2 3호).

나. 상속의 승인과 포기

상속이 개시되면 법률상 상속인은 당연히 피상속인에게 속하고 있던 재산상의 지위를 승계하게 된다. 다만, 자산인 적극재산보다 채무 등 소극재산이 많은 때에는 상속인에게 부담을 주게 되므로 상속인의 의사에 따라 상속의 승인 또는 포기를 할 수 있는 제도를 우리 「민법」은 두고 있다.

① **단순승인** : 피상속인의 권리 · 의무를 무제한 · 무조건으로 모두 승계하는 상속형태이다. 상속개시를 안 날로부터 3월 내에 한정승인 또는 포기하지 않은 경우는 단순승인을 한 것으로 본다(「민법」 §1025, §1026).

② **한정승인** : 상속인이 상속으로 인해 취득할 재산의 한도 내에서 피상속인의 채무와 유증을 변제할 것을 조건으로 상속을 승인하는 의사표시를 한정승인이라 하고, 상속개시를 안 날로부터 3개월 이내에 상속개시지 관할 가정법원에 신고하여야 한다(「민법」 §1030, 「가사소송법」 §2 ① 2호). 한정승인은 상속인 각자 자기 상속분의 한도 내에서 할 수 있다.

③ **상속포기** : 상속자산이 채무보다 많다면 포기하지 않을 것이나 채무가 많거나 불분명할 경우 상속인의 의사에 따라 재산상의 불이익을 거부할 수 있는 제도를 말하며, 이 역시 상속개시를 안 날로부터 3개월 이내에 하여야 한다. 다만, 채무가 더 많다는 사실을 중대한 과실없이 알지 못한 경우에는 채무가 많음을 안 날로부터 3개월 내 신고할 수 있다(「민법」 §1019 ③). 포기한 상속재산은 다른 상속인의 상속분의 비율로 그 상속인에게 귀속된다(「민법」 §1043).

아울러, 피상속인의 채무가 상속재산 보다 많아 상속포기를 할 경우에는 상속인 모두(직계존비속, 형제자매, 배우자, 4촌 이내의 방계혈족)가 포기하여야 하는 것에 유의할 필요가 있다.

3 납부의무(상증법 §3의2)

가. 일반적인 납부의무

상속인(특별연고자 중 영리법인 제외) 또는 수유자(영리법인 제외)는 상속재산 중 각자가 받았거나 받을 재산의 범위 내에서 상속세를 납부할 의무가 있다. 이 경우 상속인이란 민법상 상속인에 상속포기자 및 특별연고자를 포함하고, 수유자란 유증을 받은 자 또는 사인증여에 의하여 재산을 취득한 자를 말한다.

본래 상속인은 자연인(개인)에 한하는 것이나 유증이나 사인증여에 의하여 법인에게도 증여할 수 있다. 이때 상속세의 납부의무는 비영리법인에 한하며, 영리법인의 경우에는 수증액을 영리법인의 수증이익으로 보아 법인세를 부과하고 있기 때문에 상속세를 부과하지 아니한다.

「민법」상 동 순위의 공동상속인은 상속분(상속재산에 대한 각자의 배당률)에 따라 납부세의무를 진다. 그리고 「민법」상 상속분에는 지정상속분과 법정상속분이 있다.

1) 지정상속분

피상속인이 유증을 한 경우에 수증자의 수증재산을 말한다. 유증이라 함은 유언에 의하여 유산의 전체 또는 일부를 타인에게 무상으로 주는 단독행위를 말하며, 사인증여(死因贈與)란 증여자의 생전에 증여계약을 맺었으나 그 효력은 사망 후에 발생하는 일종의 정지조건부 증여행위를 말하고, 사인증여는 유증의 규정이 준용된다(「민법」 §562). 이러한 유증은 법정상속보다 그 효력이 우선한다.

2) 법정상속분(「민법」 §1009)

피상속인의 유언에 의한 상속분의 지정이 없는 경우에 법률이 정한 바에 따라 상속분이 결정되는 것을 말한다. 그리고 배우자나 직계비속의 경우 법정 상속분배 비율의 1/2, 직계존속과 형제자매는 1/3은 피상속인의 유언에 관계없이 유류분(遺留分 : 상속인 각자가 받을 수 있는 최소한의 상속분)으로 상속받을 수 있다.

① **동순위 상속인 사이의 상속분** : 동순위의 상속인이 여러 명인 때에는 그 상속인은 균분한다. 따라서 남녀의 차별을 두지 않는다. 「민법」상의 상속순위는 다음과 같다.
피상속인의 배우자는 직계비속 또는 직계존속과 동순위로 공동상속인이 되고, 직계비속 또는 직계존속이 없는 경우 단독상속인이 된다.

| 민법상 상속 순위 |

상속 순위	상속인
제1순위	피상속인의 직계비속 · 배우자
제2순위	피상속인의 직계존속 · 배우자
제3순위	피상속인의 형제자매
제4순위	피상속인의 4촌 이내의 방계혈족

| 상속인의 법정상속분 |

구 분	상속인	상속지분	배분율
부(父)가 사망한 경우	장남, 장녀(미혼), 처가 있는 경우	장남 1 장녀 1 처 1.5	2 / 7 2 / 7 3 / 7
	장녀, 장녀(기혼), 차남, 차녀와 처가 있는 경우	장남 1 장녀 1 차남 1 차녀 1 처 1.5	2 / 11 2 / 11 2 / 11 2 / 11 3 / 11
모(母)가 사망한 경우	장남, 부만 있는 경우	장남 1 부 1.5	2 / 5 3 / 5
	장남, 장녀, 차녀, 부가 있는 경우	장남 1 장녀 1 차녀 1 부 1.5	2 / 9 2 / 9 2 / 9 3 / 9
혼인한 자녀가 사망한 경우	부모, 배우자만 있는 경우	부 1 모 1 처 1.5	2 / 7 2 / 7 3 / 7

② **배우자의 상속분** : 피상속인의 배우자의 상속분은 직계비속과 공동으로 상속하는 때에는 직계비속의 상속분의 5할을 가산하고, 직계존속과 공동으로 상속하는 경우에 직계존속의 상속분의 5할을 가산한다.

나. 연대 납부의무

상속인 또는 수유자가 여러 사람인 경우에는 상속인 또는 수유자가 받았거나 받을 재산의 점유비율(상속분)에 따라 상속인 각자가 납부의무를 지되, 상속인 상호간에는 연대하여 납부의무가 있다. 이때 연대 납부의무에 대한 각자의 책임은 그가 받았거나 받을 재산을 한도로 한다(상증법 §3의 2). 이 경우 연대납세의무 한도는 다음 금액으로 한다.

- [상속으로 인하여 얻은 자산총액(사전증여재산 포함) - 부채총액 - 상속세(사전증여재산에 대한 증여세 포함)]

다. 비거주자의 납부의무

피상속인이 거주자인 경우 상속재산 전부에 대하여 상속인 또는 수유자는 상속세를 연대하여 납부할 의무를 지나, 피상속인이 비거주자인 경우에는 국내에 있는 상속재산에 대하여만 상속세를 부과한다.

라. 추정상속인 등의 납부의무

세무서장이나 지방국세청장은 「상속세 및 증여세법」에 따라 상속세를 부과할 때에 납세관리인이 있는 경우를 제외하고 상속인이 확정되지 아니하였거나 상속인이 상속재산을 처분할 권한이 없는 경우에는 특별한 규정이 없으면 추정상속인, 유언집행자 또는 상속재산관리인에 대하여 「상속세법 및 증여세법」 중 상속인 또는 수유자에 관한 규정을 적용할 수 있다(국기법 §82 ⑤).

관련예규 및 판례요약

상속세 과세대상 및 납세의무자 : 상증법 §1, §3

상속세 과세원인과 관련된 예규, 판례

상속증여 - 1290, 2015. 8. 10.

상속부동산을 매각시 그 대금을 상속인간 분배하기로 약정하여 특정상속인에게 부동산 등기 후 그 부동산이 양도되어 그 가액을 상속인간 분배한 경우에 그 가액은 상증법 제1조에 따른 상속재산에 포함되지 않는다.

상속증여-407, 2013. 7. 23.

민법시행 전인 1959.12.31. 이전에 조부가 사망하고 그 이후 부(장남)와 그의 동생들이 순차적으로 사망한 상태에서 부의 자녀들이 조부 소유의 토지를 「조상 땅 찾기」 제도를 통해 찾아 그들 명의로 소유권보존 등기하는 경우 그 토지는 부의 사망일에 부의 자녀들이 상속받은 것으로 봄.

재산-440, 2012. 12. 6.

피상속인 명의로 등기된 토지의 실제소유자가 종중임이 관련서류에 의거 명백히 확인되는 경우에는 그 토지에 대하여 상속세가 과세되지 아니함.

서면4팀-1686, 2006. 6. 12.

피상속인의 증여에 의해 재산을 증여받은 자로부터 「민법」에 의해 자산을 반환받은 상속인(유류분권리자)은 상속세 납부의무를 지며, 유류분권리자가 유류분의 포기대가로 다른 재산을 취득하는 경우에는 상속재산과의 교환으로 보아 그 상속재산에 대한 상속세 및 양도소득세 납세의무가 있음.

국심 2002중 1252, 2002. 7. 19.

피상속인의 채무과다로 근저당권자 등이 대위상속등기한 부동산이 경매 등을 통해 소유권이전된 후 상속한정승인 심판청구한 경우, '상속포기'로 볼 수 없음.

국심 2001부 1376, 2001. 12. 10.

'양자'로서의 법률적 효력은 입양신고일부터 발생하므로, '갑'이 양조모인 '병'의 사망 당시 사실상 '을'의 양자였더라도 '병'의 사망 후에 양자로서 입양신고된 경우에는 '갑'은 '병'의 사망일에 소급해 '병'의 재산을 대습상속받을 수 있는 상속인에 해당하지 않음.

상속개시일과 관련된 예규, 판례

조심 2014서 3720, 2015. 8. 26.

유류분으로 반환된 재산은 당초부터 증여가 없었던 것이 되어 피상속인의 재산으로 되돌아가 상속개시일의 상속재산으로 보아야 하고, 그에 대한 상속세의 계산은 피상속인의 상속재산가액에 가산하여 일반적인 상속세 과세표준 및 세액의 계산방식으로 하는 것인 점 등에 비추어 청구주장을 받아들이기 어려우나, 법원의 화해결정에 따라 확인되는 피상속인의 채무 ○○○원은 상속재산가액에서 차감하는 것이 타당함.

재산상속 46014-1034, 2000. 8. 28.

상속개시 이후 상속인이 아닌 자가 피상속인의 재산을 증여취득한 경우, 상속인이 상속받은 재산을 증여한 것으로 봄.

재삼 46014-398, 1999. 2. 26.

상속개시일과 부동산증여등기 접수일이 동일자로서 피상속인의 사망시간이 등기접수보다 빠른 경우는 당해 재산은 상속재산으로 봄.

재재산 46014-299, 1997. 8. 29.

실종선고로 인한 상속의 경우 실종선고일을 상속개시일로 보며, 상속재산의 범위, 배우자공제 등은 상속개시일을 기준으로 적용함.

거주자가 사망한 경우의 상속세 과세대상과 관련된 예규, 판례

서면4팀-3012, 2007. 10. 19.

부모가 사망한 후에 부모 소유의 부동산을 자녀의 명의로 증여등기한 경우에는 부모 소유의 부동산을 상속받은 것으로 보는 것임.

서면4팀-83, 2007. 1. 5.

상속 개시 전에 피상속인이 부동산을 양도한 경우로서 양도대금을 영수하기 전에 사망한 경우 그 양도대금은 상속재산에 포함되는 것임.

서면4팀-40, 2007. 1. 4.

피상속인과 타인이 함께 합유 등기한 부동산은 그 부동산 가액 중 피상속인의 몫에 상당하는 가액을 상속재산에 포함하는 것임.

국심 2003전 2493, 2004. 3. 18.

상속재산에 포함하여 상속세를 신고・납부하였으나, 쟁송결과 상속재산이 아닌 것으로 확정되었다면 상속세과세가액에서 제외함.

국심 2001서 2838, 2002. 3. 6.

법인등기부등본과 주식변동상황명세서상 피상속인이 당해 비상장주식에 해당하는 출자지분 보유사실이 확인되고, 명의수탁사실 입증 안 되므로 상속재산에 해당함.

국심 2000서 3028, 2001. 2. 22.

증권금융채권 등 '특정채권'의 매입이 상속개시일 현재 이루어져 '소지'하지 않고 있더라도 특정채권에 대한 '조세특례' 인정하지 않음은 부당함.

심사서울 97-2, 1997. 2. 14.

상속개시 후 피상속인명의 재산을 증여를 원인으로 취득하더라도 이는 사실상 상속재산으로서 상속세 과세대상일 뿐 증여세 과세할 수 없음.

비거주자가 사망한 경우의 상속세 과세대상과 관련된 예규, 판례

재산-65, 2011. 2. 7.

비거주자의 경우 국내에 있는 상속재산에 대하여만 상속세가 과세되며, 과세표준신고는 상속개시일이 속하는 달의 말일부터 9월 이내에 주된 재산 소재지 관할 세무서장에게 하되, 주된 재산 중 대출금채권의 소재지는 채무자의 주소지임.

서면4팀-2304, 2007. 7. 27.

비거주자의 사망으로 상속이 개시되는 경우에는 국내에 있는 비거주자의 모든 상속재산에 대하여만 상속세가 과세되는 것임.

국심 2006서 394, 2006. 6. 26.

주무관청에 허가 또는 인가를 받아 설립되지 않았고 관할 세무서장으로부터 법인으로 보는 단체로 승인도 받지 않은 교회는 거주자로 봄.

국심 2004서 1408, 2004. 10. 19.

비거주자의 금융거래증빙과 '출입국에 관한 사실증명'을 통하여 쟁점금전채권이 상속인들이 본인들의 예금을 인출하여 상속세 납부용으로 국내에 보관시킨 금액이라는 사실이 확인된다면 피상속인의 국내상속재산이 아니므로 상속재산에서 제외함.

대법 2001두 3150, 2002. 3. 29.

피상속인의 실질적인 생활근거지가 외국으로써 국내에 주소를 두지 않은 것으로 인정되는 경우, 배우자공제 등 인적 공제를 배제함은 정당하고 위헌 아님.

거주자와 비거주자의 구분과 관련된 예규, 판례

조심 2018중 812, 2018. 5. 23.

피상속인이 국적을 회복한 이후 국내에서 발생한 소득만으로는 국내에서 생계를 유지하기는 어려워 보이는 점, 피상속인이 주소로 전입신고한 주택은 다세대 지하빌라로 10평 내외로 협소하여 두 가족이 독립적으로 생활할 수 있는 장소로 보기엔 곤란한 것으로 보이는 점 등에 비추어 피상속인을 비거주자로 보아 이 건 상속세를 과세한 처분은 달리 잘못이 없음.

서울행법 2012구합 2375, 2012. 11. 8.

망인은 부정기적으로 국내에 입국하였으며 캐나다에서 현지 교민을 상대로 목회활동을 하면서 가족들과 함께 생활해 왔고 희귀병이 발병하여 치료 목적으로 출국한 이후로는 줄곧 국외에서 치료를 받다가 사망에 이르게 된 점 등에 비추어 망인을 비거주자로 본 상속세 과세처분은 적법함.

재산-78, 2010. 2. 5.

상증법상 그 거주자인지 여부를 판정함에 있어 거주기간의 계산은 생계를 같이하는 가족의 거주지나 자산소재지 등에 비추어 그 출국목적이 명백하게 일시적인 것으로 인정되는 지 여부를 확인하여 판단함.

서면4팀-3098, 2006. 9. 11.

「상속세 및 증여세법」에서 규정하는 거주자는 상속개시일 현재 국내에 주소를 두거나 1년 이상 거소를 둔 자를 말함.

서면4팀-1374, 2006. 5. 16.

상증법상 배우자공제가 적용되는 거주자는 증여일 현재 국내에 주소를 두거나 1년 이상 거소를 둔 자를 말함.

서면4팀-901, 2005. 6. 7.

거주자와 비거주자의 구분은 거주기간, 직업, 국내에서 생계를 같이하는 가족 및 국내 소재 자산의 유무 등 생활관계의 객관적 사실에 따라 판단함.

국심 2004서 1881, 2004. 7. 16.

외국시민권자이지만 실질적인 생활 근거가 국내에 있다면 증여 당시 국외거주기간이 국내거주기간보다 길더라도 거주자로 보아 증여재산공제를 인정함.

국심 2002부 3100, 2003. 2. 5.

해외 이주한 피상속인을 '비거주자'로 보았으나, 나이 어린 딸의 교육목적상 부득이 이민의 형식을 취한 경우로서 '거주자'로 본 사례

대법 2001두 8629, 2002. 8. 23.

국내에서 생계를 같이하는 가족 및 국내 소재 자산의 유무 등 생활관계의 객관적 사실에 따라 피상속인의 주소가 일본이 아닌 국내로서 거주자에 해당하는 사례

상속인 각자의 점유비율에 따른 상속세 납부의무와 관련된 예규, 판례

재산-202, 2011. 4. 20.

상속재산에 대하여 각 상속인의 상속분을 확정하여 등기 등을 하지 아니한 상태에서 해당 상속재산이 수용된 경우에는 해당 재산을 각 상속인이 상속지분에 따라 상속받은 것으로 보는 것임.

재산-440, 2010. 6. 25.

상속인 또는 수유자는 상속재산 중 각자가 받았거나 받을 재산을 기준으로 계산한 비율에 따라 상속세를 납부할 의무가 있는 것이며, 각자가 상속받았거나 받을 재산을 한도로 상속세를 연대하여 납부할 의무가 있음.

재산-294, 2010. 5. 13.

피상속인의 재산을 상속받은 상속인과 민법상 적법한 유언절차 등에 의한 유언이나 사인증여에 의하여 상속재산을 취득한 자는 상속세를 납부해야 함.

조심 2009중 3250, 2010. 4. 12.

과세관청이 공동상속인별로 각자의 상속재산비율과 그에 따라 산정한 각자가 납부할 세액 등을 기재한 연대납세의무자별 고지세액명세를 첨부하지 아니하고 일괄고지한 처분은 위법함.

재산-1467, 2009. 7. 17.

수유자가 법원의 판결에 의하여 법정상속인에게 당해 상속재산을 유류분으로 반환하는 경우 당초 결정한 상속세액(총세액)의 감액변동이 없는 경우 수유자가 당초 납부한 상속세는 환급되지 아니함.

국심 2007중 1219, 2007. 9. 10.

현행 「상속세법」이 상속에 의한 재산취득액을 과세표준으로 하는 유산세제도를 취하고 있으므로 피상속인의 유산액을 과세표준으로 하는 것임.

서면4팀-2438, 2007. 8. 13.

조부가 증조부보다 먼저 사망하여 부에게 대습상속된 재산을 부의 상속인이 상속받은 경우 부의 사망에 따른 상속세는 부의 사망일을 상속개시일로 하고 증조부로부터 받은 재산 전체에 대해 과세됨.

심사상속 2005-28, 2005. 12. 23.

「민법」상 상속인으로서의 직계비속에 대하여 자연혈족이건, 법정혈족이건 차별이 없으며 친생자이건, 양자이건, 혼인중의 출생자이건 혼인 외의 출생자이건 차별이 없는 것임.

서면4팀 - 1880, 2005. 10. 17.

친생자 확인소송을 제기한 사실만으로 상속인으로 보지 아니함.

서면4팀 - 658, 2005. 4. 29.

상속개시된 처분재산의 용도가 불분명 금액에 대하여는 상속인별 법정상속지분으로 상속 받는 것으로 보아 납부할 세액을 계산함.

국심 2003중 302, 2003. 5. 21.

상속인이 상속포기했더라도 상속개시 전 재산처분의 사용처가 입증되지 않은 금액을 상속받은 재산으로 하여 상속세 과세함은 정당함.

상속세 연대 납부의무와 관련된 예규, 판례

상속증여 - 19, 2015. 1. 20.

비거주자에게 증여하는 경우 증여자는 연대납세의무가 있는 것이며, 증여자가 연대납세의무자로서 증여세를 대신 납부하는 경우에는 재차증여에 해당하지 않는 것임.

징세 - 630, 2012. 6. 13.

상속인이 상속받은 재산 또는 고유재산으로 납세의무의 승계에 따른 자신의 납부의무나 공동상속인에 대한 연대납세의무를 자신이 상속받은 재산의 한도로 이행하였다면, 다른 상속인이 미이행한 부분에 대해서는 추가적인 납부의무가 없는 것임.

재산 - 454, 2011. 9. 27.

상속인 또는 수유자는 각자가 상속으로 인하여 얻은 자산총액에서 부채총액과 그 상속으로 인하여 부과되거나 납부할 상속세를 공제한 가액을 한도로 상속세를 연대하여 납부할 의무가 있는 것이며 그 한도내에서 다른 상속인이 납부해야 할 상속세를 대신 납부한 경우에는 증여세가 부과되지 않는 것임.

재산 - 224, 2011. 5. 3.

상속세 연대납세의무는 상속인 또는 수유자는 각자가 받았거나 받을 재산을 한도로 하며, 이 경우 상속세에는 가산세, 가산금, 체납처분비를 포함하는 것임.

재산 - 149, 2010. 3. 10.

피상속인으로부터 상속개시전 5년 이내에 증여받은 재산만 있는 상속인 외의 자는 상속세 납세의무 및 연대납부의무는 없는 것임.

대법 2007다 29119, 2007. 7. 26.

상속재산의 분할협의는 사해행위취소권 행사의 대상이 될 수 있음.

서면4팀-1543, 2007. 5. 9.

상속세 연대납세의무자로서 각자가 받았거나 받을 상속재산을 초과하여 대신 납부한 상속세액에 대하여는 다른 상속인에게 증여한 것으로 보는 것임.

제 2 절 상속세의 과세체계

1 의 의

상속은 특정인이 사망 또는 일정한 특정사유로 인하여 특정인의 적극재산 및 소극적 재산권을 포괄적으로 승계하는 것이다.

이 중 금전으로 환가할 수 있는 경제적 가치가 있는 물건과 재산적 가치가 있는 법률상 또는 사실상의 권리인 재산의 상속은 상속세의 과세대상이 된다. 즉 상속이 개시된 경우 피상속인이 국내에 주소를 두거나 또는 국내에 상속재산이 있을 때에는 상속세를 부과한다. 다만, 실종선고로 인한 상속은 실종선고일을 상속개시일로 본다.

상속세의 과세방식은 유산세체계와 유산취득세체계로 구분된다.

전자는 피상속인의 상속재산을 과세표준으로 하여 과세되므로, 공동상속 등의 경우에는 피상속인의 상속재산 전체에 대하여 과세되며, 산출된 세액을 각 상속인의 상속지분에 따라 안분계산한다. 유산세체계는 유산 분할을 가장한 조세부담의 회피를 방지할 수 있으며, 조세의 형평을 도모하고, 세무행정이 용이하다는 장점이 있다. 현행 우리나라의 상속세 체계는 유산세체계를 취하고 있다.

후자는 상속인이 취득하는 재산가액을 과세표준으로 하여 과세된다. 이는 상속인에게 무상 귀속된 재산을 과세한다는 측면이 강조된 것으로 담세력에 상응하는 세부담을 지울 수 있다는 장점이 있으나, 유산의 은폐를 목적으로 분할상속을 하는 등의 조세회피 소지가 있고 세무행정이 복잡해지는 문제가 있다.

2 과세체계

상속세의 과세표준은 ① 상속재산 계산, ② 상속세 과세가액 계산, ③ 상속세 과세표준 및 세액 계산의 3단계를 거쳐서 산출된다.

상속세의 계산구조는 다음 표와 같다.

| 상속세의 계산구조와 산식[5] |

① 총상속재산가액	상속재산가액(본래의 상속재산 + 간주·추정상속재산) + 상속개시전 처분재산 등 산입액
−	
② 비과세 및 과세가액 불산입액	비과세 : 금양임야, 문화재 등, 과세가액 불산입재산 : 공익법인 등에 출연한 재산 등
−	
③ 공과금·장례비·채무	
+	
④ 사전증여재산	합산대상 사전증여재산(상속인 10년, 기타 5년) * 10% 특례세율 적용 증여재산인 창업자금, 가업승계주식은 기한없이 합산함.
=	
⑤ 상속세 과세가액	
−	
⑥ 상속공제 * 종합공제 한도 적용	• 기초공제+그 밖의 인적공제와 5억원 중 큰 금액 • 가업(영농)상속공제 • 배우자공제 • 금융재산상속공제 • 재해손실공제 • 동거주택 상속공제(주택가액×80%, 5억원 한도)
−	
⑦ 감정평가수수료	부동산 감정평가법인의 수수료는 5백만원 한도 등
=	
⑧ 상속세 과세표준	
×	
⑨ 세율	
=	
⑩ 산출세액	
+	
세대생략할증세액	상속인이나 수유자가 피상속인의 자녀가 아닌 직계비속이면 할증 * 직계비속의 사망으로 최근친 직계비속에 상속하는 경우에는 제외
−	
세액공제	
−	
연부연납·물납·분납	
=	
자진납부할 세액	

5) 국세청, 「2015 상속세·증여세 실무해설」, 18p.

3 | 상속재산의 계산

상속세 과세대상 재산은 금전으로 환산할 수 있는 경제적 가치가 있는 모든 물건 및 재산적 가치가 있는 법률상 또는 사실상의 모든 권리를 포함하여 피상속인에게 귀속되는 모든 재산을 말하는 것으로서 본래의 상속재산과 간주상속재산, 추정상속재산으로 구분한다(상증법 §2 3호).

가. 본래의 상속재산

본래의 상속재산은 상속개시 당시 피상속인에게 귀속되는 재산으로서 금전으로 환산할 수 있는 경제적 가치가 있는 모든 물건과 재산적 가치가 있는 법률상 또는 사실상의 모든 권리를 포함한다. 다만, 변호사, 공인회계사 자격 등과 같이 상속재산 중 피상속인의 일신에 전속하는 것으로서 상속인의 사망으로 인하여 소멸되는 것은 제외된다

1) 상속재산의 구체적인 내용【상증법 통칙 7-0…1 (상속재산의 범위)】

① 상속재산에는 물권, 채권 및 무체재산권 뿐만 아니라 신탁수익권 등이 포함

② 상속재산에는 법률상 근거에 불구하고 경제적 가치가 있는 것, 예를 들면 영업권과 같은 것을 포함

③ 질권, 저당권 또는 지역권과 같은 종된 권리는 주된 권리의 가치를 담보 또는 증가시키는 것으로서 독립하여 상속재산을 구성하지 않음

④ 피상속인에게 귀속되는 소득이 있는 경우에는 그 소득의 실질내용에 따라 상속재산인지의 여부를 결정. 따라서 상속개시일 현재 인정상여 등과 같이 실질적으로 재산이 없는 경우에는 상속재산에 포함하지 아니하며 현금채권인 배당금, 무상주를 받을 권리 등 실질적으로 재산이 있을 경우에는 상속재산에 포함.

관련예규 및 판례요약

상속재산의 범위 : 상증법 §7

상속재산에 포함되는 경우와 관련된 예규, 판례

조심 2019중 1257, 2019. 6. 13.

쟁점보험금의 보험료의 실질적 납입주체를 쟁점법인의 대표이사 겸 최대주주였던 피상속인으로 보아 상속재산에 포함하거나, 청구인들이 쟁점법인으로부터 쟁점보험금을 직접 증여받은 것으로 보아야 할 것이므로 처분청이 쟁점보험금을 상속재산으로 보아 청구인들에게 상속세를 과세한 이 건 처분은 잘못이 없음.

서면상속증여-795, 2015. 6. 16.

상속재산에는 피상속인에게 귀속되는 재산으로서 금전으로 환산할 수 있는 경제적 가치가 있는 모든 물건과 재산적 가치가 있는 법률상 또는 사실상의 모든 권리가 포함되는 것으로, 상속재산인 개인 사업체를 평가함에 있어서 평가한 영업권의 가액은 상속재산의 가액에 가산하는 것임.

대법 2012두 22706, 2014. 10. 15.

피상속인이 생전에 교회에 상장을 전제로 한 주식기부증서를 작성하였으나 상속세신고기한까지 출연이 되지 아니하여 교회에 기부한 주식을 상속세과세가액에 포함하여 상속인들에게 과세 처분한 것은 피상속인이 증여채무이행 중에 증여자가 사망한 경우로 보아 증여주식이 포함된 전체 상속재산에 관하여 산출된 상속세를 교회와 상속인들이 상속받은 범위 내에서 상속세를 부담하는 것이 정당하다고 판단된다.

상속증여-627, 2013. 12. 20.

보험계약청약서상 보험계약자 겸 수익자가 사망하여 그의 상속인이 받은 교육보험의 보험금은「상속세 및 증여세법」제7조에 따라 피상속인에게 귀속되는 재산으로서 상속재산에 포함되는 것임.

서면법규-1444, 2012. 12. 6.

피상속인의 과거 구금사건에 대하여 무죄판결을 받은 후 피상속인이 사망하여 상속인이 수령한 형사보상금은 피상속인의 상속재산에 해당함.

재산-765, 2010. 10. 15.

상속개시 후에 피상속인 명의의 예금을 편의상 장남의 명의로 변경한 후 만기해지하여 상속세 신고기한 이내에 피상속인의 배우자에게 이전하고 신고하는 경우에는 피상속인의 배우자가 상속받은 것으로 보는 것임.

재산-526, 2010. 7. 19.

피상속인의 증여에 의하여 재산을 증여받은 자가 증여받은 재산을 유류분 권리자에게 반환하는 경우 그 반환한 재산가액은 당초부터 증여가 없었던 것으로 보나 이에 해당하는 지 여부는 사실판단함.

재산-468, 2010. 6. 30.

상속개시일 현재 소송 중에 있는 권리는 상속재산에 포함되며 이 경우 그 가액은 상속개시일 현재 분쟁관계의 진상을 조사하고 소송진행의 상황을 감안한 적정한 가액으로 평가함.

재산-589, 2009. 10. 30.

상속개시일 현재 피상속인에게 귀속되는 채권은 상속재산에 포함되는 것임.

대법 2009두 10765, 2009. 10. 15.

합유자와 피상속인 사이에 합유지분을 상속인에게 승계한다는 특별한 약정이 있음을 인정할 아무런 자료가 없는 이상 피상속인의 합유지분은 합유자에게 단독으로 귀속된다고 봄이 타당함.

재산-305, 2009. 9. 24.

피상속인이 생전에 토지거래계약에 관한 허가구역에 있는 토지를 허가받지 아니하고 매매계약을 체결하여 매매대금의 잔금까지 수령한 경우 그 토지는 상속재산의 범위에 포함됨.

재산-3783, 2008. 11. 14.

피상속인이 종교단체에 부동산을 증여하면서 부동산의 매각대금 중 일부를 상속인에게 귀속시키기로 하는 약정을 체결한 후 상속인이 종교단체로부터 상속개시 후에 지급받은 금전은 상속재산에 해당함.

재산-2270, 2008. 8. 18.

상속개시일과 등기접수일이 동일자로서 피상속인의 사망시간이 등기접수보다 빠른 경우에는 당해 재산은 상속재산으로 보는 것임.

재산-1930, 2008. 7. 28.

피상속인으로부터 유증을 받은 자가 상속세과세표준 신고기한 이내에 당해 유증받은 재산을 다른 상속인에게 무상으로 이전한 경우 상속세를 과세하는 것임.

재산-1579, 2008. 7. 10.

상속개시일 전에 피상속인의 부동산이 경락되어 경락대금이 완납되었으나 배당되지 않은 상태에서 상속이 개시된 경우에는 상속재산을 채권으로 보고 확정된 경락대금을 상속재산가액에 산입하는 것임.

서면4팀-3155, 2007. 11. 1.

상속개시일과 등기접수일이 동일자로서 피상속인의 사망시간이 등기접수보다 빠른 경우에는 당해 재산은 상속재산으로 보는 것임.

국심 2007서 156, 2007. 10. 22.

상속개시 전에 주식을 명의신탁한 사실이 확인되므로 상속세를 과세한 것은 정당함.

서면4팀-1706, 2007. 5. 25.

피상속인에게 부여된 주식매수선택권을 상속받은 경우 당해 주식매수선택권은 상속재산에 포함되어 상속세가 과세되는 것임.

서면4팀-1697, 2007. 5. 23.

부친이 사망한 후에 부친 소유의 부동산을 자녀의 명의로 증여 등기한 경우에는 부친 소유의 재산을 상속받은 것으로 보는 것임.

서면4팀-847, 2007. 3. 12.

상속개시일 전 피상속인이 부동산 양도계약을 체결하고 잔금을 영수하기 전에 사망한 경우에는 양도대금 전액에서 상속개시 전에 영수한 계약금과 중도금을 차감한 잔액을 상속재산가액으로 하는 것임.

서면1팀-1372, 2005. 11. 11.

상속이 개시된 후 피상속인에게 국세환급금이 발생하여 상속재산으로 분할되지 아니한 경우 민법에 의한 상속분에 따라 안분한 금액을 각 상속인에게 충당 또는 환급하는 것임.

국심 2005서 2445, 2005. 10. 26.

상속개시일 현재 어음의 발행 및 배서 법인들이 정상사업자인 점 등을 고려할 때 회수불가능한 어음으로 보기 어려우므로 상속재산가액에 가산하여 과세한 것은 정당함.

서면4팀-1550, 2004. 10. 1.

피상속인이 타인과 함께 합유 등기한 부동산은 그 부동산가액 중 피상속인의 몫에 상당하는 가액은 상속재산에 포함하는 것이며, 상속인이 합유지분에 대한 반환청구를 포기한 때에는 상속인이 당해 지분을 상속받아 다른 합유자에게 증여한 것으로 보는 것임.

상속재산에 포함되지 않는 경우와 관련된 예규, 판례

재재산 - 11, 2012. 1. 5.

피상속인이 상속재산을 영리법인에 유증하여 해당법인의 주식가치가 상승함으로써 상속인이 얻은 이익은 「상속세 및 증여세법」 제1조의 상속세 과세대상이나 같은 법 제7조의 상속재산의 범위에는 포함되지 않는 것임.

재산 - 15, 2011. 1. 7.

손해보험의 보험금 수취인과 보험료 불입자가 다른 경우, 보험사고 발생시 보험료 불입자가 보험금 상당액을 보험금수취인에게 증여한 것으로 보며, 피상속인의 교통사고 사망으로 그 유가족이 받는 위자료 성격의 보상금은 상속세 과세대상이 아님.

대법 2010두 18321, 2010. 12. 23.

은행계좌에 있는 금액이 예금 명의만 해두었을 뿐 실질적으로는 회사의 재산이므로 상속세 과세가액에서 제외하는 것이 타당함.

재산 - 1052, 2009. 5. 29.

피상속인이 상속개시일 현재 명의수탁하고 있는 재산임이 명백히 확인되는 경우 당해 재산에 대하여는 상속세가 과세되지 아니함.

재산 - 1924, 2008. 7. 28.

상속개시일 현재 피상속인에게 귀속되는 채권은 상속재산에 포함되는 것이나 사전약정에 의하여 상속개시일 현재 회수불가능한 것으로 인정되는 경우에는 상속재산가액에 산입하지 아니함.

서면4팀 - 3279, 2007. 11. 13.

상속개시 전에 부모로부터 사실상 시가에 상당하는 대가를 지급하고 취득한 사실이 객관적으로 확인이 되는 경우에는 상속세 또는 증여세는 과세되지 아니하는 것이나 이에 해당하는지는 사실판단 사항임.

국심 2007전 2204, 2007. 11. 8.

부동산을 유증받아 상속세를 신고납부하였다가 법정상속인의 유류분반환청구 소송결과에 따라 당해 부동산을 상실하게 되었으므로 상속세 납세의무를 지울 수 없음.

서면4팀 - 1609, 2006. 6. 7.

피상속인에게 귀속되는 채권으로써 상속개시일 현재 회수불가능한 것으로 인정되는 경우에는 그 가액은 상속재산가액에 산입하지 아니하는 것임.

국심 2004서 1965, 2006. 1. 6.

조세특례의 적용대상이 되는 특정채권의 가액은 액면가액과 발행일로부터 상속개시일까지의 표면이자상당액의 합계액으로 보는 것이 타당함.

나. 간주상속재산

상속세는 상속, 유증, 사인증여로 인해 취득하는 재산을 과세대상으로 한다. 그러나 상속, 유증, 사인증여에는 해당하지 않으나 실질상 동일한 경우에도 과세하기 위하여 보험금, 신탁재산, 퇴직금 등을 상속재산으로 간주하고 있다.

1) 보험금(상증법 §8)

피상속인의 사망으로 인하여 지급받는 생명보험 또는 손해보험의 보험금으로서 피상속인이 보험계약자인 보험계약에 의하여 받는 것은 이를 상속재산으로 간주한다.

이때 상속재산으로 보는 보험금액의 가액은 당해 지급받은 보험금의 총 합계액 중 피상속인이 부담한 보험료의 금액이 해당 보험계약에 따라 피상속인의 사망시까지 불입된 보험료의 총합계액에 대하여 차지하는 비율에 상당하는 부분의 금액으로 한다.

$$\text{간주상속재산} = \text{지급받은 보험금의 총 합계액} \times \frac{\text{피상속인이 부담한 보험료의 금액}}{\text{해당 보험계약에 따라 피상속인이 사망시까지 불입된 보험료의 총합계액}}$$

위의 산식 중 피상속인이 부담한 보험료는 보험증권에 기재된 보험료의 금액에 의하여 계산하고, 보험계약에 의하여 피상속인이 지급받는 이익배당금 등으로서 당해 보험료에 충당한 것이 있을 때에는 그 충당된 부분의 배당금 등의 상당액은 피상속인이 부담한 보험료에 포함한다.

이 때 보험계약자가 피상속인이 아닌 경우에도 피상속인이 실질적으로 보험료를 납부하였을 때에는 피상속인을 보험계약자로 간주하며, 보험금에는 농협중앙회 및 조합, 수협중앙회 및 조합, 신협중앙회 및 조합, 새마을금고연합회 및 금고 등이 취급하는 생명공제계약 또는 손해공제계약과 우체국이 취급하는 우체국보험계약에 따라 지급되는 공제금 등도 포함된다(상증통칙 8-0…1).

2) 신탁재산(상증법 §9)

피상속인이 신탁한 재산은 원칙적으로 상속재산으로 보는 것이나, 타인이 신탁의 이익을 받을 권리를 소유하고 있는 경우 그 이익에 상당하는 가액은 상속재산으로 보지 않는 것이며, 반면에 피상속인이 신탁으로 인하여 타인으로부터 신탁의 이익을 받을 권리를 소유하고 있는 경우에는 그 이익에 상당하는 가액은 상속재산에 포함된다.

신탁의 이익을 받을 권리의 소유 여부는 "원본 또는 수익이 수익자에게 실제 지급되는 때"를 기준으로 판정하도록 하고 있다(상증령 §5).

3) 퇴직금 등(상증법 §10)

피상속인에게 지급될 퇴직금, 퇴직수당, 공로금, 연금 또는 이와 유사한 것이 피상속인의 사망으로 인하여 지급되는 경우 그 금액은 상속재산으로 간주한다. 다만, 다음 중 하나에 해당하는 경우에는 상속재산으로 보지 않는다.

① 「국민연금법」에 의하여 지급되는 유족연금 또는 사망으로 인하여 지급되는 반환일시금

② 「공무원연금법」 또는 「사립학교교직원연금법」에 의하여 지급되는 유족연금, 유족연금부가금, 유족연금일시금, 유족일시금 또는 유족보상금

③ 「군인연금법」에 의하여 지급되는 유족연금, 유족연금부가금, 유족연금일시금, 유족일시금 또는 재해보상금

④ 「산업재해보상보험법」에 의하여 지급되는 유족보상연금, 유족보상일시금 또는 유족특별급여 또는 진폐유족연금

⑤ 근로자의 업무상 사망으로 인하여 「근로기준법」 등을 준용하여 사업자가 당해 근로자의 유족에게 지급하는 유족보상금 또는 재해보상금과 기타 이와 유사한 것

⑥ 「전직대통령예우에 관한 법률」 또는 「별정우체국법」에 의하여 지급되는 유족연금, 유족연금일시금 및 유족일시금

관련예규 및 판례요약

상속세 과세대상 보험금 · 퇴직금 : 상증법 §8, §9, §10

상속재산으로 보는 보험금과 관련된 예규, 판례

재산-360, 2018. 4. 25.

국가기관 등이 재직공무원을 피보험자로 단체보험계약을 체결한 후 공무원의 사망으로 인하여 상속인이 생명보험금을 받는 경우, 피상속인이 실질적으로 보험료를 납부했는지 사실 판단하여 상속재산에 포함되는지 여부를 결정함.

서면법령재산-22239, 2015. 10. 1.

甲(계약자 및 수익자)이 상속형 즉시연금보험의 연금지급 개시 후 계약자를 丙으로 변경하고 이후 사망하여 보험수급권이 상속된 경우 계약자 변경시점에 丙, 甲에게 증여세 과세되며, 甲의 연금수급권은 상속세 과세대상에 해당하고, 상속인 丙으로 계약자를 변경함에 따른 증여재산가액은 사전증여재산에 해당함.

사전법령재산-20405, 2015. 7. 13.

보험계약자인 피상속인의 사망으로 인하여 수익자로 지정된 상속인(이하 "지정수익자"라 함)이 지급받는 생명보험금은 수익자의 고유재산에 해당하여 민법에 따른 협의분할 대상이 아니므로, 공동상속인간의 자의적인 협의분할에 의하여 지정수익자 외의 자가 분배받은 경우에는 증여세가 과세됨.

대법 2010두 17120, 2010. 12. 9.

피상속인 계좌에서 보험료가 지급되었더라도, 상속인이 피상속인의 은행계좌로 매월 일정금액을 입금하고 동 계좌에서 보험료가 지급된 사실이 확인되므로 해당 보험금은 피상속인의 상속재산으로 볼 수 없음.

재산-108, 2010. 2. 23.

상속인이 보험계약자로서 실질적으로 보험료를 지불한 경우에는 상속재산으로 보지 않는 것이며 피상속인이 교통사고 등으로 사망하여 유족이 수령하는 위자료 성격의 보상금에 대해서도 상속세가 과세되지 아니함.

대법 2005두 5529, 2007. 11. 30.

피보험자와 보험수익자(피상속인)이 동시에 사망한 경우 보험금은 상속재산에 포함됨.

서면4팀-2358, 2007. 8. 1.

보험금수취인과 보험료불입자가 다른 경우에는 보험사고가 발생한 때에 보험료불입자가 보험금상당액을 보험금수취인에게 증여한 것으로 보는 것임.

상속재산으로 보는 퇴직금 등과 관련된 예규, 판례

감심 2013-68, 2013. 5. 2.

"「산업재해보상보험법」에 따라 지급되는 유족보상연금, 유족보상일시금, 유족특별급여"라고 주장하나, "「산업재해보상보험법」에 따라 지급되는 유족보상연금, 유족보상일시금, 유족특별급여 또는 진폐유족연금"은 근로복지공단이 「산업재해보상보험법」에 따라 보험급여의 지급 여부를 결정하고 그에 따라 지급하는 것인데 쟁점 수령액은 그에 해당하지 않으므로 청구인의 주장은 받아들일 수 없다.

재산-252, 2012. 7. 6.

「국민연금법」에 따라 지급되는 유족연금 또는 사망으로 인하여 지급되는 반환일시금은 상속재산에서 제외하며 미지급급여가 노령연금인 경우에는 상속재산으로 보는 것임.

재산-182, 2012. 5. 16.

피상속인이 헬리콥터 사고로 사망하여 그 유족인 상속인이 수령하는 위자료 성격의 보상금에 대하여는 상속세가 과세되지 아니하는 것임.

재산-396, 2011. 8. 26.

「국민연금법」에 따라 상속인에게 지급되는 사망일시금은 상속재산으로 보지 아니하는 것에 해당되는 것임.

재산-367, 2011. 8. 1.

근로자가 업무 외의 사유로 사망하여 그 근로자의 유족이 회사로부터 위로금 성격으로 지급받는 유족위로금은 상속재산에 해당하는 것임.

서면4팀-843, 2007. 3. 12.

상속재산에서 제외되는 유족급여는 「공무원연금법」 제56조 내지 제61조 규정에 의하여 지급되는 유족연금·유족연금부가금·유족연금일시금 또는 유족보상금을 의미함.

서면4팀-701, 2007. 2. 26.

근로자의 업무상 사망으로 인하여 「근로기준법」 등을 준용하여 지급하는 유족보상금 또는 재해보상금과 기타 이와 유사한 것에 해당하는 경우 상속재산으로 보지 않음.

서이 46012-11798, 2003. 10. 17.

피상속인에게 지급될 퇴직금을 수령할 권리가 있는 상속인이 그 권리를 포기한 경우 상속인이 당해 퇴직금을 상속받아 퇴직금 지급의무자에게 증여한 것으로 봄.

재산상속 46014-120, 2001. 2. 1.

피상속인이 항공기사고로 사망하여 그 유족인 상속인이 수령하는 위자료 성격의 보상금은 상속세 과세하지 않으나, 보상금 수령권리자가 아닌 자가 수령하는 경우는 증여세 과세됨.

재재산 46014-118, 1999. 4. 13.

「공무원연금법」 등에 의해 지급되는 유족연금, 유족보상금 등에 대하여는 상속세가 비과세되나 '퇴직수당' 명목의 금전은 비과세 안됨.

다. 추정상속재산(상증법 §15)

상속 개시 전에 피상속인이 보유하고 있는 재산을 처분하거나 예금을 인출 또는 채무를 부담하는 등의 방법으로 재산을 현금화 하는 경우 상속재산의 파악이 용이하지 않으므로 상속세 또는 증여세를 회피할 가능성이 높다. 이러한 상속세 회피행위를 차단하기 위하여 피상속인이 상속개시 전 일정한 기간 내에 소유재산을 처분하거나 채무를 부담한 경우로서 그 금액이 일정금액 이상인 경우에는 해당 처분액이나 채무부담액에 대해 상속인이 그 사용처를 입증하도록 입증의무를 두고 있다.

만약 상속인이 사용처를 입증하지 못한 금액이 일정기준에 해당되면 입증하지 못한 금액을 기준으로 계산한 금액을 상속인이 현금상속 받은 것으로 추정하여 상속세 과세가액에 산입하도록 하고 있으며, 이를 추정상속재산이라 한다.

1) 상속개시일 전에 피상속인이 처분 · 인출한 재산의 상속추정

피상속인이 재산을 처분하여 받은 금액이나 피상속인의 재산에서 인출한 금액이 상속개시일 전 1년 이내에 재산 종류별로 계산하여 2억원 이상인 경우와 상속개시일 전 2년 이내에 재산 종류별로 계산하여 5억원 이상인 경우로서 사용 용도가 객관적으로 명백하지 아니한 경우 상속재산으로 추정한다(상증법 §15 ① 1호).

[재산종류별 구분(상증령 §11 ⑤)]

① 현금 · 예금 및 유가증권

② 부동산 및 부동산에 관한 권리

③ 위 ①, ② 외의 기타재산

따라서 각 재산종류별로 각 1억원씩 상속개시일 전 1년 이내에 처분 · 인출한 재산이 있는 경우 사용 용도의 규명 대상에 해당되지 않으나 현금 등만 3억원인 경우는 사용 용도의 규명이 필요하다고 할 것이다.

2) 상속개시일 전에 피상속인이 부담한 채무의 상속추정

① 국가 · 지방자치단체 · 금융회사 등으로부터 차입한 채무

피상속인이 부담한 채무를 합친 금액이 상속개시일 전 1년 이내에 2억원 이상인 경우와 상속개시일 전 2년 이내에 5억원 이상인 경우로서 용도가 객관적으로 명백하지 아니한 경우에는 상속재산으로 추정한다(상증법 §15 ① 2호).

② 국가 · 지방자치단체 · 금융회사 등이 아닌 자로부터 차입한 채무

피상속인이 국가 · 지방자치단체 및 금융회사등이 아닌 자에 대하여 부담한 채무인 경우로서 채무부담계약서, 채권자확인서, 담보설정 및 이자지급에 관한 증빙 등에 의한 사용처를 규명한 결과 상속인이 변제할 의무가 없는 것으로 추정되는 경우에는 기간에 관계없이 상속세 과세가액에 산입한다(상증법 §15 ②).

③ 용도가 객관적으로 명백하지 아니한 경우

피상속인이 재산을 처분하거나 채무를 부담한 것에 대하여 상속인이 사용처를 소명한 것 중 다음에 해당하는 경우에는 용도가 객관적으로 명백하지 않은 것으로 본다(상증령 §11 ②).

㉠ 피상속인이 재산을 처분하여 받은 금액이나 피상속인의 재산에서 인출한 금전 등 또는 채무를 부담하고 받은 금액을 지출한 거래상대방이 거래증빙의 불비 등으로 확인되지 아니하는 경우

㉡ 거래상대방이 금전 등의 수수사실을 부인하거나 거래상대방의 재산상태 등으로 보아 금전등의 수수사실이 인정되지 아니하는 경우

㉢ 거래상대방이 피상속인의 특수관계인으로서 사회통념상 지출사실이 인정되지 아니하는 경우

㉣ 피상속인이 재산을 처분하거나 채무를 부담하고 받은 금전 등으로 취득한 다른 재산이 확인되지 아니하는 경우

㉤ 피상속인의 연령 · 직업 · 경력 · 소득 및 재산상태 등으로 보아 지출사실이 인정되지 아니하는 경우

라. 상속추정 요건과 추정상속재산가액의 계산

피상속인 재산처분금액 또는 채무액 중 사용처가 객관적으로 명백하게 입증되지 아니한 금액이 다음과 같은 경우에는 상속받은 것으로 추정한다.

1) 재산처분 대가 또는 인출한 금원 등의 상속추정

〈상속추정요건〉

① 사용처 미입증 금액 ≥ ② MIN [일정기간 내의 재산종류별 재산 처분 · 인출 금액 × 20%, 2억원]

〈추정상속재산가액〉 = ① - ②

2) 국가 · 지방자치단체 · 금융회사 등에게 부담한 채무의 상속추정

〈상속추정요건〉

① 사용처 미입증 금액 ≥ ② MIN [일정기간 내의 채무부담액 × 20%, 2억원]

〈추정상속재산가액〉 = ① - ②

3) 국가 · 지방자치단체 · 금융회사 등이 아닌 자에게 부담한 채무

〈상속추정요건〉

채무부담계약, 채권자확인서, 담보설정 및 이자지급에 관한 증빙 등에 의하여 해당 채무를 상속인이 변제할 의무가 없는 것으로 추정되는 경우

〈추정상속재산가액〉 = 사용처가 미입증된 금액 전부

관련예규 및 판례요약

추정상속재산 : 상증법 §15

용도가 불분명한 재산처분 또는 채무부담 과세가액 산입과 관련된 예규, 판례

조심 2017서 4630, 2018. 4. 20.

피상속인은 손해사정인으로 일하면서 사용처가 명백하지 아니한 출금액은 사업상 용도로 사용하였더라고 보는 것이 타당해 보이고, 형과 누나에게 수백 회에 걸쳐 소액을 계속적으로 사전증여하였다고 보기는 어렵기에 처분청의 과세 처분은 잘못이 있는 것으로 판단된다.

재재산-118, 2014. 2. 12.

상속개시일 전 처분재산 등의 상속추정시 구상채권을 회수한 경우 현금·예금·유가증권으로 구분함.

대법 2013두 1010, 2013. 4. 25.

가지급금의 회수가 주로 3월 이전에 이루어진 것으로 되어 있기는 하나, 회수일자 및 금액이 일목요연하게 분개되어 있는데다가 허위라고 볼 정황이 없는 점으로 보아 상속개시일부터 1년 이내에 부담한 가지급금 채무를 그 사용처가 불분명하여 상속받은 것으로 추정한 것은 적법함.

서울행법 2011구합 32171, 2012. 2. 17.

피상속인의 계좌에서 인출된 금원 중 용도불명으로 판정됨으로써 피상속인의 생활비(가사도우미비용, 병원비, 약품비와 간병인 비용 등)로 사용되었을 가능성이 없어 보이고 쟁점금액이 증여 이외의 다른 목적으로 사용되었다는 원고들의 입증이 부족한 이상, 상속추정에 의한 과세처분은 적법함.

재산-838, 2010. 11. 10.

상속개시일 전 피상속인의 예금 인출액이 2억원 미만이더라도 인출금을 상속인이 증여받은 사실이 확인된 경우에는 상속세 및 증여세 과세대상이므로 인출금을 상속세 납부 및 장례비로 사용한 경우 동 금액은 사전증여 또는 상속받은 재산에 해당함.

감심 2010-18, 2010. 3. 25.

상속개시일 전 2년 이내에 피상속인의 각 예금계좌에서 인출된 금액의 합산액에는 주택을 처분하고 예금계좌에 예입된 후 인출된 금액도 포함됨.

- 재산-690, 2009. 11. 9.

「상속세 및 증여세법」 제15조의 규정에 의하여 피상속인이 상속개시일 전 처분한 재산의 가액을 상속세 과세가액에 산입할 때, 당해 재산이 예금인 경우에는 같은 법 시행령 제11조 제1항 제2호의 규정에 의하여 상속개시일 전 1년 또는 2년 이내에 인출한 금전의 합계액에서 당해 기간 중 예입된 금전 등의 합계액을 차감한 금액을 기준으로 같은 법 제15조 제1항 제1호의 규정을 적용하는 것이나, 이 경우 예입된 금전 등이 인출금과 관계없이 별도로 조성된 금전임이 확인되는 경우 그 금액은 당해 인출금액에서 차감하지 아니하는 것임.

- 재산-126, 2009. 1. 13.

부동산의 처분금액 중 피상속인의 예금계좌에 입금된 금액은 피상속인이 상속개시일 전 부동산을 처분하고 받은 금액의 용도가 객관적으로 명백한 것으로 보는 것임.

- 재산-1821, 2008. 7. 22.

명의수탁한 재산의 매각대금을 실제소유자가 수령하여 사용하는 경우 그 매각대금에 대하여 실제소유자에게 증여세를 부과하지 아니하는 것임.

- 국심 2007서 933, 2007. 10. 25.

피상속인이 상속개시 전 2년 이내에 인출금액 중 용도를 소명하여야 할 금액은 피상속인의 계좌에서 인출된 총출금액에서 당해 계좌에 당초 인출된 금액 중에서 재입금된 금액을 제외한 순출금액으로 함.

- 서면4팀-2458, 2007. 8. 17.

피상속인의 통장에서 인출된 금전에 대한 사용처를 소명할 때 당해 인출금이 타인에게 지급된 사실만으로 인출금의 사용처가 객관적으로 명백하게 입증된 것으로 볼 수 없음.

- 국심 2007서 404, 2007. 8. 3.

상속개시일 전 1년 이내에 은행으로부터 차입한 채무를 근저당이 설정된 다른 채무를 상환한 것으로 확인되고 있어 상속재산가액에 산입함은 타당하지 아니함.

- 국심 2005서 1189, 2007. 5. 9.

용도가 불분명한 금액이 사용처 소명대상금액의 20%에 미달하고 금액도 2억원에 미달하므로 상속세 과세가액에 산입할 대상이 아님.

- 서면4팀-975, 2007. 3. 23.

피상속인이 채무를 부담하고 받은 금액 중 계좌에 입금된 금액은 피상속인이 상속개시일 전 채무를 부담하고 받은 금액의 용도가 객관적으로 명백한 것으로 보는 것임.

국심 2005부 539, 2007. 2. 9.

예금인출액이 피상속인이 운영하던 법인으로 재입금되어 법인의 업무와 관련되어 사용한 것으로 보이므로 상속세 과세가액에서 제외함이 타당함.

국심 2005서 3240, 2007. 1. 4.

객관적인 확인 없이 상속개시 전 피상속인 명의의 국외예금계좌에 입금된 사실만으로 상속재산 내지 처분재산 중 그 용도가 객관적으로 확인되지 아니하는 재산으로 본 것은 부당함.

4 | 상속세의 비과세(상증법 §11, §12)

상속세 비과세에는 아래와 같이 전사(戰死) 등 피상속인의 사망원인에 따라 피상속인이 소유하고 있었던 모든 재산에 상속세를 과세하지 않는 것과 법령에서 정한 일정한 비과세 요건을 갖춘 경우에만 비과세되는 경우가 있다.

1) 전사(戰死)나 그 밖에 이에 준하는 사망 또는 전쟁이나 그 밖에 이에 준하는 공무의 수행 중 입은 부상 또는 질병으로 인한 사망으로 상속이 개시되는 경우(상증법 §11)
2) 피상속인이 국가, 지방자치단체 또는 지방자치단체조합, 공공도서관, 공공박물관에 유증・사인증여한 재산(상증법 §12)
3) 「문화재보호법」에 따른 국가지정문화재 및 시・도지정문화재와 같은 법에 따른 보호구역에 있는 토지로서 당해 문화재 또는 문화재자료가 속하여 있는 보호구역의 토지
4) 「민법」 제1008조의 3(분묘등의 승계)에 규정된 재산 중
   ① 피상속인이 제사를 주재하고 있던 선조의 분묘에 속한 9,900제곱미터 이내의 금양임야와 그 분묘에 속한 1,980제곱미터 이내의 묘토인 농지. 다만, 당해 금양임야와 묘토인 농지의 합계액이 2억원을 초과하는 경우에는 2억원을 한도로 비과세 한다.
   ② 족보와 제구. 다만 재산가액의 합계액이 1천만원을 초과하는 경우 1천만원을 한도로 한다.
5) 피상속인이 「정당법」에 따른 정당에 유증등을 한 재산

   * 거주자가 「정치자금법」에 따라 정당(동법에 의한 후원회 및 선거관리위원회를 포함)에 기부한 정치자금에 대하여는 상속세 또는 증여세를 부과하지 아니함.

6) 피상속인이 「근로복지기본법」에 따른 사내근로복지기금 및 공동근로복지기금이나 우리사주조합 및 근로복지진흥기금 단체에 유증등을 한 재산

7) 사회통념상 인정되는 이재구호금품, 치료비 및 그 밖에 이와 유사한 것으로서 불우한 자를 돕기 위하여 유증한 재산으로서 피상속인이 증여하였거나 유증・사인증여에 의하여 지급하여야 할 것으로 확정된 것
8) 상속재산 중 상속인이 「상속세 및 증여세법」 제67조에 따른 신고기한 이내에 국가, 지방자치단체 또는 공공단체에 증여한 재산

5 상속세 과세가액(상증법 §13)

상속세 과세가액은 상속재산의 가액에서 「상속세 및 증여세법」 제14조에 따른 공과금・장례비용・채무 등을 차감한 후 같은 법 제13조 제1항 각 호에 따른 사전증여 재산가액을 더하여 계산한다.

다만, 일정요건을 갖춘 공익목적 출연재산에 대하여는 상속세 과세가액에 불산입하도록 하고 있다.

가. 상속재산의 가액에서 차감하는 공과금 등(상증법 §14)

거주자의 사망으로 인하여 상속이 개시되는 경우 상속개시일 현재 피상속인이나 상속재산에 관련된 다음 각 호의 금액 또는 비용은 상속재산의 가액에서 차감한다.

1) 공과금

상속개시일 현재 피상속인이 납부할 의무가 있는 것으로서 상속인에게 승계된 조세, 공공요금 및 이외 「국세징수법」에서 규정하는 체납처분의 예에 따라 징수할 수 있는 공과금.

다만, 상속개시일 이후 상속인이 책임져야 할 사유로 납부 또는 납부할 가산세, 가산금, 체납처분비, 벌금, 과료, 과태료 등은 포함되지 않는다.

2) 장례비용

① 피상속인의 사망일부터 장례일까지 장례에 직접 소요된 금액. 다만, 500만원 미만인 경우에는 500만원, 1천만원 초과시에는 1천만원까지만 차감
② 봉안시설 또는 자연장지의 사용에 소요된 금액(한도 500만원)

장례에 직접 소요된 금액이란 시신의 발굴 및 안치에 직접 소요된 비용과 묘지구입비(공원묘지 사용료를 포함), 비석, 상석 등 장례에 직접 소요된 비용을 말한다.

3) 채 무

피상속인의 채무(상속개시일 전 10년 이내에 피상속인이 상속인에게 진 증여채무와 상속개시일 전 5년 이내에 피상속인이 상속인이 아닌 자에게 진 증여채무를 제외)로서 상속인이 실제로 부담하는 사실이 아래 방법에 따라 증명되는 채무

① 국가 · 지방자치단체 및 금융기관에 대한 채무는 당해 기관에 대한 채무임을 확인할 수 있는 서류

② ① 외의 자에 대한 채무는 채무부담계약서, 채권자확인서, 담보설정 및 이자지급에 관한 증빙등에 의하여 그 사실을 확인할 수 있는 서류

채무의 범위(상증통칙 14－0…3)

① 채무라 함은 명칭여하에 관계없이 상속개시 당시 피상속인이 부담하여야 할 확정된 채무로서 공과금 외의 모든 부채를 말한다.

② 상속개시일 현재 소비대차에 따른 피상속인의 채무에 대한 미지급이자는 채무에 해당하나, 「법인세법」상 부당행위계산의 부인으로 계상한 인정이자 과세대상은 포함되지 않는다.

③ 피상속인이 부담하고 있는 보증채무 중 주채무자가 변제불능의 상태로서 상속인이 주채무자에게 구상권을 행사할 수 없다고 인정되는 부분에 상당하는 금액은 채무로서 공제된다.

④ 피상속인이 연대채무자인 경우 상속재산에서 공제할 채무액은 피상속인의 부담분에 상당하는 금액에 한정하여 공제할 수 있다. 다만, 연대채무자가 변제불능의 상태가 되어 피상속인이 변제불능자의 부담분까지 부담하게 된 경우로서 당해 부담분에 대하여 상속인이 구상권행사에 의해 변제받을 수 없다고 인정되는 경우에는 채무로서 공제할 수 있다.

⑤ 사실상 임대차계약이 체결된 토지 · 건물에 있어서 부채로 공제되는 임대보증금의 귀속은 아래와 같다.

- 토지 · 건물의 소유자가 같은 경우에는 토지 · 건물 각각에 대한 임대보증금은 전체 임대보증금을 토지 · 건물의 평가액(상증법 제61조 제5항에 따른 평가액)으로 안분계산한다.
- 토지 · 건물의 소유자가 다른 경우에는 실지 임대차계약내용에 따라 임대보증금의 귀속을 판정하며 건물의 소유자만이 임대차계약을 체결한 경우에 있어서 그 임대보증금은 건물의 소유자에게 귀속되는 것으로 봄.

관련예규 및 판례요약

상속세 과세가액 : 상증법 §13

상속재산의 가액에서 차감하는 공과금과 관련된 예규, 판례

재산-258, 2012. 7. 13.

단기재상속 세액공제 적용시 피상속인이 전의 상속개시 당시 상속받은 현금이 재상속된 재산에 포함되었는 지 여부는 관할 세무서장이 예금 인출금액 등 구체적인 사실을 확인하여 판단할 사항이며, 피상속인의 연대납세의무에 따라 상속개시 후 상속인이 상속재산으로 납부한 것이 확인되는 증여세액은 상속재산에서 빼는 공과금에 포함되는 것임.

재산-588, 2010. 8. 13.

상속재산의 가액에서 빼는 공과금이라 함은 상속개시일 현재 피상속인이 납부할 의무가 있는 것으로서 상속인에게 승계된 조세·공공요금 기타 이와 유사한 것을 말하며 상속개시일 이후 상속인의 귀책사유로 납부할 가산세 등은 포함되지 아니함.

심사상속 2010-8, 2010. 5. 4.

상속개시 전 처분재산에 대한 양도소득세 등은 실제 납부한 상속인의 상속재산가액에서만 공제되어야 하고 다른 자의 상속재산가액에서 공제할 수 없음.

상속재산의 가액에서 차감하는 장례비용과 관련된 예규, 판례

재산-292, 2010. 5. 13.

「상속세 및 증여세법」 제14조 제1항 제2호의 장례비용은 거주자의 사망으로 상속이 개시되는 경우로서 「상속세 및 증여세법」 시행령 제9조 제2항 각 호의 구분에 의한 금액의 합계액을 의미함.

감심 2003-25, 2003. 3. 25.

피상속인의 장례일(3일장)로부터 7일이 경과한 후 '49제' 사찰시주금으로 지급한 금액은 장례일까지 직접 소요된 금액으로 볼 수 없어 공제대상 장례비용에 해당하지 않음.

상속재산의 가액에서 차감하는 채무와 관련된 예규, 판례

조심 2017서 2540, 2018. 4. 26.

상속개시 이후 상속인인 청구인들을 상대로 소송이 제기된 후, 피상속인이 부담하여야 할 채무가 상속개시 이후 법원판결에 의해 확정되어 상속채무로 확정된 이상, 지연손해금(소장부본 송달일부터 판결 확정일까지) 역시 상속인인 청구인들에게 승계된 것이므로 상속재산가액에서 차감되어야 할 상속채무임.

대법 2017두 55312, 2017. 11. 29.

구 「상속세 및 증여세법」 제14조 제1항에 따라 상속재산 가액에서 공제될 피상속인의 채무는 상속개시 당시 피상속인이 종국적으로 부담하여 이행하여야 할 것이 확실하다고 인정되는 채무를 뜻하는 것이고(대법원 2007. 11. 15. 선고 2005두 5604 판결 등 참조), 상속재산의 가액에 대한 증명책임은 원칙적으로 과세관청에 있으나 앞서 본 구 「상속세 및 증여세법」 제14조 및 같은 법 시행령 제10조의 2 제1항 제2호의 규정 형식에 비추어 보면 상속재산의 가액에서 공제되어야 할 피상속인의 채무가 상속개시 당시 피상속인이 종국적으로 부담하여 이행하여야 할 것이 확실하다는 점에 대한 주장・입증책임은 상속세과세가액을 다투는 납세의무자 측에 있다고 보는 것이 상당함.

서면상속증여-2097, 2015. 11. 3.

피상속인이 타인명의로 대출받았으나 사실상의 채무자가 피상속인임이 확인되는 경우 채무로 인정받을 수 있는 것임.

조심 2015중 948, 2015. 5. 14.

상속인의 배우자가 피상속인의 의료비 등을 신용카드 등으로 미리 지출하고 피상속인의 계좌에서 현금을 인출하여 그 사용액에 충당한 것으로 보이나, 직계존비속간 채무는 차용 및 상환사실이 객관적으로 명백히 입증되어야 하며, 상속인은 투병중인 피상속인을 부양할 의무가 있다고 할 것인 바, 쟁점채무를 상속재산가액에서 공제되는 채무에 해당한다고 볼 수는 없다.

서면상속증여-76, 2015. 5. 6.

"채무"라 함은 명칭여하에 불구하고 상속개시 당시 피상속인이 부담하여야 할 확정된 채무로서 공과금 외의 모든 부채를 말함.

조심 2013서 2902, 2013. 10. 7.

금전소비대차약정서나 차용증 등 구체적인 증빙서류로 입증되지 않더라도 피상속인에게 금전을 대여하고 상속개시전 피상속인이 대여 받은 금전상당액을 상환한 것이 확인되는 이상,

형제 등 특수관계자에 해당한다고 하더라도 금전의 대차사실을 부인할 수 없는 것이고, 차용시점과 상환시점에 상당한 시간차가 있더라도 이를 달리 볼 것이 아니다.

심사상속 2012-9, 2012. 7. 9.

사실혼 관계인에 대한 위자료는 망인의 재산에 대한 상속권만 인정되어 상속재산의 분배로 보아야 하므로 상속채무로 인정하여 달라는 주장은 받아들일 수 없음.

수원지법 2010구합 3894, 2011. 2. 23.

상속인이 피상속인을 대신하여 근저당채무를 상환해 주고 피상속인에 대하여 구상권을 취득한 경우 피상속인이 상속인에게 지는 채무는 상속재산가액에서 공제됨.

대법 2010두 17120, 2010. 12. 9.

피상속인 소유의 건물에 대해서는 임대차계약서를 제출하고 토지에 대해서는 임대차계약서의 제출이 없는 등 상속재산에서 공제할 토지관련 임대보증금 채무는 없는 것으로 본 판례

대법 2010두 18062, 2010. 12. 9.

지분비율이 동일한 상태로 주유소를 공동운영하였다고 봄이 상당하므로 주유소의 외상매출금과 현금대출금의 절반을 채무로 인정하니 아니한 것은 적법함.

재산-464, 2010. 6. 30.

주택공사에 대한 주택임차보증금 채권의 명의자는 모친이나 그 보증금이 사실상 자녀들에게 귀속되는 경우 당해 임차보증금은 상속재산의 범위에 포함되지 아니함.

재산-3555, 2008. 10. 31.

피상속인이 타인과 공동사업을 영위하는 경우로서 금융기관 등으로부터 자금을 차입하여 당해 공동사업에 사용한 개인별 소유구분이 없는 채무는 공동사업자의 투자비율에 따라 상속재산가액에서 차감함.

재산-2388, 2008. 8. 22.

회사의 대표이사(피상속인)에 대한 가지급금이 상속재산에서 차감되는 부채에 해당하는지 여부는 사실 판단함.

서면4팀-1534, 2008. 6. 25.

상속개시 당시 피상속인의 채무 중 상속인을 주채무자로 하는 보증채무가 있는 경우로서 주채무자가 변제불능이고, 구상권을 행사할 수 없는 경우 주채무자의 법정지분에 상당하는 상속재산가액을 초과하는 채무는 공제됨.

서면4팀-2760, 2007. 9. 20.

법원의 판결에 따라 채무액이 결정되었으나 채권자와 합의하여 채무액을 조정한 경우 상속인이 실제로 부담하기로 한 채무액을 상속재산의 가액에서 차감함이 타당함.

나. 상속개시 전 증여재산에 대한 합산과세(상증법 §13)

상속개시 전 증여재산가액을 상속세 과세가액에 합산하여 과세하는 이유는 상속세와 증여세의 과세형평을 유지하고, 피상속인이 사망을 예상할 수 있는 단계에서 장차 상속세의 과세대상이 될 상속개시 전에 상속과 다름없는 형태로 분할·이전하여 누진세율에 의한 상속세 부담을 회피하려는 부당한 상속세 회피행위를 방지하기 위한 것[6]으로, 증여를 받은 사람이 상속인인지 여부에 따라 대상 기간 등에 차이를 두고 있다.

1) 합산대상 증여재산의 범위

상속개시일 전 10년 이내에 피상속인이 상속인에게 증여한 재산가액과 상속개시일 전 5년 이내에 피상속인이 상속인이 아닌 자에게 증여한 재산가액은 상속세 과세가액에 가산한다. 다만, 증여시점에 이미 납부한 증여세 상당액은 상속세 산출세액에서 차감하도록 함으로써 이중과세를 조정하고 있다.

상속세 합산과세대상 사전증여재산의 범위

수 증 자	증여재산 합산 기간
상 속 인	상속개시일 전 10년 이내
상속인 외의 자	상속개시일 전 5년 이내

2) 증여시기와 관계없이 합산과세하는 증여재산

「조세특례제한법」에 따른 창업자금에 대한 증여세 과세특례(조특법 §30의 5), 가업의 승계에 대한 증여세 과세특례(조특법 §30의 6)가 적용되는 재산은 합산기간에 관계없이 상속재산가액에 가산하여 상속세 과세가액을 계산한다.

6) 헌재 2005헌가 4, 2006. 7. 27.

3) 합산과세하지 않는 증여재산

증여세가 비과세되는 증여재산, 공익법인 등에 출연하여 과세가액 불산입된 재산, 장애인이 받은 증여재산 중 과세가액 불산입한 금액 등 아래에 열거하는 증여재산은 합산과세하지 않으며, 합산배제 증여재산의 경우에도 상속세 과세가액에 가산하지 않도록 하고 있다.

① 비과세 증여재산(상증법 §46)

② 공익법인 등이 출연받은 재산에 대한 과세가액불산입(상증법 §48)

③ 공익신탁재산에 대한 과세가액 불산입(상증법 §52)

④ 장애인이 증여받은 재산의 과세가액 불산입(상증법 §52의 2)

⑤ 합산배제 증여재산(상증법 §47 ①)

㉠ 재산 취득 후 재산가치증가분의 증여(상증법 §31 ① 3호)

㉡ 전환사채 등의 주식전환 등에 따른 이익의 증여(상증법 §40 ① 2호)

㉢ 주식 등의 상장 등에 따른 이익의 증여(상증법 §41의 3)

㉣ 합병에 따른 상장 등 이익의 증여(상증법 §41의 5)

㉤ 미성년자 등의 재산 취득 후 재산가치증가분의 증여(상증법 §42의 3)

㉤ 특수관계법인과의 거래를 통한 이익의 증여의제(상증법 §45의 3)

㉥ 특수관계법인으로부터 제공받은 사업기회로 발생한 이익의 증여의제(상증법 §45의 4)

⑥ 영농자녀가 증여받는 농지에 대한 증여세 감면(조특법 §71)

관련예규 및 판례요약

상속세 과세가액 가산 및 차감 : 상증법 §13~§17

피상속인이 상속인에게 증여한 재산가액 가산과 관련된 예규, 판례

대법 2011두 10959, 2012. 7. 26.

금전 무상대부에 따른 증여시기는 대출기간이 1년 이상인 경우 1년이 되는 날의 다음 날에 매년 새로 대출을 받은 것으로 보는 것이며, 이 날이 상속개시 전 5년 이내에 범위라면 사전에 증여한 재산으로 보아 상속세 과세가액에 합산하는 것임.

재산-224, 2012. 6. 11.

상속개시일 전에 피상속인이 영리법인에 재산을 증여하여 그 주주에게 증여세가 과세된 경우로서 5년 이내에 상속이 개시되는 경우는 영리법인에 대한 증여재산가액만 상속세 과세가액에 가산됨.

재산-41, 2012. 2. 7.

「상속세 및 증여세법」 제13조의 규정에 의하여 상속재산에 가산한 증여재산에 대한 증여당시의 증여세 산출세액은 같은 법 제28조 제1항의 규정에 의하여 상속세 산출세액에서 이를 공제하는 것임.

재산-525, 2011. 11. 7.

특수관계에 있는 자가 출자한 영리법인에 특수관계에 있는 자가 부동산의 증여로 해당 영리법인의 주식가치가 증가한 것에 대하여 해당법인의 주주에게 증여세가 과세된 경우 해당 증여재산은 사전 증여재산에 해당하는 것임.

재산-403, 2011. 8. 26.

상속인별 납부의무 산정시 적용할 상속재산에 가산한 상속인별 증여세 과세표준이란 사전 증여재산가액에서 증여재산공제를 적용한 증여세 과세표준을 말하는 것임.

재산-801, 2009. 3. 9.

10년 이내에 피상속인이 상속인에게 증여한 재산가액은 상속세 과세가액에 가산하는 것이나 피상속인으로부터 재산을 증여받은 자녀가 피상속인보다 먼저 사망한 경우에는 그러하지 아니함.

국심 2006서 2362, 2007. 4. 17.

상속 개시 전 피상속인의 예금계좌에서 상속인의 예금계좌로 송금된 입금액이 상속인의 채무변제 등에 사용된 것으로 확인되어 피상속인으로부터 증여받은 것으로 봄.

국심 2006구 2346, 2007. 1. 10.

피상속인이 사전증여한 재산을 수증자가 신고한 것으로 확인되고 있어 그에 근거하여 상속재산에 포함하여 상속세를 부과함.

심사상속 2006-8, 2006. 12. 22.

피상속인으로부터 대여금을 상환받은 것이라고 주장하나 이를 입증하지 못하므로 사전증여로 보아 상속세 과세가액에 산입하여 과세한 것은 정당함.

서면4팀-4101, 2006. 12. 18.

사전증여재산 상속세 합산불이행가산세 계산시 상속세 과세가액에 가산할 금액은 신고하지 아니하였거나 신고하여야 할 과세표준에 미달한 금액에 포함하는 것임.

피상속인이 상속인이 아닌 자에게 증여한 재산가액 가산과 관련된 예규, 판례

서울행법 2010구합 11658, 2010. 7. 23.

무상대여라도 그 실질이 이자상당액을 포기함으로써 실질적으로 증여한 것과 같은 경제적 효과를 발생하게 하는 것이므로 실질과세의 측면에서도 그 이자상당액을 증여로 보아 상속세 과세가액에 가산함이 상당함.

재산-696, 2009. 4. 6.

피상속인으로부터 상속개시일 전 5년 이내에 증여받은 재산만 있는 상속인 외의 자는 상속세 납세의무 및 연대납부의무는 없는 것임.

재산-3553, 2008. 10. 31.

유증을 받은 자가 유증받은 재산의 범위 내에서 상속개시일 현재 확정된 피상속인의 채무를 부담하는 경우에는 상속재산의 가액에서 차감할 채무에 해당하는 것임.

심사상속 2006-22, 2006. 12. 22.

영리법인이 채권자인 피상속인으로부터 채무를 면제받은 후 5년 이내에 상속이 개시된 경우 당해 채무의 면제로 인한 이익상당액은 상속재산의 가액에 가산하는 것임.

서면4팀-3099, 2006. 9. 11.

상속개시일 전 5년 이내에 피상속인이 상속인이 아닌 자에게 증여한 재산가액은 상속세 과세가액에 가산하며 증여재산에 대한 증여세액은 상속세 산출세액에서 공제함.

서면4팀-3050, 2006. 9. 5.

상속개시일 전 5년 이내에 피상속인이 상속인이 아닌 자에게 증여한 재산가액은 상속재산의 가액에 가산하는 것이며 증여받은 재산만 있는 상속인 외의 자는 상속세 납부의무 및 연대납부의무가 없음.

서면4팀-662, 2005. 4. 29.

피상속인이 상속개시일 전 5년 이내에 영리법인에게 증여한 재산가액은 상속세 과세가액에 가산하는 것임.

서면4팀-144, 2005. 1. 19.

상속개시일 전 재산을 처분하고 받은 금전의 용도가 명백하지 않아 상속세 과세가액에 포함하여 신고하였으나, 타인에게 증여한 것으로 확인된 경우 신고한 과세표준에서 제외하며, 공제·감면세액 등에는 동 금액에 대한 증여세액공제액이 포함되지 않음.

6 | 공익목적 출연재산의 상속세 과세가액 불산입

교육, 장학 등 공익목적 사업은 사실상 국가에서 수행해야 할 사업성격이나 이를 공익법인등에서 수행하는 점 등을 고려하여 공익법인등 출연재산 및 공익신탁재산에 대해서는 상속세 및 증여세가 과세되지 아니하도록 하는 제도를 마련하고 있다.

가. 공익법인등의 출연재산에 대한 상속세 과세가액 불산입

1) 상속재산 중 피상속인이나 상속인이 종교 · 자선 · 학술 또는 그 밖의 공익을 목적으로 하는 사업을 하는 자에게 출연한 재산의 가액으로서 상속세 신고기한 이내에 출연한 재산의 가액은 상속세 과세가액에 산입하지 않는다(상증법 §16)

단, 재산의 출연에 있어서 법령상 또는 출연재산의 소유권의 이전이 지연되거나, 상속받은 재산을 출연하여 공익법인등을 설립하는 경우로서 법령상 또는 행정상의 사유로 공익법인등의 설립허가 등이 지연되는 경우와 같이 부득이한 사유가 있는 경우 그 사유가 끝나는 날이 속하는 달의 말일부터 6개월까지 출연하여야 한다.

2) 상속인이 공익법인등에 상속재산 출연시 과세가액 불산입 요건(상증령 §13 ②)

피상속인이 아닌 상속인이 공익법인등에 상속재산을 출연하는 경우에는 다음 요건을 갖춘 경우에 한해 상속세 과세가액에서 불산입된다.

① 상속인의 의사(상속인이 2인 이상인 경우에는 상속인들의 합의에 의한 의사)에 따라 상속받은 재산을 상속세 과세표준 신고기한까지 출연할 것. 다만, 부득이한 사유가 있는 경우에는 그 사유가 끝나는 날이 속하는 달의 말일부터 6개월까지 출연

② 상속인이 출연한 공익법인등의 이사현원(5인에 미달하는 경우에는 5인으로 간주)의 5분의 1을 초과하여 이사가 되지 아니하여야 하며, 이사의 선임 등 공익법인등의 사업운영에 관한 중요사항을 결정할 권한을 가지지 아니할 것. 다만, 이 경우 "이사"에는 이사회의 의결권을 갖지 아니하는 감사는 제외된다.

3) 공익법인등의 범위(상증령 §12 ①)

"공익법인 등"이라 함은 다음 어느 하나에 해당하는 사업을 영위하는 자를 말한다.

① 종교의 보급 기타 교화에 현저히 기여하는 사업

② 「초·중등교육법」 및 「고등교육법」에 의한 학교, 「유아교육법」에 따른 유치원을 설립·경영하는 사업
③ 「사회복지사업법」의 규정에 의한 사회복지법인이 운영하는 사업
④ 「의료법」 또는 「정신보건법」의 규정에 의한 의료법인 또는 정신의료법인이 운영하는 사업
⑤ 「법인세법」 제24조 제3항에 해당하는 기부금을 받은 자가 해당기부금으로 운영하는 사업
⑥ 「법인세법 시행령」 제39조 제1항 제1호 각 목의 규정에 의한 지정기부금단체등 및 「소득세법 시행령」 제80조 제1항 제5호에 따른 기부금대상민간단체가 운영하는 고유목적사업. 다만, 회원의 친목 또는 이익을 증진시키거나 영리를 목적으로 대가를 수수하는 등 공익성이 있다고 보기 어려운 고유목적사업을 제외한다.
⑦ 「법인세법 시행령」 제39조 제1항 제2호 다목에 해당하는 기부금을 받는 자가 해당 기부금으로 운영하는 사업. 다만, 회원의 친목 또는 이익을 증진시키거나 영리를 목적으로 대가를 수수하는 등 공익성이 있다고 보기 어려운 고유목적사업은 제외한다.

참고 성실공익법인 요건

① 외부감사 ② 전용계좌의 개설 및 사용 ③ 결산서류등의 공시
④ 장부의 작성·비치
⑤ 해당 공익법인등의 운용소득의 100분의 80 이상을 직접 공익목적사업에 사용
⑥ 출연자(재산출연일 현재 해당 공익법인등의 총출연재산가액의 100분의 1에 상당하는 금액과 2천만원 중 적은 금액 출연자 제외) 또는 그의 특수관계인이 공익법인등의 이사 현원(이사 현원이 5명에 미달하는 경우에는 5명으로 간주)의 5분의 1을 초과하지 아니할 것.
⑦ 자기내부거래를 하지 아니할 것
⑧ 계열기업 홍보금지

4) 내국법인의 의결권 있는 주식 출연시 상속세 과세가액 불산입 요건

공익법인 등에 주식을 출연하여 기업에 대한 지배력은 간접적으로 유지하면서 상속세 및 증여세의 부담을 회피하는 것을 방지하기 위하여 내국법인의 의결권 있는 주식 출연에는 일정한 제한을 두고 있다.

따라서 내국법인의 의결권 있는 주식 또는 출자지분(이하 "주식등")을 출연하는 경우로서 해당 출연하는 주식등과 아래 주식 등을 합한 것이 그 내국법인의 의결권 있는 발행주식총수 또는 출자총액(이하 "발행주식총수등")의 100분의 5(「독점규제 및 공정거래에 관한 법률」 제9조에 따른 상호출자제한기업집단과 특수관계에 있지 아니한 성실공익법인등[7]의 경우 100분의 10)를 초과하는 경우에는 그 초과하는 가액은 상속세 과세가액에 산입하여 상속세를 과세하게 된다. 한편 공익법인의 주식보유한도 계산시 의결권 있는 발행주식총수등에는 내국법인이 보유하고 있는 자기주식등은 제외하여 계산하는 것으로 2016년말 개정[8] 되었다.

① 출연자가 출연할 당시 해당 공익법인등이 보유하고 있는 동일한 내국법인의 주식등
② 출연자 및 그의 특수관계인이 해당 공익법인등 외의 다른 공익법인등에 출연한 동일한 내국법인의 주식등
③ 출연당시 상속인의 특수관계인이 재산을 출연한 다른 공익법인 등이 보유하고 있는 주식 등

다만, 성실공익법인등으로서 「독점규제 및 공정거래에 관한 법률」 제9조에 따른 상호출자제한기업집단과 특수관계가 없고, 의결권을 행사하지 않음을 정관에 명시한 공익법인등에 그 공익법인등의 출연자와 특수관계에 있지 아니한 내국법인의 주식등을 출연하는 경우로서 주무장관이 공익목적 사업을 효율적으로 수행하기 위하여 필요하다고 인정한 경우에는 100분의 10을 초과하여 내국법인의 의결권 있는 주식등을 출연하더라도 상속세 과세가액에 불산입하도록 하고 있다.

아울러 성실공익법인등(상호출자제한기업집단과 특수관계에 있지 않은 경우에 한함)이 발행주식총수등의 100분의 10을 초과하여 출연받은 경우로서 초과보유일부터 3년 이내에 초과 출연받은 주식등을 특수관계 없는 자에게 매각하는 경우에는 해당 100분의 10을 초과하여 출연받은 부분에 대해서는 상속세 과세가액에 불산입한다.

5) 공익법인등의 의무 및 사후관리

공익법인등에 대한 상속세 및 증여세 과세가액 불산입 제도를 악용하여 공익법인등에 출

---

7) 2016년말 상속세 및 증여세법 개정에 따라 성실공익법인 중 상호출자제한기업집단과 특수관계가 있는 성실공익법인의 경우 동일기업 주식보유 한도가 종전 10%에서 5%로 축소되었으며, 이는 2017.7.1. 이후 출연하거나 취득하는 분부터 적용된다. 즉 종전 보유분에는 적용하지 않는다.

8) 상증법 제16조 제2항 및 제48조 제1항, 제2항

연된 재산을 해당 출연자가 사용・수익하는 등 공익법인 조세지원의 취지에 맞지 않는 행위의 규제를 위해 「상속세 및 증여세법」상 각종 의무 및 사후관리 규정을 두고 있으며, 이를 위반한 경우 당초 출연시 면제받은 상속세 및 증여세를 추징하거나 가산세를 부과하도록 하고 있다.

① 공익법인 등이 출연받은 재산에 대한 과세가액 불산입액의 추징

재산을 출연받은 공익법인등이 다음에 해당하는 경우에는 그 가액을 공익법인등이 증여받은 것으로 보아 즉시 증여세를 부과한다. 다만, 아래 ㉤에 해당하는 경우에는 가산세를 부과한다(상증법 §48 ②).

㉠ 출연받은 재산을 직접 공익목적사업 등의 용도 외에 사용하거나 출연받은 날부터 3년 이내에 직접 공익목적사업 등에 사용하지 아니하는 경우

㉡ 출연받은 재산을 내국법인의 주식등을 취득하는 데 사용하는 경우로서 당해 내국법인의 의결권 있는 발행주식총수등의 100분의 5(「독점규제 및 공정거래에 관한 법률」 제9조에 따른 상호출자제한기업집단과 특수관계에 있지 아니한 성실공익법인등[9]의 경우 100분의 10)를 초과하는 경우

㉢ 출연받은 재산을 수익용 또는 수익사업용으로 운용하는 경우로서 그 운용소득을 직접 공익목적사업 외에 사용한 경우

㉣ 출연받은 재산을 매각하고 그 매각대금을 공익목적사업 외에 사용하거나 매각한 날부터 3년이 지난 날까지 직접 공익목적사업에 사용(매각대금으로 직접 공익목적사업용 또는 수익사업용 재산을 취득한 경우를 포함)한 실적이 매각대금의 90%에 미달하는 경우

㉤ 공익법인등이 사업을 종료한 때의 잔여재산을 국가・지방자치단체 또는 해당 공익법인등과 동일하거나 유사한 공익법인등에 귀속시키지 아니한 때

㉥ 직접 공익목적사업에 사용하는 것이 사회적 지위・직업・근무처 및 출생지 등에 의하여 일부에게만 혜택을 제공하는 것인 때. 다만, 주무부장관이 기획재정부장관과 협의하여 따로 수혜자의 범위를 정하여 이를 설립허가의 조건 등으로 한 경우는 제외

㉦ 공익법인등이 출연받은 재산 등을 출연자 및 그 친족, 출연자가 출연한 다른 공익법인등 및 기타 특수관계에 있는 자에게 임대차, 소비대차(消費貸借) 및 사용대차(使用貸借) 등의 방법으로 사용・수익하게 하는 경우

9) 주석 6) 참조

ⓞ 성실공익법인(의결권 있는 주식의 10%~20% 보유)이 의결권을 행사한 경우

② 공익법인의 사후관리 위반에 따른 가산세 부과(상증법 §48, §78)

㉠ 출연자 또는 그의 특수관계인이 공익법인등의 현재 이사 수(현재 이사 수가 5명 미만인 경우에는 5명으로 간주)의 5분의 1을 초과하여 이사가 되거나, 그 공익법인등의 임직원(이사는 제외)이 되는 경우에는 이사 수를 초과하는 이사 또는 임직원과 관련하여 지출된 직접경비 또는 간접경비에 상당하는 금액 전액을 매년 가산세로 부과한다.

㉡ 공익법인등(국가나 지방자치단체가 설립한 공익법인등 및 성실공익법인등은 제외)이 특수관계에 있는 내국법인의 주식등을 보유하는 경우로서 그 내국법인의 주식등의 가액이 총 재산가액의 100분의 30(제50조 제3항에 따른 외부감사, 제50조의 2에 따른 전용계좌의 개설 및 사용과 제50조의 3에 따른 결산서류등의 공시를 이행하는 공익법인등에 해당하는 경우에는 100분의 50)을 초과하는 경우에는 매 사업연도 말 현재 그 초과하여 보유하는 주식등의 시가의 100분의 5에 상당하는 금액을 가산세로 부과한다.

㉢ 운용소득을 기준금액(운용소득에 대한 법인세 · 소득세 · 농특세 · 주민세와 이월결손금을 공제한 금액의 70%)에 미달하게 사용하거나 매각대금을 매각한 날부터 3년 동안 기준금액(1년 이내 30%, 2년 이내 60%)에 미달하게 사용한 경우에는 운용소득이나 매각대금 중 사용하지 아니한 금액의 100분의 10에 상당하는 금액을 가산세로 부과한다.

㉣ 내국법인의 의결권 있는 주식등을 그 내국법인의 발행주식총수등의 100분의 5를 초과하여 보유하고 있는 성실공익법인등이 의무지출금액에 미달하게 직접공익목적사업에 사용한 경우에는 의무지출금액에서 직접 공익목적사업에 사용한 금액을 차감한 금액에 100분의 10에 상당하는 금액을 가산세로 부과한다. 다만 이는 2018. 1. 1. 이후 개시하는 사업연도 분부터 적용된다.

> 의무지출금액 = [수익용 또는 수익사업용으로 운용하는 재산의 {총자산가액 − (부채가액 + 당기순이익)}] × 1%(의결권 있는 주식을 10%(20%) 초과하여 보유한 성실공익법인 3%)

㉤ 기타 의무불이행에 대한 가산세

공익법인등이 출연받은 재산의 사용계획 및 진도에 관한 보고서의 제출의무, 외부

전문가의 세무확인에 대한 보고의무, 외부회계감사 이행의무[10], 장부의 작성・비치 의무, 특수관계 기업에 대한 정당한 대가없는 광고・홍보 금지의무, 결산서류 공시의무 등을 위반한 경우에는 가산세를 부과한다.

ⓑ 주기적 감사인 지정의무

자산규모 1천억원 이상 또는 공시대상기업집단소속인 외부감사대상 공익법인은 감사인을 4년간 자유선임한 후 기획재정부장관이 2년간 지정한다.

6) 공익신탁재산에 대한 상속세 과세가액 불산입(상증법 §17)

상속재산 중 피상속인이나 상속인이 「공익신탁법」에 따른 공익신탁으로서 종교・자선・학술 또는 그 밖의 공익을 목적으로 하는 신탁을 통하여 공익법인등에 출연하는 재산의 가액은 상속세 과세가액에 산입하지 않는다.

① 공익신탁의 요건

공익신탁은 다음 요건을 모두 갖추어야 한다.

㉠ 공익신탁의 수익자가 에 규정된 공익법인등이거나 그 공익법인등의 수혜자일 것

㉡ 공익신탁의 만기일까지 신탁계약이 중도해지되거나 취소되지 아니할 것

㉢ 공익신탁의 중도해지 또는 종료시 잔여신탁재산이 국가・지방자치단체 및 다른 공익신탁에 귀속될 것

㉣ 상속세 과세표준 신고기한까지 신탁을 이행할 것. 다만, 법령상 또는 행정상의 사유로 신탁 이행이 늦어지면 그 사유가 끝나는 날이 속하는 달의 말일부터 6개월 이내에 신탁을 이행하여야만 한다.

10) 2016년말 가산세 도입

관련예규 및 판례요약

공익목적 출연재산의 상속세 과세가액 불산입 : 상증법 §16

공익법인 등의 범위와 관련된 예규, 판례

재산-314, 2012. 9. 6.

성실공익법인 요건 중 외부감사는 사업연도 종료일부터 3개월 이내에 이행하여야 하는 것이며, 운용소득은 사업연도 종료일 현재를 기준으로 판단함.

재산-389, 2011. 8. 23.

「박물관 및 미술관 진흥법」에 따라 등록한 박물관 또는 미술관은 공익법인 등에 해당하며, 재산을 출연받아 공익법인 등을 설립하는 경우 해당 출연재산에 대해서는 증여세 과세가액 불산입 되는 것임.

재산-107, 2011. 3. 2.

마을회가 노인정 등을 운영하는 사업은 상증세법상 '공익법인 등'에 해당하나, 마을회의 대표자 개인명의로 등기하는 경우에는 그러하지 아니함.

재산-64, 2011. 2. 7.

「상속세 및 증여세법」 제16조 제2항 단서규정 적용시, 상호출자제한기업집단과 특수관계에 있지 아니하는 공익법인 등이란 상호출자제한기업집단과 「공정거래법 시행령」 제3조 제1호에 따른 동일인 관련자의 관계에 있지 아니한 공익법인 등을 말하는 것임.

재산-460, 2010. 6. 30.

성실공익법인등 해당여부는 「상속세 및 증여세법 시행령」 제13조 제5항의 규정에 의하여 주식 등의 출연일 또는 취득일 현재를 기준으로 동항 각 호의 요건의 모두 충족하였는지 여부에 따라 판정함.

재산-288, 2010. 5. 13.

주무부장관이 기획재정부장관과 협의하여 따로 수혜자의 범위를 정하여 이를 공익법인 등의 설립허가 조건으로 붙인 경우는 공익목적사업으로 봄.

재산-141, 2010. 3. 9.

공원묘원의 운영 및 위탁관리사업을 주로 영위하는 재단법인은 「상속세 및 증여세법」의 규정에 의한 공익법인 등에 포함되지 아니함.

재산-31, 2010. 1. 19.

종교단체가 공익법인 등에 해당하는 지 여부는 법인으로 등록했는지 등에 관계없이 당해 종교단체가 수행하는 정관상 고유목적사업에 따라 판단하는 것임.

법규법인 2008-28, 2008. 11. 20.

「소비자생활협동조합법」에 근거하여 설립된 조합법인은 「상속세 및 증여세법 시행령」 제4호 및 제9호 등 세법상 열거된 공익법인에 해당하지 아니함.

서면4팀-1351, 2007. 4. 26.

「법인세법」에 의한 지정기부금단체 등이 운영하는 고유목적사업을 영위하는 자는 공익법인 등에 해당함.

서면4팀-4210, 2006. 12. 28.

장례식장 부속토지를 의료법인에게 출연할 경우 상속세 과세가액에 산입하지 아니함.

서면4팀-3078, 2006. 9. 7.

종교의 보급 기타 교화에 현저히 기여하는 사업을 운영하는 종교단체는 공익법인 등에 해당하는 것이며 법인으로 등록했는지 여부와 관계없이 정관상 고유목적사업에 따라 판단하는 것임.

공익법인 출연재산에 대한 출연방법과 관련된 예규, 판례

재산-431, 2012. 11. 30.

상속인이 상속재산을 다른 상속인에게 매각하고 그 매각대금을 공익법인에 출연하는 경우에는 공익법인의 출연재산에 대한 상속세 과세가액 불산입 규정을 적용하지 아니함.

재산-425, 2012. 11. 28.

피상속인이 유언에 의하여 공익법인 등에 출연한 경우 재산의 출연시기는 그 공익법인 등이 출연재산을 취득하는 때를 말하는 것임.

조심 2011부 1038, 2012. 1. 11.

상속인이 상속받은 재산을 공익사업에 출연하는 경우 상속인이 2인 이상일 때는 상속인 전원에 합의가 있어야 상속세 과세가액에 불산입하며, 상속인 전원의 합의가 없이 상속인 일부가 출연하는 경우 임의출연이라 할 것이므로, 상속세 과세가액에 산입함.

재산-333, 2011. 7. 12.

공익법인 등의 설립에 출연한 상속재산이 상속재산의 협의분할에 참여한 공동상속인간의 협의분할약정서에 따라 출연한 상속재산으로서 공익법인 등의 설립에 소요된 제비용은 상속세 과세가액에 불산입하는 것이 타당할 것임.

재산-279, 2011. 6. 10.

상속받은 재산을 공익법인 등에 출연하는 경우로서 법령상 또는 행정상의 사유로 출연재산의 소유권의 이전이 지연되는 경우 그 사유가 종료된 날부터 6월 이내에 그 출연을 이행하는 경우 상속세 과세가액에 불산입하는 것임.

재산-125, 2009. 9. 3.

성실공익법인 판정시 이사의 범위에는 공익법인 등에 상속재산을 출연한 상속인과 특수관계에 있는 자로서 이사의 선임 등 당해 공익법인 등의 사업운영에 관한 중요사항을 결정할 권한을 가진 자를 포함함.

국심 2007서 449, 2007. 8. 6.

피상속인의 예금계좌에서 공익법인인 교회 명의의 예금계좌로 이체되었음이 자필 유언증서, 금융증빙 등에 의해 확인되므로 공익법인에 출연된 것으로 보아 상속세 과세가액에 불산입함.

국심 2005서 3786, 2006. 4. 7.

당해 출연금이 적법한 유언 등에 의한 유증이라고 하기보다는 상속인들의 의사에 의한 것이므로 상속세 과세가액에서 공제할 수 없음.

국심 2005중 798, 2006. 1. 27.

상속재산으로서 상속인들의 합의에 의한 의사에 따라 법정기한 내 공익법인 등에 출연된 것으로 인정되므로 상속세 과세가액에 산입하지 아니하는 것이 타당함.

대법 2005두 3271, 2005. 6. 23.

자필증서, 녹음, 공정증서 등 적법한 방식을 갖춘 유언에 따라 하지 않은 장학재단의 설립에 따른 부동산의 출연은 상속세 과세가액에 포함됨.

국심 2002서 55, 2002. 4. 26.

상속인이 공익법인에 출연한 금액이 피상속인의 사망 후 개설된 상속인의 예금계좌에서 인출됐으나, 상속재산을 그 원천으로 보아 상속세 과세가액에 불산입한 사례

공익법인 출연주식 등의 지분비율요건과 관련된 예규, 판례

재산-3675, 2008. 11. 7.

출연자 및 그와 특수관계자가 30% 이상 출자하여 지배하고 있는 법인의 사용인(퇴직 후 5년

이 경과하지 아니한 임원이었던 자를 포함)은 특수관계가 있는 것임.

서면4팀 - 1544, 2005. 8. 31.

공익법인 등이 출연받은 재산에 대한 증여세 과세 등을 적용함에 있어 당해 내국법인의 의결권 있는 발행주식총수 등에는 당해 법인이 보유하고 있는 자기주식은 포함되지 아니함.

서면4팀 - 595, 2005. 4. 20.

공익법인 등이 출연받은 재산에 대한 상속세 과세가액 불산입되는 주식을 계산함에 있어서 발행주식총수에는 내국법인의 의결권 있는 주식만 포함됨.

서면4팀 - 493, 2005. 3. 31.

공익법인에게 출연한 주식(발행주식총수의 100분의 5를 초과하는 주식은 증여세가 과세됨)에서 말하는 주식은 내국법인의 의결권 있는 주식을 말함.

공익법인 출연재산의 이익이 상속인 또는 특수관계인에게 귀속되는 경우와 관련된 예규, 판례

재산 - 356, 2011. 7. 25.

주주 1인 및 그와 특수관계에 있는 자가 30% 이상 출자하여 지배하고 있는 법인의 사용인은 당해 주주 등의 사용인으로서 특수관계에 있는 것임.

재산 - 634, 2010. 8. 25.

출연재산이 등기·등록을 요하는 재산에 해당하는 경우로서 상속인 명의로 등기·등록하고 상속인이 계속하여 피상속인이 운영하던 유치원을 운영하는 경우에는 상속세 과세가액 불산입에 해당하지 않음.

재산 - 86, 2010. 2. 10.

상증법 개정 전에는 공익법인의 상속인의 이사취임을 제한하는 규정으로 인하여 상속인이 이사가 될 수 없었으나 개정으로 인하여 상속인도 이사현원의 5분의 1을 초과하지 않는 한 이사취임이 허용된 경우 개정 전 설립된 법인도 적용됨.

7 | 상속세 과세표준

상속세 과세표준은 상속세 과세가액에서 기초공제 및 인적공제 또는 일괄공제, 금융재산 상속공제, 재해손실공제, 동거주택 상속공제 등의 공제액을 차감하여 계산하며, 이렇게 각종 공제를 적용한 후의 과세표준이 50만원 미만인 경우에는 상속세를 부과하지 않는다. 다만, 피상속인이 비거주자인 경우에는 기초공제 2억원을 제외한 나머지의 인적공제(배우자공제, 그 밖의 인적공제, 일괄공제)·물적공제(가업·영농상속공제, 금융재산공제, 동거주택 상속공제, 재해손실공제)의 공제 혜택을 받을 수 없다.

다음의 공제액은 상속세 과세가액에서 상속인이 아닌 자에게 유증 등을 한 재산의 가액과 상속세 과세가액에 가산한 증여재산가액을 차감한 잔액에 상당하는 금액을 초과하지 못한다.

가. 기초공제(상증법 §18 ①)

거주자나 비거주자의 사망으로 상속이 개시되는 경우에는 상속세 과세가액에서 2억원을 공제한다.

나. 가업상속공제(상증법 §18 ② 1호)

거주자의 사망으로 인하여 상속이 개시되는 경우로서 가업을 상속하는 경우에는 다음의 한도내에서 가업상속재산가액에 상당하는 금액을 상속세 과세가액에서 공제한다. 다만, 동일한 상속재산에 대해서는 가업상속공제와 영농상속공제를 동시에 적용할 수 없다.

〈가업상속공제 한도〉

① 피상속인의 가업영위기간이 10년 이상 20년 미만인 경우 : 200억원
② 피상속인의 가업영위기간이 20년 이상 30년 미만인 경우 : 300억원
③ 피상속인의 가업영위기간이 30년 이상 500억원

1) 가업의 범위

가업이란 상속개시일이 속하는 과세연도의 직전과세연도 말 현재 「조세특례제한법」 제5조 제1항에 따른 중소기업(상증령 §15 ① 참고) 또는 중견기업(상속이 개시되는 소득세 과세

기간 또는 법인세 사업연도의 직전 3개 소득세 과세기간 또는 법인세 사업연도의 매출액의 평균금액이 3천억원 이상인 기업은 제외)으로서 피상속인이 10년 이상 계속하여 경영한 기업을 말한다.

2) 가업상속공제시 피상속인의 요건 (상증령 §15 ③ 1호)

피상속인이 아래 요건을 모두 충족하여 가업을 상속하는 경우에만 가업상속공제가 적용된다. 다만, 2011. 1. 1. 이후 상속분부터는 가업상속이 이루어진 후에 가업상속 당시 최대주주 등에 해당하는 자(가업상속을 받은 상속인은 제외)의 사망으로 상속이 개시되는 경우는 제외된다(즉, 가업상속공제는 최대주주 등 중 1인에 대해서만 공제).

① 상속개시일 현재 거주자

② 가업인 기업의 최대주주등인 경우로서 피상속인과 그의 특수관계인의 주식등을 합하여 해당 기업의 발행주식총수등의 100분의 50[상장법인의 경우 100분의 30] 이상을 10년 이상 계속하여 보유할 것

③ 가업의 영위기간 중 다음의 어느 하나에 해당하는 기간을 대표이사(개인사업자인 경우 대표자. 이하 "대표이사등")로 재직할 것

㉠ 100분의 50 이상의 기간

㉡ 10년 이상의 기간(상속인이 피상속인의 대표이사등의 직을 승계하여 승계한 날부터 상속개시일까지 계속 재직한 경우에만 적용)

㉢ 상속개시일부터 소급하여 10년 중 5년 이상의 기간

3) 가업상속공제시 상속인의 요건 (상증령 §15 ③ 2호)

① 상속인이 아래 요건을 모두 충족하여 가업을 상속하는 경우에만 가업상속공제가 적용된다.

㉠ 상속개시일 현재 18세 이상인 경우

㉡ 상속개시일 2년 전부터 계속하여 직접 가업에 종사한 경우. 다만, 피상속인이 65세 이전에 사망하거나 천재지변 및 인재 등 부득이한 사유로 사망한 경우는 해당 요건을 충족하지 않아도 되며, 상속인이 법률에 따른 병역의무의 이행, 질병의 요양, 취학상 형편 등의 사유로 가업에 종사하지 못한 기간이 있는 경우에는 그 기간은 가업에 종사한 기간으로 간주함.

㉢ 상속세 과세표준 신고기한까지 임원으로 취임하고, 상속세 신고기한부터 2년 이내에 대표이사등으로 취임

② 공동상속의 허용

종전에는 상속인 1인이 가업을 모두 승계받는 경우에만 가업상속공제를 적용받을 수 있었으나 2016년초 상속세 및 증여세법 시행령을 개정(상증령 §15 ③ 2호 다목 삭제)하여 가업을 공동상속하는 경우에도 가업상속공제가 가능하도록 완화하였다.

③ 중견기업의 적용배제

중견기업의 경우 가업상속인이 가업상속재산 외에 받거나 받을 상속재산에 대한 세액이 가업상속재산에 대한 세액의 2배를 초과하는 경우 가업상속공제를 적용하지 아니한다.

이에 따라 1개 기업을 공동상속하거나 2개 이상 기업을 기업별로 상속하는 경우도 가업상속공제를 적용받을 수 있으나, 이 경우에도 상속인 요건을 충족하는 상속인 중 가업을 승계하는 1인이 상속받는 분에 대해서만 가업상속공제가 적용되고 가업상속공제 한도도 가업영위기간이 제일 오래된 가업의 한도를 적용받는 것에 유의할 필요가 있다.

4) 가업상속재산의 범위(상증령 §15 ⑤)

① 「소득세법」을 적용받는 가업 : 상속재산 중 가업에 직접 사용되는 토지, 건축물, 기계장치 등 사업용 자산의 가액에서 해당 자산에 담보된 채무액을 뺀 가액

② 「법인세법」을 적용받는 가업 : 가업해당 주식 등의 가액에 그 법인의 총자산가액 중 상속개시일 현재 사업무관자산을 제외한 자산가액이 그 법인의 총자산가액에서 차지하는 비율을 곱하여 계산한 금액에 해당하는 것

$$\text{법인가업의 가업상속재산} = \text{가업법인 주식등 가액} \times \frac{(\text{총자산가액} - \text{사업무관자산가액})}{\text{총자산가액}}$$

5) 가업상속공제의 사후관리

가업상속공제를 적용받은 상속인이 상속개시일(고용유지의무에 대해서는 상속이 개시된 사업연도의 말일)부터 7년 이내에 정당한 사유 없이 다음의 추징사유에 해당하는 경우에는 가업상속공제를 적용받은 금액에 해당 사유발생일까지의 기간을 고려한 추징 적용률을 곱하여 계산한 금액을 상속개시 당시의 상속세 과세가액에 산입하고 이자상당가산액을 가산하여 상속세를 추징한다.

① 사후관리 위반 사유

㉠ 해당 가업용 자산의 100분의 20(상속개시일부터 5년 이내에는 100분의 10) 이상을 처분한 경우

㉡ 해당 상속인이 가업에 종사하지 아니하게 된 경우로서 다음의 경우.

ⓐ 상속인(제3항 제2호 후단에 해당하는 경우에는 상속인의 배우자)이 대표이사 등으로 종사하지 아니하는 경우

ⓑ 가업의 주된 업종을 변경하는 경우[한국표준산업분류에 따른 중분류 내에서 업종을 변경하는 경우 및 평가심의위원회의 심의를 거쳐 중분류 외의 업종으로 변경하는 경우는 제외]

ⓒ 해당 가업을 1년 이상 휴업(실적이 없는 경우를 포함)하거나 폐업하는 경우

㉢ 주식 등을 상속받은 상속인의 지분이 감소한 경우로서 다음의 경우. 다만, 상속인이 상속받은 주식 등을 제73조에 따라 물납(物納)하여 지분이 감소한 경우는 제외하되, 이 경우에도 상속인은 제22조 제2항에 따른 최대주주나 최대출자자에 해당하여야 한다.

ⓐ 상속인이 상속받은 주식등을 처분하는 경우

ⓑ 해당 법인이 유상증자할 때 상속인의 실권 등으로 지분율이 감소한 경우

ⓒ 상속인의 특수관계인이 주식등을 처분하거나 유상증자할 때 실권 등으로 상속인이 최대주주등에 해당되지 아니하게 되는 경우

㉣ 각 사업연도의 정규직 근로자 수의 평균이 상속이 개시된 사업연도의 직전 2개 사업연도의 정규직근로자 수의 평균(이하 “기준고용인원”)의 100분의 80에 미달하거나 상속이 개시된 사업연도말부터 7년간 정규직 근로자 수의 전체 평균이 기준고용인원의 100분의 100에 미달하는 경우(단, 합병 또는 분할로 인하여 정규직 근로자가 승계되어 근무하는 경우 가업법인의 정규직 근로자로 간주한다)

② 사후관리 위반시 추징세액의 계산

가업상속공제의 사후관리 의무를 위반한 경우 경과기간에 따라 가업상속공제 금액에 아래의 추징 적용률을 곱한 금액을 상속개시 당시의 상속세 과세가액에 산입하여 상속세를 추징한다. 이 경우 경과기간은 상속개시일(고용유지의무에 대해서는 상속이 개시된 사업연도의 말일)부터 위반일까지의 기간으로 계산한다. 다만, 수회에 걸쳐서 자산을 처분하는 경우 각 처분가액을 기준으로 자산처분비율을 산정한다.

| 가업상속공제 추징 적용률 |

경과기간	추징 적용률
5년 미만	100%
5년 이상 ~ 7년 미만	80%

③ 사후관리 위반시 이자상당가산액의 계산

이자상당가산액 = 사후관리 위반에 따라 추징하는 상속세 × 경과일수(당초 상속세 과세표준 신고기한의 다음 날부터 추징사유가 발생한 날까지의 기간) × 1.6% ÷ 365

④ 사후관리 위반으로 보지 않는 정당한 사유

가업상속공제의 사후관리 위반과 관련하여 다음과 같은 정당한 사유가 있는 경우에는 사후관리 위반에 따른 상속세 추징은 배제된다.

㉠ 가업용 자산 유지 의무 관련

ⓐ 가업용 자산이 수용 또는 협의 매수되거나 국가 또는 지방자치단체에 양도되거나 시설의 개체(改替), 사업장 이전 등으로 처분되는 경우. 다만, 처분자산과 같은 종류의 자산을 대체 취득하여 가업에 계속 사용하는 경우에 한함.

ⓑ 가업용자산을 국가 또는 지방자치단체에 증여하는 경우

ⓒ 가업상속받은 상속인이 사망한 경우

ⓓ 합병・분할, 통합, 개인사업의 법인전환 등 조직변경으로 인하여 자산의 소유권이 이전되는 경우. 다만, 조직변경 이전의 업종과 같은 업종을 영위하는 경우로서 이전된 가업용자산을 그 사업에 계속 사용하는 경우에 한함.

ⓔ 내용연수가 지난 가업용자산을 처분하는 경우

ⓕ 업종변경 등에 따른 자산처분 후 변경업종 자산을 대체취득하는 경우

ⓖ 자산처분금액을 연구인력개발비로 사용하는 경우

㉡ 가업종사 의무 관련

ⓐ 가업상속받은 상속인이 사망한 경우

ⓑ 가업상속 받은 재산을 국가 또는 지방자치단체에 증여하는 경우

ⓒ 상속인이 법률에 따른 병역의무의 이행, 질병의 요양, 취학상 형편 등으로 가업에 직접 종사할 수 없는 경우. 다만, 가업상속받은 재산을 처분하거나 그 부득이한 사유가 종료된 후 가업에 종사하지 아니하는 경우를 제외

㉢ 지분유지 의무 관련

ⓐ 합병·분할 등 조직변경에 따라 주식등을 처분하는 경우. 다만, 처분 후에도 상속인이 합병법인 또는 분할신설법인 등 조직변경에 따른 법인의 최대주주등에 해당하는 경우에 한함.

ⓑ 해당 법인의 사업확장 등에 따라 유상증자시 상속인의 특수관계인 외의 자에게 주식등을 배정함에 따라 상속인의 지분율이 낮아지는 경우. 다만, 상속인이 최대주주등에 해당하는 경우에 한함.

ⓒ 상속인이 사망한 경우. 다만, 사망한 자의 상속인이 원래 상속인의 지위를 승계하여 가업에 종사하는 경우에 한함.

ⓓ 주식등을 국가 또는 지방자치단체에 증여하는 경우

ⓔ 「자본시장과 금융투자업에 관한 법률」 제390조 제1항에 따른 상장규정의 상장요건을 갖추기 위하여 지분을 감소시킨 경우. 다만, 상속인이 최대주주등에 해당하는 경우에 한함.

ⓕ 주주 또는 출자자의 주식 및 출자지분의 비율에 따라 무상으로 균등하게 감자하는 경우(2019. 2. 12. 이후 감자분부터 적용)

ⓖ 「채무자 회생 및 파산에 관한 법률」에 따른 법원결정에 따라 무상감자하거나 채무를 출자전환하는 경우

⑤ **사후관리 위반시 신고납부 의무**

상속인은 가업상속공제 규정을 적용받고 사후관리 규정을 위반한 경우에는 그 위반사유가 발생한 날이 속하는 달의 말일부터 6개월 이내에 납세지 관할 세무서장에게 신고하고 해당 상속세와 이자상당액을 납부하여야 한다.

6) 탈세, 회계부정 기업인의 가업상속 해택배제(상증법 §18)

상속개시 10년 전부터 사후관리기간(7년)까지 피상속인 또는 상속인이 상속대상 기업의 경영과 관련하여 확정된 징역형이 있는 경우, 포탈세액이 3억원 이상이고 포탈세액등이 납부하여야 할 세액의 30% 이상인 경우, 포탈세액이 5억원 이상인 경우, 재무제표상 변경금액이 자산총액의 5% 이상 회계부정이 있는 경우 가업상속 해택을 배제한다.

다. 영농상속공제(상증법 §18 ① 2호)

피상속인이 영농[양축(養畜), 영어(營漁) 및 영림(營林)을 포함하며 한국표준산업분류

에 따른 농업, 임업 및 어업을 주된 업종으로 영위하는 것을 말함]에 종사한 경우로서 상속재산 중 영농상속 재산의 전부를 영농에 종사하는 상속인이 상속받는 경우에는 해당 영농상속 재산가액(그 가액이 15억원을 초과하는 경우에는 15억원 한도)을 상속세 과세가액에서 공제한다.

1) 영농상속 재산의 범위

영농상속재산이란 피상속인이 상속개시일 2년 전부터 영농에 사용한 다음의 재산을 말한다.

① 「소득세법」을 적용받는 영농

㉠ 「농지법」 제2조 제1호 가목에 따른 농지. 이 경우 「도시계획법」상의 주거지역 내에 소재하는 농지의 경우도 농지상속공제의 대상이 된다.

㉡ 「초지법」 제5조에 따른 초지조성허가를 받은 초지

㉢ 「산지관리법」 제4조 제1항 제1호에 따른 보전산지 중 「산림자원의 조성 및 관리에 관한 법률」 제13조에 따른 산림경영계획 인가 또는 같은 법 제28조에 따른 특수산림사업지구 사업(법률 제4206호 「산림법」 중 개정법률의 시행 전에 종전의 「산림법」에 따른 지정개발지역으로서 같은 법 부칙 제2조에 따른 지정개발지역에서의 지정개발사업을 포함)에 따라 새로이 조림한 기간이 5년 이상인 산림지(보안림·채종림 및 산림유전자원보호림의 산림지를 포함)

㉣ 「어선법」 제2조 제1호에 따른 어선

㉤ 「내수면어업법」 제7조 또는 「수산업법」 제8조에 따른 어업권(「수산업법」 제8조 제1항 제6호 및 제7호에 따른 마을어업 및 협동양식어업의 면허는 제외)

㉥ 농업·임업·축산업 또는 어업용으로 설치하는 창고·저장고·작업장·퇴비사·축사·양어장 및 이와 유사한 용도의 건축물로서 「부동산등기법」에 따라 등기한 건축물과 이에 딸린 토지(해당 건축물의 실제 건축면적을 「건축법」 제55조에 따른 건폐율로 나눈 면적의 범위에 한함)

㉦ 염전

② 「법인세법」을 적용받는 영농

상속재산 중 법인의 주식등의 가액으로 상증법 시행령 제15조 제5항 제2호를 준용하여 계산한다.

$$\text{영농상속재산(법인가업)} = \text{가업법인 주식등 가액} \times \frac{\text{(총자산가액 - 사업무관자산가액)}}{\text{총자산가액}}$$

2) 영농상속공제의 피상속인 요건

① 「소득세법」을 적용받는 영농

피상속인은 상속개시일 2년 전부터 계속하여 직접 영농에 종사한 경우(질병으로 인한 요양기간은 직접영농에 종사한 것으로 봄)로서 다음에 해당하는 자를 말한다.

㉠ 농지 · 초지 · 산림지가 소재하는 시(「제주특별자치도의 설치 및 국제자유도시 조성을 위한 특별법」 제10조 제2항에 따른 행정시를 포함) · 군 · 구(자치구), 그와 연접한 시 · 군 · 구 또는 해당 농지등으로부터 직선거리 30킬로미터 이내에 거주할 것. 산림지의 경우에는 통상적으로 직접 경영할 수 있는 지역을 포함

㉡ 어선의 선적지 또는 어장에 가장 가까운 연안의 시 · 군 · 구, 그와 연접한 시 · 군 · 구 또는 해당 선적지나 연안으로부터 직선거리 30킬로미터 이내에 거주할 것

② 「법인세법」을 적용받는 영농

다음 요건을 모두 갖춘 피상속인

㉠ 상속개시일 2년 전부터 계속하여 해당 기업을 경영할 것

㉡ 법인의 최대주주 등으로서 본인과 그 특수관계인의 주식 등을 합하여 해당 법인의 발행주식총수 등의 100분의 50 이상을 계속하여 보유할 것

3) 영농상속공제의 상속인 요건

영농상속은 상속인이 상속개시일 현재 18세 이상으로서 다음 구분에 따른 요건을 충족하는 경우 또는 영농 · 영어 및 임업후계자인 경우에 적용한다.

① 「소득세법」을 적용받는 영농

㉠ 상속개시일 2년 전부터 계속하여 직접 영농에 종사. 다만 피상속인이 65세 이전에 사망하거나 천재지변 및 인재 등 부득이한 사유로 사망하는 경우는 제외

㉡ 농지 등이 소재하는 시 · 군 · 구 또는 그와 연접한 시 · 군 · 구 및 해당 농지 등으로부터 직선거리 30킬로미터 이내(산림지의 경우에는 통상적으로 직접 경영할 수 있는 지역을 포함)에 거주하거나 어선의 선적지 또는 어장에 가장 가까운 연안의

시 · 군 · 구, 그와 연접한 시 · 군 · 구 또는 해당 선적지나 연안으로부터 직선거리 30킬로미터 이내에 거주

② 「법인세법」을 적용받는 영농

㉠ 상속개시일 2년 전부터 계속하여 해당 기업에 종사

㉡ 상속세과세표준 신고기한까지 임원으로 취임하고, 상속세 신고기한부터 2년 이내에 대표이사등으로 취임

기획재정부령이 정하는 영농 · 영어 및 임업후계자

① 「농어업경영체 육성 및 지원에 관한 법률」 제10조에 따른 후계농업경영인 및 어업인후계자
② 「임업 및 산촌 진흥촉진에 관한 법률」 제2조 제4호의 규정에 의한 임업후계자
③ 「초 · 중등교육법」 및 「고등교육법」에 의한 농업 또는 수산계열의 학교에 재학중이거나 졸업한 자

4) 영농등 종사 및 종사기간 판단기준(상증령 §16 ④)

"직접 영농등에 종사하는 경우"란 피상속인 또는 상속인이 소유 농지 등 자산을 이용하여 농작물의 경작 또는 다년생식물의 재배 등에 상시 종사하거나 농작업 등의 2분의 1 이상을 자기의 노동력으로 수행하는 경우를 말한다.

이 경우 피상속인 또는 상속인의 「소득세법」 제19조 제2항에 따른 사업소득금액(농업 · 임업 및 어업에서 발생하는 소득 및 부동산임대업에서 발생하는 소득과 농가부업소득은 제외)과 같은 법 제20조 제2항에 따른 총급여액의 합계액이 3천700만원 이상인 과세기간이 있는 경우 해당 과세기간은 영농 등에 종사한 기간으로 보지 않는다.

5) 영농상속 입증서류의 제출(상증칙 §7 ②)

영농상속공제를 적용받고자 하는 자는 영농상속재산명세서 및 당해 상속이 영농상속에 해당됨을 증명할 수 있는 다음 서류를 상속세 과세표준신고와 함께 납세지 관할 세무서장에게 제출하여야 한다.

① 농업소득세 과세사실증명서 또는 영농사실증명서류
② 어선의 선적증서 사본
③ 어업권 면허증서 사본
④ 영농상속인의 농업 또는 수산계열학교의 재학증명서 또는 졸업증명서

⑤ 「임업 및 산촌 진흥촉진에 관한 법률」에 의한 임업후계자임을 증명하는 서류

6) 영농상속공제의 사후관리

영농상속공제를 받은 상속인이 상속개시일부터 5년 이내에 정당한 사유(상증령 §16 ⑥) 없이 영농에 사용하는 상속재산을 처분하거나 영농에 종사하지 아니하게 된 경우에는 공제받은 금액을 상속개시 당시의 상속세 과세가액에 산입하여 상속세를 부과한다. 다만, 영농상속의 사후관리 기간의 계산에 있어서 정당한 사유(병역의무이행, 질병요양, 취학상형편 등)로 인하여 직접 영농에 종사하지 못하게 된 기간은 제외한다.

라. 배우자 상속공제(상증법 §19)

피상속인이 거주자로서 상속개시일 현재 배우자가 있는 경우에는 배우자 상속공제가 적용된다. 여기에서 배우자란 「민법」상 혼인으로 인정되는 혼인관계에 의한 배우자만 해당한다.

1) 배우자 상속공제금액

배우자 상속공제는 상속세 과세표준 신고기한 경과 후 6월 이내에 배우자의 상속재산을 분할한 경우와 그렇지 않은 경우로 구분하여 공제액에 차이를 두고 있다. 배우자가 상속받은 재산을 분할한 경우에는 배우자 상속공제한도액(30억원) 범위내에서 배우자가 실제 상속받은 재산가액을 공제하고, 분할을 하지 않은 경우에는 최소 공제액 5억원을 공제한다.

구체적인 계산방법은 아래를 참고하기 바란다.

- 배우자가 상속받은 재산을 분할하여 기한 내 신고시
  ▶▶ 배우자가 실제 상속받은 금액과 배우자 공제한도액(30억원) 중 적은 금액
- 배우자가 실제 상속받은 금액이 없거나 실제 상속받은 금액이 5억원 미만인 경우
  ▶▶ 5억원(상속세 신고여부와는 관련이 없음).

배우자가 실제 상속받은 금액의 계산

배우자가 상속받은 상속재산가액(처분재산 중 사용처 불분명분과 사전 증여받은 재산 제외)
－배우자가 승계하기로 한 채무・공과금
－배우자가 상속받은 비과세재산가액

배우자 상속공제 한도액의 계산

[배우자 상속공제 한도액의 계산]

배우자 상속공제 한도액 : ①, ② 중 적은 금액

① (상속재산가액* × 배우자의 법정상속지분**) － (상속재산에 가산한 증여재산가액 중 배우자에게 증여한 재산에 대한 과세표준)

② 30억원

* 아래 배우자 상속공제 한도액 계산시 상속재산가액의 계산방법 참고

**「민법」 제1009조에 따른 배우자의 법정상속분을 말하며, 공동상속인 중 상속포기자가 있는 경우 그 포기자가 포기하지 않았을 경우의 배우자 법정상속분

배우자 상속공제 한도액 계산시 상속재산가액의 계산

총상속재산가액
＋상속개시 전 10년 이내에 상속인에게 증여한 재산가액(상속개시 전 5년 이내 상속인이 아닌 자에게 증여한 재산가액은 제외)
－상속인이 아닌 수유자에게 유증・사인증여한 재산
－비과세되는 상속재산
－채무・공과금
－과세가액 불산입 재산(공익법인 등에 출연한 재산 및 공익신탁 재산)

2) 배우자 상속재산분할기한

배우자 상속공제는 상속세 과세표준 신고기한의 다음날부터 6개월이 되는 날까지 배우자의 상속재산을 분할(등기・등록・명의개서 등이 필요한 경우에는 그 등기・등록・명의개서 등이 된 것에 한정)한 경우에 적용한다. 이 경우 상속인은 상속재산의 분할사실을 배우자 상속재산 분할기한까지 납세지 관할 세무서장에게 신고하여야 한다.

다만, 대통령령으로 정하는 부득이한 사유로 상속세 과세표준 신고기한의 다음날부터 6개월이 되는 날까지 배우자의 상속재산을 분할할 수 없는 경우로서 배우자 상속재산 분할기한의 다음날부터 6개월이 되는 날(배우자 상속재산 분할기한의 다음날부터 6개월을 경과하여 제76조에 따른 과세표준과 세액의 결정이 있는 경우에는 그 결정일)까지 상속재산을 분할하여 신고하는 경우에는 배우자 상속재산 분할기한 이내에 분할한 것으로 본다. 이 경우 상속인은 그 부득이한 사유를 상속세 과세표준 신고기한의 다음날부터 6개월이 되는 날까지 납세지 관할 세무서장에게 신고하여야 한다.

마. 기타 인적공제(상증법 §20)

거주자의 사망으로 상속이 개시되는 경우로서 다음 어느 하나에 해당하는 경우에는 해당 금액을 상속세 과세가액에서 공제한다. 이 경우 자녀공제와 미성년자 공제는 중복적용할 수 있고, 장애자 공제와 다른 인적공제도 중복적용이 가능하며, 인적공제의 공제대상인 상속인이 상속포기 등으로 상속을 받지 않은 경우에도 인적공제를 적용받을 수 있다. 2015년 말 상증법 개정으로 공제금액이 각각 상향되었다.

1) **자녀공제** : 자녀 1명당 5천만원
2) **미성년자공제** : 상속인(배우자는 제외한다) 및 동거가족 중 미성년자에 대해서는 1천만원에 19세가 될 때까지의 연수(年數)를 곱하여 계산한 금액
3) **연로자공제** : 상속인(배우자 제외) 및 동거가족 중 65세 이상인 사람에 대해서는 5천만원
4) **장애인공제** : 상속인 및 동거가족 중 장애인에 대해서는 1천만원에 상속개시일 현재 「통계법」 제18조에 따라 통계청장이 승인하여 고시하는 통계표에 따른 성별·연령별 기대여명의 연수(소수점 이하 제외)를 곱하여 계산한 금액

기타 인적공제를 적용함에 있어 미성년자공제 및 장애인공제의 연수계산시 1년 미만의 단수가 있는 경우에는 1년으로 한다.

바. 일괄공제(상증법 §21)

거주자의 사망으로 상속이 개시되는 경우에 상속인이나 수유자는 기초공제 2억원과 기타 인적공제(자녀, 미성년, 연로자, 장애인)액의 합계액과 5억원 중 큰 금액을 공제할 수 있다. 이 경우 상속세 과세표준 무신고자(기한 후 신고는 제외)의 경우에는 5억원을 공제하

고, 기초공제 2억원과 그 밖의 인적공제의 규정은 적용하지 않는다.

아울러, 피상속인의 배우자가 단독으로 상속받는 경우(상속인이 배우자만 있고, 자녀와 직계존속이 없는 경우)에는 기초공제와 기타공제의 합계액으로만 공제하며, 일괄공제(5억원) 규정은 적용하지 않는다.

▶▶ 여기에서 일괄공제는 배우자 공제액을 제외한 금액이 5억원이므로 배우자 공제액과는 별도로 공제함에 유의해야 한다. 실무상 기초공제의 기타 인적 공제는 거의 일괄공제 방법을 채택하고 있는 실정이다.

사. 금융재산 상속공제(상증법 §22)

거주자의 사망으로 상속이 개시되는 경우로서 상속개시일 현재 상속재산가액 중 금융재산의 가액에서 금융채무를 뺀 가액(이하 "순금융재산의 가액")이 있으면 다음 구분에 따른 금액을 상속세 과세가액에서 공제하되, 그 금액이 2억원을 초과하면 2억원을 공제한다. 다만, 금융재산에는 최대주주 또는 최대출자자가 보유하고 있는 주식등과 상속세 과세표준 신고기한까지 신고하지 아니한 타인 명의의 금융재산은 포함되지 않는다.

1) 순금융재산의 가액이 2천만원을 초과하는 경우 : 그 순금융재산의 가액의 100분의 20 또는 2천만원 중 큰 금액
2) 순금융재산의 가액이 2천만원 이하인 경우 : 그 순금융재산의 가액

순금융재산 가액 = 금융재산가액 - 금융채무액

① 공제대상 금융재산의 범위

가. 「금융실명거래 및 비밀보장에 관한 법률」 제2조 제1호에 규정된 금융회사등이 취급하는 예금·적금·부금·계금·출자금·신탁재산(금전신탁재산에 한함)·보험금·공제금·주식·채권·수익증권·출자지분·어음 등의 금전 및 유가증권

나. 거래소에 상장되지 아니한 주식 및 출자지분으로서 금융회사등이 취급하지 아니하는 것

다. 발행회사가 금융회사등을 통하지 아니하고 직접 모집하거나 매출하는 방법으로 발행한 회사채

② 금융채무의 범위

금융회사등에 대한 채무임을 확인할 수 있는 서류에 의하여 입증된 금융채무

아. 재해손실공제(상증법 §23)

거주자의 사망으로 인하여 상속이 개시되는 경우로서 「상속세 및 증여세법」 제67조의 규정에 의한 상속세 과세표준 신고기한 이내에 화재, 붕괴, 폭발, 환경오염사고 및 자연재해 등으로 인한 재난으로 인하여 상속재산이 멸실, 훼손된 경우에는 그 손실가액을 상속세 과세가액에서 공제한다. 다만, 그 손실가액에 대한 보험금 등의 수령 또는 구상권 등의 행사에 의하여 당해 손실가액에 상당하는 금액을 보전받을 수 있는 경우에는 그러하지 아니하다.

상속인 또는 수유자는 그 손실가액 및 내역과 이를 입증할 수 있는 서류를 상속세 과세표준신고와 함께 납세지 관할 세무서장에게 제출하여야 한다.

자. 동거주택 상속공제(상증법 §23의 2)

거주자의 사망으로 상속이 개시되는 경우로서 다음의 요건을 모두 갖춘 경우에는 상속주택가액(「소득세법」 제89조 제1항 제3호에 따른 주택부수토지의 가액을 포함)의 100분의 100에 상당하는 금액을 상속세 과세가액에서 공제한다. 다만, 그 공제할 금액은 6억원을 한도로 한다.

1) 피상속인과 상속인(직계비속인 경우에 한함)이 상속개시일부터 소급하여 10년 이상(이하 "동거주택 판정기간") 계속하여 하나의 주택에서 동거할 것(피상속인과 상속인이 징집, 「초·중등교육법」에 따른 학교 중 유치원, 초등학교, 중학교를 제외한 학교 및 고등교육법에 따른 학교에의 취학, 직장의 변경이나 전근 등 근무상의 형편 또는 1년 이상의 치료나 요양이 필요한 질병의 치료나 요양 등 부득이한 사유로 동거하지 못한 경우에는 계속하여 동거한 것으로 보되, 그 동거하지 못한 기간은 동거 기간에 산입하지 않음) 다만, 2015년말 상증법 개정시 상속인이 미성년자인 기간은 동거기간에서 제외하도록 하였다.

2) 피상속인과 상속인이 동거주택 판정기간에 계속하여 1세대를 구성하면서 1세대 1주택(피상속인의 이사에 따른 일시적 2주택 등을 포함)에 해당할 것. 이 경우 상속개시일 현재 1세대 1주택인 경우로서 동거주택 판정기간 중 무주택인 기간은 1세대 1주택에 해당하는 기간에 포함된다. 이 경우 피상속인이 상속개시일 현재 이사에 따른 일시적 2주택인 경우에는 상속개시일에 피상속인과 상속인이 동거한 주택을 동거주택상속공제 대상 주택으로 보도록 하였다(상증령§20의2③).

3) 상속개시일 현재 무주택자 또는 피상속인과 공동으로 주택을 소유한자로서 피상속인과 동거한 상속인이 상속받는 주택일 것

2주택 이상을 소유한 경우에도 1주택을 소유한 것으로 보는 경우(상증령 §20의 2)

① 피상속인이 다른 주택을 취득(자기가 건설하여 취득한 경우를 포함)하여 일시적으로 2주택을 소유한 경우. 다만, 다른 주택을 취득한 날부터 2년 이내에 종전의 주택을 양도하고 이사하는 경우만 해당
② 상속인이 상속개시일 이전에 1주택을 소유한 자와 혼인한 경우. 다만, 혼인한 날부터 5년 이내에 상속인의 배우자가 소유한 주택을 양도한 경우만 해당
③ 피상속인이 「문화재보호법」 제53조 제1항에 따른 등록문화재에 해당하는 주택을 소유한 경우
④ 피상속인이 「소득세법 시행령」 제155조 제7항 제2호에 따른 이농주택을 소유한 경우
⑤ 피상속인이 「소득세법 시행령」 제155조 제7항 제3호에 따른 귀농주택을 소유한 경우
⑥ 1주택을 보유하고 1세대를 구성하는 자가 상속개시일 이전에 60세 이상의 직계존속을 동거봉양하기 위하여 세대를 합쳐 일시적으로 1세대가 2주택을 보유한 경우. 다만, 세대를 합친 날부터 5년 이내에 피상속인 외의 자가 보유한 주택을 양도한 경우만 해당
⑦ 피상속인이 상속개시일 이전에 1주택을 소유한 자와 혼인함으로써 일시적으로 1세대가 2주택을 보유한 경우. 다만, 혼인한 날부터 5년 이내에 피상속인의 배우자가 소유한 주택을 양도한 경우만 해당
⑧ 피상속인 · 상속인이 이전에 상속하여 소수지분을 보유한 주택

차. 상속재산의 감정평가수수료 공제

상속세 신고목적으로 상속재산을 감정기관이 평가함에 따라 발생한 감정평가 수수료는 과세표준 계산시 공제한다(상증법 §25 ① 2호).

1) 공제대상 감정평가 수수료

① 「감정평가 및 감정평가사에 관한 법률」 제2조 제4호에 따른 감정평가업자의 평가(상속세 납부목적용에 한함)에 따른 수수료(500만원 한도)

② 재산평가심의위원회가 의뢰한 신용평가전문기관의 평가수수료(평가대상 법인의 수 및 평가를 의뢰한 신용평가 전문기관의 수별로 각각 1천만원 한도)

③ 판매용이 아닌 서화 · 골동품 등 예술적 가치가 있는 유형재산의 평가 관련 평가 수수료(500만원 한도)

카. 상속공제 적용의 한도액(상증법 §24)

상속공제(기초공제 2억원, 가업상속공제, 영농상속공제, 배우자상속공제, 기타인적공제, 일괄공제, 금융재산상속공제, 재해손실공제, 동거주택상속공제)에 따라 공제할 금액은 상속세 과세가액에서 다음에 해당하는 가액을 뺀 금액을 한도로 한다.

① 선순위인 상속인이 아닌 자에게 유증등을 한 재산의 가액

② 선순위인 상속인의 상속 포기로 그 다음 순위의 상속인이 상속받은 재산의 가액

③ 제13조에 따라 상속세 과세가액에 가산한 증여재산가액[상증법 제53조(증여재산공제) 또는 제54조(재해손실공제)에 따라 공제받은 금액이 있으면 증여재산가액에서 해당 공제받은 금액을 뺀 금액]

종전에는 상속재산의 평가금액이 전술한 상속공제 합계액에 미달되더라도 사전증여재산 등이 있는 경우에는 상속공제 적용의 한도액 규정으로 인하여 상속세를 추가 납부하는 경우가 발생할 수 있었으나 2015년 말 상증법 개정을 통해 상기 ③의 경우에는 상속세 과세가액이 5억원을 초과하는 경우에만 해당 금액을 차감하여 상속공제 한도를 계산하도록 하여 사전증여없이 상속받는 경우와 형평을 도모[11]하였다. 다만, 이 경우 사전증여재산에 대한 기납부세액의 공제는 배제된다.

1) 상속공제 적용 한도액의 계산

상속세 과세가액*	-	상속인이 아닌 자에게 유증등을 한 재산의 가액	-	상속인의 상속 포기로 그 다음 순위의 상속인이 상속받은 재산의 가액	-	상속세 과세가액에 가산한 증여재산가액(증여재산공제액과 재해손실공제액을 차감한 가액)

* 〈참고〉 상속세 과세가액 = 총상속재산가액 - (비과세재산가액 + 과세가액불산입액 + 공과금·장례비·채무) + 합산대상 증여재산가액

11) 종전에는 사전증여 없이 상속 받는 경우에는 최소 5억원(일괄공제)까지는 모두 공제되나 사전증여를 받는 경우 그 금액만큼 누진세율 적용 등으로 상속세를 납부하게 되는 문제가 있었다.

관련예규 및 판례요약

각종 상속공제 : 상증법 §18~§24

일반적 기초공제와 관련된 예규, 판례

재산-64, 2012. 2.20.

「상속세 및 증여세법」 제21조 제1항에 따라 거주자의 사망으로 상속이 개시되는 경우에 상속인이나 수유자는 제18조 제1항과 제20조 제1항에 따른 공제액을 합친 금액과 5억원 중 큰 금액으로 공제받을 수 있으나 제67조에 따른 신고가 없는 경우에는 5억원을 공제함.

서면4팀-2795, 2007. 10. 1.

상속공제액은 상속세 과세가액에서 가산한 증여재산가액을 차감한 잔액 등을 한도로 함.

서면4팀-1291, 2007. 4. 23.

상속인이 없어 상속인이 아닌 자로서 특별연고자에도 해당되지 아니하는 자가 피상속인으로부터 재산을 유증받은 경우 당해 재산에 대하여는 상속공제가 적용되지 아니함.

감심 2002-131, 2002. 8. 27.

1997. 1. 1.~2000. 12. 31. 사이에 상속이 개시된 경우, 피상속인이 '거주자'인 경우에만 기초공제가 공제되며, 피상속인이 '비거주자'인 경우에는 기초공제 안됨.

가업상속공제와 관련된 예규, 판례

기획재정부재산세제과-725, 2019. 10. 28.

법인 전환 후에 동일한 업종을 영위하는 등 가업의 연속성이 유지되는 경우에는 피상속인이 개인사업자로서 가업을 영위한 기간을 포함하여 가업 경영기간을 계산하는 것이며, 이에 해당하는지는 사실판단할 사항임.

서면상속증여-1446, 2019. 10. 7.

법인세법을 적용받는 가업인 경우에는 가업상속재산을 계산할 때 당해 법인의 영업활동과 직접 관련이 없이 보유하고 있는 주식, 채권 및 금융상품은 사업무관자산에 해당함.

조심 2019 중 2136, 2019. 9. 9.

가업상속재산과 처분제한재산이 동일한데, 1년 이내 단기간 보유하거나 사업의 필요에 따라 언제든지 처분할 수 있는 자산인 유동자산은 가업상속공제 대상인 사업용 자산에 포함되지 아니한다고 해석함이 타당함.

기획재정부재산세제과-441, 2017. 7. 20.

구 상속세 및 증여세법(2016. 12. 20. 법률 제14388호로 개정되기 전의 것) 제18조 제2항 제1호에 따른 "규모의 확대 등으로 중소기업에 해당하지 아니하게 된 기업(상속이 개시되는 사업연도의 직전 사업연도의 매출액이 3천억원 이상인 기업 및 상호출자제한기업집단 내 기업은 제외한다)"에 해당하는지 여부를 판단할 때 매출액은 개별기업의 매출액을 기준으로 산정하는 것임.

법령해석재산-0299, 2017. 4. 12.

조세특례제한법 시행령(2017. 2. 7. 대통령령 제27848호로 개정된 것) 제9조 제4항 제1호 및 제3호의 요건을 충족한 중견기업이 100% 지분을 보유하는 종속기업이 있어 기업회계기준에 따라 연결재무제표를 작성하여야 하는 경우, 상속세 및 증여세법(2016. 12. 20. 법률 제14388호로 개정된 것) 제18조 제2항 제1호 및 같은 법 시행령 제15조 제2항 제3호에 따른 매출액 계산 시 종속기업의 매출액은 포함하지 아니하는 것임.

조심 2016중 2341, 2016. 9. 1.

조세법률주의에 따라 공제·감면 등 규정을 해석함에 있어 그 요건등은 엄격하게 적용할 필요가 있어 보이는 점 등에 비추어 신고 누락한 명의신탁 재산인 쟁점주식의 상속에 대하여 가업상속공제 요건이 충족되지 아니한 것으로 보아 쟁점주식 전부에 대하여 가업상속공제를 부인하여 상속세를 과세한 이 건 처분은 정당하다(2015. 12. 31. 이전상속분).

조심 2015서 660, 2016. 8. 9.

조특법 시행령 제27조의 6 제8항에서 각 호의 요건을 갖춘 경우에는 가업상속으로 본다고 명시하고 있음에도 상속개시 당시 잔여주식을 가업승계 받은 상속인 1인이 상속받지 아니했다고 가업상속공제를 배제한 처분을 살펴보면 상속인 1인의 가업전부상속 요건이 최근 개정(2016. 2. 5.)된 상증세법 시행령에서 삭제된 점 등에 비추어 청구인이 상속개시 당시 쟁점주식을 상속받지 아니하였다 하여 가업상속공제를 배제한 이 건 상속세 과세처분은 잘못이 있다고 판단된다.

서면상속증여-3616, 2016. 5. 17.

2개 이상의 가업을 각각 다른 상속인에게 상속하는 경우 가업상속공제가 적용되며, 2개 이상 가업 전부를 승계받는 수증자 1인에 대하여만 가업승계 과세특례가 적용된다.

재재산-222, 2016. 3. 18.

가업에 해당하는 기업이 가업에 해당하지 않는 자회사를 흡수합병한 경우 가업상속 재산가액은 가업에 해당하는 법인의 주식가액에 총자산가액 중 사업무관자산을 제외한 자산가액이 총자산가액에서 차지하는 비율을 곱하여 계산한다.

서면상속증여-1677, 2015. 9. 14.

가업에 해당하는 법인이 보유중인 다른 회사가 발행한 주식은 상증령 제15조 제5항 제2호에 따른 사업무관자산에 해당하는 것임.

서면상속증여-611, 2015. 6. 11.

개인사업자로서 영위하던 가업을 동일업종의 법인으로 전환하여 피상속인이 법인 설립일 이후 계속하여 그 법인의 최대주주 등에 해당하는 경우에는 개인사업자로 가업을 영위한 기간을 포함하여 10년 여부를 판단하며, 대표이사 기간에는 개인사업자의 대표자인 기간을 포함함.

서면법령재산-22512, 2015. 5. 27.

피상속인이 10년이상 계속하여 경영한 A법인이 가업에 해당하지 않는 B법인을 흡수합병한 경우 가업영위기간은 합병전 A법인을 피상속인이 계속하여 경영한 기간을 가업영위기간에 포함하는 것이며, 가업상속 재산가액은 피합병법인으로부터 승계받은 자산, 부채, 손익을 제외하고 계산함.

상속증여-46, 2015. 1. 27.

가업상속공제시 상속인의 요건 중 상속인의 배우자가 「상속세 및 증여세법 시행령」 제15조 제4항 제2호 가·나·라목의 요건을 모두 갖춘 경우 상속인이 그 요건을 갖춘 것으로 보는 것임.

재재산-741, 2014. 11. 14.

피상속인이 건강상 이유로 상속개시일 현재 불가피하게 가업에 종사하지 못한 경우에도 「상속세 및 증여세법」 제18조 제2항 제1호에 따른 가업상속공제의 요건 등을 충족한 경우에는 가업상속공제를 적용받을 수 있는 것임.

서면법규-763, 2014. 7. 18.

상속인의 지분이 감소 여부 판단 시 주식발행법인이 보유하는 자기주식은 발행주식총수에서 제외하는 것이며, 자기주식을 처분한 후에도 상속인이 최대주주 등에 해당하는 경우에는 "상속인의 지분이 감소한 경우"에 해당하지 아니하는 것임.

상속증여세과-206, 2014. 6. 19.

「상속세 및 증여세법」 제18조 제2항 제1호에 따른 가업상속공제를 적용할 때 같은 법 시행령 제15조 제4항 제1호의 "대표이사 재직기간"에는 공동대표이사 또는 각자대표이사로 재직한 기간을 포함하는 것이나, 피상속인이 10년 이상 계속하여 가업을 경영하였는지 여부는 사실

판단할 사항임.

재재산-385, 2014. 5. 14.

가업을 경영하는 자가 가업을 경영하지 아니한 배우자로부터 증여받아 10년이 경과하지 아니한 주식에 대하여는 가업상속공제 및 「조세특례제한법」 제30조의 6에 따른 가업승계에 대한 증여세 과세특례가 적용되지 않는 것임.

상속증여-170, 2014. 5. 30.

피상속인이 10년 이상 계속하여 경영한 법인과 10년 이상 계속하여 경영하지 않은 법인이 합병하여 합병신설법인의 사업을 영위 중에 상속이 개시된 경우 피상속인의 10년 이상 계속하여 경영한 가업에 해당하는지 여부는 합병신설법인이 합병 후 사업을 개시한 날부터 시작하여 판단하는 것임.

영농상속공제와 관련된 예규, 판례

서면상속증여-3858, 2019. 9. 5.

영농상속 요건을 갖춘 피상속인으로부터 영농인과 비영농인이 농지를 공동으로 상속받은 경우 상속농지 중 영농인이 상속받은 지분비율 가액은 영농상속재산가액으로 봄.

조심 2018중 4474, 2019. 1. 30.

청구인은 인우보증서 이외에 농산물 등의 판매내역에 대한 객관적이고 구체적인 증빙자료를 제시하지 못하고 있는 점, 처분청은 쟁점토지에 대해 금양임야로 비과세로 경정감한 사실이 있는 점 등에 비추어 청구인이 제시한 증빙자료만으로는 쟁점토지에 대해 청구인과 피상속인이 상속개시일 2년 전부터 영농에 종사하였다는 청구주장을 받아들이기 어려움.

조심 2015중 4628, 2015. 12. 2.

항공사진 등에 의하면 쟁점부동산은 영농상속공제토지와 필지 구분 없이 1필지처럼 농지로 사용되고 있는 것으로 보이는 점, 청구인이 제시한 확인서 및 인우보증서는 사인간에 작성된 것으로 신빙성 있는 증빙으로 보기 어려운 점, ○○○은 △△△에 근무하면서 일정 금액의 급여를 수령하는 등 영농에 종사하였다고 보기 어려운 점, 농작물의 처분내역 등 자경사실을 확인할 수 있는 증빙이 제시되지 아니한 점 등에 비추어 쟁점부동산을 상속받은 ○○○을 영농상속인으로 보기 어려우므로 처분청이 영농상속공제를 배제하고 상속세를 과세한 처분은 잘못이 없음.

기준법령재산-50, 2015. 5. 19.

피상속인이 상속개시일 2년 전부터 타인에게 임대한 농지는 영농상속재산에 해당하지 않음.

다만, 피상속인이 질병의 요양으로 부득이하게 계속하여 직접 영농에 종사하지 못하였으나, 상속개시일 현재 2년 이상 계속하여 영농에 사용한 경우에는 영농상속재산에 해당함.

재재산-28, 2015. 1. 9.

피상속인이 상속개시일 2년 전부터 영농에 사용하지 아니한 자산은 「상속세 및 증여세법」 제18조 제2항 제2호에 따른 영농상속공제의 적용대상이 아님.

서면법규-504, 2014. 5. 21.

상증법 제18조 제2항 제2호에 따른 영농상속공제를 받은 상속인이 상속일로부터 2년 이내에 사망하여 당해 사망한 상속인의 자녀가 영농상속공제를 받은 재산가액을 다시 상속받는 경우 같은 규정에 따른 영농상속공제를 적용하지 않음.

대법 2012두 15975, 2012. 11. 15.

직접 영농에 종사하는 이상 다른 직업을 겸업 하더라도 여기서 말하는 영농상속인에 해당할 것이지만, 다른 직업에 전념하면서 농업을 간접적으로 경영하는 것에 불과한 경우에 해당하고 상속개시일 2년 전부터 계속하여 그 영농상속재산의 소재지와 동일한 시·군·구에 거주하지 아니하여 영농상속공제 적용배제는 적법함.

배우자 상속공제와 관련된 예규, 판례

조심 2019서 1884, 2019. 9. 18.

비록 배우자 1인의 단독상속이라 하더라도, 추정상속재산이 은닉된 재산으로 그 귀속의 불분명함이 전제된 이상 배우자가 실제로 상속받은 재산으로 보기는 곤란하므로 처분청이 사전증여재산 및 추정상속재산을 배우자가 실제로 상속받지 않은 재산으로 보아 배우자상속공제 적용대상에서 배제한 이 건 처분은 달리 잘못이 없음.

서면상속증여-0211, 2019. 6. 19.

배우자상속재산분할기한 다음날부터 6월이 되는 날까지 분할할 수 없는 부득이한 사유 해당 여부는 관할 세무서장이 상속세 과세표준과 세액의 결정시 판단하여 적용하는 것임.

조심 2016서 20197, 2016. 9. 26., 대법 2018다 219451, 2018. 5. 15.

상속개시일(2014. 9. 3.) 현재 수용예정 토지라고 해도 배우자상속재산분할기한까지 상속토지의 소유권이전등기가 배우자 명의로 경료되지 아니하고, 상속재산 분할사실을 신고하지 않은 경우 배우자상속공제를 배제한 처분은 정당하다.

서면상속증여-457, 2015. 4. 22.

배우자가 상속받은 재산을 배우자상속재산분할기한까지 분할하여 신고하는 경우 실제 받은 금액으로 배우자상속공제 가능

상속증여-220, 2013. 6. 17.

배우자상속공제액을 계산할 때 배우자가 상속개시 전에 증여받은 재산은 "배우자가 실제 상속받은 금액"에 포함하지 아니함.

법규재산 2013-65, 2013. 3. 29.

동일 재산에 대하여 「상속세 및 증여세법」 제18조 제2항의 가업상속공제와 같은 법 제19조 배우자상속공제를 중복 적용하지 아니함.

재산-765, 2010. 10. 15.

상속이 개시된 이후에 피상속인 명의의 예금을 편의상 장남의 명의로 변경한 후 만기해지하여 상속세 및 증여세법 제67조 규정에 의한 상속세과세표준 신고기한 이내에 피상속인의 배우자에게 이전하고 신고하는 경우에는 피상속인의 배우자가 상속받은 것으로 보는 것임.

법규재산 2011-383, 2012. 10. 9.

보상채권이 무기명증권이고 만기까지 예탁되었다는 사유만으로는 배우자 상속재산 분할기한까지 분할할 수 없는 정당한 사유에 해당하지 아니하며, '상속재산분할협의서'의 제출만으로 배우자 상속재산 분할기한 내에 분할이 된 것으로 볼 수 없는 것임.

재산-209, 2010. 4. 1.

배우자 상속공제는 상속재산의 가액에 배우자의 법정상속분을 곱하여 계산한 금액에서 상속재산에 가산한 증여재산 중 배우자에게 증여한 재산에 대한 과세표준을 뺀 금액(그 금액이 30억원을 초과하는 경우에는 30억원)을 한도로 하며, 이 경우 상속재산가액은 세무서장 등이 결정하는 금액에 의하는 것임.

재산-1084, 2009. 12. 21.

피상속인의 배우자가 「민법」 제1004조에 따라 상속인이 되지 못한 경우에도 배우자 상속공제가 적용됨.

조심 2009중 2383, 2009. 9. 30.

배우자 상속재산 분할기한까지 신고하지 아니한 배우자의 금융재산은 분할한 상속재산으로 볼 수 없으므로 배우자 상속공제를 추가적으로 적용할 수 없음.

조심 2008서 628, 2008. 10. 16.

배우자 상속재산 분할기한의 다음날부터 6월을 경과하여 과세표준과 세액의 결정이 있는 경우에는 그 결정일전까지 신고하여야 배우자 상속공제(한도 30억원)을 적용할 수 있음.

서면4팀 - 1012, 2008. 4. 22.

피상속인의 배우자가 이혼조정을 신청한 경우로서 상속개시일 전에 조정이 성립된 경우에는 배우자 상속공제를 적용받을 수 없음.

서면4팀 - 198, 2008. 1. 23.

단순히 상속인간의 다툼으로 인해 상속재산의 등기 등이 지연됨은 배우자 상속재산 분할기한이 연장되는 부득이한 사유에 해당하지 않음.

재재산 - 566, 2007. 5. 15.

배우자 상속공제액 산정시 상증법 제15조 제1항에 따라 배우자가 상속받은 것으로 추정하여 상속세 과세가액에 산입되는 추정상속재산가액은 '배우자가 실제 상속받은 금액'에 포함하지 않음.

재재산 - 537, 2007. 5. 11.

배우자 상속공제시 배우자가 실제 상속받은 금액에는 배우자의 사전증여 받은 재산가액은 포함하지 않음.

서면4팀 - 3255, 2006. 9. 25.

배우자가 동일자에 시차를 두고 사망한 경우 먼저 사망한 자에 대한 상속인으로서 배우자의 상속공제를 받을 수 있음.

국심 2004중 2015, 2006. 8. 14.

상속개시일로부터 직전 2년간 국내에 거주한 기간이 많고 국내에서 경제활동을 계속하는 등 피상속인이 거주자에 해당하므로 배우자 상속공제 및 일괄공제를 배제한 것은 부당함.

서면4팀 - 2760, 2006. 8. 10.

상속개시 전 피상속인이 부동산 양도계약을 체결하고 중도금을 영수하기 전에 사망한 경우 배우자 상속재산 분할기한까지 배우자의 명의로 이전등기한 경우 배우자가 실제로 상속 받은 재산에 해당함.

동거주택 상속공제와 관련된 예규, 판례

심사상속 2019 - 0004, 2019. 5. 15.

쟁점오피스텔의 구조는 주거용으로 사용하기에 적합하고 청구인이 주택임대 사업자 지위를 계속적으로 유지하여 주택으로 임대할 목적이었으므로 쟁점오피스텔을 주택으로 보아 동거주택상속공제를 배제함.

조심 2019서 0810, 2019. 4. 24.

상속개시일로부터 10년 이내에 쟁점주택 외에 다른 주택을 보유한 사실이 있어 1세대 1주택에 해당하지 아니한다고 보아 쟁점주택에 대한 동거주택 상속공제를 부인하여 청구인들에게 상속세를 과세한 이 건 처분은 잘못이 없다고 판단됨.

법규재산 2017-0565, 2019. 2. 22.

「상속세 및 증여세법」 제23조의 2 제 1항 제2호 및 제3호를 충족하는 경우로서, 피상속인과 상속인이 상속개시일부터 소급하여 10년 이상 계속하여 하나의 주택에서 동거하는 경우에는 피상속인의 보유기간과 관련 없이 같은 법 제1항에 따른 동거주택 상속공제를 적용할 수 있는 것임.

서면상속증여-0459, 2018. 5. 18.

「상속세 및 증여세법」 제23조의 2 제1항 각 호의 요건을 모두 갖춘 경우 동거주택 상속공제 규정을 적용하는 것으로 귀 질의의 경우 상속개시일부터 소급하여 10년 이상 계속하여 1세대 1주택 요건을 갖추지 못하여 해당 규정이 적용되지 않는 것임.

조심 2016서 4361, 2018. 4. 19.

제출한 신용카드 사용내역, 졸업장, 가계부 지출처 소재지, 아파트 입주자 명부 등 증빙서류를 종합적으로 살펴보면, 일부 기간 동안 피상속인과 청구인들의 주민등록상 주소지가 다르게 등재되었으나 사실상은 피상속인과 상속인들이 동일 주택에서 함께 1세대 1주택을 구성하였다고 보여 동거주택상속공제를 적용함이 타당하다고 판단된다.

서면상속증여-2072, 2015. 11. 3.

「상속세 및 증여세법」 제23조의 2를 적용함에 있어 피상속인이 주택과 주택부수토지 일부를 소유하던 중 상속이 개시되어, 주택은 배우자가 상속받고 주택부수토지는 피상속인과 동거한 직계비속 상속인이 상속받는 경우에는 동거주택상속공제를 적용할 수 없는 것임.

서면법령재산-243, 2015. 5. 27.

상속개시일 전 피상속인이 임대보증금을 받고 임대한 주택에 대하여 매매계약을 체결한 후 계약금만을 수령하고 사망한 경우로서 「상속세 및 증여세법」 제23조의 2 제1항 각 호의 요건을 모두 갖춘 경우 해당 주택에 대하여 동거주택 상속공제를 적용받을 수 있는 것이며, 상속주택가액은 해당 주택의 양도대금 전액에서 상속개시일 전에 피상속인이 수령한 계약금을 차감한 가액으로 하는 것임.

심사상속 2014-21, 2014. 10. 13.

동거주택 상속공제 규정은 '상속개시일 현재 1세대 1주택'을 '상속개시일부터 소급하여 10년 이상 계속하여 1세대 1주택'으로 변경된 것으로 상속개시일부터 소급하여 피상속인이 포함된 동일세대가 3년 이상 보유에서 10년 이상 보유의 개념으로 바뀌었을 뿐, 피상속인만의 보유기간이 10년 이상이어야 하는 것은 아님.

상속증여-624, 2013. 12. 18.

피상속인이 며느리와 공동지분으로 소유하는 동거주택의 피상속인 소유지분을 상속개시일 현재 피상속인과 동거한 상속인(아들)이 상속받은 귀 질의의 경우, 그 피상속인 소유지분의 100분의 40에 상당하는 금액을 「상속세 및 증여세법」 제23조의 2 제1항에 따라 5억원을 한도로 상속세 과세가액에서 공제하는 것임.

법규재산 2013-411, 2013. 10. 31.

「상속세 및 증여세법」 제23조의 2에서 규정하는 동거주택 상속공제를 적용함에 있어, "주택"은 공부상 용도구분에 관계없이 사실상 상시 주거용으로 사용하는 건물을 의미하는 것으로, 오피스텔이 이에 해당하는지 여부는 해당 오피스텔의 내부구조 · 형태, 사실상 용도 등을 종합하여 사실판단할 사항임.

상속증여-15, 2013. 3. 27.

피상속인과 상속인이 상속개시일로부터 소급하여 10년 이상 계속하여 하나의 주택에서 동거하였다면, 상속개시일 현재 무주택자인 상속인이 상속받은 주택에 대해서는 상속개시 당시 그 상속주택에서 동거하지 않았더라도 동거주택 상속공제를 받을 수 있음.

재산-261, 2012. 7. 19.

2011. 1. 1. 이후 상속분부터 동거주택 상속공제를 적용할 때 상속개시일부터 소급하여 10년 이상 계속하여 「소득세법」 제89조 제1항 제3호에 따른 1세대 1주택으로서 같은 법 시행령 제154조 제1항에 따른 1세대가 1주택(피상속인의 이사에 따른 일시적 2주택 등을 포함)을 소유한 경우, 피상속인과 상속인이 상속개시일부터 소급하여 10년 이상 계속하여 하나의 주택에서 동거하였다면, 상속개시일 현재 무주택자인 상속인이 상속받은 주택에 대해서는 그 상속주택에 대하여 10년 이상 보유 및 동거하지 않았더라도 「상속세 및 증여세법」 제23조의 2에 따른 동거주택 상속공제를 적용 받을 수 있는 것임.

재산-248, 2012. 7. 4.

2011. 1. 1. 이후 상속분부터 피상속인과 상속인이 주택재건축사업의 시행기간 동안 전세로 동거한 기간은 「상속세 및 증여세법」 제23조의 2 제1항 제1호의 "10년 이상 하나의 주택에서 동거"에 있어 동거기간에 산입함.

재산-237, 2012. 6. 25.

동거주택 상속공제 적용시 1세대 1주택 요건을 충족한 주택의 멸실로 인해 취득한 조합원입주권으로서 상속개시 당시 다른 주택이 없는 경우에는 1세대 1주택 요건을 충족한 것으로 보아 동거주택 상속공제를 적용하는 것임.

재재산-488, 2012. 6. 18.

「상속세 및 증여세법」 제23조의 2에 따라 동거주택 상속공제 적용시 상속에 의하여 취득한 주택의 보유기간 산정은 그 상속이 개시된 날부터 기산하는 것임.

일반적 일괄공제와 관련된 예규, 판례

재산-131, 2012. 3. 28.

「상속세 및 증여세법」 제21조(일괄공제)에 따라 거주자의 사망으로 상속이 개시되는 경우에 상속인 또는 수유자는 같은 법 제18조 제1항 및 제20조 제1항에 의한 공제액의 합계액과 5억원 중 큰 금액으로 공제를 받을 수 있는 것으로서, 귀 질의의 경우 피상속인의 직계존속이 「민법」 제1004조에 따라 상속인이 되지 못하여 「민법」 제1000조에 따른 피상속인의 형제자매가 상속인이 되는 경우에도 해당 조항을 적용받을 수 있는 것임.

서일 46014-10011, 2004. 1. 5.

피상속인의 형제자매가 상속인이 되는 경우에도 기초공제와 기타 인적 공제의 합계액과 5억원 중 큰 금액으로 공제를 받을 수 있음.

감심 2002-55, 2002. 4. 9.

피상속인이 상속인인 자녀에게 사전증여한 농지는 영농상속공제 및 일괄공제대상에 포함하지 않음.

재산상속 46014-778, 2000. 6. 28.

법정상속인이 법원판결에 의해 유증을 받은 자로부터 유류분을 반환받은 경우, '경정청구' 가능하며, 관련 '인적 공제' 등 적용됨.

심사상속 99-482, 2000. 3. 10.

거주자의 사망으로 상속이 개시된 경우로 기초공제 및 기타 인적 공제합계액이 일괄공제액 5억원 미만이므로 5억원을 공제해야 함.

재산상속 46014-222, 2000. 2. 29.

기초공제액과 배우자 상속공제액의 합계액이 5억원에 미달함에도 그 합계만을 공제한 경우는 5억원을 공제하는 것으로 경정청구할 수 있음.

상속공제 적용의 한도와 관련된 예규, 판례

서면상속증여-150, 2015. 5. 6.

「상속세 및 증여세법」 제18조부터 제23조까지 및 제23조의 2에 따라 공제할 금액은 상속세 과세가액에서 같은 법 제24조에 따라 상속세 과세가액에서 같은 법 제13조에 따라 상속세 과세가액에 가산한 증여재산가액(같은 법 제53조 및 제54조에 따라 공제받은 금액이 있으면 그 증여재산가액에서 그 공제받은 금액을 뺀 가액을 말함) 등을 차감한 금액을 한도로 하는 것임.

조심 2012서 4078, 2012. 12. 12.

「상속세 및 증여세법」 제24조에 따른 상속공제한도액 계산시 상속세 과세가액에서 차감하는 상속인이 아닌 자가 유증받은 재산가액은 부담부채무액을 공제하는 것으로 보는 것이 타당한 것으로 판단됨.

재산-313, 2012. 9. 6.

피상속인인 계모가 상속재산 전부를 남편 전처의 자녀 등 상속인이 아닌 자로서 「민법」 제1057조의 2의 규정에 의한 특별연고자에도 해당되지 아니하는 자에게 유증한 경우 해당 재산에 대하여는 상속공제의 한도 규정에 따라 상속공제가 적용되지 아니함.

재산-179, 2011. 4. 7.

상속개시 당시 피상속인에게 배우자 및 자녀가 있는 때에는 그 배우자나 자녀가 상속포기 등으로 상속을 받지 않더라도 배우자공제 등 인적공제를 적용 받을 수 있으나, 공제적용한도 규정은 적용하지 않음.

재산-3579, 2008. 10. 31.

상속인이 아닌 자가 피상속인으로부터 유증받은 재산을 상속세 과세표준 신고기한 이내에 상속인에게 반환한 경우 상속인이 아닌 자에게 유증 등을 한 재산의 가액에 해당하지 아니함.

8 상속세 세액의 계산(상증법 §26)

상속세액은 상속세의 과세표준에 세율을 곱하여 계산하며, 산출된 세액에 감면세액을 차감하고 가산되는 세액을 더하면 납부할 세액이 된다.

가. 상속세액의 계산

상속세의 세율은 초과누진세제로 되어 있다. 각 과세표준에 따른 세율은 다음과 같다.

| 상속세 세율표 |

과세표준	세 율	누진공제
1억원 이하	10%	–
1억원 초과 5억원 이하	20%	1,000만원
5억원 초과 10억원 이하	30%	6,000만원
10억원 초과 30억원 이하	40%	1억 6천만원
30억원 초과	50%	4억 6천만원

* 상속세액 계산시 과세표준에 세율을 곱한 금액에서 누진공제를 차감하여 계산

나. 세대를 건너뛴 상속에 대한 할증과세(상증법 §27)

민법상 피상속인인 할아버지가 자(子)의 세대를 건너뛰어 손자에게 직접 유증을 할 수 있으며, 이 경우 자(子)의 세대를 통해 손자에게 상속될 때 부담해야 할 상속세의 회피소지가 발생한다. 이에 따라 「상속세 및 증여세법」에서는 상속인 또는 수유자가 피상속인의 자녀를 제외한 직계비속인 경우에는 위 세율표에 의한 상속세 산출세액에 상속재산 중 그 상속인 또는 수유자가 받았거나 받을 재산이 차지하는 비율을 곱하여 계산한 금액의 100분의 30에 상당하는 금액을 가산하여 과세하도록 하고 있다. 다만, 「민법」 제1001조의 규정에 의한 대습상속의 경우에는 그러하지 아니한다.

2015년말 상증법 개정시 상속인 또는 수유자가 피상속인의 자녀를 제외한 미성년자인 직계비속이면서 상속재산의 가액이 20억원을 초과하는 경우에는 할증률을 100분의 40으로 적용하도록 개정하였다.

$$\text{할증과세액} = \text{상속세 산출세액} \times \frac{\text{피상속인의 자녀를 제외한 직계비속이 상속받은 재산가액 (사전 증여재산가액 포함)}}{\text{총상속재산가액}} \times \frac{30^{*}}{100}$$

* 피상속인의 자녀를 제외한 미성년자인 직계비속으로서 상속재산가액이 20억 초과시 100분의 40

관련예규 및 판례요약

상속세 세율 등 : 상증법 §27

세대를 건너뛴 상속에 대한 할증과세와 관련된 예규, 판례

서면4팀-1447, 2008. 6. 17.

세대를 건너 뛴 상속에 대한 할증과세시 총상속재산가액에는 상속인 또는 수유자가 아닌 자가 받은 증여재산은 포함하지 않음.

서면4팀-538, 2005. 4. 11.

세대를 건너뛴 상속에 대한 할증과세 방법은 산출세액을 총상속재산에 대한 세대를 건너뛴 상속재산가액의 비율로 계산함.

서면4팀-1048, 2004. 7. 8.

조부의 상속재산을 부가등기하지 않은 상태에서 사망하여 손자가 상속하는 경우 세대를 건너뛴 상속의 할증과세는 적용하지 아니하고 신고·납부불성실가산세는 부담함.

9 상속세 세액공제

가. 증여세액공제(상증법 §28)

전술한 바와 같이 상속세 과세가액을 계산하는 경우 상속개시일 전 10년 또는 5년 이내에 상속인 또는 상속인 이외의 자에게 증여한 재산의 가액을 가산하도록 하고 있으며, 이 경우 상속세 과세가액에 가산한 증여재산은 당초 증여시 이미 증여세가 부과되었으므로 이중과세 문제가 발생하게 된다. 따라서 「상속세 및 증여세법」에서는 이를 조정하기 위해 증여세액공제 제도를 두고 있다.

증여세액 공제액은 상속세산출세액에 상속재산(「상속세 및 증여세법」 제13조에 따라 상속재산에 가산하는 증여재산을 포함)의 과세표준에 대하여 가산한 증여재산의 과세표준이 차지하는 비율을 곱하여 계산한 금액을 한도로 한다. 이 경우 그 증여재산의 수증자가 상속인이거나 수유자이면 그 상속인이나 수유자 각자가 납부할 상속세액에 그 상속인 또는 수유자가 받았거나 받을 상속재산에 대하여 대통령령으로 정하는 바에 따라 계산한 과세표준에 대하여 가산한 증여재산의 과세표준이 차지하는 비율을 곱하여 계산한 금액을 한도로 각자가 납부할 상속세액에서 공제한다. 구체적인 계산방법은 아래를 참고하기 바란다.

증여세액공제액의 계산

① 증여세 공제세액 : 아래 ㉠, ㉡ 중 적은 금액
㉠ 상속세 과세가액에 가산한 증여재산의 증여당시 증여세 산출세액
㉡ 공제한도액

② 공제한도액
㉠ 수증자가 상속인이나 수유자인 경우

$$공제한도액 = \begin{matrix}상속인이나\ 수유자\\ 각자가\ 납부할\\ 상속세\ 산출세액\end{matrix} \times \frac{상속인이나\ 수유자\ 각자의\ 상속재산에\ 가산한\ 증여재산에\ 대한\ 증여세\ 과세표준}{상속인이나\ 수유자\ 각자가\ 받았거나\ 받을\ 상속재산(증여재산\ 포함)에\ 대한\ 상속세\ 과세표준상당액}$$

㉡ 수증자가 상속인이나 수유자가 아닌 경우

$$공제한도액 = 상속세\ 산출세액 \times \frac{가산한\ 증여재산에\ 대한\ 증여세\ 과세표준}{상속세\ 과세표준(사전증여재산\ 포함)}$$

나. 외국납부세액공제(상증법 §29)

거주자의 사망으로 상속세를 부과하는 경우에 외국에 있는 상속재산에 대하여 외국의 법령에 따라 상속세를 부과받은 경우에는 그 부과받은 상속세에 상당하는 금액을 상속세 산출세액에서 공제한다.

상속세 산출세액에서 공제할 외국납부세액은 다음 계산식에 따른 금액으로 하며, 그 금액이 외국의 법령에 따라 부과된 상속세액을 초과하는 경우에는 그 상속세액을 한도로 한다.

$$외국납부세액공제액 = 상속세\ 산출세액 \times \frac{외국의\ 법령에\ 따라\ 상속세가\ 부과된\ 상속재산의\ 과세표준(해당\ 외국의\ 법령에\ 따른\ 상속세의\ 과세표준)}{상속세\ 과세표준}$$

다. 단기상속공제(상증법 §30)

단기상속공제는 상속이 개시된 후 10년 이내에 다시 상속이 개시된 경우 동일재산에 대하여 두 번 상속세가 과세되는 부담을 경감시켜 주기 위하여 만들어진 제도이다.

상속개시 후 10년 이내에 상속인 또는 수유자의 사망으로 다시 상속이 개시되는 경우에는 이전에 상속세가 부과된 상속재산 중 재상속분에 대한 이전의 상속세 상당액을 상속세 산출세액에서 공제한다.

$$\text{전의 상속세 산출세액} \times \frac{\text{재상속분의 재산가액} \times \dfrac{\text{전의 상속세 과세가액}}{\text{전의 상속재산가액}}}{\text{전의 상속세 과세가액}} \times \text{공제율}$$

※ 재상속분의 재산가액 = 전 상속재산가액 - 전 상속세액

| 단기 재상속 공제율 |

재상속 기간	공제율	재상속 기간	공제율
1년 이내	100분의 100	6년 이내	100분의 50
2년 이내	100분의 90	7년 이내	100분의 40
3년 이내	100분의 80	8년 이내	100분의 30
4년 이내	100분의 70	9년 이내	100분의 20
5년 이내	100분의 60	10년 이내	100분의 10

라. 신고세액공제(상증법 §69)

상속세 과세표준 신고기간 내에 신고서를 제출하는 자에 대하여는 신고한 과세표준에 세율을 곱한 금액에서 신고세액에 포함된 징수유예금액이나 법률의 규정에 의한 상속세 공제·감면세액을 차감한 금액의 100분의 7(2016. 12. 31.까지 상속하는 분은 100분의 10)을 상속세 산출세액에서 공제한다.

마. 문화재 자료 등의 상속세 징수유예(상증법 §74)

상속재산에 「문화재보호법」의 규정에 의한 문화재 자료가 포함되어 있는 경우와 「박물

관 및 미술관진흥법」의 규정에 의하여 등록한 박물관 자료 또는 미술관 자료로서 박물관 또는 미술관에 전시, 보존 중에 있는 것이 있는 경우에는 세무서장은 상속세액 중 그 재산가액에 상당하는 상속세액에 대하여 그 징수를 유예한다.

그러나 문화재 또는 박물관 자료를 상속받은 상속인이 이를 유상으로 양도하거나 기타 대통령령이 정하는 사유로 박물관 자료를 인출하는 경우에는 세무서장은 지체 없이 그 징수를 유예한 상속세액의 징수절차를 밟아야 하고, 또 징수유예의 기간 중에 다시 상속이 개시된 경우에는 세무서장은 그 징수유예한 상속세액의 부과결정을 철회하고, 이를 다시 부과한다.

관련예규 및 판례요약

상속세 세액공제 : 상증법 §28~§30, §69, §74

증여세액공제와 관련된 예규, 판례

대법 2016두 54275, 2018. 12. 13.

피상속인이 사망하여 상속이 개시된 때에 대습상속의 요건을 갖추어 상속인이 되었다면, 그 상속인이 상속개시일 전 10년 이내에 피상속인으로부터 증여받은 재산의 가액은 상속인에 대한 증여로 보아 상속세 과세가액에 포함되어야 한다. 그리고 대습상속요건 이전에 증여받은 현금에 대하여 세대생략가산액을 납부하였고, 증여자의 사망으로 상속이 개시된 때 위 원고들이 증여자이자 피상속인의 대습상속인이 된 이상, 상속재산에 가산된 위 원고들이 받은 증여재산에 대한 증여세산출세액과 아울러 세대생략가산액까지 포함하여 상속세산출세액에서 공제함이 타당하다.

조심 2013중 294, 2013. 3. 21.

세대생략가산액은 상속세 산출세액에서 공제하는 증여세액에 해당하지 아니하는 것으로 보이므로 쟁점금액을 상속세 산출세액에서 공제하여야 한다는 청구주장은 받아들이기 어려움

재산-81, 2013. 3. 18.

부와 모로부터 증여받고 부가 사망한 경우 상속세 계산시 부의 증여분에 대한 증여세액공제는 부와 모의 증여재산을 합산하여 계산한 증여세 산출세액을 증여재산가액으로 안분하여 계산함.

대법 2012두 720, 2012. 5. 9.

증여 당시 수증자가 배우자인 관계로 배우자 증여공제를 받았다가 상속개시 당시에는 이혼으로 상속인이 아니어서 배우자 상속공제를 받을 수 없게된 경우 상속세 산출세액에서 공제할 증여세액은 실제로 납부한 증여세액이 아니라 증여한 재산가액에 대하여 배우자 증여공제를 하지 아니하였을 때의 증여세 산출세액임.

재산-39, 2012. 2. 7.

창업자금에 대한 증여세액은 한도액 계산없이 상속세 산출세액에서 공제하며 이 경우 공제할 증여세액이 상속세 산출세액보다 많은 경우 그 차액에 상당하는 증여세액은 환급하지 아니함.

재산-7, 2011. 1. 5.

상속개시일 전 5년 이내에 피상속인이 상속인이 아닌 자에게 증여한 재산가액을 「상속세 및 증여세법」 제13조의 규정에 의해 상속재산의 가액에 가산하는 경우 같은 법 제28조에 따라 당해 증여재산에 대한 증여당시의 증여세산출세액 상당액을 공제하는 것으로 상속개시일 전 5년 이내에 피상속인이 영리법인에게 증여한 재산가액을 상속재산가액에 가산하는 경우에는 영리법인이 증여받을 때 계산되는 증여세 산출세액으로 하는 것이 타당함.

상속세 외국납부세액공제와 관련된 예규, 판례

국심 2004중 1053, 2004. 7. 2.

상속재산미분할신고서를 제출하지 않았다는 사유만으로 배우자 상속공제를 5억원만 공제한 처분은 부당함.

서일 46014-10914, 2003. 7. 14.

상속세 조사결정시에, 국외 소재 상속재산에 대해 그 외국에서 상속세 부과사실이 입증되고, 외국납부세액공제신청서가 제출되는 경우에는 외국납부세액공제 적용 가능함.

제 3 절 부동산상속재산의 평가

상속세액 계산에 있어서 핵심은 상속재산을 평가하는 것이다. 상속재산의 평가에 대한 문제는 납세자와 과세관청간 입장이 첨예하게 대립되는 부분으로 평가와 관련한 불복청구 등도 빈번하게 이루어지고 있는 것이 현실이다. 상속재산의 평가방법은 「상속세 및 증여세법」 제60조 내지 제66조에서 규정하고 있는 바, 상속재산의 평가방법에 따라 납세자가 실제로 부담하는 상속세 부담액이 상이하게 되므로 조세공평성 측면에서 객관적이고 통일된 방법으로 재산을 평가하는 것이 무엇보다 중요하다고 할 것이다.

원칙적으로 상속세 및 증여세가 부과되는 재산의 가액은 상속개시일 또는 증여일 현재의 시가에 따르도록 규정하고 있다.

1 재산평가의 기준일(상증법 §60 ①)

상속세 및 증여세가 부과되는 재산의 가액은 상속개시일 또는 증여일 현재(이하 '평가기준일')의 시가를 기준으로 한다.

상속재산의 가액 및 상속재산의 가액 중에서 공제할 공과금 또는 채무는 상속개시 당시의 현황에 의한다. 다만, 실종선고로 인한 상속의 경우에는 실종신고일 당시의 현황에 의하며, 상속재산의 가액에 가산할 증여의 가액은 증여 당시의 현황에 의한다.

2 재산평가의 원칙(상증법 §60)

상속재산의 평가는 원칙적으로 시가에 의하여 평가한다. 시가라 함은 과세시기에 있어서 각각 재산의 현황에 따라 불특정다수인간에 자유로이 거래가 되는 경우에 통상 성립된다고 인정되는 가액을 말하며, 수용가격 · 공매가격 및 감정가격 등도 포함된다.

가. 시가의 구체적 범위(상증령 §49 ①)

「상속세 및 증여세법」 제60조 제2항에서 시가로 인정되는 것이란 평가기준일 전후 6개월(증여재산은 3개월) 이내의 기간 중 매매·감정·수용·경매 또는 공매가 있는 경우에 다음의 방법으로 확인되는 가액을 말한다. 이 경우 아래 다. 2)의 '평가기준일 전후 6월(증여재산의 경우 평가기준일 전 6개월부터 평가기준일 후 3개월까지로 한다. 이하 이 항에서 "시가인정기간"이라 한다) 이내 해당여부 판단 기준일'이 평가기준일 전에 해당하는 경우로서 그 날부터 평가기준일까지 해당 재산에 대한 자본적지출액이 확인되는 경우에는 그 자본적지출액을 더한 가액으로 평가할 수 있도록 하였다.

1) 해당 재산에 대한 매매사실이 있는 경우에는 그 거래가액. 다만, 다음의 어느 하나에 해당하는 경우는 제외된다.

① 「상속세 및 증여세법 시행령」 제2조의 2 제1항 각 호의 어느 하나에 해당하는 특수관계인과의 거래 등으로 그 거래가액이 객관적으로 부당하다고 인정되는 경우

② 거래된 비상장주식의 액면가액의 합계액이 다음의 금액 중 적은 금액 미만인 경우

㉠ 액면가액의 합계액으로 계산한 해당 법인의 발행주식총액 또는 출자총액의 100분의 1에 해당하는 금액

㉡ 3억원

2) 해당 재산(상증법 §63 ① 1호에 규정된 주식 및 출자지분은 제외)에 대하여 2 이상(기준시가 10억원 이하는 1개 이상)의 공신력 있는 감정기관이 평가한 감정가액이 있는 경우에는 그 가액의 평균액. 다만, 당해 감정가액이 「상속세 및 증여세법」 제61조, 제62조, 제64조 및 제65조의 규정에 의하여 평가한 가액과 유사매매사례가액의 100분의 90에 해당하는 가액 중 적은 금액에도 미달하는 경우에는 세무서장이 다른 감정기관에 의뢰하여 감정한 가액(납세의무자가 제시한 감정가액보다 낮은 경우에는 제외)

다만, 다음에 해당하는 경우의 감정가액은 제외한다.

① 일정한 조건이 충족될 것을 전제로 당해 재산을 평가하는 등 상속세 및 증여세의 납부목적에 적합하지 아니한 감정가액

② 평가기준일 현재 당해 재산의 원형대로 감정하지 아니한 경우의 당해 감정가액

3) 해당 재산에 대하여 수용·경매 또는 공매사실이 있는 경우에는 그 보상가액·경매가액

또는 공매가액. 다만, 다음에 해당하는 경우는 제외한다.

① 물납한 재산을 상속인・증여자・수증자 또는 그의 특수관계인이 경매 또는 공매로 취득한 경우

② 경매 또는 공매로 취득한 비상장주식의 액면가액의 합계액이 다음의 금액 중 적은 금액 미만인 경우

㉠ 액면가액의 합계액으로 계산한 당해 법인의 발행주식총액 또는 출자총액의 100분의 1에 해당하는 금액

㉡ 3억원

③ 경매 또는 공매절차의 개시 후 관련 법령이 정한 바에 따라 수의계약에 의하여 취득하는 경우

④ 최대주주 등의 비상장주식을 경매 또는 공매로 최대주주 등의 특수관계인 또는 상속인이 취득하는 경우

4) 시가인정기간이 아닌 기간의 매매등 가액의 시가인정

시가인정기간에 해당하지 아니하는 기간으로서 평가기준일 전 2년 이내의 기간 또는 과세표준신고기한으로부터 상속세 9개월(증여세 6개월)까지의 기간 중에 매매・감정・수용・경매 또는 공매가 발생한 경우에도 해당 매매등이 발생한 날까지의 기간 중에 주식발행회사의 경영상태, 시간의 경과 및 주위환경의 변화 등을 고려하여 가격변동의 특별한 사정이 없다고 보아 상속세 또는 증여세 납세자, 지방국세청장 또는 관할세무서장이 신청하는 때에는 재산평가심의위원회의 심의를 거쳐 해당 매매등의 가액을 시가로 확인되는 가액에 포함할 수 있도록 하였다.

5) 재산평가 심의위원회의 심의대상

다음에 해당하는 경우 심의를 위하여 국세청과 지방국세청에 각각 평가심의위원회를 둔다.

① 평가기간 외에 평가기준일 전 2년간 매매등 가액의 시가 인정

② 시가불인정 감정기관의 지정

③ 비상장주식등의 가액평가 및 평가방법

④ 건물・오피스텔・상업용건물 기준시가 고시가액

나. 시가로 보는 동일 또는 유사재산의 가액(상증령 §49 ④)

위에서 시가의 구체적 범위에 대해 살펴 보았다. 전술한 시가 외에 세법에서는 해당 재산과 면적·위치·용도·종목 및 기준시가가 동일하거나 유사한 다른 재산에 대한 매매, 감정, 수용, 경매 또는 공매가액(이하 '유사매매사례가액')에 해당하는 가액이 있는 경우에는 당해 가액도 시가로 보도록 규정하고 있다. 다만, 이러한 유사매매사례가액은 전술한 시가가 없는 경우에만 적용된다(상증령 §49 ② 단서).

아울러, 통상 시가인정기간 이내의 기간 중 매매 등 가액을 시가로 보는 것이나 유사매매사례가액의 경우에는 납세자가 유사매매사례가액을 파악하는데 어려움이 있음을 감안하고, 신고 이후 발생한 유사매매사례가액까지 파악하도록 하는 것은 불합리한 측면이 있어 납세자가 상속세 또는 증여세 과세표준을 신고기한 내 자진신고한 경우에는 평가기준일 전 6개월(증여의 경우 3개월)부터 신고일까지의 가액만을 시가로 보도록 하고 있다.

다. 시가의 적용기준

1) 2개 이상의 시가가 있는 경우

상속재산의 평가시 시가로 보는 가액이 2 이상인 경우에는 평가기준일을 전후하여 가장 가까운 날(해당가액이 둘 이상인 경우 평균액)에 해당하는 가액에 의한다.

2) 시가인정기간 이내 해당여부 판단 기준일

① 거래가액 : 거래가액이 확정되는 계약체결일
② 감정가액 : 가격산정기준일과 감정가액평가서를 작성한 날
③ 수용·보상·경매가액 : 보상가액·경매가액·공매가액이 결정된 날

평가방법의 적용순서

① 당해 재산의 매매가액(매매·감정·수용·경매·공매가격 포함)
② 유사매매사례가액(시가인정기간 이내, 상속세 과세표준을 신고한 경우에는 평가기준일 전 6개월(증여의 경우 3개월)부터 평가기간 이내의 신고일까지의 가액)
③ 당해 재산의 공시가격 등 보충적 평가방법에 따른 금액

라. 매매등 가액에 2 이상의 재산가액이 포함된 경우 안분 방법

매매등 가액에 2 이상의 재산가액이 포함됨으로써 각각의 재산가액이 구분되지 아니하는 경우에는 각각의 재산을 상증법 제61조 내지 제65조의 규정에 의하여 평가한 가액에 비례하여 안분계산하되 각각의 재산에 대하여 감정가액(동일감정기관이 동일한 시기에 감정한 각각의 감정가액을 말한다)이 있는 경우에는 감정가액에 비례하여 안분계산한다. 다만, 토지와 그 토지에 정착된 건물 기타 구축물의 가액이 구분되지 아니하는 경우에는 「부가가치세법 시행령」 제64조에 따라 안분계산한다(상증령 §49 ③).

3 | 부동산의 보충적 평가방법(상증법 §61)

「상속세 및 증여세법」상의 재산평가는 원칙적으로 시가에 의하는 것이나, 시가를 산정하기 어려운 경우 보충적인 평가방법으로서 다음에 규정된 방법에 따라 상속재산을 평가하도록 하고 있다.

가. 토 지

1) 일반적인 경우

「부동산 가격공시에 관한 법률」에 의한 개별공시지가(이하 '개별공시지가'). 다만, 개별공시지가가 없는 토지의 가액은 당해 토지와 지목, 이용상황 등 지가형성요인이 유사한 인근토지를 표준지로 보고 「부동산 가격공시에 관한 법률」 제3조 제7항에 따른 비교표에 따라 납세지 관할 세무서장이 평가한 금액으로 하되 납세지 관할 세무서장은 둘 이상의 감정기관에 의뢰하여 한 감정가액을 참작하여 평가할 수 있고, 각종 개발사업 등으로 지가가 급등하는 지역의 토지에 대하여는 배율방법으로 평가한 가액으로 한다.

2) 토지평가시 특례

① 개별공시지가가 적용이 불합리한 경우 등 : 환지 및 택지개발 등에 따라 토지의 형질이 변경된 경우로서 평가기준일 현재 고시되어 있는 개별공시지가를 적용하는 것이 불합리하다고 인정되는 경우에는 개별공시지가가 없는 토지의 평가 방법을 준용하며, 분할·합병된 토지의 개별공시지가는 일반적인 토지의 평가방법에 의하되 분할·합병 전후 그 토지의 지목변경 및 이용상태 등으로 보아 종전의 개별공시지가를 이용하는

것이 합리적이라고 인정되는 경우에는 다음의 방법에 따른다(상증통칙 61-50…1).

가. 분할된 토지 : 분할전 토지에 대한 개별공시지가

나. 합병된 토지 : 합병 전 토지에 대한 각 개별공시지가의 합계액을 총면적으로 나눈 금액

② 환지예정지의 평가 : 환지예정지의 가액은 환지권리면적에 의하여 산정한 가액에 의한다(상증통칙 61-50…3).

③ 도로 등의 평가 : 불특정 다수인이 공용하는 사실상 도로 및 하천, 제방, 구거 등은 상속재산 또는 증여재산에 포함되나, 평가기준일 현재 도로 등 외의 용도로 사용할 수 없는 경우로서 보상가격이 없는 등 재산적 가치가 없다고 인정되는 때에는 그 평가액을 영(0)으로 한다(상증통칙 61-50…4).

나. 건 물

1) 일반적인 건축물

건물(오피스텔 및 상업용 건물, 주택 제외)의 신축가격, 구조, 용도, 위치, 신축연도 등을 고려하여 매년 1회 이상 국세청장이 산정, 고시하는 가액으로 한다.

2) 오피스텔 · 상업용 건물

국세청장이 해당 건물의 용도 · 면적 및 구분 소유하는 건물의 수 등을 감안하여 지정하는 지역에 소재하는 오피스텔 및 상업용 건물(부수토지를 포함)은 건물의 종류, 규모, 거래상황, 위치 등을 참작하여 매년 1회 이상 국세청장이 토지와 건물의 가액을 일괄하여 산정, 고시한 가액으로 평가한다. 이외 국세청장이 고시하지 아니하는 오피스텔 등은 일반적인 건축물의 평가방법을 따른다.

3) 주 택(단독 · 다세대 · 연립 · 아파트)

「부동산 가격공시에 관한 법률」에 의한 개별주택가격 및 공동주택가격. 다만 공동주택가격의 경우에는 국세청장이 결정 · 고시한 공동주택가격이 있는 때에는 그 가격에 의하며, 개별주택가격 및 공동주택가격이 없거나 주택가격의 고시 후에 대수선 또는 리모델링을 하여 고시된 주택가격에 의하는 것이 적절하지 아니한 경우의 해당 주택의 가격은 납세지 관할세무서장이 인근 유사주택의 개별주택가격 및 공동주택가격을 고려하여 평가한 가액(상증령 §50 ④ 1호에 따른 가액)으로 한다.

4) 건물평가시 특례

① **철거대상건물의 평가** : 법령에 의하여 철거대상이 된 건물의 가액은 그 재산의 이용도, 철거의 시기 및 철거에 따른 보상의 유무 등 제반 상황을 감안한 적정가액에 따라 평가한다.

② **건설중인 건물의 평가** : 건설중인 건물의 가액은 건설에 소요된 비용의 합계액으로 평가한다. 이 경우 건설에 소요되는 차입금에 대한 이자 또는 유사한 성질의 지출금은 가산한다.

③ **시설물 기타 구축물의 평가** : 시설물 기타 구축물의 가액은 평가기준일 현재 다시 건축할 때 소요된다고 예상되는 가액에서 설치시기로부터 평가기준일까지의 「법인세법」상의 감가상각비를 공제한 가액으로 평가한다. 이 경우 시설물 기타 구축물을 다시 건축할 때 소요된다고 예상되는 가액을 산정하기 어려운 경우에는 「지방세법 시행령」 제80조 제1항의 규정에 의한 가액으로 평가한다.

다. 지상권 및 부동산 취득권리 등에 대한 평가(상증법 §61 ③)

지상권(地上權) 및 부동산을 취득할 수 있는 권리와 특정시설물을 이용할 수 있는 권리는 그 권리 등이 남은 기간, 성질, 내용, 거래 상황 등을 고려하여 평가한 가액으로 한다.

1) 지상권

지상권이란 타인의 토지에 건물, 기타의 공작물이나 수목을 소유하기 위하여 그 토지를 사용할 수 있는 물권(物權)을 말하며, 지상권의 가액은 지상권이 설정되어 있는 토지의 가액에 2%를 곱하여 계산한 금액을 이자율 10%로 할인한 가액으로 평가한다. 이 경우 그 잔존연수는 「민법」 제280조 및 제281조에 규정된 지상권의 존속기간을 준용한다(상증령 §51).

• 지상권 평가 산식

$$\sum_{n=1}^{\text{잔존년수}} \frac{\text{지상권이 설정된 토지가액} \times 2\%}{\left[1 + \frac{10}{100}\right]^n}, \ n : \text{평가기준일부터 잔존연수}$$

2) 부동산 취득권리 등

특정시설물을 이용할 수 있는 권리라 함은 특정시설물이용권・회원권 기타 명칭여하를 불문하고 당해 시설물을 배타적으로 이용하거나 일반이용자에 비하여 유리한 조건으로 이용할 수 있도록 약정한 단체의 일원이 된 자에게 부여되는 권리를 말하는 것이며 부동산을 취득할 수 있는 권리(건물이 완성되는 때에 그 건물과 이에 부수되는 토지를 취득할 수 있는 권리를 포함) 및 특정시설물을 이용할 수 있는 권리의 가액은 평가기준일까지 불입한 금액과 평가기준일 현재의 프리미엄에 상당하는 금액을 합한 금액으로 한다. 다만, 해당 권리에 대하여 「소득세법 시행령」 제165조 제8항 제3호(토지・건물 외의 자산의 기준시가 산정)에 따른 가액이 있는 경우에는 해당 가액으로 한다.

라. 대차계약 체결 또는 임차권 등기 재산의 평가특례(상증법 §61 ⑤)

평가기준일 현재 시가에 해당하는 가액이 없어 보충적 평가방법에 따라 평가하는 경우로서, 임대차계약이 체결되거나, 임차권이 등기된 재산의 경우에는 당해 보충적 평가방법에 따라 평가한 가액과 아래 임대료 등의 환산가액 계산식에 따라 계산한 금액 중 큰 금액을 그 재산의 가액으로 한다.

• 임대료 등의 환산가액 계산식

임대료 등의 환산가액 = (임대보증금) × (1년간 임대료 합계액* ÷ 0.12)

* 평가기준일이 속하는 월의 임대료에 12월을 곱해 계산

| 부동산 등의 보충적 평가(상증법 §61) |

구 분			법조항	평 가 금 액
토지		일반지역	§61 ① 1호	개별공시지가
		지정지역		개별공시지가 × 배율
건물			§61 ① 2호	국세청장 고시가액 (상증법 건물기준시가)
오피스텔 및 상업용건물		지정지역	§61 ① 3호	국세청장 고시가액 (상업용건물・오피스텔 기준시가)
주택	단독주택		§61 ① 4호	개별주택가격
	공동주택	지정지역		공동주택가격 / 국세청장 고시가액

구 분	법조항	평 가 금 액
지상권	§61 ③	현재가치 환원가액
부동산을 취득할 수 있는 권리 특정시설물이용권		불입금액 + 프리미엄
기타 시설물, 구축물	§61 ④	재취득가액 − 감가상각비
사실상 임대차계약이 체결되거나 임차권이 등기된 재산	§61 ⑤	임대환산보증금과 평가액 중 큰 가액
선박 · 항공기 · 차량 · 기계장비 · 입목	§62 ①	재취득가액, 장부가액, 시가표준액 순

4 담보제공된 재산 등의 평가 특례

1) 담보제공된 재산 등은 시가(또는 보충적 평가방법에 의한 평가액)와 당해 재산이 담보하는 채권액 등을 기준으로 한 특례 평가액 중 큰 금액으로 평가한다. 평가 특례가 적용되는 재산과 특례 평가액은 다음과 같다(상증법 §66, 상증령 §63).

구 분	특례평가액
① 저당권(공동저당권 · 근저당권 제외)이 설정된 재산	당해 재산이 담보하는 채권액
② 공동저당권이 설정된 재산	당해 재산이 담보하는 채권액을 공동저당된 재산의 평가기준일 현재의 가액으로 안분계산한 가액
③ 근저당권이 설정된 재산	평가기준일 현재 당해 재산이 담보하는 채권액
④ 질권이 설정된 재산, 양도담보된 재산	당해 재산이 담보하는 채권액
⑤ 전세권이 등기된 재산 (임대보증금을 받고 임대한 재산 포함)	등기된 전세금(임대보증금을 받고 임대한 경우에는 임대보증금)
⑥ 담보신탁계약이 설정된 재산	Max(①, ②) ① 신탁계약 또는 수익증권에 따른 채권자의 수익한도 금액 ② 보충적 평가방법에 의한 평가액

2) 특례평가액의 조정

① 채권자가 당해 재산에 설정한 채권최고액이 담보하는 채권액보다 적은 경우에는 채권최고액을 특례평가액으로 한다.

② 채권액을 담보하기 위하여 물적 담보 외에 신용보증기관의 보증이 있는 경우에는 담보하는 채권액에서 당해 보증액을 차감한 금액을 특례평가액으로 한다.

③ 동일한 재산이 다수 채권(전세금채권과 임차보증금채권을 포함)의 담보로 되어 있는 경우에는 그 재산이 담보하는 채권의 합계액을 특례평가액으로 한다.

관련예규 및 판례요약

상속 · 증여재산 평가 원칙 등 : 상증법 §60~§66

평가기준일과 관련된 예규, 판례

재산-36, 2013. 1. 29.

증여재산가액은 시가에 의하는 것으로 증여일 전후 3개월 내 매매가액은 시가에 해당하며, 이 경우 매매가액에는 부가가치세가 포함되는 것임.

조심 2011광 3104, 2012. 3. 30.

상속개시일로부터 4년 후 소급감정평가액은 시가(취득가액)로 인정하기 어려움.

재산-604, 2011. 12. 20.

「상속세 및 증여세법 시행령」 제49조 제1항의 규정에 의한 시가로 보는 가액이 2 이상인 경우에는 평가기준일을 전후하여 가장 가까운 날에 해당하는 가액에 의함.

심사상속 2005-17, 2005. 5. 30.

상속재산가액에 누락된 자산을 상속개시일 이후 양도하더라도 양도 시점에 실지거래가액으로 결정할 수 없고 상속개시일 현재 시가(보충적 평가방법 포함)에 의해 상속세 과세가액을 결정하여야 함.

서면4팀-389, 2005. 3. 16.

부동산을 증여받은 경우 그 취득시기는 소유권이전등기신청서 접수일이며, 증여재산의 가액은 증여일 현재 시가(보충적 평가방법 포함)에 의함.

국심 2002광 678, 2002. 6. 20.

물납신청한 비상장주식이 증여의제일 이후 시장성 및 매각 가능성 없어 관리 · 처분이 부적당한 재산으로 물납거부함은 정당하고, 증여세 납부시점을 기준으로 평가해 증여세를 과세할 수 없음.

불특정 다수인간에 자유로이 거래가 이루어진 가격평가와 관련된 예규, 판례

조심 2019서 2121, 2019. 9. 18.

처분청이 제시한 비교대상아파트의 경우 상속세 및 증여세법 시행규칙 제15조 제3항의 요건을 모두 충족하는 등, 비교대상아파트가 쟁점아파트보다 높은 가액으로 거래된 것은 층이나 조망권 유무 등에 의한 일반적인 차이일 뿐 급격한 가격변동에 의한 것이라고 보기에는 그 입증이 부족한 점 등에 비추어 쟁점매매사례가액을 상속아파트의 시가로 보기는 어렵다 할 것임.

서면상속증여-1764, 2019. 8. 8.

불특정다수인이 공용하는 사실상 도로 등은 증여재산에 포함되나, 평가기준일 현재 도로 등 외의 용도로 사용할 수 없는 경우로서 보상가격이 없는 등 재산적 가치가 없다고 인정되는 때에는 그 평가액을 영(0)으로 하는 것임.

조심 2018서 4251, 2019. 6. 24.

비교대상주택은 쟁점주택과 동일한 건물 내에 위치해 있고 그 면적과 기준시가 등이 동일하며, 비록 부속면적인 지하실의 사용현황에 다소 차이가 있으나 그것이 주택 거래가액에 영향을 미쳤다고 보기는 어려우므로 처분청이 비교대상주택의 매매가액을 쟁점주택의 유사매매사례가액으로 하여 증여세를 과세한 처분은 달리 잘못이 없는 것으로 판단됨.

조심 2019서 0617, 2019. 6. 21.

공동상속인들이 쟁점토지의 시가로 신고한 ○○○억원은 평가기간을 단×일 경과한 당해 토지의 매매가액으로서, 평가기준일로부터 매매계약일까지 약 6개월의 기간 중 가격변동 요인이나 부동산 상황의 변화가 있었다고 보기 어려운 점 등에 비추어 매매가액을 적용하는 것이 합리적인 것으로 보이므로 개별공시지가로 평가하여 과세한 이 건 처분은 잘못이 있는 것으로 판단됨.

조심 2019중 0025, 2019. 4. 16.

쟁점부동산과 쟁점비교부동산은 그 소재한 동이 다르나 같은 단지 내에 소재한 같은 면적의 아파트이고 그 공동주택가격은 쟁점부동산이 쟁점비교부동산보다 우위에 있는 것으로 보이는 바, 쟁점부동산의 상속개시일 이후 전후 6개월 이내에 이루어진 쟁점유사매매사례가액은 쟁점부동산의 상속당시 시가에 해당하는 유사매매사례가액에 해당하는 것으로 판단됨.

법령해석재산-0579, 2018. 10. 12.

유가증권시장에서 평가기준일 전후 2개월 이내의 기간 중 회생절차개시에 의하여 관리종목으로 지정된 기간, 완전자본잠식에 따라 매매거래가 정지된 기간이 포함된 주권상장법인의 주식은 「상속세 및 증여세법」(2016. 12. 20. 법률 제14388호로 개정된 것) 제63조 제1항 제1호 나목(비상장주식의 평가)에 의한 방법으로 평가하는 것임.

재재산-658, 2017. 9. 26.

매매계약 체결 후 계약금의 일부만을 수령한 상태에서 장기간 매매계약이 이행되지 않고 있는 경우 해당 매매계약상 가액은 상증령에 따른 매매사실이 있는 경우의 거래가액에 해당하지 않는 것임.

서면법령재산-757, 2015. 6. 12.

「상속세 및 증여세법 시행령」 제49조 제2항 제3호에 따른 "경매가액이 결정된 날"은 「민사집행법」 제128조 따라 매각허가를 결정하는 날을 의미하는 것임.

서울고법 2014누 60087, 2015. 3. 19.

조합이 산정한 권리가액(감정가액×비례율)을 '부동산을 취득할 수 있는 권리'의 가액으로 평가하는 방법은 적법한 보충적평가방법에 해당하지 아니하고, 달리 이를 정당화할 수 있는 근거규정이 존재하지 아니하여 허용될 수 없음.

상속증여-436, 2014. 11. 11.

상속개시일 전후 6월 이내에 상속재산에 대한 감정가액의 평균액과 수용된 경우의 보상가액은 이를 각각 시가로 볼 수 있는 것이며, 시가로 보는 가액이 2 이상인 경우에는 감정가액평가서 작성일과 보상가액 결정일 중 상속개시일부터 가장 가까운 날에 해당하는 가액을 시가로 보는 것임.

심사증여 2014-76, 2014. 10. 27.

유상증자 당시(2011.11.25.) 시가를 시행령에서 정한 3개월을 초과한 기간이라도 증여일과 가까운 시기(2012.3.30.)에 증여재산의 매매사례가 있고 그 매매사례가 정상적인 거래에 의하여 형성된 교환가격이라면 이를 시가로 볼 수 있음.

상속증여-260, 2014. 7. 15.

관리처분계획인가일 이후에 상속되는 경우 "부동산을 취득할 수 있는 권리"로 보는 것이며, 상속재산 평가는 상속개시일 현재의 시가에 따르며 평가기준일 전후 6월 이내의 기간 중 매매·감정·수용·경매 또는 공매가액은 당해 상속재산의 시가범위에 포함되는 것임.

서울행법 2010구합 37575, 2011. 4. 14.

비교대상 아파트는 층의 위치가 10층, 11층으로 비슷하고, 아파트 동이 102동, 101동으로 다를 뿐 같은 단지내에 속하며, 전용면적, 위치, 방향, 용도가 동일하고 한강조망, 생활환경, 편의시설 등에 있어서도 차이가 없으며, 기준시가도 동일하게 변동되고 있는 점 등을 종합하면 비교대상 아파트의 매매가는 시가로 보는 것임.

국심 2007서 4962, 2008. 11. 13.

발딩을 상속인과 특수관계자에게 양도하였으나 채권채무관계 등으로 보아 이해관계가 상충되고 있으므로 저가로 양도할 가능성이 없으므로 거래가액을 시가로 봄이 타당함.

국심 2005서 4389, 2006. 3. 14.

비교대상 아파트가 동일 단지에 위치하고 있고 면적과 용도 등이 동일하여 매매사례가액으로 적용한 것은 정당함.

매매사실이 있는 경우 평가와 관련된 예규, 판례

대법 2019두 31495, 2019. 4. 25.

통상적인 가치 상승분 평가는 대상토지와 지리적 위치, 지목이용 현황 등이 유사한 토지의 지가상승률 기준으로 하여야 하고, 「상속세 및 증여세법」 제61조 제1항 제1호도 개별공시지가가 없는 경우 인근 유사토지의 개별공시지가를 고려하여 평가한다고 규정하고 있으므로, 이에 따라 이 사건 주식의 가치상승분은 없다고 봄이 타당하다.

조심 2015서 1129, 2015. 6. 3.

처분청이 제시하고 있는 사례가액은 법원조정결정에 의한 가액으로 이를 시가로 인정할 수 있는 매매사례가액에 해당한다고 보기 어려운 점, 쟁점주식의 거래일의 전날에 이 건과 동일한 가액으로 양도한 거래사례가 있는 점 등에 비추어 청구인이 쟁점주식을 저가양수 하였다고 보아 증여세를 과세한 이 건 처분은 잘못임.

상속증여-384, 2014. 10. 2.

중도에 매매계약이 해지된 경우에는 매매사례 시가로 보지 않으며 이에 해당 여부는 사실판단 사항임. 시가로 보는 가액이 2 이상인 경우에는 평가기준일을 전후하여 가장 가까운 날에 해당하는 가액에 의함.

대법 2014두 37085, 2014. 8. 20.

당초 특수관계자와의 거래 당시부터 매수자가 일정기간이 경과한 시점에 제3자에게 양도하기로 약정한 경우는 특수관계 없는 제3자와 거래한 가액을 당초 특수관계자간 거래당시의 시가로 볼 수 있음.

대법 2010두 27936, 2012. 7. 12.

당해 재산에 대한 매매사실이 있는 경우에는 그 거래가액에 해당하므로 부동산의 증여당시의 시가로 볼 수 있고, 그 매매계약이 해제되었다고 하여 달리 볼 것이 아니라고 판단한 원심은 정당하고, 시가에 관한 법리오해나 심리미진 등의 위법이 없음.

조심 2011중 680, 2011. 10. 13.

평가기간에 해당하지 아니하는 기간의 매매사례가액이더라도 가격변동의 특별한 사정이 없다고 인정되는 경우 평가심의위원회 자문을 거쳐 시가에 포함될 수 있으므로 양도부동산과 유사한 물건의 매매사례가액을 바탕으로 과세한 처분은 달리 잘못이 없음.

서울행법 2009구합 54208, 2010. 7. 15.

거래가액이 증여 당시의 시가에 해당하기 위해서는 객관적으로 보아 그 거래가액이 일반적이고도 정상적인 교환가치를 적정하게 반영하고 있다고 볼 사정이 있어야 함.

심사증여 2010-1, 2010. 6. 1.

특수관계없는 제3자가의 거래인 경우에는 고가매입이나 저가양도가 거의 발생하기 어렵다고 할 것이므로 그 거래가격이 특별히 객관성을 결여하였다거나 특별한 하자가 없는 한 시가로 봄이 타당함.

서면2팀-1053, 2008. 5. 29.

토지와 인접한 토지의 경매가액을 시가로 볼 수 있는 지 여부는 토지의 이용상황, 지목, 경매시점 등 제반 상황을 감안하여 사실판단할 사항임.

대법 2006두 18461, 2007. 12. 13.

평가기준일 전후 일정한 기간 내에 비상장주식의 매매사실이 있더라도 그것이 「민법」상 친족과의 매매이면 부당하다고 인정되는 것이며, 그렇지 아니하다고 주장하는 자가 있는 경우 그가 입증하여야 함.

국심 2007중 2180, 2007. 11. 2.

매매사례 아파트가 같은 단지의 같은 면적의 아파트이고 기준시가도 다소 낮은 점으로 보아 매매사례 아파트의 매매가액을 시가로 적용할 수 있음.

국심 2007중 2727, 2007. 11. 1.

매매사례에 의한 가액이 2 이상인 경우에는 평가기준일을 전후하여 가장 가까운 날에 해당하는 가액을 시가로 보는 것이 타당함.

국심 2007서 2563, 2007. 10. 23.

증여재산이 분양권이므로 완공된 비교대상 아파트의 매매사례가액을 시가로 적용하여 증여세를 과세한 것은 부당함.

국심 2007서 3110, 2007. 10. 12.
면적·위치·용도가 유사하고 기준시가도 동일하므로 매매사례가액을 시가로 볼 수 있음.

국심 2007서 1078, 2007. 10. 5.
증여재산가액을 평가함에 있어 평가기준일로부터 1월 미만의 기간 내에 거래된 비교대상 아파트의 매매가액을 매매사례가액으로 하여 증여세를 부과한 처분은 정당함.

감심 2007-124, 2007. 9. 20.
비교대상 아파트가 같은 동, 같은 면적이고, 기준시가가 과세대상 아파트보다 낮아 매매사례가액으로 보아 증여세를 부과함.

국심 2007서 1544, 2007. 8. 29.
비교대상 아파트는 쟁점아파트와 용도, 종목, 면적, 건축연도, 일조방향이 동일하고, 국세청 기준시가도 같은 것으로 나타나고 있어 매매사례가액으로 증여세를 과세함.

국심 2007서 387, 2007. 8. 24.
비교대상 아파트가 같은 동에 위치하고 동일 규모의 아파트이며 기준시가도 당해 아파트보다 낮으므로 시가인 매매사례가액으로 보아 증여재산가액을 산정한 것은 정당함.

서면4팀-2190, 2005. 11. 15.
토지에 정착된 건물을 철거하여 토지만을 소유권 이전하는 조건으로 매매계약을 체결하고 그 매매가액으로 토지를 평가하는 경우로서 평가기준일 현재 철거대상이 되는 건물에 대한 재산적 가치가 없다고 인정되는 때에는 건물의 가액은 '0'으로 평가함.

감정가액 평가와 관련된 예규, 판례

상속증여-1238, 2018. 6. 5.
감정가액은 평가기간 이내에 2 이상의 공신력 있는 감정기관이 감정한 감정가액의 평균액을 당해 재산의 시가로 인정되는 것이며 기준시가 10억원 이하인 부동산의 경우에 하나 이상의 감정기관의 감정가액으로 할 수 있으나 기준시가가 없는 경우에는 2 이상의 공신력 있는 감정기관이 감정한 감정가액의 평균액을 당해 재산의 시가로 인정한다.

상속증여-436, 2014. 11. 11.
상속개시일 전후 6월 이내에 상속재산에 대한 감정가액의 평균액과 수용된 경우의 보상가액은 이를 각각 시가로 볼 수 있는 것이며, 시가로 보는 가액이 2 이상인 경우에는 감정가액평가서 작성일과 보상가액 결정일 중 상속개시일부터 가장 가까운 날에 해당하는 가액을 시가로 보는 것임.

대법 2014두 1123, 2014. 4. 24.

토지가격 감정평가시 토지 소유자와 건물 소유자가 다르다는 사유로 사권행사를 제한받는 토지로 보아 표준지보다 열세로 평가하였으나 토지가 건물소유자에게 양도되었으므로 사권의 제한을 받는다고 할 수 없는 바 당해재산의 원형대로 감정하지 아니한 감정가액에 해당하여 적법한 감정평가로 볼 수 없음.

조심 2012중 2986, 2012. 9. 12.

쟁점토지 소급감정가액은 가격시점, 감정목적 등을 종합적으로 고려할 때 상속당시 시가로 인정하기 어려움.

재산-60, 2009. 8. 28.

외국의 감정기관이 감정한 가액은 시가로 인정되는 감정가액에 해당되지 아니하나 국외재산의 평가시 2 이상의 국내 또는 외국의 감정기관에 의뢰하여 감정한 가액을 참작하여 평가할 수 있음.

국심 2007중 1461, 2007. 6. 27.

청구인(상속인)이 상속재산을 감정평가한 사실이 있어 보충적 평가방법을 부인하고 감정가액으로 상속재산을 평가하여 과세함.

재재산-582, 2007. 5. 18.

하나의 감정기관이 평가한 감정가액은 「상속세 및 증여세법」상 시가의 범위에 포함되지 않음.

서면4팀-3808, 2006. 11. 17.

상속개시일 전 6월을 경과하고 2년 이내의 기간 중에 감정가액의 평균액이 있는 경우 평가심의위원회의 자문을 거쳐 시가로 인정되는 가액에 포함시킬 수 있음.

국심 2005광 3065, 2006. 2. 22.

감정평가기관의 감정평가액으로서 증여세 납부 외의 목적으로 평가하였으나 증여일과 가까운 기간에 평가한 금액이고 객관적이고 합리적으로 평가되었으므로 시가로 인정될 수 있음.

서면4팀-1971, 2005. 10. 25.

평가대상 재산을 담보로 제공하기 위하여 감정한 경우로서 담보로 제공되지 아니한 경우 법에서 규정한 적정한 방법으로 평가한 감정가액인 경우에는 시가로 인정될 수 있음.

대법 2004두 2356, 2005. 9. 30.

거래를 통한 교환가격이 없는 경우에는 공신력 있는 감정기관의 감정가격도 시가로 볼 수 있고 그 가액이 소급감정에 의한 것이라 하여도 달라지지 아니함.

국심 2005중 950, 2005. 8. 30.

담보목적으로 평가가 이루어져서 감정가액이 객관적이고 합리적인 방법으로 이루어졌다고 볼 수 없어 보충적 평가방법으로 평가하여 증여세를 과세함.

국심 2004서 3489, 2005. 4. 8.

합병의 효력발생일은 합병등기일이며 부동산의 감정평가액이 공시지가의 80%에 미달하여 처분청이 2 이상 감정기관에 재감정하여 평균감정가액을 시가로 본 처분은 타당함.

감심 2005-13, 2005. 2. 3.

상속세와 증여세 납부목적으로 평가된 것으로 볼 수 있는 감정가액은 시가로 볼 수 없음.

수용 또는 공매사실이 있는 경우 평가와 관련된 예규, 판례

상속증여-436, 2014. 11. 11.

상속개시일 전후 6월 이내에 상속재산에 대한 감정가액의 평균액과 수용된 경우의 보상가액은 이를 각각 시가로 볼 수 있는 것이며, 시가로 보는 가액이 2 이상인 경우에는 감정가액평가서 작성일과 보상가액 결정일 중 상속개시일부터 가장 가까운 날에 해당하는 가액을 시가로 보는 것임.

조심 2011전 2886, 2011. 10. 19.

증여받은 토지 중 일부가 지자체에 수용되어 보상금을 수령한 경우 보상일과 증여일 사이에 상당한 시간 차이가 있고 주위환경의 변화 등으로 가격변동이 없었다고 보기 어려운 경우에는 이를 증여받은 토지의 시가로 보기 어려움.

재산-749, 2010. 10. 13.

재산이 경매 또는 공매된 사실이 있는 경우에는 「상증법 시행령」 제49조 제1항 제3호 각 목에서 규정하는 것을 제외하고 그 경매가액 또는 공매가액을 시가로 보나 그 공매가액을 시가로 볼 수 있는 지 여부는 공매경위 등을 감안하여 사실판단함.

대법 2005두 12022, 2007. 9. 21.

공매가액의 시가성을 배제할 만한 특별한 사정을 찾아볼 수 없으므로 물납 재산인 비상장주식의 공매가액을 동종의 소외 회사의 비상장주식에 대한 시가로 인정한 것은 정당함.

심사상속 2007-2, 2007. 4. 24.

상속재산을 평가함에 있어 평가대상 토지에서 분할된 토지가 상속개시일 전후 6개월 이내에 수용된 사실이 있어 수용가액을 매매사례가액으로 보아 상속재산을 평가함.

서면4팀-234, 2007. 1. 17.

개별공시지가로 신고한 상속재산이 상속개시일 후 6월을 경과하여 수용되는 경우 그 보상가액은 시가에 해당하지 않음.

감심 2005-128, 2005. 11. 24.

한국자산관리공사에서 수의계약으로 매각한 주식은 증여세 계산시 시가로 볼 수 없음.

서면4팀-1790, 2005. 9. 29.

증여일 전 3월 이내에 토지를 분할하여 일부분이 수용되고 나머지를 증여한 경우 분할 후 수용된 토지와 증여한 토지가 특성, 이용현황 등이 동일한 경우 그 보상가액을 시가로 볼 수 있음.

시가로 인정되지 않는 평가와 관련된 예규, 판례

법령재산-613, 2017. 2. 7.

상속개시일부터 6개월 이내의 기간 중 관리처분계획인가에 따라 조합원입주권으로 전환된 경우 조합원의 권리가액은 상증법상 시가에 해당하지 않는 것입니다.

대법 2013두 23539, 2014. 2. 28.

자산가액 변동과 관련한 특별한 사정이 없음에도 동일한 감정평가법인이 10개월의 기간을 두고 동일 자산에 대하여 실시한 감정가액의 차이가 클 경우 이는 시가에 부합한다고 볼 수 없음.

조심 2012서 2433, 2012. 9. 13.

건물과 부속토지를 하나의 단위로 평가하는 것이 원칙인바, 쟁점부동산과 비교부동산은 건물 면적 및 구조, 사용승인일, 개별주택가격 등에서 차이가 있고, 청구인이 제시한 감정가액은 평가기준일로부터 6개월이 도과하였으므로 청구주장을 받아들이기 어려움.

조심 2011중 2542, 2011. 10. 31.

인접 토지의 수용으로 인한 보상가액이 당해 물건의 개별공시지가 보다 큰 금액으로 나타나는 점, 수년간 개별공시지가 산정시 조정신청 등을 한 자료제시가 없는 점, 실가로 본 매매계약서는 잔금지급 미이행으로 매매거래가 파기된 것으로 보이는 점 등에 비추어, 매매가액은 토지의 적정한 시가를 반영한다고 보기는 어려움.

서울고법 2011누 527, 2011. 6. 29.

담보제공 행위와 제반 사정이 유사하다고 볼 만한 담보제공 사례에 관한 시가나 유사한 담보제공 거래의 수익률 등 이 사건 담보제공 행위에 관한 증여재산가액을 산정할 자료를 찾아보기 어려우므로 적법하게 부과될 정당한 세액을 산출할 수 없음.

조심 2010서 1778, 2011. 6. 29.

평가기준일 전・후 3개월 이외의 가격으로 결정하려면 비상장주식평가심의위원회의 심의를 거쳐야만 하는 것임.

조심 2010서 2577, 2010. 11. 30.

재개발사업에 동의하지 않는 조합원의 매수청구권 행사로 조합이 매수한 부동산가액은 관리처분계획인가를 위한 감정평가액에서 그때까지 소요된 비용분담액을 공제한 가액이므로 이를 재개발사업에 동의한 조합원의 부동산의 시가로 볼 수 없음.

서면4팀-2153, 2007. 7. 12.

평가기준일 전 2년을 경과하였거나 또는 평가기준일 후 6월(증여재산의 경우 3월)을 경과하여 2 이상의 감정가액의 평가액이 있거나 불특정다수인 간 매매된 가액이 있는 경우 시가로 보지 아니함.

토지 평가와 관련된 예규, 판례

조심 2014전 2309, 2015. 5. 15.

도로와 연접해 있는 비교토지와는 달리 쟁점토지는 지번 분할로 인하여 맹지가 되어 비교토지와 그 가치가 동일하다고 보기 어렵고, 지번 분할 이후 고시된 쟁점토지의 개별공시지가가 비교토지의 개별공시지가보다 10% 이상 낮은 것으로 나타나는 점 등에 비추어 비교토지의 매매가액을 쟁점토지의 매매사례가액으로 적용하여 청구인에게 상속세를 부과한 처분은 잘못이 있음.

조심 2012서 4742, 2014. 6. 19.

쟁점토지는 증여일 현재 농지를 전용하여 주유소 용지로 조성중인 토지에 해당하므로 해당지목에 대한 개별공시지가에 그 조성과 관련된 비용을 가산한 가액으로 평가함이 타당함.

조심 2012서 3606, 2012. 12. 13.

상증법 시행령 제49조에서 재평가대상의 요건으로 청구인이 신고한 감정가액이 보충적 평가액과 매매사례가액 등 시가의 90%에 해당하는 가액 중 적은 금액에 미달하는 경우로 규정하고 있어, 청구인이 신고한 감정평가가액은 임대료 등 환산가액에 미치지 못하므로 처분청의 재감정평가의뢰는 적법한 것으로 보임.

조심 2012서 3914, 2012. 11. 13.

쟁점토지는 특수관계자에게 임대되었고, 청구인들이 제시한 공인중개사가 작성한 임대료 평가서는 세법에서 인정하고 있는 시가에 해당하지 않으므로 시가가 불분명한 경우로 보아 보충적 평가방법에 의하여 시가를 산정하여야 할 것으로 보임.

조심 2012서 3489, 2012. 11. 7.

쟁점토지를 상속받은 청구인들의 입장에서는 사실상 반영구적인 지상권이 설정된 토지를 상속받은 것이나 다름이 없는 점, 쟁점토지와 유사한 토지가 3차례 동안 쟁점토지의 보충적 평가액에 비해 극히 낮은 가액으로 거래된 사실이 나타나는 점 등을 종합적으로 고려할 때, 처분청이 사실상 재산권 행사가 제한된 쟁점토지의 이용실태를 적절하게 반영한 시가를 제3의 감정기관에 감정의뢰 등의 방법으로 다시 조사하여 그 조사된 시가가 쟁점토지의 개별공시지가에 의한 평가액보다 낮은 경우 그 조사된 시가를 상속재산가액으로 인정하는 것이 타당

서울고법 2011누 42507, 2012. 7. 11.

비례율을 적용하여 상속재산가액을 평가할 수 있다는 아무런 근거규정이 없으며, 비례율은 도시정비사업 완료에 따른 개발이익을 가늠하기 위한 추정수치에 불과한 점에 비추어 감정가액에 관리처분계획인가 당시의 비례율을 곱한 것은 시가로 볼 수 없음.

조심 2012서 55, 2012. 4. 3.

토지에 대해 청구인들이 제시한 감정평가액은 개별공시지가의 39%에 불과하여 처분청이 재감정을 의뢰하였고, 두 필지의 토지 위에 1동의 건물이 소재하고 있어 두 필지가 일체로 거래되고 용도상 불가분의 관계에 있는 일 단지로 보아 감정평가한 점 등에 비추어 재감정한 가액을 시가로 본 처분은 잘못이 없음.

재산-586, 2011. 12. 8.

증여재산이 토지를 개별공시지가로 평가할 때 개별공시지가는 증여일 현재 고시되어 있는 개별공시지가에 의하는 것임.

재산-580, 2011. 11. 30.

불특정다수인이 공용하는 사실상 도로 등은 상속재산에 포함되나, 평가기준일 현재 도로 등 외의 용도로 사용할 수 없는 경우로서 보상가격이 없는 등 재산적 가치가 없다고 인정되는 때에는 그 평가액을 영(0)으로 하는 것임.

국심 2007부 3376, 2007. 11. 26.

토지의 경락가액이 증여일로부터 3월이 경과하여 시가로 볼 수 없으므로 보충적 평가방법인 개별공시지가로 증여재산가액을 평가하여 증여세를 과세처분함은 정당함.

국심 2007서 175, 2007. 10. 22.

상속개시 당시 토지와 분할토지가 위치·용도 및 종목이 동일하거나 유사하지 아니하고 이용상황 등이 다른 별개의 토지이고 개별공시지가와 수용보상가액의 차이가 크므로 개별공시지가를 시가로 봄.

서면4팀-2908, 2007. 10. 9.

불특정다수인이 공용하는 사실상 도로로서 평가기준일 현재 도로 외의 용도로 사용할 수 없고 그 보상가격이 없는 등 재산적 가치가 없다고 인정되는 토지는 그 평가액을 영(0)으로 함.

국심 2007구 304, 2007. 6. 29.

도로에 대하여 개별공시지가가 산정되어 있고 불특정다수인이 사용하는 도로라기보다는 2가구의 진입로로 사용되는 도로로서 재산적 가치가 없다고 하기는 어려움.

서면4팀-1918, 2007. 6. 19.

개별주택가격 공시 후 주택부분을 멸실하고 토지만을 증여하는 경우로서 시가를 산정하기 어려운 경우 개별공시지가로 평가한 가액을 수증자의 증여재산가액으로 함.

서면4팀-610, 2007. 2. 14.

평가대상 토지가 불특정다수인이 공용하는 사실상 도로로서 평가기준일 현재 도로 외의 용도로 사용할 수 없는 경우로서 보상가액이 없는 등 재산적 가치가 없는 경우 평가가액을 0으로 함.

국심 2006중 3391, 2006. 12. 15.

상속개시일 당시 불특정다수인이 이용하는 사도로 확인되지만 개별공시지가가 고시되어 있고 도시환경정비사업 예정구역에 위치하고 있어 향후 보상이 예상되므로 상속세를 과세한 것은 정당함.

건물 평가와 관련된 예규, 판례

법령해석재산-5848, 2017. 10. 26.

개인사업에 사용하던 부동산을 상속받는 경우에는 해당 부동산의 가액은 「상속세 및 증여세법」 제60조 제1항에 따라 상속개시일 현재 시가에 의하는 것이나, 시가 산정이 어려운 경우에는 같은 법 제61조에 따라 평가한 가액을 시가로 보는 것임.

상속증여-31, 2014. 2. 25.

상속(증여)세는 상속(증여)재산의 시가를 기준으로 과세하나, 시가를 알 수 없는 경우 고시된 기준시가를 과세가액으로 하는 것으로서, 귀 질의의 상업용 건물(○○빌딩)은 「상속세 및 증여세법」 제61조 제1항 제3호에 따른 「오피스텔 · 상업용 건물 기준시가」(건물의 종류, 규모, 거래 상황, 위치 등을 고려하여 매년 1회 이상 국세청장이 토지와 건물에 대하여 일괄하여 산정 · 고시한 가액)가 정기 고시되는 건물임.

상속증여-34, 2013. 4. 9.

귀 질의의 경우, 「상속세 및 증여세법」 제61조 제1항 제2호의 규정에 따른 건물기준시가 산정시 구체적인 산정방법은 국세청 고시 제2013-2호(2012. 12. 31.)「국세청 건물 기준시가 산정방법 고시」에 의하는 것이며, 이 경우 "경과연수별잔가율"을 적용할 때 평가대상건물이 증축된 건물인 경우 신축연도는 증축일이 속하는 연도를 적용하는 것임.

재산-463, 2012. 12. 27.

주택과 그 부수토지의 소유자가 각각 다른 단독주택(개별주택가격 공시 주택)에서 주택 부수토지의 보충적 평가는 개별주택가격을 건물기준시가와 토지 개별공시지가로 안분하여 산정하는 것임.

재산-415, 2012. 11. 20.

인접되어 있으나 각각 별도의 독립된 건물인 경우 「개별건물의 특성에 따른 조정률 구분 Ⅱ」의 연면적에 따른 적용지수는 각 건물별 연면적 기준으로 적용함.

재산-551, 2011. 11. 22.

공부상 주택이나 사실상 펜션으로 사용한 경우 토지는 개별공시지가로 건물은 국세청 기준시가에 의하여 평가함이 타당함.

재산-501, 2011. 10. 21.

대세대주택을 신축하던 중 당초 주택과 그 부수토지를 취득한 날부터 6월 이내에 사망한 경우 신축중인 주택과 그 부수토지의 상속재산가액은 당초 주택과 그 부수토지의 취득가액에 상속개시일까지 발생한 공사비를 가산한 금액으로 평가하는 것임.

재산-904, 2009. 12. 3.

공부상 현황과 다르게 개별주택가격이 결정 · 공시된 경우에는 「부동산 가격공시 및 감정평가에 관한 법률」 제13조 제1항에 따라 시장 · 군수 또는 구청장이 정정하여 결정 · 공시한 개별주택가격을 적용함.

재산－638, 2009. 3. 26.

평가기준일 현재 개별주택가격이 공시되지 아니한 경우 주택의 부수토지는 개별공시지가로 평가하고 건물은 「상속세 및 증여세법」 제61조 제1항 제2호에 따라 평가함.

지상권 · 분양권 등 부동산권리 평가와 관련된 예규, 판례

조심 2013서 992, 2013. 5. 9.

상증법 제61조 제7항은 상속재산 자체에 임대차계약이 체결된 경우에 적용되는 것으로 쟁점분양권에 임대차계약이 체결된 것이라고 보기 어렵고 상속개시일 당시 경제적 사용 · 수익이 가능하지 아니한 쟁점분양권의 경제적 가치를 부동산과 동일하다고 보기 어려워 쟁점분양권은 상증법 제61조 제5항에 따라 평가하여야 함.

재산－402, 2011. 8. 26.

피상속인에게 귀속되는 재산으로서 금전으로 환산할 수 있고 재산적가치가 있는 법률상 사실상의 모든 권리는 상속재산에 포함되며, 봉안시설을 이용할 수 있는 권리의 시가산정이 어려운 경우에는 「상속세 및 증여세법」에 따라 평가하는 것임.

조심 2011서 1499, 2011. 8. 11.

평가기준일 당시에는 아파트분양권의 해약금 지급의무가 없는 상태에서 상속인이 평가기준일 이후에 아파트분양권을 해약하였으므로 아파트분양권의 가액을 평가기준일까지의 위 분양대금불입액으로 산정한 것은 정당함.

재산－27, 2011. 1. 12.

특정시설물을 이용할 수 있는 권리의 가액은 평가기준일 현재 시가에 의하되 시가의 산정이 어려울 때에는 평가기준일까지 불입한 금액과 평가기준일 현재의 프리미엄에 상당하는 금액을 합한 금액에 의함.

재산－1115, 2009. 12. 24.

분양권에 대한 프리미엄은 거래상황 및 가격변동, 당해 권리와 면적 · 위치 · 용도 등이 동일하거나 유사한 다른 권리에 대한 프리미엄 등 구체적인 사실을 확인하여 산정할 사항임.

재산－472, 2009. 10. 14.

분양권의 평가시 평가기준일까지 불입한 금액에는 「소득세법 시행령」 제163조 제5항 제2호의 채권매각차손을 포함함.

국심 2006서 3434, 2006. 12. 22.

분양권을 증여하여 부동산중개업소를 상대로 조사된 분양권의 증여 당시 프리미엄가액을 증여재산가액에 가산하여 평가함.

사실상 임대차계약이 체결되거나 임차권이 등기된 재산의 평가와 관련된 예규, 판례

서면상속증여-853, 2015. 7. 10.

상증법상 보충적 평가방법에 따라 토지와 건물을 평가하는 경우로서 임대차계약이 체결되어 있는 재산은 기준시가와 임대료 환산가액 중 큰 금액을 그 재산의 가액으로 함.

상속증여-21, 2014. 1. 28.

임대차계약이 체결된 재산을 임대료 환산가액으로 평가하는 경우 전대계약은 포함하지 않는 것이나, 거래의 실질이 당초 임대자가 전대자에게 직접 임차한 경우에 해당하는 경우에는 그 전대계약을 임대차계약으로 볼 수 있으며, 부동산 저가사용에 따른 이익은 증여세 과세대상에 해당하고 그 증여이익은 상속세 과세가액 계산시 가산하는 것임.

재산-284, 2012. 8. 6.

임대차계약이 체결되어 있는 상가건물의 시가를 확인할 수 없는 경우 임대료 등의 환산가액과 기준시가 중에서 큰 금액으로 평가하며, 이 경우 임대료 등의 환산가액을 계산할 때 상가건물과 그 부수토지의 소유자가 다른 경우로서 토지 소유자와 건물 소유자 중 어느 한사람만이 제3자와의 임대차계약의 당사자인 경우에는 제3자가 지급하는 임대료 등의 환산가액을 토지와 건물의 기준시가로 나누어 계산한 금액을 각각 토지와 건물의 평가가액으로 함.

조심 2011서 4864, 2012. 7. 18.

특별한 사정이 없는 한 임대주택의 거래가격은 법령상 분양전환가격 최고한도액을 초과할 수 없으므로 분양 전환가격의 최고한도액을 시가의 최고한도액으로 보고 임대주택의 자산가액을 계산하는 것이 타당함.

재산-414, 2011. 9. 2.

상증세법 제61조 제5항 및 동법 시행령 제50조 제7항에 의하여 사실상 임대차계약이 체결된 재산을 평가하는 경우에 1년간 임대료는 평가기준일 당시의 월임대료를 1년으로 환산한 금액을 말하는 것임.

조심 2009서 3445, 2010. 3. 29.

상가건물의 소유자가 층별로 다르고 토지의 소유자도 다른 경우 1층 상가와 토지의 상속재산가액을 1층상가 임대료 등의 환산가액으로 평가하여 과세한 처분은 부당함.

대법 2007두 10884, 2009. 4. 23.

토지와 건물의 소유자가 다름에도 일괄하여 임대차계약이 체결된 경우 토지와 건물의 기준시가로 임대료를 안분하여 증여재산을 평가한 것은 부당함.

서면4팀-792, 2008. 3. 25.

사실상 임대차계약이 체결된 부동산을 평가함에 있어서 층별 호수별로 구분 등기되어 있지 않은 경우에는 토지 및 건물 전체(자기가 사용하거나 임대하지 아니한 면적을 포함)에 대하여 임대료 등을 기준으로 상증세법 시행령 제50조 제7항이 정하는 바에 따라 평가한 가액과 같은 법 제61조 제1항 내지 제6항의 규정에 의하여 평가한 가액 중 큰 금액을 당해 부동산의 가액으로 하는 것임.

제 4 절 상속세 신고납부

상속세 납부의무가 있는 상속인 또는 수유자는 상속개시일이 속하는 달의 말일부터 6개월 이내에 상속세의 과세가액 및 과세표준을 납세지 관할 세무서장에게 신고하여야 한다. 다만, 피상속인이나 상속인이 외국에 주소를 둔 경우에는 9개월 이내에 신고하여야 한다(상증법 §67).

상속세 과세표준 신고시에는 상속세 과세표준의 계산에 필요한 상속재산의 종류, 수량, 평가가액, 재산분할 및 각종 공제 등을 증명할 수 있는 입증서류를 첨부하여야 한다.

1 상속세 과세표준 신고의무자

가. 상속인 또는 수유자

상속세 납부의무가 있는 상속인 또는 수유자가 상속세 신고의무자가 된다. 여기에서 '상속인'이란 「민법」상의 법정상속인 · 대습상속인 · 상속을 포기한 자 · 특별연고자 등을 말한다. 또한 '수유자'란 구체적으로 유증으로 재산을 취득한 자, 사인증여로 재산을 취득하는 자, 증여채무의 이행 중에 증여자가 사망한 경우에 있어 그 증여로 재산을 취득한 자를 말한다.

다만, 영리법인이 특별연고자 및 수유자가 되는 경우에는 법인세 등 납부에 따라 상속세가 면제되므로 상속세 신고의무는 없다고 하겠다.

나. 상속포기자

상속인은 상속개시가 있음을 안 날로부터 3월 이내에 단순 승인이나 한정 승인 또는 상속을 포기할 수 있으며, 상속인이 상속을 포기하면 상속이 개시된 때에 소급하여 그 효력이 있으므로 「민법」상 상속포기자는 상속인에 해당하지 아니하나, 상속세법상 상속포기자도 상속세 납부의무 및 연대납부의무가 있는 것으로 규정(상증법 §3의2)하고 있으므로 상속포기자도 상속세 신고의무자에 포함된다.

2 | 상속세의 신고 · 납부

가. 신고기한(상증법 §67)

상속세 납세의무가 있는 상속인 또는 수유자는 상속개시일이 속하는 달의 말일부터 6개월 이내에 상속세의 과세가액 및 과세표준을 납세지 관할 세무서장에게 신고하여야 한다.

상속세의 신고 · 납부기한

구　분	신고 · 납부 기한
피상속인 및 상속인이 국내에 주소를 둔 경우	상속개시일이 속하는 달의 말일부터 6월
피상속인 및 상속인이 국외에 주소를 둔 경우	상속개시일이 속하는 달의 말일부터 9월
유업집행자 또는 상속재산관리인	지정 또는 선임되는 날부터 6월

나. 신고세액공제(상증법 §67)

「상속세 및 증여세법」 제67조에 따라 상속세 과세표준을 신고한 경우 산출세액에서 각종 공제 · 감면금액을 차감한 세액의 100분의 3에 상당하는 금액을 공제한다.

다. 상속세의 납부 및 분납(상증법 §70)

상속세 납세의무자는 상속세 과세표준신고기한 내에 세액을 자진납부하여야 한다. 다만, 납부할 금액이 1천만원을 초과하면 다음과 같이 납부할 금액의 일부를 납부기한이 지난 후 2월 이내에 분납할 수 있다(단, 연부연납을 허가받은 경우에는 분납할 수 없음).

1) 분납할 세액이 2천만원 이하인 때에는 1천만원을 초과하는 금액
2) 분납할 세액이 2천만원을 초과하는 때에는 그 세액의 50% 이하의 금액

3 | 상속세(증여세)의 연부연납(상증법 §71)

납세지 관할 세무서장은 상속세 납부세액이나 증여세 납부세액이 2천만원을 초과하는 경우에는 납세의무자의 신청(기한 내 신고시, 기한 후 신고시, 수정신고시, 고지서 수령시)을 받아 연부연납을 허가(신고기한이 경과한 날부터 상속세는 9월, 증여세는 6월 이내에 그 허가여부를 서면으로 결정·통지)할 수 있다. 이 경우 납세의무자는 담보를 제공하여야 하며, 「국세기본법」 제29조 제1호부터 제5호까지의 규정에 따른 납세담보를 제공하여 연부연납 허가를 신청하는 경우에는 그 신청일에 연부연납을 허가받은 것으로 본다.

가. 연부연납의 기간(상증법 §71 ②)

상속세 및 증여세의 연부연납의 기간은 다음에 따른 기간의 범위에서 해당 납세의무자가 신청한 기간으로 한다. 다만, 각 회분의 분할납부 세액이 1천만원을 초과하도록 연부연납기간을 정하도록 하고 있다. 이 경우 중소기업 및 중견기업으로서 피상속인 및 상속인이 일정한 조건을 갖춘 경우에는 가업상속공제요건을 충족하였으나 공제를 받지 않은 경우도 적용 가능하다.

1) 가업상속재산의 경우에는 연부연납 허가일로부터 10년 또는 허가 후 3년이 되는 날부터 7년 이내. 다만, 상속재산(상속인이 아닌 자에게 유증한 재산은 제외) 중 가업상속재산이 차지하는 비율이 100분의 50 이상인 경우에는 연부연납 허가일로부터 20년 또는 허가 후 5년이 되는 날부터 15년으로 한다.
2) 위 1) 외의 경우에는 연부연납 허가일부터 5년

나. 연부연납의 취소와 징수(상증법 §71 ④)

납세지 관할 세무서장은 연부연납을 허가받은 납세의무자가 다음에 해당하게 된 경우에는 그 연부연납 허가를 취소하거나 변경하고, 그에 따라 연부연납에 관계되는 세액의 전액 또는 일부를 징수할 수 있다.

1) 연부연납 세액을 지정된 납부기한까지 납부하지 아니한 경우
2) 담보의 변경 또는 그 밖에 담보 보전(保全)에 필요한 관할 세무서장의 명령에 따르지 아니한 경우
3) 납기 전 징수사유에 해당되어 그 연부연납기한까지 그 연부연납에 관계되는 세액의

전액을 징수할 수 없다고 인정되는 경우

4) 「상속세 및 증여세법」 제18조 제5항 제1호에 따른 가업상속공제 금액의 추징사유에 해당되는 경우
5) 「유아교육법」 제7조 제3호에 따른 사립유치원에 직접 사용하는 재산을 해당 사업에 직접 사용하지 않거나 사립유치원이 폐쇄되는 경우

다. 연부연납 가산금(상증법 §72)

연부연납의 허가를 받은 자는 각 회 분납세액에 대해 분납일 현재의 국세환급가산금 이자율로 계산한 가산금을 본세에 합산하여 부과한다.

4 상속세의 물납(상증법 §73)

물납이란 금전 이외의 재산 즉 현물로 조세채무를 이행하는 것을 말한다. 조세는 원칙상 금전으로 그 납부의무를 이행하는 것이 원칙인데 금전납부가 곤란한 경우를 고려하여 물납제도를 두고 있다. 2015년 말 세법개정시 국세의 물납대상을 대폭 축소하면서 증여세의 물납을 폐지하고 상속세의 물납요건도 강화하였다.

납세지 관할 세무서장은 다음의 요건을 모두 갖춘 경우에 한해 상속세 납세의무자의 신청을 받아 물납을 허가할 수 있다. 다만, 물납을 신청한 재산의 관리 · 처분이 적당하지 않은 경우에는 물납을 허가하지 않을 수 있다.

① 상속재산 중 부동산과 유가증권(거래소에 상장되어 있지 아니한 법인의 주식 또는 출자지분을 제외하되, 비상장주식등 외에는 상속재산이 없는 경우 등 특별한 사유가 있는 경우는 예외)의 가액이 해당 상속재산가액의 2분의 1을 초과할 것. 이 경우 상속재산에는 상속재산가액에 가산하는 사전증여재산(상속인, 수유자 외의 자에게 증여한 재산은 제외)을 포함한다.
② 상속세 납부세액이 2천만원을 초과할 것
③ 상속세 납부세액이 상속재산가액(상속재산에 가산하는 증여재산 불포함) 중 금융재산(금전과 금융회사 등이 취급하는 예금 · 적금 · 부금 · 계금 · 출자금 · 특정금전신탁 · 보험금 · 공제금 및 어음)의 가액을 초과할 것

가. 물납의 신청과 허가 기한(상증령 §70 ①)

상속세를 그 신고기한 내에 신고하는 경우 물납 신청 및 허가기간은 연부연납의 신청 및 허가기간과 같다. 즉, 신고기한 내에 상속세를 신고하는 경우 그 신고와 함께 납세지 관할 세무서장에게 물납허가신청서를 제출하여야 하며, 납세지 관할 세무서장은 상속세신고기한이 경과한 날부터 6개월 이내에 신청인에게 그 허가여부를 서면으로 결정·통지하여야 한다.

나. 물납 재산의 수납일(상증령 §70 ⑤)

납세지 관할 세무서장은 물납의 허가시 그 허가를 한 날부터 30일 이내의 범위에서 물납재산의 수납일을 지정해야 한다. 이 경우 물납재산의 분할 등의 사유로 당해 기간 내에 물납재산의 수납이 어렵다고 인정되는 경우에는 1회에 한하여 20일의 범위내에서 물납재산의 수납일을 다시 지정할 수 있다

다. 관리·처분이 부적당한 재산의 물납(상증령 §71)

세무서장은 물납신청을 받은 재산이 다음에 해당하는 사유로 관리·처분상 부적당하다고 인정하는 경우에는 그 재산에 대한 물납허가를 하지 아니하거나 관리·처분이 가능한 다른 물납대상 재산으로의 변경을 명할 수 있으며, 이 경우 그 사유를 납세의무자에게 통보하도록 하고 있다.

1) 지상권·지역권·전세권·저당권 등 재산권이 설정된 경우
2) 물납신청한 토지와 그 지상건물의 소유자가 다른 경우
3) 토지의 일부에 묘지가 있는 경우
4) 유가증권 중 주식발행법인이 폐업, 해산, 회생절차 진행 중인 경우 및 최근 2년 이내 법인세법상 결손금이 발생한 경우
5) 위 1) ~ 3)과 유사한 사유로서 관리·처분이 부적당하다고 기획재정부령이 정하는 경우

라. 물납에 충당할 수 있는 재산의 범위등(상증령 §74 ①)

물납에 충당할 수 있는 부동산 및 유가증권은 아래와 같다.

1) 국내에 소재하는 부동산

2) 국채 · 공채 · 주권 및 내국법인이 발행한 채권 또는 증권과 그 밖에 기획재정부령으로 정하는 유가증권. 다만, 아래 어느 하나에 해당하는 유가증권은 제외한다.
   ① 거래소에 상장된 것. 다만, 최초로 거래소에 상장되어 물납허가통지서 발송일 전일 현재 「자본시장과 금융투자업에 관한 법률」에 따라 처분이 제한된 경우는 제외.
   ② 비상장주식등. 다만, 그 밖의 다른 상속재산이 없거나 선순위 물납재산으로 물납에 충당하여도 부족한 경우(상속세액이 비상장주식 등을 제외한 상속세 과세가액보다 큰 경우 그 차액에 한함) 상속세 물납에 충당하더라도 부족한 경우는 제외.

마. 물납에 충당하는 재산의 순서(상증령 §74 ②)

물납에 충당하는 재산은 세무서장이 인정하는 정당한 사유가 없는 한 다음의 순서에 따라 신청 및 허가하도록 하고 있다.
① 국채 및 공채
② 물납충당이 가능한 유가증권(①의 재산을 제외한다)으로서 거래소에 상장된 것
③ 국내에 소재하는 부동산(⑤의 재산을 제외한다)
④ 물납 충당이 가능한 비상장주식등
⑤ 상속개시일 현재 상속인이 거주하는 주택 및 그 부수토지

바. 물납재산의 환급(국기법 §51의 2)

납세자가 상속세 및 증여세를 물납한 후 그 부과처분의 전부 또는 일부를 취소하거나 감액하는 경정결정에 의하여 환급하는 경우에는 다음 순서에 따라 해당 물납재산으로 환급한다.
① 납세자의 신청이 있는 경우에는 그 신청한 순서에 따라 환급한다.
② 납세자의 신청이 없는 경우에는 「상속세 및 증여세법」 제74조 제2항에서 규정한 물납 충당 재산의 허가 순서의 역순으로 환급한다.

■ 상속세 및 증여세법 시행규칙 [별지 제9호 서식] (2017. 3. 10. 개정)

상속세과세표준신고 및 자진납부계산서

(앞쪽)

① 관리번호					
신 고 인	② 성 명		③주민등록번호		피상속인과의 관계	
	④ 주 소	(☎)			전자우편 주소	
피상속인	⑤ 성 명		⑥ 주민등록번호			
	⑦ 주 소					
⑧ 상 속 원 인			⑨ 상속개시일			

구 분	금 액	구 분		금 액
⑩ 상 속 세 과 세 가 액		㉕ 신 고 불 성 실 가 산 세		
⑪ 상 속 공 제 액		㉖ 납 부 불 성 실 가 산 세		
⑫ 과 세 표 준 (⑩ - ⑪)		㉗ 납 부 할 세 액(합계액) (⑯ - ⑰ - ⑱ + ㉔ + ㉕ + ㉖)		
⑬ 세 율		납부방법	납부·신청 일자	
⑭ 산 출 세 액		㉘ 연부연납세액		
⑮ 세 대 생 략 가 산 액 (「상속세 및 증여세법」 제27조)		㉙ 물 납		
⑯ 산 출 세 액(⑭ + ⑮)		현금 ㉚ 분 납		
⑰ 문화재 등 징수유예세액		현금 ㉛ 신고납부		

구 분		금 액
⑱ 계(⑲ + ⑳ + ㉑ + ㉒ + ㉓)		
⑲ 증여세액공제	소 계	
	「상속세 및 증여세법」 제28조	
	「조세특례제한법」 제30조의5 및 제30조의6	
⑳ 외국납부세액공제 (「상속세 및 증여세법」 제29조)		
㉑ 단기세액 공제 (「상속세 및 증여세법」 제30조)		
㉒ 신고세액공제 (「상속세 및 증여세법」 제69조)		
㉓ 그 밖의 공제		
영리법인 면제	유증 등 재산가액	
	면제세액 (「상속세 및 증여세법」 제3조의2)	
	㉔ 면제분 납부세액(합계액)	

「상속세 및 증여세법」 제67조 및 같은 법 시행령 제64조 제1항에 따라 상속세과세표준신고 및 자진납부계산서를 제출합니다.

년 월 일

신 고 인 (서명 또는 인)

세무대리인 (서명 또는 인)

(관리번호 : ☎)

세무서장 귀하

신청(신고)인 제출서류	1. 피상속인의 가족관계증명서 1부 2. 상속세과세가액계산명세서(부표 1) 1부 3. 상속인별 상속재산 및 평가명세서(부표 2) 1부 4. 채무 · 공과금 · 장례비용 및 상속공제명세서(부표 3) 1부 5. 상속개시 전 1(2)년 이내 재산처분 · 채무부담 내역 및 사용처소명명세서(부표 4) 1부 6. 영리법인 상속세 면제 및 납부 명세서(부표 5) 1부	수수료 없음
담당공무원 확인사항	상속인의 가족관계증명서	

행정정보 공동이용 동의서

본인은 이 건 업무처리와 관련하여 담당 공무원이 「전자정부법」 제36조 제1항에 따른 행정정보의 공동이용을 통하여 위의 담당 공무원 확인 사항을 확인하는 것에 동의합니다. * 동의하지 않는 경우에는 신청인이 직접 관련 서류를 제출하여야 합니다.

신청인 (서명 또는 인)

210mm×297mm[백상지 80g/㎡(재활용품)]

(뒤쪽)

작 성 방 법

1. "① 관리번호"란은 신고인이 적지 않습니다.
2. "⑧ 상속원인"란에는 사망 · 인정사망 또는 실종 등으로 구분하여 적습니다.
3. "⑧ 상속원인"이 실종인 경우 "⑨ 상속개시일"란에는 실종선고일을 적습니다.
4. "⑩ 상속세과세가액"란에는 상속세과세가액계산명세서(별지 제9호서식 부표 1)의 "㉗ 상속세과세가액"란의 금액을 적습니다.
5. "⑪ 상속공제액"란에는 채무 · 공과금 · 장례비용 및 상속공제명세서(별지 제9호서식 부표 3)의 "㉘ 상속공제금액합계"란의 금액을 적습니다.
6. "⑲ 증여세액공제"란은 「상속세 및 증여세법」 제28조와 「조세특례제한법」 제30조의5 및 제30조의6의 증여세액공제액을 구분하여 각각 적습니다.
7. "㉔ 면제분 납부세액"란은 상속세 납부의무를 면제받은 영리법인의 상속인 및 직계비속이 납부할 상속세액을 적습니다. ("유증 등 재산가액"란은 영리법인이 유증받은 재산의 가액을 적고, "면제세액"란은 「상속세 및 증여세법」 제3조의2에 따라 그 영리법인이 유증받은 가액에 대하여 면제받은 상속세액을 적습니다.)
8. "㉕ 신고불성실가산세"란 및 "㉖ 납부불성실가산세"란에는 「국세기본법」 제45조의3에 따라 기한 후 신고를 하는 경우에 「국세기본법」 제47조부터 제48조까지에 따라 부담할 가산세를 적습니다.
9. "㉚ 분납"란은 납부할 금액(⑯ - ⑰ - ⑱)이 1천만원을 초과하는 경우 다음 구분에 따른 금액을 적되,「상속세 및 증여세법」 제71조에 따라 연부연납을 허가받은 경우에는 분납을 신청할 수 없습니다.
   가. 납부할 세액이 2천만원 이하인 때에는 1천만원을 초과하는 금액
   나. 납부할 세액이 2천만원을 초과하는 때에는 그 세액의 100분의 50 이하의 금액
10. "㉛ 신고납부"란은 「상속세 및 증여세법」 제67조에 따라 상속세과세표준신고를 할 때 납부할 세액을 적습니다.

상속세 세율표

과세표준	세율	누진공제액
1억원이하	10%	0
1억원 초과 5억원이하	20%	1,000만원
5억원 초과 10억원 이하	30%	6,000만원
10억원 초과 30억원 이하	40%	16,000만원
30억원 초과	50%	46,000만원

* ⑭ 산출세액 = (과세표준 × 세율) - 누진공제액

Chapter

04 증여세

제 1 절 증여세의 개념과 납세의무자

1 증여세의 개념

가. 증여세의 의의

증여세는 증여로 인하여 수증자에게 귀속되는 모든 재산 또는 이익, 즉 증여재산을 과세대상으로 하여 수증자에게 부과하는 조세이다. 증여세는 국고수입 목적보다는 소득의 재분배, 불로소득의 중과세 등의 사회정책적 목적이 보다 강조되는 특징이 있다. 아울러, 상속세를 부과하는 경우 생전 증여를 통하여 상속세 부담을 회피할 수 있는데 상속세의 회피수단으로 증여가 이루어지는 것을 방지하기 위해 증여세가 부과되는 측면을 고려하여 증여세는 상속세의 보완적인 성격을 갖는다.

일반적으로 계약은 사적 자치의 원칙(계약자유의 원칙)에 따라 당사자가 자유롭게 할 수 있으며, 청약과 승낙이라는 두 개의 의사표시가 합치됨으로써 이루어지는데, 민법상 '증여'란 당사자의 일방이 재산을 무상으로 상대방에게 증여한다는 의사표시(청약)를 하고 다른 일방이 그 증여재산을 받겠다는 의사표시(승낙)를 함으로써 성립하는 계약(편무 · 무상 · 불요식계약)이다(「민법」 §554).

「상속세 및 증여세법」상 '증여'는 민법상 '증여'를 기초로 그 범위를 확장한 것으로 볼 수 있는데 2015. 12월말 「상속세 및 증여세법」 개정에 따라 신설된 '정의' 조항에서는 '증여'를 "그 행위 또는 거래의 명칭 · 형식 · 목적 등과 관계없이 직접 또는 간접적인 방법으로 타인에게 무상으로 유형·무형의 재산 또는 이익을 이전(移轉)(현저히 낮은 대가를 받고 이전하는 경우를 포함)하거나 타인의 재산가치를 증가시키는 것을 말한다(다만, 유증과 사인증여는 제외)"고 규정하고 있다.

상기와 같이 상증법상 증여는 대가없는 재산·이익의 무상이전 또는 타인의 재산가치를 증가시키는 것으로 손해배상의 성질을 갖는 위자료·손실보상금 등은 상증법상 증여에 해당하지 않으며, 유증과 사인증여는 민법상 증여에 해당되나 상증법상 상속에 포함되므로 증여세의 과세대상이 되지 않는다.

나. 증여세의 성격

① 증여세는 무상 이전되는 재산 등에 대하여 과세하는 재산과세이다.

② 증여세는 생전증여를 통한 상속세 누진부담의 회피를 방지하기 위하여 과세하는 상속세의 보완세이며, 증여재산에 대해 소득세가 과세되는 경우 증여세를 과세하지 않으므로 소득세의 보완세라고도 한다.

③ 증여세는 재산 등의 이전과정에서의 등기·등록 등 형식에 관계없이 과세하는 실질과세이다.

④ 증여세는 재산 등의 이전과정에서 담세력을 포착하여 과세하는 응능과세이다.

다. 증여세의 특징

① 증여세는 국세이나 국세의 1세목 1세법의 예외로서 상속세와 증여세의 두 가지 세목을 하나의 법률인 「상속세 및 증여세법」에 규정하고 있다.

② 증여세는 법률상 납세의무자와 실질적인 담세자가 일치될 것으로 예견되는 직접세이다.

③ 증여세는 조세수입의 용도를 특정하지 않고 일반경비에 충당하는 보통세다.

④ 증여세는 납세의무자의 조세부담능력을 감안하는 대인세라 할 수 있다.

⑤ 증여세의 세율은 상속세의 세율과 같다. 상속·증여에 중립적이다.

⑥ 증여세는 증여받은 날이 속하는 달의 말일부터 3월 이내에 증여세의 과세표준과 세액을 신고 납부하여야 하고, 그 신고 등에 대하여 관할 세무서장이 과세표준과 세액을 결정하는 정부부과 과세제도이다.

라. 증여세의 과세유형

① 취득과세

상속세에 관하여는 우리나라의 경우 유산세 과세방법을 채택하고 있으나, 증여세는 수증자가 증여받은 재산가액에 대하여 누진세율을 적용하여 세액을 계산하는 취득과세방법을 취하고 있다.

② 증여자별 · 수증자별 과세

증여세는 타인의 증여에 대하여 재산을 취득하는 자에게 부과하되, 원칙적으로 증여자별, 수증자별로 과세가액을 합산과세한다.

③ 누적합산과세

누적합산과세방식이란 일정분의 증여재산을 합산과세하는 것이고, 개별과세방식이란 각각의 증여재산을 개별로 과세하는 것이다. 우리나라의 증여세는 당해 증여일 전 10년 이내에 동일인(증여자가 직계존속일 경우에는 그 직계존속의 배우자 포함)으로부터 받은 증여재산가액의 합계액이 1천만원 이상인 경우에 한하여 그 가액을 증여세 과세가액에 합산한다.

2 | 증여세 완전포괄주의의 도입 및 정비

가. 증여세 완전포괄주의 도입

2000년까지 증여세는 「민법」상의 증여재산과 상증법상 열거된 증여의제 또는 증여추정재산에 대하여만 과세하다가, 이후 2001년부터 상증법에서 정하고 있는 6가지 유형의 자본거래 증여의제와 유사한 경우에도 증여세를 부과할 수 있도록 하였다. 그러나 이러한 열거 또는 세법에서 정한 유형과 다른 형태의 증여행위를 통하여 증여세 부담을 회피하는 사례가 사회적인 문제로 대두됨에 따라 2004. 1. 1. 이후부터는 상증법상 증여의 개념을 포괄적으로 규정하여 원칙적으로 모든 재산이나 이익에 대하여 증여세 과세가 가능하도록 한 증여세 완전포괄주의를 도입 · 시행하게 되었다.

나. 열거식 증여 또는 증여의제 규정의 예시규정화

완전포괄주의 도입에 따라 종전 열거 혹은 유형별 증여규정은 사실상 의미가 없어지는 결과가 되었으나, 국민의 법적안정성과 예측가능성을 도모하고 집행상 혼란을 방지하기 위해 증여시기 및 증여가액의 산정기준 등은 예시적 규정으로 남게 되었다.

1) 완전포괄주의 도입 후 증여세 체계[12)]

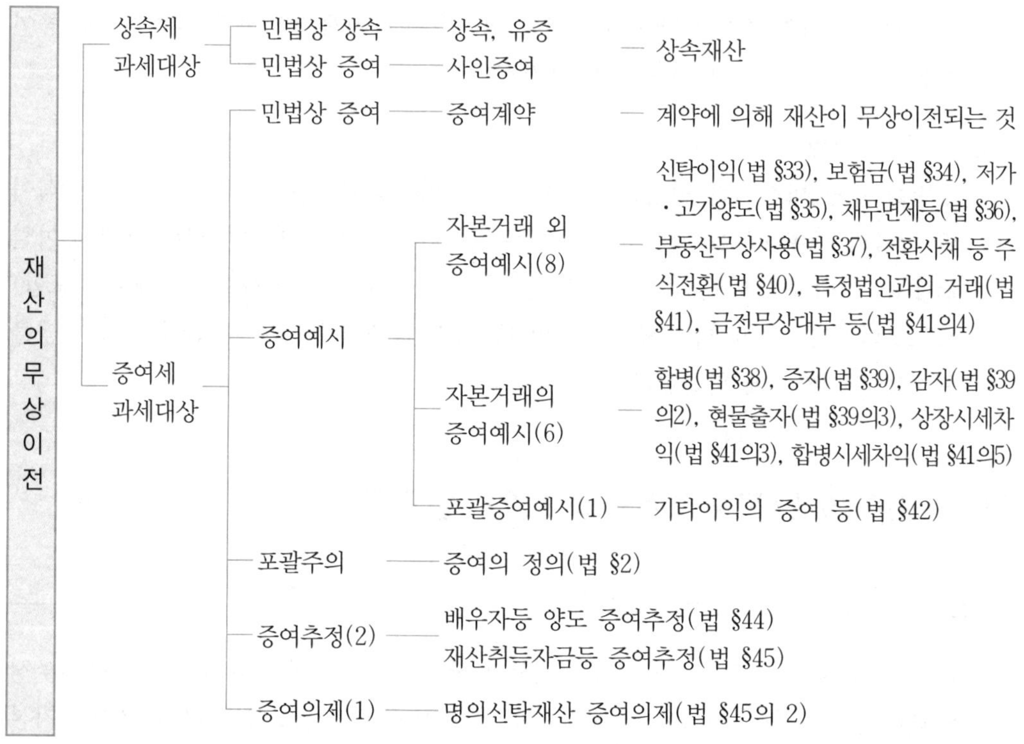

12) 국세청, 「2012 상속세 · 증여세 실무해설」, 242p.

2) 완전포괄주의 도입 전 · 후 증여세 체계 비교

구분	내용
개정 전	① 일반적 증여의제 규정(상증법 §32) －유 · 무형의 재산을 직 · 간접적으로 증여받은 경우 증여세 과세
	② 개별 증여의제 대상 열거(14개 유형) －신탁, 보험, 고 · 저가양도, 채무면제익, 토지무상사용익, 무상금전대부, 결손법인을 통한 이익, 불공정합병, 불균등증자 · 감자, 전환사채, 상장 · 합병시세차익, 명의신탁재산 증여의제
	③ 유사유형별 증여의제 규정(유형별 포괄규정) －14개 유형과 유사한 행위도 증여로 의제
개정 후	①과 ③의 규정을 완전포괄주의로 전환(3개의 그룹) －일반거래 : 대가를 수수하지 않거나 시가보다 낮은 대가로 재산을 이전받는 경우 －자본거래 : 출자, 합병, 사업양수도 등에 의해 지분 또는 가액이 증가한 경우 －기타 재산 증가 : 타인의 기여에 의해 재산가치 증가한 경우
	②의 열거규정을 예시규정으로 전환 －증여시기, 증여가액의 산정 등에 관해 규정

㉠ 개정 전의 '① 일반적 증여의제규정'은 과세가액 산정기준 등 과세요건 불비로 실체적 규정이 아니라 선언적 규정으로 해석하고 법 조문 제32조 삭제

㉡ 개정 전의 '③ 유사유형 증여의제규정'도 유사한 것만 과세가능하므로 열거주의의 한 형태에 불과하여 새로운 유형에 대해 과세 곤란

⇒ 따라서 '① 일반적 증여의제규정' '③ 유사유형 증여의제규정'을 완전포괄주의로 전환하여 변칙증여에 대처 할 수 있도록 함.

㉢ 개정 전의 '② 개별증여의제 규정'은 포괄규정에 포함되므로 삭제해도 무방하나 과세가액, 산정방법, 증여시기 등을 구체적으로 열거한 개별증여의제 규정을 예시적으로 둠으로써 법적 안정성과 예측 가능성을 도모

㉣ 증여유형 예시

• 일반거래의 증여유형 예시(8개 유형)

제33조(신탁), 제34조(보험), 제35조(저 · 고가양도 등), 제36조(채무면제이익), 제37조(부동산 무상사용이익), 제40조(전환사채 등에 대한 증여), 제41조(특정법인), 제41조의 4(금전무상대부)

• 자본거래의 증여유형 예시(6개 유형)

제38조(합병), 제39조(증자), 제39조의 2(감자), 제39조의 3(현물출자), 제41조의 3(상장시세차익), 제41조의 5(합병시세차익)

3) 기타 이익의 산정기준(상증법 §42)

개정 전	기타 이익의 산정은 개별증여의제 규정에 구체적으로 규정
개정 후	① 기타 이익의 산정기준 *일반거래 : 시가와 실제 지급한 대가와의 차액 *자본거래 : 소유지분 그 가액의 변동 전후 평가차액 *기타 재산 증가 : 재산 증가사유 발생일의 가액과 당해 취득가액의 차액 ② 세부적인 산정방법, 법률에 직접 규정 또는 시행령에 위임

다. 증여세 완전포괄주의 정비

2004년 증여세 완전포괄주의 도입 이후 과세대상 증여의 범위 및 증여이익의 계산방법 등과 관련하여 완전포괄주의를 적극적으로 적용하려는 과세관청과 납세자간 다툼이 계속 되었다. 이러한 완전포괄주의 적용과 관련하여 무엇보다 납세자 입장에서 예측가능성과 법적안정성이 현저히 떨어지는 문제가 있었고, 대법원에서 완전포괄주의를 적용하여 과세한 처분에 대해 국가가 패소하는 등 상증법상 증여세 완전포괄주의 정비 필요성이 제기됨에 따라 2015년말 상증법 개정시 증여세 완전포괄주의 제도를 정비하였다.

개정안은 증여세 완전포괄주의의 적용요건 및 증여재산가액 계산방법 등을 분명히 하여, 납세자의 법적안정성을 제고하고, 증여세 과세의 실효성을 확보하고자 한 것으로 주요내용은 아래와 같다.

1) 증여세 완전포괄주의 근거 명확화(상증법 §4)

종전 상증법 제2조, 제4조, 제31조에 분산되어 중복적으로 규정되어 있는 증여세 과세대상과 납부의무를 제4조(과세대상) 및 제4조의 2(납세의무)에 각각 체계적으로 정비하고, 상증법 제4조에서 증여세 과세대상을 다음과 같이 증여유형별로 명확하게 규정하면서 증여세 완전 포괄주의 원칙에 따라 「상속세 및 증여세법」에 열거된 증여 예시적 성격의 개별규정에 해당하지 아니하더라도 해당 규정을 준용하여 증여재산의 가액을 계산할 수 있는 경우에는 증여세를 부과하도록 하였다.

① 무상으로 이전받은 재산 또는 이익

② 현저히 낮은 대가를 주고 재산 또는 이익을 이전받음으로써 발생하는 이익이나 현저히 높은 대가를 받고 재산 또는 이익을 이전함으로써 발생하는 이익(특수관계인간 거

래가 아닌 경우에는 거래관행상 정당한 사유가 없는 경우만 과세)

③ 재산 취득 후 해당 재산의 가치가 증가한 경우의 그 이익(특수관계인간 거래가 아닌 경우 거래관행상 정당한 사유가 없는 경우만 과세)

④ 증여예시 규정에 해당하는 경우(상증법 제33조부터 제39조까지, 제39조의 2, 제39조의 3, 제40조, 제41조의 2부터 제41조의 5까지, 제42조, 제42조의 2 또는 제42조의 3에 해당하는 경우) 그 재산 또는 이익

⑤ 증여추정(상증법 제44조 또는 제45조에 해당하는 경우)의 경우 그 재산 또는 이익

⑥ ④ 증여예시 규정과 경제적 실질이 유사한 경우 등(증여예시 규정을 적용하여 증여재산의 가액을 계산할 수 있는 경우 그 재산 또는 이익)

⑦ 증여의제(제45조의 2부터 제45조의 5까지의 규정에 해당하는 경우)의 경우 그 재산 또는 이익

2) 증여재산가액 계산방법 명확화(상증법 §31)

증여이익의 계산을 위한 증여재산가액 계산의 일반원칙을 상기 증여세 과세대상 유형별로 구분하여 보다 명확히 규정하였다.

① 재산 또는 이익을 무상으로 이전받은 경우 : 증여재산의 시가(상증법 제4장에 따라 평가한 가액)

② 재산 또는 이익을 현저히 낮은 대가를 주고 이전받거나 현저히 높은 대가를 받고 이전한 경우 : 시가와 대가의 차액(시가와 대가의 차액이 3억원 이상이거나 시가의 100분의 30 이상인 경우)

③ 재산 취득 후 해당 재산의 가치가 증가하는 경우 : 증가사유가 발생하기 전과 후의 재산의 시가 차액(재산가치상승금액이 3억원 이상이거나 시가의 100분의 30 이상인 경우)

④ 증여예시 및 증여의제에 해당하는 경우에는 해당 규정에 따라 계산한 증여재산가액

3) 증여재산 취득시기 규정 신설(상증법 §32)

증여재산 취득시기에 관한 규정을 신설하여, 일반적인 증여와 증여예시 및 증여의제에 따른 증여의 취득시기를 다음과 같이 명시적으로 구분하였다.

① **일반적인 증여** : 재산을 인도한 날 또는 사실상 사용한 날 등 대통령령으로 정하는 날

② **증여 예시 및 의제** : 해당 규정에 따른 취득시기

4) 수증이익에 법인세가 과세된 영리법인의 주주에 대한 증여세 부과 배제(상증법 §4의 2 ②)

완전포괄주의 도입 이후 영리법인이 재산 또는 이익을 증여받은 경우 영리법인에 대해서는 증여세를 과세하지 않고 있으나, 해당 영리법인의 주식가치 상승 등으로 인해 주주 등이 얻게 되는 이익에 대해서는 증여세 과세 여부가 불분명한 점이 있었다.

과세관청은 완전포괄주의를 적극적으로 해석하여 주식가치 상승에 따른 주주 등의 이익에 대해 과세하였으나 이는 상증법상 과세근거가 명확치 않은 상황에서 하나의 이익에 대해 3~4중 과세(법인의 이익에 대한 법인세, 법인의 이익이 배당형태로 주주에게 귀속될 때 배당소득세, 주식가치 상승 등에 따른 주주이익에 대한 증여세, 주식양도시 양도소득세) 되고 이는 같은 금액을 직접 증여하는 경우와 비교할 때도 조세부담이 현저히 커진다는 지적이 있었다.

이에 개정안은 증여받은 재산 또는 이익에 대한 법인세를 납부한 영리법인의 주주등에 대해서는 상증법상 증여의제로 과세하는 경우 외에는 원칙적으로 증여세를 과세하지 않도록 규정하였다.

5) 그 밖의 이익의 증여(개정전 상증법 §42) 규정의 유형별 예시규정화

상증법 개정 전에 과세관청은 증여예시규정에 해당하지 않는 증여의 경우 상증법 제2조 제3항 또는 같은 법 제42조(그 밖의 이익의 증여)를 근거로 완전포괄주의를 적용하고자 하였는데 증여예시 규정의 하나인 제42조가 완전포괄주의 적용의 만능 조문처럼 활용되는 것에 대한 문제제기가 계속되었다.

이에 따라 2015. 12월말 개정시 종전 제42조에 통합적으로 규정되어 있는 이익의 증여를 개별 유형별로 분류한 후 별도 조문으로 구성하여 각각 증여 예시적 성격의 규정임을 명확히 하였다.

아울러, 재산의 사용 또는 용역의 제공에 의하여 이익을 얻은 경우를 타인에게 시가보다 낮은 대가를 지급하거나 무상으로 타인의 재산을 사용하거나 타인의 용역을 제공받은 경우 등으로 각각 구체화하여 해당 시가와 대가의 차액을 증여재산가액으로 하도록 하고, 특수관계인이 아닌 자 간의 거래인 경우에는 거래의 관행상 정당한 사유가 없는 경우에 한정하여 적용하도록 하였으며,

주식의 포괄적 교환 및 이전, 사업의 양수 · 양도, 사업 교환 및 법인의 조직 변경 등에

의하여 이익을 얻은 경우에는 증여재산가액을 소유지분이나 그 가액의 변동 전과 후의 재산의 평가차액으로 하도록 하면서, 이 경우에도 특수관계인이 아닌 자 간의 거래인 경우에는 거래의 관행상 정당한 사유가 없는 경우에 한정하여 적용되도록 정비하였다.

6) 증여예시 및 증여의제 규정 조문 정비

영리법인의 주주에 대한 과세 관련 규정의 증여의제화, 그 밖의 이익의 증여(종전 상증법 §42) 규정의 증여유형별 예시규정화 등 완전포괄주의 정비에 따라 2016년 이후 증여예시 및 의제 규정이 다음과 같이 변경되었다.

2016년 이후 증여예시 및 의제 규정 체계

제3장 증여세의 과세표준과 세액의 계산

제1절 증여재산
- 제31조 증여재산가액 계산의 일반원칙
- 제32조 증여재산 취득시기
- 제33조~제41조의 5 종전 개별 예시규정
- 제41조의 2 초과배당에 따른 이익의 증여
- 제42조 재산사용 및 용역제공에 따른 이익의 증여
- 제42조의 2 조직 변경 등에 따른 이익의 증여
- 제42조의 3 재산 취득 후 재산가치 증가에 따른 이익의 증여

※ 종전 §42(그밖의 이익의 증여) → 개정 §42, §42의 2, §42의 3

제2절 증여 추정 및 증여 의제
- 제44조~제45조 증여 추정
- 제45조의 2 명의신탁재산의 증여 의제
- 제45조의 3 일감몰아주기 증여 의제
- 제45조의 4 일감떼어주기 증여 의제(신설)
- 제45조의 5 특정법인과의 거래를 통한 이익의 증여 의제

※ 종전 §41 증여예시 규정에서 이관

3 | 증여세 과세대상 및 납부의무

상증법 제2조 제6호에서 "증여"란 그 행위 또는 거래의 명칭 · 형식 · 목적 등과 관계없이 직접 또는 간접적인 방법으로 타인에게 무상으로 유형 · 무형의 재산 또는 이익을 이전(移轉)(현저히 낮은 대가를 받고 이전하는 경우를 포함)하거나 타인의 재산가치를 증가시키는 것으로 정의하고 있다. 이는 2004년부터 시행된 증여세 완전포괄주의에 따라 상증법상 도입된 증여의 개념으로, 2015년말 개정시 일부 모호한 개념을 제외[13)]하여 정리한 것이다.

종전 상증법 제2조, 제4조, 제31조에 분산되어 중복적으로 규정되어 있는 증여세 과세대상과 납부의무를 2015년말 개정시 상증법 제4조(과세대상) 및 제4조의 2(납세의무)로 구분하여 체계적으로 정비하였으며, 구체적인 내용은 아래와 같다.

가. 증여세 과세대상(상증법 §4)

1) 개정된 상증법 제2조 제7호에서 '증여재산'이란 증여로 인하여 수증자에게 귀속되는 모든 재산 또는 이익을 말하며, '금전으로 환산할 수 있는 경제적 가치가 있는 모든 물건' '재산적 가치가 있는 법률상 또는 사실상의 모든 권리', '금전으로 환산할 수 있는 모든 경제적 이익'을 포함하는 것으로 정의하고 있으며, 다음에 해당하는 증여재산에 대해서는 증여세가 부과된다.

① 무상으로 이전받은 재산 또는 이익

② 현저히 낮은 대가를 주고 재산 또는 이익을 이전받음으로써 발생하는 이익이나 현저히 높은 대가를 받고 재산 또는 이익을 이전함으로써 발생하는 이익(특수관계인간 거래가 아닌 경우 거래관행상 정당한 사유가 없는 경우만 과세)

③ 재산 취득 후 해당 재산의 가치가 증가한 경우의 그 이익(특수관계인간 거래가 아닌 경우 거래관행상 정당한 사유가 없는 경우만 과세).

④ 증여예시 규정에 해당하는 경우(상증법 제33조부터 제39조까지, 제39조의 2, 제39조의 3, 제40조, 제41조의 2부터 제41조의 5까지, 제42조, 제42조의 2 또는 제42조의 3에 해당하는 경우) 그 재산 또는 이익

⑤ 증여추정(상증법 제44조 또는 제45조에 해당하는 경우)의 경우 그 재산 또는 이익

⑥ ④ 증여예시 규정과 경제적 실질이 유사한 경우 등(증여예시 규정을 적용하여 증여재

---

13) '종전 기여에 의하여 타인의 재산가치를 증가시는 것'에서 '기여에 의하여'를 삭제

산의 가액을 계산할 수 있는 경우 그 재산 또는 이익)

⑦ 증여의제(제45조의 2부터 제45조의 5까지의 규정에 해당하는 경우)의 경우 그 재산 또는 이익

2) 상속재산의 협의분할 및 재분할시 증여세 과세

상속개시 후 상속재산에 대하여 등기 등으로 각 상속인의 상속분이 확정된 후, 그 상속재산에 대하여 공동상속인이 협의하여 분할한 결과 특정 상속인이 당초 상속분을 초과하여 취득하게 되는 재산은 그 분할에 의하여 상속분이 감소한 상속인으로부터 증여받은 것으로 보아 증여세를 부과한다.

이는 상속분이 확정된 후에 민법상 협의분할을 이용한 증여세의 탈루를 방지하기 위한 것인데 이 경우에도 상속세 과세표준 신고기한 이내에 분할에 의하여 당초 상속분을 초과하여 취득한 경우와 당초 상속재산의 분할에 대하여 무효 또는 취소 등 정당한 사유가 있는 경우에는 증여세를 부과하지 않는다.

3) 반환 또는 재증여시 증여세 과세(상증법 §4 ④)

증여를 받은 후 당사자간의 합의에 따라 그 증여받은 재산(금전 제외)을 3개월 내에 반환하는 경우에는 처음부터 증여가 없었던 것으로 본다. 다만, 반환하기 전에 납기 전 징수사유에 의해 과세표준과 세액의 결정을 받은 경우에는 그러하지 아니하다.

상기의 경우를 제외하고 증여를 받은 자가 증여받은 재산(금전 제외)을 증여세 과세표준 신고기한이 지난 후 3개월 이내에 증여자에게 반환 또는 다시 증여한 때에는 증여로 보지 않는다(당초 증여분은 증여세 과세).

증여를 받은 후 다시 반환하는 경우 증여세 납부의무와의 관계를 정리하면 다음과 같다.

| 증여반환시 증여세 과세 여부 |

항 목 \ 반환시기		3개월 이내	3개월 ~ 6개월	6개월 이상
과세대상	당초증여	없음(×)	있음	있음
	반 환	없음(×)	없음	있음

* 다만, 금전의 경우 시기에 관계없이 증여세 과세대상에 해당

관련예규 및 판례요약

증여세 과세대상 등 : 상증법 §2, §4

증여의 일반적 정의와 관련된 예규, 판례

조심 2019서 0399, 2019. 12. 26.

처분청이 이 건 쟁점주식 거래와 관련된 구체적 과세요건사실을 간과하여 AA이 청구인에게 금전 ○○○원을 무상으로 증여한 것으로 오인한 것으로 보이고, AA이 BB를 구조조정하는 과정에서 청구인에게 실질적으로 쟁점주식을 증여하여 청구인이 이를 인수하게 된 것으로 봄이 합당하다 할 것이므로 처분청이 청구인에게 한 이 건 증여세 부과처분은 잘못이 있다고 판단됨.

조심 2019중 2325, 2019. 12. 26.

AA가 토지수용보상금을 받기 이전에 청구인이 쟁점아파트를 분양받았고 계약금을 자신의 근로소득을 재원으로 납부한 점, 청구인이 BB은행에서 중도금 무이자대출을 받아 세 번의 중도금을 납부한 점 등을 고려하면 청구인이 자신의 자금 및 빌린 자금으로 쟁점아파트를 분양받아 취득한 것으로 인정됨.

조심 2018서 0547, 2018. 7. 3.

피상속인 부부와 전세계약서는 작성하지 않았으나 상속인의 아파트에 전입하게 되면서 전세금을 보전하기 위해 지급한 것으로 보이고, 피상속인이 청구인에게 지급한 금액은 쟁점아파트 단지의 전세 실거래가 범위 내에 있으므로 사전증여재산가액이 아니라 전세보증금으로 보는 것이 타당하다 할 것이다.

대법 2014두 43516, 2106. 7. 14.

수증자가 증여세를 납부할 능력이 없다고 인정될 때에는 과세관청의 부과처분 등 집행시점을 기준으로 판단하는 것은 납세의무의 부담여부가 과세관청의 임의에 따라 좌우될 우려가 있어 부당하므로 증여세 납세의무의 성립시점을 기준으로 판단하여야 한다. 이는 '수증자가 증여세를 납부할 능력이 없다고 인정될 때'에 해당하는지 여부는 문제되는 증여세 납세의무의 성립 시점, 즉 그와 같은 증여가 이루어지기 직전을 기준으로 판단하여야 하고, 그 시점에 이미 수증자가 채무초과 상태에 있었다면 채무초과액의 한도에서 증여세를 납부할 능력이 없는 때에 해당한다고 할 것이다.

대법 2014두 40722, 2015. 12. 23.

이 사건 각 금원의 대여에는 상증법 제41조의 4 제1항 제1호가 직접 또는 유추 적용될 수 없고, 상증법 제42조 제1항 제1호, 제2호가 적용될 수 없다. 따라서 이 사건 각 금원의 대여에는 증여세를 부과할 수 없으므로, 이와 다른 전제에 선 이 사건 각 처분은 위법하여 취소되어야 함(상증법 제41조의 4 금전무상대출 등에 따른 이익의 증여관련, 거래당사자 2013. 1. 1. 개정 : 특수관계인 → 타인).

서면상속증여-350, 2015. 4. 22.

하나의 종중명의로 등기된 부동산을 여러 개의 소종중 명의로 등기이전한 경우로서 그 이전된 부동산이 당초부터 소종중의 소유임이 확인되는 경우에는 증여세가 과세되지 아니함.

심사증여 2014-86, 2015. 1. 20.

직계존비속간의 금전소비대차는 차용 및 상환사실이 객관적으로 명백히 입증되지 아니하는 한 원칙적으로 금전소비대차로 인정하기 어려움.

상속증여-152, 2014. 5. 22.

상속형 즉시연금보험의 연금 지급이 개시된 후 보험계약의 계약자와 수익자를 변경하는 경우에는 「상속세 및 증여세법」 제2조에 따라 그 변경일자를 증여시기로 하여 변경 후 수익자에게 증여세가 과세되는 것이며, 이 경우 증여재산가액은 같은 법 시행령 제62조(정기금을 받을 권리의 평가)에 따라 평가한 금액과 해약환급금 상당액 중 큰 금액으로 평가하는 것임.

대법 2013두 14603, 2013. 10. 24.

금융계좌에서 원고명의의 금융계좌로 송금되었으므로 이 금원은 원고에게 증여된 것으로 추정되고 증여가 아닌 다른 목적으로 행하여진 것이라는 등의 특별한 사정이 있다는 점은 원고가 입증하여야 하는 것임.

서울고법 2012누 4687, 2013. 4. 5.

토지를 증여한 것이 부존재 또는 무효가 아닌데도 담합하여 원인무효인 것처럼 제소하여 그러한 내용으로 화해권고결정을 받은 것으로 보기 어렵고 달리 이러한 점을 인정할 만한 증거가 화해권고결정의 확정이 증여세 취소사유인 취득원인 무효판결 등에 해당하지 않는다는 이유로 원고의 경정청구를 거부한 처분은 위법함.

조심 2012부 1916, 2012. 9. 17.

청구인과 사실혼 배우자는 사실혼 관계를 유지하다가 법률상 혼인한 것으로 나타나고 쟁점 부동산 취득에 대한 청구인의 기여 정도가 확인되지 않으며 혼인관계를 청산한 것도 아닌 점 등에 비추어 이를 재산분할이나 위자료로 보기 어려움.

서울행법 2012구합 4753, 2012. 8. 17.

주주들의 조부가 부동산을 증여하는 방법으로 주식의 가치를 높여 증여전후의 차액만큼 자손들에게 증여했으므로 과세대상에 포함되는 것이며 부동산을 증여받은 시기를 전후한 주식가액의 차액을 기준으로 증여세를 부과한 것은 위법하며 이미 낸 법인세도 감안하여야 함.

재산-563, 2011. 11. 28.

증여자가 임차인들로부터 받아 보관중인 임대보증금 중 증여하는 재산에 해당되는 금액을 수증자에게 인도하는 경우에는 부담부증여에 해당하지 않음.

재산-436, 2011. 9. 20.

타인의 증여에 의하여 재산을 취득한 자는 증여세를 납부할 의무가 있는 것이며 그 취득한 재산에 대하여 소득세가 과세(비과세, 과세미달 포함)되는 경우에는 증여세가 과세되지 아니하는 것임.

재재산-420, 2011. 6. 3.

건설사 할인분양에 대한 피해보상 명목으로 입주자대표회의가 미분양된 아파트를 받은 경우 사실상 무상으로 취득하는 것이므로 증여세가 과세되는 것임.

대법 2010두 29376, 2011. 4. 14.

증여가 있었는지 여부는 증여자와 수증자와의 관계, 재산의 액수 및 이전 경위, 재산의 사용용도 및 내역 등에 비추어 재산을 무상으로 이전해 주었는지와 그와 같은 재산 증여에 대한 증여자와 수증자의 의사의 합치가 있었는지에 의하여 판단하여야 하고, 이에 대한 입증책임은 과세관청에 있음.

조심 2010서 3843, 2011. 4. 4.

증여세 과세대상 재산이 취득원인 무효의 판결에 의하여 소유권이 환원되는 경우 증여세를 과세하지 않으나 형식적인 재판절차를 통한 화해권고결정으로 소유권이 환원된 경우는 증여세를 부과하는 것임.

대법 2010두 702, 2011. 3. 24.

갑이 소유한 부동산의 전 소유자가 갑에게 부동산을 증여하고 그 형식을 명의신탁해지 또는 대물변제로 한 것으로 보아 증여세 부과처분이 정당하다고 본 판례

조심 2009중 210, 2010. 12. 31.

법인이 청산등기를 하였더라도 법인격은 소멸하지 않고 청산사무 수행범위 내에서 계속하여 법인으로서 권리·의무능력을 가지는 것이므로 청산등기 후에 남아 있는 부동산 양도차익 중 주주의 지분비율을 초과하여 귀속된 부분은 증여에 해당함.

법규재산 2010-251, 2010. 9. 2.

2인 이상이 공동으로 소유하던 각 필지를 각각 1인 단독소유로 함에 있어 교환하는 재산가액이 서로 같지 아니하는 때에는 그 차액에 대하여 증여세가 과세되는 것임.

재산-581, 2010. 8. 12.

피상속인과 타인이 함께 합유 등기한 부동산은 그 부동산가액 중 피상속인의 몫에 상당하는 가액은 상속재산에 포함되며 상속인이 합유지분에 대한 반환청구를 포기한 때에는 상속인이 당해 지분을 상속받아 다른 합유자에게 증여한 것으로 봄.

재산-543, 2010. 7. 26.

부담있는 유증을 받은 자가 의무를 이행한 경우에도 증여세가 부과되는 것임.

재산-1027, 2009. 12. 17.

제3자를 통한 간접적인 방법이나 2이상의 행위 또는 거래를 거치는 방법에 의하여 증여세를 부당하게 감소시킨 것으로 인정되는 경우에는 직접 거래한 것으로 보거나 하나의 거래로 봄.

재산-656, 2009. 11. 6.

토지의 분양계약을 편의상 실질소유자별 지분과 다르게 체결한 후 실질소유지분대로 이전받는 경우에는 증여세가 과세되지 아니하는 것임.

재산-847, 2009. 5. 15.

채권채무 관계없이 父 소유의 토지에 단순히 자녀명의로 근저당권을 설정한 그 사실만으로는 증여세 과세문제는 발생하지 아니함.

조심 2009서 260, 2009. 5. 12.

토지소유권이 없는 상가개발조합이 조합원들에게 점포를 배당하면서 토지를 무상으로 사용할 권리를 부여한 경우 동 권리의 무상 취득은 증여에 해당함.

재산-4299, 2008. 12. 17.

대종중 명의의 부동산을 매각하고 매각대금을 소종중에게 분배하는 경우로서 이전받는 매각대금이 당초부터 이전받는 종중의 재산 매각대금으로 확인되는 경우에는 증여에 해당하지 않음.

재산-2387, 2008. 8. 22.

각자가 받았거나 받을 상속재산을 초과하여 대신 납부한 상속세액에 대하여는 다른 상속인에게 증여한 것으로 보아 증여세가 과세되는 것임.

서면4팀-767, 2008. 3. 21.

법령의 제한으로 인하여 형제간 증여를 하지 못하여 직계존속에게 증여한 후 직계존속이 형제에게 증여한 경우 직접 형제간 증여로 보아 증여세를 과세함이 타당함.

서면4팀-738, 2008. 3. 19.

단순히 배우자 명의의 예금계좌를 개설하여 현금을 입금한 후 본인이 관리해 오다가 당해 예금을 인출하여 본인이 사용한 것으로 확인되는 때에는 증여로 보지 않음.

서면4팀-612, 2008. 3. 11.

공동사업자가 사업용 건물을 취득하여 공동사업을 영위하다 공동사업을 해지하고 건물을 공동출자자 1인에게 무상이전하는 경우 지분율을 초과하는 부분은 증여세가 과세됨.

서면4팀-154, 2008. 1. 17.

점포의 분양권에 대한 실질소유자가 을인 경우로서 편의상 갑의 명의로 분양계약을 체결한 후 을의 명의로 등기 등을 하는 경우에는 증여세가 과세되지 아니하나, 실질적인 소유자가 누구인지 여부는 사실판단할 사항임.

서면4팀-2665, 2006. 1. 3.

피상속인 명의의 예금을 상속개시일 전에 인출하여 상속인이 보관하고 있는 경우 사전증여인지 여부는 예금의 인출경위 등 구체적인 사실을 확인하여 판단한 사항임.

상속재산의 협의분할과 관련된 예규, 판례

대법 2017두 59055, 2017. 11. 9.

망인 사망 27년 후 이 사건 부동산을 피상속인(망인의 처) 단독명의로 소유권이전등기한 직후 이루어진 이 사건 부동산의 매도와 매각대금 분배는 그 일련의 과정이 일체로서 실질적인 상속재산 협의분할에 해당하므로 증여세 과세처분은 취소한다.

서면상속증여-1798, 2015. 10. 2.

상속개시 후 공동상속인간에 상속재산을 분할하여 상속지분이 확정되어 등기 등이 된 후 특정상속인이 당해 상속재산을 매각하여 매각대금을 다른 상속인에게 분배하는 경우에는 증여세가 과세되는 것임.

재산-444, 2012. 12. 10.

「민법」 제404조의 규정에 의한 채권자대위권의 행사에 의하여 법정상속분대로 등기 등이 된 상속재산을 협의분할에 의하여 재분할하는 경우에는 증여에 해당하지 않음.

재산-388, 2012. 10. 31.

상속개시 후 법원의 확정판결에 따른 상속등기의 내용이 상속재산의 최초 분할에 해당하는 경우에는 특정상속인이 법정상속분을 초과하여 재산을 취득하는 경우에도 증여세가 과세되지 아니하는 것임.

조심 2012서 1618, 2012. 8. 29.

母로부터 쟁점토지를 상속받을 당시 상속인 중 일부가 해외에 거주하여 쟁점토지를 처분하기 위하여 명의만을 청구인으로 등기하였다는 청구주장에 신빙성이 있어 보이는 점 등에 비추어 당초 쟁점토지 법정상속분에 따라 매매대금을 지급받은 것일 뿐 증여로 보기 어려움.

재산-437, 2011. 9. 20.

상속재산을 분할하기 전에 상속재산인 예금을 특정상속인이 임의로 본인명의로 변경한 후 공동상속인 사이에 분할을 확정하여 그 내용에 따라 명의변경하는 경우에는 증여세가 과세되지 않음.

재산-347, 2011. 7. 20.

합유등기된 재산은 별도의 약정이 없는 한 균등하게 소유한 것으로 보아 지분변동에 대해 증여세를 과세함.

재산-337, 2011. 7. 14.

상속회복청구의 소에 의한 법원의 확정판결에 따라 상속인 및 상속재산에 변동이 있는 경우 등 당초 상속재산의 재분할에 대하여 무효·취소 등 정당한 사유가 있는 경우에는 증여세가 과세되지 아니함.

재산-195, 2011. 4. 19.

상속인의 상속포기로 인하여 그 다음 순위 상속인이 재산을 상속받은 후, 포기한 상속인에게 상속재산의 일부를 재분배한 경우 그 재분배한 재산에 대하여는 증여세가 과세되는 것임.

재산-1656, 2008. 7. 15.

상속세 신고기한 이내에 재분할에 의하여 당초 상속분을 초과하여 취득하거나 당초 상속재산의 재분할에 대하여 「상속세 및 증여세법 시행령」 제24조 제2항 각 호의 사유가 있는 경우에는 증여세가 과세되지 아니함.

서면4팀-3252, 2007. 11. 9.

부모가 사망한 후에 부모 소유의 부동산을 자녀의 명의로 증여등기한 경우에는 상속으로 보는 것이며, 당해 자녀의 법정지분을 초과하여 취득한 재산가액상당액에 대하여 별도로 증여세가 과세되지 아니함.

증여의 취소와 관련된 예규, 판례

심사증여 2015-13, 2015. 5. 7.

부담부증여에 있어서는 쌍무계약에 관한 규정이 준용되어 부담의무 있는 상대방이 자신의 의무를 이행하지 아니할 때에는 비록 증여계약이 이행되어 있다 하더라도 그 계약을 해제할 수 있고(대법원 95다 43358, 1996. 1. 26.), 증여를 원인으로 한 소유권이전등기가 경료되어도 그 등기원인이 된 증여행위가 아예 없었거나 무효인 경우라면 그로 인한 소유권이전의 효력이 처음부터 발생하지 아니하므로 소유권이전등기의 말소를 명하는 판결의 유무와 관계없이 증여세의 과세대상이 될 수 없는 것(대법원 95누 10006, 1995. 11. 24.)이며, 특히 조세소송에 있어서 과세처분의 위법 여부를 판단하는 기준시기는 그 처분당시라 할 것이어서 증여에 의한 재산취득이 있는 경우 과세관청에서 증여세과세처분을 하기 전에 그 증여계약이 적법하게 해제되고 그 해제에 의한 말소등기가 된 때에는 그 계약의 이행으로 생긴 물권변동의 효과는 소급적으로 소멸하고 증여는 처음부터 없었던 것으로 보아야 할 것이므로 이를 과세원인으로 하는 증여세 과세처분은 할 수 없으며(대법원 2003두 13465, 2005. 7. 29.), 해제조건 있는 법률행위는 조건이 성취한 때로부터 그 효력을 잃는 것(민법 제147조)이다.

조심 2011전 431, 2011. 9. 9.

증여약정서상 증여해제권이 증여자에게 유보된 것으로 보이고, 수증자가 그 조건을 이행하지 않아 약정해제권의 행사 및 소송을 제기하여 판결에 따라 증여 소유권이전등기가 말소된 것이므로 당초 증여세 부과처분은 취소하는 것이 타당함.

재산-196, 2011. 4. 19.

아들이 부친으로부터 생전증여받은 재산을 「민법」상 규정에 따라 유류분권리자에게 반환하는 경우 그 반환재산은 당초부터 증여가 없었던 것으로 보며, 유류분을 반환받은 상속인은 반환 받은 재산에 대하여 상속세 납세의무를 부담함.

심사증여 2006-72, 2007. 12. 18.

금전(현금)의 증여에 대하여는 그 금전을 증여세 신고기한 이내에 반환한다 하더라도 증여가 없었던 것으로 보지 아니함.

대법 2003두 13465, 2005. 7. 29.

과세처분이 있는 후에 증여계약 해제를 원인으로 한 소유권이전등기말소청구소송이 제기되어 그 승소판결이 확정되거나 등기가 말소되었다는 사유만으로 증여세과세처분의 적법성을 다툴 수 없음.

증여재산 반환의 증여세 과세와 관련된 예규, 판례

서면상속증여-330, 2015. 4. 9.

증여세 과세대상이 되는 재산이 취득원인무효의 판결에 의하여 그 재산상의 권리가 말소되는 때에는 증여세를 과세하지 아니하는 것이나, 형식적인 재판절차만 경유한 사실이 확인되는 경우에는 그러하지 아니하는 것임. 이 경우 형식적인 재판절차만 경유하였는지 여부에 대하여는 당초 소유권이전등기 내용, 취득원인무효 소송제기 내용 및 판결내용 등 구체적인 사실을 확인하여 판단하는 것임.

상속증여-350, 2014. 9. 18.

모친이 반환받은 부동산을 증여세 신고기한 이내에 다시 子에게 재반환 하는 경우에는 반환 및 재반환에 대해서는 증여세가 과세되지 아니합니다. 다만, 재반환 전에 과세표준과 세액의 결정을 받은 경우에는 그러하지 아니함.

재산-145, 2011. 3. 18.

해제조건부 증여의 경우 조건성립으로 증여재산을 반환하는 경우에도 당초 부과된 증여세는 취소되지 않는 것임.

재산-91, 2010. 2. 12.

증여자가 사망한 후에 증여재산을 반환하는 경우에는 「상속세 및 증여세법」 제31조 제4항에 의한 증여재산의 반환으로 보지 아니함.

서울행법 2009구합 7226, 2009. 6. 18.

증여자와 사이의 담합에 의하여 말소등기를 명하는 판결을 받았다 하더라도 소유권이전등기의 말소절차를 경료하지 아니한 때에는 증여재산의 반환이 있었다고 볼 수 없음.

조심 2008서 3188, 2008. 12. 5.

법원의 이행판결로서 주문의 내용대로 집행(등기말소)되지 아니한 이상 판결이 확정되었다는 사실만으로 소유권이 증여자에게 환원되었다고 볼 수 없음.

서면4팀-3543, 2007. 12. 12.

증여받은 재산을 당사자 사이의 합의에 따라 증여세 신고기한 이내에 증여자에게 반환하는 경우 처음부터 증여가 없던 것으로 보나, 반환전에 증여세액의 결정을 받은 경우 그러하지 않음.

국심 2007중 1582, 2007. 11. 23.

주식이 명의개서일로부터 3월 이내에 실제 소유자(명의신탁자)에게 반환되었다고 볼 것이므로 처음부터 증여가 없었던 것으로 봄이 타당함.

서면4팀-2839, 2007. 10. 4.

금전을 증여받은 자가 당해 금전을 증여계약의 해제 등에 의하여 증여세 신고기한 이내에 증여자에게 반환하는 경우에도 당초 증여 및 그 반환에 대하여 증여세가 과세됨.

서면4팀-1625, 2007. 5. 15.

증여세 신고기한 이내에 증여계약의 해제 등의 사유로 증여받은 부동산을 증여자 명의로 반환 등기한 것에 대하여 원인무효임이 법원의 판결에 의해 확인되는 경우 재등기에 대하여 증여세가 과세됨.

대법 2006두 6604, 2007. 2. 22.

주식의 이전에 의하여 증여세의 과세요건이 충족된 이상 증여세 신고기한이 지나서 주주권 확인의 소를 통하여 주식을 다시 반환받았다고 하더라도 이미 충족된 증여세의 과세요건이 소급하여 소멸된다고 볼 수 없음.

서면4팀-531, 2007. 2. 8.

종중재산을 종중단체 명의로 환원하는 것은 증여세가 과세되지 아니하나 종중회원이 종중에 증여하는 경우 종중에게 증여세가 과세되는 것임.

나. 증여세 납부의무(상증법 §4의 2)

1) 거주자 및 비거주자 구분에 따른 증여세 납부의무

증여세 납부의무자는 원칙적으로 증여재산의 수증자이며, 상증법에서는 수증자를 거주자와 비거주자로 나누어 증여세 납부의무를 규정하고 있다.

① 수증자가 거주자(내국 비영리법인을 포함)인 경우 : 상증법 제4조에 따라 증여세가 과세되는 모든 증여재산에 대해 증여세 납부의무가 있다.

② 수증자가 비거주자(외국 비영리법인 포함)인 경우 : 상증법 제4조에 따라 증여세가 과세되는 국내에 있는 모든 증여재산에 대해 증여세 납부의무가 있다.

| 수증자의 각 인격별 납세의무 |

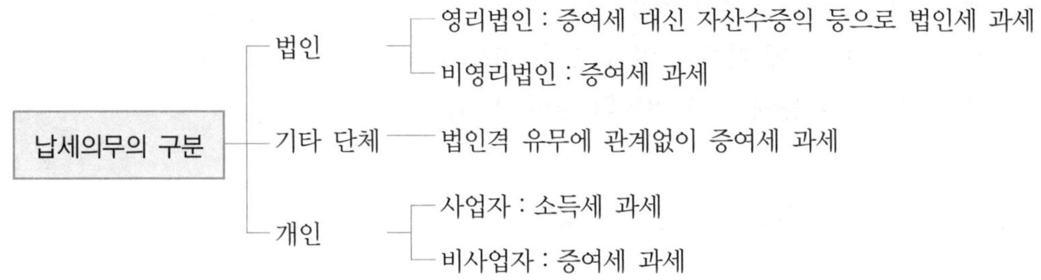

2) 국외증여에 대한 증여세 과세특례(국조법 §21)

거주자가 비거주자에게 국외에 있는 재산을 증여(증여자의 사망으로 인하여 효력이 발생하는 증여는 제외)하는 경우 그 증여자는 증여세를 납부할 의무가 있다. 다만, 수증자가 증여자의 국기법 제2조 제20호에 따른 특수관계인이 아닌 경우로서 해당 재산에 대하여 외국의 법령에 따라 증여세(실질적으로 이와 같은 성질을 가지는 조세를 포함)가 부과되는 경우(세액을 면제받는 경우를 포함)에는 증여세 납부의무가 면제된다.

3) 증여세와 소득세 · 법인세 등의 이중과세 조정

증여재산의 수증자에게 증여세를 부과하는 경우 해당 증여재산에 대하여 수증자에게 소득세 또는 법인세가 부과되는 경우(소득세 또는 법인세가 비과세되거나 감면되는 경우 포함)에는 증여세를 부과하지 않으며, 2015.12월 말 상증법을 개정하여 영리법인이 증여받은 재산 또는 이익에 대해 법인세가 부과되는 경우(법인세가 비과세되거나 감면되는 경우 포함)에는 해당 법인의 주주등에 대해서는 상증법상 증여의제로 과세하는 경우를 제외하고는 증여세를 부과하지 않도록 명확히 하였다.

4) 증여세 납부의무의 면제

증여재산의 수증자는 증여세의 납부의무가 있는 것이나 수증자가 증여세를 납부할 능력이 없다고 인정되고 체납처분을 집행하여도 증여세에 대한 조세채권을 확보하기 곤란한 경우로서 다음의 증여유형에 해당하는 경우에는 그에 상당하는 증여세의 전부 또는 일부를 면제한다. 이는 아래 증여유형의 경우 성격상 납부능력이 없는 경우까지 과세하는 것은 너무 가혹하고, 연대납세의무도 면제됨에 따라 증여세 부과 후 결손처분에 이르는 행정력 낭비를 막기 위한 것이다.

① 저가 양수 또는 고가 양도에 따른 이익의 증여(상증법 §35)
② 채무면제 등에 따른 증여(상증법 §36)
③ 부동산 무상사용에 따른 이익의 증여(상증법 §37)
④ 금전 무상대출 등에 따른 이익의 증여(상증법 §41의 4)

다. 증여세의 연대납부의무(상증법 §4의2 ⑤)

증여세의 납부의무자는 원칙적으로 수증자이나 다음의 경우에는 증여자도 수증자와 연대하여 납부할 의무가 있다.

① 수증자의 주소나 거소가 분명하지 아니한 경우로서 증여세에 대한 조세채권(租稅債權)을 확보하기 곤란한 경우
② 수증자가 증여세를 납부할 능력이 없다고 인정되는 경우로서 체납처분을 하여도 증여세에 대한 조세채권을 확보하기 곤란한 경우
③ 수증자가 비거주자인 경우

다만, 다음의 경우는 연대납부의무를 적용하지 않는다.

① 저가양수 · 고가 양도에 따른 이익의 증여(상증법 §35)
② 채무면제 등에 따른 증여(상증법 §36)
③ 부동산 무상사용에 따른 이익의 증여(상증법 §37)
④ 합병에 따른 이익의 증여(상증법 §38)
⑤ 증자에 따른 이익의 증여(상증법 §39)
⑥ 감자에 따른 이익의 증여(상증법 §39의 2)
⑦ 현물출자에 따른 이익의 증여(상증법 §39의 3)
⑧ 전환사채 등의 주식전환 등에 따른 이익의 증여(상증법 §40)
⑨ 초과배당에 따른 이익의 증여(상증법 §41의 2)
⑩ 주식등의 상장 등에 따른 이익의 증여(상증법 §41의 3)
⑪ 금전 무상대출 등에 따른 이익의 증여(상증법 §41의 4)
⑫ 합병에 따른 상장 등 이익의 증여(상증법 §41의 5)
⑬ 재산사용 및 용역제공 등에 따른 이익의 증여(상증법 §42)
⑭ 법인의 조직 변경 등에 따른 이익의 증여(상증법 §42의 2)
⑮ 재산 취득 후 재산가치 증가에 따른 이익의(상증법 §42의 3)

⑯ 특수관계법인과의 거래를 통한 이익의 증여 의제(상증법 §45의 3)

⑰ 특수관계법인으로부터 제공받은 사업기회로 발생한 이익의 증여 의제(상증법 §45의 4)

⑱ 특정법인과의 거래를 통한 이익의 증여 의제(상증법 §45의 5)

⑲ 공익법인등이 출연받은 재산에 대한 과세가액 불산입등(출연자가 해당 공익법인의 운영에 책임이 없는 경우로서 대통령령으로 정하는 경우만 해당)(상증법 §48)

관련예규 및 판례요약

수증자가 거주자인 경우 증여세 납부의무와 관련된 예규, 판례

재재산-203, 2016. 3. 10.

「상속세 및 증여세법」(2015. 12. 15. 법률 제13557호로 개정되기 전의 것) 제16조 및 같은 법 시행령 제12조에 따른 '공익법인등'이 아닌 비영리법인이 다른 비영리법인으로부터 재산을 증여받는 경우에는 같은 법 제2조 제1항 제1호 및 제4조 제1항에 따라 증여세를 납부할 의무가 있는 것임 → 2017. 1. 1. 이후 비과세 해당함(상증법 46— 10호 신설, 2016. 12. 20. 신설).

상속증여-224, 2014. 7. 1.

타인의 증여에 의하여 재산을 취득하는 자가 거주자인 경우에는 증여받은 국내·외에 소재하는 모든 재산에 대하여 증여세 납부의무가 있는 것이며, 외국에 있는 증여재산에 대하여 외국의 법령에 따라 증여세를 부과받은 경우에는 그 부과받은 증여세 상당액은 외국납부세액으로 증여세 산출세액에서 공제하는 것임. 귀 질의의 경우 외국 납부세액공제가 가능한 것이며, 공제할 증여세액은 증여세 산출세액에 증여세 과세표준 중 당해 외국의 법령에 의한 증여세 과세표준이 차지하는 비율을 곱하여 계산한 금액과 외국의 법령에 따라 부과받은 증여세액(가산세는 제외) 중 적은 금액을 적용함.

서울행법 2013구합 6473, 2013. 10. 11.

원고는 국내에서 생활수입의 기반이 되는 자산을 소유하고 있는 반면, 원고는 두 아들의 학업을 위해 미국에 머무르는 것으로 보이고, 두 아들의 학업 종료시 귀국할 것으로 보이는 점, 2008년과 2010년을 제외하고는 계속 입국한 점 등을 고려할 때, 원고를 국내 거주자로 보아 증여세 배우자 공제를 적용하여야 함 (국패)

조심 2013서 533, 2013. 4. 2.

청구인이 ○○○의 국적 또는 영주권을 취득한 사실이 없고 국내에 아파트를 소유하면서 타인에게 임대를 주지 아니하고 국내 체류시 거주하고 있는 점, 1999년부터 내국법인 ○○○의 이사로 등재되어 심리일 현재까지도 사내이사를 맡고 있으며, 2008. 10월부터 동 법인에 재직하면서 급여를 받고 있는 점, 2011. 2월에 결혼하여 배우자가 청구인의 국내 주소지에서 함께 거주하고 있는 점 등에 비추어 청구인은 거주자로 봄이 타당함.

서면4팀-2031, 2007. 7. 2.

증여목적으로 자녀명의의 펀드를 가입하여 입금한 현금은 그 입금시점의 증여로 보아 그 펀드운용수익은 증여세 과세대상이 아니나, 증여세 신고 등으로 증여사실이 입증되지 않는 경우에는 자녀가 인출하여 실제 사용하는 시점의 증여로 보아 증여세를 과세함.

서면4팀-1569, 2007. 5. 11.

소유한 재산을 타인에게 증여하는 경우로서 수증자가 거주자인 경우에는 당해 거주자가 증여받은 모든 재산에 대하여 증여세가 과세되는 것임.

서면4팀-1280, 2007. 4. 20.

「민법」에 의한 협의가 이루어져 이혼합의서에 재산분할청구로 인한 소유권이전임을 확인할 수 있는 경우 증여세가 과세되지 않음.

수증자가 비거주자인 경우 증여세 납부의무와 관련된 예규, 판례

조심 2015서 71, 2015. 11. 23.

피상속인의 국내 임대소득 외에 국외에서의 다른 소득이나 재산내역이 확인되지 아니하는 점, 19XX년 이후로 피상속인의 국내 거주일이 국외보다 더 많아 노후에 국내로 복귀하기 위하여 국내에 임대용 부동산을 신축하였다는 청구주장에 신빙성이 있어 보이는 점 등에 비추어 피상속인의 일반적 생활관계가 형성되는 장소를 국내로 보는 것이 타당하므로 처분청이 상속개시 당시 피상속인을 비거주자로 보아 청구인에게 상속세를 과세한 처분은 잘못이 있음.

사전법령재산-20870, 2015. 1. 14.

거주자가 비거주자에게 국외에 있는 재산을 증여함에 따라 해당 재산에 대하여 외국의 법령에 따라 증여세(실질적으로 이와 같은 성질을 가지는 조세를 포함한다)가 부과되는 경우에는 해당 거주자가 국내에 있는 재산을 다시 해당 비거주자에게 증여하더라도 「상속세 및 증여세법」 제47조 제2항은 적용되지 않는 것임.

재산-1898, 2008. 7. 25.

외국에 소재하는 비영리법인이 국내에 있는 재산을 증여받은 경우에는 증여세를 납부할 의무가 있는 것이며 증여자는 연대납세의무를 부담함.

서면4팀-905, 2007. 3. 16.

수증자가 비거주자인 경우 또는 수증자의 주소 및 거소가 분명하지 아니한 경우에는 증여자의 주소지를 관할하는 세무서에 증여세 신고서를 제출하여야 하는 것임.

서면4팀-3412, 2006. 10. 11.

대한민국 국적을 가진 비거주자가 이혼에 의한 「민법」상 재산분할청구권을 행사하여 취득한 국내 소재 부동산은 증여세 과세대상이 아님.

증여세 연대납부의무와 관련된 예규, 판례

조심 2013중 4491, 2014. 1. 23.

이 건 횡령의 피해자인 (주)○○○으로부터 쟁점금액을 포함한 30억원 상당의 재산을 받고 이○○에 대한 민사소송을 취하한 것으로 나타나는 점, 쟁점금액 수증당시부터 이 건 심리일 현재까지 이○○의 재산상황에 변동이 없는 것으로 나타나고, 유일한 자산인 부동산(아파트 1/2지분) 또한 사실상 재산가치가 없는 것으로 보이는 점 등을 종합해보면, 이 건 증여 당시인 2010. 10. 22. 수증자인 이○○은 증여세를 납부할 능력이 없었던 것으로 인정됨.

재산-477, 2011. 10. 13.

수증자가 증여일 현재 비거주자인 경우에는 수증자가 「상속세 및 증여세법」 제4조 제4항 각 호의 1에 해당하지 아니하는 경우에도 증여자가 수증자와 연대하여 납부할 의무가 있는 것이며, 증여자가 연대납세의무자로서 수증자의 증여세를 대신납부하는 경우에는 재차증여에 해당하지 않는 것임.

조심 2011서 342, 2011. 4. 14.

정치자금법 위반으로 유죄가 확정된 정치자금 기부자 갑에 대하여 정치자금을 받은 을에게 증여세를 부과하고 증여자인 갑에게 을의 증여세 체납액에 대하여 연대납세의무자로 처분한 것은 정당함.

재재산-148, 2011. 2. 27.

「상속세 및 증여세법」상 명의신탁 증여의제규정 적용시, 명의수탁자(명의자)가 개인인 거주자이고 명의신탁자(실제 소유자)가 영리법인인 경우에도 증여자가 수증자와 연대하여 해당 증여세를 납부할 의무를 지는 것임.

재산-121, 2010. 2. 26.

증여세를 결정 고지할 당시 수증자가 사망하고 수증자의 상속인이 상속받은 재산이 없거나 상속받은 재산이 납부할 증여세에 미달하는 경우에도 상속인에게 증여세를 결정고지한 후 연대납세의무자인 증여자에게 지정통지를 하는 것임.

서면4팀-1130, 2007. 4. 6.

수증자가 증여일 현재 비거주자인 경우에는 증여자가 수증자와 연대하여 납부할 의무가 있는 것이며 증여자가 연대납세의무자로서 수증자의 증여세를 대신납부한 경우 재차증여에 해당하지 아니함.

국심 2006중 1609, 2006. 10. 23.

제수에게 토지를 증여한 것으로 보이므로 증여자에게 연대납세의무를 부과한 처분은 정당함.

서면4팀-3079, 2006. 9. 7.

채무면제 등에 따른 증여에 해당하는 경우로서 수증자가 증여세를 납부할 능력이 없다고 인정되어 증여세의 전부 또는 일부를 면제받은 때에는 면제받은 증여세에 대하여 연대납부의무가 없음.

제 2 절 증여세의 과세체계

증여세의 과세표준은 ① 증여재산의 가액 계산 ② 증여세 과세가액 계산 ③ 증여세 과세표준 계산의 단계를 거쳐서 산출되며, 수증자가 거주자이면서 일반적인 증여재산의 경우 증여세의 계산구조는 아래 표와 같다.

| 증여세(수증자가 거주자이면서 일반적인 증여재산)의 계산구조와 산식[14] |

구분	내용
① 증여재산가액	국내외 모든 증여재산으로 증여 현재의 시가로 평가. 단, 시가산정이 어려운 경우 보충적 평가방법으로 평가
−	
② 증여세 과세가액 불산입 재산 등	비과세 : 사회통념상 인정되는 피부양자의 생활비, 교육비 등 과세가액 불산입재산 : 공익법인 등에 출연한 재산 등
−	
③ 채무부담액	증여재산에 담보된 채무인수액(증여재산 관련 임대보증금 포함)
=	
④ 증여세 과세가액	
+	
⑤ 10년 이내 증여재산가산액	당해 증여 이전 동일인으로부터 10년 이내에 증여받은 재산의 과세가액 합계액이 1천만원 이상인 경우 그 과세가액을 가산 * 동일인에는 증여자가 직계존속인 경우 그 배우자를 포함함.
−	
⑥ 증여공제	▪ 증여재산공제 : 증여자에 따라 배우자 6억원, 직계존비속 5천만원(미성년자는 2천만원), 기타친족 1천만원 한도로 공제 ▪ 재해손실공제 : 증여세 신고기한 이내에 재난으로 멸실·훼손된 경우 그 손실가액을 공제
−	
⑦ 감정평가수수료	부동산 감정평가법인 수수료 5백만원 한도 등
=	
⑧ 증여세 과세표준	
×	
⑨ 세 율	
=	
⑩ 산출세액	
+	
세대생략할증세액	수증자가 증여자의 자녀가 아닌 직계비속인 경우 산출세액의 30%(미성년자로서 증여재산가액 20억 초과시 40%)를 가산. 단, 직계비속의 사망으로 최근친 직계비속에 증여하는 경우는 제외
−	
세액공제·감면	▪ 신고세액공제 10% ▪ 외국납부세액공제 ▪ 기납부세액공제 ▪ 영농자녀 증여세 감면 등
=	
자진납부할 세액	

14) 국세청, 「2015 상속세·증여세 실무해설」, 208p.

1 증여재산

증여세의 과세대상이 되는 증여재산은 증여(증여자의 사망으로 인하여 효력이 발생하는 증여를 제외)로 인하여 수증자에게 귀속되는 모든 재산 또는 이익이다. 여기에서 "증여"란 증여세 과세대상에서 전술한 바와 같이 포괄주의적 개념으로 그 행위 또는 거래의 명칭·형식·목적 등과 관계없이 직접 또는 간접적인 방법으로 타인에게 무상으로 유형·무형의 재산 또는 이익을 이전(移轉)(현저히 낮은 대가를 받고 이전하는 경우를 포함)하거나 타인의 재산가치를 증가시키는 것을 말하는 것이며, 증여재산에는 수증자에게 귀속되는 재산 또는 이익으로서 금전으로 환산할 수 있는 경제적 가치가 있는 모든 물건과 재산적 가치가 있는 법률상 또는 사실상의 모든 권리 및 금전으로 환산할 수 있는 모든 경제적 이익을 포함한다(상증법§2).

가. 「민법」상 증여로 취득하는 재산

증여는 「민법」상 계약의 하나로 민법에서 증여는 당사자의 일방(증여)이 재산권을 무상으로 상대방(수증자)에게 주는 의사표시를 하고 상대방이 이를 수락함으로써 성립하는 낙성, 편무, 무상, 불요식의 계약으로 규정하고 있다.

나. 상속재산에 대한 등기 등에 따라 상속분 확정 후 재분할시 증여 (상증법 §4 ③)

상속개시 후 상속재산에 대하여 등기·등록·명의개서 등(이하 "등기등")에 의하여 각 상속인의 상속분이 확정되어 등기등이 된 후, 그 상속재산에 대하여 공동상속인이 협의하여 분할한 결과 특정상속인이 당초 상속분을 초과하여 취득하게 되는 재산가액은 그 분할에 의하여 상속분이 감소한 상속인으로부터 증여받은 재산에 포함한다. 다만, 상속세 과세표준 신고기한 이내에 재분할에 의하여 당초 상속분을 초과하여 취득한 경우와 당초 상속재산의 재분할에 대하여 무효 또는 취소 등 다음에 해당하는 정당한 사유가 있는 경우에는 증여재산가액에 포함하지 않는다.

1) 상속회복청구의 소에 의한 법원의 확정판결에 의하여 상속인 및 상속재산에 변동이 있는 경우
2) 「민법」 제404조에 따른 채권자대위권의 행사에 의하여 공동상속인들의 법정상속분대

로 등기등이 된 상속재산을 상속인 사이의 협의분할에 의하여 재분할하는 경우

3) 상속세과세표준 신고기한 내에 상속세를 물납하기 위하여 「민법」 제1009조에 따른 법정상속분으로 등기·등록 및 명의개서 등을 하여 물납을 신청하였다가 제71조에 따른 물납허가를 받지 못하거나 물납재산의 변경명령을 받아 당초의 물납재산을 상속인 간의 협의분할에 의하여 재분할하는 경우

2 | 증여재산의 취득(증여)시기(상증령 §32)

2015.12월 말 상증법 개정시 증여재산의 취득시기 규정을 신설하여 증여재산의 취득시기는 증여예시·추정·의제가 적용되는 경우에는 해당 규정에 의하고 이를 제외한 경우에는 재산을 인도한 날 또는 사실상 사용한 날 등 대통령령으로 정하는 날로 하도록 규정하였다. 증여예시·추정·의제를 제외한 증여재산의 취득시기를 정리하면 아래와 같다.

1) 일반적 증여

증여는 그 증여계약이 성립되고 증여가 실제로 이행된 때가 증여재산의 취득시기이다. 서면에 의하지 않는 경우에는 「민법」의 규정에 의하여 언제든지 그 증여를 해제할 수 있게 되어 있고, 서면에 의한 경우도 합의해제가 가능하므로 그 이행이 있을 때에 증여한 것으로 본다. 그러나 일정한 조건이 성취되면서 증여의 효력이 발생하는 조건부증여는 예외적으로 조건이 성취된 때에 증여한 것으로 본다.

2) 등기, 등록을 요하는 재산의 증여

부동산 소유권과 같은 권리 등의 이전에 등기 또는 등록을 요하는 재산의 증여에 대해서는 등기 또는 등록일을 그 재산의 취득시기로 하되, 등기를 요하지 아니하는 부동산의 취득에 대하여는 실질적으로 부동산의 소유권을 취득한 때를 증여의 시기로 본다.

3) 동산의 증여

상기 2) 이외의 동산은 인도받은 날을 취득시기로 본다.

4) 건물을 신축하여 증여하는 경우

건물을 신축하여 증여할 목적으로 수증자의 명의로 건축허가를 받거나 신고를 하여 완성

한 경우와 건물을 증여할 목적으로 수증자의 명의로 당해 건물을 취득할 수 있는 권리를 건설업자로부터 취득하거나 분양권을 타인으로부터 전득한 경우에는 그 건물의 사용승인서교부일. 다만, 사용승인 전에 사실상 사용하거나 임시사용승인을 얻은 경우에는 그 사실상의 사용일 또는 임시사용승인일로 하고 건축허가를 받지 아니하거나 신고하지 아니하고 건축하는 건축물에 있어서는 그 사실상의 사용일로 보는 것이다.

5) 타인 기여에 의한 재산가치 증가분

타인의 기여에 의하여 재산가치가 증가한 경우에는 다음의 구분에 따른 날을 증여시기로 보며 이외에는 재산가치증가사유가 발생한 날을 증여시기로 본다.

① 개발사업의 시행 : 개발구역으로 지정되어 고시된 날
② 형질변경 : 해당 형질변경허가일
③ 공유물(共有物)의 분할 : 공유물 분할등기일
④ 사업의 인가·허가 또는 지하수개발·이용의 허가 등 : 해당 인가·허가일
⑤ 주식등의 상장 및 비상장주식의 등록, 법인의 합병 : 주식등의 상장일 또는 비상장주식의 등록일, 법인의 합병등기일
⑥ 생명보험 또는 손해보험의 보험금 지급 : 보험사고가 발생한 날

6) 주식 또는 출자지분

증여받은 재산이 주식 또는 출자지분인 경우에는 수증자가 배당금의 지급이나 주주권의 행사 등에 의하여 당해 주식 등을 인도받은 사실이 객관적으로 확인되는 날에 취득한 것으로 본다. 다만, 당해 주식 등을 인도받은 날이 불분명하거나 당해 주식 등을 인도받기 전에 「상법」 제337조 또는 「상법」 제557조의 규정에 의하여 취득자의 주소와 성명 등을 주주명부 또는 사원명부에 기재한 경우에는 그 명의개서일 또는 그 기재일로 한다.

7) 무기명 채권

증여받은 재산이 무기명 채권인 경우에는 당해 채권에 대한 이자지급사실 등에 의하여 취득사실이 객관적으로 확인되는 날에 취득한 것으로 본다. 다만, 그 취득일이 불분명한 경우에는 당해 채권에 대하여 취득자가 이자지급을 청구한 날 또는 당해 채권의 상환을 청구한 날로 한다.

8) 기타 증여재산

상기 재산 외의 증여재산의 경우는 인도한 날 또는 사실상의 사용일을 취득시기로 본다.

라. 증여 유형별 예시·추정·의제 재산의 경우 취득(증여)시기

증여예시 유형, 증여추정, 증여의제에 해당하는 증여재산의 증여시기는 상증법 해당 조문에서 각각 규정하고 있는 바, 이를 정리하면 아래와 같다.

증 여 구 분		취득(증여)시기
증여예시	신탁이익의 증여(상증법 §33)	원본과 수익이 실제 지급되는 때 (사망의 경우 등은 예외)
	보험금의 증여(상증법 §34)	보험사고가 발생한 때(만기 포함)
	저가·고가양도에 다른 이익의 증여(상증법 §35)	재산의 양수일 또는 양도일(잔금청산일 등)
	채무면제 등에 따른 증여(상증법 §36)	면제 등을 받은 날
	부동산무상사용에 따른 이익의 증여(상증법 §37)	부동산의 무상사용을 개시한 날 등
	합병에 따른 이익의 증여(상증법 §38)	합병등기일
	증자에 따른 이익의 증여(상증법 §39)	주식대금납입일
	감자에 따른 이익의 증여(상증법 §39의 2)	주주총회 결의일
	현물출자에 따른 이익의 증여(상증법 §39의 3)	현물출자 납입일
	전환사채 등의 주식전환에 따른 이익의 증여(상증법 §40)	전환사채를 저가·고가 취득 및 양도한 때 또는 주식으로 전환 등을 한 때
	초과배당에 따른 이익의 증여(상증법 §41의 2)	법인이 배당 등을 한 날
	주식 등의 상장 등에 따른 이익의 증여(상증법 §41의 3)	당초 주식을 증여받거나 취득한 때
	금전무상대부에 따른 이익의 증여(상증법 §41의 4)	금전을 대출받은 날
	합병에 따른 상장 등 이익이 증여(상증법 §41의 5)	당초 주식을 증여받거나 취득한 때
	재산사용 및 용역제공에 따른 이익의 증여 (상증법 §42)	재산사용일 또는 용역제공일(1년 이상인 경우 1년이 되는 날의 다음 날)
	법인의 조직 변경 등에 따른 이익의 증여 (상증법 §42의 2)	법인의 조직변경 등에 따른 지분 또는 가액의 변동일
	재산 취득 후 재산가치 증가에 따른 이익의 증여 (상증법 §42의 3)	재산가치 증가사유 발생일(증가사유 발생일 전에 양도한 경우 그 양도일)

	증 여 구 분	취득(증여)시기
증여추정	배우자 등 양도시 증여추정(상증법 §44)	양도자가 그 재산을 양도한 때
	재산취득자금 등의 증여추정(상증법 §45)	해당 재산을 취득한 때
증여의제	명의신탁재산의 증여의제(상증법 §45의 2)	등기·등록 등을 한 때
	특수관계법인과의 거래를 통한 이익의 증여의제(상증법 §45의 3)	수혜법인의 해당 사업연도 종료일
	특수관계법인으로부터 제공받은 사업기회로 발생한 이익의 증여의제(상증법 §45의 4)	사업기회를 제공받은 날이 속하는 사업연도의 종료일
	특정법인과의 거래를 통한 이익의 증여의제(상증법 §45의 5)	증여이익의 발생유형에 따라 판단

관련예규 및 판례요약

증여재산의 취득시기와 관련된 예규, 판례

심사증여 2019-0020, 2019. 8. 21.

명의신탁 증여의제에 의한 증여세 과세시 증여재산가액은 증여일 현재의 시가에 의하며, 시가는 불특정 다수인 사이에 자유롭게 이루어지는 경우에 통상적으로 성립된다고 인정되는 가액임.

조심 2014서 3218, 2014. 12. 3.

이 건 종신형 즉시연금보험은 계약자 및 수익자를 청구인의 배우자에서 청구인으로 변경한 것으로서 보험계약 변경시점에 청구인이 보험계약의 해지 및 만기시 보험금 수령 등 보험에 대한 실질적인 모든 권한을 행사할 수 있는 지위를 획득하였다고 볼 수 있는 점 등에 비추어 계약변경일을 증여일로 보고, 계약변경일 현재 보험의 시가인 납입보험료를 증여재산가액으로 보아 증여세를 과세한 처분은 잘못이 없음.

조심 2013서 4499, 2014. 11. 11.

공증받은 증여계약서에 의한 주식 취득의 경우에도 당사자의 증여에 관한 의사표시의 합치가 있었다 하여 그 합의서 작성일을 곧바로 증여시기로 보도록 한 것이 아니라, ⓐ 배당금의 지급 ⓑ 주주권의 행사 ⓒ 명의개서 등의 방법으로 사실상 증여계약의 이행이 완료되었다고 볼 수 있는 때를 주식의 증여시기로 봄이 타당하다 할 것이다.

상속증여-114, 2014. 4. 29.
부동산을 증여받은 경우 증여시기는 소유권이전등기신청서 접수일이며, 부담부증여의 경우 증여일 현재 해당 증여재산에 담보된 증여자의 채무를 수증자가 인수한 사실이 증명되는 경우에 한하여 증여재산의 가액에서 그 채무액을 빼는 것임.

재산-448, 2012. 12. 11.
특별조치법에 따라 부동산 소유권 이전등기한 경우 사실상 취득원인에 따라 상속, 증여여부를 판단하며, 증여의 경우 등기접수일이 증여시기임

재산-485, 2011. 10. 19.
건물을 증여할 목적으로 수증자의 명의로 당해 분양권을 건설사업자로부터 취득하거나 타인으로부터 전득한 경우로서 해당 건물의 사용승인일 이후에 분양대금을 청산한 경우 분양대금 청산일을 취득시기로 보는 것임.

재산-358, 2011. 7. 25.
건물을 신축하여 증여할 목적으로 수증자의 명의로 건축허가를 받거나 신고를 하여 당해 건물을 완성한 경우에는 그 건물의 사용승인서 교부일을 증여재산 취득시기로 보는 것이며, 특수관계자의 부동산을 무상사용한 경우 증여세가 과세됨.

조심 2010서 4029, 2011. 4. 14.
처의 아파트 분양대금을 남편이 대출받아 대납하고 이후 전액 변제한 사실이 확인되므로 처가 남편으로부터 분양대금을 증여받은 것으로 보아 각 분양대금을 납부한 때를 증여시기로 보아 과세한 처분은 정당함.

재산-593, 2009. 10. 30.
증여목적으로 자녀 명의의 예금계좌를 개설하여 현금을 입금한 경우 입금시기에 증여한 것으로 보는 것이나 입금한 시점에 자녀가 증여받은 사실이 확인되지 아니한 때는 자녀가 인출하여 실제 사용하는 날에 증여받은 것으로 봄.

재산-400, 2009. 10. 7.
사실상 아파트를 증여하였으나 아파트의 대지권에 대한 보존등기가 등재되지 아니한 상태에서 건물부분에 대하여만 증여등기한 경우에는 건물부분에 대한 등기일이 당해 아파트(대지권 포함)의 증여시기임.

서면4팀-410, 2008. 2. 20.
「부동산소유권 이전등기 등에 관한 특별조치법」에 의하여 부동산에 대한 소유권이전등기를

한 경우 사실상 취득 원인에 따라 상속재산은 상속개시일, 증여재산은 등기접수일을 취득시기로 함.

- 서면5팀 - 1263, 2006. 12. 18.

남편이 부인에게 증여하고 당초 증여일로부터 6월 후에 합의해제를 원인으로 증여재산을 반환받은 경우 당해 반환받은 재산의 취득시기는 증여계약 해제등기일이 되는 것임.

- 서면4팀 - 1977, 2006. 6. 26.

주식을 증여한 경우 증여시기는 인도받은 날이나 인도받은 날이 불분명하거나 인도받기 전에 명의개서를 한 경우에는 명의개서일이 증여시기가 되는 것임.

- 서면4팀 - 831, 2006. 4. 5.

소유권보존등기가 되지 않은 상태인 건물을 증여받은 경우에는 수증자가 당해 건물을 사실상 인도받은 날을 건물의 취득시기로 보는 것이 타당함.

- 서면4팀 - 74, 2006. 1. 18.

3인이 소유한 부동산을 타인의 부동산과 교환하는 경우로서 교환으로 취득한 부동산을 3인 중 특정인 단독명의로 소유권이전등기를 한 경우 다른 2인의 지분을 증여한 것으로 보아 증여세를 과세함.

제 3 절 증여재산 가액의 계산

재산을 무상으로 이전받은 경우에 있어 증여재산가액은 원칙적으로 증여받은 재산의 시가(「상속세 및 증여세법」 제60조부터 제66조까지의 규정에 따라 평가한 가액)에 상당하는 금액이 되며, 「상속세 및 증여세법」 제33조부터 제39조까지, 제39조의 2, 제39조의 3, 제40조, 제41조의 2부터 제41조의 5까지 및 제42조 및 제42조의 2부터 제42조의 3까지에 해당하거나 이와 유사한 경우에는 해당 규정에 따라 계산한 금액이 된다.

증여유형별 증여재산 가액의 구체적 계산방법 등은 아래와 같다.

1 신탁이익의 증여(상증법 §33)

신탁계약에 의하여 위탁자가 타인을 신탁의 이익의 전부 또는 일부를 받을 수익자(受益者)로 지정한 경우로서 다음 어느 하나에 해당하는 경우에는 신탁의 이익을 받을 권리의 가액을 수익자의 증여재산가액으로 한다. 이 경우 여러 차례로 나누어 원본(元本)과 수익(收益)을 받는 경우에는 「상속세 및 증여세법 시행령」 제25조에 따른 방법으로 증여재산가액을 계산한다. 다만, 수익자가 특정되지 아니하거나 아직 존재하지 아니하는 경우에는 위탁자 또는 그 상속인을 수익자로 보고, 수익자가 특정되거나 존재하게 된 경우에 새로운 신탁이 있는 것으로 본다.

1) 원본을 받을 권리를 소유하게 한 경우에는 수익자가 그 원본을 받은 경우
2) 수익을 받을 권리를 소유하게 한 경우에는 수익자가 그 수익을 받은 경우

가. 신탁이익의 증여시기

신탁의 이익을 받을 권리의 증여시기는 다음의 경우를 제외하고는 원본 또는 수익이 수익자에게 실제 지급되는 때로 본다.

1) 수익자로 지정된 자가 그 이익을 받기 전에 당해 신탁재산의 위탁자가 사망한 경우에는 그 사망일
2) 신탁계약에 의하여 원본 또는 수익을 지급하기로 약정한 날까지 원본 또는 수익이 수익자에게 지급되지 아니한 경우에는 그 지급약정일

3) 원본 또는 수익을 여러 차례 나누어 지급하는 경우에는 해당 원본 또는 수익의 최초지급일. 다만, 원본 또는 수익을 여러 차례 나누어 지급하는 경우로서 신탁계약을 체결하는 날에 원본 또는 수익이 확정되지 아니한 경우에는 해당 원본 또는 수익의 실제 지급일

나. 신탁이익의 증여재산가액 계산방법

신탁이익에 대한 증여재산가액은 신탁의 이익을 받을 권리의 가액을 수익자의 증여재산가액으로 한다. 다만, 여러 차례로 나누어 원본과 수익을 지급받는 경우의 증여재산가액의 계산은 아래 방법에 따른다.

1) 원본과 수익의 이익의 수익자가 동일한 경우

원본과 수익의 이익의 수익자가 동일한 경우에는 「상속세 및 증여세법」에 따라 평가한 신탁재산의 가액에 대하여 수익시까지의 기간 및 수익의 이익에 대한 원천징수세액상당액 등을 고려하여 기획재정부령이 정하는 방법(아래 산식)에 따라 환산한 가액으로 평가한다 (상증칙 §16 ②).

$$\text{평가액} = \sum_{n=1}^{n} \frac{\text{각 연도의 수입금액 (원천징수세액 공제 후)}}{\left(1+\frac{10}{100}\right)^{n}}$$

* n = 평가기준일부터의 경과년수

2) 원본과 수익의 이익의 수익자가 다른 경우

① 원본의 이익을 수익하는 경우에는 평가기준일 현재 원본의 가액에 수익시까지의 기간에 대하여 상기 기획재정부령이 정하는 방법에 따라 환산한 가액

② 수익의 이익을 수익하는 경우는 원본의 가액에 100분의 10을 곱하여 추산한 장래 받을 각 연도의 수익금에 대하여 수익의 이익에 대한 원천징수세액상당액 등을 빼서 상기 기획재정부령이 정하는 방법에 따라 환산한 가액

관련예규 및 판례요약

신탁이익의 증여세 과세 : 상증법 §33

신탁의 이익을 받을 권리의 증여세 과세와 관련된 예규, 판례

상속증여-324, 2013. 7. 4.

귀 질의의 경우, 특정금전신탁 계약에 의해 원본 또는 수익을 여러 차례로 나누어 수익자에게 지급되는 때에는 「상속세 및 증여세법 시행령」 제25조 제1항 제4호에 따라 당해 원본 또는 수익이 최초로 분할지급되는 날을 신탁의 이익을 받을 권리의 증여시기로 하는 것이며, 이 경우 증여재산가액은 같은 법 시행령 제61조 제2호를 준용하여 평가한 가액(같은 법 시행규칙 제16조 제2항의 산식에 따라 환산한 금액의 합계액을 말함)으로 하는 것임.

재재산-593, 2011. 7. 26.

상장주식 신탁계약으로 위탁자가 그 자녀를 수익자로 지정하고 동 법인의 배당금을 분할하여 자녀가 지급받은 경우 신탁계약 체결일에 수익이 미확정된 경우에는 그 증여시기는 실제 분할지급일이며, 증여재산가액은 실제 지급한 가액임.

재산-1407, 2009. 7. 10.

신탁계약에 따른 신탁기간 종료시 신탁재산 원본의 이익을 모두 수익자에게 이전하는 경우 원본의 이익이 수익자에게 실제 지급되는 때를 증여시기로 함. 신탁계약에 의해 원본 또는 수익을 수회로 분할하여 지급하는 때에는 원본 또는 수익이 최초로 분할지급되는 날을 증여시기로 하며, 신탁이익은 「상속세 및 증여세법 시행령」 제61조 제2호를 준용하여 평가함.

국심 2003서 329, 2003. 4. 9.

금전신탁의 수익자로 지정된 자가 그 이익을 실질적으로 수령한 바가 없고, 그 지정 사실을 알았다고도 볼 수 없어 증여의제함은 부당한 사례

국심 2002서 3061, 2003. 2. 26.

신탁예금 이자의 수탁자로 지정된 자 명의의 계좌에 매월 입금된 당해 신탁이익에 대해 증여의제로 과세했으나, 당해 계좌의 실질적인 관리자에 해당하지 않아 부당한 사례

2 보험금의 증여(상증법 §34)

생명보험이나 손해보험에서 보험금 수령인과 보험료 납부자가 다른 경우에는 보험사고가 발생한 경우에 보험금 상당액을 보험금 수령인의 증여재산가액으로 하며, 보험계약 기간에 보험금 수령인이 타인으로부터 재산을 증여받아 보험료를 납부한 경우에는 그 보험료 납부액에 대한 보험금 상당액에서 그 보험료 납부액을 뺀 가액을 보험금 수령인의 증여재산가액으로 한다.

다만, 보험료 중 일부를 보험금 수령인이 납부하였을 경우에는 보험금에서 납부한 보험료 총액 중 보험금 수령인이 아닌 자가 납부한 보험료액이 차지하는 비율에 상당하는 금액만을 증여재산가액으로 한다.

한편, 보험금을 상속재산으로 보는 경우에는 증여세를 과세하지 않는다.

가. 보험금의 증여시기

보험금의 증여시기는 보험사고가 발생하는 때이며, 보험사고에는 만기보험금 지급의 경우를 포함한다. 연금보험의 경우에는 연금지급이 개시된 때가 된다.

관련예규 및 판례요약

보험금의 증여세 과세 : 상증법 §34

보험금의 증여세 과세와 관련된 예규, 판례

- 재재산-929, 2018. 10. 26.

  상속형 즉시연금보험의 연금지급 개시 전에 연금보험의 계약자 및 수익자를 타인으로 변경한 경우 그 타인이 증여 받은 재산가액은 즉시연금보험의 약관에 의하여 산출되는 해지환급금 상당액임.

- 대법 2018두 36486, 2018. 6. 15.

  상속형 즉시연금계약의 수익자변경의 경우, 수익자의 지위와 더불어 그 실질상 '계약 해지에 따른 해지환급금'을 받을 권리 또한 취득하였다 할 것으로, 증여일 현재 해지환급금으로 증여재산가액을 평가함이 타당함.

서면법령재산-22239, 2015. 10. 1.

거주자 甲이 상속형 즉시 연금보험에 가입(계약자 및 수익자 : 甲, 피보험자 : 乙)하고 연금지급이 개시되어 매월 일정액의 연금을 지급받다가 해당 연금보험의 계약자만을 丙(甲의 子)으로 변경하여 변경후 계약자(丙)와 수익자(甲)가 다른 경우 「상속세 및 증여세법」 제2조 및 제31조에 따라 계약자가 변경되는 시점에 甲이 해약환급금 상당액을 丙에게 증여한 것으로 보아 증여세를 과세하는 것이며, 甲에 대해서는 같은 법 시행령 제62조에 따라 평가한 가액을 丙으로부터 증여받은 것으로 보아 증여세를 과세하는 것임. 이 경우 甲이 사망함에 따라 수익자가 甲의 상속인으로 변경되어 상속된 甲의 연금수급권은 같은 법 제1조 및 제7조에 따라 상속세 과세대상에 해당하는 것이며, 甲이 상속개시일 전 10년 이내에 계약자를 상속인인 丙으로 변경하여 丙에게 증여한 재산가액은 같은 법 제13조에 따라 상속세 과세가액에 가산하는 것임.

조심 2014서 1093, 2014. 12. 2.

○○○가 미성년자인 관계로 보험계약을 임의로 해지하지 못하도록 ○○○을 계약자로 지정한 것에 불과한 것으로 보이는 점 ○○○은 명목상의 계약자로 보아야 하고 상속형 즉시연금보험은 수익자 변경없이 계약자만 변경하는 경우에는 그 변경시점에 바로 증여세 과세요건이 충족되었다고 보기는 어려운 점 등에 비추어 쟁점보험의 변경시점에 ○○○가 보험료 상당액을 ○○○에게 증여하고 다시 ○○○이 보험금에 대한 정기금 권리평가액을 ○○○에게 증여한 것으로 보아 과세한 처분은 잘못이 있음.

조심 2014서 198, 2014. 8. 11.

연금지급이 개시된 후 계약자가 변경된 경우 관련 법령에 해약환급금으로 평가하여야 한다는 근거규정이 없는 점 연금보험의 경우 연금과 적립금의 평가는 유기정기금의 평가방법에 의하는 것이 타당해 보이는 점 등에 비추어 쟁점보험은 유기정기금의 평가방법에 따라 증여재산가액을 산정하는 것이 타당함.

서면법규-166, 2013. 2. 14.

어머니가 상속형 즉시연금보험에 가입한 후 연금지급 개시 전에 계약자와 수익자를 자녀 명의로 변경하는 경우 증여세 과세방법

- 계약자 변경 이후 연금이 개시되는 경우에는 연금 수령자에게 증여세 과세
- [평가 : 수령자와 변경 후 계약자가 동일한 경우 → Max(해약환급금, 정기예금평가)] - 납입보험료

서울고법 2011누 12421, 2011. 9. 28.

보험금이 증여재산이므로 보험기간 중 보험사고가 발생한 경우에는 보험사고가 발생한 날을 증여일로 보아야 하지만 보험사고가 발생하지 않고 보험기간이 경과한 경우에는 만기일을 증여일로 보아야 함.

대법 2011두 792, 2011. 4. 28.

보험금수취인과 보험료불입자가 동일인인지 여부를 판단함에 있어서는 보험료불입액의 자금 출처만을 형식적으로 파악할 것이 아니라 보험금수취인과 보험료불입자와의 관계, 보험계약의 체결과 보험료 불입행위 과정에서 추단되는 당사자들의 의사, 보험료의 법률상 불입의 무자 등을 종합하여 판단함.

재산-605, 2010. 8. 18.

피보험자가 보험료 납입 후 수익자인 아들이 계약기간동안 연금(이자상당액)을 수령한 후 만기가 되는 시점에서 원금을 수령하는 연금보험에 있어서 보험사고가 발생한 때에 연금과 적립금의 평가는 유기정기금의 평가방법에 의함.

재산-590, 2010. 8. 13.

모친이 증여목적으로 자녀 명의의 연금보험에 가입하여 보험료를 입금한 경우 그 입금한 때마다 증여한 것으로 보는 것임.

재재산-1239, 2007. 10. 11.

생명보험 또는 손해보험에 있어서 보험금수취인이 재산을 증여받아 보험료를 불입한 경우 증여 및 보험계약의 구체적인 내용 및 경제적 실질에 따라 보험금의 증여세 과세 여부를 결정함.

3 저가양수 또는 고가양도에 따른 이익의 증여 등(상증법 §35)

가. 의 의

양도의 형식을 취하면서 사실상 재산을 무상으로 이전하는 효과가 있는 저가양수 또는 고가양도에 대해서도 증여세가 과세된다. 2003. 12. 31. 이전에는 특수관계자간에 재산을 시가보다 현저히 높거나 낮은 가액으로 매매하는 경우에만 증여세 과세대상으로 하였으나, 2004. 1. 1. 이후에는 특수관계인이 아닌 자 간에 거래의 관행상 정당한 사유없이 재산을 시가보다 현저히 낮은 가액으로 양수하거나 시가보다 현저히 높은 가액으로 양도한 경우에도 증여세가 과세된다.

나. 저가 양수

1) 저가 양수의 요건

타인으로부터 시가보다 낮은 가액(차액이 시가의 30% 이상 또는 3억원 이상)으로 재산을 양수한 경우. 다만 특수관계 없는 자로부터 양수한 경우에는 거래의 관행상 정당한 사유 없이 시가보다 현저히 낮은 가액(차액이 시가의 30% 이상)으로 재산을 양수한 경우에 한하여 증여받은 것으로 추정한다.

2) 증여재산가액

- 특수관계자와의 거래일 경우 : (시가 – 양수가액) – Min[① 시가×30%, ② 3억원]
- 비특수관계자와의 거래일 경우 : (시가 – 양수가액) – 3억원

다. 고가 양도

1) 고가 양도의 요건

타인에게 시가보다 높은 가액(차액이 시가의 30% 이상 또는 3억원 이상)으로 재산을 양도한 경우. 다만, 특수관계 없는 자에게 양도한 경우에는 거래관행상 정당한 사유 없이 시가보다 현저히 높은 가액(차액이 시가의 30% 이상)으로 재산을 양도한 경우에 한하여 증여받은 것으로 추정한다.

2) 증여재산가액

- 특수관계자와의 거래일 경우 : (양도가액 – 시가) – Min[① 시가×30%, ② 3억원]
- 비특수관계자와의 거래일 경우 : (양도가액 – 시가) – 3억원

라. 적용배제

다음의 경우에는 저가 양수, 고가 양도의 증여 규정을 적용하지 아니한다.

1) 전환사채 등의 주식전환 등에 따른 이익의 증여 규정이 적용되는 전환사채 등
2) 「자본시장과 금융투자업에 관한 법률」에 따라 거래소에 상장되어 있는 법인의 주식 및 출자지분으로서 증권시장에서 거래된 것(상증령 §33 ②에 따른 시간외시장에서 매매된 것을 제외)
3) 개인과 법인 간에 재산을 양수, 양도하는 경우로서 그 대가가 「법인세법」상의 시가에 해당되어 해당 법인의 거래에 대하여 「법인세법」상 부당행위계산 부인규정이 적용되지 아니하는 경우. 다만, 거짓 그 밖의 부정한 방법으로 상속, 증여세를 감소시킨 것으로 인정되는 경우는 제외된다.

관련예규 및 판례요약

저가·고가양도의 증여세 과세 : 상증법 §35

저가양수, 고가양도 증여세 과세와 관련된 예규, 판례

조심 2019서 2387, 2019. 12. 24.

청구인들은 정상적인 양수도 계약을 체결하였고, 청구인들의 소유주식이 양도일에 AA명의로 소유권이 이전되어 양도소득세 과세요건이 충족된 점, 청구인들은 쟁점주식의 양도대금을 전환사채 인수대금과 상계하는 방법을 선택하여 AA가 발행한 전환사채를 정상적으로 수령한 점 등에 비추어 이 건 증여세 등을 부과한 처분은 달리 잘못이 없다고 판단됨.

조심 2018서 4983, 2019. 10. 22.

쟁점주식의 거래가액을 산출한 근거가 무엇인지, 청구주장과 같이 영업망 이전대가가 포함된 것인지 불분명하고, 더욱이 양수인 스스로도 쟁점주식을 정당한 사유 없이 고가매입을 하였음을 인정하고 있으므로 그 거래가액을 정상적인 거래에 의하여 형성된 객관적인 교환가격이라고 보기는 어렵다고 하겠음.

서면상속증여-2316, 2019. 10. 7.

특수관계있는자로부터 시가보다 낮은 가액으로 재산을 양수하는 경우 그 시가와 대가의 차이가 시가의 30%이거나 3억원 이상인 경우 증여재산가액은 시가와 대가와의 차이에서 시가의 30%와 3억원 중 적은 금액을 차감하여 산정함.

조심 2019서 0110, 2019. 4. 17.

발행주식 총수의 30% 이상을 출자하여 지배하고 있는 당해 법인의 사용인으로 확인되는 청구인의 계부로부터 주식을 양수한 쟁점거래를 특수관계자 간의 저가양수로 보아 「상속세 및 증여세법」 제45조 제1항을 적용하여 청구인들에게 증여세를 부과한 이상 이를 법적근거 없는 과세권의 확장 내지 남용으로 보기는 어려운 점 등에 비추어 청구주장을 받아들이기 어려움.

재재산-966, 2018. 11. 6.

특수관계없는 자간 고·저가 거래에 따른 증여이익 계산 시 매매계약일부터 대금청산일 전일까지 환율이 30% 이상 변동하는 경우 증여일은 매매계약일이다.

대법 2012두 6797, 2014. 9. 26., 대법 2012두 27787, 2108. 3. 29.

상법상의 주식의 포괄적 교환으로 인한 증여 이익은 상증법 제35조【저가·고가 양도에 따른 이익의 증여 등】제1항 제2호, 제2항이나 제39조 【증자에 따른 이익의 증여】제1항 제1호 (다)목을 적용하여 증여세를 과세할 수는 없고, '법인의 자본을 증가시키는 거래에 따른 이익의 증여'에 관한 상증법 제42조【그 밖의 이익의 증여 등】제1항 제3호를 적용하여 증여세를 과세하여야 함.

서면상속증여-11, 2015. 9. 2.

「상속세 및 증여세법」 제35조 및 같은 법 시행령 제26조에 따라 특수관계인에게 시가보다 높은 가액으로 재산을 양도하는 경우로서 대가에서 시가를 차감한 가액이 시가의 30% 이상이거나 그 차액이 3억원 이상인 경우에는 대가와 시가와의 차액에서 시가의 30%와 3억원 중 적은 금액을 차감한 가액은 해당 재산의 양도자의 증여재산가액이 되는 것이나, 귀 질의의 경우에 이에 해당하는지는 사실판단할 사항임.

재재산-83, 2015. 2. 3.

1. 「상속세 및 증여세법」 제35조에 따른 저가·고가양도에 따른 이익의 증여 규정을 적용함에 있어서 거래당사자간의 특수관계 성립 여부는 원칙적으로 매매계약일을 기준으로 판단하는 것임.
2. 개인과 법인간에 재산을 양수 또는 양도하는 경우로서 그 대가가 「법인세법 시행령」 제89조의 규정에 의한 가액에 해당하는 경우에는 「상속세 및 증여세법 시행령」 제26조 제9항에 따라 같은 조 제1항 내지 제8항의 규정을 적용하지 아니하는 것임.

상속증여-15, 2015. 1. 20.

양도자는 양수자와 양수자의 친족(「국세기본법 시행령」 제1조의 2 제1항 제1호부터 제4호까지의 어느 하나에 해당하는 자)이 30% 이상 출자하여 지배하고 있는 법인의 사용인(퇴직 후 5년이 지나지 아니한 임원이었던 사람으로 사외이사가 아니었던 사람)에 해당하므로 양도자와 양수자는 특수관계인에 해당하는 것임.

대법 2012두 6797, 2014. 9. 26.

상법상의 주식의 포괄적 교환으로 인한 증여 이익은 상증세법 제35조 제1항 제2호, 제2항이나 제39조 제1항 제1호 (다)목을 적용하여 증여세를 과세할 수는 없고, '법인의 자본을 증가시키는 거래에 따른 이익의 증여'에 관한 상증세법 제42조 제1항 제3호를 적용하여 증여세를 과세하여야 함.

대법 2014두 37047, 2014. 8. 28.

원고들은 소외법인과 특수관계에 있지 않고, 소외법인이 이 사건 양도계약을 통하여 원고들의 주식을 인수함으로써 원고들에게 이익을 분여하여 줄 만한 사정을 찾아볼 수 없는 점 등을 종합해보면, 원고들이 거래의 관행상 정당한 사유 없이 시가보다 현저히 높은 가액으로 이 사건 주식을 양도하였다고 보기 어려움

대법 2014두 4214, 2014. 7. 1.

이 사건 주식의 양도는 코스닥상장법인의 지위를 양도하는 대가를 받고 행한 거래로서, 거래의 관행상 공개시장에서 거래되는 시가보다 높은 가격으로 거래가 이루어질 수 있는 정당한 사유가 있는 경우에 해당한다고 봄이 상당함.

대법 2012두 21604, 2013. 10. 11.

특수관계에 있는 자인 사용인은 증여세 납세의무자인 고가양도에서의 양도자 또는 저가양수에서의 양수자를 기준으로 하여 그의 사용인을 의미한다고 봄이 타당하며 거래상대방 입장에서 특수관계자를 의미하는 것이 아님.

대법 2012두 7820, 2012. 12. 13.

주식의 거래에서 거래당사자 사이에 부의 무상이전에 대한 인식이나 의욕이 존재하지 않았다는 사정으로 저가양수 증여의제 적용을 면할 사유가 되지 아니하며 별도 거래당시의 시가를 인정할 자료가 없는 이상 보충적 평가방법에 따라 그 가액을 산정하는 것임.

대법 2012두 3200, 2012. 6. 14.

비상장주식의 양도가액보다 높은 고가양도로서 증여세 대상이 되는지를 판단할 경우 상증법상의 보충적 평가방법에 의하여 평가한 가액을 시가로 볼 수 있으며, 그 양도가액 중 시가상당액에 대하여는 양도소득세를, 시가를 초과하는 부분에 대하여는 증여세를 부과할 수 있음

대법 2011두 22075, 2011. 12. 22.

비상장주식의 증여 당시 시가를 산정하기 어려워서 보충적인 평가방법을 택할 수 밖에 없었다는 점에 관한 증명책임은 과세관청에 있고, 원고가 주식교환계약의 방법으로 비상장주식을

정당한 사유없이 시가보다 현저히 높은 가액으로 양도하였다고 볼 수 없음.

부동산거래-565, 2011. 7. 5.

특수관계자에게 자산을 시가보다 높은 가격으로 양도한 경우로서 「상속세 및 증여세법」 제35조에 따라 해당 거주자의 증여재산가액으로 하는 금액이 있는 경우에는 그 양도가액에서 증여재산가액을 뺀 금액을 해당 자산의 양도당시의 실지거래가액으로 봄.

재산-208, 2011. 4. 26.

부모와 자식간 토지와 건물을 양도하는 경우 대가를 지급받고 양도한 사실이 명백한 경우에는 증여로 추정되지 않는 것이나 그 거래가액이 시가로 인정되지 않을 경우에는 저가·고가양도에 다른 이익의 증여 등이 적용될 수 있음.

재산-75, 2011. 2. 15.

비거주자가 내국법인의 주식을 시가보다 고가로 양도하는 경우, 그 대가와 시가의 차액에 상당하는 금액으로서 고가 또는 저가양도로 인한 이익상당액을 증여재산가액으로 하여 증여세를 부과하는 것임.

재산-830, 2010. 12. 2.

특수관계가 없는 자로부터 저가로 주식을 양수하는 경우로서 저가상당액이 시가의 30% 이상일 경우, 시가와 대가의 차액에서 3억원을 차감한 가액은 당해 재산의 양수자의 증여재산가액임.

재산-591, 2010. 8. 13.

특수관계에 있는 당사자 간의 합의에 의하여 그 자산이 사실상 유상으로 상호 이전되는 것으로 볼 수 있는 경우로서 새로이 취득하는 자산의 시가가 당해 교환의 대가로서 양도하는 자산의 시가보다 큰 경우 증여세가 과세됨.

심사증여 2009-104, 2010. 5. 4.

주식양수도에 대한 고가양도 판단시 평가액 산정기준일은 대금청산일 기준으로 하되, 매매계약 후 환율의 급격한 변동 등으로 인하여 산정기준일로 하는 것이 불합리하다고 인정되는 경우에 한하여는 매매계약일을 기준으로 하는 것임.

재산-1652, 2009. 8. 10.

특수관계 없는 자간 저가양수에 따른 증여이익의 산정은 양도·양수할 때마다 양수자·양도자별로 각각 산정하는 것이나, 증여세를 부당하게 감소시킨 것으로 인정되는 경우 직접 거래한 것으로 보거나 연속된 하나의 거래로 보아 증여재산가액을 산정함.

국심 2007구 3071, 2008. 11. 7.

특수관계에 있는 거래라고 할지라도 경제적 합리성을 결여한 비정상적인 가격으로 거래된 경우가 아닌 경우 시가로 인정함이 타당함.

서면4팀-3426, 2007. 11. 28.

법인의 주식을 시가보다 낮은 가액으로 매입할 수 있는 권리를 부여받은 자가 그 권리를 제3자가 행사하도록 함으로써 이익을 준 경우에는 증여세를 과세하는 것임.

국심 2007서 1155, 2007. 10. 17.

시가로 볼 수 있는 매매사례가액이 있음에도 불구하고 주식의 거래가액이 「상속세 및 증여세법」에 의한 평가액보다 낮다는 이유로 저가양수한 것으로 보아 증여세를 과세한 것은 부당함.

서면4팀-2768, 2007. 9. 20.

저가양수에 따른 이익의 증여를 계산함에 있어 시가란 「상속세 및 증여세법」 제60조 내지 제66조의 규정에 의하여 평가한 가액을 말하는 것임.

재재산-614, 2007. 5. 28.

중소기업의 최대주주 등이 보유하고 있는 주식은 저가양수·고가양도에 따른 증여이익의 계산시 '중소기업 최대주주 등의 주식 할증평가 적용특례(조특법 §101) 규정이 적용됨

4 | 채무면제 등에 따른 증여(상증법 §36)

채권자로부터 채무의 면제를 받거나 제3자로부터 채무의 인수 또는 변제를 받은 경우에는 그 면제, 인수 또는 변제로 인한 이익에 상당하는 금액(보상액을 지급한 경우에는 그 보상액을 차감한 금액)을 그 이익을 얻은 자의 증여재산가액으로 한다.

가. 채무면제 등에 따른 증여의 증여시기

1) 채무의 면제금

채권자가 채무자에게 채무를 면제하는 의사를 표시한 때에 채권은 소멸하므로 면제의 의사표기가 있는 때가 증여시기가 된다.

2) 채무의 인수

인수자가 채권자와 계약으로 채무자의 채무를 면하는 것이므로 해당 인수계약을 체결한

때가 증여시기가 된다.

3) 채무의 변제

채무의 변제는 제3자도 가능하므로(민법 §469) 당사자의 의사표시 등에 따라 증여시기를 판단한다.

관련예규 및 판례요약

채무면제 증여세 과세 : 상증법 §36

채무면제 등에 따른 증여세 과세와 관련된 예규, 판례

서면상속증여-2215, 2015. 12. 1.

증여재산의 가액을 초과하는 증여자의 채무를 수증자가 인수한 경우, 수증자가 인수한 채무액에서 당해 증여재산의 가액을 차감한 금액은 수증자가 증여자에게 증여한 것임.

서면법령재산-20602, 2015. 7. 22.

상속인 중 1인이 그가 상속받은 재산가액을 초과하는 채무를 인수함으로써 다른 상속인이 얻은 이익에 대하여는 「상속세 및 증여세법」 제36조에 따라 증여세 과세대상에 해당하는 것임.

재산-453, 2012. 12. 20.

남편을 대신하여 시어머니가 며느리에게 이혼위자료로 부동산을 증여한 경우에는 「상속세 및 증여세법」 제36조에 따라 남편이 그의 어머니로부터 그 부동산의 가액에 상당하는 위자료 채무를 인수 또는 변제받은 것으로서 남편에게 증여세가 과세됨.

재산-229, 2012. 6. 11.

상속개시 당시 상속인이 승계해야 할 피상속인의 채무를 상속인이 아닌 손자들이 승계하여 부담한 경우에는 「상속세 및 증여세법」 제36조에 따라 증여세가 과세되는 것임.

재산-181, 2012. 5. 16.

비거주자인 수증자가 납부할 증여세를 제3자인 부친이 국내 소재 재산으로 대신 납부하는 경우 그 대신 납부한 세액에 대하여 「상속세 및 증여세법」 제36조(채무면제에 따른 증여)에 따라 증여세가 과세됨.

재산-54, 2011. 1. 25.

자녀의 학비로 사용한 학자금 대출을 부모가 대신 상환하는 경우 증여로 보나, 사회통념상 인정되는 피부양자의 생활비 및 교육비에 해당하는 경우에는 증여세가 비과세되는 것으로 이에 해당하는지는 구체적인 사실을 확인하여 판단할 사항임.

재산-87, 2010. 2. 10.

소멸시효가 완성된 이후 채무면제 의사를 표시하는 경우에는 해당채권의 소멸시효 완성시기에 채무를 면제받은 것으로 보나 이에 해당하는지 여부는 사실판단함.

국심 2007구 3746, 2007. 11. 23.

확정판결에 의해 퇴직금 과다지급금으로 결정된 퇴직금 환수채권을 회사가 포기한 경우에는 채무면제이익에 해당하여 당사자에게 증여세가 과세됨.

서면4팀-2929, 2007. 10. 11.

퇴직 종업원에게 기지급한 추가퇴직금의 반환청구절차를 진행하던 중 주총 결의로 그 반환청구권을 국세부과제척기간이 경과한 후에 포기하는 경우, 당해 종업원이 반환의무를 면제받은 추가퇴직금 및 그 면제일까지의 법정이자는 증여세 과세대상임.

서면4팀-1751, 2007. 5. 29.

양수자의 양수대금을 제3자가 부동산으로 대물변제한 경우 그 변제로 인한 이익 상당액은 증여재산가액이 되는 것임.

서면4팀-3079, 2006. 9. 7.

채무면제 등에 따른 증여에 해당하는 경우로서 수증자가 증여세를 납부할 능력이 없다고 인정되어 증여세의 전부 또는 일부를 면제받은 때에는 면제받은 증여세에 대하여 연대납부의무가 없음.

5 부동산 무상사용에 따른 이익의 증여(상증법 §37)

타인의 부동산(당해 부동산 소유자와 함께 거주하는 주택과 그 부수토지 제외)을 무상으로 사용함에 따라 이익을 얻은 경우(1억원 미만 제외) 및 타인의 부동산을 무상으로 담보로 이용하여 금전 등을 차입함에 따라 이익을 얻은 경우(1천만원 미만 제외)에는 그 이익에 상당하는 금액을 부동산 무상사용자의 증여재산가액으로 한다. 다만, 특수관계인이 아닌 자 간의 거래인 경우에는 거래의 관행상 정당한 사유가 없는 경우에만 증여세를 과세한다.

가. 증여시기

1) 부동산 무상 사용시

부동산을 무상으로 사용하는 경우에는 무상으로 사용을 개시한 날을 증여시기로 본다. 이 경우 해당 부동산에 대한 무상사용 기간이 5년을 초과하는 경우에는 그 무상사용을 개시한 날부터 5년이 되는 날의 다음날에 새로이 해당 부동산의 무상사용을 개시한 것으로 본다.

2) 적용대상

다수가 부동산을 무상으로 사용하였으나 사용자간 실제 사용면적이 불분명한 경우 각각 동일한 면적을 사용한 것으로 본다.

3) 부동산을 무상으로 담보로 이용하여 금전 등 차입시

부동산을 무상으로 담보로 이용하여 금전 등을 차입하는 경우에는 그 부동산 담보 이용을 개시한 날을 증여시기로 본다. 이 경우 차입기간이 정하여 있지 않은 경우에는 그 차입기간은 1년으로 하고, 차입기간이 1년을 초과하는 경우에는 그 부동산 담보 이용을 개시한 날부터 1년이 되는 날의 다음 날에 새로 해당 부동산의 담보 이용을 개시한 것으로 본다.

나. 증여재산가액의 계산

1) 부동산 무상 사용시

부동산 무상사용 이익은 다음의 산식(아래 ①)에 의하여 계산한 각 연도의 부동산 무상사용 이익을 당해 부동산의 무상사용 기간을 감안하여 기획재정부령이 정하는 방법(아래 ②)에 의하여 환산한 가액(1억원 이상인 경우만 해당)에 의한다. 이 경우 부동산 무상사용 기간은 5년으로 한다.

증여재산가액(부동산 무상사용이익)의 계산

① 각 연도 부동산무상사용이익 = 부동산가액 × 1년간 부동산사용료율(기획재정부령 : 2%)

② $$\text{증여재산가액(환산가액)} = \sum \frac{\text{각 연도 부동산무상사용이익}}{(1+0.1)^n} \quad n : \text{경과연수}$$

※ 증여재산가액이 1억원 이상인 경우에만 증여세 과세

2) 부동산을 무상으로 담보로 이용하여 금전 등 차입시

부동산을 무상으로 담보로 이용하여 금전 등을 차입함에 따라 얻은 이익은 차입금에 적정 이자율을 곱하여 계산한 금액에서 금전 등을 차입할 때 실제로 지급하였거나 지급할 이자를 뺀 금액으로 한다. 이 경우 차입기간은 1년으로 한다.

증여재산가액(부동산 무상 담보제공 금전 등 차입시)의 계산

[차입금 × 적정이자율(4.6%[15])] - 실제 지급이자

※ 증여재산가액이 1천만원 이상인 경우에만 증여세 과세

다. 경정 등의 청구

부동산 무상사용이익은 무상사용을 개시한 날로부터 5년 단위로 과세하나 5년 이내에 당해 부동산을 상속하거나 증여하는 경우 등의 사유발생으로 무상사용하지 않는 경우에는 증여세를 차감하여야 한다. 이 경우 그 사유가 발생한 날로부터 3개월 이내에 결정 또는 경정을 청구할 수 있다. 다만, 부동산을 무상으로 담보로 이용하여 금전 등을 차입함에 따른 얻은 이익의 경우 중도 상환 등의 사유 발생시 상증법 제79조에 따른 경정 등의 청구 특례의 적용이 가능한 지 여부가 명확치 않은 측면이 있으니 참고하기 바란다.

15) 상증령 제31조의 4 제1항 본문(금전 무상대출)에 따른 이자율을 말하며 2016.3월 이자율 변경

1) 경정청구사유

① 부동산 소유자가 당해 토지를 양도한 경우

② 부동산 소유자가 사망한 경우

③ 상기 외에 유사한 경우로서 부동산 무상사용자가 당해 부동산을 무상으로 사용하지 아니하게 된 경우

2) 경정청구세액

$$\text{증여세 산출세액*} \times \frac{\text{사유발생일부터 부동산 무상사용기간의 종료일까지의 월수**}}{\text{부동산 무상사용기간의 월수(60월)}}$$

* 직계비속에 대한 할증과세 포함

** 월수는 역(曆)에 따라 계산하되, 1월 미만은 1월로 함.

관련예규 및 판례요약

부동산 무상사용 증여세 과세 : 상증법 §37

부동산 무상사용에 따른 이익의 증여와 관련된 예규, 판례

재재산-158, 2018. 2. 27.

내국인이 「상속세 및 증여세법」 제71조에 따른 연부연납시 특수관계인이 소유하는 재산을 납세담보로 제공하는 것은 증여세 과세대상에 해당하지 아니하는 것임.

조심 2012서 4004, 2013. 4. 10.

처분청은 청구인이 특수관계자로부터 건물의 옥상이라는 공간을 무상으로 제공받은 것에 불과하므로 「상속세 및 증여세법」 제42조를 적용하여야 한다는 의견이나 「소득세법 기본통칙」 19-0…9에 의하면 건물의 옥상에 광고판을 설치하게 하고 받는 대가는 부동산임대소득으로 구분되어 있는 점, 과세관청이 부동산임대소득을 과소신고한 것으로 보아 증여자에게 종합소득세를 과세하였다면, 수증자에게도 부동산을 무상사용한 것으로 보아 증여세를 과세하는 것이 과세체계상 일관성이 있는 점, 「상속세 및 증여세법」 제37조의 입법취지는 특수관계자간 부동산 무상사용이 빈번하므로 그 이익이 일정액 이상인 경우에만 과세하겠다는 것으로 보

이는 점, 특수관계자의 부동산을 무상사용함에 따라 이익을 얻은 경우에는 명문으로 제37조를 적용하도록 규정하고 있으므로 제42조 보다 우선하여 적용하여야 할 것으로 해석되는 점 등을 고려할 때, 처분청이 「상속세 및 증여세법」 제42조를 적용하여 청구인에게 증여세를 과세한 처분은 잘못이 있는 것으로 판단된다.

재산-32, 2013. 1. 25.

상속받은 부동산을 그와 특수관계인이 무상으로 사용하는 경우 그에 따라 얻은 이익에 대해서는 증여세가 과세됨.

대법 2010두 24845, 2011. 2. 24.

특수관계에 있는 자의 토지 위에 건물을 신축하여 사용하는 경우 토지무상사용이익을 토지 소유자로부터 증여받은 것으로 보는 것임.

심사소득 2010-31, 2010. 9. 10.

청구인 소유의 토지 위에 모(母)가 주상복합건물을 소유하고 있어 그 토지를 무상사용하게 하더라도 그 건물 중 일부인 주택에 청구인의 부모가 거주하는 경우에 있어서는 부모가 거주한 주택 부분이 차지하는 비율에 해당하는 토지에 대하여는 부당행위계산부인 대상에서 제외함이 타당함.

조심 2009서 118, 2009. 5. 11.

부자간 공동사업으로 부동산 임대업을 영위하면서 부동산 지분비율과 공동사업의 지분비율이 차이가 발생하므로 차이부분을 부동산무상사용이익의 증여로 봄.

재산-3903, 2008. 11. 21.

토지 소유자와 함께 건물을 신축하여 공동사업자로서 부동산임대업 등을 영위하거나 토지의 사용에 대한 정상적인 대가를 지급하는 경우 특수관계자의 부동산을 무상으로 사용하는 경우에 해당되지 아니함.

국심 2007중 2212, 2007. 11. 6.

2004. 1. 1. 이전부터 부동산을 무상사용하여 2004. 1. 1. 당시 계속하여 무상사용하고 있는 분에 대하여는 2004. 1. 1. 현재 새로이 부동산을 무상사용하는 것으로 보아 부당행위계산 부인과 증여세를 과세함.

서면4팀-3123, 2007. 10. 31.

子의 토지 위에 父 주택을 신축하고 그 주택을 子가 무상으로 사용하는 경우에는 주택을 무상으로 사용한 것으로 보아 「상속세 및 증여세법」 제37조의 규정을 적용함.

서면4팀-823, 2006. 4. 5.

토지를 특수관계자에게 무상 또는 낮은 임대료로 제공한 때에는 부당행위계산 부인대상이며, 무상으로 사용함으로써 이익을 얻은 경우에는 무상사용자의 증여재산가액으로 하는 것임.

서면4팀-555, 2006. 3. 14.

공익법인 등에 해당되지 않는 비영리법인이 부동산 무상사용에 따른 이익을 얻는 경우에는 증여세를 납부할 의무가 있는 것임.

6 합병에 따른 이익의 증여(상증법 §38)

특수관계에 있는 법인의 합병으로 인하여 소멸하거나 흡수되는 법인 또는 신설되거나 존속하는 법인의 대주주등이 합병으로 인하여 이익을 얻은 경우에는 해당 합병등기를 한 날에 그 이익에 상당하는 금액을 이익을 얻은 자의 증여재산가액으로 한다. 다만, 「자본시장과 금융투자업에 관한 법률」에 따른 주권상장법인이 같은 법에 따라 다른 법인과 합병하는 경우에는 합병에 따른 이익의 증여 과세대상에서 제외된다(상증령 §28 ① 단서).

가. 합병에 따른 증여이익의 계산

합병에 따른 증여이익은 아래 구분에 따라 계산하며, 해당 이익이 아래 1)의 경우 합병 후 신설 또는 존속하는 법인의 주식등의 평가가액의 100분의 30에 상당하는 가액과 3억원 중 적은 금액 미만인 경우, 아래 2)의 경우는 3억원 미만인 경우 과세대상에서 제외된다.

1) 합병대가를 주식등으로 교부받은 경우

(합병 후 신설 또는 존속하는 법인의 1주당 평가가액 − 합병 전 1주당 평가가액) × 주가가 과대평가된 합병당사법인 대주주등이 합병으로 인해 교부받은 주식등 수

2) 합병대가를 주식등 외의 재산으로 지급받은 경우(합병당사법인의 1주당 평가가액이 액면가액에 미달하는 경우로서 그 평가가액을 초과하여 지급받은 경우에 한함)

$$(1주당\ 합병대가^{*} - 1주당\ 평가가액) \times \begin{matrix}합병당사법인의\\ 대주주등의\ 주식등\ 수\end{matrix}$$

* 합병대가가 액면가액을 초과하는 경우에는 1주당 액면가액

7 증자에 따른 이익의 증여(상증법 §39)

법인이 자본(출자액을 포함)을 증가시키기 위하여 새로운 주식 또는 지분을 발행할 때 주주들의 증자전 주식소유 지분율대로 신주를 인수하지 아니함에 따라 지분율이 변동되거나 주식가치가 증감됨에 따라 무상이전되는 이익은 증여세가 과세되며, 증자 유형 및 신주인수가액이 증자전 주식평가액보다 낮은 지 높은 지 여부에 따라 과세요건을 달리 규정하고 있다.

1) 증자에 따른 이익의 증여시기

증자에 따른 이익의 증여에 있어 증여시기는 주금납입일(주금납입 전에 실권주를 재배정받은 자가 신주인수권증서를 교부받은 경우에는 그 교부일)이 된다. 다만 유가증권시장 및 코스닥시장에 주권이 상장된 법인이 해당 법인의 주주에게 신주를 배정하는 경우에는 권리락이 있은 날을 증여시기로 본다(상증령 §29 ①).

2) 증자에 따른 증여이익의 계산

① 신주를 시가보다 낮은 가액으로 발행하는 경우

㉠ 신주인수권을 포기한 경우로서 해당 실권주 재배정시. 이 경우 실권주를 배정받은 자와 신주인수를 포기한 주주 사이에 특수관계 성립 여부 및 과세기준금액에 관계없이 증여세가 과세된다.

(증자 후 1주당 평가가액 - 신주 1주당 인수가액) × 배정받은 실권주수

㉡ 신주인수권을 포기한 경우로서 해당 실권주를 실권 처리시. 이 경우 신주인수를 포기한 주주와 신주를 인수한 자 사이에 상증령 제2조의 2에 따른 특수관계가 성

립하고, 증자 후 1주당 평가가액과 신주 1주당 인수가액의 차액이 증자 후 1주당 평가가액의 30% 이상 또는 증여재산가액이 3억원 이상인 경우에만 증여세가 과세된다.

$$(\text{증자 후 1주당 평가가액} - \text{신주 1주당 인수가액}) \times \text{실권주 총수} \times \text{증자 후 신주인수자의 지분비율} \times \frac{\text{신주인수자의 특수관계인의 실권주수}}{\text{실권주 총수}}$$

㉢ 주주등이 아닌 자가 해당 법인으로부터 신주를 직접 배정받거나, 주주등이 소유한 주식등의 수에 비례하여 균등한 조건으로 배정받을 수 있는 수를 초과하여 신주를 직접 배정시. 이 경우 실권주를 배정받은 자와 신주인수를 포기한 주주 사이에 특수관계 성립 여부 및 과세기준금액에 관계없이 증여세가 과세된다.

$$(\text{증자 후 1주당 평가가액} - \text{신주 1주당 인수가액}) \times \text{배정받은 신주수}^{*}$$

* 소유한 주식 등의 수에 비례하여 균등한 조건으로 배정받을 수 있는 수를 초과하여 신주를 직접배정 받은 경우에는 그 초과부분의 신주수

② 신주를 시가보다 높은 가액으로 발행하는 경우

㉠ 신주인수권을 포기한 경우로서 해당 실권주 재배정시. 이 경우 실권주를 배정받은 자와 신주인수를 포기한 주주 사이에 특수관계가 성립하여야 하나 과세기준금액과는 관계없이 증여세가 과세된다.

이는 저가로 발행하는 신주의 경우와 반대로 증자 전의 주식평가액보다 높은 가액으로 발행된 신주를 기존주주들이 인수하지 아니하여 발생된 실권주를 특수관계에 있는 자가 배정받음에 따라 신주인수를 포기한 주주가 자본금을 납입하지 않고도 증자 후 주식가치가 높아지므로 이를 증여이익으로 보아 과세하는 것이다.

$$\left(\text{신주 1주당 인수가액} - \text{증자 후 1주당 평가가액}\right) \times \text{신주인수를 포기한 주주의 실권주수} \times \frac{\text{신주인수를 포기한 주주와 특수관계에 있는 자가 인수한 실권주수}}{\text{실권주 총수}}$$

㉡ 신주인수권을 포기한 경우로서 해당 실권주를 실권 처리시. 이 경우 신주인수를 포기한 주주와 신주를 인수한 자 사이에 상증령 제2조의 2에 따른 특수관계가 성립하고, 신주 1주당 인수가액과 증자 후 1주당 평가가액의 차액이 증자 후 1주당 평가가액의 30% 이상 또는 증여재산가액이 3억원 이상인 경우에만 증여세가 과세된다.

이는 증자 전의 주식평가액보다 높은 가액으로 발행된 신주를 기존주주들이 인수하지 아니하여 발생한 실권주를 다시 배정하지 아니하고 실권처리하여 신주인수를 포기한 주주가 자본금을 납입하지 아니하고도 증자 후 주식가치가 높아지므로 이를 증여이익으로 보아 과세하는 것이다.

$$\left(\text{신주 1주당 인수가액} - \text{증자 후 1주당 평가가액}\right) \times \text{신주인수를 포기한 주주의 실권주수} \times \frac{\text{신주인수를 포기한 주주와 특수관계에 있는 자가 인수한 신주수}}{\text{증자 전의 지분비율대로 균등하게 증자하는 경우의 증자 주식 총수}}$$

㉢ 주주등이 아닌 자가 해당 법인으로부터 신주를 직접 배정받거나, 주주등이 소유한 주식등의 수에 비례하여 균등한 조건으로 배정받을 수 있는 수를 초과하여 신주를 직접 배정시. 이 경우 신주인수를 포기하거나 균등하게 배정받지 아니한 주주와 당해 신주를 직접 배정받거나 지분율을 초과하여 배정받은 자 사이에 특수관계가 성립하여야 하나 과세기준금액과는 관계없이 증여세가 과세된다.

$$\left(\begin{array}{c}\text{신주}\\\text{1주당}\\\text{인수가액}\end{array} - \begin{array}{c}\text{증자 후}\\\text{1주당}\\\text{평가가액}\end{array}\right) \times \begin{array}{c}\text{신주를 배정받지 않거나}\\\text{균등한 조건에 의하여}\\\text{배정받을 신주수에 미달하게}\\\text{신주를 배정받은 주주의}\\\text{배정받지 아니하거나 그}\\\text{미달하게 배정받은 부분의}\\\text{신주수}\end{array} \times \frac{\begin{array}{c}\text{신주를 배정받지 않거나}\\\text{미달되에 배정받은 주주의}\\\text{특수관계인이 인수한 신주수}\end{array}}{\begin{array}{c}\text{주주가 아닌 자에게 배정된}\\\text{신주 및 당해 법인의 주주가}\\\text{균등한 조건에 의하여 배정받을}\\\text{신주수를 초과하여 인수한}\\\text{신주의 총수}\end{array}}$$

③ 2016년말 세법개정시 「상법」 제346조에 따른 종류주식(이하 "전환주식")을 발행한 경우로서 전환주식의 발행 이후 다른 종류의 주식으로 전환함에 따라 얻은 다음의 이익에 대해서도 전환주식을 다른 종류의 주식으로 전환한 날을 기준으로 증자의 이익에 따른 증여세를 과세하는 것으로 개정하였다(상증법 §39 ① 3).

㉠ 전환주식을 시가보다 낮은 가액으로 발행한 경우 : 교부받았거나 교부받을 주식의 가액이 전환주식 발행 당시 전환주식의 가액을 초과함으로써 그 주식을 교부받은 자가 얻은 이익

㉡ 전환주식을 시가보다 높은 가액으로 발행한 경우 : 교부받았거나 교부받을 주식의 가액이 전환주식 발행 당시 전환주식의 가액보다 낮아짐으로써 그 주식을 교부받은 자의 특수관계인이 얻은 이익

3) 증자에 따른 이익의 증여세 과세제외

① 「자본시장과 금융투자업에 관한 법률」에 따른 주권상장법인이 같은 법 제9조 제7항에 따른 공모방식으로 신주를 배정하는 경우(자본시장법 시행령 제11조 제3항에 따른 간주모집[16] 방식으로 배정하는 경우는 제외)에는 증자 전·후 주식평가액의 과다 또는 지분율 변동에 관계없이 증자에 따른 이익의 증여세 과세대상에서 제외된다.

② 증자에 따른 증여이익 계산시 증자 전·후의 주식 1주당 가액이 모두 영(0) 이하인 경우에는 증여이익이 없는 것으로 보아 증여세를 과세하지 않는다(상증령 §29 ② 단서).

---

16) 청약의 권유를 받는 자의 수가 50인 미만으로서 증권의 모집에 해당되지 아니하나 해당 증권이 발행일부터 1년 이내에 50인 이상의 자에게 양도될 수 있는 경우 증권의 종류 및 취득자의 성격 등을 고려하여 금융위원회가 정하여 고시하는 전매기준에 해당하는 경우 모집으로 간주

8 | 감자에 따른 이익의 증여(상증법 §39의 2)

법인이 자본을 감소시키기 위하여 주식이나 지분을 소각(消却)할 때 일부 주주의 주식 또는 지분을 소각함으로써 아래의 구분에 따른 이익을 얻은 경우에는 감자를 위한 주주총회결의일을 증여일로 하여 그 이익을 얻은 자에게 증여세를 과세한다. 다만, 해당 이익이 감자한 주식등의 평가액의 100분의 30에 상당하는 가액과 3억원 중 적은 금액 미만인 경우에는 감자에 따른 이익의 증여세 과세대상에서 제외된다.

1) 감자에 따른 증여이익

① 주식등을 시가보다 낮은 대가로 소각한 경우 : 주식등을 소각한 주주등의 특수관계인에 해당하는 대주주등이 얻은 이익

$$\left(\text{감자한 주식등의 1주당 평가액} - \text{주식등 소각시 지급한 1주당 금액}\right) \times \text{총감자 주식등의 수} \times \text{대주주등의 감자후 지분비율} \times \frac{\text{대주주등과 특수관계인의 감자 주식등의 수}}{\text{총감자 주식등의 수}}$$

② 주식등을 시가보다 높은 대가로 소각한 경우 : 대주주등의 특수관계인에 해당하는 주식등을 소각한 주주등이 얻은 이익

$$\left(\text{주식등 소각시 지급한 1주당 금액} - \text{감자한 주식등의 1주당 평가액}\right) \times \text{해당 주주등의 감자한 주식등의 수}$$

9 | 현물출자에 따른 이익의 증여(상증법 §39의 3)

현물출자(現物出資)에 의하여 법인이 발행한 주식 또는 지분을 인수함에 따라 다음에 해당하는 이익을 얻은 경우에는 현물출자 납입일을 증여일로 하여 그 이익을 얻은 자에게 증여세를 과세한다.

1) 현물출자에 따른 증여이익

① 주식등을 시가보다 낮은 가액으로 인수함에 따라 현물출자자가 얻은 이익. 이 경우 기존주주 등과 주식등을 저가로 인수하는 현물출자자 사이에 특수관계 성립 여부 및 과세기준금액에 관계없이 증여세가 과세된다.

(현물출자 후 1주당 평가가액 - 신주 1주당 인수가액) × 현물출자자가 배정받은 신주수

② 주식등을 시가보다 높은 가액으로 인수함에 따라 현물출자자의 특수관계인에 해당하는 주주등이 얻은 이익. 이 경우 현물출자자와 증여이익을 얻는 주주등이 특수관계가 성립하고, 신주 1주당 인수가액과 현물출자 후 1주당 평가가액의 차액이 현물출자 후 1주당 평가가액의 30% 이상 또는 증여재산가액이 3억원 이상인 경우에만 증여세가 과세된다.

$$\left(\text{신주 1주당 인수가액} - \text{현물출자 후 1주당 평가가액}\right) \times \text{현물출자자의 인수 주식수} \times \frac{\text{현물출자자의 특수관계인인 주주의 현물출자전 주식수}}{\text{현물출자 전 발행주식 총수}}$$

2) 현물출자에 따른 증여이익의 과세제외

① 「자본시장과 금융투자업에 관한 법률」에 따른 주권상장법인이 같은 법 제165조의 6에 따른 일반공모증자의 방법으로 현물출자자에게 주식을 배정하는 경우는 증여세 과세대상에서 제외된다.

② 현물출자 전 · 후의 주식 1주당 가액이 모두 영(0) 이하인 경우에는 증여이익이 없는 것으로 보아 증여세를 과세하지 않는다.

10 전환사채 등의 주식전환 등에 따른 이익의 증여(상증법 §40)

전환사채 등을 이용하여 증여세 부담없이 부를 이전하는 사례가 빈발함에 따라 전환사채 등과 관련된 증여예시 규정은 이를 방지하기 위해 매우 구체적으로 증여세 과세대상 및 증여재산가액의 계산방법 등을 규정하고 있다.

전환사채 등의 주식전환 등에 따른 이익에 대한 증여세는 1) 특수관계인으로부터 전환사채 등을 인수·취득함으로써 얻은 이익 2) 전환사채 등에 의하여 주식전환 등을 함으로써 주식전환 등을 한 날에 얻은 이익 3) 전환사채 등을 특수관계인에게 양도한 경우 양도가액이 시가를 초과함에 따라 양도인이 얻은 이익으로 구분하여 거래단계별로 과세한다.

전환사채 등의 주식전환 등에 따른 이익의 증여의 과세대상 및 증여재산가액의 계산은 매우 복잡하고, 부동산과는 관련이 없는 내용이므로 이 책에서는 거래단계별 과세요건 및 증여재산가액의 개략적 계산방법의 요약만 보여주는 것으로 대신하고자 하며, 구체적인 내용은 관련 법령을 참고하시기 바란다.

1) 전환사채 등의 주식전환 등에 따른 증여이익의 과세요건 및 증여재산가액 계산방법[17)]

거래단계 및 수증자			증여재산가액
인수 취득	1항 1호 가목	① 특수관계인으로부터 저가로 취득한 자가 얻은 이익	(㉠ 시가 − ㉡ 인수·취득가액) 〈과세기준금액〉 증여이익이 전환사채등의 시가의 30% 이상 또는 1억원 이상
	나목	② 발행회사로부터 최대주주 및 그의 특수관계인인 주주가 배정비율을 초과하여 저가로 인수·취득	
	다목	③ 발행회사로부터 주주 외의 자로서 최대주주의 특수관계인이 저가로 인수·취득	
주식 전환	2호 가목	④ 특수관계인으로부터 취득한 자가 주식으로 전환·양도하여 얻은 이익	[(㉢ − ㉤) × 교부받은 주식수] − ㉥ − 기과세된 가액(①의 증여가액) 〈과세기준금액〉 1억원 이상
	나목	⑤ 최대주주 및 그의 특수관계인인 주주로서 배정비율을 초과하여 인수·취득한 자가 주식으로 전환하여 얻은 이익	[(㉢ − ㉤) × 자기 지분 초과하여 교부받은 주식수] − ㉥ − 기과세된 가액(②의 증여가액) 〈과세기준금액〉 1억원 이상

17) 「상속세·증여세 실무해설」, 국세청, 2015, 418p.

거래단계 및 수증자			증여재산가액
주식 전환	다목	⑥ 최대주주의 특수관계인인 주주 외의 자로서 발행회사로부터 인수·취득한 자가 주식으로 전환하여 얻은 이익	[(㉢ − ㉤) × 교부받은 주식수] − ㉥ − 기과세된 가액(③의 증여가액) 〈과세기준금액〉 1억원 이상
	라목	⑦ 전환가액 등이 주식평가액보다 높아 전환사채 등으로 주식을 교부받지 않은 자가 얻은 이익	(㉤ − ㉢) × (전환등에 의하여 증가한 주식수) × (주식을 교부받은 자의 특수관계인의 전환 전 지분비율) 〈과세기준금액〉 0원 이상
양도	마목	⑧ 특수관계인에게 시가보다 높은 가액으로 양도한 자가 얻은 이익	(양도가액 − 전환사채 등의 시가) 〈과세기준금액〉 증여이익이 전환사채 등의 시가의 30% 이상 또는 1억원 이상 요건
기타	3호	⑨ 기타 유사한 거래로 전환사채 등 인수·취득한 자 및 전환한 자 등이 얻은 이익	상기 증여재산가액 계산방법을 준용하여 이익을 계산

㉠ 전환사채 등의 시가 ㉡ 전환사채 등의 인수·취득가액 ㉢ 교부받은 주식가액
㉣ 교부받을 주식가액 ㉤ 주식 1주당 전환가액 등 ㉥ 이자손실분

2) 전환사채 등의 주식전환 등에 따른 증여이익의 과세제외

① 「자본시장과 금융투자업에 관한 법률」에 따른 주권상장법인으로서 같은 법 제9조 제7항에 따른 유가증권의 모집방법(같은 법 제11조 제3항에 따른 간주모집은 제외)으로 전환사채등을 발행하는 경우에는 전환사채 등의 주식전환 등에 따른 증여이익의 과세대상에서 제외된다.

② 전환사채 등의 전환 등에 따른 증여이익 등이 다음의 기준금액에 미달하는 경우에는 과세대상에서 제외된다.

㉠ 특수관계인으로부터 전환사채등을 시가보다 낮은 가액으로 취득함으로써 얻은 이익 등 아래의 이익에 대해서는 전환사채등의 시가의 100분의 30에 상당하는 가액과 1억원 중 적은금액

ⓐ 특수관계인으로부터 전환사채등을 시가보다 낮은 가액으로 취득함으로써 얻은 이익

ⓑ 전환사채등을 발행한 법인의 최대주주나 그의 특수관계인인 주주가 그 법인으로부터 전환사채등을 시가보다 낮은 가액으로 그 소유주식 수에 비례하여 균등

한 조건으로 배정받을 수 있는 수를 초과하여 인수·취득함으로써 얻은 이익

ⓒ 전환사채등을 발행한 법인의 최대주주의 특수관계인(그 법인의 주주 제외)이 그 법인으로부터 전환사채등을 시가보다 낮은 가액으로 인수등을 함으로써 얻은 이익

ⓓ 전환사채등을 특수관계인에게 양도한 경우로서 전환사채등의 양도일에 양도가액이 시가를 초과함으로써 양도인이 얻은 이익

㉡ 전환사채등의 주식전환등에 따른 이익 중 아래의 이익에 대하여는 1억원. 다만, 전환사채 등의 주식전환등에 따른 이익 중 전환사채등에 의하여 교부받은 주식의 가액이 전환가액등보다 낮게 됨으로써 그 주식을 교부받은 자의 특수관계인이 얻은 이익은 과세기준금액에 관계없이 과세된다.

ⓐ 전환사채등을 특수관계인으로부터 취득한 자가 전환사채등에 의하여 교부받았거나 교부받을 주식의 가액이 전환가액등을 초과함으로써 얻은 이익

ⓑ 전환사채등을 발행한 법인의 최대주주나 그의 특수관계인인 주주가 그 법인으로부터 전환사채등을 그 소유주식 수에 비례하여 균등한 조건으로 배정받을 수 있는 수를 초과하여 인수등을 한 경우로서 전환사채등에 의하여 교부받았거나 교부받을 주식의 가액이 전환가액등을 초과함으로써 얻은 이익

ⓒ 전환사채등을 발행한 법인의 최대주주의 특수관계인(그 법인의 주주는 제외)이 그 법인으로부터 전환사채등의 인수등을 한 경우로서 전환사채등에 의하여 교부받았거나 교부받을 주식의 가액이 전환가액등을 초과함으로써 얻은 이익

11 초과배당에 따른 이익의 증여(상증법 §41의2)

2015년 말 세법개정을 통해 초과배당에 따른 이익의 증여 규정이 도입되었다. 차등배당은 특수관계인이 받아야 할 배당을 포기하거나 과소배당 받음으로써 그 자녀 등이 초과배당을 받는 것으로서 실질상 일반적인 증여와 다르지 않은 측면이 있다. 개정 전에도 증여세 포괄주의 과세에 따라 과세가 가능하다는 견해도 있었으나 과세행정상 초과배당에 대해 소득세법상 배당소득으로 하여 소득세가 과세되는 경우에는 증여세를 과세하지 않았으며[18], 세법개정을 통해 명시적으로 증여예시 규정으로 신설하여 과세하게 되었다.

18) 기획재정부 재산세제과-927(2011.10.31.)

법인이 이익이나 잉여금을 배당 또는 분배하는 경우로서 그 법인의 최대주주등이 본인이 지급받을 배당등의 금액의 전부 또는 일부를 포기하거나 본인이 보유한 주식등에 비례하여 균등하지 아니한 조건으로 배당등을 받음에 따라 그 최대주주등의 특수관계인이 본인이 보유한 주식등에 비하여 높은 금액의 배당등을 받은 경우에는 법인이 배당등을 한 날을 증여일로 하여 그 최대주주등의 특수관계인이 본인이 보유한 주식등에 비례하여 균등하지 아니한 조건으로 배당등을 받은 금액(이하 "초과배당금액")을 그 최대주주등의 특수관계인의 증여재산가액으로 한다.

이 경우 초과배당금액에 대한 증여세액이 초과배당금액에 대한 소득세 상당액보다 적은 경우에는 초과배당에 따른 이익의 증여 규정을 적용하지 않도록 하고 있다.

가. 증여시기

법인이 실제 배당 등을 한 날이 증여시기가 된다. 배당결의일이 아닌 실제 배당일임에 유의할 필요가 있다.

나. 증여재산가액(초과배당금액)의 계산(상증령 §31의2 ②)

$$= \text{특정주주*의(배당금액 − 균등배당액**)} \times \frac{\text{특정주주와 특수관계가 있는 최대주주 등의 (균등배당액 − 배당금액)}}{\text{과소배당 받은 주주 전체의 (균등배당액 − 배당금액)}}$$

* 최대주주 등의 특수관계인인 주주,

** 보유지분에 따라 받을 배당금액

다. 초과배당에 따른 이익의 증여세 계산

= 초과배당금액에 대한 증여세액 − 초과배당금액에 대한 소득세 상당액

1) 초과배당금액에 대한 소득세 상당액의 계산(상증칙 §10의3)

아래 표와 같이 초과배당금액에 대한 소득세 상당액을 계산한다.

초과배당금액	소득세 상당액
5,220만원 이하	초과배당금액 × 14%
5,220만원~8,800만원	731만원 + (5천220만원을 초과하는 초과배당금액 × 24%)
8,800만원~1억5천만원	1천590만원 + (8천800만원을 초과하는 초과배당금액 × 35%)
1억5천만원 초과	3천760만원 + (1억5천만원을 초과하는 초과배당금액 × 38%)

12 주식등의 상장 등에 따른 이익의 증여(상증법 §41의3)

기업의 경영 등에 관하여 공개되지 아니한 정보를 이용할 수 있는 최대주주 등의 특수관계인이 최대주주등으로부터 해당 법인의 주식 또는 출자지분을 증여받거나 유상으로 취득한 경우에는 증여받거나 취득한 날, 증여받은 재산(주식등을 유상으로 취득한 날부터 소급하여 3년 이내에 최대주주등으로부터 증여받은 재산)으로 최대주주등이 아닌 자로부터 해당 법인의 주식등을 취득한 경우에는 취득한 날부터 5년 이내에 그 주식등이 유가증권시장 및 코스닥 시장(코넥스 시장은 제외)에 상장됨에 따라 그 가액이 증가한 경우로서 그 주식등을 증여받거나 유상으로 취득한 자가 당초 증여세 과세가액(증여받은 재산으로 주식등을 취득한 경우는 제외) 또는 취득가액을 초과하여 이익을 얻은 경우에는 그 이익에 상당하는 금액을 그 이익을 얻은 자의 증여재산가액으로 한다.

다만, 주식등의 상장 등에 따른 증여이익이 주식등을 증여받은 날 현재의 1주당 과세가액과 1주당 기업가치의 실질적인 증가로 인한 이익의 합계액에 증여받거나 유상으로 취득한 주식등의 수를 곱한 금액의 100분의 30에 상당하는 가액 또는 3억원 중 적은 금액 미만인 경우에는 과세대상에서 제외된다.

가. 정산기준일과 증여시기

1) 정산기준일

주식 또는 출자자본의 상장 등에 따른 이익의 증여의 경우 해당 이익은 주식등의 상장일부터 3개월이 되는 날(그 주식등을 보유한 자가 상장일부터 3개월 이내에 사망하거나 그 주식등을 증여 또는 양도한 경우에는 그 사망일, 증여일 또는 양도일)을 기준으로 계산한다.

2) 증여시기

주식 등의 상장 등에 따른 증여이익은 정산기준일을 기준으로 계산하나 증여시기는 당초 주식 등을 증여받거나 취득한 때이다. 이는 상장 등으로 시세차익이 예상되는 주식을 증여한다는 과세취지 및 당초 주식 등을 수증할 때 증여세를 과세한 후 해당 주식의 상장 후 증여이익을 정산하는 법령형식을 감안할 때 수긍할 수 있으나 정산기준일과 혼동되는 측면이 있으므로 유의할 필요가 있다.

나. 증여재산가액

주식등의 상장 등에 따른 이익의 증여재산가액은 아래와 같이 계산한다(상증령 §31의 3 ①).

$$\left\{ \frac{\text{정산기준일}}{\text{1주당 평가액}} - \left(\frac{\text{증여일 등 1주당}}{\text{증여세 과세가액}} + \frac{\text{1주당 기업가치}}{\text{실질증가액}} \right) \right\} \times \text{증여·유상 취득주식수}$$

다. 증여세액의 정산(당초 증여세액의 환급)

정산기준일 현재의 주식가액이 당초 주식 등의 수증에 따른 증여세 과세가액보다 적은 경우로서 그 차액이 30% 또는 3억원 이상의 차이가 있는 경우에는 그 차액에 상당하는 증여세액을 환급받을 수 있다.

13 | 금전무상대출 등에 따른 이익의 증여(상증법 §41의4)

타인으로부터 금전을 무상 또는 적정 이자율보다 낮은 이자율로 대출받은 경우(특수관계인이 아닌 자 간의 거래는 거래의 관행상 정당한 사유가 없는 경우에만 적용)에는 그 금전을 대출받은 날에 그 금전을 대출받은 자의 증여재산가액으로 한다. 이 경우 대출기간이 정해지지 아니한 경우에는 그 대출기간을 1년으로 보고, 대출기간이 1년 이상인 경우에는 1년이 되는 날의 다음 날에 매년 새로 대출받은 것으로 보아 해당 금액을 계산하며, 금전무상대출 등에 따른 증여이익이 1천만원 미만인 경우는 과세대상에서 제외된다.

가. 증여재산가액

1) 무상으로 대출받은 경우

대출금액 × 적정이자율*

* 「법인세법 시행규칙」 제43조 제2항에 따른 당좌대출이자율(4.6%). 다만, 법인으로부터 대출받은 경우에는 「법인세법 시행령」 제89조 제3항에 따른 가중평균차입이자율 등

2) 적정 이자율보다 낮은 이자율로 대출받은 경우

(대출금액 × 적정이자율) - 실제 지급한 이자상당액

14 | 합병에 따른 상장 등 이익의 증여(상증법 §41의5)

최대주주등의 특수관계인이 최대주주등으로부터 해당 법인의 주식등을 증여받거나 유상으로 취득한 경우 또는 증여받은 재산으로 최대주주등이 아닌 자로부터 해당 법인의 주식등을 취득하거나 다른 법인의 주식등을 취득한 경우로서 그 주식등을 증여받거나 취득한 날부터 5년 이내에 그 법인이나 다른 법인이 특수관계에 있는 유가증권시장 및 코스닥시장 상장법인(코넥스 시장 제외)과 합병됨에 따라 그 가액이 증가한 경우로서 그 주식등을 증여받거나 유상으로 취득한 자가 당초 증여세 과세가액 또는 취득가액을 초과하여 기준 이상의 이익을 얻은 경우에는 그 이익에 상당하는 금액을 그 이익을 얻은 자의 증여재산가액으로 한다.

다만, 합병에 따른 상장 등 증여이익이 주식등을 증여받은 날 현재의 1주당 과세가액과 1주당 기업가치의 실질적인 증가로 인한 이익의 합계액에 증여받거나 유상으로 취득한 주식등의 수를 곱한 금액의 100분의 30에 상당하는 가액 또는 3억원 중 적은 금액 미만인 경우에는 과세대상에서 제외된다.

합병에 따른 상장 등 이익의 증여는 정산기준일 및 증여시기, 증여재산가액 등의 계산 등에 대하여 주식등의 상장 등에 따른 이익의 증여 부분을 준용하고 있으니 전술한 해당 부분을 참고하기 바란다. 이 때 "상장일"은 "합병등기일"로 본다.

15 재산사용 및 용역제공 등에 따른 이익의 증여(상증법 §42)

2004년 완진포괄주의 도입에 따라 종전의 열거 혹은 유형별 증여규정을 예시규정으로 전환하면서 증여예시 유형 및 증여추정 외에 포괄적인 증여과세를 위해 기타 이익의 증여규정을 두었다.

다만, 완전포괄주의 도입 이후 종전 제42조에 따른 기타 이익의 증여규정이 예시되지 않은 모든 이익에 대한 과세 근거규정 처럼 해석 · 운영 됨에 따라 납세자의 예측가능성을 떨어뜨릴 뿐 아니라 조세법률주의에 위배된다는 지적이 제기되었다.

이에 따라 2015년말 상증법 개정시 종전 제42조에 따른 기타이익의 증여 조문을 유형별로 별도 조문화하여 기타 증여예시 유형을 포섭하는 조문이라는 성격을 완화하고 다른 예시규정과 같은 예시규정임을 명확히 하는 세법개정이 이루어졌으며, 종전 제42조 기타이익의 증여 규정은 각각 제42조 '재산사용 및 용역제공에 따른 이익의 증여', 제42조의 2 '법인의 조직 변경 등에 따른 이익의 증여', 제42조의 3의 '재산 취득 후 재산가치 증가에 따른 이익의 증여'로 구분 · 규정되었다.

가. 과세요건

재산의 사용 또는 용역의 제공에 의하여 다음에 해당하는 이익을 얻은 경우에는 증여세가 과세된다. 이 경우 다른 예시규정에 따라 과세하는 부동산과 금전은 제외되며, 증여이익이 1천만원 또는 시가의 100분의 30에 상당하는 가액 미만인 경우도 과세대상에서 제외된다.

1) 타인에게 시가보다 낮은 대가를 지급하거나 무상으로 타인의 재산(부동산과 금전은 제외)을 사용함으로써 얻은 이익
2) 타인으로부터 시가보다 높은 대가를 받고 재산을 사용하게 함으로써 얻은 이익
3) 타인에게 시가보다 낮은 대가를 지급하거나 무상으로 용역을 제공받음으로써 얻은 이익
4) 타인으로부터 시가보다 높은 대가를 받고 용역을 제공함으로써 얻은 이익

나. 증여시기

재산사용일 또는 용역제공일이 증여시기가 된다. 증여재산가액을 계산할 때 재산의 사용기간 또는 용역의 제공기간이 정해지지 않은 경우는 그 기간을 1년으로 하고, 그 기간이

1년 이상인 경우에는 1년이 되는 날의 다음 날에 매년 새로 재산을 사용 또는 사용하게 하거나 용역을 제공 또는 제공받은 것으로 본다.

다. 증여재산가액

1) 무상으로 재산을 사용하거나 용역을 제공받은 경우. 다만, 그 금액이 1천만원 미만인 경우는 과세대상에서 제외된다.

① 타인의 재산을 무상으로 담보로 제공하고 금전 등을 차입한 경우

증여재산가액 = [(차입금 × 적정이자율(4.6%))] - 지급이자

② ① 이외의 경우

증여재산가액 = 지급하거나 지급받아야 할 시가 상당액 전체

2) 시가보다 낮은 대가를 지급하고, 재산을 사용하거나, 용역을 제공받은 경우. 다만 그 금액이 시가의 100분의 30 미만인 경우는 과세대상에서 제외된다.

증여재산가액 = 시가 - 대가

3) 시가보다 높은 대가를 받고 재산을 사용하게 하거나, 용역을 제공한 경우. 다만 그 금액이 시가의 100분의 30 미만인 경우는 과세대상에서 제외된다.

증여재산가액 = 시가 - 대가

16 법인의 조직변경 등에 따른 이익의 증여(상증법 §42의2)

주식의 포괄적 교환 및 이전, 사업의 양수·양도, 사업 교환 및 법인의 조직 변경 등에 의하여 소유지분이나 그 가액이 변동됨에 따라 이익을 얻은 경우에는 그 이익에 상당하는 금액(소유지분이나 그 가액의 변동 전·후 재산의 평가차액)을 그 이익을 얻은 자의 증여재산가액으로 한다. 다만, 그 이익이 소유지분이나 그 가액의 변동 전 해당 재산가액의 100분의 30과 3억원 중 적은 금액인 경우에는 과세대상에서 제외된다.

가. 증여시기

증여시기에 관한 명문의 규정은 없으나 법령해석상 법인의 조직변경 등에 따른 지분 또는 가액의 변동일이 증여시기에 해당되는 것으로 보인다.

나. 증여재산가액

1) 소유지분이 변동된 경우

증여재산가액 = (변동 후 지분 - 변동 전 지분) × 지분 변동 후 1주당 가액

2) 평가액이 변동된 경우

증여재산가액 = 변동 후 가액 - 변동 전 가액

17 재산 취득 후 재산가치 증가에 따른 이익의 증여 (상증법 §42의3)

직업, 연령, 소득 및 재산상태로 보아 자력(自力)으로 해당 행위를 할 수 없다고 인정되는 자가 다음의 사유로 재산을 취득하고 그 재산을 취득한 날부터 5년 이내에 개발사업의 시행, 형질변경, 공유물(共有物) 분할, 사업의 인가・허가 등 재산가치증가사유로 인하여 이익을 얻은 경우에는 그 이익에 상당하는 금액을 그 이익을 얻은 자의 증여재산가액으로 한다. 다만, 그 이익이 해당 재산의 취득가액, 통상적인 가치 상승분, 가치상승기여분을 합한 금액의 100분의 30과 3억원 중 적은 금액인 경우에는 과세대상에서 제외된다.

1) 특수관계인으로부터 재산을 증여받은 경우
2) 특수관계인으로부터 기업의 경영 등에 관하여 공표되지 아니한 내부 정보를 제공받아 그 정보와 관련된 재산을 유상으로 취득한 경우
3) 특수관계인으로부터 차입한 자금 또는 특수관계인의 재산을 담보로 차입한 자금으로 재산을 취득한 경우

가. 증여시기

재산가치 증가사유 발생일(증가사유 발생일 전에 양도한 경우에는 그 양도일)이 증여시기가 된다.

나. 증여재산가액

증여재산가액 = 해당재산가액 − (해당재산의 취득가액 + 통상적인 가치상승분 + 가치상승기여분)

제 4 절 증여추정 및 증여의제

증여추정이란 증여가 아님이 입증되지 않는 한 증여로 보겠다는 것이다. 이에 따라 납세자가 증여가 아님을 입증하는 경우 증여세를 과세할 수 없게 된다. 반면 증여의제는 증여에 해당하지 않으나 상증법상 요건을 정하고 이를 충족하는 경우 증여로 보아 과세하는 것이며, 증여추정과 달리 납세자의 입증에도 불구하고 해당 증여의제 요건 충족시 증여세가 과세된다.

상증법상 증여추정으로는 "배우자 등에 대한 양도시의 증여추정"과 "재산취득자금 등의 증여추정"을 두고 있고, 증여의제는 "명의신탁재산의 증여의제"와 "특수관계법인과의 거래를 통한 이익의 증여의제" "특수관계법인으로부터 제공받은 사업기회로 발생한 이익의 증여의제" "특정법인과의 거래를 통한 이익의 증여의제"를 두고 있다.

1 배우자 · 직계존비속간의 양도시의 증여추정(상증법 §44)

배우자 또는 직계존비속에게 양도한 재산은 양도자가 당해 재산을 양도한 때에 그 재산의 가액을 배우자 등이 증여받은 것으로 추정하여 배우자 등의 증여재산가액으로 한다.

또한 특수관계에 있는 자에게 양도한 재산을 그 특수관계에 있는 자가 양수일로부터 3년 이내에 당초 양도자의 배우자 등에게 다시 양도한 경우에는 양수자가 당해 재산을 양도한 당시의 재산가액을 당해 배우자 등이 증여받은 것으로 추정하여 배우자 등의 증여재산가액으로 한다. 다만, 당초 양도자 및 양수자가 부담한 소득세 결정세액의 합계액이 양수자가 그 재산을 양도한 당시의 재산가액을 당초 그 배우자등이 증여받은 것으로 추정할 경우의 증여세액보다 큰 경우에는 그러하지 아니한다.

그러나 다음에 해당하는 경우에는 양도소득세로 과세한다.

1) 법원의 결정으로 경매절차에 의하여 처분된 경우
2) 파산선고로 인하여 처분된 경우
3) 「국세징수법」에 의하여 공매된 경우
4) 「자본시장과 금융투자업에 관한 법률」 제8조의 2 제4항 제1호에 따른 증권시장을 통하여 유가증권이 처분된 경우. 다만, 불특정다수인간의 거래에 의하여 처분된 것으로

볼 수 없는 경우로서 「자본시장과 금융투자업에 관한 법률」 제393조 제1항에 따른 거래소의 유가증권시장업무규정 및 코스닥시장업무규정에 의하여 시간외대량매매 방법으로 매매된 경우(당일 종가로 매매된 것은 제외)

5) 배우자 등에게 대가를 지급받고 양도한 사실이 명백히 인정되는 경우로서 권리의 이전이나 행사에 등기 또는 등록을 요하는 재산을 서로 교환한 경우, 당해 재산의 취득을 위하여 이미 과세(비과세 또는 감면받은 경우를 포함) 받았거나 신고한 소득금액 또는 상속 및 수증재산의 가액으로 그 대가를 지급한 사실이 입증되는 경우 및 당해 재산의 취득을 위하여 소유재산을 처분한 금액으로 그 대가를 지급한 사실이 입증되는 경우

▶▶ 이 경우 증여세를 과세하면 「소득세법」에 불구하고 당초 양도자 양수자의 양도소득세는 부과하지 않는다는 점에 유의해야 한다. 이중과세에 대한 헌법재판소 결정취지 반영함.

관련예규 및 판례요약

배우자 등 양도시 증여세 과세 : 상증법 §44

배우자 등에게 양도한 재산의 증여추정과 관련된 예규, 판례

조심 2019부 2374, 2019. 12. 18.

쟁점부동산의 매매계약은 손자인 청구인에게 쟁점부동산을 증여하기 위해 사전적으로 조세부담을 줄일 수 있는 거래형식을 만들어 거래한 것으로 보이는 점, 증여추정 제외 사유로서 대가를 받고 양도한 사실이 명백히 인정되는 경우에 해당된다고 보기 어려운 점 등으로 보아 처분청이 청구인에게 증여세를 과세한 처분은 잘못이 없는 것으로 판단됨.

조심 2019서 3521, 2019. 12. 4.

청구인이 조모에게 약정에 따른 생활비를 지급한 사실이 확인되지 않으며, 양도가액이 불분명한 본 건의 거래형태는 통상적인 부동산 매매거래의 형태로 보기 어려운 점, 쟁점부동산의 소유권이전은 그 실질이 증여에 해당하는 것으로 보이는 점 등에 비추어, 처분청이 청구인의 경정청구를 거부한 처분은 잘못이 없음.

서울고법 2017누 41551, 2017. 8. 16.

매매계약이 성립하기 위해서는 매매계약의 본질적 사항인 매매목적물과 대금이 반드시 계약 체결 당시에 구체적으로 특정될 필요는 없더라고 이를 사후에라도 구체적으로 특정할 수 있는 기준과 방법이 정해져 있어야 함.

조경@와 최○○의 계좌에서 수시로 현금이 인출되어 원고의 계좌로 입금되었다가 원고의 계좌에서 다시 최○○의 계좌로 송금되는 속칭 '빵빵이' 거래가 이루어졌기 때문에, 원고가 2013. X. XX.부터 같은 해 5. XX.까지 사이에 최○○에게 실제로 매매대금을 지급하였다고 볼 수 없음.

조심 2014부 3170, 2015. 1. 6.

청구인은 부친과 쟁점부동산을 매매로 취득하는 부동산 매매계약을 체결하였고, 그 취득대금을 수용보상금 등으로 지급한 것으로 보이는 점, 부친은 쟁점부동산의 양도대금을 아파트 및 상가 취득에 사용한 것으로 확인되는 점 등에 비추어 처분청이 쟁점부동산을 증여받은 것으로 보아 청구인에게 증여세를 과세한 처분은 잘못이 있음.

조심 2012구 5041, 2013. 9. 26

청구인은 쟁점아파트를 양도하여 동 채무를 상환한 것으로 나타나고 피청구인(딸)의 재산상태나 소득에 비추어 사회통념상 피청구인이 직계존속인 청구인에게 쟁점아파트를 증여할 만한 합리적인 이유와 원인을 찾기 어려운 점 등으로 볼 때, 청구인이 피청구인으로부터 쟁점아파트를 증여받았다고 보아 이 건 증여세를 과세한 처분은 잘못이 있는 것으로 판단됨.

재산-82, 2013. 3. 18.

직계존비속에게 대가를 지급받고 아파트를 양도한 사실이 명백히 인정되는 경우에는 증여추정 규정을 적용하지 아니하며, 「상속세 및 증여세법」 제60조부터 제66조까지의 규정에 따라 평가한 가액으로 거래하는 경우에는 같은 법 제35조에 따른 증여세가 과세되지 아니함.

조심 2012서 2218, 2012. 9. 4.

청구인이 제시한 증빙만으로는 「상속세 및 증여세법 시행령」 제33조 제3항의 규정에서 정하는 바와 같이 청구인의 모 황○○이 청구인에게 대가를 받고 쟁점부동산을 양도한 사실이 명백히 확인되지 아니하므로 쟁점부동산의 소유권이전을 직계존비속간의 증여로 추정하여 증여세를 과세한 처분은 잘못이 없음.

부동산거래-1084, 2011. 12. 29.

증여세 신고기한 경과 후 3월 이내에 배우자에게 반환한 후 5년 이내에 반환받은 배우자가 양도하는 경우 배우자 이월과세 규정이 적용되며, 다만, 둘 이상의 행위 또는 거래를 거치는 방법으로 세법의 혜택을 부당하게 받기 위한 것으로 인정되는 경우에는 그 경제적 실질내용에 따라 연속된 하나의 행위 또는 거래를 한 것으로 보아 세법을 적용함.

- 수원지법 2010구합 13266, 2011. 7. 13.
  명의신탁하였던 상가를 그의 배우자에게 다시 양도하였으므로 「상속세 및 증여세법」 제44조 제1항에 의하여 양도 당시의 당해 상가의 가액을 배우자로부터 증여받은 것으로 추정됨.

- 국심 2007서 1478, 2007. 11. 7.
  배우자 또는 직계존비속에게 양도한 재산은 양도자가 당해 재산을 양도한 때에 그 재산의 가액을 배우자 등이 증여받은 것으로 추정함.

- 국심 2007서 1388, 2007. 10. 17.
  증여재산가액 중 대가를 지급한 것으로 확인되는 금액은 증여세 과세가액에서 제외하는 것이 타당함.

- 서면4팀-2935, 2007. 10. 12.
  직계존비속에게 양도한 재산은 증여한 것으로 추정하나, 대가를 받고 양도한 사실이 명백히 인정되는 경우에는 양도로 봄.

- 서면4팀-39, 2007. 1. 4.
  직계존비속에게 양도한 자산이 양도에 해당하는지 증여에 해당하는지는 계약내용, 대금지급 관계 및 차입금에 대한 원리금의 부담내역 등 사실판단할 사항임.

- 국심 2005중 4272, 2006. 10. 19.
  소유권이전등기 이후 장기간 이후 대금이 지급된 것으로 주장하고 있으므로 유상으로 양도된 것으로 볼 수 없고 증여받은 것으로 봄.

- 국심 2006중 1191, 2006. 8. 9.
  채무인수계약서가 작성된 사실이 없다 하더라도 사실상 증여받은 토지의 채무를 인수한 것이 확인되는 경우 증여재산가액에서 차감하는 것임.

2 재산취득자금 등의 증여추정(상증법 §45)

직업, 연령, 소득 및 재산상태 등으로 보아 재산을 자력으로 취득하거나 채무를 자력으로 상환한 것으로 인정하기 어려운 경우로서 다음의 경우에 따라 입증된 금액의 합계액이 취득재산의 가액 또는 채무의 상환금액에 미달하는 경우에는 당해 재산을 취득 또는 채무를 상환한 때에 당해 재산의 취득자 또는 당해 채무의 상환자가 다른 자로부터 취득자금 또는 상환자금을 증여받은 것으로 추정하여 이를 그 재산취득자의 증여재산가액으로 한다.

1) 신고하였거나 과세(비과세 또는 감면받은 경우 포함)받은 소득금액
2) 신고하였거나 과세받은 상속 또는 수증재산의 가액
3) 재산을 처분한 대가로 받은 금전이거나 부채를 부담하고 받은 금전으로 당해 재산의 취득 또는 당해 채무의 상환에 직접 사용한 금액

다만, 입증되지 아니하는 금액이 취득재산의 가액, 채무상환금액의 20%에 상당하는 금액과 2억원 중 적은 금액에 미달하는 경우와 소명된 경우에는 제외한다.

가. 증여추정의 배제

재산취득일 전 또는 채무상환일 전 10년 이내에 해당 재산 취득자금 또는 해당 채무 상환자금의 합계액이 5천만원 이상으로서 연령·직업·재산상태·사회경제적 지위 등을 고려하여 아래의 국세청장이 정하는 아래 기준금액 미만인 경우에는 증여추정규정을 적용하지 않는다. 다만, 기준금액 이하라도 취득자금 또는 상환자금이 타인으로부터 증여받은 사실이 객관적으로 확인될 경우에는 증여세가 과세됨에 유의하여야 한다.

| 유형별 증여추정 배제 기준금액(국세청) |

구 분		취득재산		채무상환	총액 한도
		주 택	기타 재산		
세대주인 경우	30세 이상인 자	2억원	5천만원	5천만원	2억 5천만원
	40세 이상인 자	4억원	1억원		5억원
세대주 아닌 경우	30세 이상인 자	1억원	5천만원	5천만원	1억 5천만원
	40세 이상인 자	2억원	1억원		3억원
30세 미만인 자		5천만원	5천만원	5천만원	1억원

※ 상기 금액 이하이더라도 과세관청이 증여받은 사실을 입증한 경우는 과세대상임.

나. 실명 확인계좌에 보유하고 있는 재산의 증여추정

「금융실명거래 및 비밀보장에 관한 법률」 제3조에 따라 실명이 확인된 계좌 또는 외국의 관계 법령에 따라 이와 유사한 방법으로 실명이 확인된 계좌에 보유하고 있는 재산은 명의자가 그 재산을 취득한 것으로 추정하여 이를 그 재산 취득자의 증여재산가액으로 한다. 다만 증여추정의 법리에 따라 명의자가 차명재산임을 입증하는 경우에는 적용하지 않는다(상증법 §45).

관련예규 및 판례요약

재산취득자금 미달금액 증여세 과세 : 상증법 §45

재산취득자금 등의 증여추정과 관련된 예규, 판례

조심 2019전 3098, 2019. 12. 17.

쟁점토지의 일부를 명의신탁 해야 할 사유와 입증할 만한 구체적 증빙이 없는 점에 비추어 처분청이 쟁점금액을 사전증여재산으로 보아 과세한 처분은 정당함.

조심 2019부 2462, 2019. 12. 3.

직계존비속간의 금전소비대차는 원칙적으로 이를 인정하기 어렵고, 청구인은 차용증과 이자 지급내역 등 금전소비대차를 입증할 객관적인 증빙을 제출하지 못하고 있는 점 등에 비추어 청구인에게 자금출처 불분명 금액을 증여로 보아 증여세를 과세한 이 건 처분은 잘못이 없는 것으로 판단됨.

조심 2019중 2107, 2019. 12. 2.

청구인 명의의 금융계좌에 아버지 명의로 금전이 입금된 사실이 금융증빙에 의하여 객관적으로 확인되고, 청구인이 제시한 금전소비대차계약서가 통상적인 금전소비대차계약서와 그 형식이나 내용에 차이가 있는 점을 감안하면 이 건 조사 이후 증여세가 과세될 것을 인지하고, 사후에 작성되었을 가능성을 배제하기 어려워 쟁점금액을 청구인이 부로부터 증여받은 것으로 봄이 타당함.

조심 2018광 5072, 2019. 9. 25.

직계존비속 사이의 금전소비대차는 차용 및 상환사실이 차용증서, 이자지급사실 등에 의하여 객관적으로 명백하게 입증되지 아니하는 한 인정하기 어려운 점 등에 비추어 청구주장을 받아들이기 어려운 것으로 판단됨.

서면상속증여-1782, 2019. 9. 5.

재산 취득자금 증여추정 규정 적용시 본인의 소득금액이나 상속·증여받은 재산 및 부채를 부담하고 받은 금전 등은 자금출처로 인정되며, 실제 증여받은 사실이 확인되면 증여세 과세됨.

조심 2019서 0343, 2019. 7. 16.

쟁점금액은 사회통념상 인정되는 생활비에 해당한다고 볼 수 있는 점 등에 비추어 처분청이 쟁점금액을 증여세 과세대상 자산으로 보아 청구인에게 증여세를 과세한 처분은 잘못이 있는 것으로 판단됨.

조심 2018서 2947, 2018. 10. 18.

쟁점부동산의 취득일은 2011. 4. 14.인데 취득일로부터 5개월 후의 차입금과 쟁점근로소득(2007년-2008년)이 쟁점부동산 취득에 직접 사용되었다는 객관적인 입증도 없어 증여세 과세처분은 정당하다.

조심 2018중 1982, 2018. 6. 29.

청구인은 20대 후반의 대학원생으로 주택을 부로부터 전임차인의 전세보증금 상당액으로 매수하여 전세보증금 지급자금을 부와 전세계약을 체결(방 한칸은 본인사용)하고 그 금액으로 전임차인에게 반환한 것은 부가 전세보증금을 청구인에게 증여한 것으로 보는 것이 타당하다.

대법 2015두 41937, 2015. 9. 10.

부부 사이에서 일방 배우자 명의의 예금이 인출되어 타방 배우자 명의의 예금계좌로 입금되는 경우에는 증여 외에도 단순한 공동생활의 편의, 일방 배우자 자금의 위탁관리, 가족을 위한 생활비 지급 등 여러 원인이 있을 수 있으므로, 그와 같은 예금의 인출 및 입금사실이 밝혀졌다는 사정만으로는 경험칙에 비추어 해당 예금이 타방 배우자에게 증여되었다는 과세요건사실이 추정된다고 할 수 없다.

대법 2014두 43257, 2015. 5. 28.

원고가 1995년부터 2005년까지 일정한 직업이 있어 소득이 있었고 대출을 받기도 하였으나 그 소득금액과 대출금의 정도가 이 사건 각 부동산의 취득가액 합계 2,286,060,000원에 비하면 미미하여 그 소득금액 등으로는 이 사건 각 부동산의 취득자금을 마련할 수 없음이 객관적으로 명백함에도 원고가 그 취득자금 중 1,505,877,000원의 출처를 밝히지 못하는 반면, 원고의 아버지 소외 1에게 이를 증여할 만한 재력이 인정되므로, 재산취득자금의 증여가 추정됨.

서면상속증여-446, 2015. 4. 22.

「상속세 및 증여세법」 제45조 제2항 내지 제3항 및 같은 법 시행령 제34조 제2항을 적용함에 있어 세대주라 함은 30세 이상인 자로서 「주민등록법」상 세대별 주민등록표의 세대주로 등록된 자를 말합니다.

상속증여-431, 2014. 11. 7.

「상속세 및 증여세법」 제45조 【재산취득자금 등의 증여추정】 및 같은 법 시행령 제34조에 따라 재산취득자금의 출처에 대한 소명을 요구받은 재산취득자가 신고하였거나 과세(비과세 또는 감면받은 경우를 포함)받은 상속 또는 수증재산의 가액으로 자금출처로 제시하여 입증하는 경우에는 증여세를 과세하지 아니하는 것이며, 자금출처를 입증하지 못한 금액에 대해서는 증여세가 과세되는 것임.

서울고법 2012누 24759, 2013. 2. 7.

증여추정을 번복하기 위하여는 별도의 재산취득자금의 출처를 밝히고 그 자금이 당해 재산의 취득 자금으로 사용되었다거나 취득한 재산이 명의신탁받은 재산이라는 점을 납세자가 입증하여야 하나 이에 대한 입증이 부족하여 증여세 과세는 적법하며 직접 증여받은 재산으로 확인되는 부분은 증여로 추정할 수 없음.

재산-426, 2012. 11. 28.

4인이 공동으로 부동산을 취득함에 있어서 금융기관으로부터 1인 명의로만 금전을 대출받아 그 대출금으로 부동산 취득자금에 충당하였으나, 그 대출금에 대한 이자지급, 원금의 변제상황 및 담보제공 사실 등에 의하여 사실상의 채무자가 공동으로 부동산을 취득한 4인인 것으로 확인되는 경우에는 4인 각자가 부담하는 대출금은 취득자금출처로 인정받을 수 있는 것임.

심사증여 2011-75, 2011. 12. 23.

쟁점부동산 취득자금이 배우자 명의 처분부동산의 양도대금으로 처분부동산의 취득은 비록 양복점 및 의류대리점이 배우자 명의이긴 하나 부부가 공동으로 영위한 사실이 사업자현황 및 확인서 등에 의해 확인되므로 부부 공동기여재산으로 보아 쟁점부동산은 자력취득임.

대법 2010두 29222, 2011. 4. 14.

재산취득 당시 일정한 직업과 상당한 재력이 있고 또 그로 인하여 실제로도 상당한 소득이 있었던 자라면 취득자금 중 출처를 명확히 제시하지 못한 부분이 있더라도 증여추정 규정을 적용할 수 없음.

대법 2010두 15926, 2010. 11. 11.

「상속세 및 증여세법」 제45조에 따른 증여추정을 위해서는 특별히 직업이나 재력이 없을 것과 증여할 만한 재력을 가지고 있었음을 입증하여야 함.

재산-534, 2010. 7. 23.

특정채권을 증여 또는 상속받아 소지하고 있거나 동 채권을 만기상환 받은 자로서 동 채권의 발행기관 또는 금융기관으로부터 만기상환사실을 실명으로 확인받은 자에 대하여는 증여세 또는 상속세에 관한 조세특례를 적용받을 수 있음.

대법 2008두 20598, 2010. 7. 22.

증여에 대해 완전포괄주의 과세방식이 도입되었더라도 재산취득자금의 증여추정에 있어서 증여자의 재산증여 능력의 유무에 대한 입증책임은 과세관청에 있음.

재산-1578, 2009. 7. 30.

본인의 급여소득은 총지급금액에서 원천징수세액을 공제한 금액이 자금출처로 인정되며 부동산임대소득은 신고하였거나 과세받은 소득금액에서 소득세 등 공과금상당액을 차감한 가액이 자금출처로 인정됨.

심사증여 2008-55, 2009. 1. 19.

아버지의 자금으로 부동산을 취득한 후 금융기관의 대출을 통하여 상환한 것으로 확인되는 금액은 증여추정금액에서 차감함이 타당함.

국심 2007서 2794, 2007. 11. 1.

주식의 취득에 대하여 취득할 만한 소득원이 없으며, 달리 취득자금의 출처를 제시하지 못하고 있는 점 등에 비추어 주식의 취득자금을 증여받은 것으로 추정하여 과세한 것은 정당함.

서면4팀-2535, 2007. 8. 30.

금융기관으로부터 타인명의로 대출받았으나, 이자지급 및 원금 변제상황과 담보제공 사실 등에 의해 사실상의 채무자가 그 재산취득자임이 확인되는 경우 대출금은 재산취득자금의 출처로 인정받을 수 있음.

국심 2005서 2588, 2006. 1. 24.

차용하는 형식을 빌어 증여세를 부모가 대신 납부한 것으로 인정되므로 재차 증여로 보아 증여세를 과세한 처분은 정당함.

국심 2005서 3653, 2006. 1. 4.

담세능력을 어느 정도 갖추고 있으며, 재산세사무처리규정에 의한 일정기준 이하의 재산취득자금은 과세관청이 실제 증여받은 사실을 입증하는 경우를 제외하고 증여추정하여 과세할 수 없음.

3 명의신탁재산의 증여의제(상증법 §45의 2)

명의신탁이란 실제의 신탁관계가 아니라, 외관만 수탁자의 소유일 뿐 위탁자가 관리 · 처분할 권리의무를 갖는 신탁을 말한다. 신탁은 당사자의 합의가 있어야 하며, 이는 명의신탁의 경우도 같다. 상증법에서는 아래와 같이 재산을 명의신탁한 경우 증여로 의제하여 과세하고 있다.

권리의 이전이나 그 행사에 등기등을 요하는 재산(토지와 건물 제외)에 있어서 실제소유자와 명의자가 다른 경우에는 「국세기본법」 제14조(실질과세)의 규정에 불구하고 그 명의자로 등기 등을 한 날(그 재산이 명의개서를 요하는 재산인 경우에는 소유권취득일이 속하는 연도의 다음 연도 말일의 다음날을 말한다)에 그 재산의 가액(그 재산이 명의개서를 하여야 하는 재산인 경우에는 소유권취득일을 기준으로 평가한 가액)을 명의자가 실제소유자로부터 증여받은 것으로 본다.

주식등의 경우에 있어 주주명부 또는 사원명부가 작성되지 않은 경우에는 양도소득세, 증여세등 과세표준신고서에 기재된 소유권 이전일 또는 주식등변동상황명세서에 기재된 거래일에 증여한 것으로 판정한다.

가. 명의신탁재산의 증여의제 제외

다음에 해당하는 경우에는 명의신탁재산의 증여의제를 적용하지 않는다.

① 조세(국세, 지방세, 관세) 회피의 목적 없이 타인의 명의로 재산의 등기 등을 하거나 소유권을 취득한 실제소유자 명의로 명의개서를 하지 아니한 경우

② 「자본시장과 금융투자업에 관한 법률」에 따른 신탁재산인 사실의 등기등을 한 경우

③ 비거주자가 법정대리인 또는 재산관리인의 명의로 등기등을 한 경우

※ 명의신탁재산의 증여의제 대상 재산에서 토지와 건물이 제외되는 것은 「부동산실권리자 명의등기에 관한 법률」 위반으로 등기가 무효이며, 과징금이 부과되기 때문이다.

나. 조세회피 목적으로 추정하지 않는 사유

타인의 명의로 등기 등을 한 경우로서 조세회피목적이 있는 것으로 추정되는 경우에는 명의자가 이러한 추정을 벗어나기 위하여 그가 조세회피 목적이 없었다는 점에 대해 주장하거나 입증할 책임을 진다.[19] 다만 다음에 해당하는 경우에는 조세회피 목적이 있는 것으로 추정하지 않는다.

1) 매매로 소유권을 취득한 경우로서 종전 소유자가 「소득세법」 제105조 및 제110조에 따른 양도소득 과세표준신고 또는 「증권거래세법」 제10조에 따른 신고와 함께 소유권 변경 내용을 신고하는 경우

2) 상속으로 소유권을 취득한 경우로서 상속인이 다음에 해당하는 신고와 함께 해당 재산을 상속세 과세가액에 포함하여 신고한 경우(단, 상속세 과세표준과 세액을 결정 또는 경정할 것을 미리 알고 수정신고하거나 기한 후 신고를 하는 경우는 제외)

---

19) 대법원 2005두 3882 판결, 2005. 7. 22.

① 상속세 과세표준신고
② 「국세기본법」 제45조에 따른 수정신고
③ 「국세기본법」 제45조의 3에 따른 기한 후 신고

관련예규 및 판례요약

명의신탁의 증여세 과세 : 상증법 §45의 2

명의신탁 증여의제와 관련된 예규, 판례

조심 2109중 0314, 2019. 12. 20.
실사주의 주식(쟁점주식) 명의신탁 후 미처분이익잉여금 추세로 볼 때 고율의 배당소득세를 회피할 개연성이 존재한 반면, 쟁점주식을 명의신탁함으로써 직접적으로 투자가 확대되고 성장에 도움이 되었다고 볼 만한 객관적인 증빙이 없으므로 결국 쟁점주식의 명의신탁에 조세회피목적 외에 다른 뚜렷한 이유가 있었다고 인정하기 부족하므로 청구주장은 받아들이기 어려움.

조심 2019광 3544, 2019. 12. 17.
청구인이 상당한 기간 동안 당 법인에서 이사로 재직함에 따라 명의도용 사실을 모르고 있었다는 주장은 납득하기 어렵고 청구인이 쟁점주식을 유상증자로 취득함에 있어서 묵시적으로 명의신탁에 관한 합의가 없었다고 보기 어려우므로 증여세를 과세한 처분은 잘못이 없다고 판단됨.

조심 2018서 4807, 2019. 12. 9.
쟁점주주명부의 기재내용을 신뢰하기 어려운 점, 일화 ○○백만엔을 지급하였다고 소명하고 있는 점, 관련된 법원 판결문에서 실제로 양도한 것으로 보이는 점, 그 배당금에 대한 처분권한을 보유하고 있었다고 보아야 하는 점 등에 비추어 처분청이 쟁점주식이 명의신탁된 것으로 보아 청구인들에게 증여세 및 종합소득세 등을 과세한 이 건 처분은 잘못이 있음.

조심 2019서 0161, 2019. 10. 21.
청구인 aaa는 코스닥 상장법인 ○○○○의 대주주로서 청구인 bbb와의 명의신탁을 이용하여 주식을 분산소유함으로써 대주주의 상장주식 양도에 대한 양도소득세를 경감하고자 하는 의도가 있었던 것으로 보이고 실제 회피된 양도소득세가 발생한 점 등에 비추어 명의신탁함에 있어 조세회피의 목적이 없었다는 청구주장을 받아들이기 어려움.

심사상속 2019-0005, 2019. 9. 4.

배우자 예금증가액의 자금 출처 등에 대한 증빙이나 쟁점금액이 증여가 아닌 다른 목적으로 행하여진 것이라는 특별한 사정을 제시하지 못하고 있으므로 쟁점금액을 피상속인으로부터 사전 증여받은 재산으로 보는 것이 타당함.

대법 2019두 40826, 2019. 8. 29.

2013년에 주식발행법인을 대상으로 실시한 서면확인과 2016년의 세무조사는 그 대상자 및 목적 등이 차이가 있는 점, 청구인 형제들에게 명의신탁한 주식임을 은폐하기 위하여 허위로 현금차용증을 작성한 점, 원고의 형제들이 원고의 자녀에게 주식을 직접 증여한 점 등에 비추어 원고주장을 받아들이기 어려움.

대법 2018두 65927, 2019. 3. 28.

증명책임을 부담하는 명의자는 명의신탁에 있어 조세회피 목적이 없었다고 인정될 정도로 조세회피와 상관없는 뚜렷한 목적이 있었고, 명의신탁 당시에나 장래에 있어 회피될 조세가 없었다는 점을 객관적이고 납득할 만한 증거자료에 의하여 통상인이라면 의심을 가지지 않을 정도로 증명하여야 함.

대법 2018두 60397, 2019. 2. 1.

원고와 이 사건 주식의 실질소유자인 명의신탁자 사이에 이 사건 계좌를 통한 이 사건 주식에 대한 명의신탁관계의 설정에 관한 합의 또는 의사합치가 있었다고 볼 수 없어, 피고가 위와 같은 명의신탁 관계 설정에 관한 묵시적 합의 또는 의사합치가 있음을 전제로 하여 원고에 대하여 한 이 사건처분은 위법함.

조심 2018서 1895, 2108. 9. 6.

실질 소유자와 명의자가 합의 또는 의사소통을 하여 명의자 앞으로 등기 등을 한 경우에 적용되는 것이므로, (대법 2008. 2. 14. 선고, 2007두 15780)생활형편이나 경력, 사용인 등을 고려할 때 청구인이 주식 및 유상증자 등에 대한 정확한 개념과 명의신탁으로 발생할 수 있는 위험 등을 알지 못하고 ○○○의 요구에 따라 인감증명서 등을 제공하였다는 주장에 신빙성이 있어 명의신탁에 따른 증여세를 과세한 이 처분은 잘못이 있다.

대법 2012두 27787, 2018. 3. 29.

최초의 명의신탁 주식은 이 사건 법률조항을 적용하여 증여로 의제하여 과세할 수 있으나, 그 후 원고 1명 등의 명의로 인수한 ×××의 신주는 주식의 포괄적 교환과정에서 최초 증여의제 대상이 되는 ○○○ 주식의 이전대가로 받은 동일인 명의의 주식에 해당하므로, 이 사건 법률조항을 다시 적용하여 과세할 수는 없다고 보아야 한다.

조심 2017중 3631, 2017. 11. 13.

명의신탁주식 실제소유자 확인제도에 따라 실제소유자 확인신청을 하였고, 자발적으로 명의수탁자들에 대한 배당금을 청구인의 배당금으로 합산하여 수정신고·납부한 점이 조세회피가 이루어지지 않은데도 증여세를 과세하고 청구인에게 연대납세의무 지정·통지를 한 처분은 잘못이 있는 것으로 판단된다.

법령해석재산-0297, 2017. 5. 16.

피상속인이 명의신탁한 주식을 상속받아 상속인 명의로 명의개서를 하지 아니하였으나 상속인이 2016. 1. 1. 이후 「국세기본법」 제45조에 따른 수정신고와 함께 해당 명의신탁 주식을 상속세 과세가액에 포함하여 신고한 경우에는 상속인이 실제 소유자 명의로 명의개서하지 않은 것에 대해 「상속세 및 증여세법」(2016. 12. 20. 법률 제14388호로 개정되기 전의 것) 제45조의 2 제3항에 따라 조세회피목적이 있는 것으로 추정하지 아니하는 것이나, 피상속인의 명의신탁행위에 대해서는 조세회피 목적이 없는 것으로 추정하는 것은 아니다.

서울행법 2015구합 62842, 2015. 10. 22.

주주명부에 주식의 실질소유자가 아닌 다른 사람 앞으로 명의개서가 되어야 상속세 및 증여세법에 규정된 증여의제 요건에 해당하고, 2004. 1. 1. 이후 주식등변동상황명세서가 제출된 2004년 이후 증여분에 대하여는 주식등변동상황명세서에 의하여 명의개서 여부를 판정할 수 있으나, 그 이전의 증여분에 대하여는 소급적용할 수 없음.

서면상속증여-22569, 2015. 2. 13.

명의신탁한 주식을 그 주식의 실제소유자인 위탁자 명의로 환원하는 경우 그 환원하는 것에 대하여는 증여세 과세문제가 발생하지 않는 것으로 귀 질의의 경우 주주의 명의변경이 신탁해지에 의한 것인지 또는 실질적인 양도나 증여에 의한 것인지 여부는 명의신탁약정서, 주식매매대금 지급여부, 배당, 주주권 행사 현황 등을 통해 당해 주식의 실제소유자를 구체적으로 확인하여 판단할 사항임.

상속증여-33, 2015. 1. 22.

「상속세 및 증여세법」 제45조의 2의 규정을 적용할 때 조세회피 목적이 있었는지 여부는 명의신탁 당시를 기준으로 판단하며 조세회피 목적이 없었다는 점에 대한 입증책임은 이를 주장하는 명의 신탁자와 수탁자에게 있는 것임.

재재산-739, 2014. 11. 14.

「상속세 및 증여세법」 제45조의 2의 규정을 적용함에 있어서 의제배당 과세대상인 자본잉여금 또는 이익잉여금의 자본전입으로 기존 명의신탁된 주식에 배정된 무상주에 대하여는 같은 조의 규정이 적용되지 아니하는 것임(※ 적용시기 : 예규변경일 이후 결정·경정하는 분부터 적용함).

대법 2014두 5880, 2014. 7. 24.

주주명부가 작성되지 아니한 경우 주식등변동상황명세서에 의하여 명의개서 여부를 판정한다는 상증세법 제45조의 2 제3항 개정 규정은 2004. 1. 1. 이전의 증여분에 대하여 소급 적용할 수 없음.

대법 2010두 24968, 2013. 3. 28.

명의신탁 전에 이루어진 명의신탁 및 기업공개 준비 등의 목적은 명의신탁과 직접적인 관련성이 있다고 볼 수 없고, 달리 명의신탁이 조세회피의 목적이 아닌 다른 뚜렷한 목적에서 이루어졌다는 점에 대한 원고들의 입증이 없으므로 명의신탁에 조세회피의 목적이 없다고 할 수 없다고 판단한 것은 정당함.

재산-86, 2013. 3. 19.

명의신탁재산의 증여 의제에 따른 명의신탁재산의 증여시기는 실제소유자가 명의자로 등기·등록 또는 명의개서를 한 날임.

심사증여 2012-105, 2012. 12. 24.

명의신탁자가 채권자들로부터 재산보전 목적으로 주식을 명의신탁한 것으로 보이는 점, 명의신탁자는 2007년에 이미 과점주주 지위에 있지 않은 점, 명의신탁으로 인해 청구인이 재산상 손해를 입은 점에 비추어 볼 때, 쟁점명의신탁에 조세회피 목적이 있었다고 볼 수 없음.

재산-445, 2012. 12. 10.

해외 영리법인이 재산을 증여받은 경우에는 그 영리법인이 납부할 증여세를 면제하되, 같은 법 제45조의 2 규정에 따른 증여세를 명의자인 영리법인이 면제받은 경우에는 실제소유자(실제소유자가 영리법인인 경우는 제외)가 그 증여세를 납부할 의무가 있는 것임.

심사증여 2012-99, 2012. 11. 27.

명의신탁은 반듯이 명시할 필요는 없고 묵시적이거나 전후 사정에 비추어 합의가 있어다고 볼 수 있으면 명의신탁을 인정할 수 있음.

재산-352, 2012. 9. 27.

명의신탁 주식에 해당하는지는 법인의 설립당시 투자 경위 및 전후사정, 주식취득 경위 등 구체적인 사실을 확인하여 판단할 사항임.

대법 2012두 10765, 2012. 8. 30.

개인주주들 명의로 자기주식을 매입할 때 원고 회사가 예금을 담보로 제공했으므로 명의도용이라는 주장은 이유가 없으며, 개인주주들과 명의신탁약정을 함에 있어 원고 회사 주식의 주가관리라는 주된 목적 외에 이 사건 자기주식을 원고회사 명의로 실명전환하여 매각할 경우 발생할 법인세 부담을 회피하려는 의도도 있었다고 봄이 상당함.

대법 2012두 8151, 2012. 8. 23.

명의신탁에 있어 조세회피목적외 다른 목적이 있었음이 입증되지 아니하고, 사해행위의 취소와 원상회복은 채권자와 수익자에 대한 관계에 있어서만 효력이 발생하는 것이므로 사해행위취소 소송결과 원상회복하였다는 이유로 명의신탁재산에서 제외할 수 없음.

대법 2012두 8229, 2012. 6. 28.

주식의 양도와 관련한 양도소득세를 신고납부하지 않았고 과세관청 역시 이를 발견해 내지 못하였으며, 주식 취득자금에 대한 출처조사가 시작된 이후에 이르러 양도소득세를 신고납부한 점 등에 비추어, 양도소득세나 배당소득에 대한 누진세율에 따른 종합소득세 등을 회피할 목적으로 명의신탁한 것으로 보임.

대법 2012두 4364, 2012. 5. 24.

양도담보 목적으로 주식의 소유 명의가 채무자로부터 채권자에게 이전되었다고 하더라도 실질적으로는 채권자가 위 주식에 대한 소유권을 보유하고 있는 것이 아니라 담보권을 보유하고 있는 것에 불과하다 할 것이므로 이에 대하여는 명의신탁의 증여의제 규정이 적용될 여지가 없어 부과처분은 위법함.

대법 2012두 4999, 2012. 5. 24.

명의신탁에 따른 증여세 과세는 실질과세원칙에 대한 예외를 인정한 데에 있으므로 그 적용여부는 엄격하게 해석하여야 하며 주식에 대한 실제 양도담보권자와 명의상 양도담보권자가 다른 경우를 위 규정의 '실제 소유자와 명의자가 다른 경우'에 포함되는 것으로 확대 해석할 수는 없음.

대법 2011두 15794, 2012. 5. 9.

명의신탁 증여의제 규정의 입법취지에 비추어 볼 때 명의신탁의 목적에 조세회피목적이 포함되어 있지 않은 경우에만 단서를 적용하여 증여의제로 의율할 수 없는 것이므로 다른 주된 목적과 아울러 조세회피의 의도도 있었다고 인정되면 조세회피의 목적이 없다고 할 수 없음.

대법 2011두 29694, 2012. 3. 15.

주식을 명의신탁한 것이고, 법인결산시 잉여금처분에 따른 현금배당으로 종합소득세를 덜 부담하여 조세회피 결과를 얻게 되었으므로 조세회피목적이 없었다고 볼 수 없으며, 시가가 불분명하므로 보충적 평가방법으로 시가를 산정하여 증여세를 과세한 처분은 적법함.

재산-87, 2012. 2. 27.

일부 회원의 명의로 합유 등기 한 단체 소유의 재산을 단순히 관리편의를 위하여 다른 회원 등의 명의로 등기하는 경우에는 증여에 해당하지 않음.

재산-52, 2012. 2. 10.

주식을 취득한 후 장기간 취득자의 명의로 명의개서하지 아니한 주식에 대하여는 「상속세 및 증여세법」 제45조의 2에 따라 소유권 취득일이 속하는 연도의 다음연도 말일의 다음 날을 기준으로 같은 법 제60조 및 제63조의 규정에 의하여 평가한 가액을 명의자가 실제소유자로부터 증여받은 것으로 보는 것임.

서울고법 2011누 18795, 2011. 12. 7.

명의신탁은 상법상 발기인 수를 충족시키고 강제집행을 면하려는 목적으로 이루어진 것이고, 회사 설립 이래 배당을 실시하지 않은 사실 등에 비추어 보면 명의신탁은 조세회피의 목적이 없었던 것으로 인정되므로 증여의제로 과세한 처분은 위법함.

대법 2011두 12092, 2011. 9. 8.

명의신탁이 「증권거래법」상 공시위반으로 인한 제재를 피하기 위한 목적으로 이루어졌다면 계열회사도 명의신탁을 하여야 함에도 그러하지 아니한 점, 일부만을 명의신탁해서 최대주주에서 벗어나면 공시의무위반을 벗어날 수 있음에도 원고에게 전부 명의신탁한 점으로 보아 명의신탁이 있었음.

국심 2005광 2970, 2006. 1. 24.

조세회피목적 유무는 명의신탁을 함으로써 실제 조세회피한 사실의 유무 이전에 명의신탁 당시 조세회피의 개연성만 있으면 성립하고, 명의신탁 이후 배당소득 등 소득의 창출이 없거나 적었다는 사유만으로 판단하는 것은 아님.

4 | 특수관계법인과의 거래를 통한 이익의 증여의제(상증법 §45의 3)

특수관계법인을 이용하여 부를 이전하는 행위(일명 '일감몰아주기')가 사회적으로 큰 문제로 부각됨에 따라 2011. 12. 31. 특수관계법인과의 거래를 통한 이익의 증여에 대하여 증여로 의제하여 과세하는 제도를 신설하였다.

가. 증여의제 이익의 계산

법인의 사업연도 매출액 중에서 그 법인의 지배주주와 특수관계에 있는 법인에 대한 매출액이 차지하는 비율이 그 법인의 업종 등을 고려한 정상거래비율(대기업은 30% 또는 특수관계법인과의 매출액이 1,000억원을 초과하는 경우 20%, 중견기업은 40%, 중소기업은 50%)을 초과하는 경우 수혜법인의 지배주주와 그 지배주주의 친족이 다음 계산식에 따라 계산한 증여의제이익을 각각 증여받은 것으로 의제한다. 이 경우 증여의제이익의 계산은 수혜법인의 사업연도 단위로 하고, 수혜법인의 해당 사업연도 종료일을 증여시기로 본다.

과세대상자 증여의제이익의 계산식

- 대 기 업 : 세후 영업이익 × [특수관계법인 거래비율 - 5%] × [주식보유비율]
- 중견기업* : 세후 영업이익 × [특수관계법인 거래비율 - 20%] × [주식보유비율 - 5%]
- 중소기업* : 세후 영업이익 × [특수관계법인 거래비율 - 50%] × [주식보유비율 - 10%]

* 조세특례제한법상의 중소·중견기업. 단, 공시대상기업집단(자산 5조원) 소속기업은 제외

증여의제이익의 계산시 지배주주와 지배주주의 친족이 수혜법인에 직접적으로 출자하는 동시에 간접적으로 출자하는 경우에는 상기 증여의제이익의 계산식에 따라 계산한 금액을 합산하여 계산한다.

나. 신고 및 납부기한

수혜법인의 법인세법에 따른 과세표준의 신고기한이 속하는 달의 말일부터 3개월이 되는 날이다. 12월말 법인의 경우 다음해 6월말까지가 신고 및 납부기한이 된다.

5 특수관계법인으로부터 제공받은 사업기회로 발생한 이익의 증여의제(상증법 §45의 4)

지배주주(상증법 §45의 3 ①)와 그 친족(이하 "지배주주등")의 주식보유비율(간접보유비율 포함)이 100분의 30 이상인 수혜법인이 지배주주와 특수관계에 있는 법인(중소기업과 수혜법인의 주식보유비율이 100분의 50 이상인 법인은 제외)으로부터 사업기회를 제공받는 경우에는 그 사업기회를 제공받은 날이 속하는 사업연도의 종료일에 그 수혜법인의 지배주주등이 해당 증여의제이익을 증여받은 것으로 본다.

가. 사업기회 제공의 의미

특수관계법인이 직접 수행하거나 다른 사업자가 수행하고 있던 사업기회를 임대차계약, 입점계약, 대리점계약 및 프랜차이즈계약 등 명칭에 불문한 약정의 방법으로 제공받는 경우를 말한다.

나. 증여의제 이익의 계산

[{(제공받은 사업기회로 인하여 발생한 개시사업연도의 수혜법인의 영업이익 × 지배주주등의 주식보유비율) - 개시사업연도분의 법인세 납부세액 중 상당액 } ÷ 개시사업연도의 월 수 × 12] × 3 - 배당소득 상당액

다. 증여세의 정산

증여의제이익이 발생한 수혜법인의 지배주주등은 개시사업연도부터 사업기회제공일 이후 3년이 경과한 날이 속하는 사업연도(이하 "정산사업연도")까지 수혜법인이 제공받은 사업기회로 인하여 발생한 실제 이익을 반영하여 다음 계산식에 따른 금액에 대한 증여세액과 이미 납부한 증여의제이익에 대한 증여세액과의 차액을 관할 세무서장에게 납부하여야 한다. 다만, 정산증여의제이익이 당초의 증여의제이익보다 적은 경우에는 그 차액에 상당하는 증여세액을 환급받을 수 있다.

(제공받은 사업기회로 인하여 발생한 개시사업연도부터 정산사업연도까지 발생한 수혜법인의 이익 합계액 × 지배주주등의 주식보유비율) - 개시사업연도분부터 정산사업연도분까지의 법인세 납부세액 중 상당액 - 3년간 배당소득 상당액

라. 신고 및 납부기한

수혜법인의 법인세법에 따른 과세표준의 신고기한이 속하는 달의 말일부터 3개월이 되는 날이다. 12월말 법인의 경우 다음해 6월말까지가 신고 및 납부기한이 되며, 정산하는 경우에는 정산사업연도의 법인세 과세표준 신고기한이 속하는 달의 말일부터 3개월이 된다.

6 | 특정법인과의 거래를 통한 이익의 증여(상증법 §41)

지배주주와 그 친족이 직접 또는 간접으로 보유하는 주식보유 비율이 100분의 30 이상인 법인(이하 "특정법인")의 주주 또는 출자자의 특수관계인이 그 특정법인과 다음의 거래를 하여 그 특정법인의 주주 또는 출자자가 이익을 얻은 경우에는 그 거래를 한 날을 증여일로 하여 그 이익에 상당하는 금액을 그 특정법인의 주주 또는 출자자가 증여받은 것으로 본다.

1) 재산이나 용역을 무상으로 제공하는 거래
2) 재산이나 용역을 통상적인 거래 관행에 비추어 볼 때 현저히 낮은 대가로 양도·제공하는 거래
3) 재산이나 용역을 통상적인 거래 관행에 비추어 볼 때 현저히 높은 대가로 양도·제공받는 거래
4) 그 밖에 ①~③까지의 거래와 유사한 거래

특정법인과의 거래를 통한 이익의 증여는 종전 증여예시규정으로 운영하던 것을 2015년말 포괄주의 과세를 정비하면서 증여의제로 규정하였다. 이는 원칙적으로 법인의 수증이익에 법인세가 과세되는 경우 해당 법인의 주주에 대한 증여세 과세를 배제하되, 주주에 대한 변칙적인 증여가 가능한 사례를 증여의제 규정으로 열거하여 예외적으로 과세하고자 하는 취지에 따른 것이다.

가. 현저히 낮은 대가 또는 높은 대가의 범위

재산 및 용역의 시가와 대가의 차액이 시가의 100분의 30 이상이거나 그 차액이 3억원 이상인 경우를 말한다.

나. 증여의제 이익

$$[\text{해당 거래이익} - (\text{법인세 산출세액} \times \frac{\text{해당거래이익}}{\text{각 사업연도 소득금액}})] \times \text{주주 등의 지분율}$$

다. 증여세 한도

[주주에게 직접 증여한 경우의 증여세 − 법인세 상당액*]

*산출세액 × (증여재산가액 / 각 사업연도소득금액) × 해당주주의 주식보유비율

라. 신고 및 납부기한

수혜법인의 법인세법에 따른 과세표준의 신고기한이 속하는 달의 말일부터 3개월이 되는 날이다. 12월말 법인의 경우 다음해 6월말까지가 신고 및 납부기한이 되며, 정산하는 경우에는 정산사업연도의 법인세 과세표준 신고기한이 속하는 달의 말일부터 3개월이 된다.

7 | 증여세 과세특례(상증법 §43)

가. 하나의 증여가 2 이상의 증여 규정에 동시에 해당될 때 적용할 증여 규정

하나의 증여가 제33조(신탁이익의 증여), 제34조(보험금의 증여), 제35조(저가 양수 또는 고가 양도에 따른 이익의 증여), 제36조(채무면제 등에 따른 증여), 제37조(부동산 무상사용에 따른 이익의 증여), 제38조(합병에 따른 이익의 증여), 제39조(증자에 따른 이익의

증여), 제39조의 2(감자에 따른 이익의 증여), 제39조의 3(현물출자에 따른 이익의 증여), 제40조(전환사채 등의 주식전환 등에 따른 이익의 증여), 제41조의 2(초과배당에 따른 이익의 증여), 제41조의 3(주식등의 상장 등에 따른 이익의 증여), 제41조의 4(금전 무상대출 등에 따른 이익의 증여), 제41조의 5(합병에 따른 상장 등 이익의 증여), 제42조(재산사용 및 용역제공 등에 따른 이익의 증여), 제42조의 2(법인의 조직 변경 등에 따른 이익의 증여), 제42조의 3(재산 취득 후 재산가치 증가에 따른 이익의 증여), 제44조(배우자 등에게 양도한 재산의 증여 추정), 제45조(재산 취득자금 등의 증여 추정), 제45조의 3(특수관계법인과의 거래를 통한 이익의 증여의제), 제45조의 4(특수관계법인으로부터 제공받은 사업기회로 발생한 이익의 증여의제), 제45조의 5(특정법인과의 거래를 통한 이익의 증여의제)까지의 규정이 둘 이상 동시에 적용되는 경우에는 그 중 이익이 가장 많게 계산되는 것 하나만을 적용한다.

나. 1년 이내에 동일한 거래 등이 있는 경우 증여재산가액의 계산방법

제31조 제1항 제2호(재산 또는 이익의 저가양수 및 고가양도), 제35조, 제37조부터 제39조까지, 제39조의 2, 제39조의 3, 제40조, 제41조의 4, 제42조 및 제45조의 5에 따른 이익을 계산할 때 그 증여일부터 소급하여 1년 이내에 동일한 거래 등이 있는 경우에는 각각의 거래 등에 따른 이익(시가와 대가의 차액)을 해당 이익별로 합산하여 계산한다.

아울러 다음에 해당하는 이익을 계산할 때는 해당 이익별로 합산하여 각각의 금액기준을 계산한다(상증령 §32의4).

① 법 제31조 제1항 제2호의 저가 양수 및 고가 양도에 따른 이익
② 법 제35조 제1항 및 제2항의 저가 양수 및 고가 양도에 따른 이익
③ 법 제37조 제1항의 부동산 무상 사용에 따른 이익
④ 법 제37조 제2항의 부동산 담보 이용에 따른 이익
⑤ 법 제38조 제1항의 합병에 따른 이익
⑥ 법 제39조 제1항의 증자에 따른 이익(같은 항 각 호의 이익별로 구분된 이익을 말한다)
⑦ 법 제39조의 2 제1항의 감자에 따른 이익(같은 항 각 호의 이익별로 구분된 이익을 말한다)
⑧ 법 제39조의 3 제1항의 현물출자에 따른 이익(같은 항 각 호의 이익별로 구분된 이익을 말한다)
⑨ 법 제40조 제1항의 전환사채등의 주식전환등에 따른 이익(같은 항 각 호의 이익별로

구분된 이익을 말한다)

⑩ 법 제41조의 4 제1항의 금전무상대출에 따른 이익

⑪ 법 제42조 제1항의 재산사용 및 용역제공 등에 따른 이익(같은 항 각 호의 거래에 따른 이익별로 구분된 이익을 말한다)

⑫ 법 제45조의 5 제1항의 특정법인과의 거래를 통한 이익(같은 조 제2항 각 호의 거래에 따른 이익별로 구분된 이익을 말한다)

⑬ 최대주주의 배당포기 등으로 최대주주의 특수관계인이 보유지분에 따른 균등한 배당금액에 초과하여 배당받는 경우

제5절 증여세 과세가액

증여세의 과세가액은 증여재산가액에서 비과세, 불산입재산가액 및 수증자가 인수한 증여자의 채무를 차감하고, 동일인으로부터 10년 이내에 증여받은 재산가액(1,000만원 이상인 경우만 해당)을 가산하여 계산한다. 다만, 증여재산의 평가는 상속재산의 평가와 같다.

증여세 과세가액	=	증여 재산가액	−	비과세 · 불산입 재산가액	−	채무인수액	+	증여재산 가산액

1 「상속세 및 증여세법」상 비과세(상증법 §46)

가. 「상속세 및 증여세법」상 비과세 재산은 아래와 같다.

1) 국가나 지방자치단체로부터 증여받은 재산의 가액
2) 내국법인의 종업원으로서 우리사주조합에 가입한 자가 해당 법인의 주식을 우리사주조합을 통하여 취득한 경우로서 그 조합원이 소액주주(당해법인의 발생주식 총수의 100분의 1 미만을 소유하는 경우로서 주식 등의 액면가액의 합계액이 3억원 미만인 주주)의 기준에 해당하는 경우 그 주식의 취득가액과 시가의 차액으로 인하여 받은 이익에 상당하는 가액
3) 「정당법」에 따른 정당이 증여받은 재산의 가액
4) 「근로복지기본법」에 따른 사내근로복지기금, 「근로복지기본법」의 규정에 의한 우리사주조합 및 근로복지진흥기금이 증여받은 재산의 가액
5) 사회통념상 인정되는 이재구호금품, 치료비, 피부양자의 생활비, 교육비, 그 밖에 이와 유사한 것으로서 다음의 것
   ① 학자금, 장학금 기타 이와 유사한 것
   ② 기념금, 축하금, 부의금 등으로 통상 필요하다고 인정되는 금품
   ③ 혼수용품으로서 통상 필요하다고 인정되는 금품
   ④ 타인으로부터 기증을 받아 외국에서 국내에 반입된 물품으로서 당해 물품의 관세의 과세가격이 100만원 미만인 물품

⑤ 무주택근로자가 국민주택규모 이하인 주택을 취득 또는 임차하기 위하여 사내근로복지기금으로부터 증여받은 주택취득보조금 중 그 주택취득가액의 100분의 5 이하의 것과 주택임차보조금 중 전세가액의 100분의 10 이하의 것

⑥ 불우한 자를 돕기 위하여 언론기관을 통하여 증여한 금품

6) 「신용보증기금법」에 따라 설립된 신용보증기금이나 그 밖에 이와 유사한 단체(기술신용보증기금, 신용보증재단 및 신용보증재단중앙회, 예금보험기금 및 예금보험기금채권상환기금, 주택금융신용보증기금(주택담보노후연금보증계정 포함)이 증여받은 재산

7) 국가, 지방자치단체 또는 공공단체가 증여받은 재산의 가액

8) 「장애인복지법」에 의해 등록한 장애인 및 「국가유공자등 예우 및 지원에 관한 법률」에 의하여 등록한 상이자를 수익자로 한 보험의 보험금으로서 연간 4천만원 이하의 보험금 등

9) 「국가유공자 등 예우 및 지원에 관한 법률」에 따른 국가유공자의 유족이나 「의사상자 등 예우 및 지원에 관한 법률」에 따른 의사자(義死者)의 유족이 증여받은 성금 및 물품 등 재산의 가액

10) 비영리법인의 설립근거가 되는 법령의 변경으로 비영리법인이 해산되거나 업무가 변경됨에 따라 해당 비영리법인의 재산과 권리・의무를 다른 비영리법인이 승계받은 경우 승계받은 해당 재산의 가액

관련예규 및 판례요약

비과세되는 증여재산과 관련된 예규, 판례

재재산-192, 2016. 3. 8.

거주자가 미국 사립고등학교에 학교시설 건축비 명목으로 증여한 금원은 「상속세 및 증여세법」 제46조 제5호 및 같은 법 시행령 제35조 제4항 제2호에 따른 '학자금 또는 장학금 기타 이와 유사한 금품'에 해당하지 아니하는 것임.

상속증여-295, 2014. 8. 11.

「근로복지기본법」에 따른 사내근로복지기금법인이 고용노동부장관으로부터 인가된 사내근

로복지기금의 용도사업으로 사내 근로자에게 지급하는 각종 지원금이 그 근로자의 근로소득(비과세·감면 포함)에 해당되지 아니하게 되는 경우에는 증여세 과세대상이 되는 것이나, 그 지원금이 사회통념상 인정되는 치료비, 학자금, 장학금 기타 이와 유사한 금품 또는 기념품·축하금·부의금 기타 이와 유사한 금품 등 통상 필요하다고 인정되는 금품으로서 해당 용도에 직접 지출한 것은 「상속세 및 증여세법」 제46조 제5호 및 같은 법 시행령 제35조 제4항에 따라 증여세가 비과세되는 것임.

재산-136, 2012. 4. 3.

관련법령에 따른 이주대책의 수립·실시에 따라 지방자치단체에서 부담한 주택지의 조성비용에 대해서는 증여세 부과대상이 아님.

조심 2010서 2345, 2011. 6. 23.

주택마련을 위한 대출금의 이자로 매월 평균 5백만원 이상이 지급된 것이므로 사회통념상 생활비로 보기는 어렵고, 처분청이 쟁점금액을 증여재산가액에 포함하여 증여세를 과세한 처분은 달리 잘못이 없는 것으로 판단됨.

조심 2009서 2856, 2009. 11. 20.

생활비 또는 교육비의 명목으로 증여받은 재산이라 할지라도 예·적금하거나 주식, 토지, 주택 등의 매입자금 등으로 사용하는 경우 비과세 대상이 아님.

재산-4168, 2008. 12. 10.

부양의무가 없는 조부가 손자의 생활비 또는 교육비를 부담한 경우는 상증법 제46조 제5호에서 규정하는 비과세되는 증여재산에 해당하지 아니함.

국심 2007중 1735, 2007. 8. 31.

父로부터 해외로 송금받은 금액이 재산상태, 근무상태, 지출비용 등으로 보아 사회통념상 인정되는 생활비 또는 교육비에 해당한다고 볼 수 있어 증여세를 과세하지 않음.

서면4팀-1390, 2007. 4. 30.

장애인을 보험금수취인으로 하는 보험금액에 대하여는 증여세를 부과하지 아니하는 것이며 비과세되는 보험금은 연간 4천만원을 한도로 하는 것임.

2 「조세특례제한법」상 비과세 · 감면 · 과세특례

가. 정치자금의 증여세 비과세(조특법 §76 ②)

거주자가 「정치자금법」에 따라 정당(후원회 및 선거관리위원회 포함)에 기부한 정치자금에 대하여는 상속세 또는 증여세를 부과하지 않는다.

나. 영농 자녀가 증여받은 농지 등에 대한 증여세의 감면(조특법 §71)

다음의 요건을 모두 충족하는 농지 · 초지 · 산림지 또는 축사용지(해당 농지 · 초지 · 산림지, 어업용토지, 어선, 어업권 또는 축사용지를 영농조합법인에 현물출자하여 취득한 출자지분을 포함)를 농지등의 소재지에 거주하면서 영농(양축, 영어 및 영림을 포함)에 종사하는 자경농어민이 농지등의 소재지에 거주하면서 영농에 종사하는 직계비속인 영농자녀에게 2017. 12. 31.까지 증여하는 경우에는 해당 농지등의 가액에 대한 증여세의 100분의 100에 상당하는 세액을 감면한다. 이 경우 감면받을 증여세액의 5년간 합계액이 1억원을 초과하는 경우에는 그 초과하는 부분에 상당하는 금액을 감면하지 않는다(조특법 §133 ②).

1) 감면대상 농지 등의 범위

아래에 해당하는 농지 등으로서 증여자인 자경농민이 증여일부터 소급하여 3년 이상 직접 경작한 농지 등이 감면대상 농지에 해당하며, 「국토의 계획 및 이용에 관한 법률」 제36조에 따른 주거지역 · 상업지역 및 공업지역에 소재하는 농지 등과 「택지개발촉진법」에 따른 택지개발지구나 그 밖에 개발사업지구로 지정된 지역에 소재하는 농지 등은 제외된다.

① **농지** : 직접 경작한 농지로서 4만제곱미터 이내의 것

② **초지** : 「초지법」 제5조에 따른 초지조성허가를 받은 초지로서 14만8천500제곱미터 이내의 것

③ **산림지** : 「산지관리법」에 따른 보전산지 중 「산림자원의 조성 및 관리에 관한 법률」에 따라 산림경영계획을 인가받거나 특수산림사업지구로 지정받아 새로 조림(造林)한 기간이 5년 이상인 산림지(채종림, 「산림보호법」 제7조에 따른 산림보호구역을 포함)로서 29만7천제곱미터 이내의 것. 다만, 조림 기간이 20년 이상인 산림지의 경우에는 조림 기간이 5년 이상인 29만7천제곱미터 이내의 산림지를 포함하여 99만제곱미터 이내의 것으로 한다.

④ **축사용지** : 축사 및 축사에 딸린 토지로서 해당 축사의 실제 건축면적을 「건축법」 제55조에 따른 건폐율로 나눈 면적의 범위 이내의 것

2) 증여자인 자경농민의 범위(조특령 §68 ①)

① 농지등이 소재하는 시 · 군 · 구 및 그와 연접한 시 · 군 · 구 또는 해당 농지등으로부터 직선거리 30킬로미터 이내에 거주할 것

② 농지등의 증여일부터 소급하여 3년 이상 계속하여 직접 영농에 종사하고 있을 것

3) 수증자인 영농자녀의 범위(조특령 §68 ③)

① 농지등의 증여일 현재 만 18세 이상인 직계비속일 것

② 농지등이 소재하는 시 · 군 · 구, 그와 연접한 시 · 군 · 구 또는 해당 농지등으로부터 직선거리 30킬로미터 이내에 거주하면서 증여받은 농지등에서 직접 영농에 종사할 것

4) 사후관리

증여세를 감면받은 농지등을 영농자녀의 사망 등 정당한 사유 없이 증여받은 날부터 5년 이내에 양도하거나 질병 · 취학 등 정당한 사유없이 해당 농지등에서 직접 영농에 종사하지 아니하게 된 경우에는 즉시 그 농지등에 대한 증여세의 감면세액에 상당하는 금액을 징수한다. 다만, 양도소득세 부과시 「소득세법」에도 불구하고 취득 시기는 자경농민이 그 농지등을 취득한 날로 하고, 필요경비는 자경농민의 취득 당시 필요경비로 한다.

5) 증여자 사망시 상속재산 가산 여부

증여세를 감면받은 농지등은 증여자인 자경농민이 농지 등을 증여한 날로부터 10년 이내에 사망하는 경우 상속세 과세가액에 가산하지 않는다(조특법 §71 ⑤).

6) 다른 증여재산과의 합산과세 여부

증여세를 감면받은 농지등은 「상속세 및 증여세법」 제47조 제2항에 따라 해당 증여일 전 10년 이내에 자경농민(자경농민의 배우자를 포함)으로부터 증여받아 합산하는 증여재산가액에 포함시키지 아니한다. 즉 동일인으로부터 10년 이내에 증여받은 다른 일반증여재산과 합산과세하지 않는다.

관련예규 및 판례요약

영농자녀가 증여받은 농지 등에 대한 증여세의 감면과 관련된 예규, 판례

법령재산-6102, 2017. 2. 17.

감면요건을 갖춘 자경농민이 농지의 일부를 공유 지분 형태로 영농자녀에게 증여하고 증여받은 농지의 지분 면적 이상을 증여일부터 5년간 직접 경작한 경우 증여세 감면을 적용받을 수 있음.

서면상속증여-905, 2015. 7. 17.

「조세특례제한법」 제71조 제1항에 따른 【영농자녀가 증여받는 농지 등에 대한 증여세의 감면】 규정은 자경농민이 같은 법 시행령 제68조 제1항의 각 호의 요건을 모두 갖춘 경우에 한하여 적용되는 것으로, 귀 질의와 같이 자경농민이 농지등의 증여일부터 소급하여 계속 직접 경작한 기간이 3년 미만인 경우에는 적용되지 않음.

상속증여-462, 2014. 11. 28.

「조세특례제한법」 제71조 제1항에 따라 해당 농지에 대한 증여세를 감면받은 후 그 농지가 주거지역에 편입되어 증여받은 날로부터 5년 이내에 양도하는 경우에 같은 법 시행령 제68조 제5항에 따른 정당한 사유에 해당하지 않아 그 농지에 대한 증여세 감면세액의 상당하는 금액에 이자상당액을 가산하여 영농자녀로부터 징수하는 것임.

상속증여-304, 2014. 8. 12.

1. 「조세특례제한법」 제71조에 따른 증여세 감면대상이 되는 영농자녀가 증여받는 148,500㎡ 이내의 초지는 「초지법」에 따른 초지에 한하는 것으로, 이는 「초지법」 제5조 【초지조성의 허가】에 따라 초지조성의 대상이 되는 토지의 소재지를 관할하는 시장ㆍ군수로부터 허가를 받아서 조성된 초지를 말하는 것이며, 「초지법」의 적용을 받지 않는 축사의 부수토지는 증여세 감면대상에 해당되지 않는 것임.
2. 「조세특례제한법」 제71조 제1항을 적용할 때 농지ㆍ초지ㆍ산림지의 면적한도는 증여자인 자경농민을 기준으로 적용하는 것이며, 같은 법 제133조(감면의 종합한도) 제2항의 규정은 수증자별로 적용하는 것임.

서울고법 2012누 36684, 2013. 5. 2.

근로소득과 임대수입 등에 비추어 보면 직접 영농에 종사하면서 공무원을 겸업한 것으로 보기는 어려운 점 등으로 보아 영농자녀에 해당하지 아니하고, 증여세 납세의무를 불이행 한 것에 대하여 그 의무해태를 탓할 수 없는 정당한 사유가 있다고 볼 수 없음.

재산-380, 2012. 10. 18.

귀 질의의 경우, 「조세특례제한법」 제71조 제1항에 따라 영농자녀가 증여세를 감면받은 농지를 같은 법 시행령 제68조 제5항에서 정하는 정당한 사유없이 증여받은 날부터 5년 이내에 양도(증여를 포함)하는 경우에는 그 농지에 대한 증여세의 감면세액에 상당하는 금액을 영농자녀로부터 징수하는 것임.

재산-215, 2012. 5. 30.

영농자녀가 증여받은 농지에 축사를 신축하여 축산업에 종사하는 경우 영농에 직접 종사한 것으로 보는 것임.

재산-102, 2012. 3. 12.

농지등을 증여받고 증여세를 감면받은 후 당해 농지 또는 초지에 신축한 주택의 경우는 축산업에 이용되는 부대시설에 해당하지 아니하므로 당해 면적에 대해서는 증여세를 추징함.

다. 창업자금에 대한 증여세 과세특례(조특법 §30의5)

18세 이상인 거주자가 중소기업을 창업할 목적으로 60세 이상의 부모(증여 당시 아버지나 어머니가 사망한 경우에는 그 사망한 아버지나 어머니의 부모를 포함)로부터 토지·건물 등 양도소득세 과세대상 재산이 아닌 현금, 채권, 상장주식 중 소액주주분 등을 증여받는 경우(증여세 과세가액 30억원 한도, 창업을 통하여 10명 이상을 신규 고용한 경우는 50억원)에는 증여세 과세가액에서 5억원을 공제하고 세율을 100분의 10으로 하여 증여세를 부과한다.

이 경우 창업자금을 2회 이상 증여받거나 부모로부터 각각 증여받는 경우에는 각각의 증여세 과세가액을 합산하여 적용하며, 창업자금 과세특례를 적용받은 거주자는 가업승계 주식 등에 대한 증여세 과세특례를 적용받을 수 없다.

1) 과세특례 적용대상 창업의 개념

"창업"이라 함은 「소득세법」 제168조 제1항, 「법인세법」 제111조 제1항 또는 「부가가치세법」 제8조 제1항 및 제5항의 규정에 따라 납세지 관할 세무서장에게 등록하는 것을 말하며, 사업을 확장하는 경우로서 사업용자산을 취득하거나 확장한 사업장의 임차보증금 및 임차료를 지급하는 경우를 포함한다.

창업자금에 대한 증여세 과세특례는 중소기업을 창업하기 위해 해당 창업자금을 증여받는 경우 적용되는 것으로 중소기업이란 「조세특례제한법」 제6조 제3항에 따른 창업중소기업을 말한다.

2) 창업기한 및 창업자금의 사용의무

창업자금을 증여받은 자는 증여받은 날부터 1년 이내에 창업을 하여야 하며, 증여받은 날부터 3년이 되는 날까지 창업자금을 모두 해당 목적에 사용하여야 한다.

3) 창업자금의 범위

창업에 직접 사용되는 다음의 자금을 말한다.

① 사업용자산(조특령 §5 ⑬)의 취득자금

② 사업장의 임차보증금(전세금 포함) 및 임차료 지급액

4) 창업으로 보지 않는 경우

다음의 어느 하나에 해당하는 경우는 창업으로 보지 아니한다.

① 합병 · 분할 · 현물출자 또는 사업의 양수를 통하여 종전의 사업을 승계하거나 종전의 사업에 사용되던 자산을 인수 또는 매입하여 같은 종류의 사업을 하는 경우

② 거주자가 하던 사업을 법인으로 전환하여 새로운 법인을 설립하는 경우

③ 폐업 후 사업을 다시 개시하여 폐업 전의 사업과 같은 종류의 사업을 하는 경우

④ 다른 업종을 추가하는 등 새로운 사업을 최초로 개시하는 것으로 보기 곤란한 경우, 그 밖에 창업자금을 증여받기 이전부터 영위한 사업의 운용자금과 대체설비자금 등으로 사용하는 경우

5) 사후관리

창업자금을 증여받은 경우로서 다음에 해당하는 경우에는 증여세와 상속세 및 이자상당액을 추징한다.

① 창업하지 아니한 경우 : 창업자금

② 창업자금으로 창업중소기업에 해당하는 업종 외의 업종을 경영하는 경우 : 창업자금 중소기업에 해당하는 업종 외의 업종에 사용된 창업자금

③ 새로 증여받은 창업자금을 사용하지 아니한 경우 : 해당 목적에 사용되지 아니한 창업

자금

④ 창업자금을 증여받은 날부터 3년이 되는 날까지 모두 해당 목적에 사용하지 아니한 경우 : 해당 목적에 사용되지 아니한 창업자금

⑤ 증여받은 후 10년 이내에 창업자금을 해당 사업용도 외의 용도로 사용한 경우 : 해당 사업용도 외의 용도로 사용된 창업자금(창업으로 인한 가치증가분 포함)

⑥ 창업 후 10년 이내에 해당 사업을 폐업하는 경우 등 : 당해 창업자금(창업으로 인한 가치증가분 포함)

⑦ 창업자금을 30억원을 초과하여 증여받는 경우로서 창업한 날이 속하는 과세연도의 종료일부터 5년 이내에 각 과세연도의 근로자 수가 다음 계산식에 따라 계산한 수보다 적은 경우 : 30억원을 초과하는 창업자금

창업한 날의 근로자 수 - (창업을 통하여 신규 고용한 인원 수 - 10명)

6) 창업자금에 대한 증여세 과세특례 신고

창업자금에 대한 증여세 과세특례를 적용받으려는 자는 증여세 과세표준 신고기한까지 특례신청을 하여야 하며, 그 신고기한까지 특례신청을 하지 아니한 경우에는 특례규정을 적용받을 수 없다.

관련예규 및 판례요약

창업자금에 대한 증여세 과세특례 관련 예규, 판례

조심 2017중 0869, 2017. 5. 16.

창업자금에 대한 증여세 과세특례 적용을 받은 자가 추징사유가 발생하는 경우 자진신고·납부할 의무규정이 없어 납부불성실가산세를 부과한 처분은 잘못이 없음.

서면상속증여-204, 2017. 2. 14.

한국표준산업분류표상 주점 및 비알콜음료점업에 해당하는 커피전문점은 창업자금에 대한 증여세 과세특례 대상 중소기업에 해당하지 않음.

서면상속증여-50, 2017. 1. 24.

부동산임대사업자가 자기의 임대건물에서 부로부터 증여받은 자금으로 본인이 직접 음식점업을 영위하는 경우 해당 음식점은 「조세특례제한법」 제30조의 5 "창업자금에 대한 증여세 과세특례" 규정이 적용되지 아니함.

대법 2015두 36317, 2015. 6. 1.

독립된 인적 · 물적 설비를 갖추어 신설법인을 새로이 설립한 것은 구 「조세특례제한법」 제30조의 5 제2항의 '창업'에 해당하고 그 단서 제4호에서 정한 '사업의 확장 등 새로운 사업을 최초로 개시하는 것으로 보기 곤란한 경우'에는 해당하지 아니하므로 원심판결은 위법이 없음.

서면상속증여-9, 2015. 2. 26.

「조세특례제한법」 제30조의 5 제1항에 따라 창업자금을 증여받아 개인사업을 창업하여 증여세 과세특례를 적용받은 거주자가 창업 후 10년 이내에 같은 법 제32조 제1항의 사업 양도 · 양수의 방법에 따라 법인으로 전환하는 경우 같은 법 시행령 제27조의 5 제8항 제2호 나목의 영업상 필요 또는 사업전환을 위하여 폐업하는 경우에 해당되는 것임.

서면법규-1016, 2014. 9. 21.

「조세특례제한법」 제30조의 5 제1항에 따라 창업자금을 증여받아 개인사업을 창업하여 증여세 과세특례를 적용받은 거주자가 창업 후 10년 이내에 같은 법 제32조 규정을 적용받는 현물출자에 따라 개인사업을 법인으로 전환하는 경우 같은 법 시행령 제27조의 5 제8항 제2호 나목에 규정한 영업상 필요 또는 사업전환을 위하여 폐업하는 경우에 해당되는 것임.

서면법규-528, 2013. 5. 9.

2개의 공동사업을 창업한 후 공동사업의 지분을 정리하여 단독사업으로 한 뒤 그 사업을 폐업하는 것은 2회 이상 폐업에 해당하므로 증여세 추징사유에 해당함.

재산-43, 2013. 2. 6.

최초 창업 이후 영업상 필요 또는 사업전환을 위해 1회에 한하여 폐업 후 2년내 개업하는 경우에는 증여세와 상속세의 추징사유에서 제외하나, 이 때 「상속세 및 증여세법 시행령」 제15조 제1항에 따른 중소기업을 다시 개업하여야 하는 것임.

재산-446, 2012. 12. 10.

「조세특례제한법」 제30조의 5에 따른 창업자금에 대한 증여세 과세특례는 18세 이상인 거주자가 「상속세 및 증여세법 시행령」 제15조 제1항에 따른 중소기업을 창업할 목적으로 60세 이상의 부모로부터 창업자금을 증여받는 경우에 적용되는 것으로, 개인사업자의 경우 "창업"이라 함은 같은 법 시행령 제27조의 5 제3항에 따라 「부가가치세법」 제5조 제1항의 규정에 따라 납세지 관할 세무서장에게 등록하는 것을 말하는 것임. 귀 질의의 경우, 거주자가 중소기업을 창업한 후에 사업에 필요한 기계장치를 취득할 목적으로 60세 이상의 부모로부터 증여받은 자금에 대해서는 창업자금에 대한 증여세 과세특례를 적용하지 아니함.

재산-369, 2012. 10. 9.
창업자금에 대한 증여세 과세특례를 적용함에 있어 창업이란 수증자인 거주자가 해당 중소기업을 새로 설립, 사업을 개시하는 것으로 실제로 독립적인 경영을 하는 것을 말함.

재산-291, 2012. 8. 21.
부모로부터 창업자금을 증여받아 법인을 설립하고 증여자인 부모와 함께 해당 법인의 공동대표이사로 취임한 경우에는 창업자금에 대한 증여세 과세특례를 적용하지 않음.

재산-247, 2012. 7. 4.
창업자금을 증여받아 1년 이내에 창업을 한 자가 새로 창업자금을 증여받아 그 자금으로 증자를 하여 당초 창업자금중소기업의 사업과 관련하여 사용하는 경우에도 「조세특례제한법」 제30조의 5의 규정을 적용받을 수 있음.

라. 가업승계에 대한 증여세 과세특례(조특법 §30의6)

18세 이상인 거주자가 「상속세 및 증여세법」 제18조 제2항 제1호에 따른 가업을 10년 이상 계속하여 경영한 60세 이상의 부모(증여 당시 아버지나 어머니가 사망한 경우에는 그 사망한 아버지나 어머니의 부모를 포함)로부터 해당 가업의 승계를 목적으로 주식 또는 출자지분을 증여받고 가업을 승계한 경우에는 그 주식등의 가액 중 가업자산상당액에 대한 증여세 과세가액(100억원 한도)에서 5억원을 공제하고 세율을 100분의 10(과세표준이 30억원을 초과하는 경우 그 초과금액은 100분의 20)으로 하여 증여세를 부과한다. 다만, 가업의 승계 후 가업의 승계 당시 해당 주식등의 증여자 및 최대주주 또는 최대출자자에 해당하는 자(가업의 승계 당시 해당 주식등을 증여받는 자는 제외)로부터 증여받는 경우에는 과세특례를 적용하지 않으며, 상기 과세특례를 적용받은 거주자는 창업자금에 대한 증여세 과세특례를 적용받을 수 없다.

1) 승계대상 가업

① 중소기업 또는 중견기업(상속이 개시되는 소득세 과세기간 또는 법인세 사업연도의 직전 3개 소득세 과세기간 또는 법인세 사업연도의 매출액의 평균금액이 3천억원 미만인 기업)으로서 피상속인이 10년 이상 계속하여 경영한 기업

② 업종기준 적용시 영농상속공제 대상인 영농, 양축, 영어, 영림업 등은 제외되며, 음식점업(유흥주점 등은 제외)은 포함된다.

③ 가업승계에 따른 증여세 과세특례 적용은 주식 또는 출자지분에 한하는 것으로 중소기업인 가업을 개인기업 형태로 영위하는 경우는 과세특례를 적용할 수 없다.

2) 가업자산상당액의 계산

$$\text{증여받은 주식가액} \times \left(1 - \frac{\text{업무무관 자산가액}}{\text{총 자산가액}}\right)$$

3) 사후관리

해당 주식등의 수증 후 가업을 승계한 거주자가 정당한 사유 없이 다음의 어느 하나의 사유에 해당하는 경우에는 증여세 및 이자상당가산액을 추징한다.

① 수증자가 주식등의 증여일부터 5년 이내에 대표이사로 취임하지 아니하거나 증여일부터 7년까지 대표이사직을 유지하지 아니하는 경우

② 가업을 1년 이상 휴업(실적이 없는 경우를 포함)하거나 폐업하는 경우

③ 가업의 주된 업종을 변경하는 경우[증여일 현재 영위하고 있는 업종(한국표준산업분류에 따른 세분류 업종)의 매출액이 사업연도 종료일을 기준으로 전체 매출액의 100분의 30 이상인 경우는 제외]

④ 주식 등을 증여받은 수증자의 지분이 감소되는 경우

4) 추징이 배제되는 정당한 사유

① 수증자가 사망한 경우로서 수증자의 상속인이 상속세 과세표준 신고기한까지 당초 수증자의 지위를 승계하여 가업에 종사하는 경우

② 수증자가 증여받은 주식 등을 국가·지자체에 증여하는 경우

③ 수증자가 법률에 따른 병역의무의 이행, 질병의 요양, 취학상 형편 등으로 가업에 직접 종사할 수 없는 사유에 해당하는 경우(단, 증여받은 주식 또는 출자지분을 처분하거나 그 부득이한 사유가 종료된 후 가업에 종사하지 아니하는 경우는 제외)

관련예규 및 판례요약

가업승계에 대한 증여세 과세특례와 관련된 예규, 판례

서면법령재산-2916, 2016. 12. 12.

「조세특례제한법」 제30조의 6 제1항 단서에 따라 자녀 1인에게 최초로 가업의 승계가 이루어진 후에 최대주주등의 다른 자녀는 가업의 승계를 받을 수 없으나, 최초로 가업의 승계를 받은 자녀는 같은 항에 따른 과세특례 한도내에서 증여자 및 수증자의 요건을 갖추어 재차 승계를 받을 수 있는 것임.

서면법령재산-1801, 2016. 12. 9.

귀 서면질의의 경우, 부로부터 가업의 주식을 증여받아 「조세특례제한법」 제30조의 6 제1항에 따라 가업의 승계에 따른 증여세 과세특례를 적용받은 거주자가 같은 조 제2항에 따라 증여세를 부과받은 경우로서 증여자 및 수증자의 요건을 갖추어 부로부터 가업의 주식을 추가로 증여받는 경우 같은 조 제1항에 따른 과세특례 한도 내에서 증여세 과세특례를 적용받을 수 있는 것임.

서면법령재산-2596, 2016. 12. 9.

수증자가 이미 주식의 50% 이상을 보유하고 대표이사로 재직중이라 하더라도 부모가 10년 이상 계속하여 경영한 기업으로 상증법 제18조 제2항 제1호의 요건을 충족하는 기업의 주식을 자녀에게 증여하고 가업승계과세특례요건을 갖추어 가업승계시 증여세과세특례가 적용되는 것임.

서면법령재산-2565, 2016. 9. 29.

가업승계후 해당 가업이 인적분할하여 분할존속법인이 가업승계받은 사업을 영위하지 않는 경우 사후관리 위반사유에 해당하고, 가업승계 특례받은 주식에 대하여 증여세(이자상당액 포함함)를 추징하는 것임.

서면상속증여-2447, 2016. 7. 12.

인적분할한 경우 해당 분할신설법인의 사업영위기간은 분할 전 분할법인의 사업개시일부터 계산하여 가업상속공제를 적용하는 것임.

서면법령재산-1710, 2016. 6. 23.

자녀(子)가 부(父)의 주식 전부를 증여받아 「조세특례제한법」 제30조의 6 제1항에 따른 "가업의 승계에 대한 증여세 과세특례"를 적용받은 후, 부(父)가 사망하여 상속이 개시되는 경우 상속개시일 현재 같은 법 시행령 제27조의 6 제8항 제1호의 요건을 갖추지 못한 경우에는 「상속세 및 증여세법」 제18조 제2항 제1호에 따른 가업상속으로 보지 아니하는 것임.

서면상속증여－3616, 2016. 5. 17.

1. 2016. 2. 5. 이후 상속부터는 「상속세 및 증여세법」 제18조 제2항 제1호에 따른 가업상속공제 적용시 상속인(상속인의 배우자가 상속세 및 증여세법 시행령 제15조 제3항 제2호 각 목의 요건을 모두 갖춘 경우에는 상속인이 그 요건을 갖춘 것으로 본다)이 상속세 및 증여세법 시행령 제15조 제3항 제2호 각 목의 요건을 모두 갖춘 경우에 적용하는 것임.
2. 「조세특례제한법」 제30조의 6 제1항에 따른 가업의 승계에 대한 증여세 과세특례는 2 이상의 가업 전부를 승계받을 목적으로 주식 등을 증여받은 수증자 1인이 증여세과세표준 신고기한까지 가업에 종사하고 증여일부터 5년 이내에 대표이사에 취임한 경우에 적용하는 것임.

서면상속증여－2424, 2016. 5. 10.

비상장법인이 기업인수목적회사와 합병하는 경우로서 합병 후 상장법인이 합병 전 비상장법인과 사업의 계속성이 인정되는 경우에는 피상속인(부모)이 합병 전 비상장법인을 계속하여 경영한 기간을 피상속인(부모)의 가업영위기간에 포함하는 것임.

서면상속증여－2424, 2016. 5. 10.

「조세특례제한법」 제30조의 6 제1항에 따라 가업의 승계에 따른 증여세 과세특례를 적용함에 있어 증여자에 대해 「상속세 및 증여세법 시행령」 제15조 제4항 제1호의 대표이사 재직요건을 요하지는 않으나 증여일 전 10년 이상 계속하여 해당 가업을 실제로 영위한 것으로 확인되어야 하는 것이며, 다른 요건을 모두 충족하였다면 수증자가 가업의 승계를 목적으로 주식 등을 증여받기 전에 해당 기업의 대표이사로 취임한 경우에도 적용되는 것임.

서면상속증여－2860, 2016. 3. 30.

가업승계 증여세특례규정은 증여자인 60세 이상 부 또는 모가 각각 10년 이상 계속하여 가업을 경영한 경우에 적용되며, 여기서 경영이란 지분소유뿐만 아니라 실제 가업운영에 참여한 경우를 의미함.

서면상속증여－2568, 2016. 3. 22.

상속재산의 가액에 가산하는 증여재산의 가액은 증여일 현재의 시가에 따르며, 가업승계 증여세 과세특례 대상 주식 증여 후 사망한 경우 조특령 제27조의 6 제8항 각 호의 요건을 모두 갖춘 경우에는 가업상속공제를 적용하는 것임.

서면법령재산－1711, 2015. 11. 13.

가업승계에 대한 증여세 과세특례 적용시 가업에 해당하는 법인이 일시 보유후 처분할 목적인 자기주식은 사업무관자산에 해당함.

재재산-651, 2015. 10. 5.

「조세특례제한법」 제30조의 6에 따라 증여받은 주식을 발행한 법인이 시설투자 · 사업규모의 확장을 위하여 유상증자한 경우에는 「자본시장과 금융투자에 관한 법률」에 따라 코스닥 시장에 상장한 경우에도 「조세특례제한법 시행령」 제27조의 6 제6항 제2호 단서에 따라 증여세가 부과되지 아니하는 것임.

재재산-651, 2015. 9. 24.

「조세특례제한법」 제30조의 6에 따라 증여받은 주식을 발행한 법인이 시설투자 · 사업규모의 확장을 위하여 유상증자한 경우에는 「자본시장과 금융투자에 관한 법률」에 따라 코스닥 시장에 상장한 경우에도 「조세특례제한법 시행령」 제27조의 6 제6항 제2호 단서에 따라 증여세가 부과되지 아니하는 것임.

서면상속증여-19, 2015. 7. 10.

가업에 해당하는 법인이 가업에 해당하지 않는 법인을 흡수합병한 경우 가업영위기간은 합병 전 가업에 해당하는 법인을 증여자가 계속하여 경영한 기간을 가업영위기간에 포함하는 것이며, 가업자산상당액은 피합병법인으로부터 승계받은 자산, 부채, 손익을 제외하고 계산함.

상속증여-314, 2014. 8. 20.

가업승계 증여세 과세특례 적용대상 비상장법인 가업은 최대주주인 증여자와 그의 특수관계인의 주식등을 합하여 해당 기업의 발행주식총수등의 50% 이상을 계속하여 보유하는 경우에 한정하는 것이며, 이 때 우리사주조합원(가업법인의 근로자)은 증여자인 대표이사의 특수관계인에 해당함.

상속증여-281, 2014. 7. 31.

가업승계 증여세 과세특례 후 10년 이내에 유상증자 등을 하는 과정에서 수증자의 모친이 주식을 취득함으로써 수증자의 지분이 감소한 경우에는 증여세를 부과하는 것이며, 이 때 이자상당액을 증여세액에 가산하여 부과함.

서면법규-173, 2014. 2. 26.

거주자가 2012. 2. 1. 이전 「조세특례제한법」 제30조의 6에 따른 가업승계 증여세 과세특례대상 주식을 증여받아 증여세 과세특례를 적용받고 2012. 2. 2. 이후 상속이 개시되어 같은 법 시행령 제27조의 6 제8항에 따른 요건을 모두 갖추어 「상속세 및 증여세법」 제18조에 따른 가업상속공제를 적용하는 경우 「상속세 및 증여세법」 제18조 제2항 제1호 가목에 따른 가업상속재산가액은 「상속세 및 증여세법 시행령」(2012. 2. 2. 대통령령 제23591호로 개정된 것) 제15조 제5항 제2호에 따라 증여세 과세특례를 적용받은 주식의 가액에 그 법인의 총자산가액 중 상속개시일 현재 사업무관자산을 제외한 자산가액이 그 법인의 총자산가액에 차지하는 비율을 곱하여 계산한 금액으로 하는 것이며, 이에 따른 가업상속공제를 적용받은 거주자에 대해 「상속세 및 증여세법」 제18조 제5항에 따른 가업상속공제 사후관리규정을 적용할 때 가업용자산의 처분비율 또는 정규직 근로자의 고용유지 요건은 상속개시일 현재의 자산가액 또는 상속이 개시된 사업연도의 직전 사업연도 말 정규직 근로자 수를 기준으로 상속세 부과여부를 판단하는 것임.

3 | 과세가액 불산입

상속세 계산에 있어 과세가액 불산입재산은 증여세에서도 증여재산가액에 이를 포함시키지 않고 있다.

가. 공익법인 등이 출연받은 재산에 대한 과세가액 불산입 등(상증법 §48)

공익사업은 그 성격상 국가 등이 수행해야 할 사업이나 예산상의 제약 또는 행정력의 한계 등으로 공익법인이 이를 대신 수행하고 있는 형편이다. 이러한 공익법인의 활동을 지원하기 위하여 세제측면에서도 다양한 지원제도를 두고 있으며 공익법인 등이 출연받은 재산에 대한 과세가액 불산입 규정도 이러한 지원제도 중의 하나이다.

1) 공익법인 등이 출연받은 재산에 대한 과세가액 불산입의 내용

공익법인등(상증령 §12)이 출연받은 재산의 가액은 증여세 과세가액에 산입하지 아니한다. 다만, 공익법인등이 내국법인의 주식등을 출연받은 경우로서 출연받은 주식등과 다음의 주식등을 합한 것이 그 내국법인의 의결권 있는 발행주식총수등의 100분의 5(상호출자제한기업집단과 특수관계가 없는 성실공익법인등에 해당하는 경우에는 100분의 10)를 초과하는 경우에는 그 초과하는 부분은 증여세 과세가액에 산입하게 된다.

① 출연자가 출연할 당시 해당 공익법인등이 보유하고 있는 동일한 내국법인의 주식등
② 출연자 및 그의 특수관계인이 해당 공익법인등 외의 다른 공익법인등에 출연한 동일한 내국법인의 주식등
③ 출연자 및 그의 특수관계인으로부터 재산을 출연받은 다른 공익법인등이 보유하고 있는 동일한 내국법인의 주식등

2) 공익법인 등이 출연받은 재산에 대한 과세가액 불산입액의 추징

재산을 출연받은 공익법인등이 다음에 해당하는 경우에는 그 가액을 공익법인등이 증여받은 것으로 보아 즉시 증여세를 부과한다. 이 경우 아래 ⑤, ⑦에 해당하는 경우에는 가산세(운용소득이나 매각대금 중 사용하지 아니한 금액의 100분의 10에 상당하는 금액)를 부과한다.

① 출연받은 재산을 직접 공익목적사업 등의 용도 외에 사용하거나 출연받은 날부터 3년 이내에 직접 공익목적사업 등에 사용하지 아니하는 경우
② 출연받은 재산을 내국법인의 주식등을 취득하는 데 사용하는 경우로서 당해 내국법인의 의결권 있는 발행주식총수등의 100분의 5(성실공익법인등에 해당하는 경우에는 100분의 10)를 초과하는 경우
③ 출연받은 재산을 수익용 또는 수익사업용으로 운용하는 경우로서 그 운용소득을 직접 공익목적사업 외에 사용한 경우
④ 출연받은 재산을 매각하고 그 매각대금을 공익목적사업 외에 사용하거나 매각한 날부터 3년이 지난 날까지 공익목적사업에 사용하지 아니한 경우
⑤ 운용소득을 기준금액에 미달하게 사용하거나 매각대금을 매각한 날부터 3년 동안 기준금액에 미달하게 사용한 경우
⑥ 공익법인등이 출연받은 재산 등을 출연자 및 그 친족, 출연자가 출연한 다른 공익법인등 및 기타 특수관계에 있는 자에게 임대차, 소비대차(消費貸借) 및 사용대차(使用貸借) 등의 방법으로 사용·수익하게 하는 경우
⑦ 내국법인의 의결권 있는 주식등을 그 내국법인의 발행주식총수등의 100분의 5를 초과하여 보유하고 있는 성실공익법인등이 출연재산가액(직접 공익목적사업에 사용하여야 할 과세기간 또는 사업연도의 직전 과세기간 또는 사업연도 종료일 현재 재무상태표 및 운영성과표를 기준으로 다음 계산식에 따라 계산한 가액. 다만, 재무상태표상 가액이 상증법에 따라 평가한 가액의 100분의 70 이하인 경우에는 상증법에 따른 평가액을 말한다)에 100분의 1에 미달하여 직접 공익목적사업에 사용한 경우

수익용 또는 수익사업용으로 운용하는 재산의 [총자산가액 − (부채가액 + 당기 순이익)]

나. 공익신탁재산에 대한 증여세 과세가액 불산입(상증법 §52)

공익신탁을 통하여 공익법인 등에게 출연하는 것은 증여재산을 공익법인 등에 직접출연하는 것과 그 경제적 실질이 같으므로 증여재산 중 증여자가 공익신탁법에 따른 공익신탁으로서 종교·자선·학술 또는 그 밖의 공익을 목적으로 하는 신탁을 통하여 공익법인등에 출연하는 재산의 가액은 증여세 과세가액에 산입하지 않도록 하고 있다.

다. 장애인이 증여받은 재산의 과세가액 불산입(상증법 §52의 2)

장애인(「소득세법」상 종합소득공제의 장애인 범위 참고)이 「자본시장과 금융투자업에 관한 법률」에 따른 신탁업자에게 신탁할 수 있는 재산을 증여받고 증여세 신고기한까지 다음 요건을 모두 갖춘 경우에는 그 증여받은 재산가액(그 장애인이 살아 있는 동안 증여받은 재산가액을 합친 금액을 말하며, 5억원을 한도로 한다)을 증여세 과세가액에 산입하지 아니한다. 단, 신탁이익의 전부 또는 일부가 장애인 이외의 자에게 귀속되는 경우 및 수익자를 변경하거나 증여재산가액이 감소(중증장애인 본인의 의료비, 특수교육비 지출을 위한 원금인출 예외)하는 경우 증여세 추징.

1) 증여받은 재산 전부를 「자본시장과 금융투자업에 관한 법률」에 따른 신탁업자에게 신탁하였을 것
2) 그 장애인이 신탁의 이익 전부를 받는 수익자일 것
3) 신탁기간이 그 장애인이 사망할 때까지로 되어 있을 것. 다만, 장애인이 사망하기 전에 신탁기간이 끝나는 경우에는 신탁기간을 장애인이 사망할 때까지 계속 연장하여야 한다.

관련예규 및 판례요약

공익법인 등이 출연받은 재산의 증여세 과세 제외와 관련된 예규, 판례

조심 2019서 1465, 2019. 12. 26.

청구법인은 출연자(고AAA 및 그 상속인)가 재산을 출연하여 설립한 비영리법인에 해당하

고, 출연자인 고AAA은 청구법인을 포함한 기업집단을 사실상 지배하는 자에 해당하므로, 고AAA이 재산을 출연하여 설립한 공익법인인 청구법인은 「상속세 및 증여세법 시행령」 제19조 제2항 제3호 또는 제8호 요건을 충족하는 것으로 판단됨.

조심 2019전 0464, 2019. 11. 14.

2008. 2. 22. 개정된 「상속세 및 증여세법 시행령」 제13조 제5항에서 성실공익법인 요건으로 회계감사요건이 추가되었으나, 청구법인은 회계감사를 받지 아니함으로써 청구법인이 성실공익법인 요건을 충족하지 못하는 것으로 보아 출연받은 주식 중 5% 초과분에 대하여 초과보유가산세를 과세한 이 건 처분은 잘못이 없음.

조심 2019부 2797, 2019. 10. 29.

청구인이 증여받은 재산으로 「상속세 및 증여세법」 제48조에서 규정하는 공익법인 등이 출연받은 재산에 해당하는 것으로 보기 어려우므로 청구인에게 증여세를 과세한 처분은 달리 잘못이 없음에 해당하므로 손금에 산입하지 아니함이 타당함.

법령해석재산 - 2188, 2018. 7. 27.

「상속세 및 증여세법」(2016. 12. 20. 법률 제14388호로 개정된 것) 제48조 제1항 단서 및 같은 조 제2항 제2호에서 내국법인의 의결권 있는 발행주식총수에서 자기주식을 제외하도록 한 개정 규정은 부칙 제14388호 제9조 제1항에 따라 2017. 1. 1. 이후 공익법인이 출연 받거나 취득하는 분부터 적용하는 것이며, 2017. 1. 1. 이후 공익법인이 주식을 출연 받거나 취득하지 않는 경우에는 주식보유비율 계산 시 주식발행법인이 보유한 자기주식을 포함한다.

재재산 - 627, 2018. 7. 23.

성실공익법인 등이 「상속세 및 증여세법」 제16조 제3항 제2호에 의해 10%를 초과하여 출연받은 주식 등을 출연자 또는 출연자의 특수관계인에게 매각하는 경우에는 10%를 초과하여 출연 받은 주식 등 중에서 출연자 또는 출연자의 특수관계인에게 매각한 주식 등에 대해서만 매각한 날을 기준으로 증여세를 과세하는 것임.

서면 - 3203, 2018. 2. 6.

공익법인이 특수관계 없는 자산운용사 등에 출연 받은 재산 등을 투자하여 수익증권을 취득하고 그 자산운용사 등이 부동산(임대 및 양도 목적)을 취득하는 경우로서 공익법인 등이 실제로 자산운용에 개입하지 않는 경우에는 단순히 개별 수익증권을 취득한 것으로 본다.

재재산 - 396, 2018. 4. 30.

공익법인 등이 「협동조합기본법」 제2조 제2호에 따른 사회적 협동조합에 출자한 경우는 내국법인의 의결권 있는 주식 등을 취득한 행위에 해당하지 않는다.

사전법령재산-543, 2016. 12. 30.

타인으로부터 재산을 출연 받아 설립된 비영리법인이 해당 재산을 출연받은 날부터 2월여 만에 기획재정부장관으로부터 지정기부금단체로 지정을 받은 경우 해당 비영리법인이 출연 받은 재산의 가액은 「상속세 및 증여세법」 제48조 제1항에 따라 증여세 과세가액에 산입하지 아니함.

서면상속증여-4117, 2016. 9. 27.

공익법인 등이 출연받은 재산을 직접 공익목적사업에 사용하는 것은 정관상 고유목적사업에 사용하는 것을 말하는 것이며, 정관상 고유목적사업에 사용하는 것으로 볼 수 있는지 여부는 실질적인 사용용도에 따라 사실판단할 사항임.

서면상속증여-4651, 2016. 8. 24.

공익법인이 출연재산을 특수관계인에게 임대하는 경우 상속세 및 증여세법 시행령 제39조 제3항의 정상대가와 실제대가의 차액에 상당하는 출연재산가액을 그 사유발생일에 증여받은 것으로 보며, '정상적인 대가'는 해당 출연재산 또는 인근 유사재산의 임대사례가액 등을 시가로 평가하는 것임.

서면법령재산-1394, 2016. 2. 5.

공익법인 등이 출연받은 내국법인의 주식등이 그 내국법인의 의결권 있는 발행주식총수 등의 100분의 5(100분의 10)를 초과하는지 여부 판단시, 공익법인등이 간접소유하는 해당 내국법인의 주식 등의 비율은 포함하지 아니함.

재재산-607, 2015. 9. 2.

의료법인이 출연받은 재산을 의료업에 운용한 경우로서 그 운용소득을 직접 공익목적사업에 사용하지 않은 경우 「상속세 및 증여세법」 제48조 제2항에 따라 증여세를 부과하는 것이며, 이 경우 같은 법 시행령 제40조 제1항 제2의 2호 계산식에서 '출연재산(직접 공익목적사업에 사용한 분을 제외한다)의 평가가액'은 출연받은 재산 중 의료업에 운용한 출연재산의 평가가액을 말하는 것임.

서면법규-419, 2013. 4. 12.

공익법인이 보유하던 전환사채를 행사하여 주식으로 전환하는 경우 주식 취득비율(5% 또는 10%) 초과 여부 판정은 주식전환일을 기준으로 판정함.

재산-300, 2012. 8. 26.

공익법인이 보유하고 있는 주식 등을 발행한 내국법인이 다른 법인을 흡수합병하여 그 합병존속법인의 의결권 있는 발생주식총수의 5%(성실공익법인의 경우 10%)를 초과한 경우

5%(10%) 초과분에 대하여는 증여세과 과세됨.

재산-299, 2012. 8. 24.

출연받거나 취득하는 내국법인의 의결권있는 발생주식총수 등의 100분의 5(성실공익법인등에 해당하는 경우에는 100분의 10) 제한을 받지 않는 경우란, 상호출자제한기업집단과 특수관계에 있지 아니한 성실공익법인 등이 출연자와 특수관계에 있지 아니한 내국법인의 주식 등을 취득하고 주무부장관이 인정한 경우를 말하는 것임.

재산-289, 2012. 8. 17.

공익법인이 출연받은 재산을 법령상 또는 행정상의 부득이한 사유 등으로 인하여 3년 이내 전부 사용하는 것이 곤란한 경우로서 주무부장관이 인정하고 납세지 관할 세무서장에게 그 사실을 보고한 경우에 한하여 증여세를 부과하지 아니함.

재산-276, 2012. 7. 27.

출연받은 재산 매각대금은 1년 이내에 30%, 2년 이내에 60%, 3년 이내에 90% 이상을 직접 정관상 고유목적사업에 사용하여야 하는 것이며, 출연받은 재산에 대해 증여받은 것으로 보아 증여세가 과세된 경우 사후관리 규정을 적용하지 않음.

재산-196, 2012. 5. 21.

공익법인이 당초 출연재산 매각대금으로 수익용 재산을 취득한 후 6개월 미만으로 운용하다 매각한 경우 그 일시 취득한 재산의 매각이익은 「상속세 및 증여세법」 제48조 제2항 제4호·제5호에 따른 출연재산 매각대금의 사후관리가 적용됨.

재산-105, 2012. 3. 12.

성실공익법인 해당여부는 주식 출연일 현재로 판단하는 것으로, 이 경우 운용소득 요건을 소득발생연도 사용분과 그 직전 4개연도 평균을 선택하여 적용할 수 있는 것이며, 또한, 성실공익법인에 해당하지 않게 된 경우는 해당 사업연도 말을 기준으로 5% 초과보유 주식에 대해 증여세가 과세됨.

재산-72, 2012. 2. 23.

직접 공익목적사업에 사용하는 것이 일부에게만 혜택을 제공하는 것인 때에는 증여세가 과세되는 것이나, 주무부장관이 기획재정부장관과 협의하여 따로 수혜자의 범위를 정하여 이를 공익법인 등의 설립허가 조건으로 붙인 경우는 제외하는 것이며, 장학금을 받은 경우 그 금액이 사회통념상 인정되는 학자금·장학금 기타 이와 유사한 금품에 해당하는 경우 증여세가 비과세되는 것임.

재산-528, 2011. 11. 7.

공익법인 등이 무상으로 재산을 출연받거나 특수관계 없는 자로부터 거래의 관행상 정당한 사유없이 현저히 낮은 가액으로 재산을 양수하여 시가와 대가와의 차액에 상당하는 이익을 얻은 경우에는 증여세 과세가액 불산입하는 것임.

대법 2009두 17575, 2011. 10. 13.

학교법인이 토지를 출연받은 후 출연자 등에게 건물부지로 사용수익하게 한 경우 토지는 증여세 과세대상이며, 그 학교법인을 위하여 건물을 물상담보로 제공한 것은 토지의 사용수익과 대가관계에 있으므로 과세대상에서 제외될 수 없음.

재산-479, 2011. 10. 13.

출연받은 금전을 출연자에게 반환하는 경우에는 직접 공익목적사업 외에 사용한 것으로 보아 증여세가 과세되는 것이며, 반환받은 출연자는 그 반환받은 금전에 대하여 증여세 납부의무가 있는 것임.

재재산-827, 2011. 10. 4.

공익법인이 출연재산 매각대금으로 주식을 취득한 후 6개월 미만 보유한 경우에는 직접 공익목적사업에 사용한 실적에 해당되지 아니하는 것임.

재재산-741, 2011. 9. 14.

공익법인 등이 보유한 내국법인의 의결권 없는 배정우선주에 대하여 의결권을 가지게 된 경우 내국법인의 의결권 있는 발생주식 총수의 100분의 5(성실공익법인 100분의 10)를 초과하는 부분은 증여세 과세가액에 산입하는 것임.

재산-420, 2011. 9. 6.

공익법인이 출연받은 재산을 3년 이내에 직접 공익목적사업에 사용하지 아니하여 증여세가 과세되는 경우 증여세 과세가액은 3년이 경과하는 날을 증여시기로 보아 평가한 가액으로 하는 것임.

재재산-364, 2011. 5. 18.

거주자가 일정한 조건을 붙여 공익법인에 부동산을 출연하는 경우 그 출연부동산에 대한 증여세 과세가액 산입여부는 그 조건의 내용, 출연 부동산과 부담 조건의 관련성 등을 감안하여 사실판단함.

재산-866, 2010. 11. 19.

공익법인 등이 출연받은 재산의 매각대금으로 정관상 고유목적사업의 수행에 직접 사용하는 재산을 취득하거나 운용기간이 6월 이상인 수익용 또는 수익사업용 재산의 취득 및 운용에 사용하는 경우에는 직접 공익목적사업에 사용한 것으로 봄.

재산-853, 2010. 11. 17.

공익법인 등의 출연자 또는 그와 특수관계에 있는 자에게 해당하는지 여부를 판단함에 있어 기업집단의 소속기업의 임원에는 퇴직 후 5년이 경과하지 아니한 그 임원이었던 자를 포함함.

재재산-806, 2010. 8. 25.

공익법인이 출연받은 재산을 특수관계가에게 저가로 양도한 경우 그 대가와 시가와의 차액에 상당하는 금액은 공익목적사업 외에 사용하는 것으로 보아 증여세를 부과함.

재산-601, 2010. 8. 17.

출연재산 운용소득에는 출연재산 매각금액(공익법인 등이 출연받은 재산 및 출연받은 재산으로 취득한 재산 중 매각한 재산의 금액을 말함)은 제외하는 것임.

재산-548, 2010. 7. 26.

「상속세 및 증여세법」 제48조 제2항 제4호의 출연받은 재산에는 출연받은 재산의 운용소득으로 취득한 재산을 포함하는 것임.

대법 2007두 26711, 2010. 5. 27.

출연재산으로 영위하는 수익사업은 없고 단지 출연재산에서 발생한 임대료와 이자수입만 있는 상황에서 그 수입의 전부를 공익목적사업에 사용한 이상 증여세 등 부과처분이 위법함.

재재산-1104, 2009. 6. 22.

「상속세 및 증여세법」 제48조 제1항 및 제2항, 「같은법 시행령」 제37조 제2항, 제7항의 규정에 의한 공익법인 등의 동일 내국법인의 의결권있는 주식 보유한도 5% 초과 여부는 공익법인이 새로이 출연받은 내국법인의 주식, 출연자가 출연할 당시 당해 공익법인이 보유하고 있는 동일한 내국법인의 주식, 출연자 및 그와 특수관계자가 당해 공익법인 등 외의 다른 공익법인 등에 출연한 동일한 내국법인의 주식, 당해 내국법인과 특수관계에 있는 출연자가 당해 공익법인 등 외의 공익법인 등에 출연한 동일한 내국법인의 주식, 출연자 및 그와 특수관계자로부터 재산을 출연받은 다른 공익법인 등이 보유하고 있는 동일한 내국법인의 주식을 합하여 계산하는 것임.

4 증여재산가액에서 차감하는 채무(상증법 §47 ①)

증여재산에 담보된 채무(증여자가 해당 재산을 타인에게 임대한 경우의 임대보증금 포함)로서 수증자가 인수한 금액은 증여재산가액에서 차감하여 증여세 과세가액을 산정하도록 하고 있다. 다만, 배우자 간 또는 직계존비속 간의 부담부증여에 대해서는 수증자가 증여자의 채무를 인수한 경우에도 그 채무액은 수증자에게 인수되지 아니한 것으로 추정하나 그 채무액이 국가 및 지방자치단체에 대한 채무 등 객관적으로 인정되는 것인 경우에는 증여재산가액에서 차감할 수 있다.

관련예규 및 판례요약

증여세 과세가액에서 차감되는 채무와 관련된 예규, 판례

서면상속증여-2820, 2016. 2. 16.

부담부증여 시 인수할 채무가 증여자가 아닌 타인명의로 되어 있는 경우 그 채무가 사실상 증여자의 채무임이 명백히 확인되고 수증자가 그 채무를 인수한 사실이 객관적으로 입증되는 경우에 한정하여 그 채무액을 증여재산가액에서 공제하는 것임.

서면상속증여-105, 2015. 4. 22.

증여재산인 부동산에 담보된 증여자의 채무에 한하여 당해 채무를 수증자가 인수한 사실이 입증되는 경우 그 채무액을 증여재산가액에서 차감하여 증여세를 계산함.

상속증여-29, 2013. 4. 5.

임대차계약이 체결된 토지·건물에 있어서 그 토지와 건물의 소유자가 각각 다른 경우에 「상속세 및 증여세법」 제47조 제1항의 규정에 의하여 증여재산가액에서 차감할 임대보증금은 실지 임대차계약 내용에 따라 그 귀속을 판정하는 것임.

재산-59, 2009. 8. 28.

원칙적으로 직계존비속간의 소비대차는 인정하지 않는 것이나 그 사실이 채무부담계약서 및 원리금 상환 등 객관적으로 확인되는 경우에는 증여세가 과세되지 아니함.

서면4팀-1405, 2008. 6. 12.

「민법」상 적법하게 성립된 유치권으로 담보된 채무는 증여재산가액에서 차감하는 채무에 해당함.

국심 2007부 1577, 2007. 10. 11.

채무를 인수하는 조건으로 부동산을 부담부증여받은 것이 확인되므로 단순증여로 보아 과세한 것은 부당함.

국심 2006서 3500, 2007. 6. 7.

어머니로부터 건물 등을 받은 경우 당해 임대보증금이 청구인이 인수한 것으로 객관적으로 확인되지 않는다면 증여세 과세가액에서 차감할 수 없음.

국심 2006서 4441, 2007. 4. 3.

증여자에게 전세보증금을 지급한 사실이 금융증빙에 의해 확인되고 동 금액이 현금으로 출금되거나 수증자에게 반환된 사실이 없어 동 채무액을 인정하여 부담부증여로 봄.

국심 2006중 1120, 2006. 10. 12.

재건축하는 과정에서 子에게 분양권의 지분을 증여한 경우 子가 부담한 추가부담금은 증여재산가액에서 차감할 수 있음.

국심 2006서 972, 2006. 7. 6.

아파트 대금의 일부를 사위가 지급하였으나 아파트 구입 후 세대를 합가하여 함께 거주하고 있다면 증여한 것이 아니라 전세보증금 명목으로 볼 수 있음.

서면4팀 - 2353, 2005. 11. 28.

증여재산에서 차감할 채무액의 범위는 실제로 수증자가 부담하는 금액으로서 채무부담계약서, 채권자확인서, 담보설정 및 이자지급에 관한 증빙 등 실질내용을 확인하여 판단할 사항임.

배우자 간 또는 직계존비속 간의 부담부증여, 채무공제와 관련된 예규, 판례

사전법령재산 - 222, 2015. 10. 15.

거주자가 직계존속으로부터 1주택을 부담부증여받은 경우 「상속세 및 증여세법」 제47조에 따른 증여세 과세가액 계산시, 증여받은 날로부터 3개월 이내에 사업시행인가를 받은 조합에 양도하여 같은 법 제60조부터 제66조까지에 따른 증여일 현재의 시가가 있는 경우에는 해당 거래가액을 증여재산가액으로 하고 그 증여재산에 담보된 채무로서 수증자가 인수한 금액을 뺀 금액을 증여세 과세가액으로 하는 것임.

대법 2002두 9226, 2003. 10. 24.

직계존비속 사이의 부담부증여의 경우에 그 채무액을 증여재산가액에서 공제하려면 수증자가 인수하거나 부담한 채무가 진정한 것이여야만 증여세과세가액에서 공제할 수 있음.

재산-61, 2013. 2. 28.

일정기간 임대차계약이 체결된 부동산을 증여한 경우로서 증여자가 당해 기간에 해당하는 월세상당액을 일시불로 받고 수증자가 임대차계약에 따른 증여자의 의무를 포괄적으로 승계한 사실이 입증된다면 부담부증여로서 증여일 현재 선수입한 월세상당액을 증여재산가액에서 공제함.

조심 2010부 3928, 2010. 12. 31.

제사와 모친의 부양의무는 확정된 채무가 아니고, 일반적인 사회통념상으로도 토지에 담보된 채무로 보기 어려우므로 토지의 소유권이전이 부담부증여라는 주장은 받아들일 수 없는 것으로 판단한 사례

심사증여 2008-22, 2008. 5. 26.

수증자가 증여자의 채무를 인수하였는지 여부는 명의변경과 관계없이 당해 채무를 사실상 누가 부담하고 있는 지 여부 등 실질내용에 따라 판단한는 것임.

심사증여 2007-51, 2007. 10. 29.

당초부터 증여자의 채무가 아니라 수증인의 채무인 것으로 확인되므로 부담부증여에 의한 채무로 보아 증여세 과세가액에서 공제하지 아니한 처분은 정당함.

국심 2007부 1575, 2007. 10. 11.

인수한 채무를 변제한 것으로 확인되므로 채무변제액에 대하여 증여세를 부과한 것은 부당함.

서면4팀-2579, 2007. 9. 4.

직계존비속 간의 부담부증여시 채무액이 객관적으로 인수한 것으로 입증되는 경우에 한하여 수증자가 인수한 채무액을 증여재산의 가액에서 공제하는 것임.

국심 2005서 3347, 2006. 2. 14.

증여약정서 등에 임대보증금의 승계에 대한 명시가 없다 하더라도 사실상 자녀가 부모의 채무를 인수한 때에는 그 채무액은 증여재산가액에서 차감하는 것임.

국심 2005서 2873, 2006. 2. 3.

父로부터 부동산을 증여받으면서 인수하였다는 채무 중 실질적으로 인수한 것은 증여재산가액에서 차감하는 것이 타당함.

5 | 증여재산 가산액(상증법 §47 ②)

해당 증여일 전 10년 이내에 동일인(증여자가 직계존속인 경우에는 그 직계존속의 배우자를 포함)으로부터 받은 증여재산가액을 합친 금액이 1천만원 이상인 경우에는 그 가액을 증여세 과세가액에 가산한다. 다만, 다음과 같은 합산배제증여재산의 경우에는 그러하지 아니하며, 증여자가 수증자의 직계존속(부, 모, 조부, 조모)인 경우에는 부와 모 또는 조부와 조모를 동일인으로 보아 증여받은 것을 합하여 계산한다.

합산배제 증여재산의 경우 다른 증여재산과 합산하지 않으며, 증여세 과세표준 계산시 증여재산공제를 적용하지 않고 일률적으로 3천만원을 공제(특수관계법인과의 거래를 통한 이익의 증여의제와 특수관계법인으로부터 제공받은 사업기회로 발생한 이익의 증여의제는 증여재산공제 및 3천만원 공제도 적용하지 않음)한다. 또한 증여자가 사망한 경우 증여시기에 관계없이 해당 재산은 상속세 과세가액에 가산하지 않는다.

| 동일인 증여시 일반 증여재산과 합산하지 않는 증여재산[20] |

구분	내용
합산배제증여재산 (상증법 §47 ①)	재산 취득 후 해당 재산의 가치가 증가하는 경우(상증법 §31 ① 3)
	전환사채 등의 주식전환 등에 따른 이익의 증여(상증법 §40 ① 2호 및 3호)
	주식등의 상장 등에 따른 이익의 증여(상증법 §41의3)
	합병에 따른 상장 등 이익의 증여(상증법 §41의5)
	재산 취득 후 재산가치 증가에 따른 이익의 증여(상증법 §42의3)
	특수관계법인과의 거래를 통한 이익의 증여의제(상증법 §45의3)
	특수관계법인으로부터 제공받은 사업기회로 발생한 이익의 증여의제(상증법 §45의4)
창업자금(조특법 §30의5 ⑩)	
중소기업 가업승계 주식 등(조특법 §30의6 ③)	
영농자녀가 증여받은 농지 등(조특법 §71 ⑥)	
직계존속의 배우자 이혼·사망 등	
증여세 비과세 재산(상증법 §46)	
증여세 과세가액 불산입 재산	공익법인등에 출연한 재산(상증법 §48)
	공익신탁 재산(상증법 §52)
	장애인이 증여받은 재산(상증법 §52의2)

20) 2016 상속세·증여세 실무해설, 238p, 국세청.

관련예규 및 판례요약

증여재산 합산 또는 공제되는 재산 : 상증법 §47

증여재산 가액의 합산과세와 관련된 예규, 판례

조심 2016중 2515, 2016. 9. 30.

상증법 제47조 제2항 및 제58조 제1항은 동일인으로부터 받은 복수의 증여를 합산과세함으로써 분할증여로 인한 누진세액 경감을 방지하는 한편 종전증여에 대한 증여세액을 산출세액에서 공제하는 방법으로 이중과세를 피하고 있는 점 등에 비추어 국세부과의 제척기간이 경과한 종전증여분의 증여가액을 재차증여분의 증여가액에 합산하여 증여세를 과세한 처분은 잘못이 없음.

대법 2010두 25930, 2011. 3. 24.

제3자에게 양도를 거치는 방법 중에 가장매매 등의 방식으로 우회증여하는 경우 증여의제로 볼 수 없으므로 증여자가 직접 증여한 것으로 보아 연대납세의무를 부담하는 것임.

서면4팀-847, 2008. 3. 28.

재개발아파트 조합원인 배우자가 불입해야 할 추가부담금을 남편이 불입한 경우에는 불입할 때마다 추가부담금에 대하여 배우자에게 증여세가 과세되는 것임.

국심 2007서 2185, 2007. 10. 1.

대위변제한 것이 다른 법인이라는 주장은 받아들이기 어려운 것으로 보이므로 수증자를 개인으로 보고 증여세를 과세한 처분은 정당함.

국심 2005서 2808, 2006. 10. 30.

피상속인의 예금계좌에서 인출한 금액 중 지출한 내역이 확인되는 금액은 증여재산가액에서 차감하는 것이 타당함.

동일인으로부터 받은 증여재산가액의 가산과 관련된 예규, 판례

서면상속증여 2016-5376, 2016. 10. 21.

명의신탁 증여의제로 증여세가 과세된 후 10년 이내에 동일인으로부터 상증법 제45조의 2에 따른 재차 증여가 있는 경우 또는 다른 재산을 증여받은 경우 이를 합산하는 것임.

서면상속증여-3372, 2016. 4. 26.

해당 증여일 전 10년 이내에 동일인(증여자가 직계존속인 경우에는 그 직계존속의 배우자 포함)으로부터 받은 증여재산가액이 1천만원 이상인 경우에는 그 가액을 증여세 과세가액에 가산하며, 장인과 장모는 동일인에 해당하지 않음.

법규재산 2012-72, 2012. 4. 20.

증여세를 감면받은 농지 등은 당해 증여일 전 10년 이내에 자경농민(자경농민의 배우자를 포함)으로부터 증여받아 합산하는 증여재산가액에 포함시키지 아니함.

재산-118, 2012. 3. 22.

직계존속의 배우자(母)가 사망한 경우에는 동일인으로 보지 않으므로 그 후 부(父)로부터 증여받을 때 모(母)의 증여재산을 합산과세하지 않으나, 증여재산공제액은 10년간 3천만원을 초과할 수 없음.

조심 2011서 2867, 2011. 12. 14.

「민법」상 증여계약이 합의해제된 경우 당초 증여계약의 효력이 소멸되었으므로 동일부동산에 대하여 증여재산 합산과세 규정을 적용함에 있어서도 당초 증여는 없고, 재차증여만 있는 것으로 보아 합산과세를 배제하는 것이 타당함.

재산-904, 2010. 12. 6.

자녀가 공동소유한 부모로부터 동시에 증여받은 경우 증여가액을 합친 금액에서 증여재산공제액을 차감하고 증여세를 부과함.

재산-399, 2010. 6. 16.

「상속세 및 증여세법」 제47조 제2항에 의하여 동일인으로부터 증여받은 재산가액을 합산하여 과세할 때 부와 계모는 동일인으로 보지 아니함.

재산-58, 2010. 2. 1.

부로부터 자산을 증여받고 부 사망 이후 모로부터 자산을 증여받은 경우 사망한 사람의 생전에 증여받은 재산은 합산과세하지 아니하는 것임.

서면4팀-3723, 2007. 12. 28.

혼인외 출생자의 부와 생모는 10년 이내에 동일인으로부터 받은 증여재산가액 계산시 동일인에 해당하지 아니함.

서면4팀-3346, 2007. 11. 20.

특수관계자에 대한 단기 우회양도로 인해 양도소득의 부당행위계산의 부인규정이 적용된 증여자산은 10년 이내에 동일인으로부터 받은 증여재산가액에 해당하여 증여세 과세가액에 가산함.

서면4팀-2800, 2007. 10. 1.

동일인으로부터 증여받은 재산을 증여세 과세가액에 합산하여 신고하지 아니함으로 과세표준에 미달하게 신고한 경우 신고불성실가산세가 적용됨.

서면4팀-731, 2007. 2. 27.

10년 이내에 동일인으로부터 증여받은 재산을 합산하여 과세할 때 부와 조부는 동일인에 해당되지 아니함.

서면4팀-494, 2007. 2. 6.

증여세 합산과세는 증여가 있을 때마다 평가한 과세가액을 합산하여 계산하는 것임.

서면4팀-2928, 2006. 8. 24.

종전증여가 국세부과제척기간이 만료된 경우에도 재차증여의 합산기간에 해당하는 때에는 증여재산가액에 합산하는 것이며 부과제척기간의 만료로 증여세가 징수되지 아니한 것은 공제되지 아니함.

서면4팀-1226, 2006. 5. 2.

주식 또는 출자지분의 상장 등에 따른 이익은 합산배제증여재산에 해당하는 것으로 당해 증여일 전 10년 이내에 동일인으로부터 증여받은 다른 증여재산가액과 합산하지 아니함.

제 6 절 증여세의 과세표준 및 세액의 계산

1 증여세 과세표준(상증법 §55)

증여세의 과세표준이란 증여세액의 산출기준이 되는 금액을 말하는 것으로 2004. 1. 1. 이후 증여분부터는 다음 각각의 구분에 따라 과세표준을 계산하며, 이렇게 계산된 금원에서 증여재산의 감정평가수수료를 차감한 금액으로 한다. 다만, 증여세 과세표준이 50만원 미만인 경우에는 증여세를 부과하지 않는다.

① 명의신탁재산의 증여의제에 있어서는 해당 명의신탁재산의 금액

② 특수관계법인과의 거래를 통한 이익의 증여의제 및 특수관계법인으로부터 제공받은 사업기회로 발생한 이익의 증여의제에 있어서는 해당 증여의제이익

③ 상기 ②를 제외한 합산배제증여재산에 있어서는 해당 증여재산가액에서 3천만원을 공제한 금액

④ 위 ①, ②, ③ 외의 경우에는 증여세 과세가액(상증법 §47 ①)에서 증여재산공제, 재해손실공제 금액을 차감한 금액

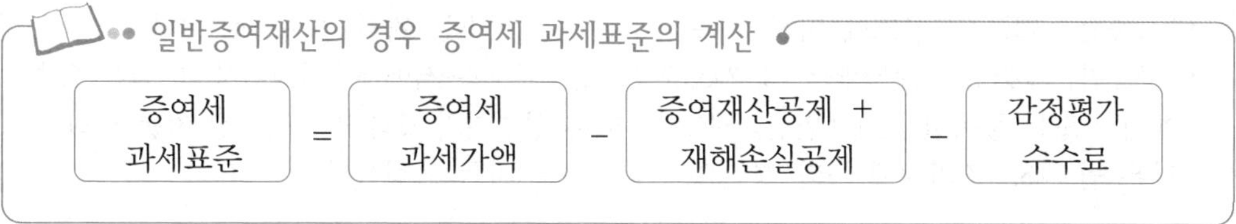

일반증여재산의 경우 증여세 과세표준의 계산
증여세 과세표준
=
증여세 과세가액
－
증여재산공제 ＋ 재해손실공제
－
감정평가 수수료

가. 증여세 과세표준 계산방법

증여세는 재차 증여의 합산과세를 제외하고는 증여가 있는 때마다 증여자별 수증자별로 각각 과세가액과 세액을 계산하여 과세한다.

2 증여재산공제(상증법 §53)

거주자가 다음에 해당하는 사람으로부터 증여를 받는 경우에는 다음의 구분에 따른 금액을 증여세 과세가액에서 공제한다. 이 경우 수증자를 기준으로 그 증여를 받기 전 10년 이내에 공제받은 금액과 해당 증여가액에서 공제받을 금액의 합계액이 다음에 규정하는 금액을 초과하는 경우에는 그 초과하는 부분은 이를 공제하지 아니한다.

① 배우자로부터 증여를 받는 경우에는 6억원

② 직계존속(수증자의 직계존속과 혼인 중인 배우자를 포함) 및 직계비속(수증자와 혼인 중인 배우자의 직계비속을 포함)으로부터 증여를 받은 경우에는 5천만원. 다만, 미성년자가 직계존속으로부터 증여를 받은 경우에는 2천만원으로 한다.

③ 위 ②의 직계존속 및 직계비속 외에 6촌 이내의 혈족, 4촌 이내의 인척으로부터 증여를 받은 경우에는 1천만원

▶▶ 미성년자가 아닌 수증자 기준 10년 내에 6억 6천만원이 공제한도금액임.

□ 증여재산공제(상증통칙 53-46…1)

- 「상증법」 제53조 제1호에 따른 "배우자"라 함은 「민법」상 혼인으로 인정되는 혼인관계에 있는 배우자를 말한다. 즉 법률혼만 인정, 사실혼은 불인정.
- 「상증법」 제53조 제1호에 따른 친족의 범위는 증여받는 자를 기준으로 한다.
- 「상증법」 제20조 제1항 제2호 및 제53조 제1항 제2호 단서에서 "미성년자"라 함은 상속개시일 또는 증여일 현재 「민법」 제4조에 따른 성년기가 도래하지 아니한 자를 말하며, 같은 법 제826조의 2에 따라 성년으로 의제되는 자를 포함한다.

□ 직계존비속 판정기준(상증통칙 53-46…2)

- 직계존비속 여부는 「민법」 제768조의 규정에 의한 자기의 직계존속과 직계비속인 혈족을 말한다.
- 위의 규정을 적용함에 있어 다음 사항을 유의한다.
  - 출양한 자인 경우에는 양가 및 생가에 모두 해당한다.
  - 출가녀인 경우에는 친가에서는 직계존속과의 관계, 시가에서는 직계비속과의 관계에만 해당한다.
  - 외조부모와 외손자는 직계존비속에 해당한다.
  - 계모자 또는 적모서자관계는 직계존비속에 해당하지 아니한다.

3 | 재해손실공제(상증법 §54)

거주자가 타인의 증여에 의하여 재산을 취득하는 경우 증여세 신고기한 내 재난으로 인하여 증여재산이 훼손, 멸실된 경우에는 그 손실가액을 증여세 과세가액에서 공제한다.

4 | 감정평가수수료(상증법 §55)

증여재산의 감정평가수수료라 함은 증여세를 신고·납부하기 위하여 증여재산을 평가하는데 소요되는 수수료를 말하며, 감정평가수수료는 감정평가업자의 수수료와 신용평가전문기관의 수수료 등으로 구분하며, 수수료를 공제받고자 하는 자는 해당 수수료의 지급사실을 입증할 수 있는 서류를 증여세 과세표준신고와 함께 제출하여야 한다.

가. 감정평가법인의 수수료 : 5백만원 한도

「감정평가 및 감정평가사에 관한 법률」 제2조 제4호에 따른 감정평가업자의 평가에 따른 수수료. 해당 평가가액으로 증여세를 신고·납부하는 경우에만 적용한다.

나. 신용평가전문기관의 수수료 : 각각 1천만원 한도

평가심의위원회에서 신용평가전문기관에 의뢰하여 납세자가 부담한 평가수수료를 말하며, 해당 평가액의 채택여부와 관계없이 평가대상 법인의 개수 및 평가를 의뢰한 신용평가전문기관의 개수 별로 각각 1천만원을 한도로 한다.

다. 판매용이 아닌 서화·골동품 등 : 5백만원 한도

전문분야별(상증령 §52 ② 2호 각 목)로 2인 이상 전문가의 감정수수료.

관련예규 및 판례요약

증여재산 인적공제 : 상증법 §53

증여재산공제와 관련된 예규, 판례

법령해석재산-1629, 2017. 7. 20.

2011. 6. 14. 쟁점토지에 관하여 증여를 원인으로 소유권이전등기 후 2014. 2. 3. 합의에 따라 소유권이전등기의 말소등기를 마침으로써 쟁점토지를 반환하였으므로 증여가 없었던 것으로 볼 수 없고, 당초증여 및 재차증여시에 각 증여세를 과세하였다면, 10년 내 재증여시 이미 공제받은 금액은 증여재산공제액에서 차감하는 것이 타당하다고 판단됨.

법령해석재산-0053, 2017. 3. 21.

증여받은 재산에 대한 취득세 등을 대납하기로 증여계약을 체결한 경우 취득세 등의 증여시기는 해당 현금의 인도일 또는 사실상의 사용일이며, 같은 날 직계존속으로부터 2 이상의 증여가 있는 경우로서 증여세를 대납하는 경우 증여재산 공제는 증여일 현재의 각각의 증여세 과세가액인 부동산의 지분가액과 취득세에 상당하는 현금에 대하여 안분하여 공제하는 것임.

서면상속증여-5347, 2016. 10. 27.

가족관계증명서와 친족관계가 다른 경우 실질에 따라 증여재산공제하며, 그 입증은 납세자가 하는 것임.

재재산-639, 2015. 9. 22.

비거주자인 직계비속이 거주자인 직계존속으로부터 국외예금 등을 증여받은 경우에는 증여재산공제를 적용받을 수 없는 것임.

상속증여-47, 2015. 1. 27.

거주자가 「상속세 및 증여세법」 제53조 제2호에 따라 직계존속[수증자의 직계존속과 혼인(사실혼 제외) 중인 배우자 포함]으로부터 증여를 받은 경우 증여재산공제는 수증자를 기준으로 그 증여를 받기 전 10년 이내에 공제받은 금액과 해당 증여가액에서 공제받을 금액을 합친 금액이 5천만원(미성년자인 경우 2천만원)을 초과할 수 없으며, 같은 조 제4호에 따라 제2호 및 제3호의 경우 외에 6촌 이내의 혈족, 4촌 이내의 인척으로부터 증여를 받은 경우에는 500만원을 초과할 수 없음.

상속증여-563, 2013. 9. 27.

계모와 며느리의 관계는 4촌 이내의 인척에 해당하여 「상속세 및 증여세법」 제53조 제3호에 따라 증여재산 공제액은 500만원을 적용하는 것임.

재산-799, 2010. 10. 28.

수인의 직계존속으로부터 동시에 증여를 받는 경우 3천만원을 각각의 증여세 과세가액에 대하여 안분하여 공제함.

재산-648, 2010. 8. 27.

개인이 종중에 재산을 증여하는 경우 증여세가 과세되며 이때 증여재산 공제는 적용하지 아니함.

재산-597, 2010. 8. 16.

계모의 모친은 「상속세 및 증여세법」 제53조 제1항 제3호의 규정에 의한 친족의 범위에 해당하지 아니하는 것임.

재산-448, 2010. 6. 28.

전처소생의 자녀가 직계혈족인 父가 사망한 후 재혼하지 않은 계모로부터 부동산을 증여받는 경우 500만원을 공제함.

재산-14, 2009. 8. 25.

비거주자가 배우자로부터 재산을 증여받고 거주자 신분으로 동 배우자로부터 재차 증여받은 경우 10년 이내에 증여받은 재산을 합산하여 증여재산공제는 거주자 신분으로 증여받은 재산에 한함.

재산-1468, 2009. 7. 17.

감면분과 과세분 증여가 그 증여시기를 달리하는 경우 증여재산공제는 2 이상의 증여 중 최초의 증여세 과세가액에서부터 순차로 공제하는 것임.

재산-1473, 2009. 7. 17.

시부모와 며느리는 직계존비속에 해당하지 아니하므로 증여를 받은 경우에는 증여세 과세가액에서 10년간 5백만원을 공제함.

재산-481, 2009. 2. 10.

감면분과 과세분을 동시에 증여받는 경우 증여재산공제는 증여세과세가액으로 안분하여 각각 공제함.

재산-4084, 2008. 12. 4.

남편이 사망한 경우로서 처가 재혼하지 않은 경우 친족 해당여부는 남편과의 관계에 따르며,

6촌 이내 부계혈족은 기타친족에 해당함.

재산-1634, 2008. 7. 14.

배우자에게 재산을 증여하는 경우 배우자공제의 적용여부는 거주자에 한하여 적용하는 것임.

서면4팀-3179, 2007. 11. 5.

시동생으로부터 재산을 증여받은 경우 5백만원의 친족공제가 적용됨.

국심 2007서 3218, 2007. 10. 24.

동거가족이 국내에 상당한 재산을 보유하고 있으며 가족 관계로 보아 생활근거가 국내에 있는 것으로 인정되므로 배우자에 대한 증여재산공제 대상임.

서면4팀-3043, 2007. 10. 23.

종중과 종중원 관계는 증여재산공제가 적용되는 친족에 해당하지 않음.

서면4팀-418, 2007. 1. 31.

2인 이상의 친족으로부터 동시에 재산을 증여받는 경우 증여재산공제액을 각각의 증여세 과세가액에 대하여 안분하여 공제하는 것임.

서면4팀-199, 2007. 1. 16.

혼인 외 출생자와 그의 생모와는 직계존비속 관계에 해당하는 것임.

5 증여세액의 계산

증여세액은 과세표준에 해당 세율을 곱하여 계산한다. 수증자가 증여자의 자녀가 아닌 직계비속인 경우(손자 이하를 말하며 대습증여받는 경우 제외) 증여세 산출세액에 100분의 30을 가산한다.

| 증여세 세율표 |

과세표준	세 율	누진공제
1억원 이하	10%	-
1억원 초과 5억원 이하	20%	1,000만원
5억원 초과 10억원 이하	30%	6,000만원
10억원 초과 30억원 이하	40%	1억6천만원
30억원 초과	50%	4억6천만원

6 | 직계비속에 대한 증여의 할증과세

수증자가 증여자의 자녀가 아닌 직계비속(손주, 손녀, 증손주, 증손녀 등)인 경우에는 증여세산출세액에 100분의 30(수증자가 증여자의 자녀가 아닌 직계비속이면서 미성년자인 경우로서 증여재산가액이 20억원을 초과하는 경우에는 100분의 40)에 상당하는 금액을 가산한다. 다만, 증여자의 최근친(最近親)인 직계비속이 사망하여 그 사망자의 최근친인 직계비속이 증여받은 경우는 할증과세를 적용하지 않는다.

가. 할증과세액의 계산

1) 수증자가 미성년자인 경우로서 증여재산가액이 20억원을 초과시

$$\left(\text{증여세 산출세액} \times \frac{\text{수증자 부모 외 직계존속 증여재산가액}}{\text{총 증여재산가액}} \times 40\%\right) - \text{종전에 납부한 할증과세액}$$

2) 1) 이외의 경우

$$\left(\text{증여세 산출세액} \times \frac{\text{수증자 부모 외 직계존속 증여재산가액}}{\text{총 증여재산가액}} \times 30\%\right) - \text{종전에 납부한 할증과세액}$$

7 | 증여세 세액공제

가. 납부세액공제

증여세 과세가액에 가산한 증여재산의 가액(둘 이상의 증여가 있을 때에는 그 가액을 합친 금액)에 대하여 납부하였거나 납부할 증여세액(증여 당시의 해당 증여재산에 대한 증여세 산출세액)은 증여세 산출세액에서 공제한다. 다만, 증여세 과세가액에 가산하는 증여재산에 대하여 국세부과의 제척기간의 만료로 인하여 증여세가 부과되지 아니하는 경우에는 그러하지 아니하다. 여기서 공제할 증여세액은 증여세 산출세액에 해당 증여재산의 가액과 「상속세 및 증여세법」 제47조 제2항에 따라 가산한 증여재산의 가액을 합친 금액에 대한 과세표준에 대하여 가산한 증여재산의 과세표준이 차지하는 비율을 곱하여 계산한 금액을 한도로 한다.

납부세액공제 한도액의 계산

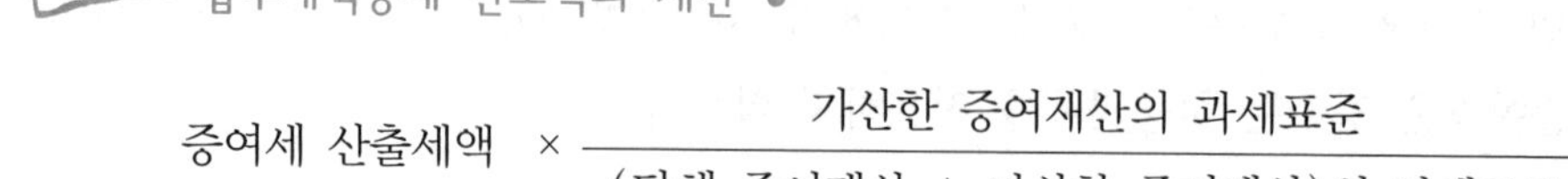

$$\text{증여세 산출세액} \times \frac{\text{가산한 증여재산의 과세표준}}{(\text{당해 증여재산} + \text{가산한 증여재산})\text{의 과세표준}}$$

나. 외국납부세액공제(상증법 §59)

타인으로부터 재산을 증여받은 경우에 외국에 있는 증여재산에 대하여 외국의 법령에 따라 증여세를 부과받은 경우에는 그 부과받은 증여세에 상당하는 금액을 증여세 산출세액에서 공제한다.

외국납부세액공제액의 계산

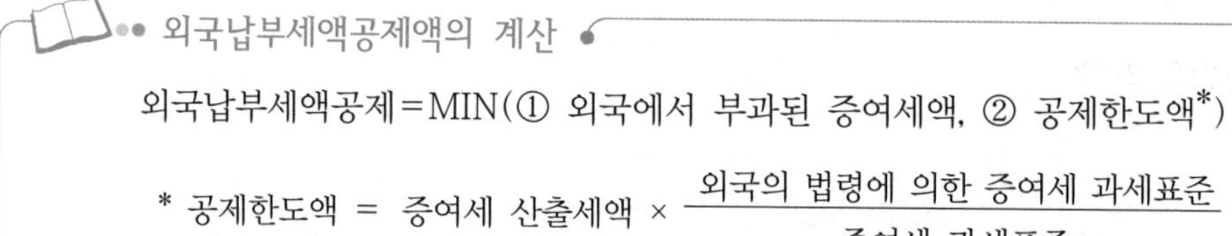

외국납부세액공제＝MIN(① 외국에서 부과된 증여세액, ② 공제한도액*)

$$\text{* 공제한도액} = \text{증여세 산출세액} \times \frac{\text{외국의 법령에 의한 증여세 과세표준}}{\text{증여세 과세표준}}$$

다. 신고세액공제

증여세 과세표준을 신고한 경우에는 증여세 산출세액(「상속세 및 증여세법」 제57조에 따라 산출세액에 가산하는 금액을 포함)에서 각종 공제·감면세액을 차감한 금액의 100분의 3에 상당하는 금액을 공제한다(상증법 §69).

8 | 증여세의 신고 · 납부

가. 신고기한(상증법 §68)

증여세 납세의무가 있는 자는 증여받은 날이 속하는 달의 말일부터 3개월 이내에 증여세의 과세가액 및 과세표준을 납세지 관할 세무서장에게 신고하여야 한다.

나. 증여세의 납부 및 분납(상증법 §70)

증여세 납세의무자는 증여세 과세표준신고기한 내에 세액을 자진납부하여야 한다. 다만, 납부할 금액이 1천만원을 초과하면 다음과 같이 납부할 금액의 일부를 납부기한이 지난 후 2월 이내에 분납할 수 있다(단, 연부연납을 허가받은 경우에는 분납할 수 없음).

① 분납할 세액이 2천만원 이하인 때에는 1천만원을 초과하는 금액
② 분납할 세액이 2천만원을 초과하는 때에는 그 세액의 50% 이하의 금액

9 | 증여세의 연부연납 및 물납(상증법 §71, §73)

증여세의 연부연납은 「상속세 및 증여세법」 제71조에 상속세와 함께 규정하고 있는 바, 관련 내용은 상속세 편의 내용을 참고하기 바란다. 아울러 증여세의 물납은 2015년 말 폐지되었다.

■ 상속세 및 증여세법 시행규칙 [별지 제10호 서식] 〈개정 2017. 3. 10.〉

증여세과세표준신고 및 자진납부계산서
(기본세율 적용 증여재산 신고용)

※ 뒤쪽의 작성방법을 읽고 작성하시기 바랍니다. (앞쪽)

① 관리번호		–				
수증자	② 성명		③ 주민등록번호		전자우편주소	
	④ 주소	(☎)			⑤ 증여자와의 관계	
증여자	⑥ 성명		⑦ 주민등록번호			
	⑧ 주소				(☎)	

증 여 재 산

⑨ 증여일	⑩ 종 류		⑪ 소재지		⑫ 수량 (면적)	⑬ 단가	⑭ 금액
	재산 종류	지목 또는 건물종류	국외재산 국가명				
계							

구 분		금 액	구 분		금 액
⑮ 증 여 재 산 가 액			㉝ 박물관자료 등 징수유예세액		
⑯ 비 과 세 재 산 가 액			세액공제	㉞ 세액공제 합계	
과세가액 불산입	⑰ 공익법인 출연재산가액 (「상속세 및 증여세법」 제48조)			㉟ 기납부세액 (「상속세 및 증여세법」 제58조)	
	⑱ 공익신탁 재산가액 (「상속세 및 증여세법」 제52조)			㊱ 외국납부세액공제 (「상속세 및 증여세법」 제59조)	
	⑲ 장애인 신탁 재산가액 (「상속세 및 증여세법」 제52조의2)			㊲ 신고세액공제 (「상속세 및 증여세법」 제69조)	
				㊳ 그 밖의 공제 · 감면세액	
⑳ 채 무 액			㊴ 신고불성실가산세		
㉑ 증여재산가산액 (「상속세 및 증여세법」 제47조 제2항)					
㉒ 증 여 세 과 세 가 액 (⑮-⑯-⑰-⑱-⑲-⑳+㉑)			㊵ 납부불성실가산세		
증여재산공제	㉓ 배 우 자		㊶ 공익법인 등 관련 가산세 (「상속세 및 증여세법」 제78조)		
	㉔ 직계존비속		㊷ 자진납부할 세액(합계액) (㉜-㉝-㉞+㊴+㊵+㊶)		
	㉕ 그 밖의 친족		납부방법		납부 및 신청일
㉖ 재해손실공제(「상속세 및 증여세법」 제54조)			㊸ 연부연납		
㉗ 감 정 평 가 수 수 료			현금	㊹ 분 납	
㉘ 과세표준(㉒-㉓-㉔-㉕-㉖-㉗)				㊺ 신고납부	
㉙ 세 율					
㉚ 산 출 세 액					
㉛ 세대생략가산액(「상속세 및 증여세법」 제57조)					
㉜ 산 출 세 액 계(㉚+㉛)					

「상속세 및 증여세법」 제68조 및 같은 법 시행령 제65조 제1항에 따라 증여세과세표준신고 및 자진납부계산서를 제출합니다.

년 월 일

신 고 인 (서명 또는 인)

세무대리인 (서명 또는 인)

(관리번호: ☎)

세무서장 귀하

신청(신고)인 제출서류	1. 증여재산 및 평가명세서(부표) 1부 2. 채무사실 등 그 밖의 증명서류 1부 3. 증여자 및 수증자 관계를 알 수 있는 가족관계등록부 1부	수수료
담당공무원 확인사항	주민등록표등본	없음

행정정보 공동이용 동의서

본인은 이 건 업무처리와 관련하여 담당 공무원이 「전자정부법」 제36조 제1항에 따른 행정정보의 공동이용을 통하여 위의 담당 공무원 확인 사항을 확인하는 것에 동의합니다. * 동의하지 않는 경우에는 신청인이 직접 관련 서류를 제출하여야 합니다.

신청인 (서명 또는 인)

210mm×297mm[백상지 80g/㎡(재활용품)]

(뒤쪽)

작성방법

※ 이 서식은 아래 증여세 세율표 나목의 세율이 적용되는 증여재산에 대하여 증여세신고를 하는 경우에 사용합니다.

1. "① 관리번호"란은 신고인이 적지 않습니다.
2. "⑩ 종류"란은 재산종류에 "토지, 건물, 상장주식, 비상장주식 등"을 적은 후, 지목 또는 건물종류에 세부분류"전, 답, 임야, 아파트, 상가, 단독주택 등"을 적습니다.
3. "⑪ 소재지"란의 "국외재산 국가명"에는 재산 소재지가 국외인 경우 '재산소재지 국명'을 적습니다. 이 경우 국외재산 소재지는 한글 또는 영문으로 적는 것이 원칙입니다.
4. "⑮ 증여재산가액"란에는 ⑯「상속세 및 증여세법」 제47조 제2항에 따른 증여재산가산액을 포함하지 않습니다.
5. 「조세특례제한법」 제30조의5에 따른 창업자금에 대한 증여세 과세가액[창업자금 증여재산평가 및 과세가액 계산명세서(별지 제10호의2서식 부표1) "⑪ 계"의 금액이 30억원을 초과하는 경우에는 별지 제10호의2서식 부표1의 "⑯ 증여재산가액"과 "⑰ 채무액"을 이 서식의" ⑮ 증여재산가액"란 또는 "⑳ 채무액"란에 각각 적고, 같은 법 제30조의6에 의한 가업승계 주식 등에 대한 증여세과세가액[가업승계 주식 등 증여재산평가 및 과세가액 계산명세서(별지 제10호의2서식 부표 2) "⑧ 합계액"이 100억원을 초과하는 경우에는 별지 제10호의2서식 부표 2의 "⑬ 증여재산가액"을 이 서식의 "⑮ 증여재산가액"란에 적습니다.
6. "⑳ 채무액"란은 해당 증여재산에 담보된 채무액 중 수증자가 인수한 채무액을 적습니다.
7. "㉓ 배우자"란부터 "㉕ 그 밖의 친족"란까지는 증여자와의 관계에 따라 다음 각 목의 구분에 따라 적습니다.
   가. 배우자 : 10년간 6억원
   나. 직계존비속 : 직계존속이 직계비속에게 증여한 경우 10년간 5천만원 (직계비속이 미성년자인 경우 2천만원),
   직계비속이 직계존속에게 증여한 경우 10년간 5천만원 (2016.1.1.이후 증여분부터)
   다. 그 밖의 친족(배우자와 직계존비속을 제외한 6촌 이내의 혈족, 4촌 이내의 인척) : 10년간 1천만원 (2016.1.1.이후 증여분부터)
8. "㉙ 세율"란은 「상속세 및 증여세법」 제26조 및 제56조에 따른 세율을 적습니다.

증여재산 구분	과세표준	세율	누진공제액
가. 창업자금(「조세특례제한법」 제30조의5)	25억원 이하*	10%	-
나. 가업승계 주식 등(「조세특례제한법」 제30조의6)	30억원 이하	10%	-
	30억원 초과 95억원 이하	20%	30,000만원
다. 가목 외의 자산	1억원 이하	10%	-
	1억원 초과 5억원 이하	20%	1,000만원
	5억원 초과 10억원 이하	30%	6,000만원
	10억원 초과 30억원 이하	40%	16,000만원
	30억원 초과	50%	46,000만원

* 창업을 통하여 10명 이상을 신규 고용한 경우 : 45억원 이하

9. "㉚ 산출세액"란에는 다음 계산식에 따라 계산한 금액을 적습니다.
   [(㉘ 과세표준 × ㉙ 세율) - 아래 증여세 세율표에 따른 누진공제액]
10. "㊴ 신고불성실가산세"란 및 "㊵ 납부불성실가산세"란에는 「국세기본법」 제45조의3에 따라 기한 후 신고를 하는 경우에 「국세기본법」 제47조, 제47조의2부터 제47조의5까지 및 제48조에 따라 부담할 가산세를 적고, "㊶ 공익법인 등 관련 가산세"란에는 「상속세 및 증여세법」 제78조에 따라 부담할 공익법인 등 관련 가산세를 적습니다.
11. "㊹ 분납"란은 납부할 금액(㉜-㉝-㉞)이 1천만원을 초과하는 경우 다음의 구분에 따른 금액을 적되, 「상속세 및 증여세법」 제71조에 따라 연부연납을 허가받은 경우에는 분납을 신청할 수 없습니다.
    가. 납부할 세액이 2천만원 이하인 경우에는 1천만원을 초과하는 금액
    나. 납부할 세액이 2천만원을 초과하는 경우에는 그 세액의 100분의 50 이하의 금액
12. "㊺ 신고납부"란의 신고납부세액은 「상속세 및 증여세법」 제68조에 따라 증여세과세표준 신고를 할 때 납부할 세액을 적습니다.

PART 3

부동산의 보유관련 세제

제 1 장 종합부동산세

제 2 장 재산세

제 3 장 지역자원시설세

Chapter 01

종합부동산세

제1절 총 설

1 종합부동산세의 개요

종합부동산세는 부동산 보유자간 보유세 부담의 공평성과 부동산가격의 안정을 도모하고, 나아가 지방재정의 균형발전과 국민경제의 건전한 발전을 목적으로 노무현 정부 시절 도입되었다. 2005년 주택가격의 급격한 상승을 막기 위한 8.31대책에 따라 세대별 합산과세가 도입되는 등 납세자의 세부담이 도입 당시보다 대폭 증가하게 되었는데, 이러한 세부담의 급격한 증가는 조세저항, 위헌소지 등 여러 가지 문제점을 야기하게 되었다.

노무현 정부에 이어 출범한 이명박 정부는 종합부동산세가 담세력을 초과하는 과도한 세부담으로 지속되기 어렵다며, 종합부동산세의 세부담을 완화하는 세법개정을 추진하였고, 2008. 11. 13. 헌법재판소의 위헌(세대별 합산과세) 및 헌법불합치(1세대 1주택자에 대한 일률적 과세) 결정까지 더해져 결국 종합부동산세는 2008년에 큰 폭의 세부담 완화개정이 이루어지게 되었다.

이에 따라 2008년에는 세대별 합산과세가 인별 합산과세로 전환되고, 과세기준금액이 상향되었으며, 공정시장가액 비율이 도입되었을 뿐 아니라, 과세표준 구간과 세율이 인하되었고, 1세대 1주택자에 대한 세액공제 제도 등이 도입되었다.

이렇게 세부담이 크게 완화된 종합부동산세는 제도상 큰 틀의 변화없이 현재에 이르고 있으며, 2013년말 국세인 종합부동산세를 지방세로 전환하기 위한 의원입법안이 제출되는 등 지방세 전환과 관련된 일부 논의가 있었으나 해당 법안은 처리되지 못한 상태로, 결국 현재까지 종합부동산세는 국세로 남아 있다.

2 | 목 적(종부법 §1)

종합부동산세는 고액의 부동산 보유자에 대하여 종합부동산세를 부과하여 부동산보유에 대한 조세부담의 형평성을 제고하고, 부동산의 가격안정을 도모함으로써 지방재정의 균형발전과 국민경제의 건전한 발전에 이바지하는 것을 목적으로 하고 있다.

3 | 과세기준일과 부과징수(종부법 §3)

가. 과세기준일

종합부동산세의 과세기준일은 「지방세법」 제114조에 규정된 재산세 과세기준일인 매년 6. 1.이다. 이 경우 매년 6. 1. 현재 소유자가 납세의무자가 되는데 예를 들어 A가 5월에 양도하였다면 A는 종합부동산세(재산세 포함) 납세의무자에 해당하지 않으며, 6. 1. 현재 소유한 양수자가 납세의무자가 되는 것에 유의할 필요가 있다.

나. 부과 · 징수(종부법 §16)

납세지 관할 세무서장은 납부하여야 할 종합부동산세의 세액을 결정하여 당해연도 12. 1.부터 12. 15.까지 종합부동산세를 부과 · 징수하며, 납세고지서에 주택 및 토지로 구분한 과세표준과 세액을 기재하여 납부기간 개시 5일 전까지 해당 납세고지서를 발부하여야 한다.

다만, 종합부동산세를 신고납부방식으로 납부하고자 하는 납세의무자는 종합부동산세의 과세표준과 세액을 당해연도 12. 1.부터 12. 15.까지 대통령령이 정하는 바에 따른 종합부동산세 신고서 등을 관할 세무서장에게 신고할 수도 있다. 이 경우 관할 세무서장이 발부한 고지 · 결정은 없었던 것으로 본다.

4 | 납세지(종부법 §4)

가. 개인 또는 법인으로 보지 아니하는 단체

「소득세법」 제6조의 규정을 준용하여 납세지를 판정한다.

1) 거주자의 납세지

① 주소지(주소지가 없는 경우에는 거소지)
② 법인으로 보지 아니하는 단체의 경우에는 대표자 또는 관리인의 주소지(거소지)

2) 비거주자

① 국내사업장의 소재지(국내사업장이 2 이상 있는 경우에는 주된 국내사업장)
② 국내사업장이 없는 경우에는 국내원천소득이 발생하는 장소
③ 다만, 국내사업장이 없고 국내원천소득이 발생하지 아니하는 주택 및 토지를 소유한 경우에는 그 주택 또는 토지의 소재지(주택 또는 토지가 둘 이상인 경우에는 공시가격이 가장 높은 주택 또는 토지의 소재지)

나. 법인 또는 법인으로 보는 단체

「법인세법」 제9조 제1항 내지 제3항의 규정을 준용하여 납세지를 판정한다.

1) 내국법인

① 등기부상 본점 또는 주사무소의 소재지
② 법인으로 보는 단체의 경우에는 당해 단체의 사업장 소재지

2) 외국법인

① 국내사업장의 소재지(국내사업장이 둘 이상 있는 경우에는 주된 국내사업장)
② 국내사업장이 없는 경우 「법인세법」 제93조 제3호 또는 제7호의 규정에 따른 소득이 있는 경우에는 그 자산의 소재지(2 이상의 자산이 있는 외국법인인 경우에는 국내원천소득이 발생한 장소 중 당해 외국법인이 납세지로 신고한 장소)
③ 다만, 국내사업장이 없고 국내원천소득이 발생하지 아니하는 주택 및 토지를 소유한 경우에는 그 주택 또는 토지의 소재지(주택 또는 토지가 둘 이상인 경우에는 공시가격이 가장 높은 주택 또는 토지의 소재지)

5 | 과세구분 및 세액(종부법 §5)

종합부동산세는 주택에 대한 종합부동산세와 토지에 대한 종합부동산세의 세액을 합한 금액을 그 세액으로 한다. 토지에 대한 종합부동산세의 세액은 「종합부동산세법」 제14조 제1항 내지 제3항의 규정에 의한 토지분 종합합산세액과 같은 조 제4항 내지 제6항의 규정에 의한 토지분 별도합산세액을 합한 금액이 된다.

종합부동산세	주택분 종합부동산세	
	토지분 종합부동산세	토지분 종합합산과세(종부법 §14 ①)
		토지분 별도합산과세(종부법 §14 ④)

〈참고〉 재산세 및 종합부동산세 과세대상 구분

구 분		과세대상	재산세 (지방세)	종합부동산세 (국세)
주 택		• 공동주택, 단독주택 등 모든 주택(토지 · 건물 통합평가)	물건별 과세 0.1~0.4%	인별로 전국합산하여 공시가격 6억원 초과분(1세대 1주택 9억원)에 대해 0.5~3.2% 세율로 과세
토지	종합합산	• 나대지 등	시군별, 인별합산 0.2~0.5%	인별로 전국합산하여 공시가격 5억원 초과분에 대해 1~3% 세율로 과세
	별도합산	• 상가 등 영업용건축물 토지 • 물류시설, 주차장, 운동시설토지 • 공장용지(도시지역 내)	시군별, 인별합산 0.2~0.4%	인별로 전국합산하여 공시가격 80억원 초과분에 대해 0.5~0.7% 세율로 과세
	분리과세 (농지 · 공장 등)	• 전 · 답 · 목장용지 · 임야 • 공장용지(읍면지역, 공단 · 산업 단지 내) • 골프장	0.07% 0.2% 4%	종합부동산세 과세제외
건축물		• 주택 이외의 일반건물 • 골프장 · 별장 · 고급오락장용건축물 • 주거 · 녹지 · 상업지역내 공장용건축물	0.25% 4.0% 0.5%	종합부동산세 과세제외

6 | 공정시장가액

공정시장가액은 부동산가격의 급등, 급락시에도 적정한 수준의 세부담이 유지될 수 있도록 하기 위해 2008년말 「종합부동산세법」 개정시 도입되었으며, 현재는 공시가격의 일정수준(90%)에서 탄력적으로 조정할 수 있도록 하였다. 공정시장가액비율은 아래 적용방법에서 보듯이 해당 과세대상 재산의 공시가격에서 과세기준금액을 차감한 후의 금액에 적용한다.

이후 2019년 「종합부동산세법」 개정 시 부동산 자산에 대한 지속적인 과세형평 제고를 통해 부동산 보유에 대한 세부담을 합리화 한다는 취지로 2019년 귀속분부터 5%씩 순차로 인상하여 2022년에는 100%가 될 수 있도록 개정하였다.

가. 공정시장가액 적용방법

종합부동산세 과세표준 = (공시가격 - 과세기준금액*) × 공정시장가액비율**

* 주택분 : 6억원(1세대 1주택 9억원), 별도합산토지분 : 80억원, 종합합산토지분 : 5억원

** 90%

7 | 비과세 · 감면 등

「지방세특례제한법」 또는 「조세특례제한법」에 의한 재산세의 비과세 · 과세면제 또는 경감에 관한 규정(재산세의 감면규정)은 종합부동산세를 부과함에 있어서 이를 준용하도록 하고 있다(종부법 §6). 재산세의 감면규정을 준용하는 구체적인 방법은 그 감면대상인 주택 또는 토지의 공시가격에서 그 공시가격에 재산세 감면비율(비과세 또는 과세면제의 경우에는 이를 100분의 100으로 봄)을 곱한 금액을 공제한 금액을 공시가격으로 보는 방식으로 적용한다.

8 | 물 납

종전(2016. 3. 2. 이전)에는 종합부동산세에 대해 물납을 허용하였으나, 종합부동산세가 특정 자산을 보유하는 사실에 대하여 과세하는 보유세로 일시·우발적인 상황에 따라 발생하는 조세채무가 아닌 매년 일정시점에 일정액의 조세를 부담하기 때문에 물납제도의 기본취지에 합당하지 않는 제도일 뿐만 아니라 물납제도의 이용이 거의 없는 실정이라는 이유[1]로 종합부동산세의 물납제도가 폐지되었다. 따라서 2016. 3. 2. 이후 납세의무가 성립하는 분에 대한 종합부동산세의 물납은 허용되지 않는다.

9 | 분 납

관할 세무서장은 종합부동산세로 납부하여야 할 세액이 2.5백만원을 초과하는 경우에는 그 세액의 일부를 납부기한이 경과한 날부터 6개월 이내에 분납하게 할 수 있다. 납세고지서를 받은 자가 분납하려는 때에는 종합부동산세 납부기한 이내에 분납신청서를 관할 세무서장에게 제출하여야 한다.

1) 분납할 세액

① 납부세액 2.5백만원 초과 5백만원 이하 : 종합부동산세 납부세액 – 2.5백만원
② 납부세액 5백만원 초과 시 : 종합부동산세 납부세액의 50% 이하의 금액

1) 종합부동산세법 일부개정안(법률 제14050호, 2016. 3. 2., 일부개정) 개정이유.

| 종합부동산세 세액계산 흐름도 |

구　분	주택분	종합합산 토지분	별도합산 토지분
Σ공시가격	Σ 주택 공시가격	Σ 종합합산 토지 공시가격	Σ 별도합산 토지 공시가격
−		−	
공 제 금 액	**6억원**(1세대 1주택 9억원)	**5억원**	**80억원**
×		×	
공정시장 가액비율	85%('19년), 90%('20년), 95%('21년), 100%('22년 이후)		
=		=	
종 부 세 과세표준	주택분 종합부동산세 과세표준	종합합산 토지분 종합부동산세 과세표준	별도합산 토지분 종합부동산세 과세표준
×		×	

세 율(%)

과세표준	일반		3주택 등	
	세율	누진공제	세율	누진공제
3억원 이하	0.5	−	0.6	−
6억원 이하	0.7	60만원	0.9	90만원
12억원 이하	1	240만원	1.3	330만원
50억원 이하	1.4	720만원	1.8	930만원
94억원 이하	2	3,720만원	2.5	4,430만원
94억원 초과	2.7	10,300만원	3.2	11,010만원

과세표준	세율	누진공제
15억원 이하	1.0	−
45억원 이하	2.0	1,500만원
45억원 초과	3.0	6,000만원

과세표준	세율	누진공제
200억원 이하	0.5	−
400억원 이하	0.6	2,000만원
400억원 초과	0.7	6,000만원

구　분	주택분	종합합산 토지분	별도합산 토지분
=		=	
종합부동산 세　액	주택분 종합부동산세액	토지분 종합합산세액	토지분 별도합산세액
−		−	
공 제 할 재산세액	재산세로 부과된 세액 중 종합부동산세 과세표준금액에 부과된 재산세 상당액 ⇨ 과세대상 유형별(주택, 종합합산 토지, 별도합산 토지)로 구분하여 계산		
=		=	
산출세액	주택분 산출세액	종합합산 토지분 산출세액	별도합산 토지분 산출세액
−			
세액공제(%)	〈1세대 1주택〉 보유 : 5년(20), 10년(40), 15년(50) 연령 : 60세(10), 65세(20), 70세(30) ⇨ 중복적용 가능(한도 70%)	해당 없음	해당 없음
−		−	
세부담상한 초과세액	[직전년도 총세액상당액(재산세 + 종부세) × 세부담상한율]를 초과하는 세액 ⇨ 세부담상한율 : 조정대상지역 2주택(200%), 3주택(300%), 그 외(150%)		
=			
납 부 할 세　액	각 과세유형별 세액의 합계액 [250만원 초과 시 분납 가능(6개월)]		

* 국세청 종합부동산세 세액계산흐름도 자료

제 2 절 주택에 대한 과세

1 주택분 종합부동산세 납세의무자(종부법 §7)

과세기준일 현재 주택분 재산세의 납세의무자로서 국내에 있는 재산세 과세대상인 주택의 공시가격을 합산한 금액이 6억원(1세대 1주택자의 경우는 9억원)을 초과하는 자는 종합부동산세를 납부할 의무가 있다.

2014. 1. 1. 위탁자의 체납세액 증가 및 신탁을 이용한 체납처분 회피를 방지하고자 지방세법을 개정하여 「신탁법」에 따른 신탁재산에 대한 재산세 납세의무자를 위탁자에서 신탁재산의 소유자인 수탁자로 변경함에 따라 「신탁법」에 따른 신탁재산에 대한 종합부동산세 납세의무자도 수탁자로 변경되었다. 이 경우 신탁재산에 속하는 과세대상 물건과 수탁자의 고유재산에 속하는 과세대상 물건은 서로 합산하지 않고, 위탁자별로 구분되는 신탁재산에 속하는 과세대상 물건의 경우 위탁자별로 각각 합산하여 과세하며, 위탁자별로 구분된 재산에 대한 납세의무자는 각각 다른 납세의무자로 보도록 하고 있다(지세법 §106 ③, §107 ① 3호).

참고 **주택 중 별장에 대해 종합부동산세를 부과하지 않는 이유**

별장에 대하여는 고율(4%)로 재산세를 부과하기 때문으로 별장을 종합부동산세 과세대상으로 한다면 고율로 부과된 재산세액을 공제함으로써 오히려 환급세액이 발생할 수도 있음.

가. 주택의 공시가격 합계액

“공시가격”이라 함은 「부동산 가격공시에 관한 법률」에 따라 가격이 공시되는 주택 및 토지에 대하여 동법에 따라 공시된 가액을 말하는 것으로 주택의 공시가격 합계액이란 납세의무자별로 주택의 공시가격을 합산한 금액을 말하는 것이다.

과세기준일 현재 세대원 중 1인이 해당 주택을 단독으로 소유한 경우로서 1세대 1주택자의 경우에는 그 합산한 금액에서 3억원을 공제하도록 하고 있다. 즉 1세대 1주택자의 경우에는 납세의무자별 주택의 공시가격이 9원을 초과하는 경우에만 종합부동산세가 과세되는 것이다.

2 | 1세대 1주택

가. 범 위(종부령 §2의 3)

1세대 1주택자란 세대원 중 1명만이 주택분 재산세 과세대상인 1주택만을 소유한 경우로서 그 주택을 소유한 「소득세법」 제1조의 2 제1항 제1호에 따른 거주자를 말한다. 이 경우 다가구주택은 1주택으로 보되, 합산배제 임대주택으로 신고한 경우에는 1세대가 독립하여 구분 사용할 수 있도록 구획된 부분을 각각 1주택으로 보도록 하고 있다.

1세대 1주택 여부 판단시 1세대가 소유한 주택 수 계산에서 아래 주택은 제외하도록 하고 있다. 다만, 합산배제 신고한 임대주택(①)을 소유한 세대가 아래 주택 외의 주택을 소유하고 있는 경우에 과세기준일 현재 그 주택에 주민등록이 되어 있고 실제 거주하고 있는 경우에 한하여 1세대 1주택자에 대한 특례를 적용받을 수 있다. 즉, 임대주택 외에 거주용 자가주택을 1주택 소유한 경우 과세기준일 현재 거주용자가주택에 주민등록이 되어 있고 실제 거주하여야만 해당 거주주택에 대해서 1세대 1주택에 대한 「종합부동산세법」상 특례를 적용받을 수 있다는 것이다.

① 합산배제 신고한 임대주택
② 「문화재보호법」 제53조 제1항에 따른 국가등록문화재 주택

다만, 납세의무자가 1주택(주택의 부수토지만 소유한 경우 제외)과 다른 주택의 부수토지만을 소유한 경우에는 1세대 1주택자로 본다.

아울러, 상속주택, 농어촌주택, 소수지분 주택(공동소유주택), 건물 또는 부수토지만 소유한 경우에도 이를 주택 수에 포함하여 1세대 1주택자를 판단한다.

나. 세 대(종부령 §1의 2)

주택 또는 토지의 소유자 및 그 배우자가 그들과 동일한 주소 또는 거소에서 생계를 같이하는 가족과 함께 구성하는 1세대를 말하는 것이며, 여기서 가족이란 주택 또는 토지의 소유자와 그 배우자의 직계존비속(그 배우자를 포함) 및 형제자매를 말하고, 취학 · 질병

의 요양·근무상 또는 사업상의 형편으로 본래의 주소 또는 거소를 일시퇴거한 자를 포함한다.

다음 어느 하나에 해당하는 경우에는 배우자가 없는 때에도 이를 1세대로 본다.

① 30세 이상인 경우
② 배우자가 사망하거나 이혼한 경우
③ 「소득세법」 제4조의 규정에 따른 소득이 「국민기초생활보장법」 제2조 제11호의 규정에 따른 기준 중위소득의 100분의 40 이상으로서 소유하고 있는 주택 또는 토지를 관리·유지하면서 독립된 생계를 유지할 수 있는 경우. 다만, 미성년자의 경우를 제외하되, 미성년자의 결혼, 가족의 사망 그 밖에 기획재정부령이 정하는 사유로 1세대의 구성이 불가피한 경우에는 그러하지 아니하다.

[세대의 특례]

① 혼인함으로써 1세대를 구성하는 경우에는 혼인한 날부터 5년 동안은 주택 또는 토지를 소유하는 자와 그 혼인한 자별로 각각 1세대로 본다.
② 동거봉양(同居奉養)하기 위하여 합가(合家)함으로써 과세기준일 현재 60세 이상의 직계존속(직계존속 중 어느 한 사람이 60세 미만인 경우를 포함)과 1세대를 구성하는 경우에는 제1항에도 불구하고 합가한 날부터 10년 동안(합가한 날 당시는 60세 미만이었으나, 합가한 후 과세기준일 현재 60세에 도달하는 경우는 합가한 날부터 10년의 기간 중에서 60세 이상인 기간 동안) 주택 또는 토지를 소유하는 자와 그 합가한 자별로 각각 1세대로 본다.

다. 「종합부동산세법」상 1세대 1주택자에 대한 혜택(종부법 §8, §9)

1) 주택의 공시가격 합산시 공제액 상향

주택의 공시가격 합산시 9억원(1세대 1주택자가 아닌 경우 6억원)을 공제

2) 1세대 1주택자에 대한 세액공제(종부법 §9 ⑥, ⑦)

1세대 1주택자는 고령자 공제 및 장기보유 공제의 적용이 가능하며 두 공제는 중복 적용할 수 있다.

① 고령자 공제

과세기준일 현재 만 60세 이상인 1세대 1주택자에 대하여는 종합부동산세 산출세액에 아

래 표에 따른 연령별 공제율을 곱한 금액을 공제한다.

연 령	공제율
만 60세 이상 만 65세 미만	10%
만 65세 이상 만 70세 미만	20%
만 70세 이상	30%

② 장기보유 공제

1세대 1주택자로서 해당 주택을 과세기준일 현재 5년 이상 장기보유한 경우에는 종합부동산세 산출세액에서 아래 표에 보유기간별 공제율을 곱한 금액을 공제하며, 주택의 보유기간 산정시 소실(燒失)·도괴(倒壞)·노후(老朽) 등으로 인하여 멸실되어 재건축 또는 재개발하는 주택에 대하여는 그 멸실된 주택을 취득한 날부터, 배우자로부터 상속받은 주택에 대하여는 피상속인이 해당 주택을 취득한 날부터 보유기간을 계산한다.

보유기간	공제율
5년 이상 10년 미만	20%
10년 이상 15년 미만	40%
15년 이상	50%

| 주택의 개념(「주택법」 §2 1호) |

구 분	종 류	요 건
단독주택 (공동주택을 제외한 주택)	단독주택	다중주택, 다가구주택, 공관 이외의 단독주택
	다중주택	학생·직장인 등 다수인이 장기간 거주할 수 있는 구조로서 ① 독립된 주거의 형태가 아닐 것 ② 연면적 330㎡ 이하 ③ 3개층 이하
	다가구주택	① 3층 이하 ② 1개 동의 주택연면적이 660㎡ 이하 ③ 19세대 이하
	공 관	국가 및 지방자치단체가 보유한 주택

구 분	종 류	요 건
공동주택 (건축물의 벽·복도·계단이나 그 밖의 설비 등의 전부 또는 일부를 공동으로 사용하는 각 세대가 하나의 건축물 안에서 각각 독립된 주거생활을 영위할 수 있는 구조로 된 주택)	아파트	주택으로 쓰는 층수가 5개층 이상인 주택
	연립주택	① 4층 이하 ② 주택으로 쓰는 1개 동의 바닥면적 합계가 660㎡ 초과
	다세대 주택	① 4층 이하 ② 주택으로 쓰는 1개 동의 바닥면적 합계가 660㎡ 이하

관련예규 및 판례요약

주택분 종부세 납세의무자 : 종부법 §7

주택분 종부세 납세의무자와 관련된 예규, 판례

조심 2019서 1031, 2019. 10. 16.

「신탁법」상 신탁재산의 경우 종합부동산세 과세표준을 위탁자(조합원)별로 구분하여 과세표준과 세액을 결정해야 하고, 이에 따를 경우 청구조합이 쟁점부동산의 재산세 납세의무자가 아닌데도 이를 전제로 하여 청구조합에게 종합부동산세를 과세한 이 건 처분이 위법 부당하다는 청구조합의 주장은 받아들이기 어려운 것으로 판단됨.

서면-2019-부동산-0290, 2019. 7. 9.

임대개시일 또는 최초로 합산배제 신고를 한 연도의 과세기준일 현재 해당 임대주택의 공시가격이 없는 경우 「지방세법」 제4조 제1항 단서 및 같은 조 제2항에 따른 가액으로 적용하는 것임.

서울행정법원 2018구합 73423, 2019. 5. 16.

원고와 조합원들 사이에 신탁을 설정하였고, 이 사건 주택은 수탁자인 원고가 신탁재산의 처분으로 얻은 재산으로서 신탁재산에 속하고 위탁자별로 구분되어 있다 할 것이므로 위탁자인 조합원별로 합산하여 종합부동산세 과세표준을 산정하여야 하는데 조합원별로 합산한 금액이 과세기준금액을 초과하지 않음이 명백하므로, 이 사건 처분은 위법함(국패).

조심 2018서 3950, 2018. 11. 22.

청구인은 쟁점토지가 평생교육시설로 사용되기만 하면 되는 것으로 소유자가 평생교육시설로 사용하여야 하는 것은 아니라는 주장이나, 청구인이 동일한 주장으로 제기한 재산세의 심판청구에서 특별한 사정이 없는 한 제3자로 하여금 쟁점토지를 사용하도록 하는 것은 직접사용에 해당하지 않는다고 결정된 점, 「종합부동산세법」 제6조에 따라 종합부동산세의 부과 등은 지방세법을 준용하는 것이므로, 쟁점토지를 과세대상에 합산하여 종합부동산세를 부과한 이 건 처분은 달리 잘못이 없는 것으로 판단됨.

조심 2018중 2358, 2018. 9. 17.

쟁점학교용지등 중 학교용지는 나대지로 재산세 종합합산과세가 이루어졌고, 나머지 견본주택용지는 건축물의 부속토지로 재산세 별도합산과세가 이루어졌으므로 쟁점학교용지등은 과세기준일 현재 '주택건설사업에 제공되고 있는 토지'로 보기 어려운 점 등에 비추어 쟁점학교용지등이 종합부동산세 비과세 대상에 해당한다는 청구주장을 받아들이기 어려움.

서울행정법원 2016구합 79441, 2018. 4. 26.

과세기준일 당시 건물의 구조 및 용도가 주택에 해당하는 건축물이라고 하더라도 객관적 사정에 비추어 주택이 아닌 다른 용도로 사용될 것임이 명백하게 드러나는 특별한 사정이 있는 경우에는 종합부동산세법의 입법 목적이나 취지에 비추어 위 법에 따른 과세대상인 주택에 해당하지 않는다고 보아야 함(국패).

부산고등법원 2017누 23100, 2017. 12. 8.

원고와 CCCC 사이에 임대사업자의 지위 및 이 사건 임대주택의 소유권을 이전하는 내용의 매매계약이 체결되었으나 분양승인금액의 확정문제, 부도 임대주택 등의 승계를 위한 EE군의 사전승인문제, 임차인들의 반발 등으로 매매계약에 따른 이행이 이루어지지 아니하였고, 구 임대주택법 시행령 제7조 제2항에 의하면 임대를 목적으로 주택을 매입하기 위한 계약만 체결한 경우에도 임대사업자에 대한 등록이 이루어지는 등 이 사건 과세기준일 당시 CCCC가 이 사건 임대주택에 대한 소유권 취득의 실질적 요건은 모두 갖추고 있었으나 그 형식적 요건인 소유권이전등기만을 갖추고 있지 아니한 경우에 해당한다고 볼 수 없다.

서울고등법원 2017누 48330, 2017. 11. 1.

종합부동산세법 제7조 제1항은 주택에 대한 종합부동산세의 납세의무자를 "과세기준일 현재 주택분 재산세의 납세의무자"로, 제12조 제1항은 토지에 대한 종합부동산세의 납세의무자를 "과세기준일 현재 토지분 재산세의 납세의무자"로 규정하고 있고, 지방세법 제104조는 재산세에서 사용하는 용어의 뜻을 정의하면서 토지와 건축물과 주택을 각각 별도로 정의하고 특히 제3호 후문에서는 토지와 건축물의 범위에서 주택은 제외한다고 규정하고 있으며, 제105

조에서도 주택을 토지와 건축물과는 별도의 과세대상으로 규정하고 있는 바, 위 각 규정의 내용을 종합하여 보면, 주택의 부속토지는 지방세법상 재산세의 과세대상으로서는 토지가 아니라 주택에 해당된다고 보는 것이 타당하므로 주택의 부속토지에 대한 재산세의 납세의무자는 토지분 재산세의 납세의무자가 아니라 주택분 재산세의 납세의무자에 해당되는 것으로 보아야 하며 그 결과 주택분 종합부동산세의 납세의무자에 해당된다고 할 것임.

서울행정법원 2016구합 76015, 2017. 6. 2.

해외선교사 거주용 부동산은 종교단체인 원고의 목적사업에 직접 사용되는 부동산이 아니라서 구 지방세특례제한법 등에 따라 재산세 면제대상에 포함되지 않는다고 본 이 사건 처분은 적법함.

조심 2017서 0608, 2017. 5. 8.

청구인이 종전주택과 새로운 주택을 보유하여 2016. 6. 1. 현재 공시가격 합계액이 과세기준을 초과하여 종합부동산세법 납세의무자에 해당되는 사실이 확인되고, 종합부동산세법은 일시적 1세대 2주택자에 대하여 과세를 제외하는 별도 규정이 없으므로 청구인의 주장은 받아들이기 어려움

조심 2016서 0090, 2017. 3. 2.

쟁점토지는 소유자에 대한 보상없이 도시공원으로 조성되어 사용되고 있는 토지로, 과세기준일 현재 종합부동산세 과세대상에 해당하지 않는 것으로 보이므로 청구법인에게 종합부동산세를 과세한 처분은 잘못이 있음.

대법원 2010두 3138, 2016. 12. 29.

종합부동산세법 제6조 제4항은 시 · 군의 감면조례에 의한 재산세의 감면규정이 전국적인 과세형평을 저해하는 것으로 인정되는 경우에는 종합부동산세를 부과할 때 재산세감면조례를 준용하지 아니한다고 규정하고 있는 바, 이 사건 처분은 국세기본법 제18조 제1항 등에 위반하여 종합부동산세의 과세대상인 부동산의 소재지에 따라 그 감면 여부를 달리 한 경우에 해당하여 위법한 처분이라고 보아야 할 것임.

조심 2016서 0785, 2016. 5. 17.

「지방세법」 제104조 제3호에서 '주택'이라 함은 「주택법」 제2조 제1호에 따른 주택으로 건축물의 전부 또는 일부 및 그 부속토지를 말한다고 규정하고 있고, 「지방세법」 제7조 제1항에서 주택의 건물과 부속토지의 소유자가 다를 경우에는 건축물과 그 부속토지의 시가표준액 비율로 안분계산한 부분에 대하여 그 소유자를 재산세 납세의무자로 본다고 규정하고 있는 바, 쟁점토지의 토지 소유분에 대하여 주택분 종합부동산세를 과세대상으로 보아 청구인에게 종합부동산세를 과세한 이 건 처분은 잘못이 없음.

조심 2015전 2849, 2015. 12. 3.

청구법인은 「주택법」 제32조에 따라 주택조합 설립인가된 지역주택조합이고, 이 건 과세기준일 현재 쟁점토지는 「신탁법」에 따라 수탁자인 청구법인 명의로 신탁등기된 신탁재산에 해당하지 않으므로 「지방세법」 제107조를 적용할 수 없다고 봄이 타당한 점에 비추어 처분청이 청구법인을 납세의무자로 보아 종합부동산세를 과세한 이 건 처분은 잘못이 없음.

조심 2015중 461, 2015. 3. 5.

상속 등기를 이행하지 아니하고 사실상 소유자 신고를 하지 아니한 쟁점주택에 대하여 상속지분이 가장 높은 청구인을 주된 상속자로 보아 종합부동산세 등을 과세한 처분은 잘못이 없음.

재조세-104, 2015. 2. 3.

「신탁법」에 따라 수탁자 명의로 신탁등기된 신탁재산에 대해 국세인 종합부동산세가 체납된 경우 수탁자의 고유재산에 대해서는 압류할 수 없고 해당 재산에 대해서만 압류할 수 있는 것임.

대법 2012두 26852, 2014. 11. 27.

종합부동산세의 납세의무자인 수탁자는 위탁자별로 산정한 각각의 종합부동산세액과 자신의 고유재산에 관하여 산정한 종합부동산세액을 합산한 금액을 납부할 의무가 있다고 보는 것이 타당함.

종부-10, 2012. 11. 23.

공실인 다가구주택을 매입하여 과세기준일 이후 멸실하여 사실상 다세대주택의 신축용지로 사용하는 경우, 과세기준일 현재 주택의 공시가격을 합산한 금액이 6억원을 초과하는 경우 종합부동산세 과세대상임.

서울고법 2011누 39020, 2012. 5. 17.

임대사업자로 등록하기 이전에 임대주택을 임대하였다고 하더라도 그 기간은 합산배제 임대주택의 요건 중 하나인 의무임대기간 5년에 포함된다고 볼 수 없으므로 임대사업자 등록 후 주택을 임대한 기간이 5년을 충족하지 못하여 합산배제 임대주택에 해당한다고 볼 수 없음.

심사종부 2011-3, 2012. 2. 16.

의무임대기간의 기산일은 지방자치단체장에게 임대사업자등록을 하여 「임대주택법」상 임대사업자의 지위를 갖추어 임대를 개시한 날로 해석함이 타당함.

대법 2011두 10508, 2011. 9. 8.

2007. 8. 6. 「종합부동산세법」 개정 이전에는 임대주택법에 의하여 임차인에게 분양전환된 임

대주택의 경우에는 당초 임대기간 동안 계속하여 임대하는 것으로 간주되지 않으므로, 「종합부동산세법」에 정한 임대주택 합산배제대상에 해당되지 않는다는 전제에서 한 부과처분은 적법함.

종부 - 20, 2011. 8. 9.

동거봉양하는 직계존속이 사망하는 경우에는 주택을 소유하는 자와 그 합가한 자별로 각각 1세대로 볼 수 없으며, 동거봉양하는 직계존속으로부터 상속받은 주택을 상속인의 다른 주택과 함께 주택 수에 포함하여 1세대 1주택자 여부를 판단함.

조심 2011서 910, 2011. 6. 20.

선행 세목인 재산세에 경정이 없더라도 후행 세목인 종합부동산세만을 경정할 수 있으며, 종합부동산세 과세기준일 현재 사무실로 사용하기 위하여 증축 등이 있었으므로 동 건물은 주택에서 제외하여 종합부동산세를 과세하는 것이 타당함.

종부 - 1, 2011. 1. 11.

주택을 사업용(하숙집)으로 사용하여 주택임대업으로 사업자등록 할 수 없는 경우에는 임대주택으로 합산배제할 수 없음.

대법 2010두 10501, 2010. 10. 14.

명의신탁에 해당한다고 봄이 상당하므로 당해 부동산에 대한 종합부동산세 납세의무자는 명의수탁자가 아니라 당해 부동산에 대하여 실질적인 소유권을 가진 자임.

종부 - 37, 2010. 8. 18.

「종합부동산세법」상 건설임대주택은 일정한 규모 · 공시가격 · 호수 · 임대기간 기준을 충족하는 「임대주택법」 제2조 제2호에 따른 임대주택을 말하며, 「임대주택법」에 따라 임대사업자의 (공공)건설임대주택을 승계받은 경우 당해 임대주택은 (공공)건설임대주택에 해당함.
(공공)건설임대주택으로서 「임대주택법 시행령」 제13조 제2항 제3호에 따라 임차인에게 분양전환하는 경우에 임대의무기간을 충족하지 못하게 되는 때에도 「종합부동산세법 시행령」 제3조 제7항 제5호 나목에 따라 임대개시일부터 임대의무기간 종료일까지 계속 임대하는 것으로 보는 것임.

심사종부 2008 - 7, 2008. 4. 28.

임의경매된 배우자 소유주택이 종합부동산세 과세기준일 이후에 소유권이 이전되었으므로 합산과세한 것은 정당함.

심사종부 2008 - 6, 2008. 4. 14.

종합부동산세 과세대상 주택을 매도하려고 하였으나 매수인이 가처분금지신청을 하여 소송

진행중이어서 계속 보유하고 있다 하더라도 종합부동산세 과세대상에서 제외할 수 없음.

서면5팀-3306, 2007. 12. 26.

타인 소유 주택의 부수토지의 일부를 소유하고 있는 개인의 경우 당해 주택의 부수토지는 세대별로 보유하고 있는 주택에 합산하여 종합부동산세를 과세하는 것임.

서면5팀-3279, 2007. 12. 21.

「종합부동산세법」 제7조 규정을 적용함에 있어 세대라 함은 주택의 소유자 및 그 배우자가 그들과 동일한 주소 또는 거소에서 생계를 같이하는 가족과 함께 구성하는 1세대를 말하는 것임.

국심 2007서 3647, 2007. 12. 4.

동일 세대원으로 보는 부부관계는 법률상 혼인 여부로 판단하며, 부부는 주민등록상 주소지가 서로 다른 경우에도 동일 세대원으로 보아 부부의 주택을 합산하여 종합부동산세 과세표준을 산출하는 것임.

국심 2007구 492, 2007. 11. 13.

과세기준일 현재 멸실되지 않고 주택으로 존재하는 주택에 대하여 단지 앞으로 철거가 예상된다 하여 이를 주택이 아니라 사실상 토지에 해당한다고 볼 수는 없으므로 종합부동산세를 과세한 것은 정당함.

서면5팀-2883, 2007. 11. 5.

합산배제 기타 주택의 미분양주택이란 과세기준일 현재 「소득세법」 또는 「법인세법」의 사업자등록을 한 자가 건축하여 소유하는 주택으로서 미분양주택 규정을 충족하는 주택을 말하는 것임.

서면5팀-1759, 2007. 6. 8.

「종합부동산세법」 제7조를 적용함에 있어 세대란 형식상의 주민등록내용에 불구하고 실질적인 생활관계 등을 고려하여 사실판단할 사항임.

서면5팀-1466, 2007. 5. 4.

주택재건축 사업 시행으로 주택 철거 중인 경우 종합부동산세 과세대상에 해당하는지 여부는 사실판단할 사항임.

심사종부 2006-9, 2007. 4. 10.

당초 분양목적으로 건설하였다가 분양이 여의치 않아 임대목적으로 전환한 임대주택은 건설임대주택에 해당하지 않음.

서면4팀-222, 2006. 2. 7.

「지방세법」 제186조 제1호의 규정에 의한 비영리사업자가 그 사업에 직접 사용하는 부동산은 종합부동산세 과세대상에서 제외하는 것임.

서면4팀-2589, 2005. 12. 22.

종합부동산세 합산배제 임대주택의 사업자등록은 임대주택의 소재지를 사업장으로 하여야 하나, 「임대주택법」에 의하여 등록한 사업자는 그 등록한 주소지(사업장 소재지)를 사업장으로 하여 관할 세무서장에게 사업자등록을 신청할 수 있음.

서면4팀-2534, 2005. 12. 19.

종합부동산세 합상배제 미분양주택(종부규칙 §4)에는 과세기준일 이전에 분양계약을 체결하고 과세기준일 현재 잔금청산 또는 소유권이전등기가 되지 아니한 주택을 포함하는 것임.

서면4팀-2445, 2005. 12. 8.

2005. 1. 5. 이전부터 임대하고 있는 임대주택으로 2005년 과세기준일 현재 2호 이상의 주택(국민주택 규모 이하)을 임대사업자 등록과 사업자등록을 한 경우 종합부동산세 합산대상에서 배제됨.

3 | 주택분 종합부동산세의 과세표준

가. 과세표준

주택에 대한 종합부동산세의 과세표준은 납세의무자별로 주택의 공시가격을 합산한 금액에서 6억원(1세대 1주택자의 경우 9억원)을 공제한 금액에 부동산 시장의 동향과 재정 여건 등을 고려하여 100분의 60부터 100분의 100까지의 범위에서 정한 공정시장가액비율(2020년의 경우 90%)을 곱한 금액으로 한다(종부법 §8).

주택분 종합부동산세 과세표준 = (공시가격 - 과세기준금액*) × 공정시장가액비율(90%)

* 6억원(1세대 1주택자는 9억원)

나. 과세표준 합산배제 주택

주택에 대한 종합부동산세의 과세표준은 납세의무자별로 주택의 공시가격을 합산하여 계산하나, 과세표준 합산배제 주택은 합산에서 제외하며 이는 결국, 종합부동산세 과세대상에서 제외한다는 것이 된다.

합산배제 임대주택이나 사원용주택 등의 규정을 적용받으려는 때에는 9. 30.까지 합산배제신고서에 따라 관할 세무서장에게 신고하여야 한다. 다만, 최초의 합산배제 신고를 한 연도의 다음연도부터는 변동사항이 없는 경우에는 신고하지 아니할 수 있다.

1) 합산배제 임대주택(종부령 §3)

「공공주택 특별법」 제4조에 따른 공공주택사업자 또는 「민간임대주택에 관한 특별법」 제2조 제7호에 따른 임대사업자(이하 '임대사업자'라 한다)로서 과세기준일 현재 「소득세법」 및 「법인세법」에 따른 주택임대업 사업자등록(이하 '사업자등록'이라 한다)을 한 자가 과세기준일 현재 임대하거나 소유하고 있는 다음의 어느 하나에 해당하는 주택. 이 경우 과세기준일 현재 임대를 개시한 자가 합산배제 신고기간 종료일(9. 30.)까지 임대사업자로서 사업자등록을 하는 경우에는 해당연도 과세기준일 현재 임대사업자로서 사업자등록을 한 것으로 본다.

① **건설임대주택**(종부령 §3 ① 1호)

다음의 요건을 모두 갖춘 주택이 2호 이상인 경우 그 주택. 다만, 민간건설임대주택의 경우에는 2018. 3. 31. 이전에 「민간임대주택에 관한 특별법」 제5조에 따른 임대사업자등록과 사업자등록을 한 주택으로 한정한다.

㉠ 전용면적 149㎡(45평) 이하로서 2호 이상의 주택의 임대를 개시한 날(2호 이상의 주택의 임대를 개시한 날 이후 임대를 개시한 주택의 경우에는 그 주택의 임대개시일) 또는 최초로 합산배제 신고를 한 연도의 과세기준일의 공시가격이 6억원 이하일 것

㉡ 5년 이상 계속하여 임대하는 것일 것

㉢ 임대보증금 또는 임대료(이하 '임대료 등'이라 한다)의 증가율이 100분의 5를 초과하지 않을 것(임대계약 체결 또는 임대료 증액 후 1년 이내 재증액 불가하고 임대보증금과 월임대료 전환은 민간임대주택법 준용)

② **매입임대주택**(종부령 §3 ① 2호)

다음의 요건을 모두 갖춘 주택. 다만 「민간임대주택에 관한 특별법」 제2조 제3호에 따른 민간임대주택의 경우에는 2018. 3. 31. 이전에 임대사업자 및 사업자등록을 한 주택으로 한정

㉠ 전용면적 $149m^2$(45평) 이하로서 주택의 임대를 개시한 날 또는 최초로 합산배제 신고를 한 연도의 과세기준일의 공시가격이 6억원(수도권 밖의 지역인 경우에는 3억원) 이하일 것

㉡ 5년 이상 계속하여 임대하는 것일 것

㉢ 임대료 등의 증가율이 100분의 5를 초과하지 않을 것

③ **기존임대주택**(종부령 §3 ① 3호)

임대사업자의 지위에서 2005. 1. 5. 이전부터 임대하고 있던 임대주택으로서 다음의 요건을 모두 갖춘 주택이 2호 이상인 경우 그 주택

㉠ 국민주택 규모 이하로서 2005년도 과세기준일의 공시가격이 3억원 이하일 것

㉡ 5년 이상 계속하여 임대하는 것일 것

④ **민간건설 미임대주택**(종부령 §3 ① 4호)

다음의 요건을 모두 갖춘 주택

㉠ 전용면적 $149m^2$(45평) 이하로서 합산배제 신고를 한 연도의 과세기준일 현재의 공시가격이 6억원 이하일 것

㉡ 사용승인 또는 사용검사필증 교부일부터 과세기준일 현재까지의 기간동안 임대된 사실이 없고, 그 임대되지 아니한 기간이 2년 이내일 것

⑤ **리츠 · 펀드에 의한 매입임대주택**(종부령 §3 ① 5호)

부동산투자회사 또는 부동산간접투자기구가 2008. 1. 1.부터 12. 31.까지 취득 및 임대하는 매입임대주택으로서 다음 요건을 모두 갖춘 주택이 5호 이상인 경우의 그 주택

㉠ 전용면적 $149m^2$(45평) 이하로서 2008년도 과세기준일의 공시가격이 6억원 이하일 것.

㉡ 10년 이상 계속하여 임대하는 것으로 수도권 밖의 지역에 위치할 것

⑥ **미분양 매입임대주택**(종부령 §3 ① 6호)

매입임대주택으로서 「주택법」 제54조에 따른 주택을 공급하는 사업주체가 공급하는 주택으로서 입주자모집공고에 따른 입주자의 계약일이 지난 주택단지에서 2008. 6. 10.까지 분양계약이 체결되지 아니하여 선착순의 방법으로 공급하는 주택으로서 2008. 6. 11.부터 2009. 6. 30.까지 최초 분양계약을 체결하고 계약금을 납부한 주택으로서 다음 요건을 모두 갖춘 주택. 이 경우 해당 주택을 보유한 납세의무자는 9. 30.까지 합산배제신고와 함께 시장 · 군수 또는 구청장이 발행한 미분양주택확인서 사본 및 매매계약서 사본을 제출하여야 함.

㉠ 전용면적 149m^2(45평) 이하로서 5호 이상의 주택의 임대를 개시한 날(5호 이상의 주택의 임대를 개시한 날 이후 임대를 개시한 주택의 경우에는 그 주택의 임대개시일을 말한다) 또는 최초 합산배제신고를 한 연도의 과세기준일의 공시가격이 3억원 이하일 것

㉡ 5년 이상 계속하여 임대하는 것으로 수도권 밖의 지역에 위치할 것

㉢ 위의 요건을 모두 갖춘 매입임대주택이 5호 이상일 것

⑦ **건설임대주택 중 장기일반민간임대주택등**(종부령 §3 ① 7호)

다음의 요건을 모두 갖춘 주택이 2호 이상인 경우 그 주택

㉠ 전용면적이 149㎡(45평) 이하로서 2호 이상의 주택의 임대를 개시한 날 또는 최초로 합산배제신고를 한 연도의 과세기준일의 공시가격이 6억원 이하일 것

㉡ 8년 이상 계속하여 임대하는 것일 것(단기민간임대주택을 장기일반민간임대주택등으로 변경 신고한 경우에는 변경신고일 등 민간임대주택에 관한 특별법 시행령 제34조 제1항 제3호에 따른 시점부터 계산)

㉢ 임대료 등의 증가율이 100분의 5를 초과하지 않을 것

⑧ **매입임대주택 중 장기일반민간임대주택등**(종부령 §3 ① 8호)

다음의 요건을 모두 갖춘 주택. 다만, 1세대가 국내에 1주택을 이상을 보유한 상태에서 새로 취득(상속이나 재건축으로 취득한 것은 제외)한 조정대상지역에 있는 장기일반민간임대주택(조정대상지역의 공고가 있은 날 이전에 주택을 취득하거나 취득 계약을 체결하고 계약금을 지급한 경우 제외)은 제외

㉠ 해당 주택의 임대개시일 또는 최초로 합산배제신고를 한 연도의 과세기준일의 공시가격이 6억원(수도권 밖의 지역인 경우 3억원) 이하일 것

㉡ 8년 이상 계속하여 임대하는 것일 것(단기민간임대주택을 장기일반민간임대주택등으로 변경 신고한 경우에는 민간임대주택에 관한 특별법 시행령 제34조 제1항 제3호에 따른 시점부터 계산)

㉢ 임대료 등의 증가율이 100분의 5를 초과하지 않을 것

 합산배제 임대주택 적용방법(종부령 §3)

▌임대주택의 수(數)

건설임대주택(종부령 §3 ① 1호), 미분양 매입임대주택(종부령 §3 ① 6호) 및 장기일반민간임대주택등(종부령 §3 ① 7호)를 적용함에 있어서 임대주택의 수(數)는 같은 특별시·광역시 또는 도에 소재하는 주택별로 각각 합산하여 계산한다(종부령 §3 ⑤).

▌다가구주택

다가구주택은 1구(지세령 §112)를 1호의 주택으로 본다(종부령 §3 ⑥).

⇨ 1구 : 1세대가 독립하여 구분 사용할 수 있도록 구획된 부분

▌임대기간의 계산(종부령 §3 ⑦)

① 건설임대주택·기존임대주택·건설임대주택 중 장기일반민간임대주택등의 임대기간은 임대사업자로서 2호 이상의 주택의 임대를 개시한 날(2호 이상의 주택의 임대를 개시한 날 이후 임대를 개시한 주택의 경우에는 그 주택의 임대개시일)부터, 매입임대주택·매입임대주택 중 장기일반민간임대주택등의 임대기간은 임대사업자로서 해당 주택의 임대를 개시한 날(5호 이상의 주택의 임대를 개시한 날 이후 임대를 개시한 주택의 경우에는 그 주택의 임대개시일)부터, 리츠 펀드에 의한 매입임대주택 및 미분양 매입임대주택의 임대기간은 임대사업자로서 5호 이상의 주택의 임대를 개시한 날부터 기산한다.

② 상속 임대주택의 기간 : 상속으로 인하여 피상속인의 합산배제 임대주택을 취득하여 계속 임대하는 경우에는 당해 피상속인의 임대기간을 상속인의 임대기간에 합산한다.

③ 합병법인 등의 임대주택 기간 : 합병·분할 또는 조직변경을 한 법인(합병법인 등)이 합병·분할 또는 조직변경 전의 법인(피합병법인 등)의 합산배제 임대주택을 취득하여 계속 임대하는 경우에는 당해 피합병법인 등의 임대기간을 합병법인 등의 임대기간에 합산한다.

④ 공실기간 : 기존 임차인의 퇴거일부터 다음 임차인의 입주일까지의 기간이 2년 이내인 경우에는 계속 임대하는 것으로 본다.

⑤ 협의매수 또는 수용으로 인한 기간계산 : 「공익사업을 위한 토지 등의 취득 및 보상에 관한 법률」 또는 그 밖의 법률에 의하여 협의매수 또는 수용, 건설임대주택으로서 임차인에 대한 분양전환 및 천재지변 등으로 인하여 합산배제 임대주택 요건을 충족하지 못하게 되는 때에는 건설임대·매입임대·기존임대·미분양 매입임대의 합산배제 임대주택의 경우에는 ①에 의한 기산일부터 5년이 되는 날까지, 리츠 펀드에 의한 매입임대의 합산배제 임대주택의 경우에는 ①에 의한 기산일부터 10년이 되는 날까지, 장기일반민간임대주택등의 합산배제임대주택의 경우에는 ①에 의한 기산일부터 8년이 되는 날까지는 각각 계속 임대하는 것으로 본다.

⑥ 건설임대주택 및 건설임대주택 중 장기일반민간임대주택등은 ①에도 불구하고 사용승인을 받은 날 또는 사용검사필증을 받은 날부터 「민간임대주택에 관한 특별법」 제43조 또는 「공공주택 특별법」 제50조의2에 따른 임대의무기간의 종료일까지의 기간 동안은 계속 임대하는 것으로 봄.
⑦ 재건축 등을 위하여 당초의 합산배제 임대주택이 멸실되어 신규 주택을 취득하게 된 경우에는 멸실된 주택의 임대기간과 신규주택의 임대기간을 합산
⑧ 리모델링의 경우 허가일 또는 사업계획승인일 전의 임대기간과 준공일 이후의 임대기간을 합산(이 경우 준공일부터 6개월 이내에 임대를 개시해야 함)
⑨ 공공주택사업자가 소유한 임대주택의 경우 ①, ④에도 불구하고 공공매입임대주택은 취득일부터 임대의무기간 종료일까지, 기존임대주택은 최초 임대를 개시한 날부터 양도일까지의 기간 동안 계속 임대하는 것으로 봄.

▌합산배제 신청

합산배제 임대주택 규정을 적용받고자 하는 자는 종합부동산 신고기한 내에 재정경제부령이 정하는 서식에 의하여 관할 세무서장에게 합산배제를 신청하여야 한다(종부령 § 3 ⑨)

▌**임대료 등의 증가율이 100분의 5를 초과하는 경우 해당 과세연도를 포함하여 연속하는 2개 과세연도까지 합산배제 임대주택에서 제외**

2) 합산배제 사원용 주택등

① **사원용 주택**(종부령 §4 ① 1호)

종업원에게 무상으로 제공하는 사용자 소유의 주택으로서 국민주택규모 이하(85㎡, 수도권 밖의 도시지역이 아닌 읍·면의 경우 100㎡) 또는 3억원 이하의 주택

▶▶ 다만, 다음 어느 하나에 해당하는 종업원에게 제공하는 주택을 제외한다.

㉠ 사용자가 개인인 경우 : 그 사용자와의 관계에 있어서 친족 기타 특수관계인(국기령 §1의2 ① 1호~4호)

㉡ 사용자가 법인인 경우 : 과점주주(국기법 §39 2호)

② **기숙사**(종부령 §4 ① 2호)

「건축법 시행령」 별표1 제2호 라목의 기숙사

③ **미분양주택**(종부령 §4 ① 3호, 종부칙 §4)

과세기준일 현재 사업자등록을 한 후, 다음 취득한 다음에 해당하는 미분양주택

㉠ 「주택법」 제15조의 규정에 의한 사업계획승인을 얻은 자가 건축하여 소유하는 미

분양주택으로서 2005. 1. 1. 이후에 주택분 재산세의 납세의무가 최초로 성립하는 날부터 3년이 경과하지 아니한 주택

㉡ 「건축법」 제11조에 따른 허가를 받은 자가 건축하여 소유하는 미분양주택으로서 2005. 1. 1. 이후에 주택분 재산세의 납세의무가 최초로 성립하는 날부터 5년이 경과하지 아니한 주택

▶▶ 다만, 「주택법」 제54조에 따라 공급하지 아니한 주택 및 자기 또는 임대계약 등 권원(權原)을 불문하고 타인이 거주한 기간이 1년 이상인 주택 제외

④ **가정어린이집용 주택**(종부령 §4 ① 4호)

세대원이 「영유아보육법」 제13조 규정에 따라 시장·군수 또는 구청장(자치구의 구청장)의 인가를 받고 「소득세법」 제168조 제5항에 따른 고유번호를 부여받은 후 과세기준일 현재 5년 이상 계속하여 가정어린이집으로 운영하는 주택(이하 '가정어린이집용 주택'이라 한다)

㉠ 의무운영기간 의제(종부령 §4 ②)

다음 어느 하나에 해당하는 경우에는 가정어린이집용 주택의 의무운영기간을 충족하는 것으로 본다.

- 가정어린이집용 주택의 소유자 또는 가정어린이집을 운영하던 세대원이 사망한 경우
- 가정어린이집용 주택이 「공익사업을 위한 토지 등의 취득 및 보상에 관한 법률」 또는 그 밖의 법률에 따라 협의매수 또는 수용된 경우
- 그 밖에 천재·지변 등 기획재정부령이 정하는 부득이한 사유로 인하여 더 이상 가정어린이집을 운영할 수 없는 경우

㉡ 가정어린이집 운영 의제(종부령 §4 ③)

다음 어느 하나에 해당하는 경우에는 계속하여 가정보육시설을 운영하는 것으로 본다.

- 가정어린이집용 주택에서 이사하여 입주한 주택을 3월 이내에 가정어린이집으로 운영하는 경우
- 가정어린이집용 주택의 소유자 또는 가정어린이집을 운영하던 세대원의 사망으로 인하여 가정어린이집을 운영하지 아니한 기간이 3월 이내인 경우

⑤ **주택의 시공자가 공사대금으로 받은 미분양주택**(종부령 §4 ① 5호)

주택의 시공자가 주택건설업자(주택신축판매업자)로부터 해당 주택의 공사대금으로

받은 미분양 주택으로 해당 주택을 공사대금으로 받은 날 이후 해당 주택의 주택분 재산세의 납세의무가 최초로 성립한 날부터 5년이 경과하지 아니한 주택. 다만 「건축법」에 따른 허가를 받은 주택건설업자(주택신축판매업자)로부터 받은 주택으로서 「주택법」 제54조에 따라 공급하지 아니한 주택의 경우에는 자기 또는 임대계약 등 권원을 불문하고 타인이 거주한 기간이 1년 이상인 주택은 제외한다.

⑥ **연구기관의 연구원용 주택**(종부령 §4 ① 7호)

연구기관이 해당 연구기관의 연구원에게 제공하는 주택으로서 2008. 12. 31. 현재 보유하고 있는 주택

⑦ **국가등록문화재**(「문화재보호법」 §53 ①)**에 해당하는 주택**

⑧ **기업구조조정부동산투자회사 등이 2010. 2. 11.까지 직접 취득하는 미분양주택**(종부령 §4 ① 9호)

존립기간 5년 이내인 「부동산투자회사법」 제2조 제1호 다목에 따른 기업구조조정부동산투자회사 또는 「자본시장과 금융투자업에 관한 법률」 제229조 제2호에 따른 부동산집합투자기구가 2010. 2. 11.까지 직접 취득(2010. 2. 11.까지 매매계약을 체결하고 계약금을 납부하는 경우를 포함)하는 미분양주택*

* 「주택법」 제54조에 따른 사업주체가 같은 조에 따라 공급하는 주택으로서 입주자모집공고에 따른 입주자의 계약일이 지나 선착순의 방법으로 공급하는 주택을 말함.

** 미분양주택의 요건
취득하는 부동산이 모두 서울특별시 밖의 지역(소득세법 제104조의2에 따른 지정지역 제외)에 있는 미분양주택으로서 그 중 수도권 밖의 주택수 비율이 60% 이상일 것

⑨ **기업구조조정부동산투자회사 등이 취득하는 비수도권 미분양주택**(종부령 §4 ① 14호)

존립기간 5년 이내인 기업구조조정부동산투자회사 등이 2010. 2. 11. 현재 서울시 밖의 미분양주택(비수도권 50% 이상)을 2011. 4. 30.까지 직접 취득(2011. 4. 30.까지 매매계약을 체결하고 계약금을 납부하는 경우를 포함)하는 비수도권 미분양주택

⑩ **기업구조조정부동산투자회사 등이 2014. 12. 31.까지 직접 취득하는 미분양주택**(종부령 §4 ① 16호)

존립기간 5년 이내인 기업구조조정부동산투자회사 등이 2014. 12. 31.까지 직접 취득(2014. 12. 31.까지 매매계약을 체결하고 계약금을 납부하는 경우를 포함)하는 미분양주택으로서 취득하는 부동산이 모두 미분양주택일 것

⑪ 기업구조조정부동산투자회사 등이 미분양주택을 취득할 당시 매입약정을 체결한 자가 그 매입약정에 따라 미분양주택*[위 ⑨의 경우에는 비수도권 소재 미분양주택에 한함]을 취득한 경우로서 그 취득일부터 3년 이내인 주택

* 미분양주택의 요건
- 2009. 9. 29. 신설 : 2009. 12. 31.까지 취득, 서울시 밖의 미분양주택(비수도권 60% 이상)
- 2009. 12. 31. 개정 : 2010. 2. 11.까지 취득, 서울시 밖의 미분양주택(비수도권 60% 이상)
- 2011. 6. 23. 개정 : 2012. 12. 31.까지 취득, 미분양주택

⑫ 신탁업자가 2010. 2. 11.까지 취득하는 미분양주택

신탁재산의 운용기간(신탁계약이 연장되는 경우 그 연장기간을 포함함)이 5년 이내인 신탁업자가 2010. 2. 11.까지 직접 취득(2010. 2. 11.까지 매매계약을 체결하고 계약금을 납부한 경우를 포함)하는 미분양주택(주택법에 따른 대한주택보증주식회사가 분양보증을 하여 준공하는 주택만 해당)으로서, 주택의 시공자가 채권을 발행하여 조달한 금전을 신탁업자에게 신탁하고 해당 시공자가 발행하는 채권을 한국주택금융공사의 신용보증을 받아 유동화하는 것에 한함.

* 미분양주택의 요건
취득하는 부동산이 모두 서울특별시 밖의 지역에 있는 미분양주택으로서 그 중 수도권 밖의 지역에 있는 주택수의 비율이 100분의 60 이상일 것

⑬ 신탁업자가 2011. 4. 30.까지 취득하는 미분양주택

신탁재산의 운용기간(신탁계약이 연장되는 경우 그 연장기간을 포함함)이 5년 이내인 신탁업자가 2011. 4. 30.까지 직접 취득(2011. 4. 30.까지 매매계약을 체결하고 계약금을 납부한 경우를 포함)하는 미분양주택(주택법에 따른 대한주택보증주식회사가 분양보증을 하여 준공하는 주택만 해당)으로서, 주택의 시공자가 채권을 발행하여 조달한 금전을 신탁업자에게 신탁하고 해당 시공자가 발행하는 채권을 한국주택금융공사의 신용보증을 받아 유동화하는 것에 한함.

* 미분양주택의 요건
취득하는 부동산이 모두 서울특별시 밖의 지역에 있는 미분양주택으로서 그 중 수도권 밖의 지역에 있는 주택수의 비율이 100분의 50 이상일 것

⑭ 신탁업자가 2012. 12. 31.까지 취득하는 미분양주택(종부령 §4 ① 17)

신탁재산의 운용기간(신탁계약이 연장되는 경우 그 연장기간을 포함함)이 5년 이내인 신탁업자가 2012. 12. 31.까지 직접 취득(2012. 12. 31.까지 매매계약을 체결하고 계

약금을 납부한 경우를 포함)하는 미분양주택(주택법에 따른 대한주택보증주식회사가 분양보증을 하여 준공하는 주택만 해당)으로서, 주택의 시공자가 채권을 발행하여 조달한 금전을 신탁업자에게 신탁하고 해당 시공자가 발행하는 채권을 한국주택금융공사의 신용보증을 받아 유동화하는 것에 한함.

⑮ 「노인복지법」 제32조 제1항 제3호에 따른 노인복지주택을 설치한 자가 소유한 해당 노인복지주택

⑯ 향교 또는 향교재단이 소유한 주택의 부속토지(주택의 건물과 부속토지의 소유자가 다른 경우)

⑰ 「송 · 변전설비 주변지역의 보상 및 지원에 관한 법률」 제5조에 따른 주택매수의 청구에 따라 사업자가 취득하여 보유하는 주택

관련예규 및 판례요약

주택분 종부세 과세표준 : 종부법 §8

주택분 종부세의 과세표준과 관련된 예규, 판례

서면-2019-법령해석재산-3445, 2019. 11. 11.

2018. 9. 13. 이전에 분양계약 체결 및 계약금 지급 후 신축주택을 취득하고 임대사업자 등록을 하는 경우에는 「종합부동산세법 시행령」 제3조 제1항 제8호 각 목 외 부분 단서를 적용받지 않는 것이며, 신축주택 공시가격이 6억원 이하인지는 임대사업자로서 임대개시일 또는 합산배제 신고연도의 과세기준일 가액을 기준으로 판정함.

서면-2018-법령해석재산-3988, 2019. 11. 11.

2018. 9. 13. 이전에 분양계약 체결 및 계약금 지급 후 신축주택을 취득하고 임대사업자 등록을 하는 경우에는 「종합부동산세법 시행령」 제3조 제1항 제8호 각 목 외 부분 단서를 적용받지 않으며, 2019. 2. 12. 이후 최초로 표준임대차계약(갱신 포함)을 체결하는 경우에는 해당 표준임대차계약을 기준으로 임대료 등 증가율 요건 적용함.

기획재정부 재산세제과-680, 2019. 10. 10.

합산배제 임대주택의 임대료 상한 적용 시 임대기간이 2년인 경우 1년 전 임대료를 기준으로 5퍼센트 범위에서 증액할 수 있는 것이며, 2019. 2. 12. 이후 체결 또는 갱신하는 표준임대차 계약을 기준으로 적용하는 것임.

서면-2019-부동산-0667, 2019. 7. 2.

1세대가 1주택을 보유한 상태에서 조정대상 지역 내 1주택을 새로이 취득하는 경우 기존 보유하고 있던 주택은 장기일반민간 임대주택 합산배제 적용 가능

감심 2018-288 · 331, 2019. 6. 13.

최초로 종합부동산세 합산배제신고서를 제출한 후 변동사항이 없어 법령에 따라 다음연도 합산배제신고서를 제출하지 않은 경우에도 매년 합산배제신고서를 제출한 경우와 같은 협력의무를 이행한 것으로 볼 수 있으며, 합산배제신고서를 제출한 과세연도와 제출하지 않은 과세연도 모두 법령에 따라 과세관청이 정당한 세액을 확정하는데 필요한 납세협력의무를 이행하였으므로, 과세표준확정신고서를 제출한 경우와 마찬가지로 법정신고기한이 지난 후 5년 이내에 경정청구가 가능함.

조심 2018광 4639, 2019. 2. 22.

임대의무기간인 5년 이내에 쟁점임대주택을 양도한 청구법인의 경우에는 「종합부동산세법 시행령」 제3조 제7항 제6호에 의하더라도 임대기간으로 간주되는 기간은 임대의무기간 5년에 미치지 못하므로 쟁점임대주택은 합산배제 임대주택 요건을 충족하지 못한 것으로 판단됨.

조심 2018서 2336, 2018. 6. 29.

「종합부동산세법 시행령」 제2조의3에서 "1세대 1주택자"를 세대원 중 1명만이 주택분 재산세 과세대상인 1주택만을 소유한 경우라고 규정한 바, 청구인은 배우자와 함께 다른 주택의 부속토지를 소유하여 각각 재산세 과세대상에 해당하므로, 청구인을 「종합부동산세법」에서 규정하는 1세대 1주택자로 보기는 어렵다 할 것임.

대법원 2017두 73068, 2018. 6. 15.

원고는 2012년, 2013년 귀속 각 종합부동산세에 관하여, 구 종합부동산세법 제8조 제3항에서 정한 법정신고기한까지 합산배제신고서를 제출하고 이를 반영한 납세고지서에 따른 종합부동산세를 아무런 이의 없이 납부하였으므로, 동일한 세액을 합산배제 신고 없이 신고납부한 경우와 마찬가지로 구 국세기본법 제45조의2 제1항 본문에 따라 각 통상의 경정청구를 할 수 있다고 봄이 타당함.

서울행정법원 2016구합 79441, 2018. 4. 26.

과세기준일 당시 건물의 구조 및 용도가 주택에 해당하는 건축물이라고 하더라도 객관적 사정에 비추어 주택이 아닌 다른 용도로 사용될 것임이 명백하게 드러나는 특별한 사정이 있는 경우에는 종합부동산세법의 입법 목적이나 취지에 비추어 위 법에 따른 과세대상인 주택에 해당하지 않는다고 보아야 함(국패).

조심 2017서 4893, 2018. 4. 12.

청구주장에 따를 경우, 「종합부동산세법」 제17조 제5항에 열거되어 있지 않은 합산배제대상 주택 등이 추후 요건을 못 갖추게 될 경우에도 종합부동산세를 징수할 수 없게 되어 조세형평에 어긋나는 점 등에 비추어 처분청이 쟁점투자신탁의 존립기간(5년 이내) 요건을 충족하지 못하자 쟁점미분양주택을 과세표준에 다시 합산하여 종합부동산세를 과세한 처분은 잘못이 없음.

서울행정법원 2017구합 58854, 2017. 11. 3.

납세의무자 본인이 1주택을 소유하고 납세의무자 외 세대원이 다른 주택의 부속토지를 소유하는 경우에도, 종합부동산세법 제8조 제1항 및 제4항에 따른 1세대 1주택으로 보는 것이 타당함.

조심 2016서 2603, 2016. 10. 26.

「종합부동산세법」에서 합산배제 주택은 「건축법」에 따른 건축허가를 받은 자가 신축하여 보유하는 미분양주택으로 규정하고 있으나, 쟁점주택의 건축주는 이 건 신탁자가 아닌 ○○건설㈜이고, 그 앞으로 소유권보존등기가 경료된 점 등에 비추어 쟁점주택이 종합부동산세 합산배제 대상에 해당하지 아니한다고 보아 과세한 처분은 잘못이 없음.

재재산-12, 2015. 1. 6.

종업원이 주거용으로 사용하고 있는 합산배제 사원용 주택에 해당하는 기숙사 건물의 부속토지는 「종합부동산세법」 제11조에 따른 과세대상에 포함되지 않은 것임.

부동산납세-939, 2014. 12. 16.

「건축법」 제11조에 따른 허가를 받은 자가 건축하여 소유하는 미분양주택으로서 타인이 거주한 기간이 과세기준일(6월 1일) 현재 1년 미만인 경우 합산배제 신고할 수 있으나, 신고한 이후 임대 등으로 인해 타인이 거주한 기간이 1년 이상인 경우에는 종합부동산세 합산배제 대상 미분양주택의 범위에서 제외하는 것임.

부동산납세-655, 2014. 9. 1.

임대기간 요건 개정(2011. 3. 31.) 전 매입임대주택은 종전 기간 요건 10년 또는 개정규정 시행일부터 5년을 임대하여야 함.
또한, 임대기간 요건 개정(2011. 3. 31.) 전 기 합산배제 받은 매입임대주택의 경우에는 개정 전 규정에 의한 보유 주택 호수(5호)를 적용함

부동산납세-3, 2014. 1. 3.

「종합부동산세법」 제8조 제2항 제2호에 따라 종합부동산세 과세표준 합산대상에서 제외되는 주택건설사업자가 건축하여 소유하고 있는 미분양주택은 같은 법 시행령 제4조 제3호 및 같은 법 시행규칙 제4조에 따라 「주택법」 제16조에 따른 사업계획 승인을 얻은 자 또는 「건축법」 제11조에 따른 건축허가를 받은 자가 건축하여 소유하는 미분양주택임

대법 2010두 16387, 2013. 9. 12.

종업원의 주거에 사용하는 주택이나 기숙사 뿐 아니라 그 부속토지도 주택분 종합부동산세의 과세표준 합산대상에 포함되지 않으며, 토지분 종합부동산세의 과세대상에도 해당하지 않음.

조심 2012서 3414, 2012. 9. 28.

※ 대법 2012두 7073 판결(2015. 6. 24.)과 상충되는 결정례임.
「종합부동산세법」상 재산세액의 공제규정은 종합부동산세 과세표준 금액에 부과된 재산세를 납부할 종합부동산세에서 공제하여 줌으로써 이중과세 문제를 조정하고자 함에 그 제도적 취지가 있다 할 것인바, 종합부동산세액 계산시 공제되는 재산세액을 산정함에 있어 종합부동산세 공정시장가액비율과 재산세 공정시장가액비율을 모두 적용하여 과세한 처분청의 종합부동산세 부과처분은 정당함.

종부-34, 2011. 12. 1.

부양가족수가 많은 종업원에게 「종합부동산세법 시행령」 제4조 제1항 제1호에 따른 사원용 주택 2개를 제공하더라도 전용면적 합계가 국민주택규모 이하인 경우에는 사원용주택으로 합산배제할 수 있음.

종부-30, 2011. 11. 22.

건설임대주택은 보유기간 중 임대의무기간을 충족하여야 하며, 상속 또는 합병·분할·조직변경시 직전 임대기간을 합산하고 임차인 분양전환시 임대의무기간 충족으로 봄.

대법 2011두 16940, 2011. 10. 28.

종합부동산세 과세표준 합산배제 임대주택이 되기 위해서는 사업자등록을 하여야 하는데, 고유번호증을 사업자등록증과 동일시 할 수 없으므로 주택임대업으로 사업자등록을 하지 아니한 원고에게 합산배제 임대주택에 해당하지 않는다고 보고 종합부동산세를 과세한 처분은 적법함.

대법 2011두 13606, 2011. 9. 29.

미분양주택은 사용검사(사용승인)일부터 기산하여 미분양기간이 3년 이내인 경우에만 종합부동산세 합산과세 대상에서 제외함.

조심 2011중 1052, 2011. 6. 3.

1세대 1주택을 보유한 갑과 갑의 배우자가 함께 다른 주택의 부속토지를 소유하여 각각 주택분 재산세 과세대상이므로 갑을 1세대 1주택 적용대상에서 제외하여 종합부동산세를 과세한 처분은 정당함.

종부-8, 2011. 4. 19.

임대주택조합의 건설임대주택으로서 보존등기일까지 지방자치단체에 임대사업자 등록을 하고 과세기준일 현재 세무서에 주택임대업 사업자등록을 한 경우에는 건설임대주택으로서 합산배제 가능함.

종부-2, 2011. 1. 27.

합산배제하는 미분양주택은 과세기준일 현재 주택신축판매업(또는 일반건축공사업)으로 사업자등록 한 자가 건축하여 소유하여야 함.

국심 2007서 2760, 2007. 10. 22.

지방자치단체에 주택임대사업자등록을 마치지 아니하여 합산배제 임대주택에 해당되지 않는다는 이유로 당해 부동산을 종합부동산세 과세대상에 합산하여 과세한 처분은 정당함.

국심 2007서 2589, 2007. 10. 17.

과세기준일 현재 사업자등록(부동산임대업으로 되어 있음)이 주택임대로 특정되어 있지 않다는 이유만으로 당해 주택을 합산배제 임대주택에 해당하지 않는 것으로 본 것은 부당함.

서면5팀-2598, 2007. 9. 18.

종합부동산세 합산배제 임대주택은 「소득세법」에 따른 사업자등록을 한 자가 과세기준일 현재 임대하고 있는 「임대주택법」에 의한 매입임대주택으로 5호 이상인 경우 그 주택을 의미함.

서면5팀-2432, 2007. 8. 30.

합산배제되는 미분양주택에는 사업자등록을 한 자가 건축하여 소유하는 주택으로 과세기준일 이전에 분양계약을 체결하고 과세기준일 현재 잔금청산 또는 소유권이전등기가 되지 아니한 주택을 포함함.

서면5팀-2411, 2007. 8. 29.

임대사업 등록일 이후에 추가로 취득하여 임대하는 주택은 임대사업자 등록사항변경신고를 한 경우에 종합부동산세 합산배제 임대주택 규정이 적용되는 것임.

서면5팀-2399, 2007. 8. 28.

종업원에게 무상 제공하는 사용자 소유의 국민주택규모 이하인 주택이 종업원의 퇴직・이사 등의 사유로 인해 일시적으로 공실 상태인 경우 종합부동산세 합산배제 기타 주택에 해당함.

서면5팀-2311, 2007. 8. 13.

임대사업자로 보는 자가 임대하는 다가구 임대주택이 「종합소득세법 시행령」 제3조의 요건을 갖춘 경우 합산배제 임대주택으로 보는 것임.

국심 2007서 1899, 2007. 7. 23.

과세기준일 현재(2006. 6. 1.)까지 「임대주택법」의 규정에 따라 임대사업자등록을 하지 아니한 이상 종합부동산세 합산배제 임대주택의 요건을 충족하였다고 보기 어려움.

서면5팀-2082, 2007. 7. 16.

업무용 오피스텔을 주거용으로 임대하고 「임대주택법」에 의한 임대사업자등록이 되어 있지 않은 경우에는 종합부동산세 합산배제 임대주택에 해당하지 아니함.

서면5팀-1848, 2007. 6. 20.

다가구주택을 임대하는 자로서 임대사업자등록을 할 수 없었던 자가 「소득세법」 및 「법인세법」에 의하여 사업자등록을 하는 경우 사업자등록을 한 날에 임대사업자등록을 한 것으로 간주함.

서면5팀-557, 2007. 2. 13.

합산배제되는 건설임대주택으로 적용을 받아왔던 주택을 5년 이상 임대기간을 충족하지 아니하고 양도하는 경우 종합부동산세를 추징하는 것임.

서면5팀-437, 2007. 2. 5.

업무용 오피스텔을 주거용으로 임대하는 경우 종합부동산세 합산배제 임대주택에 해당하지 않음.

4 | 주택분 종합부동산세의 세율(종부법 §9 ①)

주택분 재산세			주택(일반)		주택(조정2, 3주택 이상)	
과세표준	세율	누진공제액	과세표준	세율	과세표준	세율
6천만원 이하	0.1%		3억 원 이하	0.5%	3억 원 이하	0.6%
6천만원 초과 1억5천만원 이하	0.15%	3만원	6억 원 이하	0.7%	6억 원 이하	0.9%
1억5천만원 초과 3억원 이하	0.25%	18만원	12억 원 이하	1%	12억 원 이하	1.3%
3억원 초과	0.4%	63만원	50억 원 이하	1.4%	50억 원 이하	1.8%
			94억 원 이하	2%	94억 원 이하	2.5%
			94억 원 초과	2.7%	94억 원 초과	3.2%

5 | 주택분 종합부동산세액의 계산(종부법 §9 ①)

주택분 종합부동산세액은 주택분 종합부동산세의 과세표준에 세율(0.5%~3.2%)을 적용하여 계산한다.

6 | 주택분 종합부동산세 결정세액의 계산

주택분 종합부동산세액의 결정세액은 주택분 종합부동산세액에서 당해 과세대상 자산에 부과된 재산세액, 1세대 1주택자의 경우 세액공제액, 세부담 상한 초과세액을 공제하여 계산하게 된다.

가. 공제할 재산세액(종부법 §9 ③)

종합부동산세는 동일 과세대상 물건에 대한 이중과세 조정을 위해 주택분 종합부동산세액에서 해당 주택에 대하여 부과된 재산세를 공제하는 방식을 취하고 있다. 공제할 재산세액은 아래 산식에 따라 계산하도록 규정하고 있는데 계산식상 분자 부문은 2015. 6. 24. 대법원 판결[2](대법 2012두 7073)에 따라 명확화 취지로 2015. 11. 30. 개정되었다.

$$\text{「지방세법」 제112조 제1항 제1호에 따라 주택분 재산세로 부과된 세액의 합계액} \times \frac{\text{[(법 제8조에 따른 주택의 공시가격을 합산한 금액 - 6억원) × 제2조의 4 제1항에 따른 공정시장가액비율 × 「지방세법 시행령」 제109조 제2호에 따른 공정시장가액비율] × 「지방세법」 제111조 제1항 제3호에 따른 표준세율}}{\text{주택을 합산하여 주택분 재산세 표준세율로 계산한 재산세 상당액}}$$

상기 대법원 판결은 2008년말 공정시장가액비율 도입에 따라 변경된 재산세액 공제산식의 개정[3]은 공제되는 재산세액의 범위를 축소・변경하려는 것으로 볼 수 없으므로 종전과

---

2) 대법 2012두 7073 판결(2015. 6. 24.) 일부
지방세법, 종합부동산세법 및 종합부동산세법 시행령 관련 규정의 개정 경위와 취지 등에 비추어 보면, 종전 시행령 산식의 분자에 기재된 '주택 등 과세기준금액을 초과하는 분'이 이 사건 시행령 산식의 분자에 기재된 '주택 등의 과세표준'으로 변경되었다고 하더라도, 과세기준금액을 초과하는 부분에 대하여 종합부동산세와 중복 부과되는 재산세액을 공제하려는 기본 취지에는 아무런 변화가 없으므로, 공제되는 재산세액의 계산방법이 종전 시행령 산식에서 이 사건 시행령 산식으로 변경되었다고 하더라도 이러한 개정의 취지가 공제되는 재산세액의 범위를 축소・변경하려는 것이었다고 볼 수는 없다.
따라서 재산세 공정시장가액비율이 종합부동산세 공정시장가액비율보다 적거나 같은 2009년도 종합부동산세의 경우 주택 등 종합부동산세액에서 공제되는 재산세액은 '(공시가격 - 과세기준금액) × 재산세 공정시장가액비율 × 재산세율'의 산식에 따라 산정하여야 한다.

3) 2008 간추린 개정세법(기획재정부)
□ 재산세 공제액의 산출방식 변경(영 §4의2)

종 전	개 정
□ 주택 및 토지에 대한 종합부동산세에서 공제할 재산세액 ○ 과세기준금액을 초과하는 금액에 대해 재산세로 부과된 세액 $\text{재산세로 부과된 세액의 합계액} \times \frac{\textbf{과세기준 초과분}\text{에 대한 재산세 표준세액}}{\text{전체 재산세 표준세액}}$	○ 과세표준금액에 대해 재산세로 부과된 세액 $\text{재산세로 부과된 세액의 합계액} \times \frac{\textbf{과세표준금액}\text{에 대한 재산세 표준세액}}{\text{전체 재산세 표준세액}}$

○ 공정시장가치 기준으로 종부세 과세표준 산정방식*이 변경됨으로 인해 과세기준금액 초과 금액 중 일부가 과세표준에서 제외되는 부분 발생

같이 종합부동산세 과세기준금액 초과분에 대한 재산세액이 공제되어야 한다는 것이며, 이는 종합부동산세 납세의무자 전체에 해당되는 내용으로 사회적으로 상당한 파장이 일었다.

다만, 이와 같은 대법원 판결취지와 달리 종합부동산세법을 담당하는 기획재정부는 2008년말 재산세액 공제방식의 변경은 공정시장가액비율 도입에 따라 재산세 공제액을 축소하고자 한 것이라는 입장이며, 이에 따라 대법원 판결 이후인 2015. 11. 30. 상기 계산식상 분자부문의 개정사유도 명확화 취지로 밝히고 있다.

따라서, 기획재정부가 대법원 판결에 따라 시행령을 개정하기 이전에 과세기준일이 경과된 분의 경우로서 종합부동산세를 신고・납부하여 경정청구 기한이 잔존한 경우에는 경정청구 절차 등을 통해 대법원 판결 취지와 같이 추가적인 재산세 공제 등을 통한 환급이 가능할 것으로 보인다. 다만, 당초 종합부동산세를 신고・납부하지 않고 과세관청에 의해 고지된 종합부동산세를 납부한 경우에는 불복기한이 고지서 수령일로부터 90일로 제한되어 권리구제가 어려울 것으로 보인다.

1) 주택분 재산세로 부과된 세액의 합계액의 의미

납세의무자가 과세대상 주택에 대해 주택분 재산세로 부과받은 세액의 합계금액으로 「지방세법」 제111조 제3항에 따른 탄력세율 및 「지방세법」 제122조에 따른 세부담 상한을 적용받은 후의 세액을 말하며, 종합부동산세 과세대상에 해당하지 아니하는 합산배제 임대주택・기타주택 등에 부과된 주택분 재산세액은 공제할 수 없다.

나. 세부담 상한을 초과하는 세액(종부법 §10)

세부담 상한 제도는 종합부동산세 도입 등 보유세 개편시 납세의무자별로 급격한 보유세(재산세+종합부동산세) 부담의 증가를 완화하기 위해 도입된 것으로, 직전연도 보유세 총세액상당액을 기준으로 해당연도 보유세 총세액상당액의 상한을 두고 이를 초과하는 세액을 종합부동산세액에서 공제하도록 하는 제도이다.

다만, 세부담 상한의 기준이 되는 직전연도 보유세 부담액은 납세자가 실제로 납부한 금액이 아닌 해당연도의 종합부동산세 과세표준 합산주택을 직전연도 과세기준일 현재에도

---

* 과세표준=과세기준 초과금액×공정시장가액 비율

○ 과세기준금액 초과분 전체에 대한 재산세액을 공제할 경우 재산세액이 과다 공제되는 문제 발생

실제 소유하고 있었던 것으로 간주하여 직전연도의 「지방세법」 및 「종합부동산세법」을 적용하여 산출한 재산세 및 종합부동산세액을 말하는 것임에 유의할 필요가 있으며, 그 구체적 내용은 아래 설명하는 내용을 참고하기 바란다.

한편, 세부담 상한은 2005년 이른바 8.31 대책으로 직전연도 보유세 총부담액의 300%까지 상향되었다가 2008년 종합부동산세 세부담 완화 개정시 150%로 완화된 후, 2019년 개정시 부동산 자산에 대한 지속적인 과세형평 제고를 통해 부동산 보유에 대한 세부담 합리화를 목적으로 일반은 150%, 조정대상지역 2주택은 200%, 3주택 이상은 300%로 상향 조정되었다.

1) 세부담 상한의 계산 및 적용

당해연도 총세액상당액(재산세+종합부동산세)이 전년도 총세액상당액의 100분의 150을 초과하는 경우 그 초과분은 종합부동산세액에서 공제한다.

[당해연도 총세액상당액의 계산] : "① + ②" (= 실제 납부할 세액)

① 재산세액 : 탄력세율 및 세부담 상한 적용 후의 실제 부과된 재산세액

② 종부세액 : 세부담 상한을 적용하기 전의 세액*

* 과세표준 × 세율 − 실제부과된 재산세액 중 주택분 과세표준금액에 대하여 주택분 재산세로 부과된 세액** − 세액공제액

** 주택분 과세표준 금액에 대하여 주택분 재산세로 부과된 세액 :

$$\text{탄력세율 적용하고 세부담 상한을 적용한 후의 재산세액의 합계액} \times \frac{\text{주택분 과세표준에 대하여 표준세율로 계산한 재산세 상당액}}{\text{주택을 합산하여 표준세율로 계산한 재산세 상당액}}$$

[전년도 총세액상당액의 계산] : "① + ②" (= 정상적으로 납부할 세액)

① 재산세액 : 표준세율을 적용하고 세부담 상한 등(탄력세율과 특례세율)을 적용하기 전의 세액

② 종부세액 : 세부담 상한을 적용하기 전의 세액*

* 과세표준 × 세율 − 해당연도 종합부동산세 과세표준 합산주택을 직전연도 과세기준일 현재에도 실제 소유하고 있었던 것으로 간주하여 계산한 재산세액 중 주택분 과세표준금액에 대하여 주택분 재산세로 부과된 세액** − 세액공제액

** 주택분 과세표준 금액에 대하여 주택분 재산세로 부과된 세액 :

표준세율 적용하고 세부담 상한 등(탄력세율과 특례세율)을 적용하기 전의 재산세액의 합계액 × $\frac{\text{주택분 과세표준 금액에 대하여 표준세율로 계산한 재산세 상당액}}{\text{주택을 합산하여 표준세율로 계산한 재산세 상당액}}$

2) 주택의 신 · 증축 등에 대한 세부담 상한의 적용방법(종부령 §5 ③~④)

주택의 신축 · 증축 등으로 인하여 해당 연도의 과세표준합산주택에 대한 직전연도 과세표준액이 없는 경우에는 해당연도 과세표준합산주택이 직전연도 과세기준일 현재 존재하는 것으로 보아 직전연도 보유세 총세액 상당액을 계산하여 세부담 상한액을 계산하며, 해당 연도의 과세표준합산주택이 재산세의 감면 · 분리과세 규정 또는 종합부동산세 합산배제 규정의 적용을 받지 않거나 적용받은 경우에는 직전연도에도 이를 적용받지 않거나 적용받은 것으로 보아 직전연도 보유세 총세액 상당액을 계산한다.

3) 합산대상 주택으로 전환된 경우 세부담 상한의 적용방법(종부령 §5 ⑤)

해당연도의 과세표준 합산대상 주택이 직전 연도에 법 제8조 제2항에 따라 과세표준 합산주택에 포함되지 아니한 경우에는 과세표준 합산주택에 포함된 것으로 보아 전년도 총세액 상당액을 계산한다.

제 3 절 토지에 대한 과세

1 토지분 종합부동산세 납세의무자(종부법 §12)

과세기준일 현재 토지분 재산세의 납세의무자로서 다음의 어느 하나에 해당하는 자는 해당 토지에 대한 종합부동산세를 납부할 의무가 있다.

2014. 1. 1. 지방세법을 개정하여 「신탁법」에 따른 신탁재산에 대한 재산세 납세의무자를 위탁자에서 신탁재산의 소유자인 수탁자로 변경함에 따라 「신탁법」에 따른 신탁재산에 대한 종합부동산세 납세의무자도 수탁자로 변경되었다. 이 경우 신탁재산에 속하는 과세대상 물건과 수탁자의 고유재산에 속하는 과세대상 물건은 서로 합산하지 않고, 위탁자별로 구분되는 신탁재산에 속하는 과세대상 물건의 경우 위탁자별로 각각 합산하여 과세하며, 위탁자별로 구분된 재산에 대한 납세의무자는 각각 다른 납세의무자로 보도록 하고 있다(지세법 §106 ③, §107 ① 3호).

가. 종합합산과세대상 토지

국내에 소재하는 해당 과세대상토지의 공시가격을 합한 금액이 5억원을 초과하는 자

나. 별도합산과세대상 토지

국내에 소재하는 해당 과세대상토지의 공시가격을 합한 금액이 80억원을 초과하는 자

| 토지분 종합부동산세의 개요 |

구 분	토지분 종합부동산세	
	종합합산과세대상	별도합산과세대상
과세대상 토지	• 나대지, 잡종지 • 상가·사무실 부속토지 중 기준면적초과 토지 • 법인소유농지, 도시지역 임야 등	• 상가·사무실 부속토지(기준면적 이내) • 차고용 토지, 야적장, 터미널 부지, 유통시설용 토지 등과 같은 사업용 토지 • 공장용지 중 기준면적 초과 토지 등

구 분	토지분 종합부동산세	
	종합합산과세대상	별도합산과세대상
납세의무자	세대별 전국소유 나대지가격 5억원 초과자	개인별 전국소유 상가·사무실 등 부속토지가격 80억원 초과자
	※ 토지가액 : 「부동산 가격공시에 관한 법률」에 의한 공시가격	
과세표준	(세대별 나대지 등의 공시가격의 합 −5억원)×공정시장가액비율(80%)	(세대별 상가·사무실 부속토지 등에 대한 공시가격의 합 − 80억원)×공정시장가액비율(90%)
세 율	1~3% 누진세율(3단계)	0.5~0.7% 누진세율(3단계)

관련예규 및 판례요약

토지분 종부세 납세의무자 : 종부법 §12

토지분 종부세의 납세의무자 관련된 예규, 판례

대법원 2017두 32142, 2019. 10. 31.

과세기준일인 2013. 6. 1. 현재 이 사건 각 토지에 관하여 원고 앞으로 소유권이전등기가 마쳐진 적이 없으므로, 이 사건 각 토지는 원고와 조합원들 사이에서 신탁법상 신탁재산으로 편입되었다고 할 수 없음. 2013. 6. 1. 현재 이 사건 각 토지에 대한 종합부동산세의 납세의무자는 구 지방세법 제107조 제2항 제5호 본문에 따라 실질적 위탁자인 원고라고 판단한 다음, 종합부동산세 과세표준을 원고의 조합원별로 구분하여 각각 산정하지 않고 납세의무자인 원고만을 합산 단위로 하여 산정한 이 사건 처분은 적법함.

조심 2019서 2017, 2019. 9. 9 .

쟁점토지가 산업단지조성공사를 시행하고 있는 토지라 하더라도, 201X~201X년도 귀속 종합부동산세 과세기준일 현재 이 건 산업단지의 사업시행자는 위탁자이고, 쟁점토지의 소유자는 청구법인이어서 쟁점토지는 분리과세대상 토지의 요건인 사업시행자가 소유하고 있는 토지에 해당하지 아니함.

조심 2019중 143, 2019. 7. 15.

재산세는 원칙적으로 해당 과세기준일 현재의 과세요건에 따라 과세하는 조세로 환지처분의 감보율에 동의할 수 없어 소송준비 중이라는 사유만으로 재산세 등의 납세의무성립에 영향을 줄 수는 없다고 할 것인 점 등에 비추어 처분청이 청구인에게 이 건 종합부동산세 및 농어촌특별세를 부과한 처분은 잘못이 없는 것으로 판단됨.

조심 2017중 3571, 2018. 10. 30.

「지방세법」 제107조에서 재산세 과세기준일 현재 재산을 사실상 소유하고 있는 자는 재산세를 납부할 의무가 있다고 규정하고 있고, 2016년 귀속 재산세 과세기준일인 2016. 6. 1. 현재 쟁점토지는 청구법인이 사실상 소유하고 있었던 바, 그 후에 ○○○와의 합의에 따라 쟁점토지의 일부를 반환하였다 하더라도 납세의무에 영향을 미치지 아니한다 할 것임.

조심 2018중 0299, 2018. 3. 2.

쟁점토지는 피상속인이 2014. 9. 11. 사망하여 상속이 개시된 재산으로서, 상속인들 중 가장 연장자인 청구인이 쟁점토지의 재산세 납세의무자에 해당하는 점, 쟁점토지가 종합합산과세 대상으로 공시가격이 5억원을 초과하는 점 등에 비추어 처분청이 청구인을 쟁점토지의 주된 상속자로 보아 종합부동산세 등을 과세한 이 건 처분은 잘못이 없음.

창원지방법원 2017구합 51929, 2017. 11. 28.

상속재산분할협의에 따라 이 사건 각 토지분 재산세의 납세의무자가 변경되었다는 이유로 이미 성립된 종합부동산세의 경정을 청구하는 것은 허용되지 않음.

조심 2016서 3678, 2017. 7. 26.

「종합부동산세법」 제12조 제1항은 종합부동산세 과세기준일 현재 토지분 재산세의 납세의무자를 종합부동산세 납세의무자로 규정하고 있으므로 ○○○의 재산세 등 과세처분이 신뢰보호원칙에 위배되어 위법한 처분에 해당하는 이상 처분청의 종합부동산세 과세처분 역시 위법한 처분에 해당한다고 할 것임.

조심 2015서 1238, 2015. 6. 26.

쟁점주택단지 토지는 ○○○지구 도시개발구역의 지정일 전후부터 현재까지 ○○○이 토지매입, 설계용역 진행, 진입도로 공사 및 문화재 발굴 등 도시개발사업을 계속하여 진행하고 있고, 쟁점체육시설등 토지는 주택건설 및 체육시설에 필수불가결하게 수반되는 시설용 토지일 뿐만 아니라 사업의 완료 후 1개월 이내에 김해시에 일괄 기부채납하기로 한 사실이 실시협약서 등에 나타나는 점 등에 비추어 처분청이 쟁점토지를 종합합산과세대상 토지로 보아 종합부동산세를 과세한 처분은 잘못이 있음.

재조세-104, 2015. 2. 3.

「신탁법」에 따라 수탁자 명의로 신탁등기된 신탁재산에 대해 국세인 종합부동산세가 체납된 경우 수탁자의 고유재산에 대해서는 압류할 수 없고 해당 재산에 대해서만 압류할 수 있는 것임.

대법 2012두 26852, 2014. 11. 27.

종합부동산세의 납세의무자인 수탁자는 위탁자별로 산정한 각각의 종합부동산세액과 자신의 고유재산에 관하여 산정한 종합부동산세액을 합산한 금액을 납부할 의무가 있다고 보는 것이 타당함.

조심 2014중 662, 2014. 5. 26.

종합부동산세는 보유하는 재산에 담세력을 인정하여 부과되는 조세로서 재산가액을 그 과세표준으로 하고 있어 그 본질은 재산소유 자체를 과세요건으로 하는 것이고, 현실적으로 당해 재산을 본래의 용도에 따라 사용・수익하였는지 여부는 그 과세요건이 아니라고 할 것이므로 토지개발사업 진행으로 인해 재산권 행사에 제약이 있다 하여 달리 볼 수 없으므로, 쟁점토지를 종합합산과세대상으로 보아 종합부동산세를 과세한 처분은 잘못이 없음.

감심 2010-4, 2010. 2. 18.

집배송센터 건축공사를 6개월 이상 중단한 사유가 주민들의 민원 및 공무원의 공사중단 요청 등으로 인해 외부적인 요인으로 보이므로 동기간 동안은 별도합산과세대상으로 구분함이 타당함.

조심 2008중 3159, 2009. 12. 14.

도시계획시설 사업시행인가를 받아 사업지내의 토지를 분양한 후 토지거래 허가를 신청하였으나 불허가함에 따라 토지거래 허가를 득하지 못한 경우 공부상의 소유자가 부동산세의 납세의무자임.

심사종부 2009-15, 2009. 6. 22.

공유물분할 확정판결에 따라 분할등기를 경료하지 아니하여 공부상 소유현황과 실질 소유현황이 다르다는 내용을 「지방세법」 규정에 따라 신고하지 아니하여 공부상 소유현황에 따라 종합부동산세를 과세한 처분은 정당함.

심사종부 2008-21, 2008. 9. 30.

토지의 매매대금 대부분이 납부된 날을 취득시기로 보아 「종합부동산세법」 제12조의 규정에 의거 과세기준일 현재 토지분 재산세의 납세의무자에게 종합부동산세를 부과한 것은 정당함.

2 | 토지분 종합부동산세 과세표준

가. 종합합산과세대상 토지(종부법 §13 ①)

종합합산과세대상인 토지에 대한 종합부동산세의 과세표준은 납세의무자별(세대별)로 당해 과세대상토지의 공시가격을 합한 금액에서 5억원을 공제한 금액에 공정시장가액비율(90%)을 곱하여 계산한다.

종합합산과세대상 토지 과세표준 = (공시가격의 합계액 - 5억원)×공정시장가액비율(90%)

나. 별도합산과세대상 토지(종부법 §13 ②)

별도합산과세대상 토지 과세표준 = (공시가격의 합 - 80억원)×공정시장가액비율(90%)

별도합산과세대상인 토지에 대한 종합부동산세의 과세표준은 납세의무자별로 당해 과세대상토지의 공시가격을 합한 금액에서 80억원을 공제한 금액에 공정시장가액비율(90%)을 곱하여 계산한다.

관련예규 및 판례요약

토지분 종부세 과세표준 : 종부법 §13

토지분 종부세의 과세표준과 관련된 예규, 판례

- 조심 2018서 3950, 2018. 11. 22.

  청구인은 쟁점토지가 평생교육시설로 사용되기만 하면 되는 것으로 소유자가 평생교육시설로 사용하여야 하는 것은 아니라는 주장이나, 청구인이 동일한 주장으로 제기한 재산세의 심판청구에서 특별한 사정이 없는 한 제3자로 하여금 쟁점토지를 사용하도록 하는 것은 직접 사용에 해당하지 않는다고 결정된 점, 「종합부동산세법」 제6조에 따라 종합부동산세의 부과 등은 지방세법을 준용하는 것이므로, 쟁점토지를 과세대상에 합산하여 종합부동산세를 부과한 이 건 처분은 달리 잘못이 없는 것으로 판단됨.

- 조심 2018중 2358, 2018. 9. 17.

  쟁점학교용지등 중 학교용지는 나대지로 재산세 종합합산과세가 이루어졌고, 나머지 견본주택용지는 건축물의 부속토지로 재산세 별도합산과세가 이루어졌으므로 쟁점학교용지등은 과세기준일 현재 '주택건설사업에 제공되고 있는 토지'로 보기 어려운 점 등에 비추어 쟁점학교용지등이 종합부동산세 비과세 대상에 해당한다는 청구주장을 받아들이기 어려움.

대법원 2017두 74306, 2018. 3. 29.

건축 중인 건축물이란 과세기준일 현재 공사에 착수한 경우만을 말하는 것으로 과세기준일 현재 착공에 하지 못한 것에 정당한 사유가 있다 하더라도 건축하고자 하는 건축물의 부속토지는 건축 중인 건축물의 부속토지에 해당한다고 할 수 없음.

조심 2017서 0168, 2017. 4. 26.

쟁점1토지는 쟁점건물의 부속토지와는 도로로 구분되어 있어 건축물의 부속토지로서 건물과 소유권의 행사 등에 있어서 경제적 이용을 같이 하는 토지라고 보기 어려운 바, 처분청이 쟁점1토지를 종합합산과세대상으로 보아 이 건 종합부동산 등을 부과한 처분은 잘못이 없다고 판단됨.

춘천지법 2012구합 339, 2013. 2. 15.

매년 1월 1일부터 6월 30일까지 사이에 분할이 발생한 경우 7월 1일을 기준일로 하여 공시지가를 결정·공시하도록 규정되어 있는바, 종합부동산세의 과세기준일인 6월 1일 이후 발생한 과세요건인 7월 1일을 기준일로 하는 개별공시지가를 과세표준으로 적용한 것은 소급과세금지원칙 및 엄격해석의 원칙에 반하여 위법함.

조심 2012서 880, 2012. 3. 21.

「종합부동산세법」상 재산세액의 공제 규정은 종합부동산세 과세표준 금액에 부과된 재산세를 납부할 종합부동산세에서 공제하여 줌으로써 이중과세 문제를 조정하고자 함에 그 제도적 취지가 있다 할 것인바, 종합부동산세액 계산시 공제되는 재산세액을 산정함에 있어 종합부동산세 공정시장가액비율과 재산세 공정시장가액비율을 모두 적용하여 과세한 처분청의 종합부동산세 부과처분은 정당함.

재재산-1469, 2009. 9. 17.

주택건설사업자가 주택을 건설하기 위하여 토지를 취득한 후 「주택법」에 따라 주택건설사업자 등록을 한 경우에 당해 토지는 주택건설사업자 등록 이후에 종합부동산세 납세의무가 성립하는 분부터 「조세특례제한법」 제104조의 19에 따라 「종합부동산세법」 제13조 제1항에 따른 과세표준 합산의 대상이 되는 토지의 범위에 포함되지 아니하는 것임.

조심 2008지 116, 2008. 9. 23.

복토한 폐염전을 잡종지로 보아 종합합산과세대상으로 구분하고 기 결정·고시된 개별공시지가가 있는 토지의 개별공시지가를 다시 산정하여 종합토지세를 부과한 처분이 적법함.

3 | 토지에 대한 종합부동산세의 세율

가. 종합합산과세대상 토지의 세율(종부법 §14 ①)

과세표준	세 율	누진공제액
15억원 이하	1%	0
15억원 초과 45억원 이하	2%	1,500만원
45억원 초과	3%	6,000만원

나. 별도합산과세대상 토지의 세율(종부법 §14 ④)

과세표준	세 율	누진공제액
200억원 이하	0.5%	0
200억원 초과 400억원 이하	0.6%	2,000만원
400억원 초과	0.7%	6,000만원

| 토지에 대한 보유세율(재산세 및 종합부동산세) |

세 목	종합합산과세대상 토지		별도합산과세대상 토지		비 고
	세율구간	세 율	세율구간	세 율	
재산세	5천만원 이하	0.2%	2억원 이하	0.2%	1차(시 · 군 · 구) 재산세 부과
	1억원 이하	0.3%	10억원 이하	0.3%	
	1억원 초과	0.5%	10억원 초과	0.4%	
종합부동산세	15억원 이하	1%	200억원 이하	0.5%	2차(국가) 종합부동산세 부과
	45억원 이하	2%	400억원 이하	0.6%	
	45억원 초과	3%	400억원 초과	0.7%	

4 | 토지분 종합부동산세

가. 토지분 종합합산세액(종부법 §14 ①, ③)

1) 토지분 종합합산세액

종합합산과세대상인 토지에 대한 종합부동산세의 세액은 과세표준에 세율을 적용하여 계산한 금액(이하 '토지분 종합합산세액')으로 한다.

2) 재산세 공제

종합합산과세대상인 토지분 재산세로 부과된 세액의 합계액 중 종합합산 토지분 과세표준금액에 해당하는 재산세액은 토지분 종합합산세액에서 공제한다. 공제할 재산세액은 아래 산식에 따라 계산하도록 규정하고 있는데 계산식상 분자 부문은 2015. 6. 24. 대법원 판결(대법 2012두 7073)에 따라 명확화 취지로 2015. 11. 30. 개정되었다. 대법원 판결의 내용 등에 대해서는 '6. 주택분 종합부동산세 결정세액의 계산' 편에서 공제할 재산세액 부분을 참고하기 바란다.

▶▶ 여기서 부과된 세액이란 가감조정된 세율이 적용(지세법 §111 ③)된 경우에는 그 세율이 적용된 후의 세액을 말하며 세부담 상한을 적용(지세법 §122)받은 경우에는 그 상한을 적용받은 후의 세액을 말한다(종부법 §14 ③).

• 공제되는 종합합산과세대상 토지분 재산세액의 계산(종부법 §14 ⑦, 종부령 §5의3 ①)

$$\text{「지방세법」 제112조 제1항 제1호에 따라 종합합산과세대상인 토지분 재산세로 부과된 세액의 합계액} \times \frac{\text{[(법 제13조 제1항에 따른 종합합산과세대상인 토지의 공시가격을 합산한 금액 - 5억원)} \times \text{제2조의4 제1항에 따른 공정시장가액비율} \times \text{「지방세법 시행령」 제109조 제1호에 따른 공정시장가액비율]} \times \text{「지방세법」 제111조 제1항 제1호 가목에 따른 표준세율}}{\text{종합합산과세대상인 토지를 합산하여 종합합산과세대상인 토지분 재산세 표준세율로 계산한 재산세 상당액}}$$

나. 토지분 별도합산세액(종부법 §14 ④, ⑥)

1) 토지분 별도합산세액

별도합산과세대상인 토지에 대한 종합부동산세의 세액은 과세표준에 세율을 적용하여 계산한 금액(이하 '토지분 별도합산세액')으로 한다(종부법 §14 ④).

2) 재산세 공제

별도합산 과세대상인 토지분 재산세로 부과된 세액의 합계액 중 별도합산 토지분 과세표준금액에 해당하는 재산세액을 토지분 별도합산세액에서 공제한다. 공제할 재산세액은 아래 산식에 따라 계산하도록 규정하고 있는데 계산식상 분자 부문은 2015. 6. 24. 대법원 판결(대법 2012두 7073)에 따라 명확화 취지로 2015. 11. 30. 개정되었다. 대법원 판결의 내용 등에 대해서는 '6. 주택분 종합부동산세 결정세액의 계산' 편에서 공제할 재산세액 부분을 참고하기 바란다.

▶▶ 여기서 부과된 세액이란 가감조정된 세율이 적용(지세법 §111 ③)된 경우에는 그 세율이 적용된 후의 세액을 말하며 세부담 상한을 적용(지세법 §122)받은 경우에는 그 상한을 적용받은 후의 세액을 말한다(종부법 §14 ⑥).

• 공제되는 별도합산과세대상 토지분 재산세액의 계산(종부법 §14 ⑦, 종부령 §5의 3 ②)

「지방세법」 제112조 제1항 제1호에 따라 별도합산과세대상인 토지분 재산세로 부과된 세액의 합계액	× [(법 제13조 제2항에 따른 별도합산과세대상인 토지의 공시가격을 합산한 금액 - 80억원) × 제2조의4 제2항에 따른 공정시장가액비율 × 「지방세법 시행령」 제109조 제1호에 따른 공정시장가액비율] × 「지방세법」 제111조 제1항 제1호 나목에 따른 표준세율 / 별도합산과세대상인 토지를 합산하여 별도합산과세대상인 토지분 재산세 표준세율로 계산한 재산세 상당액

5 | 토지분 종합부동산세액의 세부담 상한(종부법 §15)

가. 세부담 상한을 초과하는 세액

세부담 상한 제도는 종합부동산세 도입 등 보유세 개편시 납세의무자별로 급격한 보유세(재산세+종합부동산세) 부담의 증가를 완화하기 위해 도입된 것으로, 직전연도 보유세 총세액상당액을 기준으로 해당연도 보유세 총세액상당액의 상한을 두고 이를 초과하는 세액을 종합부동산세액에서 공제하도록 하는 제도이다. 세부담상한은 2005년 이른바 8.31 대책으로 직전연도 보유세 총부담액의 300%까지 상향되었다가 2008년 종합부동산세 세부담 완화 개정시 150%로 완화되었다.

토지분 종합부동산세액의 세부담상한은 종합합산토지와 별도합산토지를 각각 구분하여 계산하며, 세부담상한의 기준이 되는 직전연도 보유세 부담액은 납세자가 실제로 납부한 금액이 아닌 해당연도의 종합합산토지(별도합산토지)를 직전연도 과세기준일 현재에도 실제 소유하고 있었던 것으로 간주하여 직전연도의 「지방세법」 및 「종합부동산세법」을 적용하여 산출한 재산세 및 종합부동산세액을 말한다. 구체적 계산방법 등은 아래 설명하는 내용을 참고하기 바란다.

1) 세부담 상한의 계산 및 적용

당해연도 총세액상당액(재산세+종합부동산세)이 전년도 총세액상당액의 100분의 150을 초과하는 경우 그 초과분은 종합부동산세액에서 공제한다.

[당해연도 총세액상당액의 계산] : "① + ②" (= 실제 납부할 세액)

① 재산세액 : 탄력세율 및 세부담 상한 적용 후의 실제 부과된 재산세액

② 종부세액 : 세부담 상한을 적용하기 전의 세액*

* 과세표준 × 세율 − 제부과된 재산세액 중 종합합산토지(별도합산토지)분 과세표준금액에 대하여 종합합산토지(별도합산토지)분 재산세로 부과된 세액** − 세액공제액

** 종합합산토지(별도합산토지)분 과세표준 금액에 대하여 재산세로 부과된 세액 :

$$\text{탄력세율 적용하고 세부담 상한을 적용한 후의 재산세액의 합계액} \times \frac{\text{종합합산토지(별도합산토지)분 과세표준에 대하여 표준세율로 계산한 재산세 상당액}}{\text{종합합산토지(별도합산토지)를 합산하여 표준세율로 계산한 재산세 상당액}}$$

[전년도 총세액상당액의 계산] : "① + ②" (= 정상적으로 납부할 세액)

① 재산세액 : 표준세율 적용하고 세부담 상한을 적용하기 전의 세액

② 종부세액 : 세부담 상한을 적용하기 전의 세액*

* 과세표준 × 세율 − 해당연도 종합합산토지(별도합산토지)를 직전연도 과세기준일 현재에도 실제 소유하고 있었던 것으로 간주하여 계산한 재산세액 중 종합합산토지(별도합산토지)분 과세표준금액에 대하여 종합합산토지(별도합산토지)분 재산세로 부과된 세액** − 세액공제액

** 종합합산토지(별도합산토지)분 과세표준 금액에 대하여 재산세로 부과된 세액 :

$$\text{표준세율 적용하고 세부담 상한을 적용하기 전의 재산세액의 합계액} \times \frac{\text{종합합산토지(별도합산토지)분 과세표준 금액에 대하여 표준세율로 계산한 재산세 상당액}}{\text{종합합산토지(별도합산토지)를 합산하여 표준세율로 계산한 재산세 상당액}}$$

2) 토지의 분할 · 합병 · 지목변경 · 신규등록 · 등록전환 등 세부담 상한의 적용방법 (종부령 §6 ③, ④)

토지의 분할 · 합병 · 지목변경 · 신규등록 · 등록전환 등으로 인하여 해당 연도의 토지에 대한 직전연도 과세표준액이 없는 경우에는 해당 연도 토지가 직전연도 과세기준일 현재 존재하는 것으로 보아 직전연도 보유세 총세액 상당액을 계산하여 세부담 상한액을 계산하며, 해당 연도의 토지가 재산세의 감면 · 분리과세 규정 또는 종합부동산세 합산배제 규정의 적용을 받지 않거나 적용받은 경우에는 직전연도에도 이를 적용받지 않거나 적용받은 것으로 보아 직전연도 보유세 총세액 상당액을 계산한다.

제4절 「조세특례제한법」상 과세특례

1 향교 및 종교단체에 대한 종합부동산세 과세특례 (조특법 §104의 13)

「부동산 실권리자 명의 등기에 관한 법률 시행령」 제5조 제1항 제3호에 따른 개별 향교 또는 같은 항 제2호에 따른 개별 종교단체(소속종교단체, 이하 개별 향교 및 개별 종교단체를 '개별단체'라 함)가 소유한 주택 또는 토지 중 개별단체가 속하는 향교재단 또는 종교단체의 명의로 조세포탈을 목적으로 하지 아니하고 등기한 주택 또는 토지가 있는 경우, 「종합부동산세법」 제7조 제1항 및 제12조 제1항에도 불구하고 대상주택 또는 대상토지를 실제 소유한 개별단체를 과세기준일 현재 각각 주택분 재산세 납세의무자 및 토지분 재산세 납세의무자로 보아 종합부동산세를 신고할 수 있도록 하고, 이렇게 신고하는 경우 대상주택 또는 대상토지는 종합부동산세의 과세시 개별단체의 소유로 보도록 하는 과세특례를 두고 있다.

이는 향교재단 및 종교단체 소유의 종합부동산세 과세대상 주택 및 토지의 합산과세에 따른 세부담을 경감하기 위한 것으로, 다만, 이렇게 개별단체의 소유로 보는 경우에도 향교재단 또는 종교단체는 대상주택 또는 대상토지의 공시가격을 한도로 그 개별단체와 연대하여 종합부동산세를 납부하도록 하고 있다.

2 주택건설사업자가 취득한 토지에 대한 과세특례 (조특법 §104의 19)

주택건설업은 특성상 주택건설을 위한 대규모 토지를 사전에 확보해야 할 뿐 아니라 사업진행에 장기간이 소요되므로 해당 기간 동안의 종부세 부담이 주택 분양가격 등에 전가되어 분양가 상승 등 부작용을 발생시킬 소지가 있다. 이에 따라 주택건설사업자가 취득한 토지에 대하여는 일정 요건을 갖춘 경우 종합부동산세를 과세하지 않도록 하고 있다.

가. 과세특례 적용대상 사업자(조특법 §104의 19 ①)

1) 「주택법」에 따라 주택건설사업자 등록을 한 주택건설사업자
2) 「주택법」 제11조에 따른 주택조합 및 고용자인 사업주체
3) 「도시 및 주거환경정비법」 제24조부터 제28조 및 「빈집 및 소규모주택 정비에 관한 특례법」 제17조부터 제19조까지의 규정에 따른 사업시행자
4) 유동화전문회사, 투자회사, 투자목적회사, 기업구조조정투자회사, 부동산투자회사 등으로서 「법인세법」 제51조의 2 제1항 제9호에 따른 법인

나. 적용요건(조특법 §104의 19 ②)

주택건설사업자가 취득한 토지에 대한 과세특례를 적용받고자 하는 사업자는 해당연도 9. 16.부터 9. 30.까지 납세지 관할 세무서장에게 토지의 보유현황을 신고하여야 한다.

다. 사후관리(조특법 §104의 19 ③, 조특령 §104의 18 ②・③)

주택건설사업자가 주택 건설용 토지를 취득한 날부터 5년 이내에 「주택법」에 따른 주택건설을 위하여 같은 법에 따른 사업계획을 승인을 받지 못하는 경우에는 과세하지 않은 종합부동산세액과 이자상당가산액을 추징한다.

관련예규 및 판례요약

주택건설사업자가 취득한 토지에 대한 과세특례

대법원 2018두 47929, 2018. 10. 12.

주택건설사업자가 주택을 건설하기 위해 취득한 토지에 관하여 과세표준 합산배제를 통해 종합부동산세를 감면해준 뒤 5년 이내에 사업계획 승인을 받지 못한 경우, 그 원인이 납세의무자에게 책임을 돌릴 수 없는 등 정당한 사유로 인한 것일 때에는 감면된 종합부동산세 등을 추징할 수 없음.

조심 2017서 3600, 2017. 10. 30.

청구인과 AA가 사업시행권 위·수임 계약을 체결한 사실만으로 청구인이 「도시 및 주거환경정비법」에서 규정한 시장·군수로부터 사업시행인가를 받았다고 보기는 어렵고, 사업시행인가를 받은 사실을 입증하지 못하고 있으므로 사업시행자에 해당한다고 보기 어려움 점 등에 비추어 청구인에게 종합부동산세 등을 부과한 이 건 처분은 잘못이 없는 것으로 판단됨.

조심 2017서 3132, 2017. 8. 29.

쟁점부동산은 과세기준일 현재 '주택'에 해당되어 「조세특례제한법」 제104조의 19 규정이 적용될 수 없고, 청구법인은 과세기준일 현재 쟁점부동산에 대하여 「민간임대주택에 관한 특별법」에 따른 등록을 하지 않았고, 2016. 9. 16.~9. 30.까지 임대주택의 보유현황을 신고하지도 않았으므로, 쟁점부동산은 종합부동산세 과세표준 합산배제 대상인 임대주택에 해당되지도 않는 것으로 판단됨.

조심 2016서 2886, 2016. 12. 28.

쟁점토지 중 일부는 그 취득시기로부터 5년 이내에 「주택법」에 의한 주택건설 사업계획승인을 받지 못하였으므로 조특법 제104조의 19 제1항에 의한 종합부동산세 합산배제 토지에 해당하지 아니하여 같은 조 제3항에 따라 추징하는 것이 타당하나, 나머지에 대해서는 처분청이 부과처분을 직권취소하였으므로 그 부분에 대한 심판청구는 부적법한 청구로 판단됨.

조심 2015서 1680, 2015. 6. 15.

양도법인과 청구법인 사이의 이 건 매매계약은 2012. 12. 11. 주무관청의 정관변경 허가를 받음으로써 유효하게 되었고, 따라서 이 건 매매계약을 원인으로 하여 청구법인 앞으로 경료된 소유권이전등기는 결국 실체관계에 부합하는 등기로서 유효하다고 판시한 점 등에 비추어 청구법인의 쟁점토지 취득시기는 등기접수일인 2008. 3. 31.이고, 취득한 날부터 5년 이내에 「주택법」에 따른 주택건설을 위하여 사업계획의 승인을 받지 못하였으므로 청구법인에게 종합부동산세 등을 추징한 이 건 처분은 잘못이 없음.

종부-5, 2012. 5. 23.

「조세특례제한법」 제104조의 19에 따른 과세특례는 주택건설사업자가 주택을 건설하기 위하여 취득한 종합합산 과세대상 토지 중 취득일부터 5년 이내에 사업계획의 승인을 받을 토지를 종합합산과세대상 토지의 과세표준 합산에서 제외하는 것임. 따라서 해당 토지를 일시적으로 임대하는 경우에도 「조세특례제한법」 제104조의 19에 따른 과세특례를 적용받을 수 있는 것이나, 취득한 날부터 5년 이내에 사업계획승인을 받지 못하는 경우에는 경감받은 종합부동산세액과 이자상당가산액을 추징하는 것임.

재재산－163, 2012. 2. 29.

주택건설용으로 취득한 토지를 주택건설사업자 등록 전부터 보유하고 있는 상태에서 주택건설사업자 등록을 한 경우, 동 토지는 주택건설사업자 등록 이전까지는 「조세특례제한법」 제104조의19에 따른 종합부동산세과세특례가 적용되지 않으나, 주택건설사업자 이후 기간부터는 종합부동산세 과세특례 적용 대상임. 이는 기존 법령질의 회신문인 '기획재정부 재산세제과－1469(2009.9.17)'과 동지임.

참고 재재산－1469, 2009.9.17.

주택건설사업자가 주택을 건설하기 위하여 토지를 취득한 후 「주택법」에 따라 주택건설사업자 등록을 한 경우에 당해 토지는 주택건설사업자 등록 이후에 종합부동산세 납세의무가 성립하는 분부터 「조세특례제한법」 제104조의 19에 따라 「종합부동산세법」 제13조 제1항에 따른 과세표준 합산의 대상이 되는 토지의 범위에 포함되지 아니하는 것임.

종부－50, 2009. 12. 23.

「조세특례제한법」(제104조의 19)에 따른 과세특례는 주택법에 따라 주택건설사업자 등록을 한 주택건설사업자(「주택법」 제32조에 따른 주택조합 및 고용자인 사업주체와 「도시 및 주거환경정비법」 제7조부터 제9조까지의 규정에 따른 사업시행자 포함)가 주택을 건설하기 위하여 취득한 토지 중 취득일로부터 5년 이내에 주택법에 따른 사업계획의 승인을 받을 토지를 종합합산과세대상 토지의 과세표준 합산에서 제외하는 것임.

「도시개발법」 제17조의 실시계획의 인가를 받아 동법 제19조 제1항 제16호에 따라 「주택법」 제16조의 사업계획승인을 받은 것으로 의제하는 경우에는 「조세특례제한법」 제104조의 19의 주택법에 따른 사업계획의 승인으로 보는 것이나, 해당 토지를 취득하기 전에 주택법에 따른 주택건설사업자 등록을 하지 아니하거나 주택건설사업자가 해당 토지를 취득한 날부터 5년 이내에 사업계획의 승인을 받지 못하는 경우에는 과세특례를 적용받을 수 없는 것임.

종부－88, 2009. 5. 21.

「조세특례제한법」(제104조의 19)의 규정에 의한 과세특례 대상 토지는 「주택법」에 따라 주택건설사업자 등록을 한 주택건설사업자가 주택을 건설하기 위하여 취득한 토지 중 취득일로부터 5년 이내에 「주택법」에 따른 사업계획의 승인을 받을 토지에 한정하고 있어 주상복합건물을 신축분양하기 위하여 건축법에 따른 건축허가를 받는 경우에는 동 규정에 의한 과세특례를 적용받을 수 없음. 또한, 주상복합건물을 신축분양하기 위하여 건축법에 따른 건축허가를 받은 자는 「주택법」 제9조 제1항 제6호 및 제10조 제3항의 규정에 의하는 "고용자인 사업주체"에 해당하지 아니함.

Chapter 02

재산세

제 1 절 개 념

1 재산세의 개념

재산세는 과세대상 물건인 토지, 건축물, 주택, 항공기 및 선박의 소유사실에 대하여 그 사실상 소유자를 납세의무자로 하여 과세하는 조세이며, 과세대상 물건의 소재지를 관할하는 시·군·구에서 부과하는 지방세(시·군·구의 보통세이며 독립세)이다. 재산세는 그 세원이 어느 시·군·구에나 널리 보편적으로 존재하며, 세원도 계속 증가하고 있어 안정성이 매우 큰 조세로 볼 수 있다.

강학상 재산세의 성격을 살펴보면 다음과 같다.

가. 수익세적 성격

재산세는 과세객체인 재산을 소유(보유)하고 있는 동안 매년 반복적으로 과세된다. 재산의 소유자는 건축물 등을 직접 이용하거나 임대 등의 방법으로 수익을 올릴 수 있는데 재산세는 이와 같은 재산의 수익성에 착안하여 과세하는 지방세이다. 아울러 재산세의 과세대상인 재산은 해당 재산이 소재한 지방자치단체의 각종 행정서비스를 바탕으로 당해 재산의 경제적 수익가치가 결정되는 경우가 많다는 점에서 그 수익세적인 성격을 부인하기 어렵고, 응익적 성격이 있다고 보는 견해가 지배적이다.

나. 물세의 성격

재산세는 재산소유자의 인적 요건은 고려하지 않고 부의 원천인 건축물 등에 부과하는 조세로서 물적 요건만을 고려하는 조세이다. 현행 재산세는 개인 또는 법인이 소유하고 있는 건축물 등의 재산총액(외형표준)을 과세표준으로 하여 과세하기 때문에 그 소유의 조세부담능력과는 관계없이 같은 가치를 가진 재산이면 그 소유자가 누구든지 동일한 세액이 과세되는 물세라고 할 수 있다.

다. 응익과세(應益課稅)의 성격이 있는 시 · 군의 기간세

건축물 등의 재산가치 증대에 따른 이익에 상응하는 부담을 조세의 형태로 부과하는 시 · 군의 기간세이다. 최근 건축물 등의 가치의 변화가 아주 커서 재산별 · 납세자별 · 소득별 · 국세와 지방세 간에 있어서 형평성, 합리성을 이유로 재산가치평가, 즉 과세표준의 현실화 작업이 활발히 이루어지고 있다.

라. 재산세제도의 변화

노무현 정부는 2005년부터 고액의 부동산보유자에 대한 조세부담의 형평성을 제고하고 부동산 가격안정을 도모하기 위해 일정 금액 이상 부동산 보유자를 과세대상자로 하는 국세인 종합부동산세를 도입하는 등 보유세 및 거래세 전반을 개편하게 되었다.

지방세인 재산세도 세제개편의 큰 틀 안에서 여러 가지 개정이 이루어졌는데, 먼저 1990년부터 토지 보유에 대해 부과하던 종합토지세를 재산세로 통합하고, 주택의 경우 건축물과 부속토지를 함께 평가하여 과세하는 한편, 그동안 매우 복잡했던 재산세율을 정비하는 등의 전반적인 개정이 이루어지게 되었다.

이러한 변화에 따라 부동산 보유세제는 현재까지 지방세인 재산세와 국세인 종합부동산세로 이원화 되어 운영되고 있고, 개정 후 재산세의 과세대상도 토지, 건축물, 주택, 항공기 및 선박으로 구분 · 규정하고 있다.

개정 이후 과세대상별 구체적인 과세방식은 주택의 경우 그 주택건축물과 부속토지를 통합 · 평가하여 과세하되 주택별로 과세하고, 주택 이외의 일반 건축물은 종전과 같이 토지와 건물을 분리하여 과세하되, 건축물별로 과세하며, 다만, 토지의 경우에는 주택으로 과세하는 주택분 부속토지를 제외하고, 이외의 토지를 종합합산토지(나대지 등)와 별도합산토지(사업용 토지 및 일반건축물의 부속토지), 분리과세대상토지로 구분하여 과세하되 주택 및 건축물과 달리 기초지방자치단체인 시·군·구 관내의 토지를 인별(人別)로 합산하여 과세하고 있다.

이후, 2011년부터는 기존 도시계획세를 재산세로 통합하여 종전의 도시계획세 부분은 재산세 과세특례(도시지역분)로 적용하도록 개정되었고, 이에 따라 지방자치단체의 장은 「국토의 계획 및 이용에 관한 법률」제6조 제1호에 따른 도시지역 중 해당 지방의회의 의결을 거쳐 고시한 지역(재산세 과세특례 적용대상 지역) 안에 있는 토지, 건축물 또는 주택에 대해 조례로 정하는 바에 따라 재산세액에 1천분의 1.4를 적용하여 산출한 세액을 재산세에 합하여 과세하게 되었다.

제 2 절 재산세 과세요건

1 과세대상(지세법 §105)

재산세는 물건별로 과세하는 세목으로서 그 과세대상은 시·군·구 내에 소재하는 재산, 즉 토지·건축물·주택·항공기 및 선박이며 재산세 과세대장에 등재된 것에 과세한다. 그러나 과세대상물건이 공부상 등재사항과 사실상의 현황이 상이한 경우에는 사실상의 현황에 의하여 부과한다(현황과세주의).

가. 토 지

「공간정보의 구축 및 관리 등에 관한 법률」에 따라 지적공부의 등록대상이 되는 토지와 그 밖에 사용되고 있는 사실상의 모든 토지를 말한다(지세법 §104 1호). 토지분 재산세 과세대상의 구분과 세율적용에 대하여는 제3절에서 별도로 구분하여 자세히 살펴보고자 한다.

나. 건축물

건축물이란 「건축법」 제2조 제1항 제2호에 따른 건축물(이와 유사한 형태의 건축물을 포함)과 토지에 정착되거나 지하 또는 다른 구조물에 설치하는 레저시설, 저장시설, 도크시설, 접안시설, 도관시설, 급·배수시설, 에너지 공급시설 및 그 밖에 이와 유사한 시설(이에 부수되는 시설을 포함)로서 대통령령이 정하는 것을 말한다(지세법 §6 4호). 건축물의 경우 단일세율을 적용하지 아니하고, 건축물의 용도에 따라 구분하여 과세하므로 용도에 따른 건축물의 구분이 중요하며 이에 대하여는 아래에서 자세히 살펴보고자 한다.

1) **공장용 건축물** : 공장용 건축물이라 함은 특별시, 광역시(군 지역은 제외한다) 및 읍·면지역을 제외한 특별자치시·특별자치도·시지역에서 제조, 가공, 수선이나 인쇄 등의 목적에 사용하도록 생산설비를 갖춘 「지방세법 시행규칙」 별표 2에 규정된 업종의 공장으로서 생산설비를 갖춘 건축물의 연면적(옥외에 기계장치 또는 저장시설이 있는 경우에는 그 시설물의 수평투영면적을 포함)이 500제곱미터 이상인 것을 말한다. 이 경우 건축물의 연면적에는 해당 공장의 제조시설을 지원하기 위하여 공장 경계구역 안에 설치

되는 부대시설(식당, 휴게실, 목욕실, 세탁장, 의료실, 옥외 체육시설 및 기숙사 등 종업원의 후생복지증진에 제공되는 시설과 대피소, 무기고, 탄약고 및 교육시설은 제외)의 연면적을 포함한다(지세칙 §55).

2) 사치성 재산 : 사치성 재산이란 골프장용 건축물, 별장용 건축물 및 고급오락장용 건축물로 그 범위는 취득세 과세대상인 고급주택을 제외한 것과 동일하다. 자세한 내용은 취득세 편의 '사치성 재산의 범위'를 참조하기 바란다.

3) 기타의 건축물 : 상기 1), 2)에서 규정한 건축물을 제외한 건축물 전부를 말한다.

다. 주 택

주택은 「주택법」 제2조 제1호의 규정에 의한 주택을 말한다(지세법 §104 3호). 재산세에서 부동산은 토지, 건물, 주택으로 분류하고 있기 때문에 주택은 건물이나 토지에서 제외하여 별도의 과세대상이 된다.

「주택법」에서 "주택"이란 세대의 구성원이 장기간 독립된 주거생활을 할 수 있는 구조로 된 건축물의 전부 또는 일부 및 그 부속토지를 말하며, 이를 단독주택과 공동주택으로 구분한다(주택법 §2 1호). '공동주택'이라 함은 건축물의 벽·복도·계단, 그 밖의 설비 등의 전부 또는 일부를 공동으로 사용하는 각 세대가 하나의 건축물 안에서 각각 독립된 주거생활을 영위할 수 있는 구조로 된 주택을 말한다.

주택이란 주거용에만 공할 수 있도록 건축된 건물로서 상시 주거용으로만 사용되고 있는 건물을 말한다. 그러나 1동의 건물이 주거와 주거 외의 용도에 사용되고 있는 경우에는 주거용에 사용되고 있는 건물부분과 해당 부속토지를 주택으로 보는 것이며, 1구의 건물이 주거와 주거 외의 용도로 사용되고 있는 경우에는 주거용으로 사용되는 면적이 전체의 100분의 50 이상인 경우에는 주택으로 본다. 아파트 또는 연립주택 등 공동주택과 다가구주택의 경우에는 1세대가 독립하여 구분 사용할 수 있도록 분리된 부분을 1구의 주택으로 본다.

여기에서 다가구주택이란 「건축법 시행령」 별표 1 제1호 다목에 따라 19세대 이하가 거주할 수 있는 주택으로 공동주택에 해당하지 아니하는 것을 말하며, 주택용으로 쓰는 층수가 3개층 이하이고, 1개동의 주택으로 쓰는 바닥면적의 합계가 660제곱미터 이하인 주택을 말한다.

라. 선 박

선박의 개념도 「선박법」 등에서 차용하지 않고 「지방세법」에 고유하게 규정하고 있다. 「지방세법」상의 선박의 개념을 보면 기선·범선·부선 및 그 밖에 명칭 여하를 불문하고 모든 배를 말한다(지세법 §6 ① 10호).

고급선박에 대하여는 재산세가 5% 부과된다(지세법 §111 ① 4호). 일반선박의 재산세가 0.3%이나 고급선박에 대하여는 중과세하고 있는 것이다. 고급선박이라 함은 선박 중에서 시가표준액이 3억원을 초과하는 비업무용 자가용 선박을 말한다. 그러나 실험실습 등의 용도에 사용할 목적으로 취득하는 것은 제외된다(지세령 §28 ⑥).

마. 항공기

항공기의 개념도 「항공법」 등에서 차용하지 않고 「지방세법」에서 고유하게 규정하고 있다. 따라서 등록되지 않은 항공기라도 과세대상이 된다.

「지방세법」상 항공기라 함은 사람이 탑승 조종하여 항공에 사용하는 비행기·비행선·활공기(글라이더)·회전익항공기(헬리콥터) 및 그 밖에 이와 유사한 비행기구를 말한다(지세법 §6 ① 9호, §104 4호).

관련예규 및 판례요약

재산세 과세대상의 구분 : 지세법 §106

과세대상의 구분과 관련된 예규, 판례

조심 2019지 1853, 2019. 10. 31.

사무소, 곤충사육사, 마당 및 각종물건 적재장소 등으로 사용되고 있어 「지방세법 시행령」 제102조 제1항 제2호 가목에서 규정한 전·답·과수원으로 사용한다고 볼 수 없고, 청구인의 쌍별귀뚜라미사육의 경우 「축산법」 제2조에서 축산업으로 보지 않고 있고, 그 사육장 부지의 경우 「지방세법 시행령」 제102조 제1항 제3호에서 축산용 토지로도 보지 않고 있어 목장용지로 볼 수 없는 점 등에 비추어 쟁점제①건축물의 부속토지는 종합합산과세대상임.

대법 2018두 35889, 2018. 5. 31

사건 처분은 실질과세의 원칙을 위반하여 위법하다. 원고는 사건 회생계획에서 대중골프장으로의 전환을 예정하고 있었고, 2016. 5. 23. 이후 골프장에 회원이 더 이상 존재하지 않는 상태였으며, 원고가 2016. 5. 31. 골프장을 대중골프장으로 운영하기 시작한 이상, 피고로부터 사업계획변경승인을 받지 못하였다거나, 과세기준일 직전에 대중골프장 운영을 시작하였다는 이유만으로 재산세를 회피하기 위한 탈법행위가 있었다고 볼 수 없다고 할 것이다.

대법 2015다 205512, 2016. 3. 10.

회원제골프장으로 등록하였으나 대중골프장으로 운영하여 사실상 대중골프장에 해당됨에도 재산세 등을 회원제골프장으로 보아 중과세한 부과처분이 무효에 해당되는지 여부 관련하여 과제처분에 대한 하자가 있다고 하더라도 해석에 다툼이 있는 점 등에 비추어 그 하자가 명백하다고 할 수 없어 무효로 볼 수 없음.

조심 2015지 1279, 2015. 12. 30.

도시개발사업시행자가 그 도시개발사업에 제공하는 주택건설용 토지의 판단은 그 사업방식 또는 소유여부에 따라 판단할 것이 아니라 도시개발사업시행자가 그 도시개발사업에 제공하고 있는지 여부로 판단하여야 하는 점 등에 비추어 이 건 토지는 「지방세법」 제106조 제1항 제3호의 분리과세대상 토지에 해당된다고 할 것이므로 처분청이 이 건 토지를 종합합산과세대상으로 구분하여 이 건 재산세 등을 부과한 처분은 잘못이 있음.

조심 2015지 1270, 2015. 12. 22.

① 야간조명제어시설, ② TEE전원장치, ③ 오수처리장치, ④ CCTV옥외자동제어시설, ⑤ 옥외 TV의 경우 클럽하우스와 별도로 설치되어 있고, 클럽하우스의 부수시설에도 해당하지 아니할 뿐만 아니라 취득세 과세대상에 해당하지 아니하므로 처분청이 이 건 취득세 등을 부과한 처분은 잘못이 있다고 판단됨.

대법 2011두 3289, 2015. 9. 10.

「주택법」 제16조 제1항이 규정한 사업계획승인 대상이 아닌 주택건설사업에 공여되고 있는 이 사건 토지는 구 「지방세법 시행령」 제132조 제5항 제8호에서 규정한 분리과세대상 토지에 해당하지 않으므로, 이를 별도합산과세대상으로 구분하여 원고에게 2008년도 1기분 재산세와 지방교육세를 부과한 이 사건 부과처분이 적법함.

조심 2014지 170, 2015. 3. 5.

쟁점토지가 도로를 경계로 하여 쟁점건물과 분리되어 있다고 하더라도 쟁점토지는 쟁점건물과 연접하여 있고 쟁점건물을 내방하는 고객이나 종업원만을 이용대상으로 하여 타인의 출입이 엄격히 제한되고 있으며 처분청이 쟁점건물의 용도를 '근린생활시설'에서 '업무시설'로 변경을 하면서 제시한 조건이 쟁점건물과 쟁점토지를 분리하여 이용하거나 양도하는 것을 제한한 점 등에 비추어 쟁점토지는 쟁점건물과 유기적인 관계에 있고 경제적 일체를 이루고 있는 토지로 보는 것이 타당하므로 처분청이 쟁점토지를 쟁점건물의 부속토지에 해당하지 아니한 것으로 보아 종합합산과세한 이 건 재산세 부과처분은 잘못이 있음.

지방세운영－381, 2014. 12. 24.

쟁점 부동산의 소유자인 ㈜○○○는 2008. 8. 8. 사업시행자 지정 및 개발계획 승인을 받은 후 2013. 11. 15. ㈜△△자산신탁과 신탁계약 체결 및 신탁등기를 완료하였고, 신탁계약을 체결한 ㈜△△자산신탁은 과세기준일 현재 사업시행자 지정을 받지 않은 상태이며, 대법원에서는 부동산을 신탁하여 수탁자 앞으로 소유권이전등기를 마치게 되면 그 소유권은 대내외적으로 수탁자에게 완전히 이전되고, 위탁자와의 내부관계에서조차 위탁자에게 유보되어 있는 것이 아니라고 판시(대법원 2012. 5. 10. 선고, 2010두 26223 판결 참조)하고 있어, 쟁점 토지의 소유권은 ㈜△△자산신탁에 있고, ㈜△△자산신탁은 과세기준일 현재 사업시행자로 지정을 받지 않은 이상, 사업시행자가 소유하고 있는 토지로 볼 수 없으므로 분리과세대상으로 보기 어렵다고 판단됨.

지방세운영－1423, 2014. 4. 24.

토지에 대한 재산세의 과세구분을 살펴보면, 모든 토지는 종합합산과세가 원칙이며, 공익 등의 목적에 따라 정책적으로 세부담 완화나 강화가 필요한 토지에 대하여 예외적으로 별도합산과세 또는 분리과세를 적용하고 있음. 분리과세 적용대상 농지는 전・답・과수원으로서 과세기준일 현재 실제 영농에 사용되고 있는 개인 소유의 농지를 대상으로 하고 있으며, 특별시・광역시(군지역 제외)・시지역(읍・면지역 제외)의 도시지역 내 농지는 개발제한구역과 녹지지역에 있는 것으로 한정하여 분리과세 하고 있음. 그 이유는 도시지역 내 농지는 읍・면지역 농지와 달리 농지전용이 상대적으로 용이하고 향후 이용가능성 증대에 따른 경제적 가치 증가 등을 종합적으로 고려한 것임.

지방세운영－1227, 2014. 4. 9.

회원제골프장업으로 체육시설업 등록을 한 후 회원모집계획서를 제출하고, 인터넷을 통해 회원모집, 즉 회원권 분양 행위를 하는 등 회원제 운영을 위한 행위가 있었다는 점, 골프빌리지 분양자에게 골프회원권의 회원과 유사한 혜택을 주고 있다는 점을 종합적으로 고려해 볼 때 회원제골프장으로 보는 것이 타당함.

지방세운영－845, 2014. 3. 10.

쟁점 법인이 최초 취득 후 5년이 경과되기 전부터 지장물 철거공사, 문화재 발굴조사, 폐기물 처리 용역 등을 하고 있는 경우에는 용지조성사업을 하고 있는 것으로 보아 분리과세하는 것이 타당함.

대법 2013두 10687, 2013. 10. 11.

구「지방세법 시행령」 제132조에서 합병 전 원고가 소유한 토지 중 '타인에게 공급할 목적으로 소유하고 있는 토지'에 대하여만 분리과세대상 토지로 규정하고 있는 것은 합병 전 원고의 설립 목적인 토지공급에 과세기준일 현재 사용되고 있는 토지에 대하여만 예외적으로 저율의 분리과세를 함으로써 조세부담을 경감하여 주는 데 그 취지가 있는 것임.

대법 2011두 19963, 2013. 7. 26.

토지에 대한 재산세의 분리과세제도는 정책적 고려에 따라 중과세 또는 경과세의 필요가 있는 토지에 대하여 예외적으로 별도의 기준에 의하여 분리과세함으로써 종합합산과세에서 오는 불합리를 보완하고자 하는 것으로서, 그 대상을 정한 구「지방세법 시행령」 제132조 제5항 각 호는 예시적 규정이 아니라 한정적 규정으로 보아야 하는 점(대법원 2001. 5. 29. 선고, 99두7265 판결 등 참조), 따라서 구「지방세법 시행령」 제132조 제5항 제24호가 규정한 재산세 분리과세대상 토지는 원칙적으로 도시개발법의 규율을 받는 도시개발사업에 제공하는 주택건설용 토지와 산업단지용 토지로 제한된다고 봄이 위 규정의 취지나 성격에 부합하는 점, 종전의 도시계획법에 따라 규율되는 도시계획사업과 도시개발법에 따라 규율되는 도시개발사업은 그 시행방식이나 수용권 행사의 요건 등에 차이가 있는 점 등을 종합하여 보면, 도시개발법의 시행 이후에도 종전의 도시계획법에 따라 규율되는 시가지조성사업에 제공하는 주택건설용 토지는 구「지방세법 시행령」 제132조 제5항 제24호가 규정한 재산세 분리과세대상 토지에 해당하지 않는다고 봄이 타당함.

대법 2012두 16688, 2013. 7. 25.

도시개발사업의 사업시행자가 체비지 또는 보류지에 대하여 경제적 소유권의 객관적 징표인 사용수익권과 처분권을 갖추어 그에 대한 배타적인 사실상의 경제적 지배를 함으로써 담세력을 지니고 있으므로, 사업시행자에게 재산세 등의 납세의무를 부과하는 규정으로 실질적 조세법률주의와 조세평등주의에 어긋난다고 볼 수 없음.

지방세운영-2164, 2013. 9. 4.

「지방세법 시행령」 제101조 제1항 제2호에서 건축물의 부속토지로서 건축물의 바닥면적에 제2항에 따른 용도지역별 적용배율을 곱하여 산정한 면적 범위의 토지는 별도합산 과세한다고 규정하고 있는 바, 여기에서, '건축물의 부속토지'란 건축물의 효용과 편익을 위해 사용되고 있는 토지를 말하고, 부속토지인지 여부는 필지 수나 공부상의 기재와 관계없이 토지의 이용현황에 따라 객관적으로 결정(대법원 1995. 11. 21. 95누3312)된다 할 것이므로 여러 필지가 하나의 건축물의 부속토지가 될 수 있는 반면, 1필지의 토지라도 명백히 다른 용도로 사용되는 경우에는 그 부분은 건축물의 부속토지로 볼 수 없다 할 것임.

대법 2013두 352, 2013. 4. 25.

이 사건 토지는 도시개발법에 따라 환지방식으로 시행하는 도시개발구역 내의 토지 중 환지처분의 공고가 이루어지지 아니한 토지로서 재산세 과세특례 적용의 예외가 되는 전 · 답 · 과수원 · 임야에 해당하지 아니함.

조심 2011지 505, 2013. 4. 10.

이 건 토지상의 건축 중인 건축물은 「건축법」에 의한 건축허가를 받은 토지로서 「주택법」에 의한 주택건설사업의 승인을 받은 토지에 해당하지 아니하므로 재산세 분리과세대상으로 볼 수 없고, (2) 건축 중인 건축물의 가장 넓은 면적인 지하 1층 면적(13,668㎡)에 용도지역별 적용배율(상업지역 3배)을 곱하여 산정한 면적(41,004㎡) 이내인 이 건 토지 면적(18,315㎡)을 별도합산과세대상토지로 보아 재산세를 경정하는 것이 타당함.

지방세운영 - 3672, 2012. 11. 14.

1구의 공장용지 안에 공장으로 사용중인 건축물과 아무런 용도로도 사용하지 않는 건축물이 혼재해 있으면서 그 부속토지가 구분되어 있지 아니하는 경우라면 공장용건축물을 기준으로 한 공장입지기준면적 범위내에서 분리과세를 먼저 적용하되, 공장입지기준면적 범위내에 있다하더라도 미사용 건축물의 바닥면적은 별도합산 과세하는 것이 타당함.

지방세운영 - 1073, 2012. 4. 6.

공장입지기준면적 범위와 관계없이 아무런 용도로도 사용하지 않음으로써 공장용 건축물의 효용과 편익을 위한 토지로 볼 수 없다는 사실이 객관적으로 명백하게 확인되는 경우 해당 부분은 공장용 건축물의 부속토지로 볼 수 없으며 공장경계구역 밖에 설치된 기숙사 부지의 경우 「지방세법 시행규칙」 제52조에 따라 공장용 건축물의 부속토지라고 할 것이나, 쟁점 토지가 명백히 공장용 건축물의 효용과 편익을 위해 사용되지 않는 토지인지 여부에 대하여는 당해 과세권자가 관련 자료 및 사실조사를 통해 면밀히 파악하여 최종 판단할 사항임.

지방세운영 - 876, 2011. 2. 25.

건축물(호텔)과 연접한 토지가 지번은 다르더라도 동 토지가 건축물의 부속주차장으로 사용되므로 그 사용 현황상 건축물의 부속토지로 볼 수 있어 건축물 바닥면적의 용도지역별 적용배율 범위내 토지는 별도합산 과세대상 토지로 볼 수 있음.

감심 2010 - 85, 2010. 8. 19.

골프코스 주변, 러프지역, 절토지 및 성토지의 경사면 등에 조경이 된 토지로서 체육용지로 되어 있고 사실상 운동시설에 이용되고 있는 토지이므로 종합합산과세대상 토지로 분류한 것은 부당함.

지방세운영-2434, 2010. 6. 12.

차후에 실시계획승인이 실효되더라도 과세기준일 현재의 토지의 현황에 따라 과세된 재산세는 변경될 수 없으므로 실시계획승인의 실효 이전에 과세된 재산세의 소급정정은 불가함.

지방세운영-1447, 2010. 4. 9.

「지방세법」상 분리과세 대상 요건으로 농지의 사용현황뿐만 아니라 개인·농업법인·농어촌공사·사회복지사업자·종중 등 소유주체도 제한하고 있는 바, ○○클럽은 구성원의 회비로 운영되고, 의사결정기구로 이사회 및 임원단을 두고 있고, 내부의 동산관리위원회가 재산을 관리·운영 및 수익금 관련 업무를 처리하는 등 특정 목적을 위해 개인들로 구성된 단체로 볼 수 있으므로, 지방세 법령에서 정하고 있는 분리과세 대상 소유주체에 해당하지 아니하므로 당해 토지의 현황이 농지라 하더라도 분리과세대상이 아니라고 사료됨.

대법 2009두 15760, 2010. 2. 11.

토지에 대한 재산세의 분리과세제도는 정책적 고려에 따라 중과세 또는 경과세의 필요가 있는 토지에 대하여 예외적으로 별도의 기준에 의하여 분리과세함으로써 종합합산과세에서 오는 불합리를 보완하고자 하는 것으로서, 위 시행령 규정에서 '도시개발사업에 공여하는 주택건설용 토지'를 분리과세대상으로 규정한 입법취지는 도시개발사업의 시행자가 도시개발사업을 보다 효율적으로 수행할 수 있도록 하기 위하여 공익적인 목적으로 사용되는 토지를 종합합산과세표준에서 제외하여 예외적으로 저율의 분리과세를 함으로써 조세부담을 경감하여 주는데 있는 것으로 보인다. 위와 같은 법과 시행령의 규정내용 및 그 입법취지 등을 종합하여 보면, 분리과세대상인 '도시개발사업에 공여하는 주택건설용 토지'라 함은 주택부지만을 의미하는 것이 아니라 주택건설에 필수불가결하게 수반되는 시설용 토지를 포함하는 것으로 봄이 상당하다.

지방세운영-2288, 2009. 6. 9.

택지개발사업 실시계획승인은 되었으나 사업시행자와 토지소유자간 보상이 이루어지지 않은 개인 소유 토지는 도시개발사업에 제공된 토지로 보아 분리과세됨.

대법 2009두 5596, 2009. 6. 1.

공장내의 대형저울, 고철 압축기는 지상정착물로서 건축물의 범위에 포함되는 지상정착물에 해당하지 아니하므로 해당 토지는 재산세 종합합산과세대상에 해당됨.

지방세운영-1088, 2009. 3. 13.

1필지의 토지에 허가받은 건축물과 무허가 건축물이 혼재되어 있는 경우 그 허가받은 건축물의 시가표준액이 전체 부속토지 시가표준액의 3%에 미달하는 지 여부를 기준으로 재산세 별도합산과세대상 여부를 판정함.

지방세운영-2636, 2008. 12. 22.

시공사부도, 일부 시행자 토지지분의 경매진행 등으로 공사가 중단된 경우 건축 중인 부속토지는 재산세 별도합산과세대상에 해당하지 않음.

지방세운영-2425, 2008. 12. 5.

체육시설업의 등록을 하기전에 사실상 골프장으로 사용하는 날을 취득세 적용대상이 되는 골프장으로 보아 부과한 것은 시범라운딩이 일시적이 아닌 반복적·지속적으로 사용되는 경우에는 그 개시일을 사실상 사용일로 보아 취득세를 부과하나 재산세는 보유과세로서 매년 6.1. 현재 구 「지방세법 시행령」의 규정에 따라 「체육시설의 설치·이용에 관한 법률」에서 규정하는 체육시설업을 등록한 경우가 아니라면 당해 재산에 대한 2006년도 재산세 부과는 종합합산 과세대상에 해당됨.

지방세운영-563, 2008. 8. 8.

공동주택(아파트)의 공시가격에 포함된 일부 부속토지 중 현황도로로 사용되는 지역권 설정한 부분이 있다 하더라도 이 부분은 해당 공동주택 공시가격 산정시 가격산정에 반영되어야 할 부분으로, 공동주택 공시가격 산정과정에서 별도로 다투어야 할 것이지 용도구분에 의한 비과세 대상 토지로서 별도로 인정되는 것은 아님.

지방세운영-138, 2008. 6. 20.

주택재건축사업구역 내의 일부 주택은 세대원의 퇴거·이주 및 단전·단수 및 출입문 봉쇄 등 폐쇄조치로 주택 외형만 있고 나머지 주택은 세대원이 거주하는 경우, 재산세의 과세대상이 되는 주택은 세대의 세대원이 거주하는 주택만 해당함.

지방세운영-25, 2008. 5. 27.

「지방세법」 제182조 제1항 제1호에서 과세기준일 현재 납세의무자가 소유하고 있는 토지 중 별도합산 또는 분리과세 대상이 되는 토지를 제외한 모든 토지를 종합합산 과세대상으로 규정하고 있으며, 조세법규의 해석은 특별한 사정이 없는 한 법문대로 해석하여야 하고 합리적인 이유없이 확장해석하거나 유추해석하는 것이 불가능하므로 초고압선 송전선로로 이용되는 임야에 대해서 별도합산 또는 분리과세 하여야 할 법령상의 근거가 없으며, "사권제한 관련 개별법에 지정된 지역으로서 토지를 종래의 목적대로 사용할 수 없고, 실질적으로 토지를 사용·수익을 할 수 없는 토지" 중 그 제한의 정도가 극히 큰 일부 토지에 대하여만 사권제한 토지로 보아 일부 재산세가 경감되고 있음.

세정-103, 2008. 4. 16.

주택건설사업계획승인시 도로, 공원 등을 조성하여 자치단체에 기부채납 할 것을 조건으로 승인한 경우 동 기부채납예정지는 주택건설사업에 공여되고 있는 토지로 보아 분리과세 대상에 해당된다고 할 것이나 주택건설사업계획 승인을 받은 주상복합건물의 기부채납예정지 면적을 주상복합건물 중 주택의 연면적과 주택외 시설의 연면적의 비율로 안분하여 주택연면적의 비율에 해당되는 토지만 재산세의 분리과세 대상에 해당되는 것임.

대법 2008두 2323, 2008. 4. 10.

국민임대주택건설 사업을 위하여 조성되는 토지로서 「주택법」에 의한 사업계획의 승인을 받은 토지가 아니고 사업시행자에게 소유권이 이전되지 아니하였으므로 분리과세 대상이 아님.

세정-95, 2008. 4. 3.

아파트견본주택에 대하여 존치기간 연장신고가 수리되지 않아 가설건축물의 존치기간이 경과되었다면 비록 존치기간 연장신고가 지방세 체납사유로 수리되지 못한 불가피한 사정이 있다 하더라도 별도합산과세대상에 해당하지 않음.

세정-93, 2008. 3. 24.

겸용주택의 경우 전체 부속토지 중 별도합산과세대상 토지는 건축물의 바닥면적을 주택과 상가의 연면적으로 안분하여 산정한 후 산정된 면적에 용도지역별 적용배율을 곱하여 산정한 면적 범위안의 토지만 해당됨.

세정-127, 2008. 1. 31.

토지소유자의 분양부진, 공사대금의 미지급 등의 내부사정으로 공사가 6월 이상 중단된 경우 중단된 건축물은 별도합산 과세대상에서 제외되지 않음.

세정-10, 2008. 1. 22.

농작물 판매목적이 아닌 농작물의 재배를 목적으로 설치하는 유리온실, 비닐하우스, 버섯재배사 등 농작물 재배시설의 부속토지는 농지로 볼 수 있음.

세정-1331, 2007. 12. 24.

토지구획정리사업지구로 지정되어 건축도 할 수 없는 토지라고 할지라도 토지구획정리사업에 제공되는 토지에 대한 재산세의 과세는 사업지구 결정일부터 환지계획인가일 이전까지는 토지의 이용현황에 따라 종합·별도·분리과세대상으로 구분함.

세정-5195, 2007. 12. 4.

주택과 대지의 소유자가 다르지만 동일한 울타리내에서 수년간 주택과 마당으로 사용하고 있는 경우 당해 토지는 주택의 부속토지에 해당함.

세정-4387, 2007. 10. 25.

지상 건축물이 없는 나대지는 비록 사권이 제한된 토지에 해당한다고 하더라도 건축물이 없는 나대지 상태에서 있다면 종합합산 과세대상임.

세정-938, 2007. 10. 9.

「지방세법 시행령」 제137조 제1항 제1호에서 「도로법」에 의한 도로 그 밖에 일반의 자유로운 통행에 공여할 목적으로 개설한 사도는 용도구분에 의한 비과세 대상임.

세정-4036, 2007. 10. 4.

재산세 과세기준일 현재 건축물의 철거작업 진행으로 인하여 사회통념상 건축물로서의 기능을 할 수 없는 상태라면 건축물분 재산세는 과세할 수 없음.

세정-3538, 2007. 8. 30.

공부상 임야가 실제로는 20년 이상 농지로 사용되어 농지원부에 등재되어 있더라도 산지전용허가 등이 없이 무단으로 농지로 이용되고 있는 경우에는 재산세 분리과세대상 토지가 아님.

지방세심사 2007-449, 2007. 8. 27.

종중이 소유하는 임야로서 재산세 과세대상을 분리과세대상으로 구분하여야 하는데도 종합합산과세대상으로 구분한 것은 부당함.

지방세심사 2007-450, 2007. 8. 27.

일반주거지역 내의 토지를 농지 및 축산업에 사용하는 경우 「지방세법 시행령」 제132조 제1항 제2호 및 제3호의 농지 또는 목장용지로서 분리과세대상에 해당하지 아니함.

지방세심사 2007-451, 2007. 8. 27.

「건축법」 등에 의하여 허가 등을 받아야 할 건축물로서 허가 등을 받지 아니한 건축물의 부속토지는 재산세 종합합산과세대상임.

세정-3328, 2007. 8. 21.

필지가 분할되었다 하더라도 당해 토지가 건축물의 부속토지로 이용되는 경우라면 토지분 재산세는 별도합산과세대상에 해당하나 이에 해당하는지는 사실판단 사항임.

세정-2997, 2007. 8. 1.

「장사 등에 관한 법률」에 따른 설치·관리허가를 받은 법인묘지용 토지로서 지적공부상 지목이 묘지인 토지에 대하여는 토지분 재산세가 별도합산됨.

감심 2007-83, 2007. 7. 26.

처분청의 건축허가 신청서 보완요청에 의해 과세기준일에 건축공사를 하지 못하였다 하더라도 별도합산과세대상 토지에 해당하지 않음.

지방세심사 2007-391, 2007. 7. 23.

주택건설사업자가 「학교용지법」상 조성공급하여야 할 학교용지는 주택건설용 토지(분리과세대상)로 볼 수 없음.

지방세심사 2007-392, 2007. 7. 23.

도시개발사업이 시행 중인 토지로서 지목이 정해지지 않은 잡종지에 해당된다고 할 것이므로 종합합산과세대상 토지로 본 것은 정당함.

지방세심사 2007-339, 2007. 6. 25.

재활용사업자의 자원의 수집·보관에 사용되는 토지 중 건축물의 바닥면적에 용도지역별 배율을 곱하여 산정한 범위 내의 토지를 별도합산과세대상 토지로 봄.

지방세심사 2007-340, 2007. 6. 25.

발전소 내 토지 중 테니스장, 운동장, 발전소 건설예정부지 및 체육관의 부속토지는 발전시설에 직접 사용하고 있는 토지로 볼 수 없음.

세정-1945, 2007. 5. 29.

「산업입지 및 개발에 관한 법률」에 의하여 지정된 산업단지 내 토지를 취득하여 과세기준일 현재 그 용도에 직접 사용하고 있는 토지에 대하여는 분리과세대상임.

2 납세의무자(지세법 §107)

가. 일반적인 경우 : 사실상의 소유자

재산세의 납세의무자는 재산세 과세기준일(매년 6월 1일) 현재 재산을 사실상 소유하고 있는 자를 말한다. 다만, 공유재산인 경우에는 그 지분에 해당하는 부분(지분의 표시가 없는 경우에는 지분이 균등한 것으로 본다)에 대하여 그 지분권자를 납세의무자로 보며, 주택의 건물과 부속토지의 소유자가 다른 경우에는 당해 주택에 대한 산출세액을 「지방세법」 제4조 제1항 및 제2항의 규정에 의한 건축물과 그 부속토지의 시가표준액 비율로 안분계산한 부분에 대하여 그 소유자를 납세의무자로 본다.

나. 사실상의 소유자를 알 수 없는 경우 : 공부상의 소유자

소유권에 변동이 있었음에도 이를 신고하지 아니하여 사실상의 소유자를 알 수 없는 때에는 공부상의 소유자는 재산세를 납부할 의무가 있다.

다. 상속재산에 대한 사실상 소유자의 신고가 없는 경우 : 주된 상속인

상속이 개시된 재산으로서 상속등기가 이행되지 아니하고 사실상의 소유자를 신고하지 아니한 때에는 행정안전부령이 정하는 주된 상속자는 재산세를 납부할 의무를 진다(지세법 §107 ② 2호). 주된 상속자라 함은 「민법」상 상속지분이 가장 높은 사람으로 하되, 상속지분이 가장 높은 사람이 2인 이상인 경우에는 그 중 나이가 가장 많은 사람으로 한다(지세칙 §53).

라. 개인 등의 명의로 등재되어 있는 사실상의 종중재산 : 공부상의 소유자

공부상에 개인 등의 명의로 등재되어 있는 사실상의 종중재산으로서 종중소유임을 신고하지 아니한 때에는 공부상의 소유자는 재산세를 납부할 의무가 있다.

마. 연부매매의 경우 : 매수계약자

국가・지방자치단체 및 지방자치단체조합과 재산세 과세대상 재산을 연부로 매매계약을 체결하고 그 재산의 사용권을 무상으로 부여받은 경우에는 그 매수계약자가 재산세 납세의무자가 된다[4]. 따라서 국가 등과 연부로 매매계약을 체결하고 재산의 사용권을 무상으로 부여받은 경우에는 잔금을 청산하지 아니하여 실제 취득이 아니더라도 매수계약자를 재산의 사실상 소유자로 보아 매수계약 이후의 납세의무자로 한다.

바. 신탁재산의 경우 : 수탁자[5]

「신탁법」에 따라 수탁자 명의로 등기・등록된 신탁재산의 경우에는 위탁자별로 구분된 재산에 대해서는 그 수탁자를 납세의무자로 본다. 이 경우 위탁자별로 구분된 재산에 대한 납세의무자는 각각 다른 납세의무자로 본다.

---

4) 일반법인으로부터 연부취득 중인 때에는 매수인이 무상사용권을 부여받았다 하더라도 매도법인이 납세의무자가 된다(지방세법 기본통칙 107－2).

5) 2014년 1월 1일 법 개정시 신탁재산에 대한 재산세 납세의무자를 위탁자에서 사실상의 소유자인 수탁자로 변경하였다. 동 개정규정은 2014년 1월 1일 이후 최초로 납세의무가 성립하는 분부터 적용된다.

사. 소유권이 불분명한 경우 : 사용자

재산세 과세기준일 현재 소유권의 귀속이 분명하지 아니하여 사실상의 소유자를 확인할 수 없는 경우에는 그 사용자가 재산세를 납부할 의무가 있다.

아. 기 타

「도시개발법」에 의하여 시행하는 환지방식에 의한 도시개발사업 및 「도시 및 주거환경정비법」에 의한 정비사업(주택재개발사업 및 도시환경정비사업에 한함)의 시행에 따른 환지계획에서 일정한 토지를 환지로 정하지 아니하고 체비지 또는 보류지로 정한 경우에는 사업시행자가 재산세 납세의무가 있다.

관련예규 및 판례요약

재산세 납세의무자 : 지세법 §107

납세의무자에 관련된 예규, 판례

지방세운영과-2112. 2019. 7. 12.
대학 소유 기숙사를 지자체가 조례에 따라 운영하는 경우 공용 또는 공공용 재산으로 보기 어렵고, 지자체 예산으로 기숙사를 대수선·증축 시 유료 사용으로 볼 수 없음.

지방세운영과-2110, 2019. 7. 12.
환지예정지 지정 이후, 6월 1일 현재 환지예정지에 종전 주택이 있는 경우 주택분 재산세가 부과대상임.

지방세운영과-1289, 2019. 5. 8.
지자체에 무상으로 1년 이상 제공되고 있고, 연중 대부분의 기간이 축제 및 그 준비에 사용되고 그 외 다른 용도로의 사용이 제한되고 있다면 비과세 대상에 해당함.

대법 2014두 2980, 2014두 2997(병합), 2016. 12. 29.
아파트 동·호수 분양이 무효로 확정되었으나 수 분양자가 당초 분양받은 아파트에 임시로 거주하고 있는 경우에 임시로 거주한 자가 아닌 주택조합을 당해 아파트의 재산세 납세의무자로 볼 수 있는지 여부 관련하여 해당 재산을 일시 관리하는 주택조합은 재산세 납세의무를 지는 조합원 주택의 사실상 소유자 또는 사용자에 해당되지 아니함.

대법 2016두 31074, 2016. 4. 15.

소유권이전 미이행에도 불구하고 도정법상 현금청산 완료일이 경과하면 사업시행자를 사실상 재산세 납세의무자로 볼 수 있는지 여부 관련하여 재산세 납세의무는 도정법상 현금청산 완료일과 무관하게 소유권이전으로 발생함.

대법 2015두 58539, 2016. 3. 10.

개정법 시행전에 신탁계약이 체결되었음에도 개정법을 적용하여 수탁자에게 재산세를 부과하는 것이 소급입법금지원칙 또는 신뢰보호원칙에 위배되는지 여부 관련하여 개정법 시행전에 신탁계약이 체결되었더라도 개정법을 적용한 재산세 부과는 적법함.

지방세운영-203, 2015. 1. 21.

재산세의 경우 납세의무자는 사실상 소유자이나, 「신탁법」에 따라 수탁자 명의로 등기·등록된 신탁재산에 대해서는 수탁자를 납세자로 규정하고 있는 바, 2013. 9. 16. 사용승인일에 취득시기가 도래하여 ㈜○○이 쟁점 건물을 사실상 소유하게 되었으나, 2014. 6. 1. 재산세 과세기준일 현재 쟁점 건물은 「신탁법」에 따른 수탁자 명의로 등기·등록된 상태이므로 재산세 납세의무자는 수탁자인 甲신탁주식회사가 된다 할 것임.

대법 2013두 15675, 2014. 4. 24.

○○○○시가 2010. 3. 12. 이 사건 토지사용승인서로써 원고에게 이 사건 토지의 사용을 승인한다고 한 것은, 원고가 ○○○○빌딩의 건축허가를 받는 데 필요한 범위 내에서 이 사건 토지를 이용하는 것을 승낙한 것일 뿐, 원고가 이 사건 토지에서 ○○○○빌딩의 신축공사에 착수하는 것까지를 승낙한 것으로는 인정되지 않으므로, 결국 원고가 이 사건 토지를 그 용도에 따른 이용에 제공할 수 있는 권능을 부여받았다고 할 수 없으므로, 원고가 「지방세법」 제183조 제2항 제4호에서 따라 이 사건 토지에 관한 재산세 납세의무를 부담한다고 할 수 없음.

지방세운영-782, 2014. 3. 7.

공부상의 소유자는 명의수탁자로 등재되어 있다는 점, 사실상의 소유자가 수탁자가 아니라는 것을 신고한 바가 없어 사실상의 소유자를 확인할 수 없다는 점 등을 종합해 볼 때 쟁점 부동산에 대한 확정 판결 이전의 재산세 납세의무자는 공부상 소유자인 명의수탁자로 보는 것이 타당함.

지방세운영-2423, 2013. 9. 27.

공부상에는 명의수탁자가 소유자로 등재되어 있을 뿐 사실상의 소유자가 명의신탁자라는 점을 신고한 바가 없어 사실상의 소유자를 확인할 수 없었다는 점, 대법원에서도 명의신탁자가 확정판결을 받아 부동산 소유권을 회복하였다 하더라도 소유권이전 등기가 이루어지기 전까지는 명의수탁자가 법률적으로 소유권을 행사하게 되어 확정판결 자체만으로는 취득을 인정할 수 없고 소유권 이전 등기까지 완료되어야 취득(소유권 변동)으로 인정할 수 있다고 판시(대법원 2002. 7. 12. 선고, 2000두 9311)하고 있는 점 등을 종합해볼 때 쟁점 부동산에 대한 확정판결 이전의 재산세 납세의무자는 공부상 소유자인 명의수탁자로 보는 것이 타당하다고 판단됨.

세제-11572, 2013. 9. 10.

「지방세법」 제107조 제3항에서 "재산세 과세기준일 현재 소유권의 귀속이 분명하지 아니하여 사실상의 소유자를 확인할 수 없는 경우에는 그 사용자가 재산세를 납부할 의무가 있다." 고 규정하고 있는 바, 귀 문에서와 같이 건축물 사용허가일 이후 과반수 이상의 조합원이 청산금을 지불하고 아파트와 상가를 취득하여 재산세를 납부하고 있는 점, 문화시설 예정부지에 대한 실질적 사용·수익·처분에 관한 권한이 재개발조합에 있는 점 등을 종합적으로 고려해 볼 때 과세기준일 현재 재산세 납세의무는 재개발조합에 있는 것으로 판단됨.

조심 2012지 616, 2013. 5. 16.

청구인은 쟁점아파트가 준공되기 이전에 분양신청을 포기하고 현금청산을 요구하여 조합원의 자격을 상실한 상태임이 확인되는 이상, 청구인을 쟁점아파트의 사실상 소유자로 보기는 어렵다 할 것이므로 쟁점아파트의 건물 부분에 청구인에게 재산세를 부과하는 것은 잘못임.

조심 2012지 614, 2012. 12. 20.

유흥주점의 영업허가가 되어 있다고 하더라도 장기간 휴업을 하는 경우에는 그간의 내부사유, 영업재개 의지, 영업장 현황 등 전반적인 사실관계를 고려하여 사실상 폐업에 준하는 상황이라면 재산세 중과세 대상으로 보기는 어렵다고 할 것인바, 유흥주점이 사실상 폐업된 후, 내부집기가 철거된 상황이라면 유흥주점으로 계속하여 임대하거나 사용하려는 의사가 있었다고 보기 어려우므로 과세기준일 현재 쟁점부동산을 유흥주점 영업장소로서의 실체로 보기는 어려움.

지방세운영-2006, 2012. 6. 28.

대법원은 과세기준일 현재 재산의 "사실상 소유하고 있는 자"를 공부상 소유자로 등재된 여부를 불문하고 당해 재산에 대한 실질적인 소유권을 가진 자를 말한다고 보아야 할 것(대법원 2006. 3. 23. 선고, 2005두 15045 판결 참조) 이라고 판시하고 있는 바, 공법상 환매권의 의의, 사업시행자와 환매특약부 존치부지 매매계약을 체결하여 사업이 완료된 후에 획지정리된 토지를 공급받는 조건으로 소유권을 이전하는 경우에도 「소득세법」 제88조에 따른 양도로 보고 있는 점 및 환매권자와 사업시행자 간에 체결한 "환매특약부 존치부지 매매계약서"상의 제1

조 양도목적, 제4조 환매특약, 제5조 토지의 사용 및 제6조 면적 및 금액정산 등의 내용으로 보아 사업시행자는 환매권자로부터 쟁점토지를 취득하여 도시개발사업(지적정리 등 포함)에 사용하는 것이 분명하므로 "사실상 소유하고 있는 자"로 볼 수 있음.

지방세운영－5271, 2011. 11. 15.

토지소유주인 산업단지 사업시행자가 산업단지 조성완료 전에 단지 내 당해 토지를 주택사업자(직장주택조합)에게 분양하고, 잔금완납 전에 토지사용을 승낙하여 주택사업자가 공동주택을 신축하는 경우 해당 토지의 재산세 납세의무자 및 감면대상 여부와 관련하여 택지에 관하여 매매 등 유상양도가 있었으나 아직 공부상 소유자의 명의변경이 되어 있지 아니한 경우에는 특별한 사정이 없는 한 양수인이 그 대금을 청산한 날을 기준으로 사실상 소유자를 판단하여야 하는 바 당해 토지의 분양에 대한 잔금완납이 이루어지지 않았다면 과세기준일 현재 실질적인 소유권을 가진 공부상 소유자가 재산세의 납세의무를 가진다고 사료되며, 당해 토지의 경우 「산업입지법」에 따라 사업시행자가 개발・조성한 산업단지의 목적용지(산업시설 근로자의 주거시설)이면서 사업시행자가 분양을 목적으로 취득한 토지인 점을 고려할 때, 감면대상에 포함된다고 사료됨.

지방세운영－3773, 2011. 8. 8.

「지방세법」 제107조 제1항에서 재산세 납세의무자를 과세기준일 현재(6. 1.) 당해 재산의 사실상 소유자로 규정하고 있는 바, 매매를 원인으로 한 소유권 이전등기(2011. 4. 6.)가 공부상 확인되고 있으므로 비록 합의해제로 소유권 이전등기가 말소(2011. 6. 29.)되었다 하더라도 과세기준일 현재(2011. 6. 1.) 공부상 소유자로 등재되어 있는 이상 다른 사람을 재산세 납세의무자로 볼 여지가 없다고 사료됨.

대법 2010두 16967, 2010. 11. 11.

「지방세법」 제183조 제1항이 정한 '사실상 소유자'라 함은 공부상 소유자로 등재한 여부를 불문하고 당해 재산에 대한 실질적인 소유권을 가진 자를 말한다고 보아야 하고(대법원 2006. 3. 23. 선고, 2005두 150145 판결 등 참조), 같은 조 제3항의 '소유권의 귀속이 분명하지 아니하여 사실상의 소유자를 확인할 수 없는 경우'는 소유권 귀속 자체에 분쟁이 생겨 소송 중에 있거나 공부상 소유자가 생사불명 또는 행방불명되어 오랫동안 그 소유자가 관리하고 있지 아니한 상태에 있는 재산 등을 말하며, '사용자'에는 당해 재산을 일시 관리하는 지위에 있는 자는 해당하지 않는다(대법원 1996. 4. 18. 선고, 93누 1022 전원합의체 판결 등 참조).

지방세운영－4132, 2010. 9. 7.

「부동산실권리자명의 등기에 관한 법률」을 위반했다는 형사판결문은 재산세 납세의무자 변경사유가 될 수 없으므로 공부상 소유자인 명의수탁자가 재산세 납세의무자가 되는 것임.

지방세운영-1250, 2010. 3. 25.

과세대상장 변동사유가 발생되었으나 과세기준일까지 그 등기가 이행되지 아니한 재산의 공부상 소유자가 그 사실을 알 수 있는 증빙자료를 갖추어 신고한 경우 그에 따른 납세의무자로 볼 수 있으나, A가 소유자라는 입증자료로 제출된 측량성과도는 그 내용상 '지적 공부 정리시 면적에 증감이 있을 수 있음', '본 성과도는 발급일로부터 3개월이 경과하면 사용할 수 없음'이라고 기재되어 있는 등 A가 쟁점토지의 소유자라고 볼 수 있는 객관적인 증빙자료로 보기에는 무리가 있으므로 공유자들의 소유지분에 해당하는 면적별로 안분하여 과세하는 것이 타당

지방세운영-962, 2008. 9. 3.

재산세 과세기준일 현재 건축물에 대하여 사용승인을 받았으나 소유권 이전고시가 완료되지 아니한 상태에서 일부 조합원 및 분양받은 자가 잔금을 지급하고 입주 사용하고 있는 경우 재산세 과세대상임.

지방세운영-107, 2008. 6. 16.

환지처분의 공고가 있기 전에 시행자가 「도시개발법」 제34조의 도시개발사업의 비용에 충당하기 위하여 체비지를 처분한 경우 그 매수인이 환지처분 공고일 이전에 잔금을 완납하였다 하더라도 이는 실제 부동산을 원시 취득한 것이 아니라 향후에 당해 부동산을 취득할 수 있는 권리인 사용수익권을 확보한 것에 불과하며, 법률상 부동산의 원시취득일은 그 매수인이 당해 체비지를 체비지 대장에 등재 후 환지처분 공고 다음날에 그 재산의 소유권을 최종 취득한다고 보아야 하므로 재산세 과세기준일 현재 체비지에 대해 환지처분공고일 이전에 제3자에게 매도된 경우에는 「지방세법」 제183조 제2항 제6호의 규정에 따라 시행자에게 재산세 납세의무가 성립한다고 봄이 타당함.

지방세운영-62, 2008. 6. 5.

매매를 원인으로한 소유권이전등기 후 법원확정판결에 따른 소유권이전등기가 말소 될 때까지는 당초 등기상의 소유자가 재산세 납세의무자임.

세정-4262, 2007. 10. 17.

토지거래허가지역 내에서 토지의 매매계약으로 인하여 매수인이 잔금을 공탁하였다고 하더라도 토지거래허가를 받지 않은 경우 재산세 납세의무자로 볼 수 없음.

세정-3408, 2007. 8. 24.

점포의 대출금을 상환하지 못하여 제2금융권으로 소유권을 위임하였다고 하나 그 재산의 소유권이 이전된 것이 아니므로 재산세 납세의무는 소유자에게 있음.

지방세심사 2007-130, 2007. 3. 26.

주택조합이 조합원으로부터 금원을 받아 조합명의로 토지를 취득한 것에 대하여 납세관리인으로 보지 않고 재산세 납세의무자로 보아 재산세 등을 부과한 것은 정당함.

지방세심사 2007-203, 2007. 3. 26.

재산세 과세기준일 이전에 잔금을 지급하였으므로 아파트 부속토지의 대지권 등기가 설정되어 있지 아니한다 할지라도 재산세 등의 과세대상임.

지방세심사 2006-144, 2006. 4. 24.

공동투자금 지급과 지분소유권이전등기를 각각 이행하라는 법원확정판결을 이행하지 아니하여 재산세 부과기준일 현재까지 이행하지 아니한 경우 등기상 명의자가 재산세 납세의무 있음.

세정-1489, 2004. 6. 7.

법인이 부도난 경우라 하더라도 그 법인이 완전히 소멸하기 전이라면 공부상 소유자인 법인 이외의 사용자 등에게 재산세를 부과할 수는 없을 것임.

3 과세표준 및 세율

가. 과세표준(지세법 §110)

토지·건축물·주택에 대한 재산세의 과세표준은 「지방세법」 제4조 제1항 및 제2항에 따른 시가표준액에 부동산 시장의 동향과 지방재정 여건등을 고려하여 정해진 범위에서 대통령령으로 정하는 공정시장가액 비율을 곱하여 산정한 가액으로 한다.

과세표준 = 시가표준액 × 공정시장가액 비율

1) 과세대상 재산별 시가표준액

① 토지 및 주택

토지 및 주택에 대한 시가표준액은 「부동산 가격공시에 관한 법률」에 따라 공시된 가액(價額)으로 한다. 다만, 개별공시지가 또는 개별주택가격이 공시되지 아니한 경우에는 시장·군수 또는 구청장이 같은 법에 따라 국토교통부장관이 제공한 토지가격비준표 또는 주택가격비준표를 사용하여 산정한 가액으로 하고, 공동주택가격이 공시되지 아니한 경우에는 대통령령으로 정하는 기준에 따라 시장·군수가 산정한 가액으로 한다.

② 건축물, 선박, 항공기 등

건축물(새로 건축하여 건축 당시 개별주택가격 또는 공동주택가격이 공시되지 아니한 주택으로서 토지부분을 제외한 건축물을 포함), 선박, 항공기 및 그 밖의 과세대상에 대한 시가표준액은 거래가격, 수입가격, 신축·건조·제조가격 등을 고려하여 정한 기준가격에 종류, 구조, 용도, 경과연수 등 과세대상별 특성을 고려하여 대통령령으로 정하는 기준에 따라 지방자치단체의 장이 결정한 가액으로 한다.

2) 공정시장가액 비율

① 과세대상 재산별 공정시장가액비율 적용 범위(지세법 §110)

㉠ 토지 및 건축물 : 시가표준액의 100분의 50부터 100분의 90까지

㉡ 주택 : 시가표준액의 100분의 40부터 100분의 80까지

② 현재 적용되는 과세대상 재산별 공정시장가액 비율(지세령 §109)

㉠ 토지 및 건축물 : 시가표준액의 100분의 70

㉡ 주택 : 시가표준액의 100분의 60

관련예규 및 판례요약

재산세 과세표준 : 지세법 §110

과세표준에 관련된 예규, 판례

대법 2015두 58386, 2016. 3. 10.

집합건물의 공용부분 면적을 사용승인신청서 및 건축물대장상의 기재된 내용과 달리하여 재산세의 과세표준으로 산정할 수 있는지 여부 관련하여 건축물대장상 공용면적 기준의 재산세 과표산정은 적법함

지방세운영-2017, 2015. 7. 8.

[질의]

주택건축이 진행 중인 주택재개발 사업구역 내 토지(이하 '쟁점토지'라 한다)에 대해 개별공시지가가 기존의 개별지번이 아닌 용도구획별 획지(블록·롯트) 단위로 공시된 경우, 「지방

세법」 제4조 제1항 단서에서 말하는 개별공시지가가 공시되지 아니한 토지로 보아 사업구역 전체를 일단지로 다시 산정하여 적용할 수 있는지

[회신]

개별 토지소유자에 대한 공시지가 적용은 새로운 용도구획별 획지를 기준으로 전체 획지의 개별공시지가를 가중 평균하여 개별토지소유자의 토지소유 지분(면적)에 따라 적용해야 할 것이나, 이는 과세권자가 주택재개발사업 진행과정, 소유권 관계, 공시지가 결정과정 등 전반적인 사실관계를 고려하여 판단할 사안임

지방세운영-4057, 2012. 12. 14.

[질의]

대규모 개발사업(물류단지) 토지의 토지조성 기간 동안 공부상 지목으로 산정된 종전 개별공시지가가 아닌 현황에 대해 시장·군수가 재산정한 공시지가를 시가표준액으로 하여 재산세를 과세할 수 있는지 여부

[회신]

기 산정·공시된 개별공시지가가 「2012년도 적용 개별공시지가 조사·산정 지침」에 따라 실제 이용상황 등을 기준으로 조사하는 등 적법하게 조사하여 산정된 경우라면 「지방세법」 제4조 제1항의 「부동산가격공시 및 감정평가에 관한 법률」에 따라 공시된 가액으로 보아 시가표준액을 적용해야 하며, 그 외의 경우에는 개별공시지가가 공시되지 아니한 경우로 보아 시장·군수 또는 구청장이 같은 법에 따라 국토해양부 장관이 제공한 토지가격비준표 또는 주택가격비준표를 사용하여 산정한 가액을 시가표준액으로 하여야 한다고 판단됩니다.

조심 2011지 775, 2011. 12. 28.

재산세는 보유하는 재산에 담세력을 인정하여 부과되는 조세로서 현실적으로 당해 재산을 그 본래의 용도에 따라 사용·수익하였는 지 여부가 그 과세요건이 아니라 할 것이고, 재산세의 과세표준은 재산을 일정한 방법으로 평가하여 금전적으로 환산한 가액인 바, 납세자 개개인의 특수한 사정을 모두 고려하는 것이 원칙적으로 불가능하고, 지방세법령에 규정된 재산의 평가방식은 합리적인 평가요소를 가지고 객관적으로 재산의 가치를 반영하도록 규정되어 있다고 볼 수 있으므로, 비록, 쟁점건축물의 현재 시세가 2011년도 시가표준액에 미치지 못한다 하더라도 그러한 사실만으로 쟁점건축물의 과세표준 산정에 잘못이 있다고 보기는 어려움.

조심 2008지 643, 2008. 11. 19.

근린생활시설 건축물의 분양가보다 높은 시가표준액을 기준으로 과세표준을 산정하여 재산세 등을 부과고지 한 것은 적법함.

지방세운영-1748, 2008. 10. 10.

골프장건립을 위하여 토지 지목변경을 수반하지 않은 형질변경을 하였으나 과세기준일 현재

형질변경된 사항이 개별공시지가에 반영되지 않은 경우 토지가격비준표를 사용하여 산정한 가액을 적용하여 재산세를 과세함.

지방세심사 2004-309, 2004. 10. 27.
건물분 재산세 과세표준은 결정 고시된 건물 시가표준액에 따라서 결정되는 것이므로 경기침체로 주택가격이 하락하였다는 이유로 전년보다 인상된 건물분 재산세 과세표준이 적법하지 않다고 할 수는 없음.

지방세심사 2003-288, 2003. 12. 24.
실제 취득가액보다 높은 시가표준액을 과세표준으로 하여 재산세 등을 부과함은 정당함.

나. 세 율(지세법 §111)

1) 중과세율과 경감세율

「수도권정비계획법」 제6조에 따른 과밀억제권역(「산업집적활성화 및 공장설립에 관한 법률」의 적용을 받는 산업단지 및 유치지역과 「국토의 계획 및 이용에 관한 법률」의 적용을 받는 공업지역 제외)에서 행정안전부령으로 정하는 공장 신설 · 증설에 해당하는 경우 해당 건축물에 대한 재산세의 세율은 최초의 과세기준일로부터 5년간 해당 표준세율의 5배로 중과하고 있다.

아울러, 지방자치단체의 장은 특별한 재정수요나 재해 등의 발생으로 재산세의 세율 조정이 불가피하다고 인정되는 경우에는 조례로 정하는 바에 따라 표준세율의 100분의 50의 범위에서 가감할 수 있다. 다만, 가감한 세율은 해당 연도에만 적용한다.

2) 표준세율

재산세의 표준세율은 다음과 같이 과세대상별로 별도로 규정하고 있다.

① 토지

㉠ 종합합산과세대상 : 종합합산과세대상 토지의 가액을 시 · 군 · 구별로 인별 합산한 후에 그 합산된 가액의 과표단계별로 세율을 적용한다. 토지분 재산세는 이미 설명된 바와 같이 종합합산 · 별도합산 · 분리과세대상으로 구분한 후 토지소유자가 시 · 군 · 구별로 소유하고 있는 토지 중에서 종합합산과세대상은 종합합산하여 누진과세하고, 별도합산과세대상은 별도합산하여 누진과세하며, 분리과세대상은 누진과세를 하지 아니하고 해당 분리과세 세율을 적용하게 된다.

종합합산과세대상 토지분 세율은 3단계 초과누진세율로 되어 있는데, 이는 다음과 같다.

과세표준	세 율
5,000만원 이하	1,000분의 2
5,000만원 초과 1억원 이하	10만원 + 5,000만원 초과금액의 1,000분의 3
1억원 초과	25만원 + 1억원 초과금액의 1,000분의 5

㉡ 별도합산과세대상 : 별도합산과세대상 토지의 경우에도 별도합산과세대상 토지의 가액을 시·군·구별로 인별 합산한 후에 그 합산된 가액의 과표단계별로 세율을 적용한다. 즉, 별도합산과세대상 토지분 세율도 종합합산과세대상과 마찬가지로 3단계 초과누진세율로 되어 있다.

그러나 세율은 종합합산과세대상에 비하면 매우 낮다. 종합합산과세대상 세율의 최고세율은 1억원 초과가 0.5%이지만, 별도합산과세대상 세율의 경우 2억원 이하가 0.2%이며 최고세율도 10억원 초과 0.4%이다. 별도합산과세대상 토지분 세율은 다음과 같다.

과세표준	세 율
2억원 이하	1,000분의 2
2억원 초과 10억원 이하	40만원 + 2억원 초과금액의 1,000분의 3
10억원 초과	280만원 + 10억원 초과금액의 1,000분의 4

㉢ 분리과세대상 : 분리과세대상 토지에 대하여는 종합합산과세대상이나 별도합산과세대상과 달리 대상토지를 합산하지 않고 분리하여 과세한다. 분리과세대상 세율은 고세율·저세율·일반세율로 구분되는데, 농지나 임야는 0.07%의 저세율이고 골프장, 고급오락장 부속토지는 4%의 고세율이며, 기타 정책적인 목적으로 종합합산과세대상 토지분 최저세율인 0.2%의 세율을 적용하는 것이 있다.

▶▶ 분리과세대상 세율은 3단계 차등비례세율이며, 다음과 같다.

- 전, 답, 과수원, 목장용지, 임야 : 1,000분의 0.7
- 골프장, 고급오락장 : 1,000분의 40
- 기타 분리과세대상 토지 : 1,000분의 2

② 건축물

㉠ 골프장·고급오락장용 건축물 : 골프장·고급오락장용 건축물에 대하여는 4%의 높은 세율이 적용된다(지세법 §111 ① 2호 가목).

㉡ 공장용 건축물 : 특별시, 광역시(군 지역은 제외한다) 및 읍·면지역을 제외한 특별자치시·특별자치도·시지역 안에서 국토의 계획 및 이용에 관한 법률 그 밖의 관계법령에 따라 지정된 주거지역 및 당해 지방자치단체의 조례로 정하는 지역 안의 대통령령이 정하는 건축물에 대하여는 0.5%의 세율이 적용된다(지세법 §111 ① 2호 나목).

㉢ 기타 건축물 : 주택, 공장, 골프장용 건축물, 별장, 고급오락장용, 공장용건축물을 제외한 기타의 비주거용 건축물에 대하여는 0.25%의 단일비례세율이 적용된다(지세법 § 111 ① 2호 다목). 기타 건축물에는 사무용 빌딩 등 주거 이외로 사용되는 건축물이 모두 포함된다.

③ 주택

주택의 세율은 토지와 달리 인별 합산과세가 아니고, 주택별로 세율을 적용한다.

㉠ 일반주택 : 주택에 대한 재산세의 세율은 4단계 초과누진세율을 적용한다. 다가구주택의 경우에는 1가구가 독립하여 구분사용할 수 있도록 분리된 부분을 1구의 주택으로 보는 것이며, 주택을 2인 이상이 공동으로 소유하거나 토지와 건물의 소유자가 다른 경우 해당 주택에 대한 세율을 적용함에 있어서는 해당 주택의 토지와 건물의 가액을 합산한 과세표준액에 세율을 적용한 후 산출세액을 지분별로 안분한다(지세법 §113 ③).

과세표준	세 율
6천만원 이하	1,000분의 1
6천만원 초과 1억5천만원 이하	6만원 + 6천만원 초과금액의 1,000분의 1.5
1억5천만원 초과 3억원 이하	19만5천원 + 1억5천만원 초과금액의 1,000분의 2.5
3억원 초과	57만원 + 3억원 초과금액의 1,000분의 4

㉡ 별장 : 주택 중에서 상시 주거용으로 사용하지 아니하고 휴양·피서 등 위락용으로 사용하면 별장으로서 재산세가 중과된다. 2005년부터 별장은 주택으로 구분하여 토지와 건물을 합한 가액 즉, 개별주택공시가격에 공정시장가액비율을 곱하여 산정한 가액을 과세표준으로 하여 4%의 세율을 적용하도록 하고 있다(지세법 §111 ① 3호).

④ 선박 및 항공기

㉠ 선박 : ⓐ 일반선박 : 0.3%, ⓑ 고급선박 : 5%

고급선박이란 비업무용 자가용 선박으로서 시가표준액이 3억원을 초과하는 선박을 말한다. 다만, 실험·실습 등의 용도에 사용할 목적으로 취득하는 것을 제외한다.

㉡ 항공기 : 0.3%

다. 재산세 세부담의 상한(지세법 §122)

당해 재산에 대한 재산세의 산출세액이 대통령령이 정하는 방법에 따라 계산한 직전연도의 당해 재산에 대한 재산세액 상당액의 100분의 150을 초과하는 경우에는 100분의 150에 해당하는 금액을 당해 연도에 징수할 세액으로 한다. 다만, 주택의 경우에는 다음 각호에 의한 금액을 해당연도에 징수할 세액으로 한다.

- 주택공시가격이 3억원 이하인 주택 : 직전연도 재산세액 상당액의 100분의 105를 초과하는 경우에는 100분의 105를 징수할 세액으로 한다.
- 주택공시가격이 6억원 이하인 주택 : 직전연도 재산세액 상당액의 100분의 110을 초과하는 경우에는 100분의 110을 징수할 세액으로 한다.
- 주택공시가격이 6억원 초과인 주택 : 직전연도 재산세액 상당액의 100분의 130을 초과하는 경우에는 100분의 130을 징수할 세액으로 한다.

4 | 기타 재산세 과세요건

가. 납세지(지세법 §108)

재산세는 다음과 같이 재산의 소재지를 관할하는 지방자치단체에서 부과한다.

1) **토지** : 토지의 소재지
2) **건축물** : 건축물의 소재지
3) **주택** : 주택의 소재지
4) **선박** : 「선박법」에 따른 선적항의 소재지. 다만, 선적항이 없는 경우에는 정계장(定繫場)의 소재지(정계장이 일정하지 아니한 경우에는 선박 소유자의 주소지)
5) **항공기** : 「항공법」에 따른 등록원부에 기재된 정치장의 소재지(「항공법」에 따라 등록을 하지 아니한 경우에는 소유자의 주소지)

나. 과세기준일 및 납기(지세법 §114, §115)

재산세의 과세기준일은 매년 6. 1.이며 납기는 과세대상별로 다음과 같다.

1) **토지** : 매년 9. 16.부터 9. 30.까지
2) **주택** : 부과·징수할 세액의 2분의 1은 매년 7. 16.부터 7. 31.까지
   나머지 2분의 1은 9. 16.부터 9. 30.까지
3) **건축물, 선박, 항공기** : 매년 7. 16.부터 7. 31.까지

5 | 재산세 과세특례(도시지역분)

지방자치단체의 장은 「국토의 계획 및 이용에 관한 법률」 제6조 제1호에 따른 도시지역 중 해당 지방의회의 의결을 거쳐 고시한 지역 안에 있는 대통령령으로 정하는 토지, 건축물 또는 주택에 대하여는 조례로 정하는 바에 따라 토지, 건축물 또는 주택분 재산세에 재산세 도시지역분을 합산하여 산출한 세액을 재산세액으로 부과할 수 있다. 다만, 재산세 도시지역분 적용대상 지역 안에 있는 토지 중 「국토의 계획 및 이용에 관한 법률」에 따라 지형도면이 고시된 공공시설용지 또는 개발제한구역으로 지정된 토지 중 지상건축물, 골프장, 유원지, 그 밖의 이용시설이 없는 토지는 재산세 도시지역분 과세대상에서 제외한다.

| 재산세 세율현황 |

구 분		표준세율*) (누진공제)
토 지	① 종합합산과세대상 5천만원 이하 / 1억원 이하 / 1억원 초과	0.2% / 0.3%(5만원) / 0.5%(25만원)
	② 별도합산과세대상 2억원 이하 / 10억원 이하 / 10억원 초과	0.2% / 0.3%(20만원) / 0.4%(120만원)
	③ 분리과세대상	
	- 전·답·과수원·목장용지·임야	0.07%
	- 골프장·고급오락장용 부속토지	4%
	- ①, ② 외의 분리과세 대상토지	0.2%
건축물	① 취득세 중과대상 골프장·고급오락장용 건축물	4%
	② 지정 주거지역·지정 공장용 건축물	0.5%
	③ 기타 건축물	0.25%

구 분		표준세율*) (누진공제)
주 택	① 고급별장	4%
	② 일반주택	
	6천만원 이하 / 1.5억원 이하 /	0.1% / 0.15% (3만원) /
	3억원 이하 / 3억원 초과	0.25% (18만원) / 0.4% (63만원)
선박 · 항공기	① 취득세 중과대상 고급선박	5%
	② 일반선박 및 항공기	0.3%
과밀억제권역 안에서의 일부 공장신설 · 증설(5년간)		5배 중과

가. 납세의무자

재산세 과세기준일 현재 토지 · 건물 또는 주택에 대한 재산세의 납세의무가 있는 자는 재산세 도시지역분을 납부할 의무가 있다.

나. 과세표준 및 세율

재산세 도시지역분의 과세표준은 「지방세법」 제4조에 따른 토지 · 건축물 또는 주택의 가액이 되며, 세율은 0.14%를 적용하는 것이나, 지방자치단체의 장은 해당 연도분의 재산세 도시지역분의 세율을 조례로 정하는 바에 따라 0.23%를 초과하지 않는 범위에서 다르게 정할 수 있다.

다. 부과징수

재산세 도시지역분은 재산세 납세고지서에 병기하여 부과되며, 과세기준일 및 납기는 재산세와 동일하다.

관련예규 및 판례요약

대법 2016두 35977, 2016. 6. 23.

유흥주점의 출입구로 사용되는 계단실 면적이 재산세 중과세대상의 기준이 되는 유흥주점영업장의 객실면적에 포함되는지 여부 관련하여 유흥주점 출입구로 사용되는 계단실 면적은 재산세 중과기준이 되는 객실면적에 포함되지 않음.

제 3 절 토지분 재산세 과세대상의 구분과 세율적용

토지에 대한 재산세 과세대상은 종합합산과세대상, 별도합산과세대상 및 분리과세대상으로 구분한다. 이 경우 동일한 재산에 대하여 2 이상의 세율이 해당되는 경우에는 그 중 높은 세율을 적용한다. 이하에서는 토지에 대한 재산세 과세대상에 대하여 살펴보고자 한다.

1 종합합산과세대상(지세법 §106 ① 1호)

종합합산과세표준 = 해당 시·군·구토지 - (비과세·과세경감 + 분리과세 + 별도합산 + 주택부속토지)

과세기준일 현재 납세의무자가 소유하고 있는 토지 중 별도합산 또는 분리과세대상이 되는 토지를 제외한 토지를 말한다. 다만, 다음에 해당하는 토지는 종합합산과세대상, 별도합산과세대상으로 보지 아니한다.

① 「지방세법」 또는 관계법령의 규정에 의하여 재산세가 비과세 또는 면제되는 토지

② 「지방세법」 또는 관계법령의 규정에 의하여 재산세가 경감되는 토지의 경감비율에 해당하는 토지

종합합산과세대상 토지는 별도합산과세대상 토지 중 용도지역별 기준을 초과하는 토지와 분리과세대상 토지에서 제외되는 토지가 된다. 다시 말하면, 별도합산과세대상 토지와 분리과세대상 토지에서 제외되는 토지는 모두 종합합산과세대상 토지가 된다.

주택의 부속토지는 주택으로 별도 과세되고, 주거용 이외의 건축물은 일정한 면적 이내의 토지에 대하여만 별도합산으로 하고, 일정비율을 초과하는 토지는 종합합산과세대상 토지로 본다(지세령 §103 ①). 그리고 저율분리과세대상 토지 중 일정한 조건을 갖추지 못한 토지는 종합합산과세대상이 된다.

종합합산과세대상 토지에 대한 세율적용은 납세의무자가 소유하고 있는 해당 지방자치단체의 관할구역에 있는 종합합산과세대상이 되는 토지의 가액을 모두 합한 금액을 과세표준으로 하여 세율을 적용한다.

2 | 별도합산과세대상(지세법 §106 ① 2호)

과세기준일 현재 납세의무자가 소유하고 있는 대통령령이 정하는 건축물의 부속토지 및 별도합산 과세하여야 할 상당한 이유가 있는 것으로서 대통령령이 정하는 토지를 말한다.

별도합산과세대상 토지는 차고용 부지 등 도시 내에서 넓은 토지가 필요한 사업용 토지와 주거용 이외의 건축물로서 일정한 면적 이내의 토지를 말한다.

전자에 해당하는 토지는 그 면적에 불구하고 무조건 별도합산과세대상 토지로 보며, 후자에 해당하는 토지는 일정비율 이내의 토지에 대하여만 별도합산으로 하고 일정비율을 초과하는 토지는 종합합산과세대상 또는 분리과세대상 토지로 본다(지세령 §101 ①).

별도합산과세대상 토지에 대한 세율적용은 납세의무자가 소유하고 있는 해당 지방자치단체의 관할구역에 있는 별도합산과세대상이 되는 토지의 가액을 모두 합한 금액을 과세표준으로 하여 세율을 적용한다.

3 | 분리과세대상(지세법 §106 ① 3호)

과세기준일 현재 납세의무자가 소유하고 있는 다음의 토지에 대하여는 분리과세한다.

① 공장용지 · 전 · 답 · 과수원 및 목장용지로서 대통령령이 정하는 토지

② 산림의 보호육성을 위하여 필요한 임야 및 종중소유임야로서 대통령령이 정하는 임야

③ 「지방세법」 제13조 제5항에 따른 골프장용 토지와 고급오락장용 토지로서 대통령령이 정하는 토지

④ 「산업집적활성화 및 공장설립에 관한 법률」 제2조 제1호에 따른 공장의 부속토지로서 개발제한구역의 지정이 있기 이전에 그 부지취득이 완료된 곳으로서 대통령령으로 정하는 토지

⑤ 위 ①, ②, ③, ④규정에 의한 토지와 유사한 토지로서 분리과세하여야 할 상당한 이유가 있는 것으로서 대통령령이 정하는 토지 : 주택건설사업자, 주택조합 등 사업시행자가 사업승인받은 주택건설용 토지 등

분리과세대상 토지는 크게 고율분리과세 · 저율분리과세와 일반분리과세로 나누어진다. 고율분리과세의 경우 골프장과 고급오락장용 건물의 부속토지에 대하여 그 과세표준에 1,000분의 40의 세율을 적용하여 과세하고, 저율분리과세는 전 · 답 · 과수원 · 목장용지 ·

임야에 대하여 그 과세표준에 1,000분의 0.7의 세율로 과세하며, 기타 분리과세대상토지에 대하여는 그 과세표준에 1,000분의 2의 세율을 과세한다.

| 재산세 과세대상토지의 구분 |

A = 과세기준일 현재 전국의 모든 토지	
(−) B = 비과세 · 면제 및 감면대상토지	
(−) C = 분리과세대상토지	농지 · 목장용지 · 임야 공장용지 · 공급목적 토지 사치성 재산용 토지
(−) D = 별도합산과세대상토지	일반영업용 건축물 부속토지 일정 용도에 사용되는 토지
(−) E = 주택의 부속토지	주택으로 사용되는 토지
종합합산과세대상토지 = A−B−C−D−E	

| 과세구분별 과세대상과 세율 요약 |

과세구분 및 세율	과세대상
분리과세 (0.07%, 0.2%, 4%) 〈지세법 §106 ① 3호, 지세령 §102 ①~⑤〉	① 저율분리과세 : (0.07%) 전 · 답 · 과수원 · 목장용지 · 임야 중 일부 토지 (0.2%) 공장 · 기타 분리과세대상 모든 토지 ② 고율분리과세(4%) : 골프장 · 별장 · 고급오락장용 토지 · 기준초과주거용 토지
별도합산 (0.2~0.4%) 〈지세법 §106 ① 2호, 지세령 §101 ①~③〉	① 「공장용 건축물」의 기준면적 이내 부속토지 • 공장용 건축물(지세령 §101 ① 1호) : 특별시 · 광역시지역 및 시지역 (읍 · 면 지역, 산업단지, 공업지역 제외) 안의 공장용 건축물 • 기준면적 = 바닥면적 × 용도지역배율(지세령 §101 ②) ② 「영업용 건축물」의 기준면적 이내 부속토지 • 영업용 건축물(지세령 §101 ① 2호) : 모든 건축물 중 공장용 건축물 · 골프장 및 고급오락장용 토지, 무허가건축물 · 시가표준액 100분의 2 미달 건축물을 제외한 건축물 • 건축물이 있는 것으로 보는 토지(지세령 §103 ①) : 건축중인 경우와 사실상 멸실된 날부터 6개월이 경과하지 않은 경우에는 건축물이 있는 것으로 보나, 정당한 사유 없이 6개월 이상 공사가 중단된 경우는 건축물이 있는 토지로 보지 않음. ③ 별도합산할 이유가 있는 토지(지세령 §103 ③)
종합합산 (0.2~0.5%)	① 나대지 ② 분리과세대상토지 중 기준초과 토지

과세구분 및 세율	과세대상
〈지세법 §106 ① 1호〉	③ 별도합산대상토지 중 기준초과 토지 ④ 분리과세 · 별도합산대상에서 제외된 모든 토지

| 재산세 누진수익률 세액계산 구조 |

구 분	주 택			종합합산 토지			별도합산 토지		
시가표준액	개별 · 공동 주택가격			개별공시지가 × 면적			개별공시지가 × 면적		
(×)	(×)								
공정시장 가액비율	60%			70%			70%		
(=)	(=)								
재산세 과세표준	주택분 재산세 과세표준			종합합산 토지분 재산세 과세표준			별도합산 토지분 재산세 과세표준		
(×)	(×)								
세 율*1)	과세표준	세 율	누진공제	과세표준	세 율	누진공제	과세표준	세 율	누진공제
	6천만원 이하	0.1%	–	5천만원 이하	0.2%	–	2억원 이하	0.2%	–
	1.5억원 이하	0.15%	3만원	1억원 이하	0.3%	5만원	10억원 이하	0.3%	20만원
	3억원 이하	0.25%	18만원	1억원 초과	0.5%	25만원	10억원 초과	0.4%	120만원
	3억원 초과	0.4%	63만원						
	지방자치단체의 장은 조례에서 정하는 바에 의해 표준세율의 50% 범위 안에서 가감조정 가능								
(=)	(=)								
세부담상한 전 재산세액	세부담상한 전 주택분 재산세액			세부담상한 전 종합합산토지분 재산세액			세부담상한 전 별도합산토지분 재산세액		
(–)	(–)								
세부담상한 초과세액	직전연도 주택분 재산세 × 130 · 110 · 105%*2) 초과세액			직전연도 종합합산토지분 재산세 × 150% 초과세액			직전연도 별도합산토지분 재산세 × 150% 초과세액		
(=)	(=)								
재산세액	주택분 재산세액			종합합산토지분 재산세액			별도합산토지분 재산세액		

*1) 재산세 도시지역분 적용대상 지역안의 토지 등의 경우 과세표준에 0.14%를 추가로 부과할 수 있음.
*2) 주택분 재산세 세부담 상한비율
  – 주택공시가격 6억원 초과 : 130%, 3억원 초과 6억원 이하 : 110%, 3억원 이하 : 105%

4 구체적 과세대상별 과세방법 요약

가. 공장용지

① 원칙 : 분리과세(0.2%)

② 예외 : 별도합산 또는 종합합산 과세

구 분	지역별	분리과세	종합합산	별도합산
공장용지	• 군지역(특별시, 광역시, 시의 읍면지역 포함) • 구 · 시지역 산업단지, 공업지역	입지기준면적 이내	입지기준면적 초과	–
공장용 건축물부속 토지	• 구 · 시지역 산업단지, 공업지역을 제외한 주거 · 상업 · 녹지 지역 등의 공장	–	용도지역배율 초과 건축물 부속토지	용도지역배율 이내 건축물 부속토지

※ 공장용 건축물

- 생산설비를 갖춘 제조시설용 건축물
- 공장경계구역 안의 부대시설용 건축물
- 공장경계구역 밖의 종업원 주거용 건축물

나. 상가 · 사무실 등 부속토지

① 원칙 : 별도합산과세

② 예외 : 종합합산과세

지역별	분리과세	종합합산과세	별도합산과세
전 국	–	용도지역별 배율적용 (기준면적 초과분)	용도지역별 배율적용 (기준면적 이내)

※ 용도지역별 적용배율

- 도시지역 : 용도지역별 3배~7배
- 도시지역 외 : 7배

도시지역의 용도지역별 적용배율

용도지역별 구분	적용배율
전용주거지역	5배
준주거지역, 상업지역	3배
일반주거지역, 공업지역	4배
녹지지역	7배
미계획지역	4배

다. 농지(전 · 답 · 과수원)

① 원칙 : 분리과세(0.07%)

② 예외 : 종합합산과세

<table>
<tr><th colspan="3">지역별</th><th>분리과세대상</th><th>종합합산과세대상</th></tr>
<tr><td colspan="3">전국 군지역</td><td>실제 영농에 사용되는 개인소유 농지</td><td>법인 소유
(예외 : 아래 분리과세대상)</td></tr>
<tr><td rowspan="3">시 이상 지역</td><td colspan="2">도시지역 밖</td><td>상 동</td><td>상 동</td></tr>
<tr><td rowspan="2">도시 지역</td><td>녹지 · 제한구역</td><td>상 동</td><td>상 동</td></tr>
<tr><td>기타 지역</td><td>–</td><td>전 부</td></tr>
<tr><td colspan="3">기 타</td><td colspan="2">※ 분리과세대상
• 「농지법」 제2조 제3호에 따른 농업법인 소유 농지
• 한국농촌공사가 농지를 공급하기 위하여 소유하는 농지
• 사회복지사업자가 복지시설의 소비용에 공하기 위하여 소유한 농지 (1990. 5. 31. 이전부터 취득 · 소유한 경우)
• 매립 · 간척에 의하여 농지를 취득한 법인이 과세기준일 현재 직접 경작한 농지(시 이상 지역의 도시지역은 제한구역과 녹지지역으로 한정)
• 종중 소유농지(1990. 5. 31. 이전부터 취득 · 소유한 경우)</td></tr>
</table>

라. 목장용지

① 원칙 : 분리과세(0.07%)
② 예외 : 종합합산과세

지역별		분리과세대상	종합합산과세대상
도시지역 밖		개인 또는 법인이 축산용으로 직접 사용하는 기준면적 내	기준면적 초과
도시지역	녹지·제한구역	상 동 (1989. 12. 31. 이전 소유)	상 동
	기타 지역	–	전 부

마. 임 야

① 원칙 : 분리과세(0.07%)
② 예외 : 종합합산과세

지역별	분리과세대상		종합합산과세대상	
구 분	도시지역	도시지역 밖	도시지역	도시지역 밖
산림경영계획인가림	–	보전임야	전 부	준보전임야
특수산림사업지구 지정 임야	–	전 부	전 부	–
종중소유	1990. 5. 31. 이전 소유		1990. 6. 1. 이후 소유	
문화재보호구역 내	전 부		–	
공원자연환경지구 내	전 부		–	
기 타	* 분리과세대상(1989. 12. 31. 이전 소유에 한함) • 개발제한구역의 임야 • 군사시설보호구역 중 제한보호구역의 임야(해제 후 2년 내 포함) • 접도구역의 임야, 철도보호지구의 임야, 도시공원의 임야, 도시자연공원구역의 임야, 홍수 관리구역으로 고시된 지역의 임야 • 상수도보호구역 안의 임야(1990. 5. 31. 이전 소유에 한함)			

바. 사치성 재산(골프장 · 별장 · 고급오락장용 토지)

① 원칙 : 분리과세(4%)

② 예외 : 종합합산과세

구 분	분리과세대상	종합합산과세대상
골프장용 토지	회원제 골프장 중 구분등록대상토지 (체육시설업의 등록필)	기 타
고급오락장용 토지	• 카지노장 • 자동도박기설치장 • 욕실부설미용실 • 유흥주점	–

※ 별장용 토지는 주택으로 4% 분리과세 세율 적용

사치성 재산에 대한 지방세 중과제도 요약

사치성 재산의 범위		• 별장(휴양 등의 용도로 사용하는 건축물과 부속토지) • 골프장(회원제 골프장용 부동산으로 구분등록된 토지와 건축물) • 고급주택(주택면적 또는 그 부속토지의 면적과 가액이 일정기준을 초과하거나 수영장등이 설치된 주거용 건축물과 그 부속토지) • 고급오락장(도박장 등의 용도로 사용되는 건축물의 부속토지) • 고급선박(비영업용 자가용 선박, 시가표준액이 1억원을 초과)
세목별 중과세 내용	취득세	• 표준세율+8%(중과기준세율*4배)
	재산세	• 골프장 · 별장 · 고급오락장용(고급주택 제외) 건축물 : 4%의 고율과세 • 고급선박 : 5%의 고율과세

관련예규 및 판례요약

지방세운영과-1291 2019. 5. 8.

부설주차장 설치기준면적 이내의 토지가 별도로 존재한다면, 건축물의 부속토지와 별개로 별도합산과세대상토지로 봄.

대법 2016두 50877, 2016. 12. 15.

합병에 따른 포괄승계방식으로 토지를 취득한 경우 합병한 이후에도 종전부터 소유하고 있는 것으로 보아 분리과세를 적용할 수 있는지 관련하여 합병의 효력발생 시점은 합병등기를 마친 때이므로, 합병 이후에는 종전부터 소유하고 있는 것으로 보아 분리과세를 적용할 수 없음.

대법 2016두 47383, 2016. 10. 27.

발전설비정비 등을 위탁업체에 임차한 경우 토지가 재산세 분리과세 대상인 송전·변전 시설에 직접사용되고 있는 토지에 해당되는지 여부 관련하여 발전사업 특성상 정비업무는 발전소 내에서 이루어져야 하는 등 발전소 가동·운영에 필수불가결한 토지로서 직접사용에 해당됨.

대법 2016두 36406, 2016. 6. 23.

자연녹지지역에서 제1종일반주거지역으로 변경고시되었다고 하더라도 현재 개발행위가 제한되어 있고 공부상 지목도 농지이며 영농에 사용되고 있는 경우 종전처럼 분리과세 할 수 있는지 여부 관련하여 도시지역의 농지는 영농에 사용중이라도 개발제한구역이나 녹지지역에 해당되지 않는다면 분리과세 할 수 없음.

제 4 절 재산세의 비과세 및 감면

사회공익의 목적 또는 사회・경제정책의 목적에 비추어 재산세를 부과하는 것이 바람직하지 않은 경우에는 재산세를 부과하지 않는다. 그 내용은 다음과 같다.

1 | 재산세의 비과세(지세법 §109)

가. 국가 등에 대한 비과세

국가・지방자치단체・지방자치단체조합・외국정부 및 주한국제기구의 소유에 속하는 재산에 대하여는 재산세를 부과하지 아니한다(지세법 §109 ①). 다만, 다음에 해당하는 재산에 대하여는 재산세를 부과한다.

1) 대한민국 정부기관의 재산에 대하여 과세하는 외국정부의 재산
2) 국가・지방자치단체・지방자치단체조합과 재산세 과세대상물건을 연부로 매매계약을 체결하고 그 재산의 사용권을 무상으로 부여받은 경우로서 그 매수계약자에게 납세의무가 있는 재산

나. 공용 및 공공용 재산에 대한 비과세

국가・지방자치단체・지방자치단체조합이 1년 이상 공용 또는 공공용으로 사용하는 재산에 대하여는 재산세를 부과하지 아니한다. 다만, 유료로 사용하는 재산은 비과세에서 제외한다.

다. 기타 용도구분에 따른 비과세

다음에 해당하는 재산(취득세 중과세대상인 사치성 재산은 제외)에 대하여는 재산세를 부과하지 아니한다. 다만, 대통령령이 정하는 수익사업에 사용하는 경우와 당해 재산이 유료로 사용되는 경우의 그 재산 및 당해 재산의 일부가 그 목적에 직접 사용되지 아니하는 경우의 그 일부 재산에 대하여는 재산세를 부과한다.

1) 대통령령으로 정하는 도로・하천・제방・구거・유지 및 묘지

2) 「산림보호법」 제7조에 따른 산림보호구역, 그 밖에 공익상 재산세를 부과하지 아니할 타당한 이유가 있는 것으로서 대통령령으로 정하는 토지
3) 임시로 사용하기 위하여 건축된 건축물로서 재산세 과세기준일 현재 1년 미만의 것
4) 비상재해구조용, 무료도선용, 선교구성용 및 본선에 속하는 전마용 등으로 사용하는 선박
5) 행정기관으로부터 철거명령을 받은 건축물 등 재산세를 부과하는 것이 적절하지 아니한 건축물 또는 주택으로서 대통령령으로 정하는 것

2 | 재산세의 감면

2010년 「지방세특례제한법」이 제정됨에 따라 지방세의 감면 관련 규정을 일괄하여 규정하게 되었다. 「지방세특례제한법」상 주요 재산세 감면 내용은 아래와 같으며, 이외에도 다양한 재산세 감면 내용이 존재하므로 구체적인 사안별 감면 여부는 반드시 「지방세특례제한법」을 확인해 주시길 당부드린다.

가. 임대주택 등에 대한 감면

임대사업자 등이 국내에 2세대 이상의 임대용 공동주택을 건축 · 매입하거나 오피스텔을 매입하여 과세기준일 현재 임대 목적에 직접 사용하는 경우에는 다음과 같이 재산세 등을 2021년 12월 31일까지 감면한다(지특법 §31 ③).

1) 전용면적 40제곱미터 이하인 「공공주택 특별법」 제50조의 2 제1항에 따라 30년 이상 임대 목적의 공동주택에 대해서는 재산세를 면제
2) 전용면적 60제곱미터 이하인 임대목적의 공동주택 또는 오피스텔에 대해서는 재산세의 100분의 50을 경감
3) 전용면적 85제곱미터 이하인 임대목적의 공동주택 또는 오피스텔에 대해서는 재산세의 100분의 25를 경감

나. 준공공임대주택 등에 대한 감면

「민간임대주택에 관한 특별법」 제2조 제4호에 따른 기업형 임대주택 및 같은 조 제5호에 따른 준공공임대주택을 임대하려는 자가 국내에 임대 목적의 공동주택 및 다가구주택(모든 호수의 전용면적이 40제곱미터 이하인 경우)을 2세대 이상 건축·매입하거나 또는 「민간임대주택에 관한 특별법」 제2조 제1호에 따른 준주택 중 오피스텔을 2세대 이상 매입하여 과세기준일 현재 임대 목적에 직접 사용하는 경우에는 다음과 같이 재산세 등을 2021년 12월 31일까지 감면한다(지특법 §31의 3). 다만, 「민간임대주택에 관한 특별법」 제6조에 따라 준공공임대주택 사업자 등록이 말소된 경우에는 그 감면사유 소멸일부터 소급하여 5년 이내에 감면된 재산세를 추징[6]한다.

1) 전용면적 40제곱미터 이하인 임대 목적의 공동주택, 다가구주택 또는 오피스텔에 대하여는 재산세를 면제
2) 전용면적 40제곱미터 초과 60제곱미터 이하인 임대 목적의 공동주택, 다가구주택 또는 오피스텔에 대하여는 재산세의 100분의 75를 경감
3) 전용면적 60제곱미터 초과 85제곱미터 이하인 임대 목적의 공동주택, 다가구주택 또는 오피스텔에 대하여는 재산세의 100분의 50을 경감

다. 주택임대사업에 투자하는 부동산투자회사에 대한 감면

「부동산투자회사법」 제2조 제1호 나목에 따른 위탁관리 부동산투자회사(해당 부동산투자회사의 발행주식 총수에 대한 국가, 지방자치단체, 한국토지주택공사 및 지방공사가 단독 또는 공동으로 출자한 것으로 보는 소유주식 수의 비율이 100분의 50을 초과하는 경우를 말함)가 과세기준일 현재 국내에 2세대 이상의 해당 공동주택을 임대 목적에 직접 사용하는 경우에는 다음과 같이 재산세 등을 2021년 12월 31일까지 감면한다(지세법 §31의 4 ②).

1) 전용면적 60제곱미터 이하인 임대목적의 공동주택에 대해서는 재산세의 100분의 40을 경감
2) 전용면적 85 제곱미터 이하인 임대목적의 공동주택에 대해서는 재산세의 100분의 40을 경감

---

6) 「민간임대주택에 관한 특별법」 제43조 제2항 또는 제4항에 따른 사유(임대사업자 간의 매각은 추징제외 사유로 보지 아니한다)로 사업자 등록이 말소된 경우에는 추징에서 제외

다만, 재산세 등을 면제 받은 이후 다음 사유에 해당하는 경우에는 경감받은 취득세를 추징한다.

① 토지를 취득한 날부터 정당한 사유 없이 2년 이내에 착공하지 아니한 경우
② 정당한 사유 없이 해당 부동산의 매입일부터 1년이 경과할 때까지 해당 용도로 직접 사용하지 아니하는 경우
③ 해당 용도로 직접 사용한 기간이 2년 미만인 상태에서 매각 · 증여하거나 다른 용도로 사용하는 경우

라. 기업도시개발구역 및 지역개발사업구역 내 창업기업 등에 대한 감면

다음에 해당하는 사업을 영위하기 위하여 취득하는 부동산으로서 그 업종 및 투자금액이 대통령령으로 정하는 기준에 해당하는 경우 취득세 및 재산세의 100분의 50의 범위에서 조례로 정하는 감면율을 각각 2022년 12월 31일까지 경감한다(지특법 §75의 2).

1) 「기업도시개발 특별법」 제2조 제2호에 따른 기업도시개발구역에 2022년 12월 31일까지 창업하거나 사업장을 신설(기존 사업장을 이전하는 경우는 제외)하는 기업이 그 구역의 사업장에서 하는 사업
2) 「기업도시개발 특별법」 제10조에 따라 지정된 사업시행자가 하는 사업으로서 같은 법 제2조 제3호에 따른 기업도시개발사업
3) 「지역 개발 및 지원에 관한 법률」 제11조에 따라 지정된 지역개발사업구역(같은 법 제7조 제1항 제1호에 해당하는 지역개발사업에 한함) 또는 같은 법 제67조에 따른 지역활성화지역에 2022년 12월 31일까지 창업하거나 사업장을 신설(기존 사업장을 이전하는 경우는 제외)하는 기업(법률 제12737호 지역 개발 및 지원에 관한 법률 부칙 제4조에 따라 의제된 지역개발사업구역 중 「폐광지역 개발 지원에 관한 특별법」에 따라 지정된 폐광지역진흥지구에 개발사업시행자로 선정되어 입주하는 경우에는 「관광진흥법」에 따른 관광숙박업 및 종합휴양업과 축산업을 경영하는 내국인을 포함)이 그 구역 또는 지역의 사업장에서 하는 사업
4) 「지역 개발 및 지원에 관한 법률」 제11조(같은 법 제7조 제1항 제1호에 해당하는 지역개발사업에 한함)에 따른 지역개발사업구역과 같은 법 제19조에 따라 지정된 사업시행자가 하는 지역개발사업

마. 종교단체 또는 향교에 대한 면제

종교단체 또는 향교가 과세기준일 현재 해당 사업에 직접 사용(종교단체 또는 향교가 제3의 부동산을 무상으로 해당 사업을 사용하는 경우를 포함한다)하는 부동산(대통령령으로 정하는 건축물의 부속토지 포함)에 대하여는 재산세(「지방세법」 제112조에 따른 부과액을 포함) 및 「지방세법」 제146조 제2항에 따른 지역자원시설세를 각각 면제한다. 다만, 수익사업에 사용하는 경우와 해당 재산이 유료로 사용되는 경우의 그 재산 및 해당 재산의 일부가 그 목적에 직접 사용되지 아니하는 경우의 그 일부 재산에 대하여는 면제하지 아니한다(지특법 §50 ②).

사찰림(寺刹林)과 「전통사찰의 보존 및 지원에 관한 법률」 제2조 제1호에 따른 전통사찰이 소유하고 있는 경우로서 같은 조 제3호에 따른 경내지(境內地)에 대하여는 재산세(「지방세법」 제112조에 따른 부과액 포함)를 면제한다. 다만, 수익사업에 사용하는 경우와 해당 재산이 유료로 사용되는 경우의 그 재산 및 해당 재산의 일부가 그 목적에 직접 사용되지 아니하는 경우의 그 일부 재산에 대하여는 면제하지 아니한다(지특법 §50 ⑤).

바. 학교 및 외국교육기관에 대한 면제

「초 · 중등교육법」 및 「고등교육법」에 따른 학교, 「경제자유구역 및 제주국제자유도시의 외국교육기관 설립 · 운영에 관한 특별법」 또는 「기업도시개발 특별법」에 따른 외국교육기관을 경영하는 자가 과세기준일 현재 해당 사업에 직접 사용하는 부동산(대통령령으로 정하는 건축물의 부속토지 포함)에 대하여는 2021년 12월 31일까지 재산세(「지방세법」 제112조에 따른 부과액을 포함) 및 「지방세법」 제146조 제2항에 따른 지역자원시설세를 각각 면제한다. 다만, 수익사업에 사용하는 경우와 해당 재산이 유료로 사용되는 경우의 그 재산 및 해당 재산의 일부가 그 목적에 직접 사용되지 아니하는 경우의 그 일부 재산에 대하여는 면제하지 아니한다(지특법 §41 ②).

사. 평생교육단체 등에 대한 면제

「평생교육법」에 따른 교육시설을 운영하는 평생교육단체가 과세기준일 현재 해당 사업에 직접 사용하는 부동산(대통령령으로 정하는 건축물의 부속토지 포함)에 대하여는 재산세(「지방세법」 제112조에 따른 부과액을 포함)에 대하여 재산세 납세의무가 최초로 성립한 날부터 5년간 재산세의 100분의 50을 경감한다. 다만, 수익사업에 사용하는 경우와 해당 재산이 유료로 사용되는 경우의 그 재산 및 해당 재산의 일부가 그 목적에 직접 사용되지 아니하는 경우의 그 일부 재산에 대해서는 경감하지 아니한다(지특법 §43 ③).

아. 사회복지법인등에 대한 감면

「사회복지사업법」에 따라 설립된 사회복지법인과 양로원, 보육원, 모자원, 한센병자 치료보호시설 등 사회복지사업을 목적으로 하는 단체 및 한국한센복지협회가 과세기준일 현재 해당 사업에 직접 사용[7]하는 부동산(대통령령으로 정하는 건축물의 부속토지 포함)에 대하여는 재산세(「지방세법」 제112조에 따른 부과액 포함) 및 「지방세법」 제146조 제2항에 따른 지역자원시설세를 각각 2022년 12월 31일까지 면제한다. 다만, 수익사업에 사용하는 경우와 해당 재산이 유료로 사용되는 경우의 그 재산 및 해당 재산의 일부가 그 목적에 직접 사용되지 아니하는 경우의 그 일부 재산에 대하여는 면제하지 아니한다(지특법 §22 ②).

자. 정당에 대한 면제

「정당법」에 따라 설립된 정당이 과세기준일 현재 해당 사업에 직접 사용하는 부동산(대통령령으로 정하는 건축물의 부속토지 포함)에 대하여는 재산세(「지방세법」 제112조에 따른 부과액을 포함) 및 「지방세법」 제146조 제2항에 따른 지역자원시설세를 각각 2022년 12월 31일까지 면제한다. 다만, 수익사업에 사용하는 경우와 해당 재산이 유료로 사용되는 경우의 그 재산 및 해당 재산의 일부가 그 목적에 직접 사용되지 아니하는 경우의 그 일부 재산에 대하여는 면제하지 아니한다(지특법 §89 ②).

차. 어린이집 및 유치원에 대한 감면

「영유아보육법」에 따른 어린이집 및 「유아교육법」에 따른 유치원의 해당부동산 소유자가 과세기준일 현재 유치원등에 직접 사용하는 부동산 및 과세기준일 현재 유치원등에 사용하는 부동산으로서 해당 부동산 소유자와 사용자의 관계 등을 고려하여 대통령령으로 정하는 부동산에 대해서는 재산세(「지방세법」 제112조에 따른 부과액을 포함한다)를 2021년 12월 31일까지 면제한다(지특법 §19 ②).

---

7) 종교단체의 경우 해당부동산의 소유자가 아닌 그 대표자 또는 종교법인이 해당 부동산을 사회복지사업의 용도로 사용하는 경우를 포함

카. 마을회 등에 대한 감면

마을주민의 복지증진 등을 도모하기 위하여 마을주민만으로 구성된 마을회 등이 소유한 부동산과 임야에 대하여는 재산세(「지방세법」 제112조에 따른 부과액 포함) 및 「지방세법」 제146조 제2항에 따른 지역자원시설세를, 마을회등에 대하여는 주민세 재산분 및 지방소득세 종업원분을 각각 2022년 12월 31일까지 면제한다. 다만, 수익사업에 사용하는 경우와 해당 재산이 유료로 사용되는 경우의 그 재산 및 해당 재산의 일부가 그 목적에 직접 사용되지 아니하는 경우의 그 일부 재산에 대하여는 면제하지 아니한다(지특법 §90 ②).

타. 별정우체국에 대한 과세특례

「별정우체국법」에 따른 별정우체국이 과세기준일 현재 공용 또는 공공용으로 사용하는 부동산에 대하여는 재산세(「지방세법」 제112조에 따른 부과액 포함)와 「지방세법」 제146조 제2항에 따른 지역자원시설세를 2022년 12월 31일까지 각각 면제하고, 별정우체국에 대한 주민세 재산분 및 지방소득세 종업원분을 각각 2009. 12. 31.까지 면제한다. 다만, 수익사업에 사용하는 경우와 해당 재산이 유료로 사용되는 경우의 그 재산 및 해당 재산의 일부가 그 목적에 직접 사용되지 아니하는 경우의 그 일부 재산에 대하여는 면제하지 아니한다(지특법 §72 ②).

파. 기 타

① 농업용수의 공급을 위한 관정시설에 대한 감면(지특법 §7 ②)
② 자영어민등에 대한 감면(20톤 미만의 소형어선)(지특법 §9)
③ 농·어업법인에 대한 감면(지특법 §11, §12)
④ 농어촌 주택개량에 대한 감면(지특법 §16)
⑤ 노인복지시설에 대한 감면(지특법 §20)
⑥ 청소년단체 등에 대한 감면(지특법 §21)
⑦ 사회적기업에 대한 감면(지특법 §22의 4)
⑧ 노동조합에 대한 감면(지특법 §26)
⑨ 국가유공자 등에 대한 감면(지특법 §29)
⑩ 의료법인 등에 대한 과세특례(지특법 §38)
⑪ 문화·예술 지원을 위한 과세특례(지특법 §52)

⑫ 문화재에 대한 감면(지특법 §55)
⑬ 벤처기업 등에 대한 과세특례(지특법 §58)
⑭ 물류단지 등에 대한 감면(지특법 §71)
⑮ 산업단지 등에 대한 감면(지특법 §78)
⑯ 법인의 지방 이전에 대감면(지특법 §79)
⑰ 공장의 지방 이전에 따른 감면(지특법 §80)

관련예규 및 판례요약

재산세의 비과세 : 지세법 §109

재산세의 비과세와 관련된 예규, 판례

조심 2019지 2065, 2019. 12. 5.

「공공주택특별법」 제4조 제1항 제2호에 따른이 공공주택사업자에 해당하고, 국토교통부는 2015. 12. 17. 청구법인의 쟁점토지에 16㎡ 174세대, 26㎡ 147세대, 36㎡ 139세대 합계 460세대 등 행복주택에 대한 주택건설사업계획을 승인하였으며, 처분청은 2016. 12. 1. 주택건설사업 착공신고 필증을 청구법인에게 교부한 사실이 확인되므로 쟁점부동산은 2017 · 2018년도 재산세 과세기준일 현재 임대용 공동주택을 건축 중인 토지로 볼 수 있어 감면대상임.

조심 2019지 2266, 2019. 12. 5.

건축물의 소유 · 이용 및 유지 · 관리 상태를 확인하는 공적인 공부가 「건축법」 제38조에 따른 건축물 대장인 점, 「지방세법 시행령」 제13조의2 제2항에서 감면대상 다가구주택의 범위를 「건축법」 제38조에 따른 건축물대장에 호수별로 전용면적이 구분되어 기재되어 있는 다가구주택만을 규정하고 있고 쟁점주택이 재산세 과세기준일(6. 1.) 현재 「건축법」 제38조에 따른 건축물대장에 호수별로 전용면적이 구분되어 기재되어 있지 않았던 점 등에 비추어 쟁점주택에 대한 재산세 등의 감면요건을 충족하지 못한 것으로 보임.

지방세특례제도과 - 746, 2019. 9. 26.

피상속인이 임대주택에 대한 취득세 감면을 받고 임대의무기간 이내 사망한 이후, 상속인이 주택임대사업을 승계하지 않는 경우 피상속인의 기 감면된 세액은 추징대상임.

지방세특례제도과-716, 2019. 9. 25.

한국토지주택공사가 「공공주택특별법」 제43조 제1항에 따라 매입하여 공급하는 주택의 범위에 다가구주택을 신축하여 공급하는 것은 해당하지 않음.

대법 2016두 49587, 2016. 12. 1.

농협중앙회가 유통자회사인 농협유통에 임대하여 생필품 등을 판매한 경우 재산세 감면대상인 구매·판매 등에 직접사용에 해당되는지 여부 관련하여 농협중앙회와 하나로마트 운영주체인 농협유통은 별개의 법인격이므로 농협유통이 임차·운영한 경우 직접사용으로 볼 수 없음.

대법 2016두 40740, 2016. 8. 25.

유흥주점 영업이 재산세 과세기준일(6.1.) 당시에 일시적인 휴업 내지 폐업된 경우 고급오락장으로 보아 재산세를 중과할 수 있는지 여부 관련하여 고급오락장으로써 실체를 구비하고 있다면, 다른 용도로 사용 또는 용도변경공사를 착공하지 아니한 이상 재산세 중과대상에 해당됨.

대법 2016두 37676, 2016. 6. 23.

종교단체가 건축물 신축을 위해 설계가 진행중인 경우 종교목적 사업에 사용한다고 볼 수 있는지 여부 관련하여 건축물 신축을 위한 설계가 진행 중인 경우는 건축공사에 착수한 것으로 볼 수 없어 목적사업에 사용한다고 볼 수 없음.

대법 2014두 46461, 2016. 5. 12.

농협중앙회의 생필품매장, 특정매입매장, 임대매장, 농협은행 등이 재산세가 경감되는 구판사업 등 또는 농수산물 유통시설에 직접 사용하게 하는 부동산에 해당되는지 여부 관련하여 농협중앙회의 생필품매장 등은 재산세 경감대상이 되는 구판사업용 부동산 등에 해당되지 않음.

대법 2016두 49658, 2016. 4. 28.

도로에 인접한 한국도로공사의 지역지사사무실 부지를 도로법상 '도로의 부속물'로 보아 재산세 비과세대상인 '도로법에 따른 도로'에 해당된다고 볼 수 있는지 여부 관련하여 한국도로공사의 지역지사사무실 부지라도 재산세 비과세대상 도로법상의 '도로'에 해당됨.

대법 2015두 59167, 2016. 3. 24.

휴게소는 미완공일지라도 도로의 부속물인 휴게소의 부지에는 도로노선의 지정·고시와 도로구역의 결정고시가 마쳐졌으므로 재산세 면제대상인 도로에 해당되는지 여부 관련하여 휴게시설이 미설치된 이상 도로의 부속물로 보기 어렵고, 설치되었다고 하더라도 수익사업용으로 보아야 될 것으로 재산세 면제는 불가함.

대법 2015두 56236, 2016. 3. 24.

택지개발사업계획에는 학교용지로 지정되었으나, 지자체에 무상귀속계약을 체결하지 아니한 학교용지가 재산세 면제대상에 해당되는지 여부 관련하여 지자체로 무상귀속계약이 미체결 되었더라도 학교용지 조성·개발계획이 택지개발실시계획에 포함되어 승인되었다면 면제대상에 해당됨.

대법 2015두 58928, 2016. 3. 10.

종교단체가 운동시설을 종교시설로 사용하면서 건물의 용도변경 신청을 하였으나 허가가 반려(3회)된 경우, 종교목적 사업에 직접 사용하는 부동산으로 재산세 등을 감면할 수 있는지 여부 관련하여 용도변경 불허가처분에도 종교시설로 사용함은 임시적·불법적인 사용이므로 재산세 등 감면대상 종교목적 사용으로 볼 수 없음.

대법 2015두 40958, 2016. 2. 18.

종중이 지특법 제50조 제2항에 따른 재산세 등 감면대상에 해당하는 '제사를 목적으로 하는 단체'에 해당되는 지 여부 관련하여 종중은 '제사를 목적으로 하는 단체'에 해당되지 않음

대법 2015두 51798, 2016. 1. 14.

대도시 공장을 지방으로 이전하고, 재산세 감면유예기간 5년 이내에 법인으로 전환한 경우 법인에 대한 재산세 감면대상 해당 여부 관련하여 법인과 개인 별개의 인격체이므로 법인전환 경우는 감면 불가

조심 2014지 895, 2015. 2. 9.

쟁점토지 중 A-1토지는 청구법인이 건축물을 신축하면서 소공원을 조성하여 일반인의 이용에 공여하는 토지로서 국가 등이 공용 또는 공공용으로 사용한다고 보기 어렵고, A-2토지는 청구법인이 독점적·배타적으로 사용·수익하지 아니하고 불특정 다수인이 자유롭게 통행에 이용하고 있어 재산세 비과세 대상인 '사도'에 해당한다고 보이며, B·C·D토지의 경우, 청구법인이 일반인의 자유로운 통행에 공여할 목적으로 개설한 사도인지 또는 '대지 안의 공지'인지 여부, 주변에 공도가 있는지 여부 및 일반인들의 이용 현황 등을 재조사하여 재산세 과세대상여부를 판단하는 것이 타당해 보임.

지방세운영-2220, 2013. 9. 6.

과세기준일 현재 한국토지주택공사가 건물 소유자와 체결한 철거보상계약은 행정관청과 체결된 계약으로 볼 수 없으므로 유보금의 유무 또는 철거 여부 등에 관계없이 「지방세법」 제109조 제3항 및 같은 법 시행령 제108조 제3항에서 규정하는 비과세 대상이 아니라고 판단됨.

대법 2013두 6695, 2013. 7. 11.

건물을 신축하기 위한 공사에 착공하였다고 인정하기 위해서는 건축 공정상 일련의 행정절차를 마친 다음 건물 신축을 위한 실질적인 공사의 실행이라 볼 수 있는 행위로서 굴착공사나 터파기공사에 착수하는 경우에 비로소 착공하였다고 볼 수 있는 것이고 착공에 필요한 준비작업을 하는 경우까지 포함한다고 보기는 어려움

지방세운영-1144, 2012. 4. 13.

주말농장을 이용함에 있어 모든 구민이 신청할 수 있지만 추첨을 통해 일부 주민(700명)만이 채소 재배 등 장기간에 걸쳐 배타적 사용권을 갖게된다는 점과 경작물의 소유자가 된다는 점을 고려할 때 그 자체로 직접 일반공중의 자유로운 이용에 제공되는 공공용 재산으로 보기 어려움.

조심 2012지 31, 2012. 3. 7.

제출된 자료에 의하면, 쟁점토지 인근에는 3면에 왕복 2차선 도로가 개설되어 있어 기존의 공도가 부족한 상태에 있다고 볼 수는 없고, 쟁점 토지는 이 건 토지상 건축물의 주차장진입도에 불과하고 청구법인이 독립적·배타적으로 관리하고 있는 것으로 보이므로 사도에 해당하지 아니함.

지방세운영-5640, 2010. 11. 30.

장래에 지방자치단체의 1년 이상 무상사용이 예정되어 있더라도 과세기준일 현재 토지소유자(사업시행자)가 공사 중에 있는 토지라면 지방자치단체가 사용하고 있는 재산으로 볼 수 없어 재산세 비과세 대상이 아님.

지방세운영-3725, 2010. 8. 18.

당해 연도 내에 철거하기로 계획이 확정되어 행정관청으로부터 철거명령을 받았거나 철거보상계약이 체결된 건축물에 대하여 재산세를 비과세함.

지방세운영-1533, 2009. 4. 17.

아파트 단지내의 공지(현황 : 도로)가 일반인의 자유로운 통행에 공할 목적으로 개설한 사도에 해당하는 지 여부는 그 공유지의 이용현황, 사도의 조성경위, 대지소유자의 배타적인 사용가능성 등을 객관적, 종합적으로 살펴보아 그 소유대지 주위에 공적인 통행로가 없거나, 부족하여 부득이하게 그 소유공지를 불특정 다수인의 통행로로 제공하게 된 결과 더 이상 당해 공지를 독점적, 배타적으로 사용, 수익할 가능성이 없는 경우인지(대법원 2002두 2871, 2005. 1. 28.)등을 기준으로 종합적으로 판단함.

귀 문의 경우 당해 공지(현황 : 도로)가 해당 아파트 단지내에 위치하여 단지주민들의 이동을 위하여 설치되었고, 단지 주민외의 불특정 다수인이 출입을 하기 위해서는 차단기 등이 설치되어 관리사무소의 승인을 받아야 하며, 단지밖에 별도의 통행도로가 설치되어 있는 경우라면 일반인의 자유로운 통행에 공여할 목적으로 개설한 사도에 해당되지 않을 것으로 사료됨.

지방세운영－972, 2009. 3. 5.

건축물 신축시 설치하도록 강제되어 있어 소규모 공원으로 이용되는 공개공지로서 1년 이상 계속하여 공용 또는 공공용으로 사용중인 것이 계약서 등에 의해 입증되는 경우 재산세가 비과세됨.

지방세운영－2261, 2008. 11. 21.

토지의 공부상 지목이 묘지이나 실제 이용현황은 묘지로 사용되지 않는 경우 재산세 비과세 대상이 아님.

지방세운영－573, 2008. 8. 11.

공동주택 입주민 전체가 이용하는 체육시설용 부동산이 집합건물 공용부분에 해당하는 경우 집합건물 구분소유자 개개인 소유 부동산에 해당되므로 재산세 비과세 대상이 아님.

시군세－400, 2008. 4. 15.

건축물을 2009. 4. 30. 신축하여 2009. 5. 15. 자치단체에 기부채납한 후 2010. 5. 15.부터 자치단체가 공용 또는 공공용으로 사용하게 된다면 2010. 6. 1. 과세기준일 현재 사용기간이 1년 미만이라 하더라도 1년 이상 사용하기로 한 사실이 계약서 등에 의해 입증될 경우 '10년 재산세의 비과세 대상이 되는 것임'.

행법 2007구합 17984, 2007. 10. 23.

호텔의 진출입로 또는 호텔을 방문하는 고객들의 통행로로서의 역할을 하고 있다고 하더라도 전체적으로는 일반 불특정다수인이 아무런 제한 없이 자유롭게 통행에 이용하고 있으므로 재산세 비과세대상임.

세정－697, 2007. 3. 20.

국방의 목적으로 훈련시설 및 전투시설을 갖추고 개인의 소유 토지를 국가가 1년 이상 무상으로 사용하고 있는 경우 용도구분 비과세대상 토지에 해당함.

지방세심사 2006－246, 2006. 6. 27.

시민들에게 생활체육 및 휴식공간 등의 공공용도로 제공하고 있더라도 이러한 시설의 관리주체가 국가나 지방자치단체 등이 아닌 경우 재산세 비과세대상에 해당하지 아니함.

세정-3474, 2005. 10. 31.

지방자치단체에 토지를 1년 이상 무상으로 제공하기로 한 사실이 사용대차계약서 등에 의하여 입증되는 경우 과세기준일 현재 공공용에 사용된 기간이 1년 미만이라 하더라도 재산세는 비과세대상임.

제 5 절 재산세 부과 · 징수

1 신고의무(지세법 §120)

재산세의 경우 다른 세목과 달리 과세표준과 세액을 자진 신고·납부하는 제도를 채택하고 있지 않다. 다만, 다음에 해당하는 경우에는 과세기준일로부터 10일 이내에 그 소재지를 관할하는 지방자치단체의 장에게 그 사실을 알 수 있는 증거자료를 갖추어 신고하도록 하고 있다.

1) 재산의 소유권 변동 또는 과세대상 재산의 변동사유가 발생되었으나 과세기준일까지 그 등기가 이행되지 아니한 재산의 공부상 소유자
2) 상속이 개시된 재산으로서 상속등기가 이행되지 아니한 경우에는 주된 상속자
3) 사실상 종중재산으로서 공부상에는 개인 명의로 등재되어 있는 재산의 공부상 소유자
4) 「신탁법」에 의하여 수탁자 명의로 등기된 신탁재산의 수탁자

만일, 납세의무자가 이러한 신고가 사실과 일치하지 아니하거나 신고가 없는 경우 지방자치단체의 장은 이를 직권으로 조사하여 과세대장에 등재할 수 있다.

2 징수방법 등(지세법 §116)

재산세는 관할 지방자치단체의 장이 세액을 산정하여 보통징수방법에 의하여 부과징수한다. 재산세를 징수하고자 하는 때에는 토지, 건축물, 주택, 선박 및 항공기로 구분한 납세고지서에 과세표준액과 세액을 기재하여 늦어도 납기개시 5일 전까지 발부하여야 한다.

재산세의 납세의무는 과세권자가 내부적으로 결정한 때가 아니고 고지서가 납세의무자에게 도달된 때에 확정된다. 따라서 재산세 고지서가 납세의무성립일부터 5년이 경과한 후에 도달되는 경우에는 부과제척기간 만료로 무효가 된다.

아울러, 고지서 1매당 재산세로 징수할 세액이 2,000원 미만인 경우에는 당해 재산세를 징수하지 아니한다.

3 | 분할납부(지세법 §118)

지방자치단체의 장은 재산세의 납부세액이 250만원을 초과하는 경우에는 납부할 세액의 일부를 납부기한이 지난 날부터 2개월 이내에 분할납부하게 할 수 있다. 이 경우 분할납부하려는 자는 재산세의 납부기한까지 행정안전부령으로 정하는 신청서를 시장·군수에게 제출하여야 하며, 분할납부신청을 받은 시장·군수는 이미 고지한 납세고지서를 납부기한 내에 납부하여야 할 납세고지서와 분할납부기간 내에 납부하여야 할 납세고지서로 구분하여 수정 고지한다.

가. 분할납부세액

① 납부할 세액이 500만원 이하인 경우 : 250만원을 초과하는 금액
② 납부할 세액이 500만원을 초과하는 경우 : 그 세액의 100분의 50 이하의 금액

4 | 물 납

지방자치단체의 장은 재산세의 납부세액이 1천만원을 초과하는 경우에는 납세의무자의 신청을 받아 해당 지방자치단체의 관할구역에 있는 부동산에 대하여만 대통령령으로 정하는 바에 따라 물납을 허가할 수 있다. 재산세를 물납(物納)하려는 자는 그 납부기한 10일 전까지 납세지를 관할하는 시장·군수에게 신청하여야 하며, 물납신청을 받은 시장·군수는 신청을 받은 날부터 5일 이내에 납세의무자에게 그 허가 여부를 서면으로 통지하여야 한다.

Chapter

03

지역자원시설세

1 지역자원시설세의 의의(지세법 §141)

지역자원시설세는 지하·해저자원, 관광자원, 수자원, 특수지형 등 지역자원의 보호 및 개발, 지역의 소방사무, 특수한 재난예방 등 안전관리사업 및 환경보호·개선사업, 그 밖에 지역균형개발사업에 필요한 재원을 확보하거나 소방시설, 오물처리시설, 수리시설 및 그 밖의 공공시설에 필요한 비용을 충당하기 위하여 부과하고 있다. 지역자원시설세는 종전의 지역개발세와 공동시설세를 통합하여 2011년부터 시행되었다.

지역자원시설세와 관련하여서는 아래에서 특정부동산 관련 내용을 위주로 기술하고자 한다.

2 과세대상(지세법 §142)

가. 특정자원

발전용수(양수발전용수는 제외), 지하수(용천수를 포함), 지하자원, 컨테이너를 취급하는 부두를 이용하는 컨테이너 및 원자력발전·화력발전 등의 특정자원을 과세대상으로 한다.

나. 특정부동산

소방시설, 오물처리시설, 수리시설, 그 밖의 공공시설로 인하여 이익을 받는 자의 건축물, 선박 및 토지를 과세대상으로 한다.

3 | 특정부동산에 대한 납세의무자(지세법 §143)

지역자원시설세가 과세되는 특정부동산의 소유자가 그 납세의무자가 된다.

4 | 특정부동산에 대한 납세지(지세법 §144)

특정부동산에 대한 지역자원시설세의 납세지는 다음과 같다.

1) **건축물** : 건축물의 소재지
2) **선 박** : 「선박법」에 따른 선적항의 소재지. 다만, 선적항이 없는 경우에는 정계장 소재지(정계장이 일정하지 아니한 경우에는 선박 소유자의 주소지)
3) **토 지** : 토지의 소재지

5 | 특정부동산에 대한 과세표준과 세율(지세법 §146)

특정부동산에 대한 지역자원시설세의 과세표준과 표준세율은 다음과 같으며, 지방자치단체의 장은 조례로 정하는 바에 따라 지역자원시설세의 세율을 표준세율의 100분의 50의 범위 안에서 가감할 수 있다.

가. 소방시설

1) 과세표준

소방시설에 충당하는 지역자원시설세는 건축물(주택의 건축물 부분 포함) 또는 선박(소방선이 없는 지방자치단체는 제외)의 가액 또는 시가표준액

2) 세 율

과세표준	세 율
600만원 이하	10,000분의 4
600만원 초과 1,300만원 이하	2,400원 + 600만원 초과금액의 10,000분의 5
1,300만원 초과 2,600만원 이하	5,900원 + 1,300만원 초과금액의 10,000분의 6
2,600만원 초과 3,900만원 이하	13,700원 + 2,600만원 초과금액의 10,000분의 8

과세표준	세 율
3,900만원 초과 6,400만원 이하	24,100원 + 3,900만원 초과금액의 10,000분의 10
6,400만원 초과	49,100원 + 6,400만원 초과금액의 10,000분의 12

※ 저유장, 주유소, 정유소, 유흥장, 극장 및 4층 이상 10층 이하의 건축물 등 대통령령으로 정하는 화재위험 건축물 : 2배 중과(0.08~0.24%, 표준세율 0.04~0.12%)

※ 대형마트, 복합상영관, 백화점, 호텔, 11층 이상의 건축물, 공장 등 대통령령으로 정하는 대형 화재위험 건축물 : 3배 중과(0.12~0.36%, 표준세율 0.04~0.12%)
 - 오물처리시설 등 공공시설에 충당하는 경우의 표준세율 : 0.023%

※ 공공시설 충당 목적으로 지역자원시설세 부과를 조례로 규정하고 있는 지자체는 없음.

나. 화재위험건축물

1) 일반 화재위험 건축물

저유장, 주유소, 정유소, 유흥장, 극장 및 4층 이상 10층 이하의 건축물 등 화재위험 건축물에 대하여는 소방시설에 대한 과세표준에 세율을 곱하여 계산한 금액에 100분의 200을 세액으로 한다(지세법 §146 ② 2호).

① 일반 화재위험 건축물의 범위(지세령 §138 ①)

㉠ 주거용이 아닌 4층 이상 10층 이하의 건축물. 이 경우 지하층과 옥탑은 층수로 보지 않음.

㉡ 「소방시설설치유지 및 안전관리에 관한 법률 시행령」 별표 2에 따른 특정소방대상물 중 다음의 어느 하나에 해당하는 것. 단 대형 화재위험 건축물에 해당하는 것은 제외.

ⓐ 근린생활시설 중 학원, 비디오물감상실, 비디오물소극장 및 노래연습장. 다만, 바닥면적의 합계가 200제곱미터 미만인 것은 제외한다.

ⓑ 위락시설. 다만, 바닥면적의 합계가 무도장 또는 무도학원은 200제곱미터 미만, 유흥주점은 33제곱미터 미만, 단란주점은 150제곱미터 미만인 것은 제외한다.

ⓒ 문화 및 집회시설 중 극장, 영화상영관, 비디오물감상실, 비디오물소극장 및 예식장

ⓓ 판매시설 중 도매시장 · 소매시장 · 상점, 운수시설 중 여객자동차터미널, 창고시설 중 물류터미널

ⓔ 숙박시설(다만, 객실로 사용되는 부분의 바닥면적 합계가 60제곱미터 미만인 경우는 제외)

ⓕ 장례식장(의료시설의 부수시설인 장례식장을 포함)
ⓖ 공장
ⓗ 창고시설 중 창고(영업용만 해당)
ⓘ 항공기 및 자동차 관련 시설 중 주차용 건축물
ⓙ 위험물 저장 및 처리 시설

2) 대형 화재위험 건축물

대형마트, 복합상영관(일반 화재위험 건축물에 해당하는 극장은 제외), 백화점, 호텔, 11층 이상의 건축물 등 대형 화재위험 건축물에 대해서는 소방시설에 대한 과세표준에 세율을 곱하여 계산한 금액에 100분의 300을 세액으로 한다(지세법 §146 ② 1호).

① 대형 화재위험 건축물의 범위(지세령 §138 ②)

㉠ 주거용이 아닌 11층 이상의 고층 건축물
㉡「소방시설설치유지 및 안전관리에 관한 법률 시행령」 별표 2에 따른 특정소방대상물 중 다음의 어느 하나에 해당하는 것

ⓐ 위락시설 중 바닥면적의 합계가 500제곱미터 이상인 유흥주점. 단, 지하 또는 지상 5층 이상의 층에 유흥주점이 설치된 경우에는 그 바닥면적의 합계가 330제곱미터 이상인 경우
ⓑ 문화 및 집회시설 중 상영관이 10개 이상이거나 관람석이 500석 이상 또는 지하층에 설치된 영화상영관
ⓒ 연면적 1만제곱미터 이상인 판매시설(도매시장, 소매시장, 상점)
ⓓ 숙박시설 중 5층 이상으로 객실이 50실 이상(동일한 건물 내에 「다중이용업소의 안전관리에 관한 특별법」 제2조 제1항에 따른 다중이용업소가 있는 경우는 객실 30실 이상인 경우)인 숙박시설
ⓔ 공장 및 창고시설 중 1구 또는 1동의 건축물로서 연면적 1만5천제곱미터 이상의 공장 및 창고(창고시설의 경우 샌드위치 판넬조 물류창고 또는 냉동·냉장창고에 한함)
ⓕ 위험물 저장 및 처리 시설 중 「위험물안전관리법 시행령」 제3조 및 별표 1에서 규정한 지정수량의 3천배 이상의 위험물을 저장·취급하는 위험물 저장 및 처리 시설
ⓖ 연면적 3만제곱미터 이상의 복합건축물. 이 경우 주상복합 건축물에 대해서는 주택부분의 면적을 제외하고, 주택부분과 그 외의 용도로 사용되는 부분이 계단을

함께 사용하는 경우에는 계단부분의 면적은 주택부분의 면적으로 보아 연면적을 산정한다.

3) 화재위험 건축물이 다른 용도와 겸용되거나 구분사용시 세액 산정 방법

1구 또는 1동의 건축물(주거용이 아닌 4층 이상의 것은 제외한다)이 화재위험 건축물 중과대상 용도와 그 밖의 용도에 겸용되고 있을 때에는 그 건축물의 주된 용도에 따라 해당 건축물의 용도를 결정하며, 1구 또는 1동의 건축물이 화재위험 건축물 중과대상 용도와 그 밖의 용도로 구분 사용되는 경우에는 그 밖의 용도로 사용되는 부분을 제외한 부분만을 화재위험 건축물 및 대형 화재위험 건축물로 보아 중과세율을 적용한다. 구분 사용되는 건축물에 대하여 소방시설에 충당하는 지역자원시설세를 과세하는 경우 세액 산정은 다음 계산식에 따른다(지세칙 §75).

소방지역자원시설세액 = ① + ② + ③

① = 1구 또는 1동의 건축물의 가액 × 법 제146조 제2항 제1호에 따른 세율(소방시설에 충당하는 지역자원시설세의 표준세율)

$$② = ① \times \frac{\text{일반 화재위험 건축물의 과세표준액}}{\text{1구 또는 1동의 건축물의 과세표준액}}$$

$$③ = (2 \times ①) \times \frac{\text{대형 화재위험 건축물의 과세표준액}}{\text{1구 또는 1동의 건축물의 과세표준액}}$$

다. 오물처리시설 등

오물처리시설, 수리시설, 그 밖의 공공시설에 충당하는 지역자원시설세는 토지 및 건축물의 전부 또는 일부에 대한 가액을 과세표준으로 하여 부과하되, 그 표준세율은 토지 또는 건축물 가액의 1만분의 2.3으로 한다.

6 | 부과 · 징수(지세법 §147)

특정부동산에 대한 지역자원시설세는 보통징수방법에 따라 부과징수하며, 재산세 고지서상 병기하여 동시에 부과징수한다. 이 경우 징수할 세액이 고지서 1장당 2천원 미만인 경우에는 징수하지 않는다. 지역자원시설세를 부과할 지역과 부과 · 징수에 필요한 사항은 해당 지방자치단체의 조례로 정하는 바에 따른다.

특정부동산에 대한 지역자원시설세의 과세기준일 및 납기는 다음과 같다.

구 분	과세기준일	납 기
건축물과 선박	6. 1.	7. 16.~7. 31.
토 지		9. 16.~9. 30.

7 | 비과세(지세법 §145)

재산세가 비과세(지세법 §109)되는 특정부동산(건축물과 선박만 해당)에 대하여는 지역자원시설세를 부과하지 않는다.

8 | 감 면

특정부동산에 대한 지역자원시설세의 감면은 대부분 「지방세특례제한법」상 재산세 감면과 함께 규정하고 있으므로, 이 책의 재산세편 및 「지방세특례제한법」의 구체적 내용을 확인하기 바란다.

PART 4

부동산의 양도 · 개발 관련 세제

제 1 장 양도소득세 개요

제 2 장 양도소득세 계산 방법

제 3 장 양도소득세의 중과

제 4 장 양도소득세 비과세 및 감면

Chapter

01

양도소득세 개요

제 1 절 양도소득세의 개념과 납세의무자

1 양도소득세의 개념

가. 양도소득세의 의의

1) 소득세의 의의

소득세란 일반적으로 소득을 과세물건으로 하여 부과하는 조세를 말한다.

그러나 우리나라와 독일, 일본 등은 개인의 소득과 법인의 소득에 대한 과세방법을 달리하기 위하여 근거법률을 별도로 제정하여 법인의 소득에 대한 과세는 「법인세법」에 의하고, 개인의 소득에 대한 과세는 「소득세법」에 의하고 있다.

소득에 대한 과세제도는 소비나 재산에 대한 과세제도에 비하여 비교적 늦게 도입되어 시행된 것으로 영국에서 처음으로 시행한 이래 각국으로 급속하게 보급되어 지금은 모든 국가에서 조세제도의 중심을 차지하고 있다.

그 이유는 세수를 용이하게 확보할 수 있는 장점도 있지만 소득은 종합적인 담세력의 표상으로서 가장 뛰어나고, 인적공제 및 누진세율의 적용에 의하여 담세력에 따른 공평한 세부담으로 공평과세실현에 가장 적합한 조세제도라는 데에도 있다.

2) 양도소득세의 의의

양도소득세는 재고자산이나 이에 준하는 자산 외의 자산에 대한 가치증가이익인 자본이득(capital gains)을 그 과세대상으로 하여 부과하는 소득세를 말한다.

따라서 양도소득세의 과세대상인 자본이득, 즉 양도소득은 장기간에 걸쳐 형성된 소득이 양도라는 행위에 의하여 일시에 실현되는 속성을 가지는 것으로 이에 대하여 보유기간을 감안하지 아니하고 누진세율을 적용하게 되면 매년 단위로 발생하거나 증가한 이득에 과세하는 경우에 비하여 세부담이 가중(加重)하게 되는 결집효과(結集效果)가 있다.

그리고 이러한 결집효과에 대한 적절한 조세상의 대응책을 강구하지 아니하면 자본이득의 실현인 양도행위를 단념하거나 가능한 한 연기를 하게 되는 동기를 부여함으로써 자산의 유동화를 방해하게 되는 동결효과(凍結效果, Lock-in effect)를 가져 오게 된다.

이러한 현상을 완화하기 위해서는 연분연승법(총소득을 보유기간 동안으로 나누어 세율 적용 후 세액을 다시 합산하는 방법) 과세방식을 들 수 있겠다.

3) 양도소득세의 특징

토지 · 건물 등의 자산을 양도하게 되면 일반적으로 취득시점부터 양도시점까지 보유기간 동안의 가치상승으로 인하여 양도소득이 발생하게 된다.

이러한 양도소득에 대하여 부과하는 조세에는 납세의무자에 따라 사업소득세 · 양도소득세 · 법인세 · 종전에 과세된 특별부가세가 있다.

양도소득세는 개인의 양도소득에 대하여 「소득세법」에서 규정하고 있으며, 특별부가세는 법인이 부동산 등을 양도하는 경우 양도소득에 대하여 「법인세법」에서 규정하고 있었으나 2002년 1월 1일부터 폐지되었다. 특별부가세 대신에 지가급등지역 토지건물의 양도소득에 10%(미등기 20%)로 하여 투기지역에 한해 법인세로 과세하도록 개정되었다. 다만, 비사업용 토지(2007. 1. 1. 이후 양도분)와 주택은 개인 양도소득세와 형평성 때문에 30%(미등기 40%)로 중과세한다.

개인 및 법인의 양도소득에 대한 비과세 및 감면은 「소득세법」과 「법인세법」 및 「조세특례제한법」에서 규정하고 있다.

나. 양도소득의 의의

양도소득이란 토지, 건물 등과 같은 부동산 또는 자본적 성격을 가진 자산을 양도하는 경우 보유기간 동안 즉, 취득시점에 비하여 물가상승 및 가치상승으로 인하여 발생된 이익을 말한다.

우리나라 「소득세법」은 과세대상이 되는 소득을 제한적으로 열거하고 있으며, 현행 「소득세법」상 양도소득의 과세대상으로 ① 토지 또는 건물, ② 부동산에 관한 권리(부동산을 취득할 수 있는 권리, 지상권, 전세권, 등기된 부동산임차권), ③ 일정한 주권상장법인의 주식 등, 주권비상장법인의 주식 등, ④ 기타자산(사업용 고정자산과 함께 양도하는 영업권, 특정시설물의 이용권, 과점주주 주식 등, 부동산과다보유법인의 주식 등)으로 규정하여 이러한 자산의 양도로 인하여 발생한 양도소득에 대하여 양도소득세를 과세하고 있다.

따라서 「소득세법」에 열거되지 아니한 자산의 양도로 인하여 발생한 양도소득에 대하여는 양도소득세가 과세되지 않는다.

다. 양도소득과 종합소득의 관계

현행 소득세법은 과세소득을 종합소득, 퇴직소득, 양도소득 3종류로 구분하고 있다. 이를 분류과세방법이라고 한다. 양도소득은 토지, 건물 등의 자산을 양도함에 따라 발생하는 소득을 의미하고 있으며, 종합소득은 이자소득, 배당소득, 사업소득, 근로소득, 연금소득, 기타소득으로 구성되어 있다. 이는 미국, 일본이 채택하고 있는 포괄주의방식이 아니고, 우리나라와 독일, 영국이 채택하고 있는 열거주의 방식임을 보여준다.

따라서 부동산 등 자산의 양도로 인하여 발생한 소득이라도 일괄하여 양도소득으로 볼 수는 없고, 개인사업자가 사업의 목적으로 자산을 양도하는 업을 영위할 경우에 자산의 양도로 인하여 발생하는 소득은 종합소득 중 사업소득으로 보아야 할 것이다.

라. 양도소득, 부동산매매업, 건설업의 구분

한 개인이 토지, 건물 등과 같은 자산을 양도함으로써 얻는 소득은 양도소득, 사업소득(부동산매매업으로 얻는 소득, 건설업으로 얻는 소득) 중에 어느 하나를 구성하게 된다.

1) 양도소득

개인이 토지, 건물 등의 자산을 사업성이 없이 양도함으로 인하여 발생하는 소득을 말한다.

2) 사업소득

종합소득을 구성하는 사업소득은 사업을 목적으로 하여 발생하는 소득을 말한다.

일반적으로 사업이라 함은 영리를 목적으로 계속적이고 반복적으로 이루어지는 사회적활동을 말한다.

따라서 토지, 건물 등의 자산의 양도를 사업으로 할 경우에는 이로 인하여 발생하는 소득은 사업소득으로 보며 사업소득 중 부동산매매업에 대한 사업소득으로 볼 것인지, 건설업에 따른 사업소득으로 볼 것인지는 양도하는 자산의 성격에 따라 구분하여야 할 것이다.

① **부동산매매업** : 부동산매매업이란 부동산의 매매 또는 그 중개를 사업목적으로 나타내어 부동산을 판매하거나 사업상의 목적으로 1과세기간 중에 1회 이상 부동산을 취득하고 2회 이상 판매하는 사업을 말한다. 부동산의 매매에는 건물을 신축하여 판매하는 경우를 포함하는바, 건물 중 주택을 제외한 상가 등을 신축하여 판매하는 사업을 영위하는 사업자를 말하고 주택을 신축하여 판매하는 사업은 건설업(주택신축판매업)으로 본다.

② **건설업(주택신축판매업)** : 주택을 신축하여 판매하는 사업은 건설업으로 본다. 이 경우에 그 주택에는 이에 부수되는 토지로서 ㉠ 건물(주택)의 연면적(지하 · 주차장 · 공동시설 면적 제외)과, ㉡ 건물이 정착된 면적에 도시지역 안의 토지는 5배, 도시지역 밖의 토지는 10배를 넘지 아니하는 토지를 포함하는 것으로 본다.
주택의 일부에 상가, 점포 등 다른 목적의 건물이 설치되어 있거나 동일 지번(주거여건이 동일한 단지 내의 다른 지번 포함)상에 주택과 다른 목적의 건물이 설치되어 있는 경우에는 주택과 다른 목적의 건물을 각각 별개로 보되, 복합건물의 경우로서 다른 목적의 건물면적이 주택면적보다 작은 경우와 아파트단지 등의 경우로서 다른 목적의 건물면적이 주택면적의 10% 이하인 경우에는 전체를 주택으로 본다.
따라서 전체를 주택으로 보지 않는 경우에는 구분방법에 따라 부동산매매업 등으로 과세한다.

3) 주택신축판매업의 세법상 우대

건설업, 부동산매매업을 영위하는 자는 부가가치세의 납세의무가 있으나 토지 및 국민주택규모 이하의 주택신축판매에 대하여는 부가가치세가 면제된다.

이상과 같이 양도소득 · 부동산매매업 · 주택신축판매업에 대한 구분을 예시해 보면 다음 표와 같다.

양도소득 · 부동산매매업 · 주택신축판매업의 구분예시

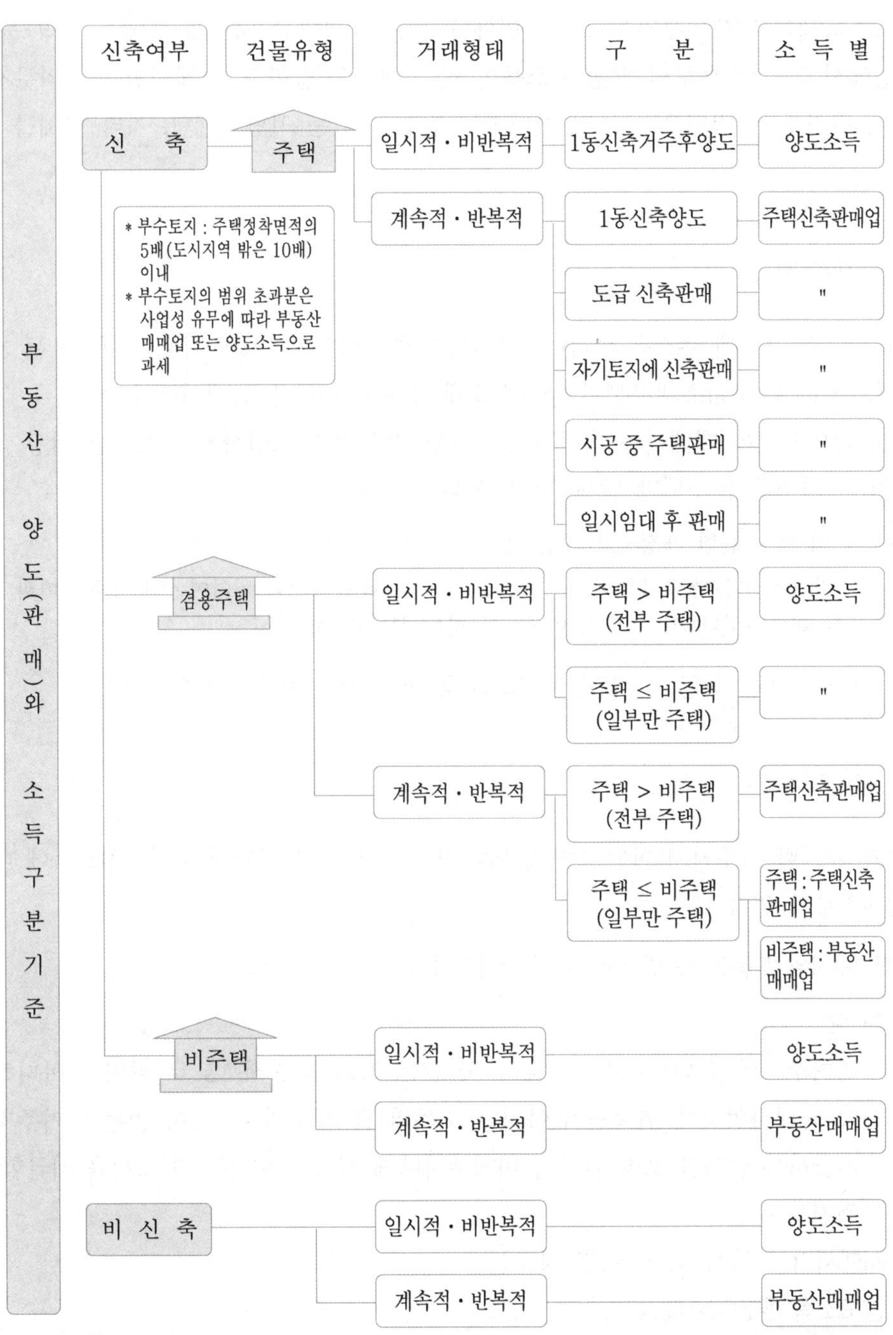

※ 자료 : 국세청, 「2019 양도소득세 실무해설」

2 | 양도소득세 납세의무자

양도소득세의 납세의무자는 소득세법에 규정된 과세대상자산(제3절에서 설명)을 양도(제2절에서 설명)함으로써 발생된 소득이 있는 개인을 말한다. 구체적인 납세의무자로는 거주자, 비거주자, 법인으로 보지 아니하는 법인격 없는 사단 · 재단, 기타 단체를 들 수 있다.

가. 거주자

"거주자"란 국내에 주소를 두거나 1과세기간 중 183일* 이상의 거소(居所)를 둔 개인을 말하며, 국내 및 국외소재자산의 양도소득에 대하여 소득세 납세의무가 있다.

다만, 국외자산에 대해서는 거주자 중 "해당 자산의 양도일까지 계속 5년 이상 국내에 주소 또는 거소를 둔 자"만 납세의무가 있다.

* "거주자"의 범위 관련 개정사항(종전 1년 ⇒ 개정 183일)
  - 거주기간을 이용한 조세회피 및 이중비거주자 문제를 방지를 위하여 국제기준에 따라 거주자 범위를 확대하였다(2015. 1. 1. 이후 양도하는 분부터 적용함).

▶▶ 미국 · 영국 · 독일 등 대부분의 OECD 국가에서 183일(6개월) 기준 적용

나. 비거주자

"비거주자"란 거주자가 아닌 개인을 말하며, 소득세법상 열거된 국내원천소득에 대해서만 납세의무가 있다.

▶▶ 비거주자의 부동산 등 양도소득의 원천징수제도

① 개 요
  - 비거주자의 국내원천소득으로서 국내사업장과 실질적으로 관련되지 아니하거나 그 국내사업장에 귀속되지 아니한 소득의 금액(국내사업장이 없는 비거주자에게 지급하는 금액을 포함한다)을 비거주자에게 지급하는 자는 그 소득을 지급할 때에 원천징수

② 시행시기 : 2004. 1. 1. 이후 양도분

③ 양도소득 원천징수대상
  - 토지 또는 건물

- 부동산에 관한 권리
- 사업용 고정자산과 함께 양도하는 영업권
- 시설물이용권(관련 주식)
- 부동산주식등[내국법인의 주식 또는 출자지분(주식·출자지분을 기초로 하여 발행한 예탁증서 및 신주인수권을 포함한다) 중 양도일이 속하는 사업연도 개시일 현재 그 법인의 자산총액 중 토지, 건물 및 부동산에 관한 권리에 해당하는 자산가액의 합계액이 100분의 50 이상인 법인의 주식 또는 출자지분을 말한다]으로서 증권시장에 상장되지 아니한 주식 또는 출자지분

④ **양도소득 원천징수의무자** : 비거주자에게 양도대가를 지급하는 자(2007. 1. 1. 이후 양도분부터는 내국법인 및 외국법인에 한함)

⑤ **원천징수세액**
- 원칙 : 지급액의 10%
- 예외 : 양도한 자산의 취득가액 및 양도비용이 확인되는 경우에는 그 지급액의 10%와 그 자산의 양도차익의 20%(2008년 이전은 25%)에 해당하는 금액 중 적은 금액

⑥ **원천징수시기**
- 「소득세법」 제98조 및 같은 법 시행령 제162조에 따른 양도시기

⑦ **원천징수세액의 납부**
- 원천징수한 날이 속하는 달의 다음달 10일까지 원천징수 관할 세무서, 한국은행 또는 체신관서에 납부

⑧ **원천징수 불이행시 불이익**
- 미납부세액 또는 미달세액의 10%를 가산세로 가산하여 원천징수의무자에게 부과
- 다만, 양도자(비거주자)가 원천징수되지 않은 양도소득을 포함하여 신고·납부하였거나, 세무서장이 당해 양도자에게 직접 양도소득세를 부과·징수한 때에는 가산세만을 징수

⑨ **원천징수의무의 면제(양도소득세 신고납부·비과세·과세미달 확인서 발급)**
- 비거주자 양도시기 전에 예정신고납부를 이행한 경우
- 부동산 등의 양도소득이 비과세·과세미달에 해당하는 경우

⑩ **비거주자의 양도소득세 신고·납부**
- 재외국민·외국인이 부동산등을 양도하고 소유권이전 등기를 하는 경우 부동산등 양도신고확인서를 등기관서장에게 제출하여야 한다.

- 그 외 거주자와 같은 방법으로 신고 · 납부
- 원천징수세액이 있는 경우에는 기납부세액으로 공제

다. 법인으로 보는 단체 외의 법인 아닌 단체

「국세기본법」 제13조 제1항에 따른 법인 아닌 단체 중 같은 조 제4항에 따른 법인으로 보는 단체("법인으로 보는 단체"라 한다) 외의 법인 아닌 단체는 국내에 주사무소 또는 사업의 실질적 관리장소를 둔 경우에는 거주자로, 그 밖의 경우에는 비거주자로 보아 「소득세법」을 적용한다.

이 경우 거주자 또는 비거주자로 보는 법인 아닌 단체에 대해서는 다음 각 호의 구분에 따라 법을 적용한다.

① 구성원 간 이익의 분배방법이나 분배비율이 정하여져 있거나 사실상 이익이 분배되는 것으로 확인되는 경우에는 해당 구성원이 공동으로 사업을 영위하는 것으로 보아 구성원별로 과세

② 구성원 간 이익의 분배방법이나 분배비율이 정하여져 있지 않거나 확인되지 않는 경우에는 해당 단체를 1 거주자 또는 1 비거주자로 보아 과세

법인으로 보는 단체

① 법인(법인세법상 내국법인 및 외국법인) 아닌 단체(사단, 재단, 그 밖의 단체) 중 다음 각 호의 어느 하나에 해당하는 것으로서 수익을 구성원에게 분배하지 아니하는 것
  ㉮ 주무관청의 허가 또는 인가를 받아 설립되거나 법령에 따라 주무관청에 등록한 사단, 재단, 그 밖의 단체로서 등기되지 아니한 것
  ㉯ 공익을 목적으로 출연(出捐)된 기본재산이 있는 재단으로서 등기되지 아니한 것

② ①에 따라 법인으로 보는 사단, 재단, 그 밖의 단체 외의 법인 아닌 단체 중 다음 각 호의 요건을 모두 갖춘 것으로서 대표자나 관리인이 관할 세무서장에게 신청하여 승인을 받은 것(이 경우 해당 사단, 재단, 그 밖의 단체의 계속성과 동질성이 유지되는 것으로 본다)
  ㉮ 사단, 재단, 그 밖의 단체의 조직과 운영에 관한 규정(規程)을 가지고 대표자나 관리인을 선임하고 있을 것
  ㉯ 사단, 재단, 그 밖의 단체 자신의 계산과 명의로 수익과 재산을 독립적으로 소유 · 관리할 것
  ㉰ 사단, 재단, 그 밖의 단체의 수익을 구성원에게 분배하지 아니할 것

제2절 양도의 개념

1 양도의 의의(소득법 §88)

"양도"란 자산에 대한 등기 또는 등록과 관계없이 매도, 교환, 법인에 대한 현물출자 등으로 인하여 그 자산이 유상으로 사실상 이전되는 것을 말한다. 이 경우 부담부증여(負擔附贈與)(배우자 간 또는 직계존비속 간의 부담부증여로서 채무액이 객관적으로 인정되지 아니하는 경우는 제외한다)에 있어서 증여자의 채무를 수증자(受贈者)가 인수하는 경우에는 증여가액 중 그 채무액에 상당하는 부분은 그 자산이 유상으로 사실상 이전되는 것으로 본다.

한편, 가). 「도시개발법」이나 그 밖의 법률에 따른 환지처분으로 지목 또는 지번이 변경되거나 보류지(保留地)로 충당되는 경우, 나). 토지의 경계를 변경하기 위하여 「공간정보의 구축 및 관리 등에 관한 법률」 제79조에 따른 토지의 분할 등 대통령령으로 정하는 방법과 절차로 하는 토지 교환의 경우에는 양도로 보지 아니한다.

2 자산의 사실상 유상이전

양도란 자산의 소유권이 유상으로 이전되는 것이므로 자산의 소유권이 무상으로 이전되는 상속과 증여의 경우에는 양도소득세가 부과되지 아니한다.

또한 자산의 소유권에 대한 등기 또는 등록에 관계없이 사실상 당해 자산의 소유권이 유상으로 이전되기만 하면 된다. 따라서 미등기전매하는 경우에도 양도에 해당한다.

가. 매 매

매매는 매도인이 어떤 재산권을 상대방에게 이전할 것을 약정하고 매수인은 이에 대하여 그 대금을 지급할 것을 약정함으로써 성립하는 유상계약으로 양도의 가장 전형적인 유형이다. 여기에는 공매, 경매 등이 포함된다.

양도가 성립하기 위해서는 유효한 법률행위가 존재하여야 하는바, 「민법」상 의사무능력으로 인한 법률행위의 무효, 착오에 의한 의사표시의 취소 또는 원시적 불능으로 인하여 계약이 무효가 되는 경우에는 양도로 보지 아니한다.

그러나 유효한 법률행위로 인하여 성립한 계약을 해제하는 경우에는 이를 양도로 볼 것이냐에 대하여 논란이 있는바 이는 후술하는 소유권의 환원에서 살펴보기로 한다.

나. 교 환

교환은 당사자 쌍방이 금전 이외의 재산권을 서로 이전할 것을 약정함으로써 그 효력이 생기는 유상계약이다. 따라서 교환은 양도의 대상이나, 등기부상의 지번을 바르게 정정하기 위하여 교환등기를 하는 경우에는 실체적 권리를 회복하는 등기로 보아 양도의 대상이 아니다.

교환인지 공유지분분할인지에 따라 양도의 대상 여부가 달라지게 되며 서로 다른 2필지의 토지를 2인이 동일지분으로 공유하다 공유지분을 서로 교환하여 1필지씩 단독소유로 하게 된 경우 각자의 지분이 증감된 부분은 교환으로 보아 양도의 대상이 된다.

다. 현물출자

현물출자란 회사의 설립 또는 신주의 발행시에 현금 외의 재산을 출자하여 주식을 배정받는 것이다. 이러한 현물출자는 자산이 유상으로 사실상 이전되는 경우에 해당되므로 소득세법상 양도에 해당된다. 자산의 등기에 관계없이 법인에 대한 현물출자로 인하여 소유권이 사실상 이전됨으로써 소득이 발생하는 경우에는 양도소득세가 과세된다.

그러나 법인의 합병 또는 조직변경으로 인하여 소유권이 이전되는 것은 유상으로 소유권이 이전되는 것이 아니므로 양도로 보지 아니한다.

또한 법인이 아닌 자기 개인사업체에 출자하는 것은 여기서 말하는 출자가 아니며, 따라서 자기 개인사업체에 현물출자하는 것은 장부상 출자금으로 회계처리했다 하더라도 양도로 보지 아니한다.

그러나 법인이 아닌 조합에 현물출자 하는 경우에는 자산의 유상양도에 해당되어 양도로 보는 바, 조합이라 함은 2인 이상의 특정인이 상호출자로 공동사업을 할 목적으로 결합한 단체를 말하며 이는 조합계약에 의하여 성립된다.

조합에 현물출자하는 경우 해당 자산은 공동사업목적에 의하여 통제되고 그 조합구성원인 총조합원의 공유 또는 합유재산이 되므로 등기에 관계없이 현물출자시점에서 사실상 유상이전된 것으로 본다. 최근 아파트 등의 신축을 위해 개인이 공동사업의 형태로 임의조합

구성하여 일부는 분양사업을 하는 바, 이 경우 종전소유부동산을 현물출자한 것으로 보아 양도소득세 과세대상으로 하고, 공동사업자는 현물출자시기에 취득한 것으로 보아 사업소득세 계산시 원가계산에 반영해야 할 것이다. 다만, 「도시 및 주거환경정비법」에 의한 조합의 경우는 환지로 보아 양도로 보지 아니한다.

그러나, 1세대 1주택자가 아닌 경우로서 현금 청산금을 받는 부분은 양도로 보아 과세한다.

국세청 예규

재개발조합원이 소유하던 토지·건물의 대가로 재개발조합으로부터 새로운 아파트를 취득할 수 있는 권리와 청산금을 교부받은 경우 그 청산금에 상당하는 종전의 토지·건물은 유상이전에 해당하여 양도소득세 과세대상임. 다만 1세대 1주택 비과세 요건을 충족한 주택 및 부수토지에 대한 청산금은 양도소득세가 과세되지 아니함(서면4팀 - 1504, 2004. 9. 22.).

관련 사례 연구

▌제목 : 공동사업 현물출자의 양도소득세 과세 범위(국세종합상담센터 2005. 2. 14.)

1. 질의내용

「도시 및 주거환경정비법」에 의한 재건축사업이 아니고 10명의 조합원이 임의로 낡은 주택을 철거하고 20개의 주택을 신축한 후 10개의 주택을 1개씩 소유 입주하기로 하고, 나머지 10개는 일반인에게 분양하기로 함.

다만, 이 사업을 위해 출자 약정을 함에 있어 종전 개인 대지지분 20평 중 10평은 출자하지 않고 본인 소유 그대로 하기로 하고, 나머지 10평의 지분만 출자하여 위 신축한 건물과 함께 일반분양자에게 판매하여 지분 소유권을 이전하기로 사전 약정한 경우로서 공동사업에 대지를 현물출자한 것이 양도소득세 과세라고 할 경우 실질적으로 사업에 출자하기로 한 10평이 과세대상인지, 아니면 종전 소유한 토지 20평 전부가 양도소득세 과세대상인지 궁금합니다.

2. 회신내용

거주자가 공동사업(주택신축판매업 등)을 경영할 것을 약정하는 계약에 의해 종전 주택과 그 부수토지를 공동사업에 현물출자하는 경우 「소득세법」 제88조 제1항의 규정에 의하여 등기에 관계없이 현물출자한 날 또는 등기접수일 중 빠른 날에 당해 토지가 유상으로 양도된 것으로 보아 양도소득세가 과세되는 것이며, 공동사업자가 공동으로 주택을 신축하여 본인들이 거주할 1주택씩에 대하여 공동지분을 교환·등기하여 자가사용하고 잔여주택 및 부수토지를 대물변제하는 경우 공동사업자 본인들이 자가사용하는 1주택에 대하여는 당해 주택신축판매 공동사업자의 소득금액계산에 있어서 총수입금액에 산입하지 아니하는 것이며, 자가사용하는 새로운 주택의 양도차익을 산정함에 있어 그 취득시기는 「소득세법 시행령」 제162조 제1항 제4호의 규정에 의하여 주택은 사용검사필증교부일, 그 부수토지는 현물출자일이 되는 것입니다.

귀하의 사례와 유사한 기질의회신문 【재재산 46014-119(2002. 6. 7.) 외 3】을 보내드리오니 참조하시기 바랍니다.

3. 유사사례

(1) 토지 등을 공동사업에 현물출자시 양도소득세 과세 여부 요약(재재산 46014-119, 2002. 6. 7.)

거주자가 공동사업(주택신축판매업 등)을 경영할 것을 약정하는 계약에 의해 토지 등을 공동사업에 현물출자하는 경우 등기에 관계없이 현물출자한 날 또는 등기접수일 중 빠른 날에 당해 토지가 유상으로 양도된 것으로 보아 양도소득세가 과세되는 것이며, 공동사업자인 주택신축판매업자 또는 부동산매매업자의 사업소득금액을 계산함에 있어서 현물출자된 토지는 '공동사업에 현물출자한 당시의 가액'을 총수입금액에 대응하는 필요경비로 계산하는 것임.

(2) 주택신축판매 공동사업자의 본인 사용 주택의 소유권교환등기시 과세 여부(소득 46011-3608, 1996. 12. 27.)

거주자들이 공동으로 주택을 신축하여 본인들이 거주할 1주택씩에 대하여는 공동지분을 교환등기하여 자가사용하고 잔여주택은 일반분양하는 경우 공동사업자 본인들이 자가사용하는 1주택에 대하여는 당해 주택신축판매 공동사업자의 소득금액계산에 있어서 총수입금액에 산입하지 아니하는 것임.

(3) 본인 미거주 주택을 분양할 경우 당해 재건축조합의 소득금액계산시 총수입금액에의 산입 여부(소득 46011-1619, 1998. 6. 18.)

주택을 신축하여 판매하는 사업은 「소득세법」 제19조 제1항 제6호의 규정에 의하여 건설업에 해당하며, 질의의 경우 공동으로 재건축한 주택 중 본인이 거주하지 않고 분양하는 1주택은 당해 재건축조합의 소득금액계산시 총수입금액에 산입함.

(4) 공동사업 현물출자시 양도 여부 등(서면4팀-122, 2005. 1. 14.)

거주자가 공동사업(주택신축판매업 등)을 경영할 것을 약정하는 계약에 의해 종전 주택과 그 부수토지를 공동사업에 현물출자하는 경우 「소득세법」 제88조 제1항의 규정에 의하여 등기에 관계없이 현물출자한 날 또는 등기접수일 중 빠른 날에 당해 토지가 유상으로 양도된 것으로 보아 양도소득세가 과세되는 것이며, 공동사업자가 공동으로 주택을 신축하여 본인들이 거주할 1주택씩에 대하여 공동지분을 교환 · 등기하여 자가사용하고 잔여주택 및 부수토지를 대물변제하는 경우 공동사업자 본인들이 자가사용하는 1주택에 대하여는 당해 주택신축판매 공동사업자의 소득금액계산에 있어서 총수입금액에 산입하지 아니하는

> 것이며, 자가사용하는 새로운 주택의 양도차익을 산정함에 있어 그 취득시기는 「소득세법 시행령」 제162조 제1항 제4호의 규정에 의하여 주택은 사용검사필증 교부일, 그 부수토지는 현물출자일이 되는 것임.

라. 대물변제

대물변제는 채무자가 채권자의 승낙을 얻어 본래의 채무이행에 갈음하여 다른 급여를 함으로써 채권을 소멸시키는 채권자와 채무자 간의 계약으로서 변제와 동일한 효력을 지닌다.

따라서 손해배상이나 위자료를 지급함에 있어서 손해배상이나 위자료 등에 갈음하여 부동산 등의 자산으로 대물로 변제하는 경우 변제시점에 당해 부동산을 양도한 것으로 보아 양도소득세가 과세된다.

마. 수용 · 협의매수

「공익사업을 위한 토지 등의 취득 및 보상에 관한 법률」에 따라 수용 또는 협의매수 되는 토지 및 건물 등에 대해서도 대가를 받는 경우에는 유상이전으로서 양도에 해당한다. 다만, 수용되는 토지의 지상건물을 철거하고 관계법에 의한 이전료를 보상받는 등의 경우에는 이전료가 건물양도에 따르는 대가인지 아니면 건물양도와는 별도의 철거에 대한 단순한 보상금의 지급인지 그 성질이 불분명한 경우가 있다. 이 경우 건물에 대한 별도의 평가금액이 그 보상금에 포함된 경우에는 소유권이전등기에 관계없이 이를 양도로 본다고 할 수 있으나 건물가액이 없이 철거비용만 보상받게 된다면 건물이 양도되었다고 볼 수 없을 것이다.

▶▶ 「공익사업을 위한 토지 등의 취득 및 보상에 관한 법률」에 따라 토지의 일부가 취득되거나 사용됨으로 인하여 같은 법 제73조 제1항 본문에 따라 사업시행자로부터 잔여지의 가격감소나 손실에 대해 지급받는 보상금은 양도소득에 해당하지 아니함(부동산거래관리과-5, 2013. 1. 4).

바. 부담부증여

1) 부담부증여의 의의

부담부증여란 수증자가 증여를 받는 동시에 일정한 부담, 즉 일정한 급부를 하여야 할 채무를 부담하는 것을 부관으로 하는 증여계약의 일종이다.

부담부증여에 있어서 증여자의 채무를 수증자가 인수하는 경우에는 증여가액 중 그 채무액에 상당하는 부분은 그 자산이 유상으로 사실상 이전된 것으로 본다. 소득세법상 부담부증여가 양도에 해당되기 위해서는 증여자의 채무를 인수하는 경우에만 적용된다. 이 내용의 입증을 위해서는 증여계약서에 부담조건기재가 필요하다 하겠다. 예를 들어 갑이 을에게 은행채무 8천만원이 담보되어 있는 시가 2억원 상당의 주택(취득가액 1억원)을 증여하면서 을이 동 채무를 인수하기로 한 경우, 증여세의 과세가액은 1억 2천만원(2억원－8천만원)이며 양도소득세의 과세대상양도차익은 4천만원이다.

$$8\text{천만원} - \left(1\text{억원} \times \frac{8\text{천만원}}{2\text{억원}}\right) = 4\text{천만원}$$

즉, 2억원 중 증여세로 1억 2천만원, 양도소득세로 8천만원이 과세되는 것이다.

이를 산식으로 보기로 한다.

$$\text{양도가액(채무인수액)} - \left(\text{총취득가액} \times \frac{\text{채무인수액}}{\text{총증여가액}} = \text{취득가액}\right) = \text{과세되는 양도차익}$$

증여가액에서 인수하는 채무액에 상당하는 부분이 공제되어 증여세가 과세되지 아니하는 대신에 동 채무에 대하여는 양도소득세로 과세하려는 취지이다. 여기에는 유상이면 양도, 무상이면 증여의 원칙이 각각 적용되고 있음을 알 수 있다(부담부증여시 양도가액 및 취득가액 계산 방법은 제2장 제2절 5. 참고).

2) 배우자간 또는 직계존비속간의 부담부증여

「상속세 및 증여세법」 제47조 제3항 본문에 의하여 배우자간 또는 직계존비속간의 부담부증여로서 부담이 된 채무부분은 수증자에게 채무가 인수되지 아니한 것으로 추정(원칙적으로 증여한 것으로 추정하므로)하여 증여세를 과세하기 때문에 양도소득세의 과세대상이 되지 아니한다.

그러나 증여당시 현존하는 증여인의 채무로서 수증인이 실제로 부담한 사실이 다음 각 호의 어느 하나에 따라 증명되는 경우에는 예외로 배우자간 또는 직계존비속간 부담부증여도 인정된다.

① 국가 · 지방자치단체 및 금융기관에 대한 채무는 당해 기관에 대한 채무임을 확인할

수 있는 서류

* 실무에서 부동산 증여의 경우 해당 부동산 관련 금융기관 채무와 임대보증금채무가 대표적인 채무로 인정되고 있다.

② ① 외의 자에 대한 채무는 채무부담계약서, 채권자확인서, 담보설정 및 이자지급에 관한 증빙등에 의하여 그 사실을 확인할 수 있는 서류

3 | 자산의 양도로 보지 아니하는 경우

가. 무상 이전

양도소득세는 유상양도로 인한 소득을 그 대상으로 하므로 무상으로 소유권을 이전하는 경우에는 과세되지 아니한다.

무상으로 이전되는 경우는 상속과 증여의 경우이므로 이 경우에는 양도소득세가 아닌 상속세와 증여세가 과세된다.

나. 「도시개발법」 등에 따른 환지처분

「도시개발법」이나 그 밖의 법률에 따른 환지처분으로 지목 또는 지번이 변경되거나 보류지(保留地)로 충당되는 경우에는 양도로 보지 아니한다.

"환지처분"이란 「도시개발법」에 의한 도시개발사업, 「농어촌정비법」에 의한 농업생산기반 정비사업 그 밖의 법률에 따라 사업시행자가 사업완료 후에 사업구역내의 토지소유자 또는 관계인에게 종전의 토지 또는 건축물 대신에 그 구역내의 다른 토지 또는 사업시행자에게 처분할 권한이 있는 건축물의 일부와 그 건축물이 있는 토지의 공유지분으로 바꾸어 주는 것(사업시행에 따라 분할·합병 또는 교환하는 것을 포함한다)을 말한다.

환지가 수반되는 사업에는 토지구획정리사업, 도시개발사업, 주택재개발사업, 도시환경정비사업이 있으며, 양도소득세와 관련하여 주택재건축사업도 환지사업으로 본다.

"보류지(保留地)"란 위 환지사업의 사업시행자가 해당 법률에 따라 일정한 토지를 환지로 정하지 아니하고 다음 각 호의 토지로 사용하기 위하여 보류한 토지를 말한다.

① 해당 법률에 따른 공공용지

② 해당 법률에 따라 사업구역 내의 토지소유자 또는 관계인에게 그 구역 내의 토지로 사업비용을 부담하게 하는 경우의 해당 토지인 체비지

그러나 환지받은 토지나 체비지를 양도하는 경우에는 양도소득세가 과세되며, 환지받은 면적이 환지가 확정됨으로써 환지받을 권리면적보다 감모되어 감모된 면적에 대해 금전적으로 보상받았을 경우에도 감모된 면적은 양도된 것으로 본다.

▶▶ 소유하던 주택이 「도시 및 주거환경정비법」에 의한 재건축으로 인해 부수되는 토지가 감소되고 그 대가로 건설비에 충당되는 경우 유상양도에 해당되지 않는다. 「도시 및 주거환경정비법」에 따라 시행하는 ① 주택재개발사업 ② 주택재건축사업 ③ 도시환경정비사업 ④ 주거환경개선사업은 모두 「소득세법」상으로는 양도가 아닌 환지처분으로 본다. 그러나 환지 법령에 근거하지 않는 「건축법」 등에 의한 임의 재건축사업 등은 환지로 볼 수 없을 것이므로 실무상 유의해야 할 것으로 본다. 그리고 「주택법」에 의한 직장 · 지역 · 리모델링 조합을 구성한 후 주택사업을 하는 경우에도 '환지처분'으로 볼 수 없다는 점에 유의해야 할 것이다. 최근 도시지역에서 재건축 관계법규의 제약을 피하고 용적률 등 수익성을 높이고자 임의 재건축방법에 의한 아파트의 분양사업이 활발히 이루어지고 있다. 환지가 아닌 경우에는 출자시점에 양도소득세가 필수적으로 검토되어야 할 것이다. 공동사업에 대한 현물출자도 세법상 양도로 하고 공동사업체가 취득한 것으로 보기 때문이다. 이 문제는 공동사업자의 사업소득세에 같이 연결 · 검토되어야 한다.

다. 지적경계선 변경을 위한 토지 교환

토지의 효율적 이용을 위한 지적경계선 변경을 위해 토지를 교환하는 경우로서 다음의 요건을 모두 충족하는 토지 교환은 양도로 보지 아니한다(2015. 1. 1. 이후 교환하는 분부터 적용함).

① 토지 이용상 불합리한 지상(地上) 경계(境界)를 합리적으로 바꾸기 위하여 「공간정보의 구축 및 관리 등에 관한 법률」이나 그 밖의 법률에 따라 토지를 분할하여 교환할 것

② ①에 따라 분할된 토지의 전체 면적이 분할 전 토지의 전체 면적의 100분의 20을 초과하지 아니할 것

한편, 해당 규정을 적용받으려는 토지 소유자는 토지 교환이 위 요건을 모두 충족하였음을 입증하는 자료를 납세지 관할 세무서장에게 제출하여야 한다.

라. 양도담보

채무자가 채무의 변제를 담보하기 위하여 자산을 양도하는 계약을 체결한 경우에 다음 각 호의 요건을 갖춘 계약서의 사본을 과세표준 확정신고서에 첨부하여 신고하는 때에는

이를 양도로 보지 아니한다.

① 당사자간에 채무의 변제를 담보하기 위하여 양도한다는 의사표시가 있을 것

② 당해 자산을 채무자가 원래대로 사용·수익한다는 의사표시가 있을 것

③ 원금·이율·변제기한·변제방법 등에 관한 약정이 있을 것

▶▶ 신고 여부에 관계없이 사실상 양도담보계약으로 확인되는 경우에는 양도에 해당하지 않음.

다만, 양도담보계약을 체결한 후 위 요건에 위배하거나 채무불이행으로 인하여 당해 자산을 변제에 충당한 때에는 그 때에 이를 양도한 것으로 본다.

마. 공유물의 분할 및 합병

공유는 1개의 물건이 지분에 의하여 수인의 소유로 되는 공동소유의 형태이다.

공동소유의 토지를 소유지분별로 단순히 분할만 하는 경우에는 양도로 보지 아니하나, 공유지분이 변경되는 경우에는 변경되는 부분은 양도로 본다.

상속재산의 협의분할 또는 이혼함에 있어서 재산분할청구권에 의한(「민법」 제839조의 2) 부부공유자산의 분할의 경우도 양도에 해당하지 아니하고, 소유자가 다른 2필지의 토지를 합병하여 공유로 하는 것 또한 양도에 해당하지 아니한다.

상속재산을 「민법」에서 규정하는 협의분할 등에 의하여 자기의 고유법정상속지분을 초과하여 재산을 취득하였다 하더라도 이를 지분이동이나 변동으로 보지 않는다. 따라서 초과하는 지분에 대해 양도소득세나 증여세를 과세할 수는 없다. 그러나 일단 분할등기 등 이후의 지분변동이나 공유물의 지분변동은 양도(교환) 또는 증여로 보아 과세하므로 유의해야 한다.

바. 소유권의 환원

원인무효판결에 의하여 소유권이 환원되는 경우, 양도담보자산의 소유권이 채무변제로 원소유자에게 환원되는 경우, 신탁해지로 원소유자에게 소유권이 환원되는 경우와 같이 그 실체적 권리자에게 등기를 환원하는 방법으로 소유권이전등기를 경료하는 경우에는 이를 자산의 양도라고 할 수 없다.

예를 들면 갑·을 두 사람이 각 농지분배를 받음에 있어서 절차상의 착오로 분배토지를 뒤바꾸어 취득한 경우에 이를 시정하기 위하여 편의상 그 토지를 교환하였다면 이는 새로운 취득이 아니므로 자산양도에 해당하지 아니한다.

그러나 당사자간의 매매계약 내용 및 이행에 하자가 없는 부동산에 대하여 잔금이 청산되고 소유권이전등기를 경료한 후 계약해제를 원인으로 그 부동산의 소유권이 당초 소유자의 명의로 환원된다 하더라도 동 매매행위는 이미 잔금청산으로써 종결되었다고 보아 계약당사자가 각각 그 소유자산을 양도한 것에 해당하는 것이므로 계약당사자 모두에게 양도소득세가 과세된다. 이 경우 정상적인 거래로써 매매잔금청산 이후 합의해제의 경우에도 양도로 보아야 하고 취득세의 경우도 마찬가지로 적용되어야 할 것이다.

또한 매매계약을 체결하고 대가의 일부만을 영수한 후에 계약조건 불이행(대금미지급) 등으로 계약이 해약된 경우에는 자산의 양도가 이루어지지 않은 것으로 본다.

또한 법원의 확정판결에 의하여 신탁해지를 원인으로 소유권이전등기를 하는 경우에는 양도로 보지 아니한다.

매매원인무효의 소에 의하여 그 매매사실이 원인무효로 판시되어 환원될 경우에도 양도로 보지 아니한다.

사. 양도거래의 증여추정(상증법 §44)

1) 배우자 등에게 양도한 재산의 증여 추정

배우자 또는 직계존비속에게 양도한 재산은 양도자가 그 재산을 양도한 때에 그 재산의 가액을 배우자등이 증여받은 것으로 추정한다(상증법 §44 ①).

▶▶ 증여로 추정되는 경우에는 양도자에게 양도소득세를 과세하지 아니하고, 양수자에게 증여세를 과세함.

2) 특수관계인간 양도를 통한 우회증여시 증여추정(상증법 §44 ②)

특수관계인*에게 양도한 재산을 그 특수관계인(양수자)이 양수일부터 3년 이내에 당초 양도자의 배우자등(배우자 또는 직계존비속)에게 다시 양도한 경우에는 양수자가 그 재산을 양도한 당시의 재산가액을 그 배우자등이 증여받은 것으로 추정하여 이를 배우자등의 증여재산가액으로 한다.

* 특수관계인

양도자 및 양도자의 배우자 또는 직계비속과 「상속세 및 증여세법 시행령」 제12조의 2 제1항 각 호의 어느 하나에 해당하는 관계에 있는 자

다만, 당초 양도자 및 양수자가 부담한 「소득세법」에 따른 결정세액을 합친 금액이 그 배우자등이 증여받은 것으로 추정할 경우의 증여세액보다 큰 경우에는 그러하지 아니하다.

한편, 해당 배우자등에게 증여세가 부과된 경우에는 「소득세법」의 규정에도 불구하고 당초 양도자 및 양수자에게 그 재산 양도에 따른 소득세를 부과하지 아니한다.

배우자 · 직계존비속간에 재산을 증여하기 위하여 다음 그림과 같이 甲이 甲의 특수관계인인 乙에게 재산을 양도하고 乙은 甲의 배우자 또는 직계존비속인 丙에게 3년 이내에 양도한 경우에는 甲과 乙은 양도로 보지 않으므로 양도소득세 납세의무가 없고 당초 재산의 최종수증자인 직계존비속인 丙에 대해서는 「상속세 및 증여세법」 제44조 제2항에 따라 증여세가 과세된다. 이 경우 증여가액은 乙이 丙에게 양도한 당시의 가액을 말한다.

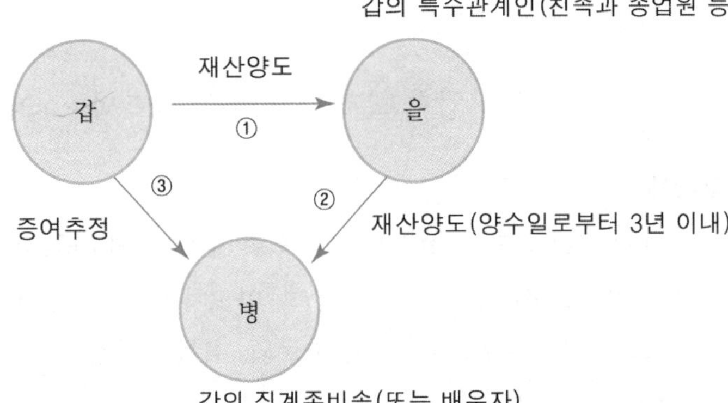

3) 증여추정의 배제

배우자, 직계존비속 또는 특수관계인간의 양도의 경우라 하더라도 해당 재산이 다음 각 호의 어느 하나에 해당하는 경우에는 위 1), 2)에 따른 증여 추정규정을 적용하지 아니한다(양도소득세 과세).

① 법원의 결정으로 경매절차에 따라 처분된 경우
② 파산선고로 인하여 처분된 경우
③ 「국세징수법」에 따라 공매(公賣)된 경우
④ 「자본시장과 금융투자업에 관한 법률」 제9조 제13항에 따른 증권시장을 통하여 유가증권이 처분된 경우.
다만, 불특정 다수인 간의 거래에 의하여 처분된 것으로 볼 수 없는 경우로서 「자본시장과 금융투자업에 관한 법률」 제9조 제13항에 따른 증권시장에서 이루어지는 유가증권의 매매 중 같은 법 제393조 제1항에 따른 한국거래소의 유가증권시장업무규정 및

코스닥시장업무규정에 의하여 시간외대량매매 방법으로 매매된 것(당일 종가로 매매된 것은 제외한다)은 제외한다.

⑤ 배우자등에게 대가를 받고 양도한 사실이 명백히 인정되는 경우로서 다음 각 호의 어느 하나에 해당하는 경우

- 권리의 이전이나 행사에 등기 또는 등록을 요하는 재산을 서로 교환한 경우
- 당해 재산의 취득을 위하여 이미 과세(비과세 또는 감면받은 경우를 포함한다) 받았거나 신고한 소득금액 또는 상속 및 수증재산의 가액으로 그 대가를 지급한 사실이 입증되는 경우
- 당해 재산의 취득을 위하여 소유재산을 처분한 금액으로 그 대가를 지급한 사실이 입증되는 경우

아. 취득가액 이월과세 및 부당행위계산의 부인(소득법 §97의 2 ①, §101 ②)

1) 취득가액 이월과세

거주자가 양도일부터 소급하여 5년 이내에 그 배우자 또는 직계존비속으로부터 증여받은 토지, 건물 및 시설물이용권(관련 주식 등 포함)의 양도차익을 계산할 때 양도가액에서 공제할 필요경비는 「소득세법」 제97조 제2항에 따르되, 취득가액은 각각 그 배우자 또는 직계존비속의 취득 당시 취득가액으로 한다.

이 경우 거주자가 증여받은 자산에 대하여 납부하였거나 납부할 증여세 상당액이 있는 경우에는 「소득세법」 제97조 제2항도 불구하고 필요경비에 산입한다.

가) 배우자 및 직계존비속의 범위

① 배우자

- 양도 당시 혼인관계가 소멸된 경우를 포함한다(예규로 운영하던 것을 2007. 12. 31. 소득세법 개정시 명확히 규정).
- 사망으로 혼인관계가 소멸된 경우는 제외한다(2011. 1. 1. 이후 양도분부터 적용).

※ 유의사항 : 직계존비속의 경우에는 사망한 경우에도 이월과세 규정이 적용됨.

② 직계존비속

- 2009. 1. 1. 이후 최초로 증여받아 양도하는 분부터 적용한다.

나) 연수의 계산

양도일부터 소급하여 5년 이내에 증여받았는지 여부를 판단할 때 연수는 등기부에 기재된 소유기간에 따른다.

다) 이월과세 적용 배제

다음 중 어느 하나에 해당하는 경우에는 취득가액 이월과세 규정을 적용하지 아니한다.

① 사업인정고시일부터 소급하여 2년 이전에 증여받은 경우로서 「공익사업을 위한 토지 등의 취득 및 보상에 관한 법률」이나 그 밖의 법률에 따라 협의매수 또는 수용된 경우(2011. 1. 1. 이후 최초로 양도하는 분부터 적용함).

② 취득가액 이월과세 규정을 적용할 경우 1세대 1주택 비과세 대상 주택[양도소득의 비과세대상에서 제외되는 고가주택(이에 딸린 토지를 포함함)을 포함함]의 양도에 해당하게 되는 경우(2014. 1. 1. 이후 최초로 양도하는 분부터 적용하되, 고가주택에 대한 내용은 2016. 1. 1. 이후 최초로 양도하는 분부터 적용함)

▶▶ 이월과세 적용 배제 대상 중 ②에 해당하는 경우에는 부당행위계산 부인 규정(소득법 §101 2) 적용 여부를 추가로 검토하여야 함(국세청 예규로 운용해 오고 있던 사항을 법령에 명확히 규정함).

사례 법규재산 2013-61, 2013. 2. 28.

「폐기물처리시설 설치촉진 및 주변지역 지원 등에 관한 법률」에 따라 폐기물소각시설 증설사업의 입지로 편입되어 협의매수 또는 수용되는 경우, 같은 법 제10조에 따라 폐기물처리시설의 입지가 결정·고시된 때가 「소득세법」 제97조 제4항의 사업인정고시일에 해당하는 것임.

라) 필요경비에 산입하는 증여세 상당액의 계산

취득가액 이월과세 규정을 적용할 때 필요경비에 산입하는 증여세 상당액은 아래와 같이 계산하며, 양도차익을 기준시가에 따라 계산하는 경우에도 적용할 수 있다. 이 경우 필요경비로 산입되는 증여세 상당액은 양도차익(양도가액에서 「소득세법」 제97조 제1항 및 제2항의 금액을 공제한 잔액)을 한도로 한다.

$$\text{필요경비에 산입하는 증여세 상당액} = \text{증여세 산출세액} \times \frac{\text{이월과세 대상 자산의 증여세 과세가액}}{\text{증여세 과세가액}}$$

① 증여세 산출세액 : 거주자가 그 배우자 또는 직계존비속으로부터 증여받은 자산에 대한 증여세 산출세액(「상속세 및 증여세법」 제56조에 따른 증여세 산출세액을 말함)
② 이월과세 대상 자산의 증여세 과세가액 : 「소득세법」 제97조의 2 제1항에 따라 양도한 해당 자산의 증여세 과세가액
③ 증여세 과세가액 : 「상속세 및 증여세법」 제47조에 따른 증여세 과세가액(합산한 증여세 과세가액)

2) 부당행위계산의 부인

거주자가 특수관계인에게 자산을 증여한 후 그 자산을 증여받은 자가 그 증여일부터 5년(2006년 이전 양도분은 3년) 이내에 다시 타인에게 양도한 경우로서 ①에 따른 세액이 ②에 따른 세액보다 적은 경우에는 증여자가 그 자산을 직접 양도한 것으로 본다.

① 증여받은 자의 증여세(「상속세 및 증여세법」에 따른 산출세액에서 공제 · 감면세액을 뺀 세액을 말한다)와 양도소득세(이 법에 따른 산출세액에서 공제 · 감면세액을 뺀 결정세액을 말한다. 아래 ②에서 같다)를 합한 세액
② 증여자가 직접 양도하는 경우로 보아 계산한 양도소득세

▶▶ ⓐ+ⓑ < ⓒ인 경우를 말함.

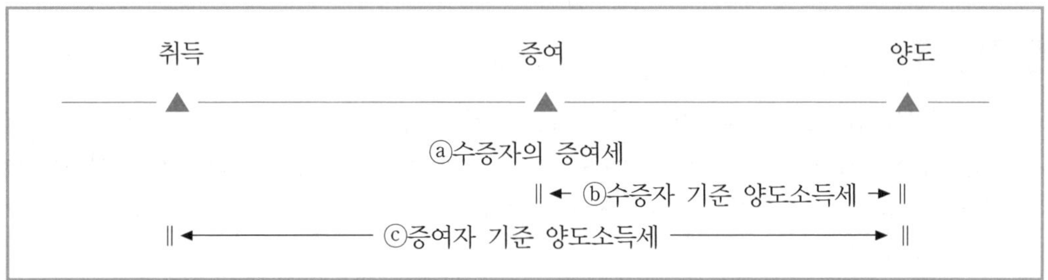

가) 특수관계인의 범위

부당행위계산의 부인 규정을 적용할 때 특수관계인이란 「국세기본법 시행령」 제1조의 2 제1항, 제2항 및 같은 조 제3항 제1호에 따른 특수관계인을 말한다(특수관계인의 범위는 "제3절 3. 나. ②"의 내용을 참고).

이 경우 특수관계인 중에서 취득가액 이월과세 규정(「소득세법」 제97조의 2 제1항, 위 "1)")을 적용받는 배우자 및 직계존비속의 경우는 제외한다.

* 직계존비속에 대한 취득과세 이월과세 규정은 2009. 1. 1. 이후 최초로 증여받아 양도하는 분부터 적용한다.

나) 연수의 계산

양도일부터 소급하여 5년(또는 3년) 이내에 증여받았는지 여부를 판단할 때 연수는 등기부에 기재된 소유기간에 따른다.

다) 부당행위계산 부인 규정 적용 배제

양도소득이 해당 수증자에게 실질적으로 귀속된 경우에는 부당행위계산 부인 규정을 적용하지 아니한다(2010. 1. 1. 이후 최초로 양도하는 분부터 적용함).

라) 증여세 부과 여부

양도소득의 부당행위계산 규정에 따라 증여자에게 양도소득세가 과세되는 경우에는 당초 증여받은 자산에 대해서는 「상속세 및 증여세법」의 규정에도 불구하고 증여세를 부과하지 아니한다(증여받은 자에게 증여세 및 양도소득세가 과세되지 아니함. 2004. 1. 1. 이후 양도하거나 결정하는 분부터 적용함).

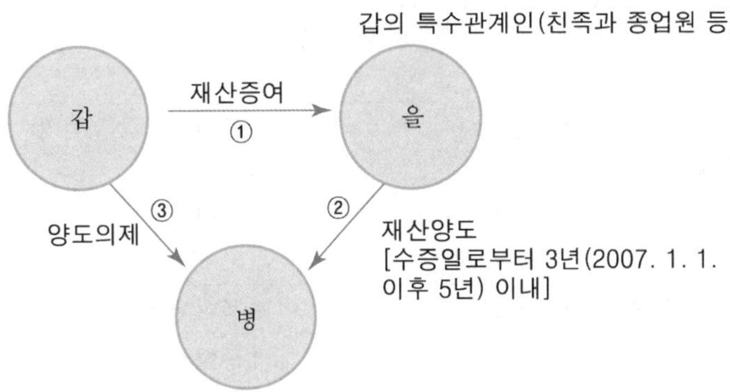

그러나 丙이 甲의 배우자 또는 직계존비속일 경우에는 「소득세법」 제101조 제2항에 따라 양도로 보는 것을 「상속세 및 증여세법」 제44조에 따라 증여로 보도록 규정하고 있으므로, 甲에게 양도소득세를 과세하는 것과 丙에게 증여세를 과세하는 것 중 선택 적용해야 할 것이다. 그리고 본 조항은 부당행위계산이므로 당초 乙의 증여세와 乙의 양도소득세의 합계보다 甲의 양도세가 큰 경우 즉, 甲의 조세회피 목적이 있는 경우에 적용한다.

마) 연대납세의무

증여자가 자산을 직접 양도한 것으로 보는 경우 그 양도소득에 대해서는 증여자와 증여받은 자가 연대하여 납세의무를 진다(2002. 1. 1. 이후 양도분부터 적용).

| 취득가액 이월과세 및 부당행위계산 부인 요약 |

구 분	취득가액 이월과세	부당행위계산 부인
관련 규정	소득법 §97의 2 ④	소득법 §101 ②
증여자와 수증자의 관계	• 배우자(사망으로 혼인관계가 소멸된 경우는 제외, 2011. 1. 1. 이후 양도분부터 적용) • 직계존비속(2009. 1. 1. 이후 증여분부터 적용)	「국세기본법 시행령」 제1조의 2 제1항, 제2항 및 같은 조 제3항 제1호에 따른 특수관계인 * 취득가액 이월과세가 적용되는 배우자, 직계존비속은 제외
납세의무자	수증자	증여자
적용 요건	증여받은 후 5년 이내 양도 (조세부담 감소와 관계없이 적용)	증여받은 후 5년(2006년 이전은 3년) 이내 양도 (조세부담이 감소한 경우에만 적용)
적용 방법	양도차익 계산시 취득가액은 증여자의 취득가액을 적용	증여자가 양도한 것으로 봄.
적용대상 자산	토지, 건물 및 시설물이용권(관련 주식 등 포함), 부동산을 취득할 수 있는 권리	모든 자산
취득시기	증여등기접수일	증여자의 취득시기
장기보유특별공제액 계산 및 세율 적용시 보유기간	증여자의 취득일부터 기산	증여자의 취득일부터 기산
수증자의 증여세	필요경비에 산입	증여세를 부과하지 않음.
연대납세의무	없음	증여자와 수증자의 연대납세의무가 있음.
적용 배제	• 사업인정고시일부터 소급하여 2년 이전에 증여받은 경우로서 협의매수 · 수용된 경우 • 이월과세를 적용할 경우 1세대 1주택 비과세 대상(고가주택 포함)에 해당하는 경우	• 양도소득이 해당 수증자에게 실질적으로 귀속된 경우 • 증여자가 사망한 경우

자. 가업상속공제 적용재산에 대한 이월과세(소득법 §97의 2 ④)

1) 의 의

가업상속공제(「상속세 및 증여세법」 제18조 제2항 제1호)는 상속 단계에서 과도한 상속세의 부담을 경감하려는 취지의 제도이나, 상속인이 가업상속공제를 적용받은 자산을 양도할 경우 피상속인의 보유기간 동안의 자본이득에 대한 양도소득세까지 과세되지 아니하여 과세 형평성을 저해하는 문제가 있어 가업상속공제가 적용된 자산 부분에 대해서는 피상속인의 취득가액을 적용하여 양도차익을 계산하는 제도이다(취득가액 이월과세).

* 2014. 1. 1. 이후 가업상속재산을 상속받아 양도하는 분부터 적용함.

2) 적용대상

가업상속공제를 적용받은 자산으로서 양도소득세 과세대상 자산에 대해서 적용한다.

3) 내 용

가) 취득가액

가업상속공제가 적용된 자산의 양도차익을 계산할 때 양도가액에서 공제할 필요경비는 소득세법 제97조 제2항에 따르되, 다만, 취득가액은 다음의 금액을 합한 금액으로 한다.

① 피상속인의 취득가액(소득세법 제97조 제1항 제1호 각 목의 어느 하나에 해당하는 금액) × 가업상속공제적용률(해당 자산가액 중 가업상속공제가 적용된 비율을 말함)*

② 상속개시일 현재 해당 자산가액 × (1 - 가업상속공제적용률)

* 가업상속공제적용률 = 가업상속공제금액(상속세 및 증여세법 제18조 제2항 제1호) ÷ 가업상속재산가액 합계액

▶▶ 이 경우 가업상속공제가 적용된 자산별 가업상속공제금액은 가업상속공제금액을 상속 개시 당시의 해당 자산별 평가액을 기준으로 안분하여 계산한다(2016. 2. 17. 이후 양도분부터 적용).

나) 취득시기

가업상속공제가 적용된 비율에 해당하는 자산의 경우에는 피상속인이 해당 자산을 취득한 날부터 기산한다.

| 취득시기 요약 |

구 분	가업상속공제 적용 자산	가업상속공제 미적용 자산
장기보유특별공제 적용시	피상속인 취득일	상속개시일
세율 적용시	피상속인 취득일	피상속인 취득일

4) 가업상속공제 사후관리요건 위반시 상속세 추징방법

가업상속공제를 받고 양도하는 가업상속 재산에 대하여 상속인이 「상속세 및 증여세법」 제18조 제5항에 따라 사후관리요건을 위반하여 상속세를 부과하는 경우로서 「소득세법」 제97조의 2 제4항에 따라 납부하였거나 납부할 양도소득세가 있는 경우에는 일정한 금액 [(① - ②) × ③]을 상속세 산출세액에서 공제한다. 다만, 공제한 해당 금액이 음수(陰數)인 경우에는 영으로 본다.

① 「소득세법」 제97조의 2 제4항을 적용하여 계산한 양도소득세액(이월과세 적용시 세액)

② 「소득세법」 제97조를 적용하여 계산한 양도소득세액(이월과세 미적용시 세액)

③ 가업상속공제 사후관리시 기간별추징률

기간(상증령 §15 ⑪ 1호)	기간별 추징률(상증령 §15 ⑪ 2호)
7년 미만	100분의 100
7년 이상 8년 미만	100분의 90
8년 이상 9년 미만	100분의 80
9년 이상 10년 미만	100분의 70

4 명의신탁과 부동산실권리자명의등기

가. 의 의

명의신탁이란 판례에 의하여 형성된 개념으로 수탁자에게 재산의 명의만을 이전해 둔 것으로 대내적 관계에서는 신탁자가 소유권을 보유하여 관리·수익하는 것을 말한다.

부동산명의신탁은 그동안 부동산투기·탈세행위 등에 악용되어 왔으며 사법질서를 왜곡시킨다는 비판을 받아왔다.

따라서 이러한 폐단을 불식시키고 부동산에 관한 소유권, 기타 물권의 실체적 권리관계가 부합되도록 실권리자명의로만 등기하도록 함으로써 부동산가격안정에도 기여할 수 있도록 하기 위해 「부동산 실권리자 명의등기에 관한 법률」(1995. 3. 30.)이 제정되었다.

나. 명의신탁과 양도소득세

부동산실명제가 실시되기 전에는 수탁자가 무상으로 명의를 대여하는 것에 지나지 않으므로 이를 자산의 유상양도라 할 수 없고 따라서 양도소득세 과세대상이 되는 양도가 발생하지 아니한 것으로 본다. 또한 명의신탁된 재산의 소유권을 신탁해지로 인하여 신탁자에게 환원하는 경우도 유상양도라 할 수 없다.

부동산실명제가 실시된 이후에는 명의신탁에 따른 등기이전이 무효가 되고 신탁자와 수탁자 간에 양도의 전제가 되는 유효한 법률행위가 있었다고 할 수 없으므로 역시 양도소득세 과세대상이 되는 유상양도로 볼 수 없다.

| 등기명의신탁의 효력 및 양도소득세 납세의무 |

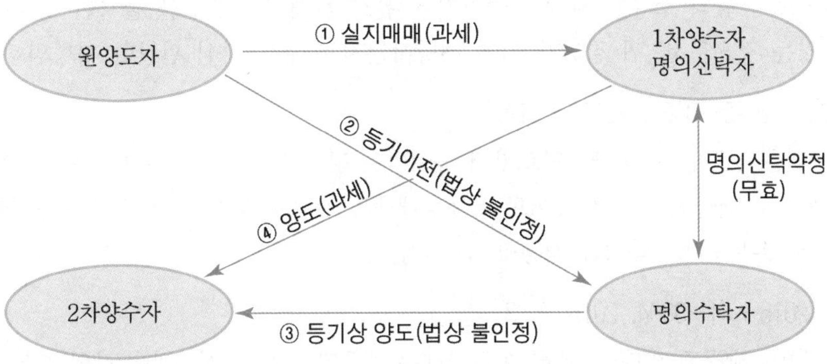

등기명의신탁이란 원소유자가 명의신탁자와 명의수탁자 간에 명의신탁약정사실이 있음을 알고 부동산매매계약을 체결, 등기이전하는 경우로서 원소유자에서 명의수탁자로의 등기이전이 무효가 되기 때문에 소유권은 원소유자에게 있는 것으로 본다.

따라서 제3자인 양수자에게 양도시 양도소득세 납세의무는 원소유자에게 있다.

다. 명의신탁과 증여세

부동산실명제 실시 이전에는 명의신탁이 조세회피 목적이 이루어졌을 때 증여의제로 보아 증여세를 부과하였으나 실명제 실시 이후에는 명의신탁약정은 법률상 효력이 없기 때문에 증여세 문제는 발생하지 아니한다.

그러나 증여세가 과세되지 아니하는 대신에 과징금을 부과하도록 하고 있다.

관련예규 및 판례요약

과세대상 양도의 정의와 관련된 예규, 판례

서면-2018-부동산-1512, 2019. 2. 1.

"양도"란 자산에 대한 등기 또는 등록과 관계없이 매도, 교환, 법인에 대한 현물출자 등을 통하여 그 자산을 유상으로 사실상 이전하는 것을 말하며, 양도소득세 납세의무는 원칙적으로 과세대상 자산을 양도하고 양수자로부터 대가를 수령한 자에게 있는 것임.

서면-2017-부동산-0792, 2017. 6. 27.

거주자가 공동사업에 토지 등을 현물출자하는 경우 「소득세법」 제88조에 따른 양도로 보는 것이나 토지 등의 소유권 자체는 출자자에 유보한 채 사용권만을 출자한 경우에는 양도로 보지 않는 것으로서, 귀 질의가 이에 해당하는지 여부는 사실 판단할 사항임.

심사양도 2015-0061, 2015. 7. 14.

쟁점주택은 청구인이 전 배우자로부터 증여받은 것이나 실지로는 전 배우자로부터 이혼위자료 명목으로 대물변제 받은 것이므로 유상매매된 것으로 보아야 하고, 소득세법상 증여취득에 따른 배우자 이월과세를 적용할 수 없음.

조심-2015-서-0804, 2015. 6. 3

「소득세법」 제97조 제4항에 따른 이월과세는 배우자 또는 직계존비속 간의 증여를 이용하여 양도소득세를 회피하는 것을 규제하기 위한 취지인 점, 부동산 물납은 대물변제 성격의 유상양도로서 양도에서 제외하는 별도의 규정을 두고 있지 아니하는 점 등에 비추어 이 건 처분은 잘못이 없음.

조심-2015-전-0314, 2015. 5. 12.

협의매수 이후 원상회복의 불가능을 이유로 부당이득금을 받았다고 하더라도 원물반환 대신 소유권을 인정함에 따른 대가로 지급받은 것이므로 사실상 유상양도된 것으로 볼 수 있음.

조심 2014구 1302, 2014. 9. 3.

명의신탁해지를 원인으로 명의수탁자가 명의신탁자에게 소유권을 양도한 것으로 봄이 타당하므로 쟁점 토지거래를 유상양도에 해당된다고 보아 양도소득세를 부과한 처분은 잘못이 있음.

법규재산 2012-237, 2012. 7. 28.

피상속인의 부동산을 상속함에 있어서 공동상속인 중 일방이 그의 상속지분을 포기하는 대가로 다른 일방으로부터 현금을 지급받은 경우 그 포기한 상속지분 상당의 부동산은 「소득세법」 제88조 제1항에 따라 자산이 유상으로 사실상 이전됨으로써 양도소득세 과세대상이 되는 것이며, 이 경우 양도시기는 포기한 상속지분 상당의 부동산에 대한 대금을 청산한 날로 하는 것이나 대금을 청산하기 전에 소유권이전등기를 한 경우에는 등기부 등에 기재된 등기접수일로 하는 것임.

대법원 2010두 23644, 2011. 7. 21.

토지거래허가구역 내의 토지를 허가 없이 매도한 경우 그 매매계약 및 전매계약이 무효라고 하더라도 소유권이전등기가 말소되지 아니한 채 남아 있고 매매대금도 매수인 또는 제3자에게 반환되지 아니한 채 그대로 보유하고 있는 때에는 예외적으로 매도인 등에게 양도소득세를 과세할 수 있음(전원합의체, 파기환송).

서면4팀 - 2563, 2007. 9. 3.

거주자가 양도소득세 과세대상 자산을 양도한 경우 그 자산의 양도시기 당시 시행되고 있는 조세법령을 적용하는 것임.

서면5팀 - 2326, 2007. 8. 17.

한정상속에 의한 경매처분에 의하여 소유권이 이전되는 경우 양도에 해당하여 양도소득세가 과세됨.

서면5팀 - 2230, 2007. 8. 3.

비영리법인에게 농지를 법령의 제한에 의해 증여하지 못하고 토지를 매각하여 매각대금을 기부하더라도 토지의 매각은 양도에 해당함.

서면4팀 - 1868, 2007. 6. 8.

토지가 국가에 수용되더라도 양도에 해당되어 양도소득세가 과세됨.

서면4팀 - 6, 2006. 1. 4.

직계존비속에게 대가를 지급받고 양도한 사실이 명백히 인정되는 경우에는 증여로 보지 않음.

서면4팀 - 2603, 2005. 12. 23.

판매를 목적으로 다세대주택을 신축하여 판매(일시적 임대 후 판매 포함)하는 경우 사업소득에 해당하나, 임대목적으로 신축하여 임대용으로 사용하다 양도하는 경우 양도소득에 해당함.

서면4팀 - 1871, 2005. 10. 12.

피상속인 명의의 부동산이 상속인 외의 자에게 명의 이전된 경우로서 당해 부동산의 양도시기가 피상속인의 사망일까지 도래하지 아니한 경우 상속인이 당해 부동산을 상속받아 양도한 것으로 보는 것임.

서면4팀 - 1711, 2004. 10. 25.

이혼의 경우 재산분할청구로 인하여 부동산의 소유권이 이전된 경우에는 양도소득세가 과세되지 아니하는 것이나, 이혼위자료로 부동산의 소유권이 이전되는 경우에는 대물변제에 의한 양도에 해당되어 양도소득세의 과세대상이 되는 것임.

서면4팀 - 1640, 2004. 10. 15.

종중소유 부동산의 등기부상 대표자 명의변경은 양도소득세가 과세되는 유상양도에 해당하지 아니함.

과세대상 양도와 증여의 관계, 부담부증여와 관련된 예규, 판례

조심 - 2019 - 중 - 0561, 2019. 4. 18.

증여재산가액에서 차감하는 채무에 당해 증여재산과 관련하여 발생한 기타채무 부담액을 포함하여 증여세 과세대상에서 제외하면서 동시에 양도소득세 과세대상인 부담부증여에도 제외한다면 과세형평성 측면에서 불합리한 것으로 보이는 점 등에 비추어 이 건 처분은 달리 잘못이 없는 것으로 판단됨.

조심 - 2017 - 서 - 4625, 2018. 2. 19.

협의이혼을 한지 8년이나 지난 시점에서 위자료를 지급한다는 것이 오히려 사회통념에 부합해 보이지 아니하는 점 등에 비추어 쟁점부동산의 소유권이전은 그 실질이 재산분할이라 할 것이므로, 처분청이 쟁점부동산의 소유권이전을 부담부증여에 의한 양도로 보아 청구인에게 양도소득세를 과세한 이 건 처분은 잘못이 있음.

서면 - 2017 - 부동산 - 0929, 2017. 6. 19.

부담부증여의 양도로 보는 부분에 대한 양도차익을 계산함에 있어서 양도가액을 임대료 등을 기준으로 평가한 가액을 그 재산의 가액으로 하는 경우 그 재산의 취득가액은 「소득세법」 제97조 제1항 제1호에 따른 가액에 의하는 것임.

조심 - 2015 - 서 - 4044, 2015. 10. 7.

부담부증여에서 양도가액이 채무액과 같다고 하여 이를 모두 실지거래가액이라고 할 수 없고, 증여가액이 시가에 의하여 산정된 경우의 양도가액 만을 실지거래가액에 의하여 산정한 것으로 볼 수 있는 점 등에 비추어 청구주장을 받아들이기 어려움.

조심 2014서 1457, 2014. 7. 17.

부담부증여한 자산의 증여재산가액을 시가에 의하여 평가한 경우 취득가액도 취득 당시 실지거래가액에 부담부증여 비율을 곱하여 계산하는 것이 타당함.

심사양도 2014-0041, 2014. 6. 10.

쟁점토지의 증여계약서 및 취득당시 백부로부터 인수한 채무내역을 제시하지 못하고 쟁점토지에 대한 채무의 원금 및 이자를 상환한 사실이 확인되지 않는 점, 쟁점토지의 소유권 이전과 관련하여 청구인이 증여세를 신고하거나 백부가 양도소득세를 신고한 적이 없는 점 등에 비추어 매매를 원인으로 취득한 토지를 부담부증여 받은 것으로 볼 수 없음.

재재산-1481, 2007. 12. 11.

부담부증여의 경우 양도가액 산정을 위한 당해 자산의 가액이 기준시가에 의한 가액인 경우에는 취득가액 산정을 위한 당해 자산의 가액도 기준시가에 의하는 것임.

서면5팀-2491, 2007. 9. 6.

공익법인에 재산을 출연하면서 당해 재산에 담보된 채무를 공익법인 등이 인수하는 경우 출연재산가액은 당해 채무액을 차감한 금액이 되는 것이며 채무상당액에는 양도소득세가 과세됨.

서면4팀-1692, 2007. 5. 23.

고가주택의 판정은 주택의 전체 이전, 일부 이전, 부담부증여 이전 등 이전방식에 관계없이 1주택의 전체 가액을 기준으로 판정함.

서면4팀-1695, 2007. 5. 23.

부담부증여시 양도차익은 양도가액 및 취득가액을 양도 및 취득당시 당해 자산의 가액에서 증여가액 중 채무액에 상당하는 부분이 차지하는 비율을 곱하여 계산한 가액으로 함.

서면4팀-2568, 2005. 12. 21.

재건축입주권을 부담부증여하는 경우 양도가액 산정을 위한 당해 재산의 가액은 증여일 현재 「상속세 및 증여세법」상 평가한 가액을 말하며, 취득가액 산정을 위한 당해 재산의 가액은 「소득세법」 제97조 제1항 제1호의 가액을 의미함.

서면4팀-2514, 2005. 12. 14.

근저당권이 설정된 부모의 재산 중 일부를 증여받으면서 부모의 채무를 인수한 것이 입증되는 경우에는 인수한 채무액을 증여재산가액에서 차감할 수 있는 것이며 동 가액에 상당하는 부분은 양도소득세가 과세됨.

서면4팀-2139, 2005. 11. 11.

부담부증여시 인계하는 채무액은 유상양도로 보아 양도소득세가 과세되는 것이나 증여재산이 양도소득세 비과세대상 주택에 해당하는 때에는 양도소득세가 과세되지 아니함.

서면4팀-1913, 2004. 11. 26.

이혼 등에 의하여 정신적 또는 재산상 손해배상의 대가로 받은 위자료 및 재산분할청구권을 행사하여 취득한 재산은 조세포탈의 목적이 있다고 인정할 경우를 제외하고는 이를 증여로 보지 아니하며, 위자료를 부동산으로 지급하는 때에는 당해 자산을 양도한 것으로 보는 것임.

서면4팀 - 1546, 2004. 10. 1.

비과세대상 주택을 부담부증여시 인계하는 채무액에 대하여는 양도소득세가 과세되지 아니하는 것이며, 이때 동일 세대원에게 부담부증여하는 경우에는 양도소득세는 비과세되는 것임.

서면4팀 - 1382, 2004. 9. 2.

타인 채무에 담보권 설정된 주택을 증여하는 경우는 부담부증여에 해당하지 아니함.

재재산 46014 - 22, 2002. 1. 24.

임대용 부동산을 직계존비속간에 증여함에 있어 증여자가 임대계약기간에 해당하는 월세상당액을 일시불로 받고 수증자가 임대차계약에 따른 증여자의 의무를 포괄승계한 것이 입증되는 때에는 '부담부증여'에 해당함.

과세대상 교환 · 공유물의 분할과 관련된 예규, 판례

조심 - 2018 - 중 - 0393, 2018. 5. 14.

청구인은 쟁점부동산의 지분 3분의 1을 2002. 5. 10. 상속으로, 2012. 8. 2. 나머지 지분을 공동상속인들로부터 소유권이전 받았으나, 그 실질이 공유물분할로서 취득시기는 상속개시일로 보아야 할 것이므로, 처분청이 쟁점부동산의 경락가액을 양도가액으로 하고, 상증법상 보충적 평가방법으로 평가한 가액을 취득가액으로 한 처분은 달리 잘못이 없음.

심사 - 양도 - 2016 - 0072, 2016. 10. 28.

취득조건을 확인할 취득당시 매매계약서가 없는 점, 교환부동산 매매계약서상에 매매대금 및 계약일자가 없으며, 쟁점부동산 관련 내용도 나타나지 않는 점, 교환부동산의 소유권이전등기가 쟁점부동산 소유권이전등기일과 다른 점 등을 고려하면, 교환부동산가액을 쟁점부동산의 취득가액에 포함해야 한다는 청구주장을 받아들일 수 없음.

대법원 - 2016 - 두 - 36949, 2016. 7. 22.

교환계약에서 교환의 목적물의 시가감정을 하지 않아 실지거래가액을 확인할 수 없는 경우에는 매매사례가액, 감정가액, 환산가액, 기준시가 순으로 양도가액이나 취득가액을 인정할 수 있음.

조심 - 2015 - 서 - 5367, 2016. 3. 31.

쟁점채권과 쟁점부동산을 교환한 거래로 보아 쟁점부동산의 경락가액과 쟁점채권 취득가액과의 차액을 익금산입 하였는바, 청구법인이 쟁점채권에 대하여 배당금을 받은 거래와 쟁점부동산을 경매로 취득한 거래는 별개의 것이어서 쟁점채권 취득가액과 배당금과의 차액을 쟁점채권 처분이익으로 보아 그 과세표준 및 세액을 경정함이 타당함.

심사양도 2013-0225, 2014. 3. 3.

교환계약서 내용이 구체적이며 이전에 계속하여 수정해온 거래를 최종 정리하는 형태로 작성되었고 반대급부토지가 매매로 이전등기된 것은 착오에 의한 것으로 명기되어 있는바 쟁점부동산은 교환에 의하여 양도된 것으로 봄이 타당하고 시가감정이 없으므로 기준시가로 경정한 것은 정당함.

조심 2011중 2571, 2012. 8. 9.

공유물분할시 지급한 현물보상비는 감정평가액에 의한 가액분할을 함에 있어서 동등가치를 만들기 위한 대가로서 필요경비가 아닌, 공유물 분할에 따른 차액에 대한 정산으로 보는 것이 타당한 것으로 봄.

부동산거래관리과-804, 2011. 9. 16.

골프회원권 소유자가 골프회원권을 발행회사에게 반환하고 발행회사로부터 당초 입회보증금 상당액을 지급받는 것은 소득세법 제94조 제1항 제4호의 기타자산의 양도소득에 해당하는 것임.

재재산-573, 2011. 7. 21.

주택과 상가로 구성된 공유물인 건물을 주택과 상가로 구분하여 등기하면서 주택은 공유자중 1명의 소유로 하고, 상가는 계속하여 공유하되 구분의 등기 전·후 주택과 상가의 지분의 합계가 변동되지 아니하는 경우에는 「소득세법」 제88조에 따른 양도에 해당되지 아니하는 것이며, 그 구분의 등기 전·후의 지분 변동이 있었는지 여부는 그 가액을 기준으로 판단하는 것임.

부동산거래관리과-1136, 2010. 9. 7.

기존에 보유하고 있는 골프회원권을 반납하고 다른 종류의 골프회원권을 취득하면서 골프회원권의 종류별 분양가액의 차이를 골프장법인과 정산하는 것은 「소득세법」 제88조 제1항에 따른 자산이 사실상 유상으로 이전되는 교환에 해당하는 것이며, 골프회원권을 교환하는 경우 양도차익은 교환계약서, 영수증 등 증빙서류에 의하여 확인되는 실지거래가액을 양도가액 및 취득가액으로 하여 산정하는 것임.

서면4팀-2209, 2007. 7. 18.

부부 각자가 소유한 부동산을 상대방 배우자명의로 각각 증여등기한 경우에도 사실상 교환에 해당하는 경우에는 양도소득세가 과세되는 것임.

서면4팀-854, 2007. 3. 13.

2인 이상이 공동소유하던 상속재산을 각각 1인 단독소유로 지분정리하는 것은 양도소득세 과세대상이며 교환하는 재산가액이 서로 같지 아니한 때에는 차액상당액은 증여세가 과세됨.

서면4팀-609, 2007. 2. 14.

주택재개발·재건축 정비사업조합의 조합원 간에 당초 관리처분계획의 변경 없이 관리처분계획과 다르게 분양받을 주택을 변경하는 경우에는 교환으로 보아 양도소득세가 과세됨.

서면4팀-142, 2006. 1. 27.

「상법」 제360조의 2 내지 제360조의 14의 규정에 의한 주식의 포괄적 교환에 있어 완전자회사의 주주가 소유하고 있는 비상장주식을 양도하고 완전모회사가 발행하는 상장 또는 협회등록된 주식을 취득하는 경우에도 양도소득세가 과세됨.

서면4팀-2468, 2005. 12. 9.

2필지 이상의 토지를 각각 1인 단독소유를 목적으로 서로의 지분을 정리하는 것은 각 필지의 자기지분 감소분과 증가분이 교환되는 것으로 양도에 해당하는 것임.

서면4팀-2172, 2005. 11. 14.

완전자회사의 주주가 소유하고 있는 비상장주식을 양도하고 완전모회사가 발행하는 상장 또는 협회등록된 주식을 취득하는 경우 양도소득세 과세대상인 주식의 교환에 해당함.

서면4팀-1276, 2005. 7. 21.

토지를 교환하는 경우 양도소득세 과세대상이며 교환대상 토지전부에 대하여 양도소득세가 과세되는 것임.

서면4팀-1179, 2005. 7. 12.

공동사업자가 사업용 건물을 취득하여 공동사업을 영위하다 공동사업을 해지하고 건물을 각각 구성원의 지분별로 분할등기하는 것은 양도소득세 과세대상에 해당함.

서면4팀-1498, 2004. 9. 22.

이혼시 재산분할청구에서 부동산과 예금을 각 1/2씩 분할하기로 하고 동 가액을 예금으로 대신 수취시는 양도소득세가 과세됨.

재산 46014-1012, 2000. 8. 18.

2인 이상이 공유하는 토지로서 양도당시 연접하지 않는 2필지 이상의 토지를 각각 1인 단독소유 목적으로 서로의 지분을 정리하는 것은 '교환'으로서 양도에 해당함.

과세대상 현물출자 · 조합과 관련된 예규, 판례

조심-2018-구-2143, 2018. 7. 23.

청구인 외 6인과 청구 외 법인 간에 2017. 4. 1. 체결한 현물출자약정서에 쟁점부동산의 공유자인 청구인도 출자자로서 청구외법인의 보통주식을 부여받기로 약정되어 있는 점, 주차장업 영위와 관련한 시설 및 운영자금 대출시 청구인의 공유지분도 담보로 제공된 점 등에 비추어 현물출자 법인전환에 따른 양도소득세 이월과세를 적용함이 타당함.

조심-2017-서-2931, 2017. 11. 20.

청구인이 쟁점부동산을 쟁점법인에 현물출자할 당시에는 이월과세에 대한 사후관리 규정이 없었던 점 등에 비추어 처분청이 2011. 12. 31. 신설된 「조세특례제한법」 제32조 제5항 제1호를 적용하여 쟁점부동산의 현물출자에 따른 양도소득세 이월과세액을 청구인에게 과세한 이 건 처분은 잘못이 있음.

서울고등법원-2016-누-32796, 2016. 8. 10.

구 소득세법 제88조 제1항 본문은 '양도'란 자산에 대한 등기 또는 등록에 관계없이 매도, 교환, 법인에 대한 현물출자 등으로 인하여 그 자산이 유상으로 사실상 이전되는 것을 말한다고 규정하고 있을 뿐, 자산이 유상으로 이전된 원인인 매매 등 계약이 법률상 유효할 것까지 요구하고 있는 것은 아님.

조심-2015-전-3456, 2016. 6. 20.

현물출자계약서상 양도가액을 쟁점지분의 양도가액으로 보아 양도소득세를 과세한 처분은 잘못이 없으나, 반과소신고가산세를 부과한 이 건 처분은 잘못이 있음.

서울행정법원-2015-구단-57744, 2016. 2. 17.

종전 주택 소유자들은 다세대주택의 신축 및 분양에 관한 동업계약을 체결하면서 조합을 구성하였고 원고는 자신 소유 대지 지분 중 일부를 조합에 현물출자한 것으로 봄이 상당함. 따라서 이 사건 양도는 자산의 유상양도로 보아야 하므로, 양도소득세 과세처분은 정당함.

재재산-515, 2009. 3. 18.

[사실관계]

- 2005년 1월 3일(갑, 을, 병)이 공유 부동산 현물출자하여 공동사업 시작
  * 부동산현물출자에 대해 양도소득세 신고 · 납부함.
- 2006년 6월 공동사업장에 임대용부동산 증축
- 2007년 6월 "갑"이 탈퇴하고 "갑"지분을 임대용건물을 현물로 반환(분할등기)

- 2007년 11월 "을", "병"이 사업을 청산하고 나머지 임대용건물을 지분별로 분할하여 분할등기

[질의]

- 공동사업용 부동산을 지분별로 현물반환하여 분할등기하는 경우 양도세 과세여부

[회신]

귀 질의의 경우 우리부의 종전 질의회신내용(재재산 46014-302, 1997. 8. 30. 및 재재산-550, 2005. 11. 10.)을 참조하기 바람.

(참고 : 재재산 46014-302, 1997. 8. 30. 및 재재산-550, 2005. 11. 10.)

공동사업에 참여한 조합원이 탈퇴(제3자로 변경하는 경우 포함)함에 따라 자기지분(탈퇴자의 현물출자분 및 출자 후 조합이 취득한 자산 중 탈퇴자의 지분을 말함)에 상당하는 대가를 잔여 또는 신규가입조합원으로부터 받는 경우 그에 상당하는 지분이 사실상 유상으로 양도된 것으로 보는 것이며, 자기지분을 조합의 현물자산으로 그대로 반환받는 경우에는 양도로 보지 아니하는 것임.

서면5팀-2992, 2007. 11. 14.

거주자가 공동사업(부동산임대업 등)을 경영할 것을 약정하는 계약에 의해 토지 등을 공동사업에 현물출자하는 경우 부동산이 유상으로 양도된 것으로 보아 양도세가 과세됨.

서면4팀-2173, 2007. 7. 13.

거주자가 토지 등을 공동사업에 현물출자한 경우 등기에 관계없이 현물출자한 날 또는 등기접수일 중 빠른 날에 당해 토지가 유상으로 양도된 것으로 보아 양도소득세가 과세됨.

서면4팀-1611, 2005. 9. 7.

현물출자 후 그 출자지분이 감소하는 경우 그 감소로 인하여 대가를 지급받게 되면 양도소득세가, 무상인 경우 증여세가 과세됨.

서면4팀-643, 2005. 4. 27.

토지 등을 공동사업에 출자하는 경우 양도소득세가 과세되며, 토지와 건물의 소유자가 소득세법 규정에 의한 공동사업자로서 부동산임대업을 영위하는 경우에는 「상속세 및 증여세법」 제42조 제1항 제2호의 기타 이익의 증여에 해당하지 않음.

서일 46011-11709, 2003. 11. 25.

현물출자일이 객관적으로 확인되지 아니하는 경우 현물출자한 날은 당사자간에 묵시적 합의가 성립한 날 또는 사실상 공동사업이 개시된 날 등을 밝혀 소관 세무서장이 사실판단할 사항이며 부동산매매업의 사업개시일은 재화의 공급을 개시하는 날임.

과세대상 명의신탁과 관련된 예규, 판례

조심-2019-서-1092, 2019. 5. 22.

쟁점주택의 1/7 각 지분이 주택으로서 기능을 하고 있다고 보기는 어려운 점, 청구인 외 6인 명의로 소유권이전등기를 마쳤다 하더라도 그 등기는 실질에 있어서는 명의신탁에 해당하는 것으로 보이는 점, 부동산의 임의처분을 방지하기 위한 수단으로 명의로 신탁되어 있는 것으로 볼 수 있는 점 등에 비추어 쟁점주택을 청구인의 주택으로 보기 어려움.

조심-2018-중-3595, 2019. 1. 24.

청구인의 자녀가 쟁점주택에 대하여 관리권을 행사한 것으로 보아 처분청이 쟁점주택을 증여받은 것에 대한 증여세를 과세하는 것은 별론으로 하더라도, 청구인이 쟁점주택을 자녀에게 명의신탁하였다고 보아 청구인에게 양도소득세를 부과한 이 건 처분은 잘못이 있음.

서면-2017-징세-1112, 2018. 4. 24.

판결 등에 의하여 다른 것으로 확정되었는지는 판결문의 구체적 내용, 부동산거래의 실질 등을 살펴 사실 판단하는 것임.

대법원-2016-두-43428, 2016. 9. 28.

명의신탁 부동산의 양도소득세 관련 실질과세의 주장 입증책임은 납세자에게 있으며, 이를 인정할 만한 증거가 없으므로 납세자가 주장하는 사유만으로는 추정을 번복하기에 부족함.

조심-2016-중-2291, 2016. 8. 24.

양도대금의 2분의 1을 청구인의 농협 계좌에 입금된 사실이 나타나고, 이에 대해 청구인은 채권채무관계에 따라 이를 지급받았다고 주장할 뿐 구체적인 내용과 증빙을 전혀 제시하지 못하고 있어 쟁점1토지의 양도대금으로 지급받은 것으로 보이는 점 등 청구주장을 받아들이기 어려움.

심사-양도-2015-0112, 2015. 9. 11.

부동산 등기사항이 명의를 대여한 단순 명의신탁 등기라고 주장할 뿐 청구주장에 대한 객관적이고 구체적인 입증자료 제시가 전무한바 청구주장만으로 청구인을 단순 명의수탁자라고 인정하기는 어렵다고 판단됨.

심사-양도 2014-0193, 2015. 2. 10.

청구인은 동일 세대원인 자녀 명의빌라가 명의신탁한 주택이라 주장하나 구체적 증거가 없어 인정할 수 없으므로 1세대 1주택 비과세 요건을 충족하지 않음.

서면5팀-2908, 2007. 11. 8.

종중소유 부동산을 종중원에게 명의신탁하였다가 사실상 소유자인 종중으로 환원하는 것은 양도로 보지 아니하는 것이나 이에 해당하는지 여부는 사실판단 사항임.

서면5팀-1288, 2007. 4. 20.

법인이 직원인 개인에게 명의신탁한 자산을 법인명의로 환원하는 것은 양도로 보지 아니하는 것임.

서면4팀-316, 2007. 1. 23.

명의신탁 했던 재산을 법원의 확정판결에 의하여 신탁해지를 원인으로 소유권이전등기를 하는 경우 양도소득세가 과세되지 아니하는 것임.

서면4팀-84, 2006. 1. 19.

명의신탁부동산을 양도 또는 증여하는 경우 납세의무자는 사실상 그 소득을 얻은 자가 되는 것임.

서면4팀-2203, 2005. 11. 16.

종중소유 부동산을 종중원에게 명의신탁하였다가 종중으로 환원하는 것은 양도로 보지 아니하며, 종중이 종중재산 매각대금을 무상으로 종회원에게 분배하는 경우 증여세가 과세되는 것임.

과세대상 양도담보 · 매도담보 · 가등기담보와 관련된 예규, 판례

조심-2018-구-3382, 2018. 11. 5.

청구인은 쟁점건물에 관한 소유권이전등기가 「소득세법」상 양도에 해당함을 전제로 관할등기소에 유상양도임이 명시되어 있는 '상가건물 매매계약서'를 제시하여 '매매'를 원인으로 소유권이전등기를 경료한 것으로 나타나는 점 등에 비추어 양도담보의 이행으로 이루어진 것이라고 보기 어렵다 할 것이므로 이 건 처분은 달리 잘못이 없는 것으로 판단됨.

조심-2017-전-2590, 2017. 11. 21.

쟁점부동산은 청구인에 대한 양도담보로서 소유권 이전된 것에 불과하고, 「소득세법 시행령」 제151조 제2항에 규정하는 양도로 보지 않는 경우에도 해당하지 않으므로 청구인에게 양도소득세를 부과한 이 건 처분은 부당함.

대법원-2014-두-46263, 2015. 5. 14.

소유권이전청구권가등기를 말소하는 것으로서 이 사건 토지를 재매수하는 것이라고 봄이 타당.

재재산-257, 2004. 2. 25.

채무자가 채무의 변제를 담보하기 위하여 그 자산을 양도하는 계약을 체결한 경우에는 양도로 보지 아니함.

과세대상 소유권이 환원되는 경우와 관련된 예규, 판례

조심-2016-부-1549, 2017. 1. 31.

영농조합법인에 대한 현물출자라기 보다는 쟁점토지의 매매계약을 체결한 후 중도금 및 잔금을 수령하지 못하여 매매계약을 합의해제 한 것으로 보이므로 청구인 등이 쟁점토지를 현물출자로 양도한 것으로 보아 양도소득세를 과세한 처분은 부당한 것으로 판단됨.

조심-2016-중-0699, 2016. 6. 29.

매매원인무효의 소에 의하여 그 매매가 원인무효로 확정되는 경우에는 자산의 양도로 보지 아니함.

서면4팀-3336, 2007. 11. 19.

계약내용 불이행 등 대금청산 절차 없이 단순히 소유권이전등기 절차만 경료됨으로써 당사자의 합의에 의한 계약해제로 소유권이 환원되는 경우 양도로 보지 않으나 이에 해당하는지는 사실판단함.

서면5팀-2844, 2007. 10. 29.

부동산 매매하고 소유권이전등기가 경료된 후 계약의 해제로 소유권이 환원되는 경우 대금의 청산절차를 걸친 사실상의 유상양도인 경우 양도세가 과세됨.

서면4팀-2550, 2007. 8. 31.

변동된 소유권에 대하여 원인무효 소의 확정판결로 인하여 소유권이 환원되는 경우 당초 소유권의 변동이 없는 것으로 보는 것임.

대법 2003두 6863, 2004. 1. 16.

회사 명의로 취득한 재산을 실질소유자 앞으로 회복시킨 것은 명의신탁재산의 환원에 불과하여 유상양도에 해당하지 않는다고 판단한 사례

과세대상 경매 · 대물변제 · 수용과 관련된 예규, 판례

조심-2019-중-2669, 2019. 10. 25.

매수인은 청구인으로부터 쟁점토지를 매수하기로 계약하며 같은 날 소유권이전등기를 경료하였고, 해당 소유권은 청구인에게 환원되지 아니하였으며, 심리일 현재 쟁점토지에 대한 임

의경매가 진행 중이므로 소유권 환원이나 매매대금 정산여부를 알 수 없는 상태에서 이 건 양도가 원인무효로 되었다거나 적법하게 취소되었다고 보기는 어려우므로 청구주장을 받아들이기 어렵다.

조심 - 2019 - 서 - 1200, 2019. 8. 22.

청구인은 쟁점토지를 대물변제를 원인으로 하여 취득한 것으로 보는 것이 타당하나, 쟁점토지의 취득가액을 객관적으로 입증할 만한 자료를 제시하지 못하고 있고, 청구인이 신고한 취득가액이나 대물변제 취득 과정에 비추어 실지취득가액이 불분명해 보이므로 이를 환산가액으로 하여 그 과세표준과 세액을 경정하는 것이 타당함.

조심 - 2018 - 서 - 0037, 2018. 3. 23.

피상속인은 쟁점부동산의 등기사항전부증명서상 기재와 달리 쟁점부동산의 명의수탁자에 불과한 것으로 보는 것이 타당하고, 상속인인 청구인들은 쟁점부동산 양도소득의 실질적 귀속자로 보기 어려움.

조심 - 2017 - 서 - 0186, 2017. 7. 21.

경매절차의 공정성이 훼손되었다는 점을 입증할 수 있는 객관적 증빙이 불충분하여 쟁점주식을 「상속세 및 증여세법」에 따른 보충적평가방법으로 평가하여 청구인들에게 증여세 등을 과세한 처분은 잘못이 있음.

대법원 - 2015 - 두 - 41340, 2015. 7. 23.

대물변제로 취득한 취득재산의 취득가액은 대물변제 당시 실지거래가액 상당액임.

헌재 2010헌바 134, 2011. 10. 25, 합헌

공용수용을 양도소득세 과세대상에서 제외하지 않는 법률조항이 현저하게 합리성을 결여하여 입법재량을 일탈하였다거나 재산권을 침해한다고 볼 수 없고 일반 양도로 인한 양도소득과 동일하게 양도소득세를 부과하는 것은 평등원칙에 반하지 아니함.

헌재 2006헌바 71, 2007. 4. 26.

협의수용된 경우에 그 소유권이전의 대가를 지급받게 되는 이상 협의수용은 「소득세법」(2003. 12. 30. 법률 제7006호로 개정된 것) 제88조 제1항의 양도의 범위에 속할 수 밖에 없음.

서면4팀 - 3581, 2006. 10. 30.

수용 또는 협의매수를 원인으로 국가에 이전되는 경우에도 양도소득세 과세대상인 양도에 해당하는 것임.

서면4팀 - 2824, 2006. 8. 17.

공공사업 시행으로 소유주택이 철거됨에 따라 사업시행자로부터 공급받는 이주자 택지를 제

3자에게 이주자 택지에 대한 모든 권리를 양도하는 경우 양도세가 과세됨.

서면4팀-1159, 2006. 4. 28.

내물번세로 소유토지를 양도할 경우 양도소득세가 과세됨.

서면4팀-1064, 2006. 4. 21.

「택지개발촉진법」에 의한 택지개발사업지구 내 소재하는 건물 등 양도소득세 과세대상 자산을 양도하고 동 사업시행자로부터 보상금을 지급받는 경우 철거 여부와 관계없이 양도에 해당함.

헌재 2001헌바 44, 2002. 6. 27.

임의경매에 의해 물상보증인의 부동산 소유권이 이전된 경우, 경락대금인 양도소득이 물건소유자인 물상보증인에게 귀속된 것으로 보아 양도세 과세함은 위헌 아님.

과세대상이 아닌 환지처분과 체비지 충당과 관련된 예규, 판례

조심-2017-구-0429, 2017. 3. 20.

「소득세법 시행규칙」 제77조 제1항 제2호 나목에는 1984. 12. 31. 이전에 환지예정지로 지정된 토지의 취득 당시 기준시가는 환지예정면적에 취득당시의 단위당 기준시가를 곱하여 산정하도록 규정하고 있어 이 건 양도소득세를 부과한 처분은 잘못이 없는 것으로 판단됨.

조심-2015-서-5723, 2016. 3. 11.

청구인들이 추진한 이 건 재건축사업은 「도시 및 주거환경정비법」이 적용되지 아니하는 일반 재건축에 해당하는 것이어서 쟁점토지를 「소득세법」 제88조 제2항에서 규정하는 환지처분에 의한 체비지로 충당된 경우로 볼 수 없는 점 등에 비추어 이 건 과세처분은 잘못이 없음.

재재산-37, 2013. 1. 16.

도시개발법에 의한 환지처분으로 인해 환지된 면적이 환지계획상의 권리면적보다 감소하여 그 부족분에 대한 환지청산금을 수령하는 경우에는 「소득세법」 제88조 제1항에서 규정하는 양도에 해당하는 것임.

서면5팀-444, 2007. 2. 5.

재건축사업의 조합원이 소유한 토지·건물을 정비사업조합에 현물출자하고 관리처분계획에 따라 재건축한 주택을 분양받은 것은 환지로 보아 양도에 해당하지 않음.

서면4팀-2308, 2005. 11. 23.

환지처분으로 환지청산금을 수령한 경우 양도되는 토지 등의 면적은 환지 전 토지 등의 면적에 환지청산금이 분양기준액에서 차지하는 비율을 곱하여 계산하는 것임.

서면4팀-2100, 2005. 11. 8.

(구)「토지구획정리사업법」 제49조의 '동의에 의한 환지 불지정'한 토지는 동법 제68조의 청산금을 지급받은 경우 양도소득세 과세대상이며 양도시기는 청산금을 받은 날, 소유권이전등기접수일, 환지처분의 공고가 있는 날 중 빠른 날임.

서면4팀-683, 2005. 5. 3.

재개발조합의 조합원으로 참여한 자가 종전 건물을 재개발조합에 제공하고 재개발사업의 관리처분계획에 따라 재건축하는 건물을 받는 것은 환지처분으로 보며, 그 취득시기는 환지 전의 건물의 취득일로 함.

서면4팀-187, 2005. 1. 26.

「주택재개발사업」 또는 주택재건축사업을 시행하는 정비사업조합의 조합원으로 참여한 자가 당초 관리처분계획의 변경 없이 관리처분계획과 다르게 분양받을 주택이 변경된 경우는 환지로 보지 않고 교환으로 보아 양도소득세를 과세함.

서면4팀-1753, 2004. 10. 29.

「주택건설촉진법」상의 재건축사업의 경우, 재건축조합에 당해 조합원이 소유한 토지 · 건물을 현물출자하고 동 사업시행 완료로 동 조합으로부터 그 처분계획에 따라 재건축한 주택을 분양받은 것은 환지로 보아 양도에 해당 안 됨.

서면4팀-1504, 2004. 9. 22.

재개발조합원이 교부받은 청산금은 그 청산금에 상당하는 종전의 토지 · 건물을 유상으로 이전한 것에 해당하므로 양도소득세가 과세됨. 다만, 1세대 1주택 비과세대상 주택의 조합원은 청산금을 받은 경우에도 비과세함.

재산 46014-243, 2002. 12. 9.

택지개발지구로 지정된 토지를 사업시행자와 매매계약하면서 개발 후에 새로운 지번의 토지를 공급받는 조건으로 양도시, '환지처분'에 해당하지 않으나, '공공사업용 토지의 양도'에는 해당하는 사례

서일 46014-10214, 2002. 2. 22.

「택지개발촉진법」상 택지개발지구로 지정된 토지의 일부를 사업시행자와 '환매특약부 매매계약'하여 개발 후에 새로운 지번의 토지를 공급받는 조건으로 양도하는 경우에는 '환지처분'에 해당하지 않음.

서일 46011-10193, 2001. 9. 17.

'주택건설촉진법에 의한 재건축조합'이 아닌 조합이 시행하는 재건축사업의 경우에는 '환지

처분'으로 볼 수 없어 토지일부가 건축비로 충당되는 경우, 양도세 과세됨.

제도 46014-10697, 2001. 4. 20.

환지청산금을 현금으로 교부받은 부분은 토지가 유상으로 이전되는 것이므로 양도세 과세대상이며, 그 양도시기는 환지처분의 공고가 있은 날의 다음날로 함.

제 3 절 양도소득세 과세대상 자산

양도소득은 소득세법에서 열거하고 있는 다음의 자산 양도로 인하여 발생하는 소득만을 그 대상으로 한다(소득법 §94).

① 토지[「공간정보의 구축 및 관리 등에 관한 법률」(2016. 9. 1.)에 따라 지적공부(地籍公簿)에 등록하여야 할 지목에 해당하는 것을 말함] 또는 건물(건물에 부속된 시설물과 구축물 포함)

② 부동산에 관한 권리

(가) 부동산을 취득할 수 있는 권리(건물이 완성되는 때에 그 건물과 이에 딸린 토지를 취득할 수 있는 권리 포함)

(나) 지상권

(다) 전세권

(라) 등기된 부동산임차권

③ 「자본시장과 금융투자업에 관한 법률」에 따른 주권상장법인의 주식 등으로서 대주주가 양도하는 것

④ 「자본시장과 금융투자업에 관한 법률」에 따른 주권상장법인의 주식 등으로서 증권시장에서의 거래에 의하지 아니하고 양도하는 것

⑤ 주권비상장법인의 주식 등

⑥ 외국법인이 발행하였거나 외국에 있는 시장에 상장된 주식등으로서 대통령령으로 정하는 것

⑦ 기타자산

(가) 사업에 사용하는 고정자산(위 ① 및 ②의 자산을 말함)과 함께 양도하는 영업권

(나) 시설물 이용권(관련 주식 등 포함)

(다) 과점주주 주식

(라) 부동산과다보유법인의 주식

(마) 그린벨트내 토지 또는 건물과 함께 양도하는 이축권(다만, 이축권 가액을 대통령령으로 정하는 방법에 따라 별도로 평가하여 신고하는 경우는 기타소득으로 과세)

⑧ 파생상품 등의 거래 또는 행위로 발생하는 소득

양도소득세의 과세대상은 소득세법에 규정된 위 자산으로 한정하므로 그 밖의 자산에 대해서는 양도소득세가 과세되지 아니한다.

한편 양도자산이 위 ③~⑥에 모두 해당되는 경우에는 ⑥을 적용한다.

1 토지 또는 건물

「민법」상 부동산은 '토지 및 정착물'로 정의된다. 그리고 부동산 이외의 물건은 동산이다(민법 §99 참조). 토지는 물리적으로 구분성을 갖지 못하기 때문에 인위적으로 구분하여 '토지대장' 또는 '임야대장' 등의 지적공부에 등록하고 이를 토지등기사항증명서에 기재한다. 인위적으로 구분된 토지에는 지번을 붙이고 '필'로서 그 개수를 센다.

토지의 정착물이란 토지에 고정되어 사용되는 물건으로서 그러한 상태로 사용되는 것이 부동산 전체의 경제적 효용을 높일 수 있는 것을 말하는 바, 건물 · 묘목 · 미분리과실 · 농작물 · 교량 · 터널 · 담장 · 제방 등이 이에 속한다. 그러나 가건물 · 가식과 토지나 건물에 충분히 정착된 것으로 볼 수 없는 기계장치 등은 동산으로서 정착물이 아니다.

토지의 정착물 중 건물과 「입목법」에 의한 수목은 별개의 부동산으로 다루어지나, 교량 · 터널 · 담장 · 제방 등은 그 자체가 토지와는 독립적 거래능력이 없으므로 토지의 일부로 처리되며, 토지의 양도시 별도의 특약이 없는 한 그의 정착물은 토지와 일체가 되어 양도되는 것으로 보고 양도소득세를 과세한다.

가. 토 지

양도소득세의 과세대상이 되는 토지라 함은 대장(토지대장, 임야대장, 공유지연명부, 대지권등록부), 도면(지적도, 임야도), 경계점좌표등록부 등 지적공부에 등록하여야 할 지목에 해당하는 것을 말하고, 지목은 지적공부상의 지목에 관계없이 사실상의 지목에 의하나 사실상의 지목이 불분명한 경우에는 지적공부상의 지목에 의한다.

지적공부상에 등록하여야 할 지목이란 토지의 주된 사용목적에 따라 토지의 종류를 구분 표시하는 명칭으로서 「공간정보의 구축 및 관리 등에 관한 법률」에서 다음과 같이 28개의 지목으로 규정하고 있다.

지목의 구분(공간정보의 구축 및 관리 등에 관한 법률 §67, 같은 법 시행령 §58)

1) 전

물을 상시적으로 이용하지 않고 곡물 · 원예작물(과수류 제외) · 약초 · 뽕나무 · 닥나무 · 묘목 · 관상수 등의 식물을 주로 재배하는 토지와 식용(食用)으로 죽순을 재배하는 토지

2) 답

물을 상시적으로 직접 이용하여 벼 · 연(蓮) · 미나리 · 왕골 등의 식물을 주로 재배하는 토지

3) 과수원

사과 · 배 · 밤 · 호두 · 귤나무 등 과수류를 집단적으로 재배하는 토지와 이에 접속된 저장고 등 부속시설물의 부지. 다만, 주거용 건축물의 부지는 "대"로 한다.

4) 목장용지

다음 각 목의 토지. 다만, 주거용 건축물의 부지는 "대"로 한다.

가) 축산업 및 낙농업을 하기 위하여 초지를 조성한 토지

나) 「축산법」 제2조 제1호에 따른 가축을 사육하는 축사 등의 부지

다) 가) 및 나)의 토지와 접속된 부속시설물의 부지

5) 임 야

산림 및 원야(原野)를 이루고 있는 수림지(樹林地) · 죽림지 · 암석지 · 자갈땅 · 모래땅 · 습지 · 황무지 등의 토지

6) 광천지

지하에서 온수 · 약수 · 석유류 등이 용출되는 용출구(湧出口)와 그 유지(維持)에 사용되는 부지. 다만, 온수 · 약수 · 석유류 등을 일정한 장소로 운송하는 송수관 · 송유관 및 저장시설의 부지는 제외한다.

7) 염 전

바닷물을 끌어들여 소금을 채취하기 위하여 조성된 토지와 이에 접속된 제염장(製鹽場) 등 부속시설물의 부지. 다만, 천일제염 방식으로 하지 아니하고 동력으로 바닷물을 끌어들여 소금을 제조하는 공장시설물의 부지는 제외한다.

8) 대

가) 영구적 건축물 중 주거 · 사무실 · 점포와 박물관 · 극장 · 미술관 등 문화시설과 이에 접속된 정원 및 부속시설물의 부지

나) 「국토의 계획 및 이용에 관한 법률」 등 관계 법령에 따른 택지조성공사가 준공된 토지

9) 공장용지

가) 제조업을 하고 있는 공장시설물의 부지

나) 「산업집적활성화 및 공장설립에 관한 법률」 등 관계 법령에 따른 공장부지 조성공사가 준공된 토지

다) 가) 및 나)의 토지와 같은 구역에 있는 의료시설 등 부속시설물의 부지

10) 학교용지

학교의 교사(校舍)와 이에 접속된 체육장 등 부속시설물의 부지

11) 주차장

자동차 등의 주차에 필요한 독립적인 시설을 갖춘 부지와 주차전용 건축물 및 이에 접속된 부속시설물의 부지. 다만, 다음 각 목의 어느 하나에 해당하는 시설의 부지는 제외한다.

가) 「주차장법」 제2조 제1호 가목 및 다목에 따른 노상주차장 및 부설주차장(「주차장법」 제19조 제4항에 따라 시설물의 부지 인근에 설치된 부설주차장은 제외한다)

나) 자동차 등의 판매 목적으로 설치된 물류장 및 야외전시장

12) 주유소용지

다음 각 목의 토지. 다만, 자동차·선박·기차 등의 제작 또는 정비공장 안에 설치된 급유·송유시설 등의 부지는 제외한다.

가) 석유·석유제품 또는 액화석유가스 등의 판매를 위하여 일정한 설비를 갖춘 시설물의 부지

나) 저유소(貯油所) 및 원유저장소의 부지와 이에 접속된 부속시설물의 부지

13) 창고용지

물건 등을 보관하거나 저장하기 위하여 독립적으로 설치된 보관시설물의 부지와 이에 접속된 부속시설물의 부지

14) 도 로

다음 각 목의 토지. 다만, 아파트·공장 등 단일 용도의 일정한 단지 안에 설치된 통로 등은 제외한다.

가) 일반 공중(公衆)의 교통 운수를 위하여 보행이나 차량운행에 필요한 일정한 설비 또는 형태를 갖추어 이용되는 토지

나) 「도로법」 등 관계 법령에 따라 도로로 개설된 토지

다) 고속도로의 휴게소 부지

라) 2필지 이상에 진입하는 통로로 이용되는 토지

15) 철도용지

교통 운수를 위하여 일정한 궤도 등의 설비와 형태를 갖추어 이용되는 토지와 이에 접

속된 역사(驛舍)·차고·발전시설 및 공작창(工作廠) 등 부속시설물의 부지

16) 제 방

조수·자연유수(自然流水)·모래·바람 등을 막기 위하여 설치된 방조 제·방수제·방사제·방파제 등의 부지

17) 하 천

자연의 유수(流水)가 있거나 있을 것으로 예상되는 토지

18) 구 거

용수(用水) 또는 배수(排水)를 위하여 일정한 형태를 갖춘 인공적인 수로·둑 및 그 부속시설물의 부지와 자연의 유수(流水)가 있거나 있을 것으로 예상되는 소규모 수로부지

19) 유 지(溜池)

물이 고이거나 상시적으로 물을 저장하고 있는 댐·저수지·소류지(沼溜地)·호수·연못 등의 토지와 연·왕골 등이 자생하는 배수가 잘 되지 아니하는 토지

20) 양어장

육상에 인공으로 조성된 수산생물의 번식 또는 양식을 위한 시설을 갖춘 부지와 이에 접속된 부속시설물의 부지

21) 수도용지

물을 정수하여 공급하기 위한 취수·저수·도수(導水)·정수·송수 및 배수 시설의 부지 및 이에 접속된 부속시설물의 부지

22) 공 원

일반 공중의 보건·휴양 및 정서생활에 이용하기 위한 시설을 갖춘 토지로서 「국토의 계획 및 이용에 관한 법률」에 따라 공원 또는 녹지로 결정·고시된 토지

23) 체육용지

국민의 건강증진 등을 위한 체육활동에 적합한 시설과 형태를 갖춘 종합운동장·실내체육관·야구장·골프장·스키장·승마장·경륜장 등 체육시설의 토지와 이에 접속된 부속시설물의 부지. 다만, 체육시설로서의 영속성과 독립성이 미흡한 정구장·골프연습장·실내수영장 및 체육도장, 유수(流水)를 이용한 요트장 및 카누장, 산림 안의 야영장 등의 토지는 제외한다.

24) 유원지

일반 공중의 위락·휴양 등에 적합한 시설물을 종합적으로 갖춘 수영장·유선장(遊船場)·낚시터·어린이놀이터·동물원·식물원·민속촌·경마장 등의 토지와 이에 접속된 부속시설물의 부지. 다만, 이들 시설과의 거리 등으로 보아 독립적인 것으로 인정

되는 숙식시설 및 유기장(遊技場)의 부지와 하천·구거 또는 유지[공유(公有)인 것으로 한정한다]로 분류되는 것은 제외한다.

25) 종교용지

일반 공중의 종교의식을 위하여 예배·법요·설교·제사 등을 하기 위한 교회·사찰·향교 등 건축물의 부지와 이에 접속된 부속시설물의 부지

26) 사적지

문화재로 지정된 역사적인 유적·고적·기념물 등을 보존하기 위하여 구획된 토지. 다만, 학교용지·공원·종교용지 등 다른 지목으로 된 토지에 있는 유적·고적·기념물 등을 보호하기 위하여 구획된 토지는 제외한다.

27) 묘 지

사람의 시체나 유골이 매장된 토지, 「도시공원 및 녹지 등에 관한 법률」에 따른 묘지공원으로 결정·고시된 토지 및 「장사 등에 관한 법률」 제2조 제9호에 따른 봉안시설과 이에 접속된 부속시설물의 부지. 다만, 묘지의 관리를 위한 건축물의 부지는 "대"로 한다.

28) 잡종지

다음 각 목의 토지. 다만, 원상회복을 조건으로 돌을 캐내는 곳 또는 흙을 파내는 곳으로 허가된 토지는 제외한다.

가) 갈대밭, 실외에 물건을 쌓아두는 곳, 돌을 캐내는 곳, 흙을 파내는 곳, 야외시장, 비행장, 공동우물

나) 영구적 건축물 중 변전소, 송신소, 수신소, 송유시설, 도축장, 자동차운전학원, 쓰레기 및 오물처리장 등의 부지

다) 다른 지목에 속하지 않는 토지

나. 건 물

1) 건물의 정의

건물은 토지의 정착물이나, 토지와는 완전히 별개의 독립된 물건으로 취급되는 것으로서, 양도소득세의 과세대상이 되는 건물의 범위에는 그 건물에 부속된 시설물과 구축물을 포함한다.

「소득세법」에서는 건물, 시설물 및 구축물의 범위에 대해 규정하고 있지 않으나, 과세관청에서는 「건축법」을 적용하여 '토지에 정착하는 공작물 중 사실상 준공된 것으로서 지붕 및 기둥 또는 벽이 있는 것과 이에 부수된 시설물과 구축물'로 보고 있다.

건물의 정의를 보면, 「민법」은 정착물, 「소득세법」(양도세)은 건물(시설물, 구축물 포함), 「지방세법」(취득세)은 건축물, 「건축법」은 건축물로 각각 쓰이고 있으나 내용의 큰 차이는 없어 보인다. 이를 표로 구분해 본다.

구 분	부동산의 정의(건물)
민법	토지 및 정착물(건물과 정착설비)
소득세법(양도소득세 과세대상)	토지 또는 건물(구축물과 시설물 포함)
지방세법(취득세 과세대상)	토지 및 건축물(구축물과 부대시설 포함)
건축법	토지 및 건축물(공작물, 건축설비)

건물의 용도구분은 공부상의 용도에 관계없이 원칙적으로는 사실상의 용도에 따라 판단해야 하나, 실무상 사실상의 용도를 구분할 수 없는 경우에는 공부상의 용도에 따른다.

따라서 사실상 용도가 확인되는 경우에는 사실상 용도에 따라 실질과세원칙을 적용해야 한다.

2) 건축중인 건물

건축중인 건물은 어느 정도에 이르면 건물이라고 할 수 있는가 또는 헐고 있는 건물은 어느 정도에 이르면 건물이 아니라고 할 수 있는가는 물리적 구조만을 표준으로 획일적으로 정할 수 없다. 이것은 어디까지나 사회통념에 따라 또는 그 건물의 기능과 효용 및 사용목적에 따라 결정할 일이며 반드시 완성된 것을 요하는 것은 아니라고 할 것이다.

완성되지 아니한 건물에 대하여 과세관청에서는 「건축법」상의 건축물에 해당하는 경우에는 완성된 건물로 보고 과세대상으로 하고 있다. 따라서 자기소유 토지 위에 건물을 건축중에 토지와 건축중인 건물을 양도하는 경우에는 건축중인 건물이 「건축법」상의 건축물에 해당되는지 여부에 따라 양도소득세의 과세방법이 달라진다.

즉 건축중인 건물이 「건축법」상의 건축물에 해당되는 경우에는 양도시점에 토지와 건물에 대하여 양도소득세가 과세되나 「건축법」상의 건축물에 해당되지 아니한 경우에는 토지와 건물부분 전체를 토지에 대한 양도로 과세된다.

3) 건축법상 건축물의 정의(건축법 §2)

① '건축물'이란 토지에 정착(定着)하는 공작물 중 지붕과 기둥 또는 벽이 있는 것과 이에 딸린 시설물, 지하나 고가(高架)의 공작물에 설치하는 사무소 · 공연장 · 점포 · 차고 ·

창고, 그 밖에 대통령령으로 정하는 것을 말한다.

▶▶ 건축물 = 지붕 and (기둥 or 벽)

② '건축설비'란 건축물에 설치하는 전기·전화 설비, 초고속 정보통신 설비, 지능형 홈네트워크 설비, 가스·급수·배수(配水)·배수(排水)·환기·난방·소화(消火)·배연(排煙) 및 오물처리의 설비, 굴뚝, 승강기, 피뢰침, 국기 게양대, 공동시청 안테나, 유선방송 수신시설, 우편함, 저수조(貯水槽), 그 밖에 국토교통부령으로 정하는 설비를 말한다.

2 | 부동산에 관한 권리

「민법」상 물권은 점유권, 소유권, 용익물권(지상권, 지역권, 전세권), 담보물권(유치권, 질권, 저당권, 가등기담보, 양도담보)을 말한다.

양도소득세의 과세대상인 부동산에 관한 권리는 부동산을 취득할 수 있는 권리, 지상권, 전세권, 등기된 부동산임차권을 말한다. 즉, 용익물권 중 지역권과 질권·유치권·저당권 등 담보물권은 양도소득세 과세대상이 아니라는 사실에 유의하여야 한다.

가. 부동산을 취득할 수 있는 권리

부동산을 취득할 수 있는 권리라 함은 그 부동산의 취득시기가 도래하기 전에 당해 부동산을 취득할 수 있는 권리를 말한다. 부동산을 취득할 수 있는 권리의 예시는 다음과 같으며 그 외에도 있을 수 있다(소득통칙 94-0…1 부동산을 취득할 수 있는 권리의 예시).

1) 건물이 완성되는 때에 그 건물과 이에 딸린 토지를 취득할 수 있는 권리(아파트당첨권)
2) 지방자치단체·한국토지공사가 발행하는 토지상환채권
3) 대한주택공사가 발행하는 주택상환채권
4) 부동산매매계약을 체결한 자가 계약금만 지급한 상태에서 양도하는 권리(오피스텔, 상가, 토지 등의 계약금이나 중도금 지급한 상태의 권리)
   가) **주택청약예금통장 등** : 주택청약예금통장, 아파트분양신청접수증 등과 같이 아파트 당첨을 목적으로 이루어지는 증서는 부동산을 취득할 수 있는 권리에 해당된다.
   나) **재건축·재개발정비사업조합원의 지위(조합원입주권)** : 「도시 및 주거환경정비법」에 의한 재개발(재건축)정비사업조합의 조합원의 지위를 관리처분계획인가일부

터 사용검사일 전까지의 기간에 양도하는 경우에는 부동산을 취득할 수 있는 권리로 보아 과세한다. 건물이 철거된 후이므로 대지만 양도한 것으로 판단해서는 안 되며, 프리미엄이 포함된 실지거래가액으로 과세한다. 더구나 2006. 1. 1. 이후부터는 입주권 외에 주택을 양도하는 경우 주택수 판정시 본 입주권은 주택으로 보아 1세대 1주택 비과세 여부 또는 1세대 2주택 이상 중과 규정을 적용(일정기간은 중과 유예)하도록 세법을 개정하였다.

* 조합원입주권 관련 내용은 후술하는 1세대 1주택 비과세 설명시 자세히 보기로 한다.

다) **국민주택채권 및 사용수익기부자산의 사용수익권** : 채권입찰제 실시 아파트를 분양받기 위하여 매입한 국민주택채권은 부동산에 관한 권리로 볼 수 없는 단순한 채권에 불과하기 때문에 양도소득세의 과세대상이 아니며, 자산을 기부한 후에 그 자산을 사용하거나 그 자산으로부터 수익을 받은 경우의 당해 사용수익권을 양도하는 것은 부동산에 관한 권리의 양도로 보지 아니한다.

라) **임대주택입주권** : 임대주택의 입주권을 전매할 수 없음에도 불구하고 전매한 경우, 영구임대주택입주권은 궁극적으로 당해 주택을 취득할 수 없기 때문에 당해 입주권의 양도는 부동산을 취득할 수 있는 권리의 양도로 보기 어려우며, 부동산상의 권리를 대여한 것으로 보아 부동산소득으로 과세함이 타당할 것이다. 그러나 일정기간 경과 후 최초 입주자에게 임대주택의 분양권을 부여하는 임대주택의 입주권 양도는 부동산을 취득할 수 있는 권리의 양도로 보아야 할 것이다.

나. 지상권

지상권이라 함은 타인의 토지에 건물이나 공작물을 축조하거나 또는 수목을 소유하기 위하여 토지를 사용하는 권리를 말한다(「민법」 §279). 이러한 지상권은 타인에게 그 권리를 양도하거나, 존속기간 내에서 목적물인 당해 토지를 임대할 수 있다.

지상권은 채권이 아니고 물권이므로 「부동산등기법」의 규정에 의하여 등기하지 않으면 당사자 및 제3자에 대항할 수 없으나 「소득세법」에서는 등기에 관계없이 사실에 좇아 과세한다. 다만, 토지소유자로부터 토지를 임차한 후 동 지상에 건물을 신축하여 사용하던 자가 토지소유자에게 건물을 일괄양도하여 건물에 대하여 양도소득세가 과세되는 경우에는 당사자간에 지상권설정계약과 그에 따른 등기가 설정되어 있지 않는 한 지상권에 대하여는 별도로 과세하지 않는다.

다. 전세권

전세권이라 함은 전세권자가 전세금을 지급하고 타인(전세권 설정자)의 부동산을 점유하여 그 부동산의 용도를 좇아 사용・수익하는 권리를 말하는데, 농경지는 전세권의 목적으로 하지 못한다(「민법」 §303). 전세권자는 전세권을 타인에게 양도 또는 담보로 제공할 수 있고 그 전세권의 존속기간 내에 타인에게 전전세 또는 임대할 수 있다. 전세권도 물권이므로 등기를 하여야만 「민법」상의 효력이 생기는 것이나 세법에서는 등기・등록에 관계없이 사실상의 소유권(재산권)의 이전 등의 행위에 대하여 과세하게 된다.

라. 등기된 부동산임차권

등기된 부동산임차권은 부동산에 관한 임차권을 등기한 경우인데, 임차권이라 함은 임대차계약에 기하여 임차인이 임대인의 소유물건을 사용・수익하는 권리를 말한다. 임대차에 관한 권리는 물권이 아닌 채권이다. 그러므로 임대차는 당사자간에서만 효력이 있고 제3자에게 대항할 수 없다(「민법」 §621). 또한 임차인은 임대인의 동의가 있는 경우에는 그 권리를 양도하거나 임차물을 전대할 수 있다(「민법」 §629).

따라서 「소득세법」에서는 지상권 및 전세권과는 달리 부동산임차권의 경우에는 등기된 것에 한하여 양도소득세의 과세대상으로 하고, 등기되지 아니한 부동산임차권의 양도에 대하여는 「소득세법 시행령」 제41조 제4항에 따른 점포임차권(기타소득으로서 종합소득세 과세)에 해당되는 것을 제외하고는 과세대상으로 하지 않고 있다.

3 주식 등(주식, 출자지분, 신주인수권, 증권예탁증권)

가. 과세대상 범위

다음 각 호의 어느 하나에 해당하는 주식 또는 출자지분(신주인수권과 증권예탁증권을 포함한다)의 양도로 발생하는 소득

① 「자본시장과 금융투자업에 관한 법률」에 따른 주권상장법인의 주식등으로서 소유주식의 비율・시가총액 등을 고려하여 대통령령으로 정하는 대주주가 양도하는 것과 같은 법에 따른 증권시장에서의 거래에 의하지 아니하고 양도하는 것

② 주권상장법인이 아닌 법인의 주식등

* 증권예탁증권 : 「자본시장과 금융투자업에 관한 법률」 제4조 제2항 제2호의 지분증권을 예탁받은 자가 그 증권이 발행된 국가 외의 국가에서 발행한 것으로서 그 예탁받은 증권에 관련된 권리가 표시된 것(2011년 이후 양도분부터 과세됨, 소득령 §157 ①)

* 주권상장법인 및 주권비상장법인(「자본시장과 금융투자업에 관한 법률」 §9 ⑮)

> ① 주권상장법인 : 다음 각 목의 어느 하나에 해당하는 법인
> 가. 증권시장에 상장된 주권을 발행한 법인
> 나. 주권과 관련된 증권예탁증권이 증권시장에 상장된 경우에는 그 주권을 발행한 법인
> ② 주권비상장법인 : 주권상장법인을 제외한 법인

* 증권시장(「자본시장과 금융투자업에 관한 법률」 §9 ⑬)

> "증권시장"이란 증권의 매매를 위하여 거래소가 개설하는 시장
> ① 유가증권시장 : 제4조 제2항 각 호의 증권(채무증권, 지분증권, 수익증권, 투자계약증권, 파생결합증권, 증권예탁증권)의 매매를 위하여 개설하는 시장
> ② 코스닥시장 : 제4조 제2항 각 호의 증권 중 유가증권시장에 상장되지 아니한 다음 각 호의 증권*의 매매를 위하여 개설하는 시장
> * 코스닥시장 거래대상 증권
> –사채권, 주권, 신주인수권이 표시된 것, 상장지수집합투자기구의 수익증권, 파생결합증권, 외국법인등이 발행한 주권과 관련된 증권예탁증권(예탁결제원이 발행한 것에 한한다)

유가증권시장 업무규정 제4조【시장의 구분 및 매매거래시간】

① 시장은 다음 각 호의 시장으로 구분한다.
1. 주식시장
2. 상장지수집합투자기구 집합투자증권시장
3. 신주인수권증서시장
4. 신주인수권증권시장
4의 2. 주식워런트증권시장
5. 수익증권시장
6. 채무증권시장

② 제1항 제1호부터 제2호의 2의 시장에는 정규시장외에 시간외시장을 둔다.

③ 매매거래시간은 다음 각 호와 같다. 다만, 거래소가 전산장애발생 등 시장관리상 필요하다고 인정하여 세칙으로 정하는 경우에는 이를 임시로 변경할 수 있다.
1. 정규시장 : 9시부터 15시 30분까지로 하되, 제30조의 2에 따른 장중경쟁대량매매는

9시부터 15시까지로 한다. 다만, 제23조 제1항의 제4호 규정에 의하여 장종료시의 가격을 결정함에 있어 단일가매매참여호가의 범위를 연장하는 종목의 경우에는 15시 30분 이후 5분 이내에서 당해 가격이 결정되는 시점까지로 한다.

2. 시간외시장의 경우 다음 각 목의 시간
   가. 장개시전 시간외시장 : 7시 30분부터 9시까지로 하되, 시간외종가매매 및 시간외경쟁대량매매는 7시 30분부터 8시 30분까지로 한다.
   나. 장종료후 시간외시장 : 15시 40분부터 18시까지로 하되, 시간외종가매매의 경우에는 15시 40분부터 16시까지로 하고, 시간외단일가매매의 경우에는 16시 이후부터 18시까지로 한다. 다만, 제34조의 2의 규정에 의하여 시간외단일가매매의 7최종가격을 결정하기 위하여 참여하는 호가의 범위를 연장하는 종목의 경우에는 18시 이후 당해 가격이 결정되는 시점까지로 한다.

코스닥시장 업무규정 제4조【시장의 구분 및 매매거래시간】

① 시장은 다음 각 호의 시장으로 구분한다.
1. 주식시장
2. 상장지수펀드시장
3. 신주인수권증권시장
4. 신주인수권증서시장

② 제1항 제1호 및 제2호의 시장에는 정규시장 외에 시간외시장을 둔다.

③ 시장의 매매거래시간은 다음 각 호와 같이 한다.
1. 정규시장 : 오전 9시부터 오후 3시 30분까지로 하되, 제19조의 3에 따른 장중경쟁대량매매는 오전 9시부터 오후 3시까지로 한다. 다만, 제18조 제8항에 따라 장종료시의 가격을 결정함에 있어 단일가매매 참여호가의 범위를 연장하는 종목의 경우에는 오후 3시 30분 이후 해당 가격이 결정되는 시점까지로 한다.
2. 시간외매매시장 : 시간외시장의 경우 다음 각 목의 시간
   가. 장개시전 시간외시장 : 오전 7시 30분부터 오전 9시까지로 하되, 제20조에 따른 시간외종가매매 및 제21조의 2에 따른 시간외경쟁대량매매는 오전 7시 30분부터 오전 8시 30분까지로 한다.
   나. 장종료후 시간외시장 : 오후 3시 40분부터 오후 6시까지로 하되, 제20조에 따른 시간외종가매매는 오후 3시 40분부터 오후 4시까지로 하고, 제21조의 3에 따른 시간외단일가매매는 오후 4시부터 오후 6시까지로 한다. 다만, 제21조의 3에 따라 시간외단일가매매의 최종가격을 결정하기 위하여 참여하는 호가의 범위를 연장하는 종목의 경우에는 오후 6시 이후 해당 가격이 결정되는 시점까지로 한다.

④ 거래소는 전산장애 발생 등으로 인하여 시장관리상 필요하다고 인정하여 세칙으로 정하는 경우에는 제3항의 시간을 임시로 변경할 수 있다.

나. 대주주의 범위

위 "가"에서 "대주주"란 다음 중 어느 하나에 해당하는 자를 말한다.

① 지분율 기준

법인의 "주식 등"을 소유하고 있는 "주주 1인" 및 "기타주주"가 이 주식 등의 양도일이 속하는 사업연도의 직전사업연도 종료일 현재 해당 법인의 주식 등의 합계액의 100분의 1(코스닥시장상장법인의 주식등과 「자본시장과 금융투자업에 관한 법률 시행령」 제178조 제1항에 따라 거래되는 벤처기업의 주식등의 경우에는 100분의 4, 코넥스시장상장법인[「자본시장과 금융투자업에 관한 법률 시행령」 제11조 제2항에 따른 코넥스시장(이하 "코넥스시장"이라 한다)에 상장된 주권을 발행한 법인을 말한다]의 주식등의 경우 : 소유주식의 비율이 100분의 4 이상. 이하 같음) 이상을 소유한 경우의 해당 주주 1인 및 기타 주주.

이 경우 직전사업연도 종료일 현재에는 100분의 1에 미달하였으나 그 후 주식 등을 취득함으로써 100분의 1 이상을 소유하게 되는 때에는 그 취득일 이후의 주주 1인 및 기타 주주를 포함한다{2016. 4. 1.부터 시행함, 영 부칙(2016. 3. 31.) 1조 단서)}.

가. 주주 1인 및 그와 「법인세법 시행령」 제43조 제8항 제1호에 따른 특수관계에 있는 자(이하 이 조에서 "주주 1인등"이라 한다)의 소유주식 비율의 합계가 해당 법인의 주주 1인등 중에서 최대인 경우 : 다음의 어느 하나에 해당하는 자 (2016. 3. 31. 신설)

1) 「국세기본법 시행령」 제1조의 2 제1항 각 호의 어느 하나에 해당하는 자

2) 「국세기본법 시행령」 제1조의 2 제3항 제1호에 해당하는 자

나. 주주 1인등의 소유주식 비율의 합계가 해당 법인의 주주-1인등 중에서 최대가 아닌 경우 : 다음의 어느 하나에 해당하는 자 (2016. 3. 31. 신설)

1) 직계존비속

2) 「국세기본법 시행령」 제1조의 2 제1항 제3호 또는 제4호에 해당하는 자

3) 「국세기본법 시행령」 제1조의 2 제3항 제1호에 해당하는 자

* 주식 등 : 주식, 출자지분, 신주인수권, 증권예탁증권
* 주주 1인 : 주주 또는 출자자 1인
* 기타주주 : 주주 1인과 「국세기본법 시행령」 제1조의 2 제1항 및 같은 조 제3항 제1호에 따른 특수관계인
* 벤처기업 : 「벤처기업육성에 관한 특별조치법」 제2조 제1항에 따른 벤처기업

② 시가총액 기준

주식 등의 양도일이 속하는 사업연도의 직전사업연도 종료일 현재 주주 1인 및 기타 주주가 소유하고 있는 해당 법인의 주식 등의 시가총액이 25억원(코넥스시장상장법인[「자본시장과 금융투자업에 관한 법률 시행령」 제11조 제2항에 따른 코넥스시장(이하 "코넥스시장"이라 한다)에 상장된 주권을 발행한 법인을 말한다]의 주식등의 경우 : 시가총액이 10억원 이상인 경우, 「자본시장과 금융투자업에 관한 법률 시행령」 제178조 제1항에 따라 거래되는 「벤처기업육성에 관한 특별조치법」 제2조 제1항에 따른 벤처기업의 주식등의 경우 : 시가총액이 40억원 이상인 경우)

| 대주주의 범위 확대 개정 내역(2013. 2. 15.) |

2013. 2. 14. 이전	2013. 2. 15. 이후
○ 지분율 기준 －일반법인의 주식 : 3% 이상 －코스닥시장상장법인·벤처기업주식 : 5% 이상 ○ 시가총액 기준 －일반법인의 주식 : 100억원 이상 －코스닥시장상장법인·벤처기업주식 : 50억원 이상	○ 지분율 기준 : 2% 이상 : 4% 이상 ○ 시가총액 기준 : 50억원 이상 : 40억원 이상

(적용시기) 2013. 7. 1.이 속하는 사업연도 종료일 후 양도하는 분부터 적용(2013. 2. 15. 대통령령 제24356호 부칙 §22 ②)

| 대주주 판정시 특수관계인(기타주주)의 범위 축소 개정 내역(2013. 2. 15.) |

2013. 2. 14. 이전	2013. 2. 15. 이후
○ 주주 1인과 「국세기본법 시행령」 제1조의 2 제1항부터 제3항까지의 규정에 따른 특수관계인(기타주주) • 친족관계 • 경제적 연관관계(임원·사용인 등) • 경영지배관계	○ 주주 1인과 「국세기본법 시행령」 제1조의 2 제1항 및 같은 조 제3항 제1호에 따른 특수관계인(기타주주) • 친족관계 • (제외) • 경영지배관계

(적용시기) 2013. 2. 15. 이후 양도하는 분부터 적용(2013. 2. 15. 대통령령 제24356호 부칙 §22 ①)

특수관계인의 범위(국기령 §1의 2)

① 친족관계
  1. 6촌 이내의 혈족
  2. 4촌 이내의 인척
  3. 배우자(사실상의 혼인관계에 있는 자를 포함한다)
  4. 친생자로서 다른 사람에게 친양자 입양된 자 및 그 배우자 · 직계비속

② 경제적 연관관계
  1. 임원과 그 밖의 사용인
  2. 본인의 금전이나 그 밖의 재산으로 생계를 유지하는 자
  3. 1호 및 2호의 자와 생계를 함께하는 친족

③ 경영지배관계
  1. 본인이 개인인 경우
    가. 본인이 직접 또는 그와 친족관계 또는 경제적 연관관계에 있는 자를 통하여 법인의 경영에 대하여 지배적인 영향력을 행사하고 있는 경우 그 법인
    나. 본인이 직접 또는 그와 친족관계, 경제적 연관관계 또는 가목의 관계에 있는 자를 통하여 법인의 경영에 대하여 지배적인 영향력을 행사하고 있는 경우 그 법인
  2. 본인이 법인인 경우
    가. 개인 또는 법인이 직접 또는 그와 친족관계 또는 경제적 연관관계에 있는 자를 통하여 본인인 법인의 경영에 대하여 지배적인 영향력을 행사하고 있는 경우 그 개인 또는 법인
    나. 본인이 직접 또는 그와 경제적 연관관계 또는 가목의 관계에 있는 자를 통하여 어느 법인의 경영에 대하여 지배적인 영향력을 행사하고 있는 경우 그 법인
    다. 본인이 직접 또는 그와 경제적 연관관계, 가목 또는 나목의 관계에 있는 자를 통하여 어느 법인의 경영에 대하여 지배적인 영향력을 행사하고 있는 그 법인
    라. 본인이 「독점규제 및 공정거래에 관한 법률」에 따른 기업집단에 속하는 경우 그 기업집단에 속하는 다른 계열회사 및 그 임원

※ 위 ③ 1호 각 목, ③ 2호 가.부터 다.까지의 규정을 적용할 때 다음 각 호의 구분에 따른 요건에 해당하는 경우 해당 법인의 경영에 대하여 지배적인 영향력을 행사하고 있는 것으로 본다.
  1. 영리법인인 경우
    가. 법인의 발행주식총수 또는 출자총액의 100분의 30 이상을 출자한 경우
    나. 임원의 임면권의 행사, 사업방침의 결정 등 법인의 경영에 대하여 사실상 영향력을 행사하고 있다고 인정되는 경우
  2. 비영리법인인 경우

가. 법인의 이사의 과반수를 차지하는 경우
나. 법인의 출연재산(설립을 위한 출연재산만 해당한다)의 100분의 30 이상을 출연하고 그 중 1인이 설립자인 경우

* 특수관계인 적용 범위 비교

구 분	적용 범위
부당행위계산 부인 규정 적용 시 특수관계인의 범위 (소득법 §101 ①, ②, 소득령 §98 ①, §167 ③, ④)	국기령 §1의 2 ①, ②, ③ 1호
대주주 판정 및 기타자산 판정시 "기타주주"의 범위 (소득령 §157 ④, §158 ④)	• 2013. 2. 14. 이전 : 국기령 §1의 2 ①, ②, ③ • 2013. 2. 15. 이후 : **국기령 §1의 2 ①, ③ 1호**
다주택 중과 배제대상 장기사원용주택 판정 (소득령 §167의 3 ① 4호) * 종업원에게 10년 이상 무상제공하는 주택은 중과배제되나 특수관계인에게 무상제공하는 주택은 중과	국기령 §1의 2 ①
추계결정·경정시 특수관계인과의 거래에 따른 매매사례가액·감정가액 적용 배제(소득령 §176의 2 ③ 본문)	국기령 §1의 2 ①, ②, ③ 1호

다. 시가총액의 적용

위 "나"에 따른 시가총액은 다음 각 호의 금액에 따른다.

1) 주권상장법인의 주식등의 경우에는 주식등의 양도일이 속하는 사업연도의 직전사업연도 종료일 현재의 최종시세가액. 다만, 직전사업연도 종료일 현재의 최종시세가액이 없는 경우에는 직전거래일의 최종시세가액에 따른다.
2) "1)" 외의 주식등의 경우에는 「소득세법 시행령」 제165조 제4항에 따른 평가액(기준시가)

라. 법인 합병시 대주주 판정

위 "나" 및 "다"를 적용할 때 피합병법인의 주주가 합병에 따라 합병법인의 신주를 교부받아 그 주식을 합병등기일이 속하는 사업연도에 양도하는 경우 대주주의 범위 등에 관하여는 해당 피합병법인의 합병등기일 현재 주식보유 현황에 따른다(2010. 2. 18. 이후 최초로 양도하는 분부터 적용함).

마. 법인 분할시 대주주 판정

위 "나" 및 "다"를 적용할 때 분할법인의 주주가 분할에 따라 분할신설법인의 신주를 교부받아 그 주식을 설립등기일이 속하는 사업연도에 양도하거나 분할법인의 주식을 분할등기일이 속하는 사업연도에 분할등기일 이후 양도하는 경우 대주주의 범위 등에 관하여는 해당 분할 전 법인의 분할등기일 현재의 주식보유 현황에 따른다(2013. 2. 15. 이후 법인을 분할하는 분부터 적용함. 2013. 2. 15. 대통령령 제24356호 부칙 §22 ③).

바. 주식대차거래시 대주주 판정

위 "나" 및 "다"를 적용할 때 주주가 일정기간 후에 같은 종류로서 같은 양의 주식등을 반환받는 조건으로 주식등을 대여하는 경우 주식등을 대여한 날부터 반환받은 날까지의 기간 동안 그 주식등은 대여자의 주식등으로 본다(2013. 2. 15. 이후 주식등을 대여하는 분부터 적용한다. 다만, 2013. 2. 14. 이전에 대여되어 2013. 2. 14.까지 반환되지 아니한 주식등에 대해서는 2013. 2. 15.이 속하는 사업연도의 종료일 후부터 개정규정을 적용함. 2013. 2. 15. 대통령령 제24356호 부칙 §22 ④).

사. 사모펀드 투자시 대주주 판정

위 "나" 및 "다"를 적용할 때 거주자가 「자본시장과 금융투자업에 관한 법률」에 따른 사모집합투자기구를 통하여 법인의 주식등을 취득하는 경우 그 주식등(사모집합투자기구의 투자비율로 안분하여 계산한 분으로 한정한다)은 해당 거주자의 소유로 본다(2013. 2. 15. 이후 사모집합투자기구의 집합투자증권을 취득하는 분부터 적용한다. 다만, 2013. 2. 14. 이전에 취득한 사모집합투자기구의 집합투자증권에 대해서는 2013. 2. 15.이 속하는 사업연도의 종료일 후부터 개정규정을 적용함. 2013. 2. 15. 대통령령 제24356호 부칙 §22 ⑤).

아. 한국금융투자협회를 통한 장외거래

「자본시장과 금융투자업에 관한 법률 시행령」 제178조(협회를 통한 장외거래)에 따라 거래되는 것을 말한다.

① 협회는 법 제286조 제1항 제5호에 따라 증권시장에 상장되지 아니한 주권의 장외매매거래에 관한 업무를 수행하는 경우에는 다음 각 호의 기준을 준수하여야 한다.

1. 동시에 다수의 자를 각 당사자로 하여 당사자가 매매하고자 제시하는 주권의 종목, 매수하고자 제시하는 가격(이하 "매수호가"라 한다) 또는 매도하고자 제시하는 가격(이하 "매도호가"라 한다)과 그 수량을 공표할 것
2. 주권의 종목별로 금융위원회가 정하여 고시하는 단일의 가격 또는 당사자 간의 매도호가와 매수호가가 일치하는 경우에는 그 가격으로 매매거래를 체결시킬 것
3. 매매거래대상 주권의 지정·해제기준, 매매거래방법, 결제방법 등에 관한 업무기준을 정하여 금융위원회에 보고하고, 이를 일반인이 알 수 있도록 공표할 것
4. 금융위원회가 정하여 고시하는 바에 따라 재무상태·영업실적 또는 자본의 변동 등 발행인의 현황을 공시할 것

② 협회 외의 자는 증권시장 외에서 제1항에 따른 방법으로 주권 매매의 중개업무를 하여서는 아니 된다.

4 | 기타자산

양도소득세의 과세대상이 되는 기타자산은 다음과 같다.

가. 사업용 고정자산과 함께 양도하는 영업권

1) 영업권의 개념

일반적으로 영업권이라 함은 법률상의 권리가 아니라 재산적 가치가 있는 사실관계로서 기업이 각종의 유리한 조건 또는 특권의 존재로 인하여 다른 동종의 기업이 얻는 통상의 이윤보다도 큰 수익을 계속하여 확실하게 얻는 경우에 그 초과수익력의 원인이 되는 것을 말한다.

2) 양도소득세 과세대상 영업권

① 사업용 고정자산(토지·건물 및 부동산에 관한 권리를 말한다)과 함께 양도하는 영업권(영업권을 별도로 평가하지 아니하였으나 사회통념상 자산에 포함되어 함께 양도된 것으로 인정되는 영업권과 행정관청으로부터 인가·허가·면허 등을 받음으로써 얻는 경제적 이익을 포함한다)

소득세법 기본통칙 94－0…2【기타자산에 해당하는 영업권의 범위】

법 제94조 제1항 제4호 가목에서 규정하는 영업권에 포함되는 "행정관청으로부터 인가·허가·면허를 받음으로써 얻은 경제적 이익"인 영업권을 양도함으로 발생하는 소득에는 해당 인가·허가·면허가 법규상 이전의 금지여부와는 관계없이 사실상 이전됨으로 발생하는 소득을 포함한다.

※ 사업용 고정자산과 별도로 양도하는 영업권은 기타소득에 해당하며 종합소득세가 과세된다.

나. 시설물 이용권

시설물 이용권이란 이용권·회원권, 그 밖에 그 명칭과 관계없이 시설물을 배타적으로 이용하거나 일반이용자보다 유리한 조건으로 이용할 수 있도록 약정한 단체의 구성원이 된 자에게 부여되는 시설물 이용권을 말하며, 법인의 주식 등을 소유하는 것만으로 시설물을 배타적으로 이용하거나 일반이용자보다 유리한 조건으로 시설물 이용권을 부여받게 되는 경우 그 주식 등을 포함한다.

시설물 이용권에 해당하는 주요 회원권을 예시하면 다음과 같다.

① 골프회원권
② 헬스클럽 회원권
③ 콘도미니엄 이용권
④ 사우나 회원권
⑤ 스키장 회원권
⑥ 사교장 회원권
⑦ 승마장 회원권
⑧ 기타 회원권·이용권 등

다. 과점주주 주식 등

과점주주 주식 등이란 아래 요건을 모두 갖춘 주식 등을 말한다.

① **주식 등 발행법인의 부동산 등 비율 요건** : 당해 법인의 자산총액 중 부동산 및 부동산에 관한 권리와 해당 법인이 직접 또는 간접으로 보유한 다른 법인의 주식가액에 그 다른 법인의 부동산 등 보유비율을 곱하여 산출한 가액의 합계액이 차지하는 비율이

100분의 50 이상인 법인

② **주식 등의 소유비율 요건** : ①에 해당하는 법인의 주식등의 합계액 중 주주 1인과 기타 주주가 소유하고 있는 주식 등의 합계액이 차지하는 비율이 100분의 50을 초과하는 법인

③ **주식 등 양도비율 요건** : "①과 ② 요건을 모두 갖춘 법인"의 주주 1인 및 기타 주주가 그 법인의 주식등의 합계액의 100분의 50 이상을 주주 1인 및 기타 주주외의 자에게 양도(2019. 1. 1. 이후 과점주주간에 양도하는 분도 포함)

* 주주 1인 : 위 "3. 나."에 따른 대주주를 판정할 때 주주 1인의 의미와 같음.
* 기타주주 : 위 "3. 나."에 따른 대주주를 판정할 때 기타주주의 의미와 같음.

이러한 특정주식을 다른 부동산의 양도와 같이 양도소득으로 과세하는 것은 당해 주식등의 양도만으로도 실질적으로 그 법인소유의 부동산의 양도효과가 있다고 보기 때문이다. 과점주주 주식에 대해서는 일반주식과 달리 누진세율이 적용된다.

1) 주식 등 발행법인의 부동산 등 비율 요건

$$\text{부동산 등 비율} = \frac{\text{① 토지, 건물 및 부동산에 관한 권리의 자산가액의 합계액} + \text{② (직·간접 소유한 다른 법인의 주식가액} \times \text{부동산등 보유비율*)}}{\text{당해 법인의 자산총액}} \geq 50\%$$

$$\text{*부동산 등 비율} = \frac{\text{직·간접 소유한 다른 법인의 부동산 등 가액}}{\text{직·간접 소유한 다른 법인의 자산 총액}}$$

여기서 자산총액 및 자산가액은 해당 법인의 장부가액(토지 및 건물의 경우 해당 자산의 기준시가가 장부가액보다 큰 경우에는 기준시가)에 의한다. 이 경우 다음 각 호의 금액은 자산총액에 포함하지 아니한다.

- 「법인세법 시행령」 제24조 제1항 제2호 바목 내지 사목의 규정에 의한 무형고정자산의 금액
- 양도일부터 소급하여 1년이 되는 날부터 양도일까지의 기간중에 차입금 또는 증자등에 의하여 증가한 현금・금융재산(「상속세 및 증여세법」 제22조의 규정에 의한 금융재산을 말한다) 및 대여금의 합계액

한편, 자산총액을 계산할 때 동일인에 대한 「법인세법」 제28조 제1항 제4호 나목에 따른

가지급금 등과 가수금이 함께 있는 경우에는 이를 상계한 금액을 자산총액으로 한다. 다만, 동일인에 대한 가지급금 등과 가수금의 발생시에 각각 상환기간 및 이자율 등에 관한 약정이 있는 경우에는 상계하지 아니한다(2016. 2. 17. 이후 양도하는 분부터 적용).

2) 주식 등의 소유비율 요건

$$\text{주식 등의 소유비율} = \frac{\text{주주 1인과 기타 주주의 소유주식 등의 합계액}}{\text{당해 법인의 주식 등의 합계액}} > 50\%$$

3) 주식 등의 양도비율 요건

위 1)과 2) 요건을 모두 충족시킨 법인의 주주 1인과 기타 주주가 그 법인의 주식 등의 합계액의 100분의 50 이상을 양도하여야 양도소득세가 과세되는 과점주주 주식에 해당한다.

여기서 그 법인의 주식 등의 합계액의 100분의 50 이상이라 함은 주주 1인과 기타 주주가 양도하는 주식 등이 그들이 소유하고 있는 주식 등의 50% 이상이라는 것이 아니라 해당 법인 전체 주식 등의 50% 이상이어야 함을 의미한다.

한편, 주주 1인 및 기타주주 상호간에 양도하는 당해 법인의 주식은 기타자산에 해당하지 아니하는 것이며, 이 경우 당해 법인의 주식을 보유하고 있지 아니한 자도 기타주주에 해당된다(기획재정부 재산세제과-657, 2010. 7. 8.).

4) 수회 양도시 과점주주 주식 등 해당 여부의 판정 등

주주 1인과 기타 주주가 주식 등을 수회에 걸쳐 양도하는 때에는 그들 중 1인이 주식 등을 양도하는 날부터 소급하여 3년 내에 그들이 양도한 주식 등을 합산한다.

이 경우 과점주주 주식 등에 해당하는지 여부의 판정은 그들 중 1인이 주식 등을 양도하는 날부터 소급하여 그 합산하는 기간의 초일 현재의 당해 법인의 주식등의 합계액 또는 자산총액을 기준으로 한다.

한편, 양도소득산출세액을 계산할 때 과점주주 주식 등의 양도소득산출세액에 대주주로서 납부하였거나 납부할 세액이 포함되어 있는 경우에는 이를 차감하여 계산한 금액을 양도소득산출세액으로 한다(소득령 §168 ②).

| 수회에 걸쳐 양도시 과세대상 과점주주 주식 해당 여부 판정사례 |

기 간	부동산비율	주식 등의 소유비율	양도일	양도비율(3년 내 합산비율)
2009. 5. 1. ~	60%	100%	0	0(0)
2010. 1. 20. ~	30%	100%	0	0(0)
2010. 5. 1. ~	30%	80%	2010. 5. 1.	20%(20%)
2012. 4. 30. ~	60%	80%	0	0(20%)
2012. 12. 30. ~	60%	60%	2012. 12. 30.	20%(40%)
2013. 1. 30. ~	60%	40%	2013. 1. 30.	20%(60%)
2013. 3. 30. ~	40%	10%	2013. 3. 30.	30%(90%)

사례 설명

위 사례의 경우 3년간 합산한 양도주식 등이 50% 이상인 경우는 2013년 1월 30일까지와 2013년 3월 30일까지이다. 그러나 2010년 5월 1일 양도분은 합산할 경우 합산하는 기간의 초일 현재의 부동산비율이 30%이므로 합산대상이 될 수 없다. 따라서 2013년 1월 30일에는 합산대상주식 등의 양도비율이 40%로서 과점주주 주식 등에 해당되지 아니하며, 2013년 3월 30일에서야 2012년 12월 30일에는 부동산비율요건과 주식 등의 소유비율요건이 동시에 충족되므로 이때부터 3년 내 과점주주 상호간 양도를 제외하고 양도한 주식 등을 합산하여 50% 이상이면 과점주주 주식 등으로 과세하는 것이다.

라. 부동산과다보유법인의 주식 등

다음의 2가지 요건을 모두 갖춘 법인의 주식 등을 양도하는 경우에는 앞의 "다"에 해당하는 과점주주 주식 등과 달리 양도비율 또는 양도주식 수에 관계없이 양도소득세가 과세된다.

1) 부동산 등 비율 요건

주식 등 발행법인은 당해 법인의 자산총액 중 토지, 건물 및 부동산에 관한 권리의 자산가액의 합계액이 차지하는 비율이 100분의 80 이상인 법인이어야 한다.

$$\text{부동산 등 비율} = \frac{\text{토지, 건물 및 부동산에 관한 권리의 자산가액의 합계액}}{\text{당해 법인의 자산총액}} \geq 80\%$$

위 부동산 등 비율이 80% 이상인지 여부는 양도일 현재의 당해 법인의 자산총액을 기준으로 이를 판정한다. 다만, 양도일 현재의 자산총액을 알 수 없는 경우에는 양도일이 속하는 사업연도의 직전사업연도 종료일 현재의 자산총액을 기준으로 한다.

한편, 자산총액 및 자산가액의 계산방법은 "다. 1)"과 같다.

2) 영위사업요건

다음에 열거하는 사업을 영위하는 법인이어야 한다.

① 「체육시설의 설치 · 이용에 관한 법률」에 의한 골프장업 · 스키장업 등 체육시설업

② 「관광진흥법」에 의한 관광사업 중 휴양시설관련업

③ 부동산업 · 부동산개발업으로서 골프장, 스키장, 휴양콘도미니엄, 전문휴양시설에 해당하는 시설을 건설 또는 취득하여 직접 경영하거나 분양 또는 임대하는 사업

위에 해당하는 사업이 아닌 일반 부동산의 개발업이나 임대업은 여기에 해당하지 아니하므로 유의해야 한다.

5 | 과세대상 자산의 구분

위 "3" 및 "4"에 모두 해당되는 경우에는 "4"를 적용한다.

▶▶ 주식 등(3)이 기타자산(4)에 해당하는 경우 누진세율 적용
예) 주권비상장법인의 소액주주가 주식을 양도하는 경우로서 주식발행법인이 부동산과다보유법인에 해당하는 경우 기타자산으로 보아 누진세율 적용

관련예규 및 판례요약

양도소득세 과세대상 자산 : 소득법 §94

토지 · 건물의 양도소득과 관련된 예규, 판례

조심-2019-구-0347, 2019. 4. 2.

청구인의 쟁점부동산 취득은 쟁점건물을 철거하여 쟁점토지만을 이용하려는 목적이었다는

청구주장에 신빙성이 있어 보이므로 처분청이 쟁점금액을 쟁점양도토지 양도소득금액에 가산하여 청구인에게 양도소득세를 과세한 처분은 잘못이 있는 것으로 판단된다.

조심-2018-중-0753, 2018. 5. 1.

처분청은 이 건 경정 시 청구인이 납부한 종합소득세액을 반영한 점 등에 비추어 종합소득세를 과세한 이 건 처분은 잘못이 없으나, 단순히 40% 양도소득세 중과세율을 회피할 목적으로 종합소득세를 신고한 것으로 보이지 아니하므로 소득분류 착오로 인하여 처분청이 신고불성실가산세를 부과한 이 건 처분은 잘못이 있음.

조심-2016-중-0260, 2016. 5. 26.

쟁점건물 중 사무소는 공부상 근린생활시설로 등재되어 있고 창고는 실제 주택으로 이용되지 아니한 것으로 보이는 점. 청구인이 이 건 부동산을 양도하기 1년 3개월 전에 퇴거한 점 등에 비추어 이 건 부동산 전체가 실제 주택으로 이용된 것으로 보아 1세대 1주택 비과세를 적용하여야 한다는 청구주장을 받아들이기 어려움.

조심-2016-부-0602, 2016. 4. 20.

청구인은 건설업·부동산매매업으로는 사업자등록된 사실이 없고 법인 감사로 등재되어 있었다는 사실만으로 건설업을 영위하였다고 보기 어렵고 쟁점토지를 나대지 상태로 양도한 점 등에 비추어 사업소득에 해당한다는 청구주장을 받아들이기 어려움.

조심 2013구 3751, 2014. 12. 19.

토지의 분할이 청구인의 판매목적보다는 매수인들의 필요에 따라 이루어진 것으로 보이고 당초 양도소득으로 신고한 점 취득가액을 환산가액으로 산정한 점 건물에 대한 폐쇄건축물대장상 건물의 면적이 나타나는 점 등에 비추어 이 건 과세처분은 정당함.

심사양도 2013-0098, 2014. 5. 20.

자경농지로 감면신청한 토지 중 쟁점주택과 한 울타리안에 있고 주택수평투영면적의 5배에 이내의 면적은 1세대 1주택의 부수토지로 인정할 수 있음.

대법원 2012두 10062, 2012. 8. 30.

법인과의 공동사업계약에 따라 토지를 법인으로 소유권이전하였으나 공동사업에 있어서의 실질적인 역할은 토지를 제공하는 것뿐이고 공동사업에 따른 이익과 손실 등이 모두 법인에 귀속된 사실과 양도시기 전후의 제반 사정을 참작하여 보면 이 사건 토지의 양도는 단순양도에 해당함.

서면4팀-2823, 2007. 10. 3.

소유하던 토지 위에 건축허가를 득하여 건축물을 시공 중에 건축물로 볼 수 없는 시설물 상태에서 토지와 시공된 시설물을 함께 양도하는 경우 양도가액 전액을 토지에 대한 대가로 보아 양도세 과세됨.

서면5팀-1944, 2007. 7. 2.

토지와 함께 수용되는 수목의 보상가액은 그 취득, 생립, 조림, 식재의 태양 및 관련 매매계약서 등 사실관계에 따라 사업소득, 산림소득 또는 양도소득, 기타소득으로 과세하는 것임.

서면5팀-1462, 2007. 5. 4.

토지와 그 정착물인 수목을 동시에 양도하는 경우 토지의 양도대가는 양도소득으로, 수목의 양도소득은 사업소득 등으로 과세하는 것임.

서면1팀-238, 2007. 2. 15.

사업용 고정자산인 토지와 건물과 함께 양도하는 영업권은 양도소득세가 과세되는 것임.

서면4팀-1492, 2005. 8. 23.

거주자가 부동산매매업을 영위할 목적으로 건축물을 시공하던 중 토지와 시공된 시설물을 양도하는 경우 그 시공 정도가 건축법에 의한 건축물로 볼 수 없는 경우 양도소득에 해당함.

서면4팀-1487, 2005. 8. 23.

주유소의 토지, 건물 및 토지에 정착하거나 지하 또는 다른 구조물에 설치한 주유기, 세차기의 양도로 인하여 발생하는 소득과 석유판매업허가권을 사업용 고정자산과 함께 양도하는 경우 양도소득세 과세대상임.

서면4팀-1453, 2005. 8. 18.

재건축조합으로부터 입주권을 취득한 사실이 없이 부동산을 양도하는 경우 소득세법 제94조 제1호의 부동산의 양도에 해당하는 것임.

서면4팀-1187, 2005. 7. 12.

건축물로 볼 수 없는 시설물과 토지를 함께 양도한 경우로서 실지거래가액에 의한 양도차익을 산정하는 경우 실지 양도가액 전액은 토지에 대한 대가로 보는 것임.

서면4팀-649, 2005. 4. 27.

교회용으로 사용하는 개인소유 부동산을 양도하는 경우 양도소득세가 과세되는 것임.

서면4팀-1945, 2004. 11. 30.

아파트의 분양계약을 체결한 자가 분양계약에 따라 당해 아파트가 완공되어 분양회사 명의로 소유권보존등기된 부동산을 취득시기가 도래하지 않은 상태에서 양도하는 경우에는 '부동산을 취득할 수 있는 권리'의 양도, 취득시기가 도래한 이후에 양도하는 경우에는 '부동산'의 양도로 보는 것임.

서일 46011-11063, 2002. 8. 19.

다가구·다세대주택을 판매목적으로 신축·양도시는 '건설업' 판매목적으로 매입·양도시는 '부동산매매업', 다년간 임대하다 양도시는 '양도소득'에 해당함.

부동산에 관한 권리의 양도소득과 관련된 예규, 판례(분양권, 입주권)

조심-2019-광-4284, 2020. 2. 25.

쟁점분양권의 프리미엄 ○○○백만원을 쟁점토지의 필요경비로 인정하여 달라는 청구주장이 청구인이 제출한 자료만으로는 쟁점분양권의 프리미엄으로 ○○○백만원을 지급한 것으로 인정하기는 어려운 점 등에 비추어 쟁점분양권의 프리미엄을 재조사하여 그 결과에 따라 과세표준 및 세액을 경정하는 것이 타당하다고 판단됨.

조심-2019-서-3806, 2019. 12. 17.

「소득세법 시행령」 제155조 제20항은 '주택에 대한 1세대 1주택 비과세' 요건에 대한 특례규정이지, 쟁점입주권 비과세와 관련한 '입주권 특례규정'에 대한 특례규정은 아닌 점 등에 비추어 처분청이 1세대 1주택 비과세를 인정하지 않은 처분은 달리 잘못이 없음.

조심-2015-서-0331, 2015. 5. 15.

쟁점연체이자를 청구인의 양도가액에 포함하여 양도소득세를 과세한 처분은 잘못이 없음.

대법원-2013-두-13563, 2015. 4. 23.

분양권 양도 당시 아파트 사용승인이 있었고 분양회사 명의로 소유권보존등기까지 마쳐진 상태였던 점, 미납한 분양대금은 전체 분양대금에 비추어 극히 미미하였던 점, 당시 분양잔금을 납부할 경제적 능력이 충분하였다고 보이는 점 등에 비추어 당해 자산을 사실상 취득한 것으로 보아 한 처분은 적법함.

조심-2014-전-4619, 2015. 4. 7.

쟁점분양권의 양도양수계약서에 의하면 분양권 추첨 및 가지번 확정일 이후에 쟁점분양권의 위치가 확정됨을 알 수 있는바 취득시기는 토지의 가격, 면적 및 위치 등이 구체적으로 확인·결정되는 날로 봄이 타당하다.

서면5팀-2351, 2007. 8. 22.

공공사업 시행으로 소유 주택 및 부수토지가 수용됨에 따라 수용보상금을 받고 동 보상금 이외에 별도로 사업시행자로부터 받은 우선 분양권을 양도하는 경우 부동산을 취득할 수 있는 권리의 양도에 해당함.

서면4팀-2197, 2007. 7. 16.
특별분양받은 아파트의 분양권을 양도하는 경우 분양계약을 체결한 날부터 양도일까지를 양도자산의 보유기간으로 하는 것임.

서면4팀-2135, 2007. 7. 11.
양도소득세의 과세대상이 되는 자산의 종류(재개발아파트)를 판정함에 있어 관리처분계획인가일 또는 사업계획승인일부터 재개발아파트의 사용검사필증 교부일까지는 부동산을 취득할 수 있는 권리로 봄.

서면4팀-2010, 2007. 6. 28.
「도시 및 주거환경정비법」의 정비구역 내 토지를 소유한 자가 관리처분계획의 인가로 취득한 조합원의 지위는 「소득세법」 제89조 제2항의 조합원입주권에 해당함.

서면4팀-2206, 2005. 11. 16.
사업계획승인일 이후 기존 주택이 철거되지 아니한 재건축대상 주택을 보유하고 있는 경우 1세대 3주택 중과세율 적용시에는 주택으로 보는 것이나, 양도하는 경우에는 부동산을 취득할 수 있는 권리로 보는 것임.

서면4팀-2122, 2005. 11. 9.
재건축조합의 조합원이 당해 조합을 통하여 취득한 입주자로 선정된 지위는 부동산을 취득할 수 있는 권리에 해당하나 당해 재건축조합으로부터 입주권을 취득한 사실이 없이 부동산을 양도한 경우 부동산의 양도에 해당함.

재재산-1415, 2004. 10. 25.
부동산의 분양계약을 체결한 자가 분양계약에 따라 당해 아파트가 완공되어 분양회사 명의로 소유권보존등기된 부동산을 취득시기가 도래하지 않은 상태에서 양도하는 경우에는 '부동산을 취득할 수 있는 권리'의 양도로 봄.

재재산 46014-61, 2003. 3. 5.
관련법상 개발제한구역 내에서 건축행위의 일반적 금지를 해제하여 건축허가를 받아 건물을 건축할 수 있는 권리를 의미하는 '이축권'은 양도세 과세대상인 '부동산을 취득할 수 있는 권리'가 아니며, 이를 양도시 '일시재산소득'으로 과세됨.

부동산거래관리과-1527, 2010. 12. 29.
거주자가 「공익사업을 위한 토지 등의 취득 및 보상에 관한 법률」에 따라 수용될 경우에 이축권이 있는 개발제한구역 내의 농가주택을 토지 수용 전에 양도하면서 주택과 발생이 예상되는 이축권으로 구분하여 계약한 경우에는 양도대가로 받은 전체를 주택의 양도가액으로 보는 것임.

재산 46014-199, 2002. 7. 6.

1세대 1주택 비과세대상인 종전 주택의 평가액이 커서 재건축아파트 입주권을 1채 이상 받은 경우, 먼저 양도하는 1채 이상분의 입주권은 양도세 과세됨.

상장주식의 양도소득 등과 관련된 예규, 판례

조심-2019-중-1021, 2019. 6. 11.

대주주의 판단기준일을 '납세의무자가 직전사업연도의 종료일의 보유주식수를 사실상 결정할 수 있는 날'로 해석하는 것은 「소득세법 시행령」 제157조 제6항의 명문규정에 반하는 것이라 할 것이므로 이 건 거부처분에 달리 잘못이 없다고 판단됨.

대법원 2012두 21956, 2013. 12. 12.

개인투자자는 컴퓨터프로그램을 통하여 계속적 반복적으로 주식매매행위를 쉽게 할 수 있으므로 계속성·반복성만으로 주식매매의 사업성을 인정하기 어렵고 사업소득은 자산과 근로가 결합하여 소득을 창출하는 것인데 주식매매로 인한 소득은 주식보유로 가치가 증가한 경우이므로 양도소득에 해당함.

부동산거래관리과-866, 2010. 7. 2.

「소득세법 시행령」(2009. 2. 4. 대통령령 제21301호로 개정되기 전의 것) 제157조 제4항을 적용함에 있어 "기타주주"란 "주주 1인"과 「국세기본법 시행령」(2009. 2. 6. 대통령령 제21316호로 개정되기 전의 것) 제20조의 규정에 의한 친족 기타 특수관계에 있는 자를 말하는 것이며, 이 경우 "기타주주"에는 비거주자가 포함되는 것임.

서면4팀-3068, 2007. 10. 24.

「증권거래법」에 의한 주권상장법인(코스닥상장법인 포함)의 대주주가 당해 법인의 주식 또는 출자지분을 양도하는 경우 양도소득세 과세대상임.

서면5팀-2580, 2007. 9. 17.

대주주가 양도하는 코스닥상장법인의 주식은 양도소득세 과세대상이며 대주주 여부는 양도일이 속하는 사업연도의 직전 사업연도 종료일 현재를 기준으로 판단함.

서면4팀-30, 2006. 1. 9.

코스닥상장법인의 주식을 대주주가 양도하는 것과 증권거래법에 의한 코스닥시장에서의 거래에 의하지 아니하고 양도하는 것은 양도소득세 과세대상에 해당함.

비상장주식 등 양도소득과 관련된 예규, 판례

조심-2019-중-3245, 2019. 11. 27.

「소득세법」 제94조 제1항 제3호 가목에 규정의 "대주주"는 주권상장법인의 대주주에 한정하는 것이라고 해석하기는 어렵다고 할 것이므로 처분청이 비상장주식인 쟁점주식의 경우에도 대주주가 양도하는 중소기업 주식은 20%의 양도소득세 세율 적용대상이라고 보아 청구인의 경정청구를 거부한 처분은 달리 잘못이 없는 것으로 판단됨.

심사-양도-2015-0083, 2015. 6. 12.

청구인이 상장주식을 취득한 후 상장폐지일(2015. 2. 10.) 이후에 양도한 주식은 비상장주식의 양도에 해당함.

재재산-768, 2007. 6. 29.

유상감자 후 양도하는 잔여주식의 취득가액은 당해 양도주식의 취득 당시 가액을 기준으로 산정함.

서면5팀-1716, 2007. 5. 31.

비상장주식을 평가함에 있어 순자산가치는 양도일 또는 취득일이 속하는 사업연도의 직전 사업연도 종료일 현재 해당 법인의 장부가액에 의함.

서면5팀-705, 2007. 3. 2.

주권상장 · 코스닥상장법인이 아닌 법인의 주식 등을 양도 · 교환하거나, 법인에 대해 현물출자함에 따라 발생하는 소득은 양도소득세 과세대상임.

과점주주 주식 등 · 부동산과다보유법인주식 등과 관련된 예규, 판례

조심-2015-부-4659, 2016. 1. 25.

청구인이 체납법인의 주주 및 대표이사로 최초 등재될 당시 대학교 재학 등 주금 납입 여력이 없었고, 청구인 외의 자가 실질적으로 체납법인을 경영하였다고 주장하는 바 청구인은 명의상 주주 및 대표이사 등재되었을 뿐 실질적으로 행사한 것으로 보기 어려워 청구인에게 체납법인의 제2차 납세의무자 지정 및 납부통지는 잘못이 있음.

조심 2014중 0139, 2014. 9. 22.

토지의 소유권을 취득할 수 있는 지위에 있는 경우 지급액 상당의 쟁점토지를 취득할 수 있는 권리를 보유한 것으로 볼 수 있으므로 쟁점금액을 부동산을 취득할 수 있는 권리의 가액으로 보아 부동산과다보유법인 여부를 판단한다.

부동산거래관리과-186, 2012. 4. 5.

골프장 조성시부터 외부로부터 구입하여 식재(植栽)하고 이를 토지 또는 코스조성비 등과 구분하여 기장한 귀 질의의 '수목(樹木)'의 경우에는 소득세법 시행령 제158조 제1항 제1호 가목의 규정을 적용할 때 소득세법 제94조 제1항 제1호 및 제2호의 자산에 포함되지 않는 것임(기존해석사례 : 재일 46014-1104, 1999. 6. 9.).

서면5팀-2571, 2007. 9. 14.

기타자산 여부를 판정함에 있어 자산총액 산정 시 법인의 장부가액이라 함은 법인세 과세표준 계산 시 자산의 평가와 관련하여 익금 또는 손금에 산입한 금액을 가감한 세무상 장부가액을 말함.

서면5팀-1142, 2007. 4. 9.

주주 1인과 기타주주가 법인의 주식을 수회에 걸쳐 양도하는 때에는 주식 등을 양도한 날부터 소급하여 3년 내에 양도한 주식 등을 합산하여 기타자산 여부를 판단함.

재산 46014-927, 2000. 7. 27.

'기타 자산'인 지배주식 양도소득 계산상 주주 1인 및 기타 주주가 3년 내에 양도한 주식 등은 합산하나, 주주 1인과 기타 주주 상호간에 양도한 것은 합산하지 않음.

영업권 · 시설물이용권 등과 관련된 예규, 판례

조심-2018-중-3478, 2020. 1. 8.

청구인과 매수인이 작성한 쟁점부동산 매매계약서에 영업권 가액이 매매가액과 구분되어 기재되어 있지 아니한 점, 쟁점부동산 거래시 영업권만을 별도로 평가한 사실 없이 영업권 가액의 객관적인 산출 근거를 제시하지 아니한 점 등에 비추어 처분청이 쟁점허가권을 영업권이 아니라 양도차익으로 보아 청구인에게 양도소득세를 부과한 처분은 달리 잘못이 없는 것으로 판단됨.

조심-2018-중-3003, 2018. 11. 16.

청구인은 쟁점사업장을 오랜 기간 운영하여 관련 업계에서 그 전통을 인정받고 사회적 신용이 형성되어 있었던 것으로 보이므로 양수법인이 영업권에 대한 대가 없이 쟁점사업장의 자산과 부채를 인수한 날에 개인사업인 쟁점사업장의 영업권이 인도된 것으로 보아 그 날을 영업권의 증여일로 하여 증여이익을 계산함이 타당함.

조심-2017-중-4037, 2018. 5. 30.

쟁점영업권과 대체토지취득권리는 2008. 7. 31. 이후 사실상 양수인들에게 이전된 것으로서 양도시점은 조건부 매매계약의 조건이 성취되어 매매대상물이 확정적으로 확정된 시점인 2008. 7. 31.로 보인다. 따라서 이 건 양도소득세를 과세한 처분은 잘못이 있다고 판단.

심사-양도-2016-0015, 2016. 6. 2.

쟁점영업권의 잔금은 충전사업의 허가권과 사업자등록상의 사업자의 승계를 완료한 날로 명시되어 있는바, 상기 허가권이 2013. 7월에 명의가 승계되었고, 해당 충전소의 2013년까지의 부가가치세 및 종합소득세를 청구인이 신고한 점 등으로 볼 때 양도시기를 2013년으로 보아야 함.

대구지방법원-2015-구합-23252, 2015. 12. 23.

시설물 계약 대금 중 적어도 피고가 적용한 영업권 대가 부분에 대해서는 영업권 양도에 대한 대가에 해당함.

조심 2014부 1850, 2014. 11. 24.

쟁점영업시설물 양도양수 계약서상 영업권 일체가 목적물로 기재되어 있으며 취득세 부과처분 취소소송에서 쟁점영업시설물의 양수도가액에 영업권 금액에 해당하는 금액이 포함되어 있다고 보이고 청구인들의 장부상으로 영업시설물의 미상각잔액이 나타나며, 청구인들이 부외자산이 존재함을 주장하나 증빙의 제시가 없어 과세한 처분은 잘못이 없음.

서면4팀-1484, 2007. 5. 4.

골프장을 영위하는 법인이 발행하는 증서를 매입함으로써 골프장을 배타적으로 이용하거나 유리한 조건으로 이용할 수 있는 경우 당해 증서는 시설물이용권에 포함됨.

서면4팀-1444, 2007. 5. 2.

법인의 주식 등을 소유하는 것만으로 시설물을 배타적으로 이용하거나 일반이용자에 비하여 유리한 조건으로 시설물이용권을 부여받게 되는 경우 당해 주식 등은 시설물이용권임.

서면4팀-2117, 2005. 11. 9.

특정골프장 이용자와 발행법인 간에 약정에 따라 골프이용권에 관련하여 취득하도록 되어 있는 주식은 당해 시설물이용권에 포함되는 것임.

제도 46014-11213, 2001. 5. 24.

지방자치단체로부터 승인받은 고속도로변 관광안내도의 관리운영권은 영업권으로서 '일시재산소득'에 해당하나, 사업용 고정자산과 함께 양도시는 양도세 과세대상임.

소득 46011-90, 2000. 1. 20.

사업용 고정자산(토지 및 건물과 부동산에 관한 권리를 말함)을 함께 양도하는 사업양도의 경우, 영업권 양도소득은 '양도소득'에 해당함.

재일 46014-2323, 1997. 9. 30.

전세권 또는 등기된 부동산임차권과 함께 영업권 양도시 양도소득세가 과세되므로 신고, 납부해야 됨.

재일 46014-724, 1997. 3. 27.

상장 또는 비상장주식을 시가(「소득세법」상 기준시가 또는 「상속세 및 증여세법」상 시가)를 초과해 양도한 경우, 그 차액은 '영업권'에 해당하지 않음.

제 4 절 양도 또는 취득의 시기

1 원 칙(소득법 §98)

자산의 양도차익을 계산할 때 그 취득시기 및 양도시기는 대금을 청산한 날이 분명하지 아니한 경우 등 일정한 경우를 제외하고는 해당 자산의 **대금을 청산한 날**로 한다.

이 경우 자산의 대금에는 해당 자산의 양도에 대한 양도소득세 및 양도소득세의 부가세액을 양수자가 부담하기로 약정한 경우에는 해당 양도소득세 및 양도소득세의 부가세액* 은 제외한다.

* 실지거래가액으로 양도차익을 산정할 때 양수자가 양도소득세 및 양도소득세의 부가세액(지방소득세 등)을 부담하기로 약정하고 실제로 부담한 경우에는 해당 양도소득세 및 부가세액을 양도가액에 더한다.

2 예 외

가. 대금청산일이 불분명한 경우(소득령 §162 ① 1호)

대금을 청산한 날이 분명하지 아니한 경우에는 등기부 · 등록부 또는 명부 등에 기재된 등기 · 등록접수일 또는 명의개서일을 양도 또는 취득시기로 한다.

대금청산일 불분명한 경우 양도 · 취득시기 개정 내역

매매계약서상 잔금지급약정일	잔금약정일~등기접수일까지의 기간	양도 또는 취득시기	
		2001년 이전 양도분	2002년 이후 양도분
잔금지급약정일이 있는 경우	1월 이하	잔금지급약정일	등기접수일*
	1월 초과	등기접수일	
잔금지급약정일이 확인되지 아니하는 경우		등기접수일	

* 경과규정(2001. 12. 31. 대통령령 제17456호 부칙 §9)
취득시기는 이 영 시행후 최초로 취득하는 분부터, 양도시기는 이 영 시행 후 최초로 양도하는 분부터 각각 적용한다.

* 2012 양도소득세 실무해설(국세청) 참조

나. 대금을 청산하기 전에 소유권이전등기한 경우(소득령 §162 ① 2호)

대금을 청산하기 전에 소유권이전등기(등록 및 명의의 개서를 포함한다)를 한 경우에는 등기부·등록부 또는 명부 등에 기재된 등기접수일을 양도 또는 취득시기로 한다.

다. 장기할부조건 거래의 경우(소득령 §162 ① 3호)

장기할부조건의 경우에는 소유권이전등기(등록 및 명의개서를 포함한다) 접수일·인도일 또는 사용수익일 중 빠른 날을 양도 또는 취득시기로 한다.

이 경우 장기할부조건이란 「소득세법」 제94조 제1항 각 호에 규정된 자산의 양도로 인하여 해당 자산의 대금을 월부·연부 기타의 부불방법에 따라 수입하는 것 중 다음 각 호의 요건을 갖춘 것을 말한다(소득칙 §78 ③).

① 계약금을 제외한 해당 자산의 양도대금을 2회 이상으로 분할하여 수입할 것(계약금을 포함하면 3회 이상 분할하여 수입)

② 양도하는 자산의 소유권이전등기(등록 및 명의개서를 포함한다) 접수일·인도일 또는 사용수익일 중 빠른 날의 다음날부터 최종 할부금의 지급기일까지의 기간이 1년 이상인 것

* 2000. 4. 2. 이전 : 양도하는 자산의 인도여부에 불구하고 첫회 부불금 지급일의 다음날부터 최종의 부불금 지급일까지의 기간이 1년 이상인 것

장기할부조건 거래시 양도·취득시기 개정 내역

1999. 12. 31. 이전	2000. 1. 1. 이후
첫회 부불금 지급일과 소유권이전등기접수일 중 빠른 날	소유권이전등기(등록·명의개서)접수일·인도일 또는 사용수익일 중 빠른 날

* 경과규정(1999. 12. 31. 대통령령 제16664호 부칙 §7 ③)
제162조 제1항 제3호의 개정규정은 이 영 시행 후 최초의 소유권이전등기(등록 및 명의개서를 포함한다) 접수일·인도일 또는 사용수익일 중 빠른 날이 도래하는 분부터 적용한다. 다만, 이 영 시행당시 종전의 규정에 의하여 양도 또는 취득의 시기가 도래한 것에 대하여는 종전의 규정을 적용한다.

* 2012 양도소득세 실무해설(국세청) 참조

라. 자기가 건설한 건축물의 경우(소득령 §162 ① 4호)

자기가 건설한 건축물에 있어서는 「건축법」 제22조 제2항에 따른 사용승인서 교부일을 취득시기로 한다. 다만, 사용승인서 교부일 전에 사실상 사용하거나 같은 조 제3항 제2호에 따른 임시사용승인을 받은 경우에는 그 사실상의 사용일 또는 임시사용승인을 받은 날 중 빠른 날로 하고 건축허가를 받지 아니하고 건축하는 건축물에 있어서는 그 사실상의 사용일로 한다.

* 「도시 및 주거환경정비법」에 따른 재개발 · 재건축 주택도 자기가 건설한 건축물로 보아 취득시기를 판단한다.

마. 상속 또는 증여받은 자산(소득령 §162 ① 5호)

상속 또는 증여에 의하여 취득한 자산에 대하여는 그 상속이 개시된 날 또는 증여를 받은 날을 취득시기로 한다.

| 상속 · 증여받은 자산의 취득시기 적용방법 요약 |

구 분		취득시기	
		상 속	증 여
원칙적인 취득시기		상속개시일	증여등기접수일
세율 적용	일반적인 경우	피상속인 취득일	증여등기접수일
	이월과세	–	증여자 취득일
	부당행위계산 부인	–	증여자 취득일
장기보유특별 공제액 계산	일반적인 경우	상속개시일	증여등기접수일
	이월과세	–	증여자 취득일
	부당행위계산 부인	–	증여자 취득일

바. 시효취득 자산(소득령 §162 ① 6호)

「민법」 제245조 제1항의 규정에 의하여 부동산의 소유권을 취득하는 경우에는 해당 부동산의 점유를 개시한 날을 취득시기로 한다.

「민법」 제245조 【점유로 인한 부동산소유권의 취득기간】

① 20년간 소유의 의사로 평온, 공연하게 부동산을 점유하는 자는 등기함으로써 그 소유권을 취득한다.
② 생략

사. 수용되는 자산(소득령 §162 ① 7호)

「공익사업을 위한 토지 등의 취득 및 보상에 관한 법률」이나 그 밖의 법률에 따라 공익사업을 위하여 수용되는 경우에는 대금을 청산한 날, 수용의 개시일 또는 소유권이전등기접수일 중 빠른 날을 양도시기로 한다. 단, 소유권에 관한 소송으로 보상금이 공탁된 경우에는 소유권 관련 소송 판결 확정일로 한다(2015. 2. 3. 개정).

해당 규정은 보상금에 대한 불복 여부에 따라 양도시기가 달라지는 문제점을 해소하기 위하여 2010. 2. 18. 개정(신설)하였으며, 2010. 2. 18. 이후 최초로 양도하는 분부터 적용한다.

▶▶ 협의매수 되는 경우에는 일반적인 양도・취득시기 규정 적용(대금청산일과 등기접수일 중 빠른 날)

개정 전 해석사례(재일 46014-45, 1999. 1. 11. 등)

① 협의성립, 재결・공탁보상금을 이의없이 수령한 경우
- 재결보상금수령일 또는 공탁일이 양도시기(대금청산일)임.
- 보상금수령 전에 소유권이전등기한 경우 : 소유권이전등기일이 양도시기임.

② 재결에 불복하여 이의신청 또는 행정소송 진행 중
- 소유권이전등기접수일과 변동보상금확정일 중 빠른 날이 양도시기임.

공익사업을 위한 토지 등의 취득 및 보상에 관한 법률 제50조(재결사항)

① 토지수용위원회의 재결사항은 다음 각 호와 같다.
1. 수용하거나 사용할 토지의 구역 및 사용방법
2. 손실보상
3. <u>수용 또는 사용의 개시일</u>과 기간
4. 그 밖에 이 법 및 다른 법률에서 규정한 사항

② 토지수용위원회는 사업시행자, 토지소유자 또는 관계인이 신청한 범위에서 재결하여야 한다. 다만, 제1항 제2호의 손실보상의 경우에는 증액재결(增額裁決)을 할 수 있다.

아. 미완성 자산(소득령 §162 ① 8호)

완성 또는 확정되지 아니한 자산을 양도 또는 취득한 경우로서 해당 자산의 대금을 청산한 날까지 그 목적물이 완성 또는 확정되지 아니한 경우에는 그 목적물이 완성 또는 확정된 날을 양도 또는 취득시기로 한다. 이 경우 건설 중인 건물의 완성된 날에 관하여는 위 "라"를 준용한다.

일반분양 받은 아파트의 취득시기(분양권을 승계취득한 경우 포함)

건설 중인 아파트의 분양계약에 따라 대금 청산일까지 해당 아파트가 완공되지 않은 경우에는 건물이 완성된 날을 취득의 시기로 본다. 이 경우 '건물이 완성된 날'이란 위 "라"에 따른 취득시기를 말한다.

일반분양 받은 아파트의 취득시기는 잔금일 기준이며, 분양권 양도시 그 자산의 취득시기는 취득금액 청산일이 된다. 재건축하기 전에 주택을 소유했던 재건축, 재개발조합원의 신축아파트의 토지 취득시기는 공사 전(환지 전) 취득이고 건물 취득시기는 사용승인서 교부일이 되나, 비과세 1세대 1주택 판정시 주택의 보유기간은 당초부터 소급적용 합산 계산하므로 유의해야 한다. 다만, 공사 중 취득한 승계조합원은 사용승인일(준공일)부터 보유기간을 계산한다.

| 아파트 취득시기 판단사례(분양받은 경우) |

※ □ 안의 일자가 취득시기이다.

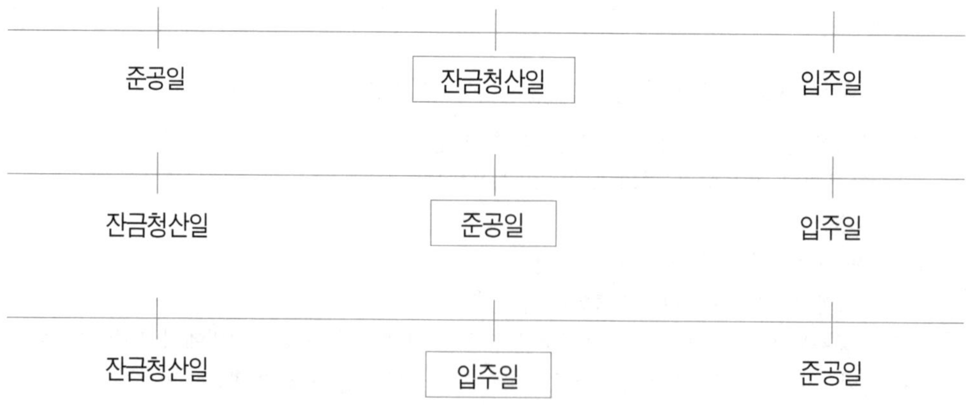

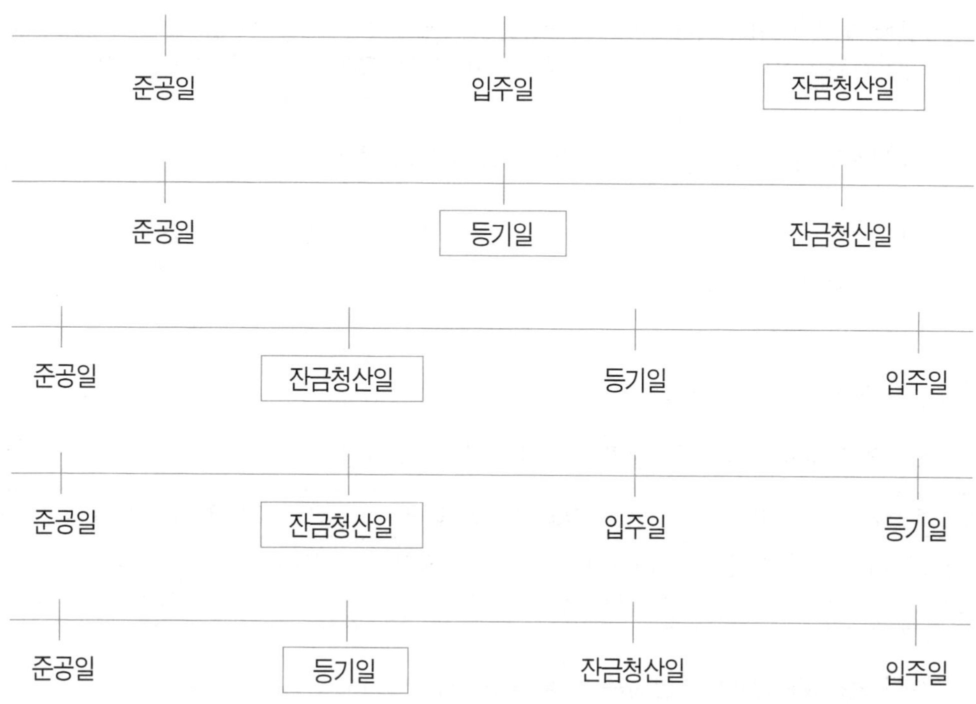

자. 환지처분시 양도 또는 취득시기(소득령 §162 ① 9호)

「도시개발법」 또는 그 밖의 법률에 따른 환지처분으로 인하여 취득한 토지의 취득시기는 환지 전의 토지의 취득일로 한다.

다만, 교부받은 토지의 면적이 환지처분에 의한 권리면적보다 증가 또는 감소된 경우에는 그 증가 또는 감소된 면적의 토지에 대한 취득시기 또는 양도시기는 환지처분의 공고가 있은 날의 다음날로 한다.

차. 과점주주 주식등의 양도시기(소득령 §162 ① 10호)

「소득세법 시행령」 제158조 제2항*의 경우 자산의 양도시기는 주주 1인과 기타주주가 주식등을 양도함으로써 해당 법인의 주식등의 합계액의 100분의 50 이상이 양도되는 날로 한다. 이 경우 양도가액은 그들이 사실상 주식등을 양도한 날의 양도가액에 의한다.

한편, 과점주주 주식등의 취득시기는 해당 주식을 실제 취득한 날로 한다.

* 기타자산 중 과점주주 주식 해당 여부 판단시 주식발행법인의 주식등을 50% 이상 양도하였는지

를 계산할 때 주주 1인과 기타 주주가 주식등을 수회에 걸쳐 양도하는 때에는 그들 중 1인이 주식등을 양도하는 날부터 소급하여 3년 내에 그들이 양도한 주식등을 합산하여 판단한다.

카. 취득시기가 불분명한 경우(소득령 §162 ⑤)

양도한 자산의 취득시기가 분명하지 아니한 경우에는 먼저 취득한 자산을 먼저 양도한 것으로 본다(선입선출법).

타. 의제취득일

① 토지·건물·부동산에 관한 권리 및 기타자산 : 1985. 1. 1.

1982. 1. 1. 이후	1989. 1. 1. 이후	1997. 1. 1. 이후
1974. 12. 31. 이전 취득분 −1975. 1. 1. 의제	1976. 12. 31. 이전 취득분 −1977. 1. 1. 의제	1984. 12. 31. 이전 취득분 −1985. 1. 1. 의제

② 주식 등(기타자산에 해당하는 주식 등은 제외) : 1986. 1. 1.

1991. 1. 1. 이후	1999. 1. 1. 이후	2001. 1. 1. 이후
① 비상장주식 • 1985. 12. 31. 이전 취득 −1986. 1. 1. 의제	① 비상장주식 • 좌 동 ② 상장주식 • 1984. 12. 31. 이전 취득 −1985. 1. 1. 의제	① 비상장주식 • 좌 동 ② 상장주식 • 1985. 12. 31. 이전 취득 −1986. 1. 1. 의제

3 기타 양도 · 취득시기 관련 규정

가. 잔금청산일이 매매계약서에 기재된 약정일과 다른 경우(소득통칙 98−162…1)

매매계약서 등에 기재된 잔금지급약정일보다 앞당겨 잔금을 받거나 늦게 받는 경우에는 실지로 받은 날이 잔금청산일이 된다. 이 경우 잔금을 소비대차로 변경한 경우는 소비대차로의 변경일을 잔금청산일로 한다.

조건부로 자산을 매매하는 경우 그 조건성취일이 양도 또는 취득시기가 된다.

나. 부동산에 관한 권리의 취득시기(소득통칙 98-162…2)

부동산의 분양계약을 체결한 자가 해당 계약에 관한 모든 권리를 양도한 경우에는 그 권리에 대한 취득시기는 해당 부동산을 분양받을 수 있는 권리가 확정되는 날(아파트당첨권은 당첨일)이고 타인으로부터 그 권리를 인수받은 때에는 잔금청산일이 취득시기가 된다.

다. 경락에 의하여 자산을 취득하는 경우(소득통칙 98-162…3)

경매에 의하여 자산을 취득하는 경우에는 경락인이 매각조건에 의하여 경매대금을 완납한 날이 취득의 시기가 된다.

라. 잔금을 어음이나 기타 이에 준하는 증서로 받은 경우 (소득통칙 98-162…4)

잔금을 어음이나 기타 이에 준하는 증서로 받은 경우 어음 등의 결제일이 그 자산의 잔금청산일이 된다.

마. 교환의 경우

① 부동산의 소유권을 상호 이전하기로 약정한 교환계약에 따라 소유권이 이전된 경우의 양도 및 취득시기는 교환계약일이 되는 것이나, 그 계약일이 불분명한 경우에는 교환등기 접수일이 된다(재산세과-741, 2009. 11. 16.).

② 자산의 양도차익을 계산함에 있어 그 취득시기 및 양도시기는 「소득세법 시행령」 제162조의 규정에 의하는 것임. 대금을 청산하기 전에 명의의 개서를 한 경우에는 명부에 기재된 명의개서일이며 주식교환시 교환가액의 차액이 있는 경우는 그 차액을 청산한 날을 대금청산일로 봄(재재산-248, 2004. 2. 25.).

바. 공동사업 현물출자의 경우

거주자가 공동사업(주택신축판매업 등)을 경영할 것을 약정하는 계약에 의해 토지 등을 공동사업에 현물출자하는 경우 「소득세법」 제88조 제1항에 따라 등기 또는 등록에 관계없이 현물출자한 날 또는 등기(등록 및 명의개서 포함) 접수일 중 빠른 날에 해당 토지 등이 유상으로 양도된 것으로 보아 양도소득세가 과세되는 것이며, 이 경우 동업계약서가 작성되지 아니하였거나 그 작성일이 객관적으로 확인되지 않음으로써 현물출자일이 불분명한 경우에는 당사자 간에 묵시적 합의가 성립한 날 또는 사실상 공동사업이 개시된 날 등을 확인하여 사실판단할 사항임(부동산거래관리과-1337, 2010. 11. 9.).

사. 「부동산소유권 이전등기 등에 관한 특별조치법」에 따라 이전등기한 경우

「부동산소유권 이전등기 등에 관한 특별조치법」에 의하여 부동산소유권 이전등기를 하는 경우에도 취득시기는 사실내용에 따라 매매재산은 대금청산일(대금청산일이 확인되지 아니하거나 불분명한 경우는 등기접수일), 상속재산은 상속개시일, 증여재산은 등기접수일이 취득시기이며, 명의신탁된 부동산을 명의신탁해지를 원인으로 소유권이전하는 경우에는 소유권 환원 등기시기에 불구하고 당초 명의신탁자의 취득일이 취득시기임. 귀 질의의 경우 취득시기는 소유권이전 원인 등 사실관계를 종합하여 판단할 사항임(부동산거래관리과-255, 2011. 3. 21.).

아. 대물변제하는 경우

자산의 양도에 대한 양도차익을 실지거래가액으로 산정하는 경우 취득 및 양도가액은 매매 당사자간에 실지거래된 가액에 의하는 것으로, 채무액 또는 위자료에 갈음하여 부동산으로 대물변제하는 경우에는 대물변제된 가액이 실지거래된 가액이 되는 것으로, 귀 질의의 경우 대물변제에 해당하는지 여부 및 대물변제된 가액 등에 대해서는 제반 사실관계를 종합하여 판단할 사항임.

자산의 양도차익 산시 적용할 양도시기를 판정함에 있어 채무에 갈음하여 대물변제하는 부동산의 경우 소유권이전에 관한 등기접수일이 양도시기가 되는 것임(재산세과-174, 2009. 1. 14.).

자. 주택채권입찰제가 적용되는 아파트의 취득시기

거주자가 주택채권 입찰제가 적용되는 아파트를 2006년도에 분양받아 해당 아파트가 준공된 이후 2009년도에 분양대금을 완납하고 2010년도에 제2종 국민주택채권을 매입한 경우 해당 아파트의 취득시기는 「소득세법」 제98조에 따라 아파트의 분양대금을 청산한 날로 보는 것임(부동산거래관리과-292, 2011. 4. 5.).

차. 청산금의 양도시기

「소득세법」 제98조 및 같은 법 시행령 제162조에 따라 자산의 취득 및 양도시기는 원칙적으로 당해 자산의 대금을 청산한 날이며, 「도시 및 주거환경정비법」에 따라 주택재건축사업을 시행하는 정비사업조합의 조합원이 당해 조합에 기존건물(그 부수토지를 포함, 이하 같음)을 제공하고 기존건물의 평가액과 신축건물의 분양가액에 차이가 있어 청산금을 수령한 경우로서 대금을 청산한 날까지 당해 청산금에 상당하는 기존건물이 확정되지 아니한 경우 그 양도시기는 「소득세법 시행령」 제162조 제2항에 따라 목적물이 확정된 날(「도시 및 주거환경정비법」 제54조의 소유권이전 고시일의 다음날)이며, 이에 해당하는지 여부는 사실판단할 사항임(재산세과-98, 2009. 9. 2.).

카. 임대주택 분양전환으로 취득한 주택의 취득시기

「소득세법」 제98조 및 동법 시행령 제162조 제1항의 규정을 적용함에 있어 임대주택법에 의한 임대주택을 당해 임대사업자로부터 분양받은 경우 "대금을 청산한 날"은 당초 임대보증금을 납부한 날이 아니라 임대관계 종료로 임대사업자와 당해 임대주택의 분양전환 합의에 의하여 이미 납부한 임대보증금이 매매대금화 되는 날임(재재산-506, 2006. 4. 26.).

관련예규 및 판례요약

양도 · 취득의 시기 : 소득령 §162

양도대금청산일 기준 양도시기와 관련된 예규, 판례

조심-2017-중-4343, 2018. 4. 18.

청구인이 토지거래계약 허가구역 내 토지인 종전 농지의 양도시기를 토지거래허가일로 오인하여 2009. 1. 30. 감면신청하였으나, 양도시기는 대금청산일인 2007. 5. 17.이고, 청구인이 종전 농지를 3년 이상 경작한 것으로 보이므로 농지대토에 대한 양도소득세 감면규정을 적용함이 타당.

조심-2016-중-1976, 2017. 1. 24.

처분청이 매매대금인지 여부를 확인하지 아니한 점, 거래사실을 인정하는 확인서를 추가 제출한 점, 사법당국의 수사결과 주식양도 · 양수계약서를 허위로 작성하여 행사한 사실이 확인된 점 등을 고려하여 양도시기를 재조사하여 그 결과에 따라 과세표준 및 세액을 경정하는 것이 타당하다고 판단됨.

대법원-2016-두-43138, 2016. 9. 28.

자산의 양도차익을 계산할 때 해당 자산의 양도시기는 구 「소득세법 시행령」 제162조 제1항 각 호의 예외사유가 없는 한 『당해 자산의 대금을 청산한 날』로 하는 것이 원칙이기에 원고의 청구는 이유 없음.

심사-양도 2014-0207, 2015. 2. 16.

청구인은 전체 양도대금으로 10억원을 수령하였다고 인정하면서도 처분청에서 잔금청산일로 확인한 2008. 4. 10. 이후에 별도 잔금을 수령하였다는 근거를 제시하지 않고 있으므로 양도대금이 청산된 때를 양도시기로 본 처분은 정당함.

법규재산 2012-254, 2012. 7. 13.

토지구획정리사업지구 내 체비지인 토지의 취득시기는 대금을 청산한 날이 되는 것이며, 대금을 청산하기 전에 소유권이전등기를 한 경우에는 등기부에 기재된 등기접수일을 취득시기로 하는 것임.

법규재산 2012-269, 2012. 7. 12.

소유자가 다른 토지와 건물을 함께 양도하는 경우로서 토지와 건물 등의 가액의 구분이 불분명한 때에는 「소득세법 시행령」 제166조 제6항의 규정에 따라 「부가가치세법 시행령」 제48조의 2 제4항 단서의 규정(감정평가가액, 기준시가, 장부가액, 취득가액을 순차적으로 적용한 가액에 의함)에 의하여 안분계산하는 것임.

대법 2010두 9372, 2012. 2. 23.

토지의 소유권 분쟁으로 소송이 진행 중이어서 양수자가 수용보상금을 공탁한 경우 공탁금에 대한 권리는 소유권 소송의 판결이 확정된 때에 비로소 실현가능성이 성숙 · 확정되었다 할 것이므로 토지의 양도시기는 수용보상금의 공탁일이 아니라 판결의 확정일로 보아야 할 것임.

서면5팀-3278, 2007. 12. 21.

거래당사자의 다툼으로 매수인이 그 매매잔금을 공탁하고 소유권이전등기 청구소송을 진행하여 판결에 의해 소유권이전등기가 이루어지는 경우 취득시기 및 양도시기는 거래 잔금의 공탁일로 하는 것임.

서면5팀-3065, 2007. 11. 22.

「임대주택법」에 의한 임대주택을 당해 임대사업자로부터 분양받은 경우 대금을 청산한 날은 임대관계 종료로 임대사업자와 당해 임대주택의 분양전환 합의에 의하여 이미 납부한 임대보증금이 매매대금화 되는 날임.

서면5팀-3011, 2007. 11. 15.

법원의 확정판결에 의해 소유권을 이전한 경우의 취득시기는 판결내용, 매매계약서, 대금지급 영수증에 의해 잔금청산일이 확인되는 경우 잔금청산일이 취득시기이나, 확인되지 않은 경우 등기접수일이 됨.

재재산-1193, 2007. 10. 4.

대금을 전부 청산하지 아니하였더라도 사회통념상 전부 청산하였다고 볼 만한 정도라면 대금을 청산하였다고 볼 수 있으나 이에 해당하는지는 사실판단 사항임.

서면5팀-2559, 2007. 9. 13.

분양받은 아파트로서 잔금청산일까지 완성되지 아니한 경우 당해 아파트의 완성일(사용승인일, 사실상의 사용일 중 빠른 날)이 취득시기가 되는 것임.

서면5팀-2499, 2007. 9. 7.

특별조치법에 의하여 소유권이 이전되는 경우에도 등기원인에 따른 매매대금청산일이 확인되면 그 대금청산일을 취득시기로 적용하는 것임.

서면4팀-128, 2006. 1. 26.

융자조건부 주택신축분양에 있어서는 금융기관이 분양받은 자를 근저당설정의무자로 한 근저당설정 및 융자를 함으로써 그 융자금이 잔금에 충당되는 날이 잔금청산일임.

서면4팀-124, 2006. 1. 25.

토지거래허가지역 안의 토지를 대금을 청산 후 허가를 받은 경우 양도시기는 대금을 청산한 날이 되는 것이나 양도소득세 예정신고 신고기한은 허가일이 속하는 달의 말일부터 2월이 되는 것임.

서면4팀 - 2662, 2006. 1. 2.

부동산에 관한 권리인 입주권을 양도하는 경우 양도시기는 대금청산일, 소유권이전등기일 중 빠른 날임.

서면4팀 - 2523, 2005. 12. 16.

토지거래허가구역 내의 토지를 대금청산 후 허가를 받은 경우 그 계약은 소급하여 유효한 계약이 되므로 당해 토지에 대한 대금을 청산한 날이 양도시기 및 취득시기가 되는 것임.

서면4팀 - 2331, 2005. 11. 25.

공익사업용 부동산으로 양도하는 토지를 환매권의 실행으로 당초의 토지를 환매받은 경우 당해 토지의 취득시기는 환매대금을 청산한 날임.

서면4팀 - 1761, 2005. 9. 27.

지방자치단체가 주택 등을 수용 · 철거하면서 이주대책으로 아파트를 특별분양한 경우 특별분양 받은 아파트의 취득시기는 잔금청산일임.

서면4팀 - 1878, 2004. 11. 19.

가등기자산도 그 양도 · 취득시기를 대금청산일로 하되 불분명시 등기 · 등록접수일로 보는 것이며, 지정지역소재 부동산은 그 지정일 이후 최초로 양도하는 분부터 실거래가(판결문상 표시금액에 불구하고 객관적으로 확인되는 실거래가액으로 함)로 양도차익 산정함.

서면4팀 - 1678, 2004. 10. 20.

이혼에 의한 재산분할청구권의 행사에 따라 취득한 자산의 취득시기는 소유권을 이전해 준 다른 이혼자의 당초 취득한 날을 취득시기로 보아 취득가액 · 보유기간 등을 적용하는 것임.

서면4팀 - 1507, 2004. 9. 23.

'공익사업을 위한 토지 등의 취득 및 손실보상에 관한 법률'(구, 토지수용법) 등의 규정에 의한 토지양도시기는 보상금에 대한 협의가 성립되어 보상금을 수령한 경우에는 보상금수령일 또는 공탁일이 됨.

재재산 - 248, 2004. 2. 25.

주식교환시 교환가액의 차액이 있는 경우 그 차액을 청산한 날을 대금청산일로 봄.

대금청산일이 불분명한 경우 양도시기와 관련된 예규, 판례

조심 - 2019 - 중 - 2100, 2019. 7. 25.

쟁점토지 양도시 실제 체결되었다는 매매계약서상 양도가액 XX원 중 원리금을 상환한 사실이 금융자료로 확인되는 대출금을 제외한 나머지는 객관적인 증빙이 없어 잔금청산 사실 여부가 불분명한 점, 청구인 스스로도 등기접수일을 양도일로 기재하여 기한 후 신고하였던 점 등에 비추어 처분청이 양도일을 등기접수일로 보아 양도소득세를 부과한 처분은 잘못이 없다고 판단됨.

대법원-2016-두-31159, 2016. 4. 7.

청구인이 주장하는 쟁점2주택 잔금청산일이 객관적인 증빙에 의하여 확인되지 아니하여 그 양도시기를 소유권이전등기접수일로 봄이 타당한 점 등을 종합할 때, 청구주장을 받아들이기 어려움.

조심 2014광 2059, 2014. 6. 30.

청구인이 양도한 보유주택①은 잔금청산일 불분명하므로 등기접수일을 양도시기로 보아 청구인의 보유주택 수에 산입하고, 미등기한 보유주택②는 거주 및 그 부수 토지가 청구인의 소유인 점 등에 비추어 청구인의 소유로 보이는 점 등을 종합할 때, 쟁점주택 양도는 1세대 1주택 비과세를 적용할 수 없음.

대법원 2013두 11918, 2013. 9. 26.

교환부동산에 설정된 근저당권부채무를 인수하고 그 점유를 완전히 인도받음으로써 건물에 대한 실질적인 처분권을 취득하였다고 보고 실질적인 처분권을 취득한 날을 교환계약에 의한 부동산 양도대금 청산일로 본 것은 적법함.

서일 46011-11709, 2003. 11. 25.

현물출자일이 객관적으로 확인되지 아니하는 경우 현물출자한 날은 당사자간에 묵시적 합의가 성립한 날 또는 사실상 공동사업이 개시된 날 등을 밝혀 소관 세무서장이 사실판단할 사항이며 부동산매매업의 사업개시일은 재화의 공급을 개시하는 날임.

대금청산일 전에 등기한 경우 양도시기와 관련된 예규, 판례

조심-2015-중-5062, 2016. 2. 29.

쟁점토지의 소유권이전등기에 관한 소송은 청구인이 쟁점토지의 매매대금 전액을 수령하였다는 사실에 대한 확정판결이 아니고, 청구인이 쟁점토지 매매대금 중 잔금을 지급받지 못한 사실이 확인되므로 쟁점토지의 양도일은 대금청산일과 소유권이전등기접수일 중 빠른 날인 등기부등본상 소유권이전등기일로 봄이 타당함.

심사양도 2014-0053, 2014. 5. 20.

환매권을 행사하여 취득한 경우의 취득시기는 환매대금청산일 또는 대금을 청산한 날이 분명하지 아니하거나 대금을 청산하기 전에 소유권이전등기를 한 경우에는 등기접수일이 되는 것임.

대법원 2012두 13900, 2012. 9. 27.

공익사업을 위한 수용의 경우에도 대금을 청산하기 전에 소유권이전등기를 한 경우에는 등기부에 기재된 등기접수일을 양도시기로 보아야 하는 것이므로 대금 청산 전에 소유권이전등기 접수한 날을 양도시기로 본 처분은 적법하고 수용이 소득세법상 양도에 해당하지 않는 것으로 오인한 것은 가산세 감면의 사유가 아님.

서면5팀-926, 2006. 11. 22.

토지가 협의매수에 의하여 소유권이 이전되는 경우 양도시기는 보상금수령일과 소유권이전등기 접수일 중 빠른 날임.

재재산-260, 2004. 2. 25.

대금을 청산하기 전에 명의의 개서를 한 경우 명부개서일을 취득 및 양도시기로 보며, 주식교환시 교환가액에 차액이 있는 경우에는 그 차액을 정산한 날을 대금청산일로 보는 것임.

장기할부조건부 매매의 경우 양도 · 취득시기와 관련된 예규, 판례

조심-2015-중-0348, 2015. 4. 21.

청구인이 청구일 현재까지 쟁점토지를 점유·사용하고 있고 매수인이 쟁점토지를 사용수익한 사실이 없으며 매매대금의 지급이 완료되지 아니하였으므로 쟁점토지를 장기할부조건부 매매로 양도된 것으로 본 처분은 부당함.

조심 2013중 4376, 2014. 2. 20.

청구인이 쟁점토지를 장기할부조건매매로 양도한 것으로 보고 2008년을 양도시기로 하여 과세한 이 건 처분은 잘못임.

대법원 1013두 16005, 2013. 12. 2.

부동산 양수회사가 건축물을 헐고 연립주택을 건축하기 위하여 부동산을 매수하였으므로 양도인이 부동산 매도계약을 체결한 후 그곳에서 퇴거하였다면 양수회사가 이를 인도받아 사용·수익할 수 있는 상태에 있었다고 봄이 타당하고 양도인의 세대합가는 부동산에서의 퇴거를 전제로 하는 것이므로 부동산의 인도는 세대합가에 선행되는 것으로 봄이 타당함.

심사양도 2013-0059, 2013. 6. 12.

장기할부조건부 매매계약에 있어 양도시기는 접수일, 인도일 또는 사용수익일 중 빠른 날이며, 사용수익일은 실제 사용할 수 있게 된 날을 말함.

서면4팀-2609, 2007. 9. 7.

「소득세법 시행규칙」 제78조 제3항의 장기할부조건에 해당하는 경우에는 소유권이전등기(등록 및 명의개서 포함) 접수일·인도일 또는 사용수익일 중 빠른 날을 취득시기로 하는 것임.

서면4팀-2112, 2007. 7. 10.

장기할부조건의 경우에는 소유권이전등기 접수일·인도일 또는 사용수익일 중 빠른 날이 취득시기이며, 2000. 1. 1. 이후 최초의 소유권이전등기 접수일·인도일 또는 사용수익일이 도래하는 분부터 적용함.

서면4팀-1791, 2004. 11. 4.

매매대금을 3회 이상 분할수수하고 소유권이전등기 접수일·인도일 또는 사용수익일 중 빠른 날 익일부터 최종할부금 지급기일까지 1년 이상인 것으로서 장기할부조건에 해당하는 경우 접수일·인도일·사용수익일 중 빠른 날이 취득시기임.

자가건설의 경우 양도·취득시기와 관련된 예규, 판례

조심 2011서 3497, 2013. 3. 11.

청구인이 조합원입주권을 승계취득한 대체주택은 자기가 건설한 건축물에 해당하고, 그 취득시기는 사용승인일로 봄이 타당하므로, 청구인은 종전주택 양도당시 1세대 2주택자에 해당함.

서면4팀-3472, 2007. 12. 4.

분양받은 아파트로서 잔금청산일까지 완성되지 아니한 경우 당해 아파트의 완성일(사용승인일, 사실상 사용일, 임시사용승인일 중 빠른 날)이 취득시기가 되는 것임.

서면5팀-2735, 2007. 10. 11.

지역주택조합 조합원으로부터 명의를 승계하여 취득한 주택의 취득시기는 사용검사필증교부일(사실상의 사용일 또는 사용승인일)이 되는 것임.

서면4팀-148, 2006. 1. 27.

공동사업자가 공동으로 건축물을 신축하여 자가사용하는 건축물을 양도하는 경우 취득시기는 건물의 경우 사용검사필증교부일(사실상의 사용일, 사용승인일)이 되는 것이며 부수토지는 현물출자일임.

서면4팀-1688, 2005. 9. 20.

재건축입주권의 취득시기는 2005. 5. 31. 이후에 관리처분계획의 인가를 받는 분부터는 주택재개발 · 재건축사업 모두 관리처분계획의 인가일(지방자치단체의 공보에 고시한 날)이 되는 것임.

서면4팀-1313, 2005. 7. 25.

공동사업자가 공동으로 주택을 신축하여 본인들이 자가사용하는 것에 대한 취득시기는 주택의 경우 사용검사필증교부일(사실상의 사용일) 그 부수토지는 현물출자일이 되는 것임.

서면4팀-939, 2005. 6. 15.

재건축입주권을 양수한 자가 재건축아파트를 취득하면서 추가 청산금을 납부하는 경우로서 종전 아파트보다 부수토지 및 건물면적이 증가한 경우 취득시기는 증가된 토지의 경우 청산금의 잔금청산일이 되며, 증가된 건물의 경우 사용검사필증교부일(사용일, 사용승인일이 빠른 경우 당해 일자)임.

상속 · 증여시 양도 · 취득시기와 관련된 예규, 판례

심사-양도-2019-0117, 2019. 12. 18.

1개의 감정평가법인이 평가한 감정가액은 '취득 당시의 실지거래가액'을 대체할 수 있도록 정한 감정가액에 해당하지 아니한다고 봄이 타당하고 쟁점토지와 비교대상토지는 실제 형태와 위치, 토지의 개발과 이용에 관련된 법규상의 규정이 다르므로 청구인이 시가로 주장하는 비교대상토지의 거래가액은 시가로 인정하기는 어려움.

서면-2019-부동산-3264, 2019. 9. 19.

상속으로 취득하여 환매한 농지를 양도하는 경우 그 농지에 대한 양도소득세액 계산시 취득시기는 상속인이 한국농어촌공사에 양도하기 전 농지(A) 취득일을 적용하는 것임.

조심-2015-부-5041, 2015. 12. 7.

쟁점토지의 취득가액을 직계비속이 취득할 당시의 기준시가로 계산하여 양도소득세를 과세한 처분의 당부 등[기각] 쟁점토지는 청구인과 청구인 자녀들에게 상속되었고, 청구인은 쟁점토지를 직계비속으로부터 증여 취득 후 5년 이내에 양도한 바, 처분청이 취득가액을 개별공시지가로 계산하여 과세한 이 건 처분은 잘못이 없음.

조심-2015-구-4917, 2015. 12. 2.

쟁점토지는 배우자로부터 증여받은 날로부터 5년이 경과하여 양도된 것이고 증여받은 부동산의 취득가액은 증여일 현재의 시가에 의하고, 시가를 산정하기 어려운 경우 개별공시지가 등을 적용하므로 처분청의 경정청구 거부처분은 잘못이 없음.

대법원-2015-두-43025, 2015. 10. 15.

상속을 원인으로 취득한 쟁점토지의 취득시기는 1997. 2.이고 새로운 공시지가(공시일 : 1997. 6.)가 공시되기 이전이므로 1997년도의 기준시가를 적용하여 취득가액을 재계산할 수는 없음.

서면4팀-3461, 2007. 12. 4.

「부동산소유권 이전등기 등에 관한 특별조치법」에 의하여 부동산에 대한 소유권이전등기를 하는 경우에는 사실상 취득 원인에 따라 증여재산은 등기접수일, 상속재산은 상속개시일이 취득시기임.

서면5팀-3138, 2007. 11. 30.

상속으로 취득한 자산에 대하여는 상속등기 여부와는 관계없이 상속개시일이 취득시기가 되는 것임.

서면4팀-1792, 2004. 11. 4.

상속으로 취득한 자산은 상속등기 여부에 관계없이 상속개시일이 취득시기이므로, 상속인이 상속받은 자산의 상속등기 이행 전 사망하는 경우 당해 피상속인의 지분에 해당하는 자산의 취득시기는 당해 피상속인의 상속개시일임.

미완성 목적물 양도 · 취득시기와 관련된 예규, 판례

청주지방법원-2016-구합-11037, 2016. 12. 8.

비록 이 사건 기계장치는 미완성이지만 인도되었고 소유권이전을 전제로 유치권을 행사하였으므로 이 사건 기계장치는 공급시기가 도래되었다 할 것임.

서면5팀-3155, 2007. 12. 3.

완성 또는 확정되지 아니한 자산을 취득하는 경우로서 당해 자산의 대금을 청산한 날까지 그 목적물이 완성 또는 확정되지 아니한 경우에는 그 목적물이 완성 또는 확정된 날이 취득일임.

서면5팀-2980, 2007. 11. 14.

분양받은 아파트로서 잔금청산일까지 완성되지 아니한 경우 아파트의 완성일이 취득시기가 되는 것임.

서면4팀-1737, 2005. 9. 23.

자산이 완성 또는 확정되지 아니한 경우 자산의 취득시기는 그 목적물이 완성 또는 확정된 날로 하는 것임.

서면4팀 - 1804, 2004. 11. 8.

부동산의 취득시기 도래 전에 양도하는 것은 부동산의 양도가 아닌 '부동산을 취득할 수 있는 권리'를 양도한 것으로 봄.

서면4팀 - 1744, 2004. 10. 28.

토지구획정리사업지구 내 토지의 취득시기는 대금을 청산한 날까지 그 목적물이 완성 또는 확정되지 아니한 경우에는 완성 또는 확정일을 취득일로 보는 것임.

서면4팀 - 1603, 2004. 10. 11.

건설중인 아파트의 분양계약에 따라 아파트를 취득하는 경우로서 대금청산일까지 당해 아파트가 완공되지 아니한 경우에는 완성일(사용승인일, 사실상의 사용일 또는 임시사용승인일 중 빠른 날)이 취득시기가 되는 것임.

재재산 46014 - 197, 2004. 2. 13.

완성 또는 확정되지 아니한 목적물을 사실상 사용하는 경우에는 그 사실상 사용일이 양도 또는 취득시기이고, 당초 계약과는 별도로 증가된 토지는 새로 취득하는 것이므로 대금청산일이 취득시기가 됨.

재건축 등 환지처분시 양도·취득시기와 관련된 예규, 판례

서면 - 2017 - 부동산 - 1470, 2017. 9. 25.

거주자가 공동으로 상가를 신축하여 분양할 목적으로 조합을 설립하고 조합원 소유토지를 현물출자하는 경우에는 현물출자한 날 또는 등기접수일 중 빠른날에 그 출자지분에 따른 토지가 사실상 유상으로 양도된 것으로 보는 것이며, 이 경우 실지거래가액이라 함은 실지의 거래대금 그 자체 또는 거래 당시 급부의 대가로 실지 약정된 금액을 말하는 것임.

서면 - 2016 - 부동산 - -4326, 2016. 8. 1.

「도시개발법」 또는 그 밖의 법률에 따른 환지처분으로 인하여 교부받는 토지의 면적이 환지처분에 의한 권리면적보다 감소되는 경우에는 그 감소된 면적의 토지에 대한 양도시기는 환지처분의 공고가 있은 날의 다음날이 되는 것임.

조심 - 2015 - 중 - 4586, 2015. 12. 22.

환지처분에 의하여 양도로 보지 아니하는 경우에 해당하지 않는 임의의 재건축사업에 해당하고, ○○신탁이 신탁을 원인으로 보존등기한 후 청구인이 매매를 원인으로 소유권을 이전받은 점 등에 비추어 이 건 재건축사업에 제공된 쟁점부동산의 권리지분 평가액을 양도가액으로 하여 양도소득세를 과세한 이 건 처분은 잘못이 없음.

서면4팀 - 384, 2006. 2. 23.

환지처분에 의한 권리면적보다 감소된 토지의 양도시기는 환지처분의 공고가 있는 날의 다음날로 하는 것임.

서면4팀 - 2537, 2005. 12. 19.

환지처분공고일이 2000. 12. 31. 이전인 경우로서 환지처분으로 인하여 교부받은 토지의 면적이 환지처분에 의한 권리면적보다 감소된 경우 그 감소된 토지의 양도시기는 환지청산금을 수령한 날임.

서면4팀 - 985, 2005. 6. 17.

재건축조합원이 종전 토지 등에 대하여 환지청산금을 교부받은 경우 양도시기는 대금청산일이며, 양도되는 토지 등의 면적은 환지 전 토지 등의 면적에 환지청산금이 분양기준액에서 차지하는 비율을 곱하여 계산하는 것임.

서면4팀 - 971, 2005. 6. 17.

「도시개발법」 등 법률에 의한 환지처분으로 인하여 취득하는 건물 및 부수토지의 취득시기는 환지처분 전의 당초 건물 및 부수토지의 취득일로 하는 것임.

양도자산의 취득시기가 불분명한 경우와 관련된 예규, 판례

심사 - 양도 - 201 - 0033, 2018. 6. 27.

매매사실과 매매대금청산일을 확인할 수 있는 객관적인 증빙자료를 제출하지 못하면 특별조치법으로 소유권이 이전되는 경우에는 매매대금청산일이 확인되지 않거나 불분명한 경우는 등기접수일이 취득시기임.

조심 - 2018 - 중 - 0393, 2018. 5. 14.

청구인은 쟁점부동산의 지분 3분의 1을 2002. 5. 10. 상속으로, 2012. 8. 2. 나머지 지분을 공동상속인들로부터 소유권이전 받았으나, 그 실질이 공유물분할로서 취득시기는 상속개시일로 보아야 할 것이므로, 처분청이 쟁점부동산의 경락가액을 양도가액으로 하고, 상증법상 보충적 평가방법으로 평가한 가액을 취득가액으로 한 처분은 달리 잘못이 없음.

서면5팀 - 604, 2006. 10. 31.

양도한 주식의 취득시기가 불분명한 경우 먼저 취득한 주식을 먼저 양도한 것으로 봄.

서면4팀 - 31, 2006. 1. 9.

양도한 주식의 주권발행번호, 기타 증빙자료에 의하여 취득시기를 확인할 수 있는 경우 그 확인되는 날이 취득시기가 되는 것이나 취득시기가 불분명한 경우 먼저 취득한 자산을 양도한 것으로 보는 것임.

서면4팀 - 1927, 2004. 11. 29.

협회등록법인의 양도차익 계산을 위해 취득가액을 산정시, 2회 이상에 걸쳐 취득한 주식 중 일부를 양도하는 경우로서 취득시기가 불분명한 경우에는 먼저 취득한 주식을 먼저 양도하는 것으로 보는 것임.

기타의 경우 양도 · 취득시기와 관련된 예규, 판례

서면4팀 - 3372, 2007. 11. 22.

명의신탁된 부동산을 명의신탁해지를 원인으로 소유권 환원등기를 하는 경우에는 소유권 환원등기 시기에 불구하고 당초의 취득일이 자산의 취득시기가 되는 것임.

서면4팀 - 2278, 2007. 7. 25.

「민법」 제245조 제1항의 점유로 인하여 소유권을 취득하는 경우 취득시기는 당해 부동산의 점유를 개시한 날이 취득시기가 되는 것임.

서면4팀 - 125, 2006. 1. 25.

주권상장법인과 비상장법인 간의 포괄적 주식교환으로 주권상장법인이 완전모회사가 되고 비상장법인이 완전자회사가 되는 경우 완전자회사 주주의 주식양도시기는 주식을 교환하는 날임.

서면4팀 - 2612, 2005. 12. 26.

지역조합아파트의 취득시기는 토지의 경우 조합이 조합원을 대위하여 토지대금을 청산한 날(등기접수일)이며 건물의 경우 사용검사필증교부일(사실상사용일, 사용승인일)임.

서면4팀 - 2370, 2005. 11. 30.

명의신탁된 자산이 사실상 유상으로 이전되는 때에는 양도에 해당하며 취득시기는 실지소유자 명의로의 환원 여부에 불구하고 당초의 취득일이 되는 것임.

서면4팀 - 2333, 2005. 11. 25.

비상장주식을 조건부로 거래하는 경우에는 그 조건을 성취한 날이 양도 또는 취득의 시기가 되는 것임.

서면4팀-2228, 2005. 11. 17.

지역조합아파트의 토지취득시기는 조합이 조합원을 대위하여 토지대금을 청산한 날, 소유권 이전등기접수일 중 빠른 날을 취득시기로 하며, 건물의 경우 사용검사필증교부일, 사실상 사용일, 사용승인일 중 빠른 날로 하는 것임.

양도자산의 취득시기 의제와 관련된 예규, 판례

조심 2013구1053, 2013. 10. 16.

매매계약서 등 기타 증빙에 의하여 대금청산일이 확인되지 아니하는 점 등에 비추어 볼 때, 쟁점토지의 매매대금을 청산한 날이 분명하지 아니한 경우에 해당되므로 등기접수일을 취득시기로 보는 것이 타당함.

재재산 46014-245, 1999. 7. 29.

1985. 12. 31. 이전에 취득한 비상장주식을 한국증권거래소에 상장 후 주식을 양도하는 경우 당초 취득한 비상장주식의 의제취득일은 1986. 1. 1.임.

재일 46014-2892, 1996. 12. 31.

지분별로 취득시기가 다른 한 필지의 토지일부를 분할양도시 당초 토지의 지분별 취득시기를 양도토지의 취득시기로 각각 비례하여 적용함.

재일 46014-1071, 1996. 4. 29.

합병에 따라 피합병법인의 주주가 합병법인으로부터 받은 주식의 취득시기는 합병등기일을 기준함.

제 5 절 기준시가

1 기준시가의 개념

가. 기준시가의 의의

'기준시가'란 국세(양도소득세, 상속세, 증여세 등)의 과세표준의 기초가 되는 양도가액, 과세가액 등의 기준이 되는 가액을 말하며, 지방세(취득세, 재산세 등)의 경우 유사한 가액으로 '시가표준액'이라고 하며 「소득세법」 제99조와 「지방세법」 제4조에 각각 그 가액 계산 방법을 규정하고 있다.

나. 소득세법상 기준시가의 개요

현행 소득세법상 부동산 등에 대한 기준시가의 계산 방법은 다음 표와 같다.

| 자산별 기준시가의 개요(소득법 §99) |

구 분			기 준 시 가
부동산	토지(㎡당)	일반지역	「부동산 가격공시에 관한 법률」에 따른 개별공시지가
		지정지역	개별공시지가 × 국세청장이 고시하는 지역별 배율
	건물(㎡당)		국세청장이 산정 · 고시하는 가액(2001. 1. 1. 이후)
	오피스텔 및 상업용 건물(㎡당)		국세청장이 토지와 건물에 대하여 일괄하여 산정 · 고시하는 가액(부수토지 포함)(2005. 1. 1. 이후)
	주택	단독주택	「부동산 가격공시에 관한 법률」에 따른 개별주택가격(부수토지 포함)
		공동주택	「부동산 가격공시에 관한 법률」에 따른 공동주택가격(부수토지 포함)
부동산에 관한 권리	부동산을 취득할 수 있는 권리		취득일 또는 양도일까지 불입한 금액 + 취득일 또는 양도일 현재의 프리미엄에 상당하는 금액
	지상권 · 전세권 및 등기된 부동산임차권		「상속세 및 증여세법 시행령」 제51조 제1항을 준용하여 평가한 가액

<table>
<tr><th colspan="2">구 분</th><th>기 준 시 가</th></tr>
<tr><td rowspan="4">주식 등</td><td>유가증권상장법인 주식(기타자산에 해당하는 주식 포함)</td><td>취득일 또는 양도일 이전 1개월간 동안 공표된 매일의 한국거래소 최종 시세가액(거래실적 유무를 따지지 아니함)의 평균액</td></tr>
<tr><td>코스닥시장상장법인 주식(기타자산에 해당하는 주식 포함, 거래정지 등이 된 주식은 제외)</td><td>〃</td></tr>
<tr><td>코스닥시장상장법인 중 거래정지 등이 된 주식, 주권비상장법인의 주식</td><td>「상속세 및 증여세법」 제63조 제1항 제1호 다목을 준용하여 평가한 가액(순손익가치와, 순자산가치 가중평균)
* 평가기준시기 및 평가액은 소득령 §165 ④에 따름
* 장부 분실 등으로 취득당시의 기준시가를 확인할 수 없는 경우에는 액면가액을 취득 당시의 기준시가로 함.</td></tr>
<tr><td>신주인수권</td><td>「상속세 및 증여세법 시행령」 제58조의 2 제2항을 준용하여 평가한 가액</td></tr>
<tr><td rowspan="3">기타 자산</td><td>사업용고정자산과 함께 양도하는 영업권</td><td>「상속세 및 증여세법 시행령」 제59조 제2항의 규정을 준용하여 평가한 가액</td></tr>
<tr><td>시설물이용권(주식 등은 제외)</td><td>「지방세법」에 따라 고시한 시가표준액
* 취득 또는 양도 당시의 시가표준액을 확인할 수 없는 경우에는 「소득세법 시행규칙」 제81조에 따라 계산한 가액</td></tr>
<tr><td>과점주주 주식, 부동산과다보유법인 주식</td><td>위 "주식 등"의 규정에 의하여 평가한 가액</td></tr>
</table>

※ 공동주택가격의 경우에 「부동산 가격공시에 관한 법률」 제17조 제1항 단서에 따라 국세청장이 결정・고시한 공동주택가격이 있을 때 그 가격에 따르고, 개별주택가격 및 공동주택가격이 없는 주택의 가격은 납세지 관할 세무서장이 인근 유사주택의 개별주택가격 및 공동주택가격을 고려하여 정한다.

2 토지의 기준시가

가. 적용원칙

1) 일반지역의 토지

토지의 기준시가는 「부동산 가격공시에 관한 법률」에 의한 개별공시지가(㎡당 가액)로 한다(소득법 §99 ① 1호 가목).

▶▶ 양도(취득) 당시 토지의 기준시가 = 양도일(취득일) 현재 고시된 개별공시지가 × 양도(취득) 면적

2) 지정지역의 토지

① 지가(地價)가 급등하는 지역으로서 대통령령으로 정하는 지역의 경우에는 배율방법(개별공시지가 × 국세청장이 고시한 지역별 배율)에 따라 평가한 가액으로 한다(소득법 §99 ① 1호 가목 단서).

▶▶ 양도(취득) 당시 토지의 기준시가 = 양도일(취득일) 현재 고시된 개별공시지가 × 양도(취득)면적 × 국세청장이 고시한 지역별 배율

② 위 ①에서 '대통령령이 정하는 지역'이라 함은 각종 개발사업 등으로 지가가 급등하거나 급등우려가 있는 지역으로서 국세청장이 지정한 지역을 말한다(소득령 §164 ②).

③ 위의 ①에서 '대통령령이 정하는 배율'이라 함은 국세청장이 양도 · 취득당시의 개별공시지가에 지역마다 그 지역에 있는 가격사정이 유사한 토지의 매매사례가액을 참작하여 고시하는 배율을 말한다(소득령 §164 ⑫).

▶▶ 2013년 5월 현재 국세청장이 고시한 지정지역 및 배율은 없음.

3) 개별공시지가가 없는 토지

① 개별공시지가가 없는 토지의 가액은 납세지 관할 세무서장이 인근 유사토지의 개별공시지가를 고려하여 아래 ②의 방법에 따라 평가한 금액으로 한다(소득법 §99 ① 1호 가목 단서).

② 개별공시지가가 없는 토지의 기준시가

다음 각 호의 어느 하나에 해당하는 개별공시지가가 없는 토지와 지목 · 이용상황 등 지가형성요인이 유사한 인근토지를 표준지로 보고 「부동산 가격공시에 관한 법률」 제9조 제2항에 따른 비교표에 따라 납세지 관할 세무서장(납세지 관할 세무서장과 해당 토지의 소재지를 관할하는 세무서장이 서로 다른 경우로서 납세지 관할 세무서장의 요청이 있는 경우에는 그 토지의 소재지를 관할하는 세무서장)이 평가한 가액을 말한다. 이 경우 납세지 관할 세무서장은 「지방세법」 제4조 제1항 단서에 따라 시장 · 군수가 산정한 가액을 평가한 가액으로 하거나 둘 이상의 감정평가기관에 의뢰하여 그 토지에 대한 감정평가기관의 감정가액을 고려하여 평가할 수 있다.

i) 「측량 · 수로조사 및 지적에 관한 법률」에 의한 신규등록토지

ⅱ) 「측량·수로조사 및 지적에 관한 법률」에 의하여 분할 또는 합병된 토지
ⅲ) 토지의 형질변경 또는 용도변경으로 인하여 「측량·수로조사 및 지적에 관한 법률」상의 지목이 변경된 토지
ⅳ) 개별공시지가의 결정·고시가 누락된 토지(국·공유지를 포함한다)

나. 기준시가 적용기준일

양도·취득 또는 상속 개시 및 증여당시에 결정·공시된 개별공시지가를 적용한다. 예를 들어 2007년 3월 31일에 양도한 경우 양도가액의 공시지가 적용은 2007년분은 2007년 5월 31일에 고시되었으므로(양도당시에는 아직 고시되지 아니하였으므로) 2006년 1월 1일을 기준하여 2006년 5월 31일에 고시한 가액을 적용한다는 사실에 유의해야 한다.

취득 당시의 경우도 같은 방법으로 적용한다.

- 1990. 1. 1. 기준 개별공시지가 고시일 : 1990. 8. 30.
- 1991. 1. 1. 기준 개별공시지가 고시일 : 1991. 6. 29.
- 1992. 1. 1. 기준 개별공시지가 고시일 : 1992. 6. 5.
- 1993. 1. 1. 기준 개별공시지가 고시일 : 1993. 5. 22.
- 1994. 1. 1. 기준 개별공시지가 고시일 : 1994. 6. 30.
- 1995. 1. 1. 기준 개별공시지가 고시일 : 1995. 6. 30.
- 1996. 1. 1. 기준 개별공시지가 고시일 : 1996. 6. 28.
- 1997. 1. 1. 기준 개별공시지가 고시일 : 1997. 6. 30.
- 1998. 1. 1. 기준 개별공시지가 고시일 : 1998. 6. 30.
- 1999. 1. 1. 기준 개별공시지가 고시일 : 1999. 6. 30.
- 2002. 1. 1. 기준 개별공시지가 고시일 : 2002. 6. 29.
- 2003. 1. 1. 기준 개별공시지가 고시일 : 2003. 6. 30.
- 2004. 1. 1. 기준 개별공시지가 고시일 : 2004. 6. 30.
- 2005. 1. 1. 기준 개별공시지가 고시일 : 2005. 5. 31.
- 2006. 1. 1. 기준 개별공시지가 고시일 : 2006. 5. 31.
- 2007. 1. 1. 기준 개별공시지가 고시일 : 2007. 5. 31.
- 2008. 1. 1. 기준 개별공시지가 고시일 : 2008. 5. 31.
- 2009. 1. 1. 기준 개별공시지가 고시일 : 2009. 5. 29.
- 2010. 1. 1. 기준 개별공시지가 고시일 : 2010. 5. 31.
- 2011. 1. 1. 기준 개별공시지가 고시일 : 2011. 5. 31.
- 2012. 1. 1. 기준 개별공시지가 고시일 : 2012. 5. 31.

- 2013. 1. 1. 기준 개별공시지가 고시일 : 2013. 5. 31.
- 2014. 1. 1. 기준 개별공시지가 고시일 : 2014. 5. 30.
- 2015. 1. 1. 기준 개별공시지가 고시일 : 2015. 5. 29.
- 2016. 1. 1. 기준 개별공시지가 고시일 : 2016. 5. 31.
- 2017. 1. 1. 기준 개별공시지가 고시일 : 2017. 5. 31.
- 2018. 1. 1. 기준 개별공시지가 고시일 : 2018. 5. 31.
- 2019. 1. 1. 기준 개별공시지가 고시일 : 2019. 5. 31.

다. 기준시가 고시 전에 취득 또는 양도하는 경우

토지에 대한 기준시가를 적용함에 있어서 새로운 기준시가가 고시되기 전에 취득 또는 양도하는 경우에는 직전의 기준시가에 의한다(소득령 §164 ③).

라. 1990. 8. 30. 전에 취득한 경우

1) 「부동산 가격공시에 관한 법률」에 의하여 1990년 8월 30일 개별공시지가가 고시되기 전에 취득한 토지의 취득당시의 기준시가는 다음 산식에 의하여 계산한 가액으로 한다. 이 경우 다음 산식 중 시가표준액은 법률 제4995호로 개정되기 전의 「지방세법」상 시가표준액을 말한다(소득령 §164 ④).

$$\text{1990년 1월 1일을 기준으로 한 개별공시지가} \times \frac{\text{취득당시의 시가표준액}}{\text{1990년 8월 30일 현재의 시가표준액과 그 직전에 결정된 시가표준액의 합계액을 2로 나누어 계산한 가액}}$$

2) 위 1)의 규정을 적용함에 있어 같은 항 산식 중 분모의 가액은 1990년 8월 30일 현재의 시가표준액을 초과하지 못하며, 1990년 8월 30일 직전에 결정된 시가표준액과 취득일 직전에 결정된 시가표준액이 동일한 경우로서 1990년 1월 1일을 기준으로 한 개별공시지가에 곱하는 그 비율이 100분의 100을 초과하는 경우에는 그 초과하는 부분은 이를 없는 것으로 한다(소득칙 §80 ⑥).

3) 위의 1)의 규정을 적용함에 있어서 같은 항 산식 중 "직전에 결정된 시가표준액"이라 함은 1989년 12월 31일 현재의 시가표준액을 말한다. 다만, 1990년 1월 1일 이후 1990년 8월 29일 이전에 시가표준액이 수시 조정된 경우에는 당해 최종 수시 조정일의 전일의 시가표준액을 말한다(소득칙 §80 ⑦).

4) 양도 또는 취득당시의 토지등급이 없는 경우에 적용할 가액(소득통칙 99-164…1)

양도 및 취득당시 설정된 토지등급이 없는 때에 적용할 토지등급은 다음 각 호의 순서에 따른다.

① 재산세과세대장상에 등재된 토지등급
② 해당 토지의 품위와 정황이 유사한 인근토지의 등급가격을 참작하여 시장(구청장)·군수가 결정한 가액
③ 해당 토지와 바로 인접된 토지 중 품위·정황이 유사한 토지의 등급
④ 품위·정황이 유사한 토지가 없는 때에는 해당 토지 소재지 동(리)의 최하등급

5) 계산사례

① 1990. 8. 30. 최초 공시지가 고시 전에 취득한 토지의 취득당시 기준시가

- 1987. 1. 1. : 150등급(6,730원)
- 1989. 1. 1. : 173등급(20,600원)
- 1990. 1. 1. : 181등급(30,500원)
- 1991. 1. 1. : 190등급(47,300원)
- 1987. 9. 1. 취득
- 1996. 1. 30. 양도
- 1990. 1. 1.을 기준으로 한 개별공시지가 : 195,000원/m^2
- 취득가액 계산

$$195{,}000 \times \frac{6{,}730}{(30{,}500 + 20{,}600) \times \frac{1}{2}} = 51{,}363\text{원}/m^2$$

② 위 ① 산식 중 분모와 분자의 시가표준액 비율은 100분의 100을 한도로 함.

- 1989. 1. 1. : 173등급(20,600원)

- 1990. 1. 1. : 181등급(30,500원)
- 1991. 1. 1. : 190등급(47,300원)
- 1990. 5. 1. 취득
- 1996. 1. 30. 양도
- 1990. 1. 1.을 기준으로 한 개별공시지가 : 195,000원/m^2

$$195{,}000 \times \frac{30{,}500}{(30{,}500 + 20{,}600) \times \frac{1}{2}} = 195{,}000\text{원}/m^2$$

※ 위 2)의 규정에 따라 분모와 분자의 시가표준액 비율은 100분의 100을 한도로 함. 즉 공시지가보다 높을 수는 없다.

③ 위 ① 산식 중 분모의 가액은 1990. 8. 30. 현재의 시가표준액을 초과하지 못함.

- 1987. 1. 1. : 175등급(22,700원)
- 1989. 1. 1. : 185등급(37,100원)
- 1990. 1. 1. : 181등급(30,500원)
- 1991. 1. 1. : 190등급(47,300원)
- 1987. 10. 1. 취득
- 1996. 1. 30. 양도
- 1990. 1. 1.을 기준으로 한 개별공시지가 : 195,000원/m^2
- 취득가액 계산

$$195{,}000 \times \frac{22{,}700}{(30{,}500 + 37{,}100) \times \frac{1}{2}} = 145{,}131\text{원}/m^2$$

※ 분모의 (30,500 + 37,100) ÷ 2의 가액은 1990. 8. 30. 현재의 시가표준액인 181등급(30,500원)보다 많을 수는 없다.

3 | 일반건물의 기준시가

가. 적용원칙

1) '일반건물의 기준시가'는 건물(오피스텔·상업용건물·주택은 제외한다)의 신축가격, 구조, 용도, 위치, 신축연도 등을 고려하여 매년 1회 이상 국세청장이 산정·고시하는 가액으로 한다(소득법 §99 ① 1호 나목).

2) 적용대상건물

일반건물은 주택(단독주택·공동주택)·오피스텔(부수토지 포함)·상업용 건물(부수토지 포함)을 제외한 건물을 적용대상으로 한다.

* 다만, 주택가격 등이 고시되기 전에 취득한 경우에는 일반건물 기준시가를 사용하여 취득당시 기준시가를 환산 계산한다.

3) 계산방법

건물기준시가는 건물신축가격기준액(㎡당)에 각종 지수와 면적을 곱하여 산정한다.

㎡당 건물기준시가 = 건물신축가격기준액 × 구조지수 × 용도지수 × 위치지수 × 경과연수별 잔가율 (1,000원 미만의 금액은 절사)
일반건물 기준시가 = ㎡당 건물기준시가 × 건물면적(건물면적은 연면적을 적용함)

① ㎡당 건물기준시가

건물신축가격기준액, 구조지수, 용도지수, 위치지수, 경과연수별잔가율을 국세청장이 고시한다.

* 「상속세 및 증여세법」에 따른 재산평가시(보충적 평가)에는 '개별건물의 특성에 따른 조정률'을 추가로 반영하여 ㎡당 건물기준시가를 계산한다.

② 연도별 건물신축가격기준액

(단위 : 천원)

연도	'01	'02	'03~'05	'06	'07	'08~'09	'10	'11	'12	'13	'14	'15	'16	'17
금액	400	420	460	470	490	510	540	580	610	620	640	650	660	670

나. 취득당시 기준시가가 없는 경우

일반건물 기준시가가 고시되기 전에 취득한 건물의 취득당시의 기준시가는 다음 산식에 따라 계산한 가액으로 한다(소득령 §164 ⑤).

취득당시의 기준시가	=	국세청장이 당해 자산에 대하여 최초로 고시한 기준시가	×	당해 건물의 취득연도 · 신축연도 · 구조 · 내용연수 등을 감안하여 국세청장이 고시한 기준율

* 국세청장이 당해 자산에 대하여 최초로 고시한 기준시가 : 2001. 1. 1. 현재 기준시가
* 당해 건물의 취득연도 · 신축연도 · 구조 · 내용연수 등을 감안하여 국세청장이 고시한 기준율 : 취득당시 건물기준시가 산정기준율
* 2001. 1. 1. 이후 양도하는 경우로서 2000. 12. 31. 이전에 취득한 경우에 위 계산식을 적용한다.

4 | 오피스텔 및 상업용 건물의 기준시가

가. 오피스텔 및 상업용 건물의 기준시가

건물에 딸린 토지를 공유로 하고 건물을 구분 소유하는 것으로서 지정지역에 소재하는 오피스텔(이에 딸린 토지를 포함한다) 및 상업용 건물(이에 딸린 토지를 포함한다)에 대해서는 건물의 종류 · 규모 · 거래상황 · 위치 등을 참작하여 매년 1회 이상 국세청장이 토지와 건물에 대하여 일괄하여 산정 · 고시하는 가액을 말한다.

1) 기준시가 기본 계산식

기준시가 = 단위면적당 가액 × 건물면적

* 단위면적당 가액 : 각 호별 단위면적당 가액
* 건물면적 : 공부상 전용면적과 공유면적을 합한 면적

나. 용어의 정의

1) 오피스텔

「건축법」 제2조 제2항에서 정한 업무시설 중 오피스텔(이들에 부수되는 토지를 포함한

다)을 말한다.

2) 상업용 건물

「건축법」 제2조 제2항에서 정한 근린생활시설, 판매시설과 영업시설의 용도로 사용되고 있는 건물(이들에 부수되는 토지를 포함한다)을 말한다.

3) 지정지역

「오피스텔 및 상업용 건물 기준시가」가 적용되는 지정지역은 건물의 용도·면적 및 구분소유하는 건물의 수 등을 고려하여 국세청장이 정하는 지역으로 서울특별시, 부산광역시, 대구광역시, 인천광역시, 광주광역시, 대전광역시, 울산광역시, 경기도를 말한다.

다. 고시대상

1) 오피스텔

지정지역의 모든 오피스텔

2) 상업용 건물

지정지역의 상업용 건물 중 다음 각 호의 모든 조건을 충족하는 것

① 건물의 연면적 합계가 3,000㎡ 이상이거나 100개호 이상일 것

② 건물에 부수되는 토지를 공유로 하고 건물의 각 호별로 구분하여 소유권 등기가 가능할 것

라. 기준시가가 고시되기 전에 취득한 오피스텔 및 상업용 건물의 취득당시의 기준시가

오피스텔 및 상업용 건물의 기준시가가 고시되기 전에 취득한 오피스텔 및 상업용건물(이들에 부수되는 토지를 포함한다)의 취득당시의 기준시가는 다음 산식에 의하여 계산한 가액으로 한다. 이 경우 당해 자산에 대하여 국세청장이 최초로 고시한 기준시가 고시당시 또는 취득당시의 일반건물 기준시가가 없는 경우에는 일반건물 기준시가에 취득당시 건물기준시가 산정기준율 곱하여 계산한 가액에 의한다.

국세청장이 당해 자산에 대하여 최초로 고시한 기준시가 × (취득당시의 '토지의 개별공시지가 + 일반건물 기준시가' × 당해 자산에 대하여 국세청장이 최초로 고시한 기준시가) / 고시당시의 '토지의 개별공시지가 + 일반건물 기준시가'

* 분모의 경우 취득당시의 가액과 최초로 고시한 기준시가 고시당시의 가액이 동일한 경우에는 「소득세법 시행령」 제164조 제8항의 규정을 준용한다.

5 | 주택의 기준시가

가. 적용원칙

「부동산 가격공시에 관한 법률」에 따른 개별주택가격 및 공동주택가격

나. 개별주택가격 및 공동주택가격이 없는 경우

공동주택가격의 경우에 「부동산 가격공시에 관한 법률」 제18조 제1항 단서에 따라 국세청장이 결정 · 고시한 공동주택가격이 있을 때에는 그 가격에 따르고, 개별주택가격 및 공동주택가격이 없는 주택의 가격은 납세지 관할 세무서장이 인근 유사주택의 개별주택가격 및 공동주택가격을 고려하여 다음 각 호에 따라 평가한 금액으로 한다.

이 경우 납세지 관할 세무서장은 「지방세법」 제4조 제1항 단서에 따라 시장 · 군수가 산정한 가액을 평가한 가액으로 하거나 둘 이상의 감정평가기관에 의뢰하여 해당 주택에 대한 감정평가기관의 감정가액을 고려하여 평가할 수 있다.

① 「부동산가격공시에 관한 법률」에 따른 개별주택가격이 없는 단독주택의 경우에는 당해 주택과 구조 · 용도 · 이용상황 등 이용가치가 유사한 인근주택을 표준주택으로 보고 동법 제16조 제7항의 규정에 따른 비준표에 따라 납세지 관할 세무서장(납세지 관할 세무서장과 당해 주택의 소재지를 관할하는 세무서장이 서로 다른 경우로서 납세지 관할 세무서장의 요청이 있는 경우에는 당해 주택의 소재지를 관할하는 세무서장)이 평가한 가액

② 「부동산가격공시에 관한 법률」에 따른 공동주택가격이 없는 공동주택의 경우에는 인근 유사 공동주택의 거래가격 · 임대료 및 당해 공동주택과 유사한 이용가치를 지닌다고 인정되는 공동주택의 건설에 필요한 비용추정액 등을 종합적으로 참작하여 납세지

관할 세무서장(납세지 관할 세무서장과 당해 주택의 소재지를 관할하는 세무서장이 서로 다른 경우로서 납세지 관할 세무서장의 요청이 있는 경우에는 당해 주택의 소재지를 관할하는 세무서장)이 평가한 가액

다. 기준시가가 고시되기 전에 취득한 공동주택의 취득당시의 기준시가

공동주택의 기준시가가 고시되기 전에 취득한 공동주택의 취득당시의 기준시가는 다음 산식에 의하여 계산한 가액으로 한다. 이 경우 당해 자산에 대하여 국세청장이 최초로 고시한 기준시가 고시당시 또는 취득당시의 일반건물 기준시가가 없는 경우에는 일반건물 기준시가에 취득당시 건물기준시가 산정기준율을 곱하여 계산한 가액에 의한다.

$$\text{국세청장이 당해 자산에 대하여 최초로 고시한 기준시가} \times \frac{\text{취득당시의 '토지의 개별공시지가 + 일반건물 기준시가'}}{\text{당해 자산에 대하여 국세청장이 최초로 고시한 기준시가 고시당시의 '토지의 개별공시지가 + 일반건물 기준시가'}}$$

* 분모의 경우 취득당시의 가액과 최초로 고시한 기준시가 고시당시의 가액이 동일한 경우에는 「소득세법 시행령」 제164조 제8항의 규정을 준용한다.

라. 개별주택가격 및 공동주택가격이 공시되기 전에 취득한 주택의 취득당시의 기준시가

「부동산가격공시에 관한 법률」에 의한 개별주택가격 및 공동주택가격(이들에 부수되는 토지를 포함한다)이 공시되기 전에 취득한 주택의 취득당시의 기준시가는 다음 산식에 의하여 계산한 가액으로 한다. 이 경우 당해 주택에 대하여 국토교통부장관이 최초로 공시한 주택가격 공시당시 또는 취득당시의 일반건물 기준시가가 없는 경우에는 일반건물 기준시가에 취득당시 건물기준시가 산정기준율 곱하여 계산한 가액에 의한다.

$$\text{국토교통부장관이 당해 주택에 대하여 최초로 공시한 주택가격} \times \frac{\text{취득당시의 '토지의 개별공시지가 + 일반건물 기준시가'}}{\text{당해 주택에 대하여 국토교통부장관이 최초로 공시한 주택가격 공시당시의 '토지의 개별공시지가 + 일반건물 기준시가'}}$$

* 분모의 경우 취득당시의 가액과 최초로 공시한 주택가격 공시당시의 가액이 동일한 경우에는 「소득세법 시행령」 제164조 제8항의 규정을 준용한다.

6 | 토지 또는 건물의 기준시가 계산 시 공통적용 사항

가. 보유기간 중 새로운 기준시가 고시되지 아니한 경우 등

보유기간 중 새로운 기준시가가 고시되지 아니함으로써 「소득세법」 제99조 제1항 제1호의 규정에 의한 양도당시의 기준시가와 취득당시의 기준시가가 동일한 경우에는 당해 토지 또는 건물의 보유기간과 양도일 전후 또는 취득일 전후의 기준시가의 상승률을 참작하여 아래와 같이 계산한 가액을 양도당시의 기준시가로 한다.

1) 취득일이 속하는 연도의 다음연도 말일 이전에 양도하는 경우

다음 구분에 따른 산식에 의하여 계산한 가액을 양도당시의 기준시가로 한다. 다만, 양도당시의 기준시가가 취득당시의 기준시가보다 적은 경우에는 취득당시의 기준시가를 양도당시의 기준시가로 한다.

① 양도일까지 새로운 기준시가가 고시(「부동산 가격공시에 관한 법률」에 의한 개별주택가격 및 공동주택가격의 공시를 포함한다)되지 아니한 경우

> 양도당시의 기준시가 = 취득당시의 기준시가+(취득당시의 기준시가-전기의 기준시가)×[양도자산의 보유기간의 월수/기준시가 조정월수(100분의 100을 한도로 한다)]

② 양도일부터 2월이 되는 날이 속하는 월의 말일까지 새로운 기준시가가 고시(「부동산 가격공시에 관한 법률」에 의한 개별주택가격 및 공동주택가격의 공시를 포함한다)된 경우로서 거주자가 다음 산식을 적용하여 양도소득 과세표준 확정신고를 하는 경우

> 양도당시의 기준시가 = 취득당시의 기준시가+(새로운 기준시가-취득당시의 기준시가)×(양도자산의 보유기간의 월수/기준시가 조정월수)

2) 1) 외의 경우(취득일이 속하는 연도의 다음연도 말일 후에 양도하는 경우)

> 양도당시의 기준시가 = 당해 양도자산의 취득당시의 기준시가

3) 설 명

① 기준시가 조정월수

- 1) ①이 경우 : 전기의 기준시가 결정일부터 취득당시의 기준시가 결정일 전일까지의 월수
- 1) ②의 경우 : 취득당시의 기준시가 결정일부터 새로운 기준시가 결정일 전일까지의 월수

② 전기의 기준시가 : 취득당시의 기준시가결정일 전일의 당해 양도자산의 기준시가

③ 전기의 기준시가가 없는 경우

다음 각 호에 따른 가액을 전기의 기준시가로 본다.

㉮ 토지 : 당해 토지와 지목·이용상황 등이 유사한 인근토지의 전기의 기준시가

㉯ 일반건물

전기의 기준시가 = 국세청장이 당해 건물에 대하여 최초로 고시한 기준시가 × 당해 건물의 취득연도·신축연도·구조·내용연수 등을 감안하여 국세청장이 고시한 기준율

㉰ 오피스텔 및 상업용 건물과 주택

$$\text{전기의 기준시가} = \text{취득당시의 기준시가} \times \frac{\text{전기의 ‘토지의 개별공시지가 + 일반건물 기준시가’}}{\text{취득당시의 ‘토지의 개별공시지가 + 일반건물 기준시가’}}$$

* 당해 자산의 취득당시 또는 전기의 일반건물 기준시가가 없는 경우에는 ㉯를 준용하여 계산한 가액으로 한다.

④ 기준시가의 조정월수 및 양도자산보유기간의 월수 계산 : 1월 미만의 일수는 1월로 함

나. 협의매수·수용·공매·경락되는 경우

다음 각 호의 어느 하나에 해당하는 가액이 토지 또는 건물의 일반적인 기준시가(「소득세법」 제99조 제1항 제1호 가목부터 라목까지의 규정에 따른 가액)보다 낮은 경우에는 그 차액을 일반적인 기준시가에서 차감하여 양도 당시 기준시가를 계산한다(소득령 §164 ⑨).

1) 「공익사업을 위한 토지 등의 취득 및 보상에 관한 법률」에 따른 협의매수·수용 및 그

밖의 법률에 따라 수용되는 경우의 그 보상액과 보상액 산정의 기초가 되는 기준시가 중 적은 금액

* 보상액 산정의 기초가 되는 기준시가 : 보상액 산정 당시 해당 토지의 개별공시지가를 말한다(소득칙 §80 ⑧).

2) 「국세징수법」에 의한 공매와 「민사집행법」에 의한 강제경매 또는 저당권실행을 위하여 경매되는 경우의 그 공매 또는 경락가액

7 부동산을 취득할 수 있는 권리의 기준시가

가. 기준시가

부동산을 취득할 수 있는 권리(아파트당첨권, 조합원입주권 등)의 기준시가는 양도자산의 종류, 규모, 거래상황 등을 고려하여 대통령령으로 정하는 방법에 따라 평가한 가액으로 한다.

이 경우 "대통령령으로 정하는 방법에 따라 평가한 가액"이란 취득일 또는 양도일까지 불입한 금액과 취득일 또는 양도일 현재의 프리미엄에 상당하는 금액을 합한 금액을 기준시가로 한다.

부동산을 취득할 수 있는 권리의 기준시가 = 취득일 또는 양도일까지 불입한 금액 + 취득일 또는 양도일 현재의 프리미엄

8 지상권 · 전세권 및 등기된 부동산임차권의 기준시가

지상권 · 전세권 및 등기된 부동산임차권의 기준시가는 권리의 남은 기간, 성질, 내용 및 거래상황 등을 고려하여 대통령령으로 정하는 방법에 따라 평가한 가액으로 한다(소득법 §99 ① 2호 나목).

이 경우 "대통령령으로 정하는 방법에 따라 평가한 가액"이란 「상속세 및 증여세법 시행령」 제51조 제1항을 준용하여 평가한 가액을 말한다(소득령 §165 ②).

한편, 지상권의 가액은 지상권이 설정되어 있는 토지의 가액에 기획재정부령으로 정하는

율(연간 100분의 2)을 곱하여 계산한 금액을 해당 지상권의 잔존연수를 감안하여 기획재정부령으로 정하는 방법에 따라 환산한 가액으로 한다. 이 경우 그 잔존연수에 관하여는 「민법」 제280조 및 제281조에 규정된 지상권의 존속기간을 준용한다.

※ '기획재정부령이 정하는 방법에 따라 환산한 가액'이라 함은 다음의 산식에 의하여 환산한 금액의 합계액을 말한다.

$$\Sigma \frac{\text{각 연도의 수입금액}}{(1+10/100)^{n}}$$

- n : 평가기준일(양도일 또는 취득일)부터의 경과연수
- 각 연도의 수입금액 : 토지 공시지가 × 2%

9 | 주식 등의 기준시가

가. 주권상장법인의 주식 등

1) 대 상

① 유가증권시장상장법인의 주식 등

② 코스닥시장상장법인의 주식 등

- 양도일 · 취득일 이전 1월 이내에 한국거래소가 정하는 기준에 따라 매매거래가 정지되거나 관리종목으로 지정 · 고시된 경우를 제외함.
- 다만, 공시의무 위반 및 사업보고서 제출의무 위반 등으로 인하여 관리종목으로 지정 · 고시되거나 등록신청서 허위기재 등으로 인하여 일정기간동안 매매거래가 정지된 경우로서 적정하게 시가를 반영하여 정상적으로 매매거래가 이루어지는 경우를 포함함.

2) 기준시가

「상속세 및 증여세법」 제63조 제1항 제1호 가목 준용하여 평가한 가액. 이 경우 같은 목 중 "평가기준일 이전 · 이후 각 2월"은 각각 "양도일 · 취득일 이전 1개월"로 본다.

① 원 칙
"양도일 · 취득일 이전 1개월" 동안 공표된 매일의 한국거래소 최종 시세가액(거래실적 유무를 따지지 아니한다)의 평균액.

② 예 외
평균액을 계산할 때 "양도일 · 취득일 이전 1개월" 동안에 증자 · 합병 등의 사유가 발생하여 그 평균액으로 하는 것이 부적당한 경우에는 "양도일 · 취득일 이전 1개월"의 기간 중 다음 기간의 평균액으로 한다.

▶▶ "양도일 · 취득일 이전 1개월"의 기간 중 증자 · 합병 등의 사유가 발생한 경우에는 동 사유가 발생한 날(증자 · 합병의 사유가 2회 이상 발생한 경우에는 양도일 · 취득일에 가장 가까운 날을 말한다)의 다음날부터 양도일 · 취득일까지의 기간

③ 위 ①, ②를 적용할 때 양도일 또는 취득일이 공휴일(매매거래가 없는 토요일을 포함한다)인 경우에는 그 전일을 기준으로 한다.

나. 비상장주식 등

* "비상장주식등"이란 ①코스닥시장상장법인의 주식 등 중 양도일 · 취득일 이전 1월 이내에 한국거래소가 정하는 기준에 따라 매매거래가 정지되거나 관리종목으로 지정 · 고시된 것과 ②주권비상장법인의 주식 등을 말함.

1) 기준시가

「상속세 및 증여세법」 제63조 제1항 제1호 가목을 준용하여 평가한 가액. 이 경우 평가기준시기 및 평가액은 대통령령으로 정하는 바에 따르되, 장부 분실 등으로 취득당시의 기준시가를 확인할 수 없는 경우에는 액면가액을 취득 당시의 기준시가로 한다.

2) 평가기준시기 및 평가액

① 1주당 가액의 평가는 가목의 계산식에 따라 평가한 가액("순손익가치")과 나목의 계산식에 따라 평가한 가액("순자산가치")을 각각 3과 2의 비율로 가중평균한 가액으로 한다. 다만, 「소득세법 시행령」 제158조 제1항 제1호 가목에 해당하는 법인(자산총액 중 부동산 및 부동산에 관한 권리에 해당하는 자산가액의 비율이 50% 이상인 법인)의 경우에는 순손익가치와 순자산가치의 비율을 각각 2와 3으로 한다.

2007. 2. 27. 이전에는 "순손익가치"와 "순자산가치" 중 큰 금액을 기준시가로 적용함.

가. 양도일 또는 취득일이 속하는 사업연도의 직전 사업연도의 1주당 순손익액 ÷ 「금융실명거래 및 비밀보장에 관한 법률」 제2조 제1호에 따른 금융기관이 보증한 3년만기회사채의 유통수익률을 고려하여 기획재정부장관이 정하여 고시하는 이자율*

* 자본환원이자율 : 2000. 4. 2. 이전 양도분 15%, 2000. 4. 3. 이후 양도분 10%

나. 양도일 또는 취득일이 속하는 사업연도의 직전 사업연도 종료일 현재 해당 법인의 장부가액(토지의 경우는 「소득세법」 제99조 제1항 제1호 가목에 따른 기준시가) ÷ 발행주식총수*

* "발행주식총수"는 양도일 또는 취득일이 속하는 사업연도의 직전 사업연도 종료일 현재의 발행주식총수에 의한다.

② ①을 적용하는 경우 "비상장주식등"을 발행한 법인이 다른 비상장주식등을 발행한 법인의 발행주식총수 또는 출자총액의 100분의 10 이하의 주식 또는 출자지분을 소유하고 있는 경우에는 그 다른 비상장주식등의 평가는 ①에도 불구하고 「법인세법 시행령」 제74조 제1항 제1호 마목에 따른 취득가액에 따를 수 있다.

③ 다음 각 목의 어느 하나에 해당하는 주식등의 경우에는 ①에 불구하고 ① 나목의 산식에 따라 평가한 가액(순자산가치)으로 한다.

가. 양도소득과세표준 확정신고기한 이내에 청산절차가 진행 중인 법인과 사업자의 사망 등으로 인하여 사업의 계속이 곤란하다고 인정되는 법인의 주식등

나. 사업개시 전의 법인, 사업개시 후 1년 미만의 법인과 휴·폐업 중에 있는 법인의 주식등

다. 양도일 또는 취득일이 속하는 사업연도 전 3년 이내의 사업연도부터 계속하여 결손금(「법인세법」상 각 사업연도에 속하거나 속하게 될 손금의 총액이 그 사업연도에 속하거나 속하게 될 익금의 총액을 초과하는 금액을 말한다)이 있는 법인의 주식등

다. 주식 등의 양도일 현재는 "코스닥시장상장법인의 주식 등"에 해당되나 취득 당시에는 "코스닥시장상장법인의 주식 등"에 해당되지 아니하는 경우 취득당시 기준시가

1) 원 칙

이 경우 취득 당시의 기준시가는 "나. 2)"에도 불구하고 다음 산식으로 계산한 가액에 따른다.

[코스닥시장 상장일 이후 1개월간 공표된 매일의 코스닥시장의 최종시세가액의 평균액] × (취득일 현재의 "나. 2)"에 따른 평가액 / 코스닥시장상장일 현재의 "나. 2)"에 따른 평가액)

2) 예 외

위 "1)"을 적용할 때 취득일 현재의 "나. 2)"에 따른 평가액(분자)과 코스닥시장 상장일 현재의 "나. 2)"에 따른 평가액(분모)이 같은 경우에는 「소득세법 시행령」 제165조 제9항을 준용하여 계산한 가액을 코스닥시장 상장일 현재의 "나. 2)"에 따른 평가액(분모)으로 한다.

라. 주식 등의 양도일 현재는 유가증권상장법인의 주식 등에 해당되나 취득 당시에는 유가증권시장상장법인의 주식 등과 "코스닥시장상장법인의 주식 등"에 해당되지 아니하는 경우 취득당시 기준시가

1) 원 칙

이 경우 취득 당시의 기준시가는 위 "다"를 준용하여 계산한 가액에 따른다.

[유가증권시장 상장일 이후 1개월간 공표된 매일의 한국거래소의 최종시세가액의 평균액] × (취득일 현재의 "나. 2)"에 따른 평가액 / 유가증권시장 상장일 현재의 "나. 2)"에 따른 평가액)

2) 예 외

위 "가"를 적용할 때 취득일 현재의 "나. 2)"에 따른 평가액(분자)과 유가증권시장 상장일 현재의 "나. 2)"에 따른 평가액(분모)이 같은 경우에는 「소득세법 시행령」 제165조 제9항을 준용하여 계산한 가액{아래 "마"}을 유가증권시장 상장일 현재의 "나. 2)"에 따른 평가액(분모)으로 한다.

마. 양도 당시의 기준시가와 취득 당시의 기준시가가 같은 경우 양도 당시 기준시가

주식 등의 양도 당시의 기준시가와 취득 당시의 기준시가가 같은 경우에는 위 "가 ~ 라"에도 불구하고 해당 자산의 보유기간과 기준시가의 상승률을 고려하여 기획재정부령으로 정하는 아래의 방법에 따라 계산한 가액을 양도 당시의 기준시가로 한다. 이 경우 1개월 미만의 월수는 1개월로 본다.

1) 당해 법인의 동일한 사업연도 내에 취득하여 양도하는 경우에는 다음 산식에 의하여 계산한 가액

$$양도당시의\ 기준시가 = A + (A - B) \times \frac{C}{D}$$

- A : 취득일이 속하는 사업연도의 직전사업연도 기준시가
- B : 취득일이 속하는 사업연도의 전전사업연도 기준시가
- C : 양도자산 보유월수
- D : 취득일이 속하는 사업연도의 직전사업연도의 월수

2) 위 1)외의 경우(주식 등의 취득 당시 사업연도와 양도 당시 사업연도가 다른 경우)

양도당시의 기준시가 = 취득당시의 기준시가

바. 신주인수권의 기준시가

「상속세 및 증여세법 시행령」 제58조의 2 제2항을 준용하여 평가한 가액을 기준시가로 한다.

10 기타자산의 기준시가

가. 기타자산 중 주식 등

「소득세법 시행령」 제158조 제1항 제1호(과점주주 주식 등) · 제5호(부동산과다보유법인 주식 등) 및 「소득세법」 제94조 제1항 제4호 나목에 따른 주식등(법인의 주식등을 소유하는 것만으로 시설물을 배타적으로 이용하거나 일반이용자보다 유리한 조건으로 시설물 이용권을 부여받게 되는 경우 그 주식등 = 시설물이용권 관련 주식 등)의 기준시가는 위 “9. 주식 등의 기준시가” 계산 방법에 따라 평가한 가액으로 한다.

나. 영업권

1) 기준시가 계산

「상속세 및 증여세법 시행령」 제59조 제2항의 규정을 준용하여 평가한 가액

[자기자본이익률 초과이익금액을 평가기준일(양도일 또는 취득일) 이후의 영업권지속연수(원칙적으로 5년)를 감안하여 기획재정부령이 정하는 방법에 의하여 환산한 가액]

$$\text{영업권의 기준시가} = \Sigma \frac{\text{자기자본이익률 초과이익금액}}{(1+10/100)^{n}}$$

- 영업권 지속연수 : 양도일 또는 취득일 이후의 영업권 지속연수(원칙적으로 5년)
- n : 평가기준일(양도일 또는 취득일)부터의 경과연수
- 자기자본이익률 초과이익금액
  =[최근 3년간(3년에 미달하는 경우에는 당해 연수로 한다)의 순손익액의 가중평균액(상증령 §56 ①)의 100분의 50에 상당하는 가액 - (양도일 또는 취득일 현재의 자기자본 × 1년만기 정기예금이자율을 감안하여 기획재정부령이 정하는 율*)]
  * 연 10%

2) 자기자본을 확인할 수 없는 경우

① 영업권을 평가함에 있어서 양도자가 제시한 증빙에 의하여 자기자본을 확인할 수 없는 경우에는 다음의 산식에 의하여 계산한 금액 중 많은 금액으로 한다(소득령 §165 ⑩).

$$(가)\ \frac{\text{사업소득금액}}{\text{기획재정부령이 정하는 자기자본이익률}}$$

$$(나)\ \frac{\text{수입금액}}{\text{기획재정부령이 정하는 자기자본이익률}}$$

② 위 ①에서 자기자본이익률 및 자기자본회전율은 한국은행이 업종별, 규모별로 발표한 자기자본이익률 및 자기자본회전율을 말한다(소득칙 §81 ⑥).

3) 소득금액 및 수입금액의 범위

위 2)를 적용할 때 사업소득금액과 수입금액은 영업권의 양도일이 속하는 연도의 직전 과세연도의 해당 사업부문에서 발생한 것으로 한다. 다만, 자산을 양도한 연도에 양도하는 사업을 새로 개시한 경우에는 사업개시일부터 양도일까지의 그 양도하는 사업부문에서 발생한 사업소득금액 또는 수입금액을 연(年)으로 환산하여 계산한다.

다. 시설물이용권(주식 등은 제외)

1) 기준시가 산정

「소득세법」 제94조 제1항 제4호 나목에 따른 시설물이용권(관련 주식 등은 제외)의 기준시가는 「지방세법」에 따라 고시한 시가표준액

2) 취득 또는 양도 당시의 시가표준액을 확인할 수 없는 경우

다음 각 호의 방법으로 환산한 가액을 말한다. 이 경우 "생산자물가지수"란 「한국은행법」에 따라 한국은행이 조사한 매월의 생산자물가지수를 말한다.

① 양도 당시의 기준시가는 정하여져 있으나 취득 당시의 기준시가를 정할 수 없는 경우에 취득 당시의 기준시가로 하는 가액

$$\text{「지방세법 시행령」에 따라 최초로 고시한 시가표준액} \times \frac{\text{취득일이 속하는 달의 생산자물가지수}}{\text{「지방세법 시행령」에 따른 시가표준액을 최초로 고시한 날이 속하는 달의 생산자물가지수}}$$

② 취득 당시의 기준시가와 양도 당시의 기준시가를 모두 정할 수 없는 경우에 취득 또는 양도 당시의 기준시가로 하는 가액

$$\text{분양가} \times \frac{\text{취득일(양도일)이 속하는 달의 생산자물가지수}}{\text{분양일이 속하는 달의 생산자물가지수}}$$

3) 경과규정[2009. 2. 4. 소득세법 시행령(대통령령 제21301호) 부칙 제22조(토지 · 건물 외의 자산의 기준시가 산정에 관한 특례)]

* 개정 시행령 시행일 : 2009. 2. 4.

① 제165조 제8항 제3호의 개정규정 시행 전에 취득한 골프회원권의 취득 당시 기준시가는 다음 산식에 따른 가액으로 한다.

$$\text{이 영 시행 당시 「지방세법」에 따른 시가표준액(이하 이 조에서 “시가표준액”이라 한다)} \times \frac{\text{취득 당시 국세청장이 고시한 가액}}{\text{이 영 시행 당시 국세청장이 고시한 가액}}$$

② 제165조 제8항 제3호의 개정규정 시행 전에 취득한 골프회원권 외의 시설물이용권의 취득 당시 기준시가는 다음 산식에 따른 가액으로 한다.

$$\text{이 영 시행 당시 시가표준액} \times \frac{\text{취득일이 속하는 달의 한국은행이 조사한 생산자물가지수(이하 이 조에서 같다)}}{\text{이 영 시행 당시 시가표준액을 고시한 날이 속하는 달의 생산자물가지수}}$$

③ 제1항의 산식을 적용할 때에 취득 당시 국세청장이 고시한 가액이 없는 경우에는 다음 산식에 따른 가액으로 한다.

$$\text{국세청장이 해당자산에 대하여 최초로 고시한 기준시가} \times \frac{\text{취득일이 속하는 달의 생산자물가지수}}{\text{국세청장이 해당 자산의 기준시가를 최초로 고시한 날이 속하는 달의 생산자물가지수}}$$

관련예규 및 판례요약

양도소득세 과세기준시가 : 소득법 §99

일반지역 토지의 기준시가와 관련된 예규, 판례

조심-2018-부-0501, 2018. 12. 5.

처분청은 쟁점토지와 관련하여 「상속세 및 증여세법」 제60조 내지 제64조와 같은 법 시행령 제49조 내지 제59조에 따른 시가로 인정되는 매매가액 또는 수용가격·공매가격 및 감정평균액 등이 존재하지 아니하여 보충적 평가액인 쟁점토지의 기준시가를 시가로 적용한 점 등에 비추어 청구주장을 받아들이기는 어렵다고 판단됨.

조심 2014중 1430, 2014. 8. 20.

청구인이 쟁점토지의 지목이 전에서 공장용지로 변경된 이후에 쟁점토지를 취득한 것인바, 「소득세법 시행령」 제164조 제1항 제3호에 해당하여 쟁점토지의 기준시가가 없는 것으로 보아 지목 변경 전의 기준시가를 적용하는 것은 불합리.

부동산거래관리과-541, 2010. 4. 13.

개인이 소유하는 토지가 2009. 2. 4. 이후에 「공익사업을 위한 토지 등의 취득 및 보상에 관한 법률」에 따라 협의매수·수용 및 그 밖의 법률에 따라 수용되는 경우로서 2006. 1. 1. 기준으로 공시된 표준지 개별공시지가를 기초로 산정한 보상금액을 수령한 경우에는 「소득세법 시행령」 제164조 제9항 및 같은 법 시행규칙 제80조 제8항에 따라 2006. 1. 1. 기준으로 공시된 해당 토지의 개별공시지가를 양도당시의 기준시가로 적용할 수 있는 것임.

재산세과-136, 2009. 9. 4.

「소득세법 시행령」 제164조 제9항 제1호에서 보상금액 산정의 기초가 되는 기준시가는 보상금 산정 당시 해당 토지의 개별공시지가를 말함.

서면4팀-1015, 2007. 3. 28.

개별주택가격이 고시되기 전에 취득한 주택 및 그 부수토지의 취득시기가 다른 경우 취득당시의 기준시가는 주택의 취득 당시의 기준시가를 자산별 취득 당시의 가액으로 안분함.

서면4팀-2364, 2005. 11. 30.

기준시가에 의하여 양도차익을 산정하는 경우 개별공시지가를 적용함에 있어서 양도일 현재 고시되어 있는 개별공시지가를 적용하는 것임.

서면4팀-2316, 2005. 11. 23.

표준지로 선정된 토지 등에 대하여는 개별공시지가를 결정 · 공시하지 아니할 수 있으며 표준지로 선정된 토지는 당해 토지의 공시지가를 개별공시지가로 하는 것임.

대법 2003두 12080, 2005. 7. 15.

개별공시지가 결정이 관련법령이 정하는 절차와 방법에 따라 적법하게 이루어진 것으로 인정되는 이상 감정가액이나 실제 취득가액보다 높다는 사유만으로 공시지가 결정이 위법한 것은 아님.

서면4팀-829, 2005. 5. 27.

1필지 토지가 수필지로 분할 및 지목이 변경된 후에 양도되는 경우 분할 및 지목이 변경된 토지에 대한 양도당시 고시된 개별공시지가가 있는 경우에는 양도일 현재 고시되어 있는 개별공시지가를 적용하는 것임.

서면4팀-1892, 2004. 11. 23.

개별공시지가를 적용함에 있어 지가산정에 명백한 잘못이 있어 관할관청이 개별공시지가를 경정 · 공고한 경우에는 당초의 개별공시지가가 아닌 경정 · 공고된 개별공시지가를 적용하는 것임.

재재산-331, 2004. 3. 13.

기준시가에 의하여 양도차익을 산정하는 경우 양도일 현재 고시되어 있는 개별공시지가를 적용하는 것이며, 새로운 공시지가가 고시되기 전에 취득 또는 양도하는 경우에는 직전의 개별공시지가에 의함.

서일 46014-10014, 2002. 1. 7.

취득일 현재 고시된 개별공시지가 있는 토지취득 후 형질변경공사로 인해 지목(지번변경 포함)이 변경된 토지를 양도함에 있어, 취득당시 적용할 기준시가는 취득일 현재 고시된 개별공시지가를 적용함.

일반지역 건물의 기준시가와 관련된 예규, 판례

광주지방법원 2014구합 10295, 2014. 7. 18.

구 조세특례제한법 제40조 제1항의 산식은 취득당시의 기준시가라고만 규정하고 있고 분모의 취득당시의 기준시가에 건물의 취득당시 기준시가를 적용하지 않는 경우 불합리한 결과가 발생할 수 있으므로, 이 사건 산식의 분모의 취득당시 기준시가에는 건물의 기준시가도 포함하여야 하는 것임.

법규재산 2012-255, 2012. 7. 25.

주택을 취득한 후 「소득세법」 제99조 제1항 제1호 라목의 개별주택가격이 최초로 공시되고 그 딸린 토지 위에 축사를 증축하여 주택과 축사를 일괄하여 양도는 경우로서 같은 법 시행령 제176조의 2 제2항 제2호에 따라 취득가액을 환산하는 경우 축사에 딸린 토지의 취득 당시 기준시가는 같은 법 시행령 제164조 제7항에 따라 환산한 개별주택가격을 자산별 기준시가로 안분하여 산정하며, 이 경우 축사에 딸린 토지의 양도당시 기준시가는 같은 법 제99조 제1항 제1호 가목에 따라 산정하는 것임.

서면5팀-1323, 2007. 4. 24.

개별주택가격이 공시되기 전에 취득한 주택으로서 부수토지와 건물의 취득시기가 다른 경우 「소득세법 시행령」 제164조 제7항의 취득 당시 기준시가를 취득 당시 자산별 기준시가로 안분계산함.

서면5팀-896, 2007. 3. 20.

개별주택가격이 공시된 단독주택을 양도하는 경우로서 토지와 건물의 가액이 불분명한 때에는 취득 또는 양도당시의 기준시가 등을 감안하여 「소득세법 시행령」 제166조 제6항에 따라 안분함.

서면4팀-498, 2007. 2. 6.

최초 고시 전에 취득한 공동주택의 기준시가는 최초로 고시한 기준시가를 고시시점과 취득시점의 「소득세법」 제99조 제1항 제1호 가목과 나목의 가액의 합계액 비율로 계산함.

서면4팀-149, 2007. 1. 11.

개별주택가격이 공시되기 전에 취득한 겸용주택의 취득 당시 기준시가는 주택부분은 「소득세법 시행령」 제164조 제7항을 적용하고 주택 외 부분은 「소득세법」 제99조 제1항 제1호 가목 및 나목을 적용함.

서면4팀-2377, 2005. 11. 30.

토지와 건물의 양도차익을 기준시가로 안분계산하는 경우 주택의 양도당시 기준시가는 당해 개별주택가격 및 공동주택가격(부수토지 포함)이 되는 것임.

서일 46014-10919, 2003. 7. 14.

건물의 기준시가 산정시, 용도지수 적용상 용도구분은 건축법 시행령 별표 1의 '용도별 건축물의 종류'에 따름.

지정지역 건물의 기준시가와 관련된 예규, 판례

조심-2016-부-2246, 2016. 8. 25.

쟁점토지에 대한 개발행위허가제한 고시일이 「조세특례제한법 시행령」 제6조 제12항에서 규정한 특정지역으로 지정되는 날에 해당하지 아니함. 이 건의 경우 산업단지 조성계획이 2008. 12. 31. 후에 승인 · 고시되어 동 고시일을 기준으로 감면대상에 해당하는지 여부를 판단함이 타당한 점 등에 비추어 청구주장을 받아들이기 어려움.

제도 46014-10339, 2001. 3. 30.

국세청 지정지역 안 '공동주택의 기준시가'는 토지와 건물가액을 일괄해 산정 · 고시한 가격을 기준으로 하므로 '실제 용도와 관계없이' 고시된 가액을 적용함.

재재산 46014-89, 1999. 3. 16.

토지와 건물을 일괄하여 평가 · 고시된 아파트 기준시가에 있어서 건물부분에 대한 기준시가의 산정은 당해 아파트의 토지와 건물의 기준시가에 의해 안분계산함.

양도시 기준시가와 취득시 기준시가가 동일한 경우와 관련된 예규, 판례

서면5팀-1014, 2007. 3. 30.

신축주택을 취득한 날부터 5년간 발생한 양도소득금액을 계산함에 있어 취득일부터 5년이 되는 날과 양도당시의 기준시가는 「소득세법」 제99조 제1항 제1호 라목의 규정을 적용함.

재산 46014-205, 2002. 12. 18.

기준시가 적용시 '양도자산의 보유기간의 월수' 및 '기준시가 조정월수', 장기보유특별공제 등과 양도세율 적용시 '보유기간' 계산에 있어 '초일을 산입'함.

보상가액이 양도당시 기준시가보다 낮은 경우와 관련된 예규, 판례

서면4팀-1006, 2007. 3. 27.

토지의 보상금액이 양도당시 기준시가보다 낮은 경우 그 차액을 차감하여 양도당시 기준시가를 계산하는 것임.

의제취득일의 기준시가와 관련된 예규, 판례

조심-2017-광-0251, 2017. 4. 14.

청구종중은 「부동산소유권 이전등기 등에 관한 특별조치법」 확인서발급신청서에서 쟁점토지의 매수일자를 1971. 12. 20.로 밝혔던 점 등에 비추어 청구주장을 받아들이기 어렵다고 판단됨.

조심-2017-구-0429, 2017. 3. 20.

「소득세법 시행규칙」 제77조 제1항 제2호 나목에는 1984. 12. 31. 이전에 환지예정지로 지정된 토지의 취득 당시 기준시가는 환지예정면적에 취득당시의 단위당 기준시가를 곱하여 산정하도록 규정하고 있어 이 건 양도소득세를 부과한 처분은 잘못이 없는 것으로 판단됨.

심사양도 2012-0006, 2012. 3. 30.

의제취득일 전에 상속받은 자산도 취득가액을 추계결정하도록 규정하고 있으므로, 처분청이 그 취득가액을 기준시가에 의한 환산가액으로 적용한 것은 타당함.

Chapter 02

양도소득세 계산 방법

제 1 절 양도소득세 계산

1 양도소득세 계산 방법

거주자의 양도소득과세표준은 종합소득 및 퇴직소득에 대한 과세표준과 구분하여 계산한다(분류과세).

양도소득세는 「소득세법」에 특별한 규정이 있는 경우를 제외하고는 다음 각 호에 따라 계산한다.

① 「소득세법」 제94조에 따른 양도소득의 총수입금액(양도가액)에서 제97조에 따른 필요경비를 공제하여 양도차익을 계산한다.

② 양도차익에서 장기보유 특별공제액을 공제하여 양도소득금액을 계산한다.

※ 「소득세법」 제104조의 3에 따른 비사업용 토지로서 2016. 1. 1. 이전에 취득하여 보유하고 있는 자산인 경우에는 2016. 1. 1.부터 기산하여 장기보유특별 공제한다.

③ 양도소득금액에서 양도소득기본공제(「소득세법」 제103조)를 하여 양도소득 과세표준을 계산한다.

④ 양도소득 과세표준에 세율(「소득세법」 제104조)을 적용하여 양도소득 산출세액을 계산한다.

⑤ 산출세액에서 예정신고납부세액공제(2010년 이전 양도분) · 감면세액(「소득세법」 제90조)을 공제하여 양도소득 결정세액을 계산한다.

⑥ 양도소득 결정세액에 가산세(「소득세법」 제115조 및 「국세기본법」 제47조의 2부터

제47조의 4까지의 규정에 따른 가산세를 말함)를 더하여 양도소득 총결정세액을 계산한다.

⑦ 총결정세액에서 기예정신고납부세액, 기결정·경정세액, 원천징수세액 등을 공제하여 자진납부할 세액을 계산한다.

| 양도소득세 과세표준과 세액 계산 요약 |

구분		내용
양도가액	⇨	• 실지거래가액, 매매사례가액, 감정가액평균액, 기준시가
− 필요경비	⇨	• 취득가액 : 실지거래가액, 매매사례가액, 감정가액평균액, 환산취득가액, 기준시가 • 기타필요경비 : ① 자본적지출액, 양도비 등 또는 ② 필요경비개산공제액
= 양도차익		
− 장기보유특별공제액	⇨	• 공제대상 : 3년 이상 보유한 토지 또는 건물 : 조합원입주권 중 관리처분계획인가전 양도차익 • 공제율 : 일반공제율 6%~30%, 1세대 1주택 특례 공제율 24%~80%
= 양도소득금액		
− 양도소득기본공제	⇨	• 주식 등과 주식 등 외로 구분하여 각각 과세기간별 연 250만원
= 양도소득과세표준		
× 세율	⇨	• 기본세율(누진세율, 단기양도세율), 중과세율, 기본세율+10%p 세율, 단일세율 등
= 산출세액		
− 공제·감면세액	⇨	• 예정신고납부세액공제, 감면세액, 외국납부세액공제
= 결정세액		
+ 가산세	⇨	• 신고불성실가산세 : 10%~40% • 납부불성실가산세 : 1일 2.5/10,000 • 기장불성실가산세 : 10%(산출세액이 없는 경우 거래금액의 7/10,000) • 부정행위로 감면·공제신청시 : 40%
= 총결정세액		
− 기납부·고지세액공제	⇨	• 예정신고납부세액, 기결정·경정세액, 원천징수세액
= 차가감 납부할 세액	⇨	• 1천만원 이상인 경우 2개월 이내 분납 가능 • 물납(보상채권)

2 | 양도소득금액의 구분 계산 및 결손금의 통산

가. 양도소득금액의 구분계산

양도소득금액은 다음 각 호의 소득별로 구분하여 계산한다. 이 경우 소득금액을 계산할 때 발생하는 결손금은 다른 호의 소득금액과 합산하지 아니한다.

① 토지 또는 건물, 부동산에 관한 권리 및 기타자산의 양도소득(「소득세법」 제94조 제1항 제1호 · 제2호 및 제4호에 따른 소득)

② 주식 등의 양도소득(「소득세법」 제94조 제1항 제3호에 따른 소득)

나. 결손금의 통산

위 "가"에 따라 양도소득금액을 계산할 때 양도차손이 발생한 자산이 있는 경우에는 위 "가" 각 호별로 해당 자산 외의 다른 자산에서 발생한 양도소득금액에서 그 양도차손을 공제한다. 이 경우 공제 방법은 다음과 같다.

1) 양도차손은 다음 각 호의 자산의 양도소득금액에서 순차로 공제한다.

① 양도차손이 발생한 자산과 같은 세율을 적용받는 자산의 양도소득금액

② 양도차손이 발생한 자산과 다른 세율을 적용받는 자산의 양도소득금액. 이 경우 다른 세율을 적용받는 자산의 양도소득금액이 2 이상인 경우에는 각 세율별 양도소득금액의 합계액에서 당해 양도소득금액이 차지하는 비율로 안분하여 공제한다.

유의사항

- 위 가. ①이 양도차손인 경우 가. ②의 양도소득금액에서 공제 불가
- 위 가. ②가 양도차손인 경우 가. ①의 양도소득금액에서 공제 불가

양도소득금액을 계산함에 있어서 양도차손이 발생한 자산이 있는 경우에는 「소득세법 시행령」 제167조의 2 제1항에 따라 같은 세율을 적용받는 자산의 양도소득금액과 다른 세율을 적용받는 자산의 양도소득금액에서 그 양도차손을 순차로 공제하는 것이며, 이 경우 「소득세법」 제104조 제4항과 제6항의 세율은 다른 세율에 해당하는 것임(재산세과-1035, 2009. 12. 18.).

| 결손금 통산 사례 |

구 분	(1) ① 양도차익	(1) ② 양도결손금	① - ② 가감 후 양도차익	조정 후 양도차익
1. 보유기간이 1년 이상인 자산	100		100	100 − (200 × 100/400) = 50
2. 보유기간이 1년 미만인 자산	200	△400	△200	
3. 미등기 양도자산	300		300	300 − (200 × 300/400) = 150
합 계	600	△400	△200 400	200

2) 감면소득금액이 있는 경우

「소득세법」 제90조의 감면소득금액을 계산함에 있어서 위 1)의 양도소득금액에 감면소득금액이 포함되어 있는 경우에는 순양도소득금액(감면소득금액을 제외한 부분을 말한다)과 감면소득금액이 차지하는 비율로 안분하여 당해 양도차손을 공제한 것으로 보아 감면소득금액에서 당해 양도차손 해당분을 공제한 금액을 「소득세법」 제90조의 규정에 의한 감면소득금액으로 본다.

3 | 양도차익의 계산

가. 원 칙

양도차익을 계산할 때 양도가액을 실지거래가액(「소득세법」 제96조 제3항에 따른 가액 및 제114조 제7항에 따라 매매사례가액 · 감정가액이 적용되는 경우 그 매매사례가액 · 감정가액 등을 포함한다)에 따를 때에는 취득가액도 실지거래가액(「소득세법」 제97조 제7항에 따른 가액 및 제114조 제7항에 따라 매매사례가액 · 감정가액 · 환산취득가액이 적용되는 경우 그 매매사례가액 · 감정가액 · 환산취득가액 등을 포함한다)에 따르고, 양도가액을 기준시가에 따를 때에는 취득가액도 기준시가에 따른다.

| 양도가액 등 양도차익의 산정기준 요약 |

구 분	양도가액	취득가액
실지거래가액에 의하는 경우	• 실지거래가액 • 매매사례가액 • 감정가액 평균액 • 소득세법 제96조 제3항에 따른 가액	• 실지거래가액 • 매매사례가액 • 감정가액 평균액 • 환산취득가액 • 소득세법 제97조 제7항에 따른 가액
기준시가에 의하는 경우	기준시가	기준시가

※ 위의 표에서와 같이 양도가액을 기준시가로 하는 경우에는 취득가액은 반드시 기준시가만 적용할 수 있고 실지거래가액, 환산취득가액 등을 적용할 수 없다.

나. 일괄양도·취득시 양도가액 또는 취득가액 등의 안분계산

1) 일반적인 경우

위 "가"를 적용할 때 양도가액 또는 취득가액을 실지거래가액에 따라 산정하는 경우로서 토지와 건물 등을 함께 취득하거나 양도한 경우에는 이를 각각 구분하여 기장하되 토지와 건물 등의 가액 구분이 불분명할 때에는 「부가가치세법 시행령」 제64조에 따라 안분계산한다(감정평가가액 ⇒ 기준시가 ⇒ 장부가액 ⇒ 취득가액).

이를 적용함에 있어 「상속세 및 증여세법」 제62조 제1항에 따른 선박 등 그 밖의 유형재산에 대하여 「부가가치세법 시행령」 제64조 제1항 제3호 단서에 해당하는 장부가액이 없는 경우에는 「상속세 및 증여세법」 제62조 제1항에 따라 평가한 가액*을 기준으로 한다(2016. 2. 17. 이후 양도하는 분부터 적용).

* 해당 선박·항공기·차량·기계장비 및 「입목에 관한 법률」의 적용을 받는 입목을 처분할 경우 다시 취득할 수 있다고 예상되는 가액을 말하되, 그 가액이 확인되지 아니하는 경우에는 장부가액(취득가액에서 감가상각비를 뺀 가액을 말하며, 이하 이 조에서 같다) 및 「지방세법 시행령」 제4조 제1항의 시가표준액에 따른 가액을 순차로 적용한 가액.
또한, 공통되는 취득가액과 양도비용은 해당 자산의 가액에 비례하여 안분계산한다.

한편, 토지와 건물 등을 함께 취득하거나 양도한 경우로서 그 토지와 건물 등을 구분 기장한 가액이 기준시가 등에 따라 안분계산한 가액과 100분의 30 이상 차이가 있는 경우에는 토지와 건물 등의 가액 구분이 불분명한 때로 본다(2016. 1. 1. 이후 양도하는 분부터 적용).

2) 임지와 임목의 가액 구분(소득령 §51 ⑧)

임지의 임목을 벌채 또는 양도하는 사업의 수입금액을 계산하는 경우 임목을 임지(林地)와 함께 양도한 경우에 그 임지의 양도로 발생하는 소득은 총수입금액 계산시 산입하지 아니한다. 이 경우 임목과 임지의 취득가액 또는 양도가액을 구분할 수 없는 때에는 다음 각 호의 기준에 따라 취득가액 또는 양도가액을 계산한다.

① 임목에 대하여는「지방세법 시행령」제4조 제1항 제5호에 따른 시가표준액

② 임지에 대하여는 총취득가액 또는 총양도가액에서 ①에 따라 계산한 임목의 취득가액 또는 양도가액을 뺀 금액. 이 경우 빼고 남은 금액이 없는 때에는 임지의 취득가액 또는 양도가액은 없는 것으로 본다.

* 적용시기 : 2014. 1. 1. 이후 최초로 양도하는 분부터 적용함(2013. 2. 15. 대통령령 제24356호 부칙 §1).

제 2 절 특수한 경우의 양도차익 계산

1 환지예정지등의 양도 또는 취득가액의 계산(기준시가에 의하는 경우)

가. 환지지구내 토지의 양도 또는 취득가액의 계산

양도 또는 취득가액을 기준시가에 의하는 경우 「도시개발법」 또는 「농어촌정비법」 등에 의한 환지지구내 토지의 양도 또는 취득가액의 계산은 다음 각 호의 산식에 의한다.

다만, 1984년 12월 31일 이전에 취득한 토지로서 취득일 전후를 불문하고 1984년 12월 31일 이전에 환지예정지로 지정된 토지의 경우에는 2)의 산식에 의한다.

1) 종전의 토지소유자가 환지예정지구내의 토지 또는 환지처분된 토지를 양도한 경우

가) 양도가액

환지예정(교부)면적 × 양도당시의 단위당 기준시가

나) 취득가액

종전토지의 면적 × 취득당시의 단위당 기준시가

2) 환지예정지구내의 토지를 취득한 자가 당해 토지를 양도한 경우

가) 양도가액

환지예정(교부)면적 × 양도당시의 단위당 기준시가

나) 취득가액

환지예정면적 × 취득당시의 단위당 기준시가

나. 종전의 토지소유자가 환지청산금을 수령하는 경우

위 "가"의 규정을 적용함에 있어서 종전의 토지소유자가 환지청산금을 수령하는 경우의 양도 또는 취득가액의 계산은 다음 각호의 산식에 의한다.

1) 환지시 청산금을 수령한 경우

가) 양도가액

환지청산금에 상당하는 면적 × 환지청산금 수령시의 단위당 기준시가

나) 취득가액

$$(\text{종전토지의 면적} \times \text{취득당시의 단위당 기준시가}) \times \frac{\text{환지청산금에 상당하는 면적}}{\text{권리면적}}$$

2) 환지예정지구의 토지 또는 환지처분된 토지를 양도한 경우

가) 양도가액

환지예정(교부)면적×양도당시의 단위당 기준시가

나) 취득가액

$$(\text{종전토지의 면적} \times \text{취득당시의 단위당 기준시가}) \times \frac{\text{권리면적} - \text{환지청산금에 상당하는 면적}}{\text{권리면적}}$$

▶▶ 위 "가", "나"의 경우에 환지사업으로 인하여 감소되는 토지의 면적에 대한 가액은 자본적지출로 계상하지 아니한다.

2 | 고가주택 등에 대한 양도차익 등의 계산

가. 원 칙

「소득세법」 제89조 제1항 제3호에 따라 양도소득의 비과세 대상에서 제외되는 고가주택(이에 딸린 토지를 포함하되 하나의 건물이 주택과 주택 외의 부분으로 복합되어 있는 경우와 주택에 딸린 토지에 주택 외의 건물이 있는 경우에는 주택 외의 부분은 주택으로 보지 않는다. 고가주택의 범위는 제3절 2. 가. 1)의 설명 참고) 및 같은 항 제4호에 따라 비과세 대상에서 제외되는 조합원입주권에 해당하는 자산의 양도차익 및 장기보유 특별공제액은 다음 각 호의 산식으로 계산한 금액으로 한다.

이 경우 해당 주택 또는 이에 부수되는 토지가 그 보유기간이 다르거나 미등기양도자산에 해당하거나 일부만 양도하는 때에는 9억원에 해당 주택 또는 이에 부수되는 토지의 양도가액이 그 주택과 이에 부수되는 토지의 양도가액의 합계액에서 차지하는 비율을 곱하여 안분계산한다. 이 경우 양도가액의 안분계산은 「소득세법」 제100조 제2항의 규정을 준용한다.

① 고가주택 등에 해당하는 자산에 적용할 양도차익

$$\text{「소득세법」 제95조 제1항에 따른 양도차익}^{*} \times \frac{\text{양도가액} - \text{9억원}}{\text{양도가액}}$$

* 고가주택 등 전체의 양도차익

② 고가주택 등에 해당하는 자산에 적용할 장기보유특별공제액

$$\text{「소득세법」 제95조 제2항에 따른 장기보유특별공제액}^{*} \times \frac{\text{양도가액} - \text{9억원}}{\text{양도가액}}$$

* 고가주택 등 전체의 장기보유특별공제액

나. 보유기간이 다르거나 어느 한쪽이 미등기자산인 경우

1세대 1주택 비과세요건을 갖춘 고가주택과 이에 부수되는 토지가 그 보유기간이 다르거나 어느 한쪽이 미등기 양도자산인 경우의 양도차익은 다음과 같이 계산한다.

① 건물부분 양도차익

$$\text{건물부분 양도차익} - \left[\text{건물부분 양도차익} \times \frac{\text{9억원} \times \dfrac{\text{건물부분 양도가액}}{\text{건물 및 대지의 양도가액 합계액}}}{\text{건물양도가액}} \right]$$

② 대지부분 양도차익

$$\text{대지부분 양도차익} - \left[\text{대지부분 양도차익} \times \frac{9\text{억원} \times \dfrac{\text{대지부분 양도가액}}{\text{건물 및 대지의 양도가액 합계액}}}{\text{대지양도가액}} \right]$$

3 | 재개발 · 재건축 입주권의 양도차익 계산

주택재개발사업 또는 주택재건축사업을 시행하는 정비사업조합의 조합원이 당해 조합에 기존건물과 그 부수토지를 제공(건물 또는 토지만을 제공한 경우를 포함한다)하고 취득한 입주자로 선정된 지위를 양도하는 경우 그 조합원의 양도차익은 다음 각 호의 산식에 의하여 계산한다.

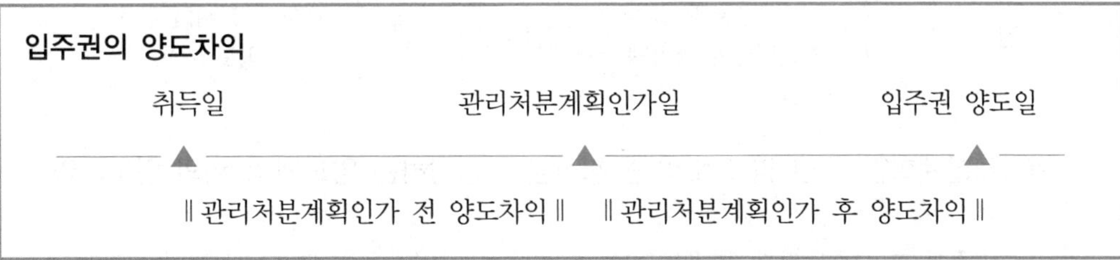

가. 청산금을 납부한 경우 양도차익 계산 방법

입주권의 양도차익 = ①관리처분계획인가 후 양도차익 + ②관리처분계획인가 전 양도차익

① 관리처분계획인가 후 양도차익

$$\text{양도가액} - \left[\text{기존건물과 그 부수토지의 평가액} + \text{납부한 청산금} \right] - \text{자본적 지출액 및 양도비 등}$$

② 관리처분계획인가 전 양도차익

기존건물과 그 부수토지의 평가액 − [기존건물과 그 부수토지의 취득가액 + 기존건물과 그 부수토지에 대한 자본적 지출액·양도비 등 또는 개산공제액]

* 관리처분계획인가 전 양도차익에서 장기보유특별공제액을 공제하는 경우 보유기간
: 기존건물과 그 부수토지의 취득일부터 관리처분계획인가일까지의 기간

나. 청산금을 지급받은 경우 양도차익 계산 방법

입주권의 양도차익 = ① + ②

① 관리처분계획인가 후 양도차익

양도가액 − [기존건물과 그 부수토지의 평가액 − 지급받은 청산금] − 자본적 지출액 및 양도비 등

② 관리처분계획인가 전 양도차익 중 청산금에 상당하는 양도차익 외의 양도차익

[기존건물과 그 부수토지의 평가액
− 기존건물과 그 부수토지의 취득가액
− 기존건물과 그 부수토지에 대한 자본적 지출액 및 양도비 등 또는 개산공제액] × (기존건물과 그 부수토지의 평가액 − 지급받은 청산금) / 기존건물과 그 부수토지의 평가액

* ②의 양도차익에서 장기보유특별공제액을 공제하는 경우 보유기간
: 기존건물과 그 부수토지의 취득일부터 관리처분계획인가일까지의 기간

※ 청산금을 지급받은 경우 청산금에 대한 양도차익 계산 방법

[기존건물과 그 부수토지의 평가액
− 기존건물과 그 부수토지의 취득가액
− 기존건물과 그 부수토지에 대한 자본적 지출액 및 양도비 등 또는 개산공제액] × 지급받은 청산금 / 기존건물과 그 부수토지의 평가액

* 청산금부분의 양도차익에 대하여는 입주권의 양도차익과는 별개이므로 각각의 양도시기에 과세·비과세 여부에 따라 각각 계산해야 함.

다. 항목별 적용 방법

1) 기존건물과 그 부수토지의 평가액

기존건물과 그 부수토지의 평가액이란 다음 각 호의 가액을 말한다.

① 「도시 및 주거환경정비법」에 따른 관리처분계획에 따라 정하여진 가격(일반적으로 권리가액을 말한다). 다만, 그 가격이 변경된 때에는 변경된 가격으로 한다.

* 조합원분양계약서 또는 정비조합에서 발급하는 확인서 등에 의하여 확인할 수 있다.

② 위 ①에 따른 가격이 없는 경우에는 「소득세법 시행령」 제176조의 2 제3항 제1호, 제2호 및 제4호의 방법을 순차로 적용하여 산정한 가액(매매사례가액 ⇒ 감정가액 평균액 ⇒ 기준시가). 이 경우 「소득세법 시행령」 제176조의 2 제3항 제1호 및 제2호에서 "양도일 또는 취득일 전후"는 "관리처분계획인가일 전후"로 본다.

도정법에 따른 권리가액이 없는 경우 평가액 적용 방법

ⓐ 관리처분계획인가일 전후 3개월 이내에 해당 자산과 동일성 또는 유사성이 있는 자산의 매매사례가 있는 경우 그 가액
ⓑ 관리처분계획인가일 전후 3월 이내에 당해 자산에 대하여 2 이상의 감정평가법인이 평가한 것으로서 신빙성이 있는 것으로 인정되는 감정가액(감정평가기준일이 양도일 또는 취득일 전후 각 3월 이내인 것에 한한다)이 있는 경우에는 그 감정가액의 평균액
ⓒ 관리처분계획인가일 현재 기준시가

2) 기존건물과 그 부수토지의 취득가액을 확인할 수 없는 경우

기존건물과 그 부수토지의 취득가액을 확인할 수 없는 경우에는 다음 산식에 의하여 계산한 가액에 의한다.

$$\text{기존건물과 그 부수토지의 평가액} \times \frac{\text{취득일 현재 기존건물과 그 부수토지의 기준시가}}{\text{관리처분계획인가일 현재 기존건물과 그 부수토지의 기준시가}}$$

기존건물과 그 부수토지의 취득가액을 확인할 수 없는 경우 유의사항

첫째, 기존건물과 그 부수토지의 실지취득가액을 확인할 수 없는 경우 기존건물과 그 부수토지의 취득가액은 기존건물과 그 부수토지의 취득당시의 매매사례가액, 감정가액 평균액 또는 환산취득가액을 적용할 수 없고, 위와 같이 기존건물과 그 부수토지의 평가액을 기준으로 한 환산취득가액을 적용하여야 한다.

둘째, 기존 부동산이 오피스텔 및 상업용 건물 또는 주택인 경우 위 산식 중 분자 및 분모는 "기존건물과 그 부수토지의 기준시가"의 적용에 있어서 「소득세법」 제99조 제1항 제1호 다목 및 라목의 규정에 의한 오피스텔 및 상업용 건물과 주택의 기준시가로 하여야 한다.

셋째, 기존 부동산의 건물 또는 부수토지 중 어느 한 쪽의 취득당시의 실지거래가액을 알 수 있는 경우에는 기존부동산의 건물부분과 부수토지부분에 대한 양도차익을 각각 구분 계산하여야 한다.

4 | 재개발 · 재건축으로 신축된 주택의 양도차익 계산

재개발 · 재건축에 따른 신축주택의 양도차익

취득일	관리처분계획인가일 준공	신축주택 양도일
▲	▲	▲
‖ 관리처분계획인가 전 양도차익 ‖	‖ 관리처분계획인가 후 양도차익 ‖	

가. 실지거래가액에 따른 양도차익 계산

주택재개발사업 또는 주택재건축사업을 시행하는 정비사업조합의 조합원이 해당 조합에 기존건물과 그 부수토지를 제공하고 관리처분계획에 따라 취득한 신축주택 및 그 부수토지를 양도하는 경우 실지거래가액에 의한 양도차익은 다음 각 호의 산식에 따라 계산한다.

1) 청산금을 납부한 경우 양도차익 계산 방법

신축주택의 양도차익 = ①청산금납부분 양도차익 + ②기존건물분 양도차익

① 청산금납부분 양도차익

$$\text{관리처분계획인가 후 양도차익} \times \frac{\text{납부한 청산금}}{\text{기존건물과 그 부수토지의 평가액} + \text{납부한 청산금}}$$

* 청산금납부분 양도차익에서 장기보유특별공제액을 공제하는 경우의 보유기간
: 관리처분계획인가일부터 신축주택과 그 부수토지의 양도일까지의 기간

② 기존건물분 양도차익

$$\text{관리처분계획인가 후 양도차익} \times \frac{\text{기존건물과 그 부수토지의 평가액}}{\text{기존건물과 그 부수토지의 평가액} + \text{납부한 청산금}} + \text{관리처분계획인가 전 양도차익}$$

* 기존건물분 양도차익에서 장기보유특별공제액을 공제하는 경우의 보유기간
: 기존건물과 그 부수토지의 취득일부터 신축주택과 그 부수토지의 양도일까지의 기간

2) 청산금을 지급받은 경우 양도차익 계산 방법

신축주택의 양도차익 = ① + ②

* 이 경우 장기보유특별공제액 계산시 보유기간은 기존건물과 그 부수토지의 취득일부터 신축주택과 그 부수토지의 양도일까지의 기간으로 함.

① 관리처분계획인가 후 양도차익

$$\text{양도가액} - \left[\text{기존건물과 그 부수토지의 평가액} - \text{지급받은 청산금}\right] - \text{자본적 지출액 및 양도비 등}$$

② 관리처분계획인가 전 양도차익 중 청산금에 상당하는 양도차익외의 부분

$$\left[\begin{array}{l}\text{기존건물과 그 부수토지의 평가액} \\ -\text{기존건물과 그 부수토지의 취득가액} \\ -\text{기존건물과 그 부수토지에 대한 자본적 지출액 및 양도비 등 또는 개산공제액}\end{array}\right] \times \frac{\text{기존건물과 그 부수토지의 평가액} - \text{지급받은 청산금}}{\text{기존건물과 그 부수토지의 평가액}}$$

3) 항목별 적용 방법

위 1), 2)를 적용할 때 "관리처분계획인가 전 양도차익", "관리처분계획인가 후 양도차익", "기존건물과 그 부수토지의 평가액", "지급받은 청산금에 대한 양도차익 계산 방법"은 위 "3"에서 설명한 내용과 동일하게 적용한다.

나. 기준시가에 따른 양도차익 계산

주택재개발사업 또는 주택재건축사업을 시행하는 정비사업조합의 조합원이 당해 조합에 기존건물과 그 부수토지를 제공하고 관리처분계획에 따라 취득한 신축건물 및 그 부수토지를 양도하는 경우 기준시가에 의한 양도차익은 다음 각 호의 구분에 따라 계산한 양도차익의 합계액(청산금을 수령한 경우에는 이에 상당하는 양도차익을 차감한다)으로 한다.

신축주택의 기준시가에 따른 양도차익 = ① + ② + ③

① 기존건물과 그 부수토지의 취득일 ~ 관리처분계획인가일 전일까지의 양도차익

관리처분계획인가일 전일 현재의 기존건물과 그 부수토지의 기준시가 - 기존건물과 그 부수토지의 취득일 현재의 기존건물과 그 부수토지의 기준시가 - 기존건물과 그 부수토지의 필요경비(필요경비개산공제액을 말함)

② 관리처분계획인가일 ~ 신축건물의 준공일(「소득세법 시행령」 제162조 제1항 제4호의 규정에 의한 취득일을 말함) 전일까지의 양도차익

신축건물의 준공일 전일 현재의 기존건물의 부수토지의 기준시가 - 관리처분계획인가일 현재의 기존건물의 부수토지의 기준시가

③ 신축건물의 준공일 ~ 신축건물의 양도일까지의 양도차익

신축건물의 양도일 현재의 신축건물과 그 부수토지의 기준시가 - 신축건물의 준공일 현재의 신축건물과 그 부수토지의 기준시가* - 신축건물과 그 부수토지(기존건물의 부수토지보다 증가된 부분에 한한다)의 필요경비

* 신축주택의 양도일 현재 「소득세법」 제99조 제1항 제1호 다목 및 라목의 규정에 의한 기준시가(오

피스텔, 상업용건물 기준시가 고시가액 및 개별주택가격, 공동주택가격)가 있는 경우에는 「소득세법 시행령」 제164조 제6항 및 제7항의 규정을 준용하여 계산한 기준시가를 말함.

5 | 부담부증여에 대한 양도차익 계산 방법

부담부증여의 경우 양도로 보는 부분에 대한 양도차익을 계산함에 있어서 그 취득가액 및 양도가액은 다음 각 호에 따른다.

① 취득가액

$$\text{「소득세법」 제97조 제1항 제1호에 따른 가액*} \times \frac{\text{채무가액}}{\text{증여가액}}$$

* 양도가액을 기준시가에 따라 산정한 경우에는 취득가액도 기준시가에 따라 산정한다.

② 양도가액

$$\text{「상속세 및 증여세법」 제60조부터 제66조까지의 규정에 따라 평가한 가액} \times \frac{\text{채무가액}}{\text{증여가액}}$$

※ 위 ①, ②를 적용할 때 양도소득세 과세대상에 해당하는 자산과 해당하지 아니하는 자산을 함께 부담부증여하는 경우로서 증여자의 채무를 수증자가 인수하는 경우 채무액은 다음 계산식에 따라 계산한 금액으로 한다.

$$\text{채무액} = \text{총 채무액} \times \frac{\text{과세대상 자산가액}}{\text{총 증여 자산가액}}$$

6 | 고가양수 · 저가양도에 따른 양도소득의 부당행위계산 (소득법 §101 ①)

▶▶ 양도소득의 부당행위계산부인 유형은 "제2절 3. 사. 2)"에서 설명하는 유형(증여 후 양도거래)과 여기에서 설명하는 유형(고가양수 · 저가양도)이 있다.

가. 의 의

납세지 관할 세무서장 또는 지방국세청장은 양도소득이 있는 거주자의 행위 또는 계산이 그 거주자의 특수관계인과의 거래로 인하여 그 소득에 대한 조세 부담을 부당하게 감소시킨 것으로 인정되는 경우에는 그 거주자의 행위 또는 계산과 관계없이 해당 과세기간의 소득금액을 계산할 수 있다.

나. 적용 요건

1) 특수관계인과의 거래
2) 조세 부담을 부당하게 감소시킨 것으로 인정되는 경우

다. 특수관계인의 범위

「국세기본법 시행령」 제1조의 2 제1항, 제2항 및 같은 조 제3항 제1호에 따른 특수관계인을 말한다.

▶▶ 특수관계인에 해당되는지 여부는 「국세기본법」 제2조 제20호 각 목에 해당되는 경우를 말하는 것으로, 법인의 주주1인이 그 법인의 임원인 주주의 자녀(경제적 연관관계 없는 자)에게 주식을 양도하는 경우는 특수관계인에 해당되지 아니함(징세과-144, 2013. 2. 1.).

라. 조세 부담을 부당하게 감소시킨 것으로 인정되는 경우

"조세의 부담을 부당하게 감소시킨 것으로 인정되는 때"란 다음 중 어느 하나에 해당하는 때를 말한다. 다만, 시가와 거래가액의 차액이 3억원 이상이거나 시가의 100분의 5에 상당하는 금액 이상인 경우에 한정한다.

1) 특수관계인으로부터 시가보다 높은 가격으로 자산을 매입하거나 특수관계인에게 시가보다 낮은 가격으로 자산을 양도한 때
2) 그 밖에 특수관계인과의 거래로 해당 연도의 양도가액 또는 필요경비의 계산시 조세의 부담을 부당하게 감소시킨 것으로 인정되는 때

마. 부당행위계산 부인 적용 방법

특수관계인과의 거래에 있어서 토지 등을 시가를 초과하여 취득하거나 시가에 미달하게

양도함으로써 조세의 부담을 부당히 감소시킨 것으로 인정되는 때에는 그 취득가액 또는 양도가액을 시가에 의하여 계산한다.

* 2004헌바 76, 2004헌가 16[병합], 2006. 6. 29. 합헌
  '특수관계있는 자에게 시가보다 낮은 가격으로 자산을 양도한 때'에 관한 소득세법상의 부인규정과 상증법상의 의제규정은 실질과세원칙 등에 위배되지 아니하여 헌법에 반하지 아니함.

바. 시가의 범위

양도소득의 부당행위계산 부인 규정을 적용할 때 시가는 「상속세 및 증여세법」 제60조 내지 제64조와 동법 시행령 제49조 내지 제59조 및 「조세특례제한법」 제101조의 규정을 준용하여 평가한 가액에 의한다. 이 경우 「상속세 및 증여세법 시행령」 제49조 제1항 본문 중 "평가기준일 전후 6월(증여재산의 경우에는 3월로 한다) 이내의 기간"은 "양도일 또는 취득일 전후 각 3월의 기간*"으로 보며, 「조세특례제한법」 제101조 중 "상속받거나 증여받는 경우"는 "양도하는 경우"로 본다.

* 2003. 12. 31. 이전 양도분의 경우에는 "양도일 또는 취득일 전후 각 6월의 기간"

사. 부당행위계산 부인 적용 제외 대상

개인과 법인간에 재산을 양수 또는 양도하는 경우로서 그 대가가 법인세법에 따른 시가(「법인세법 시행령」 제89조의 규정에 의한 가액)에 해당되어 당해 법인의 거래에 대하여 법인세법에 따른 부당행위계산 부인(「법인세법」 제52조) 규정이 적용되지 아니하는 경우에는 양도소득의 부당행위계산 부인(「소득세법」 제101조 제1항) 규정을 적용하지 아니한다. 다만, 거짓 그 밖의 부정한 방법으로 양도소득세를 감소시킨 것으로 인정되는 경우에는 그러하지 아니하다(2004. 1. 1. 이후 양도소득세 과세표준신고기한이 도래하는 분부터 적용함. 2003. 12. 30. 대통령령 제18173호 부칙 §18).

아. 저가양수 · 고가양도에 따른 증여세 문제(상증법 §35)

1) 특수관계인간 거래

다음 ① 또는 ② 중 어느 하나에 해당하는 자에 대해서는 해당 재산을 양수하거나 양도하였을 때에 그 대가와 시가(時價)의 차액에 상당하는 금액으로서 ③에 상당하는 금액을 증여재산가액으로 하여 증여세를 과세한다.

① 타인으로부터 시가보다 낮은 가액으로 재산을 양수하는 경우에는 그 재산의 양수자

"낮은 가액"

양수한 재산(다음 각 호의 것을 제외한다)의 시가(「상속세 및 증여세법」 제60조부터 제66조까지의 규정에 따라 평가한 가액을 말한다)에서 그 대가를 뺀 가액이 시가의 100분의 30 이상 차이가 있거나 그 차액이 3억원 이상인 경우의 그 대가를 말한다.

1) 「상속세 및 증여세법」 제40조 제1항의 규정에 의한 전환사채등
2) 「자본시장과 금융투자업에 관한 법률」에 따라 한국거래소에 상장되어 있는 법인의 주식 및 출자지분으로서 증권시장에서 거래된 것(「상속세 및 증여세법」 제33조 제2항에 따른 시간외시장에서 매매된 것을 제외한다)

② 타인에게 시가보다 높은 가액으로 재산을 양도하는 경우에는 그 재산의 양도자

"높은 가액"

양도한 재산(위 ① 각 호의 것을 제외한다)의 대가에서 그 시가를 차감한 가액이 시가의 100분의 30 이상 차이가 있거나 그 차액이 3억원 이상인 경우의 그 대가를 말한다.

③ 증여재산가액

"대통령령으로 정하는 이익" = 대가와 시가와의 차액 - Min[1), 2)]

위 ① 및 ②에 따라 계산한 대가와 시가와의 차액에서 다음 각 호의 가액 중 적은 금액을 뺀 가액을 말한다.

1) 시가의 30%(대가와 시가와의 차액이 시가의 30% 이상인 경우)
2) 3억원

2) 특수관계인이 아닌 자 간의 거래

특수관계인이 아닌 자 간에 재산을 양수하거나 양도한 경우로서 거래의 관행상 정당한 사유 없이 시가보다 현저히 낮은 가액 또는 현저히 높은 가액으로 재산을 양수하거나 양도한 경우에는 그 대가와 시가의 차액에 상당하는 금액을 증여받은 것으로 추정하여 대통령령으로 정하는 이익에 상당하는 금액을 그 이익을 얻은 자의 증여재산가액으로 한다.

① 특수관계인

양도자 또는 양수자와 「상속세 및 증여세법」 제12조의 2 제1항 각 호의 어느 하나에

해당하는 관계에 있는 자를 말한다.

② "현저히 낮은 가액"

양수한 재산(위 1)의 ①항 각 호의 것을 제외한다)의 시가에서 그 대가를 차감한 가액이 시가의 100분의 30 이상 차이가 있는 경우의 그 대가를 말한다.

③ "현저히 높은 가액"

양도한 자산(위 1)의 ①항 각 호의 것을 제외한다)의 대가에서 그 시가를 차감한 가액이 시가의 100분의 30 이상 차이가 있는 경우의 그 대가를 말한다.

④ 증여재산가액

위 ② 및 ③에 따라 계산한 대가와 시가와의 차액에서 각각 3억원을 뺀 가액을 말한다.

3) 시가의 산정기준일

위 1) 및 2)를 적용할 때 대가 및 시가의 산정기준일은 당해 재산의 대금을 청산한 날(「소득세법 시행령」 제162조 제1항 제1호 내지 제3호의 규정에 해당하는 경우에는 각각 동항 제1호 내지 제3호에 규정된 날을 말한다)을 기준으로 하되, 매매계약 후 환율의 급격한 변동 등으로 인하여 산정기준일로 하는 것이 불합리하다고 인정되는 경우에는 매매계약일을 기준으로 한다.

4) 증여추정 규정의 적용 배제

개인과 법인간에 재산을 양수 또는 양도하는 경우로서 그 대가가 「법인세법 시행령」 제89조의 규정에 의한 가액에 해당되어 당해 법인의 거래에 대하여 「법인세법」 제52조의 규정(법인세법상 부당행위계산부인 규정)이 적용되지 아니하는 경우(위 1) ①의 규정에 의한 시간외시장에서 매매된 경우를 포함한다)에는 「상속세 및 증여세법」 제35조(저가·고가 양도에 따른 이익의 증여 등)를 적용하지 아니한다.

다만, 거짓 그 밖의 부정한 방법으로 상속세 또는 증여세를 감소시킨 것으로 인정되는 경우에는 그러하지 아니하다.

관련예규 및 판례요약

양도차익산정 일반원칙(쌍방실거래가액)과 관련된 예규, 판례

조심-2018-서-4986. 2019. 10. 10.

처분청은 전소유자인 A와 청구인간에 이 건 부동산의 매매대금에 대하여 다툰 민사소송의 판결문을 근거로 00원을 청구인의 실지취득가액으로 경정하여 양도소득세를 부과하였으나, 동 소송의 재판부는 이 건 부동산의 매매대금을 확정적으로 판단한 것이 아닌 것 등으로 처분청의 경정금액을 실지거래가액으로 보기는 어렵다 하겠음.

심사-양도-2018-0102, 2019. 10. 8.

처분청은 금융거래내역이 확인되지 아니한다는 등의 사유로 계약서의 거래가액을 부인하고 환산가액을 적용하였으나 계약서의 거래가액과 유사한 제3자 간의 거래가액이 확인되는 경우이므로 계약서의 거래가액은 실지거래가액으로 판단됨.

심사-양도-2019-0063, 2019. 8. 21.

분양납입금을 세무공무원이 확인한 경우 실지거래가액이 확인되었으므로 환산취득가액으로 신고한 취득가액은 부인하고 실지거래가액으로 양도차익을 산정하는 것임.

조심 2015전 5697, 2016. 11. 28.

청구인이 주장하는 쟁점부동산의 취득가액이 제출된 증빙으로 확인되는 점 등에 비추어 쟁점부동산 취득가액을 전소유자의 신고 양도가액으로 하여 청구인에게 양도소득세를 부과한 이 건 처분은 잘못임.

조심 2016중 2227, 2016. 10. 26.

청구인이 제시한 계약서는 중개인이 없는 쌍방계약서로 실제 계약서인지 여부가 불분명하고, 청구인은 쟁점토지의 취득가액이 얼마인지를 알 수 있는 객관적인 금융증빙 등을 제시하지 못하고 있는바, 청구인이 쟁점토지를 명의수탁받았다가 이를 반환한 것인지 여부, 실제 취득하였다면 쟁점토지의 취득가액과 쟁점양도토지의 양도가액이 얼마인지 등을 재조사하여 그 결과에 따라 양도소득세 과세표준 및 세액을 경정함이 타당함.

대법원 2012두 22119, 2013. 2. 14.

매매계약서상 모텔 매매대금은 토지 매매대금에 비하여 비정상적으로 높게 책정되었음에도 객관적인 근거가 없는 점, 매매계약서에 부동산중개인의 기명·날인 등이 전혀 없는 점 등에 비추어 양도소득세 회피를 위하여 매매계약서를 작성한 것에 불과하고 모텔과 토지를 일괄

양도하여 양도가액을 구분할 수 없는 경우에 해당할 개연성이 많음.

대법원 2012두 22492, 2013. 1. 24.(심리불속행)

(원심 요지) 매매계약서상 토지 및 건물 대금이 구분·기재되어 있으나 이는 양도소득세를 절감하기 위하여 세무사가 알려주는 대로 기재한 것으로서 당사자 사이의 진정한 합의에 의한 것이라고 할 수 없고 기준시가에 따라 산정한 토지 및 건물 구분가액과 크게 차이가 나는 점 등에 비추어 토지 및 건물의 가액 구분이 불분명한 경우에 해당함.

서면4팀-4050, 2006. 12. 12.

복합건물의 양도가액을 안분하는 경우 주택(부수토지 포함) 부분은 개별주택가격, 주택 이외의 건물과 부수토지에 대하여는 「소득세법」 제99조 제1항 제1호 가목 및 나목의 기준시가를 적용하여 안분함.

양도차익산정 일반원칙의 예외(환산가액 등)와 관련된 예규, 판례

조심-2019-인-3287, 2019. 12. 20.

제시된 인출내역상 금액이 실제로 전소유자에게 귀속된 쟁점토지의 매매대금인지 불분명한 점 등에 비추어 이 건은 쟁점토지의 취득 당시 실지거래가액이 불분명한 경우에 해당한다 할 것임. 따라서, 처분청이 쟁점토지의 취득가액을 환산가액으로 경정하여 과세한 이 건 처분은 달리 잘못이 없음.

조심 2016중 630, 2016. 11. 10.

쟁점금액은 청구인의 양도소득세를 회피하기 위하여 임의로 산정된 양도가액이므로 쟁점금액 전액을 쟁점토지 양도가액에 포함할 수 없다는 청구주장은 받아들이기 어려우나, 제출된 자료만으로는 지장물의 현황 및 양도 당시의 가액을 산정하기 어려우므로 처분청이 재조사하여 그 결과에 따라 확인된 가액을 쟁점토지의 양도가액에서 제외하여 과세표준 및 세액을 경정하는 것이 타당함.

조심 2016서 1279, 2016. 10. 31.

구청장에게 제출된 쟁점건물의 건설공사 표준도급계약서상 공급가액보다 처분청이 적용한 환산가액이 큰 금액이므로 환산가액이 아닌 쟁점신축비용·쟁점수선비로 취득가액을 산정해야 한다는 청구주장을 받아들이기 어려움.

조심 2016부 2071, 2016. 10. 11.

청구인은 취·등록세 신고 시 실지거래가액을 과세표준으로 신고하였다고 단정할 수 없고, 쟁점조합의 장부가액 등이 확인되지 아니하여 취득세 등의 과세표준을 실지거래가액으로 보기 어려운 점 등에 비추어 이 건은 취득당시의 실지거래가액을 확인할 수 없는 경우로 보이므로 취득가액을 환산가액으로 함이 타당함.

대법원 2012두 3200, 2012. 6. 14.

비상장주식의 양도가액보다 높은 고가양도로서 증여세 대상이 되는지를 판단할 경우 상증법상의 보충적 평가방법에 의하여 평가한 가액을 시가로 볼 수 있으며, 그 양도가액 중 시가상당액에 대하여는 양도소득세를, 시가를 초과하는 부분에 대하여는 증여세를 부과할 수 있음.

부동산거래관리과-113, 2012. 2. 16.

1. 부담부증여의 경우 양도로 보는 부분에 대한 양도차익을 계산함에 있어서 양도가액은 「상속세 및 증여세법」 제60조부터 제66조까지의 규정에 따라 평가한 가액에 증여가액 중 채무액에 상당하는 부분이 차지하는 비율을 곱하여 계산하며, 취득가액은 「소득세법」 제97조 제1항 제1호에 따른 가액(양도가액을 기준시가에 따라 산정한 경우에는 취득가액도 기준시가에 따라 산정함)에 증여가액 중 채무액에 상당하는 부분이 차지하는 비율을 곱하여 계산하는 것임.
2. 위 "1"을 적용할 때 「상속세 및 증여세법 시행령」 제50조 제7항에 따라 계산한 '임대료 등의 환산가액'은 기준시가에 해당하지 아니하는 것임.

부동산거래관리과-528, 2010. 4. 7.

부담부증여의 경우 양도로 보는 부분에 대한 양도차익을 계산함에 있어서 양도가액은 「상속세 및 증여세법」 제60조부터 제66조까지의 규정에 따라 평가한 가액에 증여가액 중 채무액에 상당하는 부분이 차지하는 비율을 곱하여 계산하며, 취득가액은 「소득세법」 제97조 제1항 제1호에 따른 가액(양도가액을 기준시가에 따라 산정한 경우에만 취득가액도 기준시가에 따라 산정함)에 증여가액 중 채무액에 상당하는 부분이 차지하는 비율을 곱하여 계산하는 것임.

부동산거래관리과-119, 2010. 1. 22.

부담부증여에 있어서 양도로 보는 부분에 대한 양도차익을 계산함에 있어 증여가액 중 그 채무액에 상당하는 부분이 주택 또는 상가에 대한 부분으로 구분이 분명한 경우에는 그 채무액이 속하는 주택 또는 상가의 양도로 보아 양도차익을 산정함.

서면4팀-3005, 2007. 10. 18.

부담부증여에 의한 양도차익 산정시 양도가액 및 취득가액은 「소득세법」 제96조 및 제97조 제1항 제1호의 가액에 증여가액 중 채무액에 상당하는 부분이 차지하는 비율을 곱하여 산정함.

재건축 및 재개발 주택의 양도차익과 관련된 예규, 판례

기획재정부 재산세제과-35, 2020. 1. 14.

「도시 및 주거환경정비법」에 따라 신탁업자가 재개발・재건축사업의 사업시행자로 지정되어 토지등소유자와 신탁계약을 체결하고 정비사업을 시행하는 경우 양도소득세 과세방법.

조심-2017-서-5237, 2018. 6. 14.

재건축에 의해 취득하여 양도한 쟁점신축주택의 양도소득 계산 시 취득가액을 쟁점신축주택의 분양가액으로 하거나, 감면양도소득 계산식상 분모를 쟁점신축주택의 기준시가로 적용함.

서면-2017-부동산-0750, 2017. 11. 1.

「도시 및 주거환경정비사업」의 원조합원이 해당 재건축・재개발사업으로 신축된 주택을 양도할 때 관리처분계획인가 후 양도차손은 인가 전 양도차익과 통산함.

조심 2014서 0415, 2014. 3. 19.

고시원의 재건축공사대금으로 보아 취득가액에 산입하여 양도소득금액을 재계산해야 함[인용]. 고시원의 신축공사대금으로 보이고 금융증빙자료로 확인이 되므로, 고시원의 취득가액으로 보아 필요경비에 산입하여 양도소득금액을 재계산하는 것이 타당함.

조심 2013서 4445, 2014. 1. 15.

구주택을 멸실하고 신축하여 양도한 1세대 1주택의 부수토지에 대한 장기보유특별공제 적용 시 구주택 보유기간을 포함[인용]. 임의재건축의 경우, 1세대 1주택의 요건을 충족하는 부수토지에 대한 장기보유특별공제는 구주택과 신축주택의 보유기간을 통산하여 적용함이 합리적임.

서면4팀-2986, 2007. 10. 17.

주택재개발사업으로 취득한 입주권 및 신축주택의 양도소득을 실지거래가액으로 계산하는 경우 「소득세법 시행령」(2007. 2. 28. 대통령령 제19890호로 개정된 것) 제166조 규정에 의함.

서면4팀-2702, 2007. 9. 14.

재건축사업으로 주택의 부수토지가 증가한 경우 양도차익 및 장기보유특별공제는 「소득세법 시행령」 제166조 제2항 및 제5항 규정에 따라 산정하는 것임.

서면5팀-2061, 2007. 7. 13.

재건축・재개발된 상가 등의 양도차익은 재건축・재개발된 아파트의 양도차익 산정 규정을 준용하여 산정할 수 있음.

서면4팀 - 624, 2007. 2. 16.

재개발조합원이 재개발조합으로부터 새로운 아파트를 취득할 수 있는 권리와 청산금을 교부받은 경우 그 청산금에 상당하는 토지 · 건물은 유상이전에 해당하며 양도소득세 과세대상임.

서면4팀 - 370, 2007. 1. 26.

2005. 5. 30. 이전에 사업시행인가를 받은 주택재건축사업의 조합원이 조합원입주권을 양도할 경우 당해 조합원의 양도차익은 구 「소득세법 시행령」 제166조의 규정을 적용하여 산정함.

서면5팀 - 1034, 2006. 11. 29.

주택재건축 정비사업조합원이 기존주택과 그 부수토지를 제공하고 취득한 입주권을 양도하는 경우에는 기존 부동산의 양도차익과 입주권프리미엄으로 구분하여 산정한 후 합산한 가액으로 함.

제 3 절 양도가액

양도가액은 양도소득세 계산에 있어 가장 먼저 결정되어야 하는 금액이다. 소득세법상 양도가액 적용 방법은 2005. 12. 31.「소득세법」제96조 개정에 따라 2006년 이전 양도분과 2007년 이후 양도분이 아래 표와 같이 차이가 있다.

구 분	2006년 이전 양도분	2007년 이후 양도분
토지 또는 건물	• 원칙 : 기준시가 • 예외 : 실지거래가액	실지거래가액
부동산에 관한 권리	• 원칙 : 기준시가 • 예외 : 실지거래가액	
주식 등	• 실지거래가액	
기타자산	• 실지거래가액	

2006. 12. 31. 이전 양도분까지는 기준시가 적용 대상 자산과 실지거래가액 적용 대상 자산으로 구분되었으나, 실질과세원칙과 응능부담원칙을 지키면서 소득 또는 소득자 사이에 조세부담의 불공평을 시정하기 위하여 2007. 1. 1. 이후 양도분부터는 모든 자산에 대해서 실지거래가액을 적용하도록 세법이 개정되었다.

1 | 2007년 이후 양도분의 양도가액

2007년 이후 양도분의 경우 모든 과세대상자산에 대해서 실지거래가액으로 과세한다.

2 | 2006년 이전 양도분의 양도가액 적용 방법

2006년 이전 양도분의 경우 자산별 양도가액 적용 방법은 아래 표와 같다.

자산구분	원칙	실지거래가액 과세대상
토지 또는 건물	기준시가	• 고가주택(2002. 12. 31. 이전 고급주택) • 미등기양도자산 • 취득 후 1년 이내의 부동산

자산구분	원칙	실지거래가액 과세대상
토지 또는 건물	기준시가	• 거짓 계약서의 작성 등 부정한 방법으로 부동산을 취득 또는 양도하는 경우 • 양도 및 취득 당시의 실지거래가액을 증명서류와 함께 확정신고기한까지 신고하는 경우 • 지정지역(투기지역) 안의 부동산(2003. 1. 1. 이후) • 비사업용 토지(2006. 1. 1. 이후) • 1세대 3주택 이상(2002. 10. 1. 이후) • 1세대 2주택 이상(2006. 1. 1. 이후)
부동산에 관한 권리	기준시가	• 부동산을 취득할 수 있는 권리 • 미등기양도자산
주식 등	실지거래가액	• 모든 주식 등
기타자산	실지거래가액	• 모든 기타자산

가. 토지 또는 건물 및 부동산에 관한 권리

토지 또는 건물의 양도가액은 원칙적으로 기준시가에 의하되, 아래 일정한 자산(의무실가대상)은 실지거래가액을 적용하여야 한다.

1) 고가주택(또는 고급주택)

① 의 미

고가주택이란 주택 및 이에 딸린 토지의 양도당시의 실지거래가액의 합계액[1주택 및 이에 딸린 토지의 일부를 양도하거나 일부가 타인 소유인 경우에는 실지거래가액 합계액에 양도하는 부분(타인 소유부분을 포함한다)의 면적이 전체주택면적에서 차지하는 비율을 나누어 계산한 금액을 말한다]이 9억원을 초과하는 것을 말한다.

② 겸용주택(복합주택)의 고가주택 판정

하나의 건물이 주택과 주택 외의 부분으로 복합되어 있는 경우와 주택에 딸린 토지에 주택 외의 건물이 있는 경우로서 주택의 연면적이 주택 외의 부분의 연면적보다 큰 경우에는 그 전부를 주택으로 보아 고가주택 해당 여부를 판정하고, 주택의 연면적이 주택 외의 부분의 연면적보다 적거나 같을 때에는 주택부분만을 대상으로 고가주택 해당 여부를 판정한다.

③ 다가구주택의 고가주택 판정

「건축법 시행령」 별표 1 제1호 다목에 해당하는 다가구주택은 한 가구가 독립하여 거주할 수 있도록 구획된 부분을 각각 하나의 주택으로 보는 것이나, 다가구주택을 구획된 부분별로 분양하지 아니하고 하나의 매매단위로 하여 양도하는 경우에는 그 전체를 하나의 주택으로 보아 고가주택 해당 여부를 판정한다.

④ 고가주택(또는 고급주택)의 개정 연혁

구분	'90~	'91~	'99.9.18.~	'01.1.1.~	'02.10.1.~	'03~	'08.10.7.~
	고급주택					고가주택	
공동주택	①, ② 모두 충족하는 주택					양도당시 실지거래 가액 6억원 초과	양도당시 실지거래 가액 9억원 초과
	① 전용면적 165㎡ 이상 ② 양도가액(기준시가) 1.8억원 이상	① 좌동 ② 양도가액(기준시가) 5억원 이상*	① 좌동 ② 양도당시 실지거래가액 6억원 초과		① 전용면적 149㎡ 이상 ② 양도당시실지거래가액 6억원 초과		
단독주택	①, ②, ③ 모두 충족하는 주택						
	① 연면적 264㎡ 이상 또는 부수토지 495㎡ 이상 ② 양도가액 1.8억원 이상 ③ 시가표준액 2천만원 이상	① 좌동 ② 양도가액 5억원 이상* ③ 좌동	① 좌동 ② 양도가액 6억원 초과 ③ 좌동	① 좌동 ② 좌동 ③ 기준시가 4천만원 이상			
시설기준	엘리베이터·에스컬레이터 또는 67㎡ 이상의 수영장 중 1개 이상의 시설이 설치된 주택						

* 1996. 1. 1. 이후 : 5억원 이상 ⇒ 5억원 초과

⑤ 고가주택(고급주택)에 대한 양도소득세 과세

고가주택(고급주택)에 대해서는 양도소득세를 과세할 때 다음과 같은 불이익이 있다.

- 2006년 이전 양도분의 경우 의무실가대상
- 1세대 1주택 비과세 요건을 갖춘 경우에도 비과세가 배제되며, 기준금액을 초과하는 부분에 상당하는 양도차익에 대해서 양도소득세 과세
- 「소득세법」상 귀농주택 비과세 특례 적용 배제
- 「조세특례제한법」상 신축주택(§99, §99의 3) 과세특례 적용 배제

2) 부동산을 취득할 수 있는 권리

부동산에 관한 권리 중 부동산을 취득할 수 있는 권리의 양도가액은 실지거래가액을 적용해야 한다.

* 부동산에 관한 권리 중 지상권, 전세권, 등기된 부동산임차권은 기준시가 대상

3) 미등기양도자산

① 의 미

미등기양도자산이란 토지 또는 건물, 부동산에 관한 권리를 취득한 자가 그 자산 취득에 관한 등기를 하지 아니하고 양도하는 것을 말한다.

② 미등기양도자산에서 제외되는 것

다음 각 호에 해당하는 것은 미등기양도자산으로 보지 아니한다.

- 장기할부조건으로 취득한 자산으로서 그 계약조건에 의하여 양도당시 그 자산의 취득에 관한 등기가 불가능한 자산
- 법률의 규정 또는 법원의 결정에 의하여 양도당시 그 자산의 취득에 관한 등기가 불가능한 자산
- 비과세 대상인 교환·분합 농지(「소득세법」 제89조 제1항 제2호), 감면 대상인 8년 이상 자경농지(「조세특례제한법」 제69조 제1항) 및 감면 대상 대토농지(「조세특례제한법」 제70조 제1항)
- 「소득세법」 제89조 제1항 제3호에 규정하는 1세대 1주택으로서 「건축법」에 의한 건축허가를 받지 아니하여 등기가 불가능한 자산
- 상속에 의한 소유권이전등기를 하지 아니한 자산으로서 「공익사업을 위한 토지 등의 취득 및 보상에 관한 법률」 제18조의 규정에 의하여 사업시행자에게 양도하는 것
- 「도시개발법」에 따른 도시개발사업이 종료되지 아니하여 토지 취득등기를 하지 아니하고 양도하는 토지
- 건설업자가 「도시개발법」에 따라 공사용역 대가로 취득한 체비지를 토지구획환지처분공고 전에 양도하는 토지

③ 미등기 양도자산에 대한 양도소득세 과세

미등기 양도자산에 대해서는 양도소득세를 과세할 때 다음과 같은 불이익이 있다.

-2006년 이전 양도분의 경우 의무실가대상

- 양도소득세 비과세·감면 적용 배제
- 필요경비 개산공제액 계산시 낮은 율 적용
- 장기보유특별공제, 양도소득기본공제 적용 배제
- 양도소득세 최고세율 적용(2001 : 65%, 2002~2003 : 60%, 2004 이후 : 70%)

4) 취득 후 1년 이내의 부동산

취득 후 1년 이내의 부동산인 경우 양도가액은 실지거래가액을 적용한다.

다만, 상속에 의하여 취득한 부동산을 취득 후 1년 이내에 양도하는 경우 또는 「공익사업을 위한 토지 등의 취득 및 보상에 관한 법률」 그 밖의 법률에 의한 수용(협의매수 포함) 등 부득이한 사유로 인하여 취득 후 1년 이내에 양도하는 경우로서 부동산의 취득 또는 양도의 경위와 그 이용실태 등에 비추어 단기매매차익을 목적으로 거래한 것이 아니라고 인정되는 때에는 「소득세법 시행령」 제176조의 2 제5항의 규정에 의한 자문(공정과세위원회의 자문)을 거쳐 기준시가에 의할 수 있다.

▶▶ 유의사항 : 다른 의무실가요건(고가주택, 투기지역 부동산, 1세대 2주택(또는 3주택) 이상, 비사업용 토지 등)에 해당하는 경우에는 기준시가를 적용할 수 없고 실지거래가액을 적용해야 한다.

* 개정 연혁

2001년 이후	2003년 ~ 2006년
• 수용·협의매수로 1년 이내 양도	• 좌동 • 상속받아 1년 이내 양도

5) 거짓 계약서의 작성 등 부정한 방법으로 부동산을 취득 또는 양도하는 경우

거짓 계약서의 작성, 주민등록의 거짓 이전 등 부정한 방법으로 부동산을 취득 또는 양도하는 경우로서 다음 각 호의 어느 하나에 해당하는 경우에는 양도가액을 실지거래가액으로 적용해야 한다.

- 「부동산 실권리자명의 등기에 관한 법률」을 위반하여 부동산을 거래한 경우
- 「공인중개사의 업무 및 부동산거래 신고에 관한 법률」에 의한 중개업자가 동법을 위반하여 직접 취득한 부동산을 양도한 경우
- 미성년자의 명의로 부동산을 취득(상속 또는 증여에 의한 취득을 제외한다)하여 양도한 경우
- 1세대의 구성원이 부동산을 양도한 날부터 소급하여 1년 이내의 기간동안 3회 이상 양도 또는 취득한 경우로서 그 실지거래가액의 합계액이 3억원 이상인 경우

• 거래단위별로 기준시가에 의한 양도차익이 1억원 이상인 경우

6) 양도 및 취득 당시의 실지거래가액을 증명서류와 함께 확정신고기한까지 신고하는 경우

기준시가 과세대상자산에 대해서 양도자가 양도 당시 및 취득 당시의 실지거래가액을 증명서류와 함께 양도소득 과세표준 확정신고기한까지 납세지 관할 세무서장에게 신고하는 경우에는 실지거래가액으로 과세한다.

이 경우 의제취득일(1985. 1. 1.) 전에 취득한 부동산에 대해서는 취득가액을 적용할 때 「소득세법 시행령」 제176조의 2 제4항에 따른 가액으로 한다. 그러나, 의제취득일 이후에 취득한 부동산에 대해서는 취득당시 실지거래가액이 확인되지 않는 경우에는 쌍방기준시가로 신고해야 한다.

7) 지정지역(투기지역) 안의 부동산

기획재정부장관은 해당 지역의 부동산 가격 상승률이 전국 소비자물가 상승률보다 높은 지역으로서 전국 부동산 가격 상승률 등을 고려할 때 그 지역의 부동산 가격이 급등하였거나 급등할 우려가 있는 경우에는 대통령령으로 정하는 기준 및 방법에 따라 그 지역을 지정지역으로 지정할 수 있으며, 지정지역 안의 부동산에 대해서는 양도가액을 실지거래가액으로 적용해야 한다.

8) 비사업용 토지

「소득세법」 제104조의 3에 따른 비사업용 토지에 대해서는 양도가액을 실지거래가액으로 적용해야 한다(2006. 1. 1. 이후 양도분부터 적용).

비사업용 토지의 범위에 대해서는 제3장 제2절에서 설명하기로 한다.

9) 1세대 3주택(또는 2주택) 이상

2002. 10. 1. 이후 양도분부터 3주택 이상을 소유한 1세대가 주택을 양도하는 경우에는 양도가액을 실지거래가액으로 적용해야 한다.

한편, 2006. 1. 1. 이후 양도분부터는 2주택을 이상을 소유한 1세대가 주택을 양도하는 경우에도 양도가액을 실지거래가액으로 적용해야 한다.

① 주택 수의 계산

원칙적으로 국내에 소재하는 모든 주택이 주택 수에 포함된다. 다만, 다가구주택 등에 대해서는 아래와 같이 주택수를 계산한다.

ⓐ 다가구주택의 주택 수 계산

원칙적으로 한 가구가 독립하여 거주할 수 있도록 구획된 부분을 각각 하나의 주택으로 보되, 다가구주택을 가구별로 분양하지 아니하고 당해 다가구주택을 하나의 매매단위로 하여 1인에게 양도하거나, 1인으로부터 취득(자기가 건설하여 취득한 경우를 포함함)하는 경우에는 거주자가 선택하는 경우에 한하여 이를 단독주택으로 본다.

ⓑ 공동상속주택의 주택 수 계산

공동상속주택은 상속지분이 가장 큰 상속인의 소유로 하여 주택수를 계산하되, 상속지분이 가장 큰 자가 2인 이상인 경우에는 「소득세법 시행령」 제155조 제3항 각 호의 순서에 의한 자가 당해 공동상속주택을 소유한 것으로 본다.

ⓒ 2개 이상의 주택을 같은 날에 양도하는 경우

2개 이상의 주택을 같은 날에 양도하는 경우에는 당해 거주자가 선택하는 순서에 따라 주택을 양도한 것으로 본다.

나. 주식 등 및 기타자산

주식 등과 기타자산에 대해서는 양도가액을 실지거래가액으로 적용한다.

3 | 실지거래가액의 의미

"실지거래가액"이란 그 자산의 양도 당시 양도자와 양수자 간에 실제로 거래한 가액을 말한다.

4 | 특수한 경우의 실지거래가액

거주자가 양도소득세 과세대상자산을 양도하는 경우로서 다음 각 호의 어느 하나에 해당하는 경우에는 그 가액을 해당 자산의 양도 당시의 실지거래가액으로 본다.

① **특수관계법인에게 고가양도시**

「법인세법」 제52조에 따른 특수관계인(외국법인을 포함함)에 양도한 경우로서 같은 법 제67조에 따라 해당 거주자의 상여 · 배당 등으로 처분된 금액이 있는 경우에는 같은 법 제52조에 따른 시가

② **특수관계법인 외의 자에게 고가양도시**

위 ①의 특수관계인 외의 자에게 자산을 시가보다 높은 가격으로 양도한 경우로서 「상속세 및 증여세법」 제35조에 따라 해당 거주자의 증여재산가액으로 하는 금액이 있는 경우에는 그 양도가액에서 증여재산가액을 뺀 금액(2008. 2. 22. 이후 양도분부터 적용함)

5 | 양도가액의 추계 결정 · 경정

양도가액 또는 취득가액을 실지거래가액에 따라 정하는 경우로서 일정한 사유로 장부나 그 밖의 증명서류에 의하여 해당 자산의 양도 당시 또는 취득 당시의 실지거래가액을 인정 또는 확인할 수 없는 경우 양도가액 및 취득가액을 추계결정한다.

양도가액 추계의 방법인 매매사례가액, 감정가액의 평균액, 기준시가의 적용 요건 및 적용 방법 등은 "제8절 6. 과세표준과 세액의 결정 및 경정"에서 설명한다.

관련예규 및 판례요약

양도가액 : 소득법 §96

양도가액에 관련된 예규, 판례

서면-2018-부동산-1985, 2018. 8. 20.

자산의 양도차익을 실지거래가액으로 산정하는 경우 당사자의 약정에 의한 대금지급방법에 따라 취득 · 양도가액에 이자상당액을 가산하여 거래가액을 확정하는 경우 당해 이자상당액은 취득 · 양도가액에 포함하는 것이므로, 귀 질의의 경우가 이에 해당하는지 여부는 부동산

매매계약서 등 기타 사항을 확인하여 사실판단 할 사항.

심사-양도-2015-0061, 2015. 7. 14.

쟁점주택은 청구인이 전 배우자로부터 증여받은 것이나 실지로는 전 배우자로부터 이혼위자료 명목으로 대물변제 받은 것이므로 유상매매된 것으로 보아야 하고, 「소득세법」상 증여취득에 따른 배우자 이월과세를 적용할 수 없음.

대법원 2012두 20199, 2013. 1. 24.

매매대금 청산일은 어음 교부일이 아닌 실제 어음금이 지급된 날로 보아야 하고 취득일은 보유기간에서 제외하는 것이므로 취득 후 1년 이내 양도한 경우에 해당하여 실지거래가액에 의하여 양도가액을 산정하여야 하나 국세청 발간 해설서와 조세심판원의 결정을 믿고 세무전문가의 자문을 받아 양도소득세를 신고납부하였으므로 가산세를 부과하지 아니할 정당한 사유가 있음.

법규재산 2012-275, 2012. 7. 16.

내국법인이 발행한 주식을 외화로 양도하는 경우 양도가액은 「소득세법」 제96조에 따른 실지거래가액을 같은 법 시행령 제178조의 5에 따라 기준환율 또는 재정환율에 의하여 계산한 가액으로 하는 것이며, 이 경우 양도시기는 해당 주식의 대금을 청산한 날로 하는 것임.

법규재산 2012-106, 2012. 5. 15.

토지・건물을 양도하고 양도가액을 수령한 다음 양도일 이후에 약정에 의한 조건에 따라 추가금액을 가감하는 경우 양도가액은 양도 당시 거래금액을 양도일의 양도가액으로 하고, 양도일 이후에 가감하기로 한 지급대가에 대해서는 그 대가를 받기로 한 날의 양도가액으로 수정하는 것임.

부동산거래관리과-1050, 2011. 12. 16.

이혼에 따른 법원의 재산분할 조정결정이 있은 후에 당사자 간의 협의에 의하여 분할대상 부동산을 법원의 조정 내용과 다르게 분할하는 경우에는 「소득세법」 제88조 제1항의 양도 및 같은 법 제104조 제3항의 미등기 양도자산에 해당하는 것임.

부동산거래관리과-0553, 2011. 7. 4.

「부가가치세법」 제25조에 따른 간이과세자인 부동산임대업자가 임대용 건물을 양도하고 납부한 부가가치세는 「소득세법」 제96조의 양도가액에서 차감하지 아니하는 것임.

재산세과-660, 2009. 11. 5.

피상속인이 보존등기를 하지 아니한 상가를 상속받아 상속인이 상속에 의한 소유권이전등기를 하지 아니하고 「공익사업을 위한 토지 등의 취득 및 보상에 관한 법률」 제18조에 따른 사업시행자에게 양도한 경우 해당 부동산은 「소득세법」 제104조 제3항의 미등기자산으로 보지 아니하는 것임.

서면4팀 - 1443, 2008. 6. 17.

「소득세법」 제96조 제2항 규정의 기준시가 과세대상자산을 2006년도에 양도하고 양도가액은 실지거래가액으로 취득가액(2000. 7. 19. 취득)은 환산가액으로 양도차익을 확정신고기한까지 신고한 경우에는 관할 세무서장은 기준시가에 의하여 양도차익을 결정하는 것임.

서면4팀 - 2930, 2007. 10. 11.

특수관계없는 자에게 정당한 사유없이 비상장주식을 시가보다 현저히 높은 가액으로 양도함으로써 얻은 이익에 증여세를 과세하는 경우 양도소득세는 시가상당금액을 양도가액으로 하여 과세함.

서면5팀 - 2485, 2007. 9. 6.

교환의 경우 양도가액이 실지거래가액으로 인정 또는 확인할 수 없는 경우 매매사례가액, 감정가액, 환산가액 또는 기준시가에 의하는 것임.

서면4팀 - 2581, 2007. 9. 4.

실지거래가액으로 양도차익을 산정시 양도소득세를 매수자가 부담하기로 약정하고 실지로 지급하였을 경우 양도가액은 양도소득세 상당액을 포함하는 것임.

서면5팀 - 2339, 2007. 8. 20.

양도차익을 계산함에 있어 양도가액에는 사업자가 매수인으로부터 징수하여 국가에 납부하는 부가가치세는 포함되지 아니함.

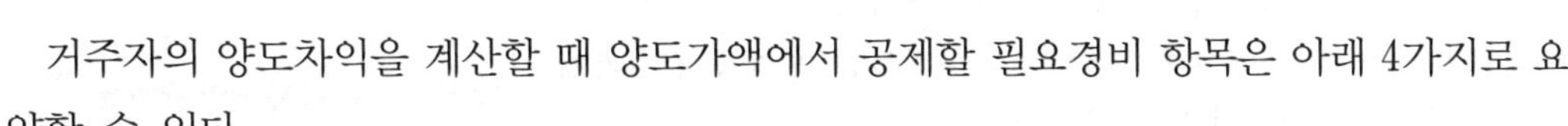

제 4 절 필요경비

거주자의 양도차익을 계산할 때 양도가액에서 공제할 필요경비 항목은 아래 4가지로 요약할 수 있다.

① 취득가액

② 자본적 지출액 등[2016. 2. 17. 이후 지출하는 분부터는 그 지출에 관한 법적 증명서류(계산서, 세금계산서, 신용카드매출전표, 현금영수증 등)를 수취 · 보관한 경우를 말한다]

③ 양도비 등

④ 필요경비 개산공제액

* 편의상 "②+③" 또는 ④를 기타필요경비라고 함.
이 경우 취득가액을 어떠한 가액으로 적용하는지에 따라 기타필요경비 적용 방법이 달라진다. 아래에서는 취득가액 적용 방법에 따른 기타필요경비 적용 방법을 살펴본 후 각 항목별로 자세한 내용을 살펴보기로 한다.

※ 면세사업자 전환에 따라 납부한 부가가치세 필요경비 인정 : 과세사업자가 면세시업자로 전환 시 납부한 부가가치세를 취득가액으로 인정(소득법 제163조 제1항)

- 매입세액공제를 받은 과세사업자가 면세사업자로 전환하면서 공제받은 세약을 납부하는 경우 해당 세액도 취득가액으로 인정할 필요(2018년 2월 13일 이후 양도 분부터 적용)

1 취득가액 유형에 따른 기타필요경비 적용 방법

자산의 취득 · 양도시, 양도가액 적용 방법 등에 따라 취득가액 적용 방법이 다르며, 취득가액 적용 방법에 따라 기타필요경비 적용 방법이 다르다. 이를 요약하면 아래와 같다.

구분	양도가액	취득가액	기타필요경비
의제취득일 이후 취득분	실지거래가액 매매사례가액 감정가액평균액	실지거래가액	자본적지출액등＋양도비등
		매매사례가액, 감정가액평균액, 환산취득가액	필요경비개산공제액
		부동산 실제거래가격 신고가액 (인정되는 경우)	자본적지출액등＋양도비등*주1)
		부동산 실제거래가격 신고가액 (사실과 다른 경우)	필요경비개산공제액
	기준시가	기준시가	필요경비개산공제액
의제취득일 전 취득분*주2)	실지거래가액 매매사례가액 감정가액평균액	① 의제취득일 현재의 매매사례가액, 감정가액평균액, 환산취득가액	필요경비개산공제액
		② 취득당시 실지거래가액, 매매사례가액, 감정가액평균액을 생산자물가상승률로 환산한 가액	• 실지거래가액으로 환산하는 경우 : 자본적지출액등＋양도비등*주3) • 매매사례가액, 감정가액평균액으로 환산하는 경우 : 필요경비개산공제액
	기준시가	의제취득일 현재의 기준시가	필요경비개산공제액

〈설명〉

*주1) 부동산 실제거래가격 신고가액을 취득가액으로 적용하는 경우로서 기타필요경비를 "자본적지출액등＋양도비등"으로 공제하는 규정은 2009. 1. 1. 이후 양도하는 분부터 적용함.

*주2) 의제취득일 전에 취득한 자산의 취득가액
의제취득일 전에 취득한 자산의 양도가액을 실지거래가액, 매매사례가액, 감정가액평균액으로 하는 경우 취득가액은 위 표에서 ①과 ② 중 큰 금액으로 적용한다.

*주3) 취득당시 실지거래가액을 기준으로 환산하는 경우 기타필요경비를 "자본적지출액등＋양도비등"으로 공제하는 규정은 2009. 1. 1. 이후 최초로 결정하거나 경정하는 분부터 적용함.

※ 취득가액을 환산취득가액으로 하는 경우 필요경비 적용 특례
취득가액을 환산취득가액으로 하는 경우에는 아래 ⓐ, ⓑ 중 큰 금액을 필요경비로 적용한다(2011. 1. 1. 이후 최초로 신고하는 분부터 적용함).
ⓐ 환산취득가액 ＋ 필요경비개산공제액
ⓑ 자본적지출액등 ＋ 양도비등

※ 감가상각비의 처리
취득가액을 실지거래가액, 매매사례가액, 감정가액평균액, 환산취득가액으로 하는 경우에는 양도자산 보유기간에 그 자산에 대한 감가상각비로서 각 과세기간의 사업소득금액을 계산하는 경우 필요경비에 산입하였거나 산입할 금액이 있을 때에는 실지거래가액, 매매사례가액, 감정가액평균

액, 환산취득가액에서 감가상각비를 공제한 금액을 그 취득가액으로 한다(2011. 1. 1. 최초로 양도하는 분부터 적용함).
한편, 취득가액을 기준시가로 하는 경우에는 감가상각비를 취득가액에서 공제하지 아니한다.

2 | 취득가액

취득가액(「지적재조사에 관한 특별법」 제18조에 따른 경계의 확정으로 지적공부상의 면적이 증가되어 같은 법 제20조에 따라 징수한 조정금은 제외)은 자산 취득에 든 실지거래가액에 의한다. 다만, 취득 당시의 실지거래가액을 확인할 수 없는 경우에 한하여 매매사례가액, 감정가액평균액, 환산취득가액을 순차적으로 적용하며, 쌍방기준시가에 의하는 경우에는 기준시가를 적용한다.

가. 취득에 든 실지거래가액

1) 취득에 든 실지거래가액의 범위

"취득에 든 실지거래가액"이란 다음 각 호의 금액을 합한 것을 말한다.

① 취득원가에 상당하는 가액

「소득세법 시행령」 제89조 제1항의 규정을 준용하여 계산한 취득원가에 상당하는 가액

이 경우 「소득세법 시행령」 제89조 제2항 제1호의 규정에 의한 현재가치할인차금(장기할부조건으로 매입하는 경우에 발생한 채무를 기업회계기준에 따라 현재가치로 평가하여 현재가치할인차금으로 계상한 경우에 있어서의 당해 현재가치할인차금을 말한다)을 포함하되 부당행위계산에 의한 시가초과액을 제외한다.

한편, 현재가치할인차금을 취득원가에 포함하는 경우에 있어서 양도자산의 보유기간 중에 그 현재가치할인차금의 상각액을 각 연도의 사업소득금액 계산 시 필요경비로 산입하였거나 산입할 금액이 있는 때에는 이를 취득가액에서 공제한다.

취득원가(소득령 §89 ①)

ⓐ 타인으로부터 매입한 자산은 매입가액에 취득세·등록세 기타 부대비용을 가산한 금액
ⓑ 자기가 행한 제조·생산 또는 건설 등에 의하여 취득한 자산은 원재료비·노무비·운임·하역비·보험료·수수료·공과금(취득세와 등록세 포함)·설치비 기타 부대비용의 합계액
ⓒ 위 ⓐ 및 ⓑ에 해당하는 자산으로서 그 취득가액이 불분명한 자산과 위 ⓐ 및 ⓑ 외의 자산은 당해 자산의 취득당시의 기획재정부령이 정하는 시가(「법인세법 시행령」 제89조를 준용하여 계산한 금액)에 취득세·등록세 기타 부대비용을 가산한 금액

② 소송비용·화해비용 등

취득에 관한 쟁송이 있는 자산에 대하여 그 소유권 등을 확보하기 위하여 직접 소요된 소송비용·화해비용 등의 금액으로서 그 지출한 연도의 각 소득금액의 계산에 있어서 필요경비에 산입된 것을 제외한 금액

③ 대금지급방법에 따른 이자상당액

당사자 약정에 의한 대금지급방법에 따라 취득원가에 이자상당액을 가산하여 거래가액을 확정하는 경우 당해 이자상당액은 취득원가에 포함한다. 다만, 당초 약정에 의한 거래가액의 지급기일의 지연으로 인하여 추가로 발생하는 이자상당액(연체이자)은 취득원가에 포함하지 아니한다.

* 양도인이 연체이자를 지급받은 경우 양도가액에 포함하지 않음.

④ 합병법인으로부터 교부받은 주식의 취득원가

합병으로 인하여 소멸한 법인의 주주가 합병 후 존속하거나 합병으로 신설되는 법인("합병법인")으로부터 교부받은 주식의 1주당 취득원가에 상당하는 가액은 합병 당시 해당 주주가 보유하던 피합병법인의 주식을 취득하는 데 든 총금액{「법인세법」 제16조 제1항 제5호의 금액(의제배당금액)은 더하고 같은 호의 합병대가 중 금전이나 그 밖의 재산가액의 합계액(합병교부금)은 뺀 금액으로 한다}을 합병으로 교부받은 주식수로 나누어 계산한 가액으로 한다(2012. 2. 2. 이후 최초로 양도하는 분부터 적용함).

2) 기타 실지거래가액으로 보는 경우

① 부동산의 실제거래가격 확인

토지, 건물 및 부동산에 관한 권리를 양도한 거주자가 그 자산 취득 당시 대통령령으로 정하는 방법으로 실지거래가액을 확인한 사실이 있는 경우에는 이를 그 거주자의 취득 당시의 실지거래가액으로 본다. 다만, 다음 각 호의 어느 하나에 해당하는 경우에는 그러하지 아니하다.

ⓐ 해당 자산에 대한 전 소유자의 양도가액이 「소득세법」 제114조에 따라 경정되는 경우

ⓑ 전 소유자의 해당 자산에 대한 양도소득세가 비과세되는 경우로서 실지거래가액보다 높은 가액으로 거래한 것으로 확인한 경우

거주자가 양도한 자산의 취득당시 실지거래가액을 확인한 사실이 있는 경우 취득가액(소득법 §97 ⑦)

① 거주자가 부동산 취득시 「부동산 거래신고 등에 관한 법률」 제3조에 따른 부동산의 실제거래가격(「주택법」 제80조의 2에 따른 주택거래신고의 대상인 주택의 경우에는 동법 제80조의 2 제1항에 따른 주택거래가액을 말한다)을 관할 세무서장이 확인하는 방법. 다만, 실제거래가격이 전소유자의 부동산양도소득과세표준 예정신고 또는 확정신고시의 양도가액과 동일한 경우에 한한다.
{2008. 4. 29. 최초로 양도하는 분부터 적용한다}

② 거주자가 전소유자의 부동산양도소득과세표준 예정신고 또는 확정신고시 「소득세법 시행령」 제169조 제1항 제1호 마목에 따른 인감증명서를 제출하는 방법
{고급(고가)주택은 2000. 1. 1.부터 적용하되, 일반 부동산 및 부동산에 관한 권리는 2006. 1. 1. 이후 양도분부터 적용한다. 다만, 2010. 1. 1. 신고분부터는 인감증명서 제출제도가 폐지되었다}

② 상속・증여받은 자산

상속 또는 증여(「상속세 및 증여세법」 제33조 내지 제42조의 규정에 의한 증여를 제외한다)받은 자산에 대해서는 상속개시일 또는 증여일 현재 「상속세 및 증여세법」 제60조 내지 제66조의 규정에 의하여 평가한 가액을 취득당시의 실지거래가액으로 본다. 다만, 다음 각 호의 1에 해당하는 경우에는 다음 각 호의 규정에 의한 금액에 의한다(부담부증여로 받은 채무액도 상속・증여 자산에 포함).

ⓐ 「부동산 가격공시에 관한 법률」에 의하여 1990. 8. 30. 개별공시지가가 고시되기 전에 상속 또는 증여받은 토지의 경우에는 상속개시일 또는 증여일 현재 「상속세

및 증여세법」 제60조 내지 제66조의 규정에 의하여 평가한 가액과 「소득세법 시행령」 제164조 제4항의 규정에 의한 가액 중 많은 금액

ⓑ 「상속세 및 증여세법」 제61조 제1항 제2호 내지 제4호의 규정에 의한 건물의 기준시가가 고시되기 전에 상속 또는 증여받은 건물의 경우에는 상속개시일 또는 증여일 현재 「상속세 및 증여세법」 제60조 내지 제66조의 규정에 의하여 평가한 가액과 「소득세법 시행령」 제164조 제5항 내지 제7항의 규정에 의한 가액 중 많은 금액

ⓒ 다만, 세무서장이 결정 · 경정한 가액이 있는 경우에는 그 금액을 시가로 본다.

3) 의제취득일 전에 취득한 자산의 취득가액

법률 제4803호 「소득세법」 개정법률 부칙 제8조에서 정하는 날("의제취득일") 전에 취득한 자산(상속 또는 증여받은 자산을 포함한다)의 의제취득일 현재의 취득가액은 다음 각 호의 가액 중 많은 것으로 한다.

① 의제취득일 현재 매매사례가액, 감정가액평균액, 환산취득가액

② 취득 당시 실지거래가액이나 매매사례가액, 감정가액평균액이 확인되는 경우로서 해당 자산의 실지거래가액이나 매매사례가액, 감정가액평균액과 그 가액에 취득일부터 의제취득일 직전일까지 보유기간동안의 생산자물가상승률을 곱하여 계산한 금액을 합산한 가액

* 생산자물가상승률 : 「한국은행법」 제86조의 규정에 의하여 한국은행이 조사한 각 연도(1984년 이전을 말한다)의 연간생산자물가지수에 의하여 산정된 비율(당해 양도자산의 보유기간의 월수가 12월 미만인 연도에 있어서는 월간생산자물가지수에 의하여 산정된 비율)을 말한다.

생산자물가상승률에 따른 의제취득일 현재의 취득가액 = A + (A × B)

• A : 취득당시 실지거래가액 · 매매사례가액 · 감정가액평균액(순차로 적용)
• B : 취득일부터 의제취득일 직전일까지의 보유기간동안의 생산자물가상승률

4) 주식매수선택권 행사로 취득한 주식의 취득가액

주식매수선택권을 행사하여 취득한 주식을 양도하는 때에는 주식매수선택권을 행사하는 당시의 시가를 「소득세법」 제97조 제1항 제1호의 규정에 의한 취득가액으로 한다.

5) 이중과세 조정

상속세 · 증여세가 과세된 경우 및 상여 · 배당 등으로 소득처분된 금액이 있는 경우 이중과세 조정을 위해 취득에 든 실지거래가액을 계산할 때는 다음 각 호에 따라 적용한다.

① 상속세 또는 증여세를 과세받은 경우

「상속세 및 증여세법」 제3조의 2 제2항, 제33조부터 제39조까지, 제39조의 2, 제39조의 3, 제40조, 제41조의 2부터 제41조의 5까지, 제42조, 제42조의 2, 제42조의 3, 제45조의 3부터 제45조의 5까지의 규정에 따라 상속세나 증여세를 과세 받은 경우에는 해당 상속재산가액이나 증여재산가액(같은 법 제45조의 3부터 제45조의 5까지의 규정에 따라 증여세를 과세 받은 경우에는 증여의제이익을 말한다) 또는 그 증 · 감액을 취득가액에 더하거나 뺀다.

관련 「상속세 및 증여세법」 규정

제3조의 2 【상속세 납부의무】 ②

* 특별연고자 또는 수유자가 영리법인인 경우로서 그 영리법인의 주주 또는 출자자 중 상속인과 그 직계비속이 있는 경우에는 아래와 계산한 지분상당액을 그 상속인 및 직계비속이 납부할 의무가 있음.

▶▶ [영리법인이 받았거나 받을 상속재산에 대한 상속세 상당액 - (영리법인이 받았거나 받을 상속재산 × 10%)] × 상속인과 그 직계비속의 주식 또는 출자지분의 비율

▶▶ 2014. 2. 21. 이후 양도하는 분부터 적용

제33조 【신탁이익의 증여】
제34조 【보험금의 증여】
제35조 【저가 · 고가 양도에 따른 이익의 증여 등】
제36조 【채무면제 등에 따른 증여】
제37조 【부동산 무상사용에 따른 이익의 증여】
제38조 【합병에 따른 이익의 증여】
제39조 【증자에 따른 이익의 증여】
제39조의 2 【감자에 따른 이익의 증여】
제39조의 3 【현물출자에 따른 이익의 증여】
제40조 【전환사채 등의 주식전환 등에 따른 이익의 증여】
제41조 【특정법인과의 거래를 통한 이익의 증여】
제41조의 2 【명의신탁재산의 증여의제(삭제, 2003. 12. 30.)】
제41조의 3 【주식 또는 출자지분의 상장 등에 따른 이익의 증여】
제41조의 4 【금전 무상대출 등에 따른 이익의 증여】

제41조의 5【합병에 따른 상장 등 이익의 증여】
제42조【그 밖의 이익의 증여 등】
제45조의 3【특수관계법인과의 거래를 통한 이익의 증여 의제】

② 상여 · 배당 등으로 소득처분된 금액이 있는 경우

「소득세법」 제94조 제1항 각 호의 자산을 「법인세법」 제52조에 따른 특수관계인(외국법인을 포함한다)으로부터 취득한 경우로서 같은 법 제67조에 따라 거주자의 상여 · 배당 등으로 처분된 금액이 있으면 그 상여 · 배당 등으로 처분된 금액을 취득가액에 더한다.

6) 토지초과이득세의 필요경비 공제 등

* 근거법률 : 토지초과이득세 폐지법률(1998. 12. 28. 법률 제5586호) 부칙 제2조【일반적 경과조치】 이 법 시행당시 종전의 토지초과이득세법에 의하여 부과하였거나 부과 또는 환급하여야 할 토지초과이득세에 관하여는 종전의 규정에 의한다.

토지초과이득세는 양도소득세액에서 공제하거나 필요경비에 산입하여 공제받을 수 있다. 납세자가 신고하지 않은 경우에도 공제받을 수 있으며, 기준시가로 과세하는 경우에도 공제받을 수 있다.

공제방법은 다음과 같다.

양도시기	공제방법	공제금액
결정일*부터 3년 이내	세액공제	기 부과된 세액 전액
결정일부터 3년 후 6년 이내	세액공제	기 부과된 세액의 60%
결정일부터 6년 후	필요경비공제	기 부과된 세액 전액

* 결정일 : 토지초과이득세 과세표준 및 세액의 결정기한(과세기간 종료일이 속하는 연도의 다음연도 11. 30.)

구 토지초과이득세법 제26조【양도소득세등의 납부세액에서 공제되는 토지초과이득세】

① 토지초과이득세가 부과된 유휴토지등을 양도함으로써 발생한 소득에 대한 양도소득세 또는 특별부가세의 계산에 있어서 제16조 및 제23조의 규정에 의하여 결정된 토지초과이득세는 그 세액에 대하여 다음 각호의 율을 적용하여 계산한 금액을 당해 양도소득세 또는 특별부가세에서 공제한다. 다만, 그 공제세액이 양도소득세 또는 특별부가세의 납부세액을 초과하는 경우에는 그러하지 아니하다.

1. 토지초과이득세의 결정일부터 3년 이내에 유휴토지등을 양도하는 경우 : 100분의 100 (1994. 12. 22. 개정)
2. 토지초과이득세의 결정일부터 3년 후 6년 이내에 유휴토지등을 양도하는 경우 : 100분의 60 (1994. 12. 22. 개정)
3. (삭제, 1994. 12. 22.)

재산 46014-76, 2000. 2. 12.

1. 토지초과이득세가 부과된 유휴토지를 "토지초과이득세 결정일" 이후 양도함으로써 발생한 소득에 대한 양도소득세를 계산함에 있어서 기 부과된 토지초과이득세는 양도시기별로 차등을 두어 양도소득세에서 공제하거나(결정일로부터 3년 이내 100%, 3년 후 6년 이내 60%), 양도차익에서 필요경비로 공제받을 수 있는 것임. 따라서 6년 이후에 양도하는 경우에도 필요경비로 계속 공제가 가능함.
2. 토지초과이득세법이 폐지된 이후에도 토지초과이득세법 폐지법률 부칙(1998. 12. 31. 법률 제5586호) 제2조의 규정에 의하여 상기 2.의 내용은 계속 적용되는 것이며, 위의 필요경비 공제는 납세자의 신고유무 및 결정방법과는 관계없이 양도차익에서 공제가 가능한 것임.

나. 매매사례가액, 감정가액평균액, 환산취득가액, 기준시가

취득 당시의 실지거래가액을 확인할 수 없는 경우에는 매매사례가액, 감정가액의 평균액, 환산취득가액, 기준시가를 순차로 적용(2013. 2. 15. 이후 양도분부터 신주인수권의 경우에는 환산취득가액을 적용하지 아니한다)하며, 양도가액을 기준시가에 의하는 경우에는 취득가액도 기준시가를 적용한다.

매매사례가액, 감정가액의 평균액, 환산취득가액, 기준시가의 적용 요건 및 적용 방법 등은 "제8절 5. 과세표준과 세액의 결정 및 경정"에서 설명한다.

3 | 자본적 지출액 등

필요경비로 공제되는 "자본적 지출액 등"이란 다음 각 호의 어느 하나에 해당하는 것을 말한다. 2018. 4. 1. 이후 지출하는 분부터는 실제 지출이 확인되는 경우(적격증빙, 금융거래증빙(계좌이체 등))를 말한다.

가. 자본적 지출액

「소득세법 시행령」 제67조 제2항의 규정을 준용하여 계산한 자본적 지출액을 말한다.

자본적 지출액의 범위

감가상각자산의 내용연수를 연장시키거나 당해 자산의 가치를 현실적으로 증가시키기 위하여 지출한 수선비를 말하며, 다음 각 호의 1에 규정하는 것에 대한 지출을 포함한다.

- 본래의 용도를 변경하기 위한 개조
- 엘리베이터 또는 냉난방장치의 설치
- 빌딩 등의 피난시설 등의 설치
- 재해 등으로 인하여 건물 · 기계 · 설비 등이 멸실 또는 훼손되어 당해 자산의 본래 용도로의 이용가치가 없는 것의 복구
- 기타 개량 · 확장 · 증설 등 위와 유사한 성질의 것

나. 소송비용 · 화해비용 등

양도자산을 취득한 후 쟁송이 있는 경우에 그 소유권을 확보하기 위하여 직접 소요된 소송비용 · 화해비용 등의 금액으로서 그 지출한 연도의 각 소득금액의 계산에 있어서 필요경비에 산입된 것을 제외한 금액

다. 증액보상금 관련 소송비용

「공익사업을 위한 토지 등의 취득 및 보상에 관한 법률」이나 그 밖의 법률에 따라 토지등이 협의 매수 또는 수용되는 경우로서 그 보상금의 증액과 관련하여 직접 소요된 소송비용 · 화해비용 등의 금액으로서 그 지출한 연도의 각 소득금액의 계산에 있어서 필요경비에 산입된 것을 제외한 금액. 이 경우 증액보상금을 한도로 한다.

(소송비용이 양도가액(증액보상금) 증액에 소용된 비용인 점을 감안, 2015. 2. 3. 이후 양도분부터 적용)

라. 용도변경 · 개량 · 이용편의를 위하여 지출한 비용

양도자산의 용도변경 · 개량 또는 이용편의를 위하여 지출한 비용(재해 · 노후화 등 부득

이한 사유로 인하여 건물을 재건축한 경우 그 철거비용을 포함)

마. 개발부담금

「개발이익환수에 관한 법률」에 따른 개발부담금(개발부담금의 납부의무자와 양도자가 서로 다른 경우에는 양도자에게 사실상 배분될 개발부담금상당액을 말한다)

바. 재건축부담금

「재건축초과이익 환수에 관한 법률」에 따른 재건축부담금(재건축부담금의 납부의무자와 양도자가 서로 다른 경우에는 양도자에게 사실상 배분될 재건축부담금상당액을 말한다)

사. 기타 위에 준하는 비용으로서 다음 항목에 해당하는 것

- 「하천법」·「댐건설 및 주변지역지원 등에 관한 법률」 그 밖의 법률에 따라 시행하는 사업으로 인하여 해당 사업구역 내의 토지소유자가 부담한 수익자부담금 등의 사업비용
- 토지이용의 편의를 위하여 지출한 장애철거비용
- 토지이용의 편의를 위하여 해당 토지 또는 해당 토지에 인접한 타인 소유의 토지에 도로를 신설한 경우의 그 시설비

  * 인접한 타인 소유 토지에 대한 도로 시설비는 2011. 3. 28. 이후 최초로 양도하는 분부터 적용한다.

- 토지이용의 편의를 위하여 해당 토지에 도로를 신설하여 국가 또는 지방자치단체에 이를 무상으로 공여한 경우의 그 도로로 된 토지의 취득당시 가액
- 사방사업에 소요된 비용
- 위의 비용과 유사한 비용

토지에 도로를 신설한 경우에 필요경비 산입요건 【소득통칙 97－0…7】

① 토지의 이용편의를 위하여 해당 토지에 도로를 신설하여 국가 또는 지방자치단체에 이를 무상으로 공여하여 양도하는 경우에는 그 도로의 취득가액을 필요경비에 산입한다.
② 제1항의 규정에서 "도로"라 함은 다음 각 호의 요건을 갖춘 경우를 말한다.
1. 도로 신설의 뚜렷한 표시가 될 것(도로부분과 일반토지가 구분될 것)
2. 도로신설이 토지이용의 편익에 공헌할 것
3. 국가 또는 지방자치단체에 대하여 도로 신설의 대가를 받지 아니할 것. 이 경우 도로에 충당된 토지를 국가 · 지방자치단체에 기부하였는지 혹은 그 토지의 지적공부상의 지목을 변경하였는지의 여부는 불문한다.

4 양도비 등

필요경비로 공제되는 "양도비(실제 지출이 확인되는 경우로 적격증빙, 금융거래증빙(계좌이체 등), 2018. 4. 1. 이후 지출하는 분부터 적용) 등"이란 다음 각 호의 어느 하나에 해당하는 것을 말한다.

가. 자산을 양도하기 위하여 직접 지출한 비용

「소득세법」 제94조 제1항 각 호의 자산을 양도하기 위하여 직접 지출한 비용으로서 다음 각 목의 비용을 말한다.

① 「증권거래세법」에 따라 납부한 증권거래세
② 양도소득세과세표준 신고서 작성비용 및 계약서 작성비용
③ 공증비용, 인지대 및 소개비
④ 명도비용(매매계약서상의 인도의무를 이행하기 위해 양도자가 지출한 명도소송비 등 명도비용, 2018년 2월 13일 이후 양도 분부터 적용)
⑤ 가목부터 다목까지의 비용과 유사한 비용으로서 기획재정부령으로 정하는 비용(별도로 규정된 내용은 없음)

나. 국민주택채권 등의 매각차손

「소득세법」 제94조 제1항 제1호의 자산을 취득함에 있어서 법령 등의 규정에 따라 매입

한 국민주택채권 및 토지개발채권을 만기전에 양도함으로써 발생하는 매각차손. 이 경우 "금융기관" 외의 자에게 양도한 경우에는 동일한 날에 금융기관에 양도하였을 경우 발생하는 매각차손을 한도로 한다.

* 금융기관 : 「자본시장과 금융투자업에 관한 법률」에 따른 투자매매업자 또는 투자중개업자, 「은행법」에 따른 인가를 받아 설립된 은행 및 「농업협동조합법」에 따른 농협은행을 말한다.

5 | 필요경비 개산공제액

취득가액을 매매사례가액, 감정가액, 평균액, 환산취득가액, 기준시가 등으로 적용하는 경우에는 기타필요경비를 "자본적 지출액 등 + 양도비 등"이 아닌 필요경비 개산공제액을 적용하며, 필요경비 개산공제액은 다음과 같이 계산한다.

| 필요경비 개산공제액 |

구 분		필요경비 개산공제액	비 고
토 지		취득당시 개별공시지가의 3%	미등기자산은 0.3%
건 물	오피스텔, 상업용 건물 및 주택	취득당시 기준시가의 3%	미등기자산은 0.3%
	그 외 건물	취득당시 기준시가의 3%	미등기자산은 0.3%
부동산에 관한 권리 중 지상권, 전세권, 등기된 부동산임차권		취득당시 기준시가의 7%	미등기자산 제외
부동산을 취득할 수 있는 권리, 주식 등, 기타자산		취득당시 기준시가의 1%	–

※ 유의사항 : 취득가액을 환산취득가액 · 사례가액 · 감정가액평균액으로 하여 결정하는 경우에도 환산취득가액 등을 기준으로 하지 않고 취득당시의 기준시가에 개산공제율을 곱하여 필요경비개산공제액을 계산한다.

관련예규 및 판례요약

취득가액 등 필요경비 : 소득법 §97

취득원가 및 부대비용 필요경비공제와 관련된 예규, 판례

조심-2016-중-2876, 2016. 11. 7.

양도자인 청구인들이 매매계약을 이행하는 과정에서 양도부동산의 임차인들에게 지급한 명도비가 필요경비에 해당하는지 여부[취소] 쟁점 명도비는 부동산 인도의무를 이행하기 위해 부득이하게 지출한 것으로 보이는 점, 사적 매매계약에 의한 것이라는 이유로 양도자에게 지급의무가 발생하지 않았다고 보기 어렵고, 쟁점부동산의 매매가액, 임대면적, 월임차료 등을 감안할 때, 명도비가 과다하다고 단정할 수 없는 점 등을 볼 때 양도소득세 환급 경정청구를 거부한 처분은 잘못이 있음.

심사-양도-2016-0044, 2016. 7. 21.

분양권 취득시 지급한 프리미엄은 납세자가 입증[일부인용] 분양계약서에 나타나는 분양가액을 취득가액으로 볼 수 있다 할 것이고 나아가 프리미엄을 추가로 지급한 것이 확인될 경우 이를 필요경비로 공제하는 것임.

심사-양도-2015-0087, 2015. 9. 17.

실제 지출이 확인된 비용만을 필요경비로 인정함[일부인용] 금융증빙 등에 의해 중개인에게 지급한 사실이 확인되는 비용은 필요경비로 인정할 수 있으나, 나머지 청구 금액은 실제 지출 여부가 객관적으로 확인되지 않아 필요경비로 공제할 수 없음.

대법원 2012두 28285, 2013. 4. 26.

건물 낙찰로 인하여 전소유자가 부담하는 공용부분 체납 관리비 납부의무를 법적으로 승계하였을 뿐만 아니라 전소유자에게 구상권을 행사하더라도 이를 상환받을 가망이 없고 관리규약에 정하여진 단전 · 단수 등의 조치를 피하기 위하여 부득이 이 사건 건물에 관한 공용부분 체납 관리비 ○○○원을 납부한 점 등으로 볼 때, 그 비용은 '매입가액에 가산되는 부대비용'으로서 양도가액에서 공제할 필요경비에 해당함.

부동산거래관리과-695, 2012. 12. 28.

「소득세법」 제97조 제1항 제1호 가목 본문에 따른 취득가액을 적용할 때 같은 법 시행령 제163조 제10항 제2호는 거주자가 같은 법 제94조 제1항 각 호의 자산을 「법인세법」 제52조에 따른 특수관계인(외국법인을 포함함)으로부터 취득한 경우에 적용되는 것임.

대법원 2012두 12723, 2012. 12. 26.

고정자산이 경우 잔존제화에 대한 부가가치세는 폐업시까지 당해 자산을 처분하지 않음으로써 취득시 지출하였다가 매입세액으로 공제받은 부가가치세액의 일정 부분을 실질적으로 다시 부담하게 되는 것이므로 취득시 소요되는 '기타 부대비용'에 포함된다고 보아야 함.

부동산거래관리과 - 332, 2012. 6. 19.

「소득세법」 제97조 제1항 제1호 가목 본문을 적용함에 있어 「상속세 및 증여세법」 제2조 제3항에 따라 증여세를 과세 받은 경우에는 해당 증여재산가액 또는 그 증감액을 취득가액에 더하거나 빼는 것임.

서면5팀 - 3109, 2007. 11. 28.

상속받은 자산의 양도차익을 실지거래가액에 의하여 산정하는 경우 실지 취득가액은 상속개시일 현재 「상속세 및 증여세법」 제60조 내지 제66조의 규정에 의하여 평가한 가액으로 함.

서면5팀 - 3105, 2007. 11. 28.

공동사업자가 주택을 신축하여 본인들이 사용하던 주택을 양도하는 경우 주택의 취득가액은 양도하는 주택에 대한 공동사업에 현물출자한 날 현재 당해 토지등의 가액과 공사비의 합계액이 되는 것임.

서면4팀 - 102, 2006. 1. 23.

채무액 또는 위자료에 갈음하여 부동산으로 대물변제하는 경우에는 대물변제된 가액이 실지거래된 가액이 되는 것임.

서면4팀 - 2666, 2006. 1. 3.

자산의 양도거래과 직접 관련 없이 별도의 거래로 인해 발생하는 지출금액과 취득자금으로 활용된 금융기관 차입금에 대한 지급이자 상당액은 양도자산의 필요경비에 해당하지 않음.

서면4팀 - 2507, 2005. 12. 14.

임차인과 경락인이 동일한 경우로서 대항력이 없는 임대보증금은 실질적으로 그 부동산을 취득하는 데 소요된 대가로 볼 수 없으므로 부동산의 취득가액에 포함되지 아니함.

서면4팀 - 1907, 2004. 11. 25.

서울특별시철거민 등에 대한 국민주택특별공급규칙에 의하여 공급받은 아파트입주권을 양도하는 경우 당해 입주권의 실지취득가액은 없는 것이며, 취득시기는 아파트입주권을 받은 날임.

서면4팀 - 1805, 2004. 11. 8.

공동취득 후 양도하는 토지의 실지취득가액은 전체 취득가액에 양도하는 토지의 면적이 전체 토지의 면적에서 차지하는 비율을 곱하여 계산함.

서면4팀 - 1775, 2004. 11. 2.

주택과 분양권은 각각의 자산별로 양도차익을 산정하는 것이나, 무허가주택의 취득이 향후 분양권을 취득하기 위한 것으로 인정되는 경우에는 당해 무허가주택의 취득에 따른 희생비용(주택취득원가 - 건물보상금)은 분양권의 양도차익 산정시 필요경비로 산입할 수 있는 것임.

서면4팀 - 1754, 2004. 10. 29.

거주자가 토지 등을 배우자에게 매도한 후, 5년 이내에 이를 타인에게 양도하면 증여추정되어 배우자에게 증여세가 부과되며, 양도차익 계산에서 공제되는 취득가액은 당초 거주자의 취득가액이 됨. 단 증여세는 필요경비로 공제함.

서면4팀 - 987, 2004. 6. 30.

법원의 경매를 통한 부동산 취득시 유치권을 담보로 하는 채권의 변제는 취득가액에 포함됨.

재산 - 604, 2004. 3. 10.

주택의 취득목적이 아파트 특별분양권을 취득하기 위한 전제로서 취득한 것이 인정되는 경우에는 주택매입에 따른 희생비용(주택취득가액 - 건물보상금)을 아파트 특별분양권의 취득에 소요된 실질적인 경비로 볼 수도 있음.

서일 46014 - 11891, 2003. 12. 23.

양도차익의 계산에서 「부가가치세법」상 간이과세자인 사업자로서 사업용 자산의 취득과 관련하여 공제받지 못한 매입세액도 취득가액에 포함됨.

서일 46014 - 10718, 2003. 6. 3.

올림픽선수촌아파트 분양시 취득자가 지불한 '올림픽기부금'은 당해 자산의 취득에 소요된 부대비용으로서 실지거래가액으로 봄.

재산 46014 - 94, 2003. 4. 4.

양도자가 부담할 확정된 연체이자를 매수인이 승계받아 사실상 부담하는 때에는 실지양도가액에 가산하며, 매수인의 실지취득가액에 가산함.

서일 46014 - 10260, 2003. 3. 7.

구입한 신주인수권증서에 의한 유상증자 참여로 취득한 협회등록법인의 주식양도시, 그 신주인수권증서 구입비용은 필요경비에 포함됨.

서일 46014-11206, 2002. 9. 18.

실지거래가액에 의한 양도차익 계산시, 공동주택을 분양받은 자가 납부한 '학교용지 확보부담금'은 필요경비에 해당함.

소송비용 및 화해비용 필요경비 공제와 관련된 예규, 판례

서면-2017-부동산-2690, 2018. 1. 5.

명의신탁한 부동산의 등기부상 소유권을 회복하는 과정에서 지출된 비용은 "양도자산을 취득한 후 쟁송이 있는 경우에 그 소유권을 확보하기 위하여 직접 소요된 소송비용·화해비용 등의 금액"으로 볼 수 없음.

서면-2016-부동산-5875, 2016. 12. 30.

양도가액에서 공제할 필요경비는 소득세법 제97조 및 같은 법 시행령 제163조에서 열거하고 있는 항목에 한하는 것으로, 파주시가 토지를 무단사용하는 것에 대한 소송비용은 양도소득세의 필요경비로 공제할 수 없는 것임.

수원지방법원-2015-구단-32319, 2016. 4. 29.

토지 보상금을 지급받기 위해 그 소송비용으로 들어간 변호사비용을 필요경비로 산입할 수 있음[국패]. 원고가 위와 같은 소송절차에서 변호사에게 지급한 비용은 이 사건 토지의 정당한 소유권의 가치를 확보하기 위한 소송에 직접 소요된 소송비용·화해비용에 해당한다고 봄이 상당하다.

조심 2014부 1205, 2015. 1. 19.

소유권 확보와 관련하여 지급한 비용을 필요경비에 산입하여 그 과세표준 및 세액을 경정[일부인용] 쟁점토지 등과 관련하여 소요된 근저당권 인수비용, 근저당권 이전비용 및 소송비용 등은 청구인이 쟁점토지 등의 소유권 확보를 위하여 지급한 소송비용 및 화해비용 등에 해당하므로, 이를 필요경비에 산입하여 그 과세표준 및 세액을 경정함이 타당함.

서면5팀-2426, 2007. 8. 30.

양도자산을 취득한 후 소유권을 확보하기 위하여 직접 소요된 소송비용, 화해비용 등의 금액으로서 각 소득금액에 필요경비로 산입되지 아니한 것은 필요경비에 포함됨.

서면5팀-2160, 2007. 7. 30.

매도하는 상속 부동산에 대한 쟁송이 있는 경우 그 소유권을 확보하기 위하여 직접 소유된 소송비용, 화해비용 등의 금액은 자본적 지출로 보아 필요경비에 포함하는 것임.

서면4팀-2070, 2007. 7. 5.

경매절차에 소요되는 비용 중 반환되지 않는 예납금은 자산의 필요경비로 인정됨.

서면4팀-1509, 2004. 9. 23.

실지거래가액으로 양도차익 산정시 자본적 지출액 등은 양도자산의 필요경비이나 소송비용 및 대체집행비용 등은 필요경비에 해당하지 아니함.

심사양도 2003-22, 2003. 3. 28.

부동산 양도시 기존 임차인에게 지급한 이사비용 또는 보상금과 과도한 중개수수료는 필요경비로 인정하지 않으며, 취득시 경매컨설팅 비용은 지급사실이 확인 안 돼 필요경비를 부인함.

의제취득가액 필요경비 공제와 관련된 예규, 판례

기획재정부 재산세제과-308, 2016. 5. 2.

양도가액에서 공제할 필요경비는 같은 법 제97조 제2항 제2호에 따라 해당 환산한 취득가액에 같은 법 시행령 제163조 제6항 각 호에 따른 금액을 더한 금액으로 하는 것이며, 해당 금액이 같은 법 제97조 제2항 제2호 나목의 금액보다 적은 경우에는 나목의 금액을 필요경비로 할 수 있는 것임.

서면4팀-1559, 2007. 5. 9.

의제취득일 전에 취득한 토지를 실지거래가액으로 양도차익을 산정하는 경우로서 그 실지취득가액이 확인되지 아니하면 취득가액은 의제취득일 현재의 매매사례가액, 감정가액, 환산가액을 순차로 적용함.

서면4팀-1450, 2007. 5. 2.

실지거래가액으로 양도차익을 산정하는 경우 취득가액을 확인할 수 없는 경우 매매사례가액, 감정가액 또는 환산가액을 순차적으로 적용하여 취득가액을 산정함.

재재산 46014-276, 2000. 9. 28.

의제취득일(1985. 1. 1.) 전에 취득한 부동산을 2000. 1. 1. 이후 양도하고 실지거래가액으로 신고하는 경우 취득가액 불분명시는 '환산한 취득가액' 적용 가능함.

양도자산 자본적 지출액 필요경비 공제와 관련된 예규, 판례

서면-2018-부동산-3985, 2019. 3. 29.

실지거래가액에 의하여 양도차익을 산정할 때 자본적지출액과 양도자산의 용도변경개량 또는 이용편의를 위하여 지출한 비용으로 확인된 경우 동 비용은 양도자산의 필요경비로 공제함.

서면-2016-부동산-6092, 2017. 8. 14.

자산의 양도차익을 계산할 때 장판, 도배, 씽크대 교체비용은 자본적지출액(내용연수 연장 or 가치를 현실적으로 증가시키는 것 or 용도변경・개량・이용편의를 위한 지출) 등으로 볼 수 없음.

대법원 2013두 18216, 2013. 12. 27.

구건물의 취득가액을 신건물의 양도가액에서 공제할 필요경비로 볼 수 없음[국승]. (원심 요지) 토지 취득 후 구건물을 신축하여 상당기간 사용하다가 이를 철거한 다음 신건물을 신축하였으므로 구건물의 취득가액은 양도자산인 신건물의 필요경비에 산입할 수 없고 구건물의 공사비는 구건물의 취득가액 또는 자본적지출액이므로 신건물의 양도가액에서 공제할 필요경비에 산입할 수 없음.

서일 46014-11529, 2003. 10. 27.

개발부담금은 양도차익을 실지거래가액으로 계산하는 경우에 한하여 필요경비로 공제되는 것임.

양도비 필요경비 공제와 관련된 예규, 판례

사전-2015-법령해석재산-0436, 2015. 10. 12.

관리처분인가 후 양도차익 계산시 신축주택의 자본적지출액과 양도비의 필요경비에 해당 여부 관리처분계획인가 후 양도차익을 계산할 때 실지 취득가액으로 계산할 경우에는 실제 지출된 신축주택의 자본적지출액과 양도비를 필요경비로 공제함.

재재산-618, 2009. 3. 27.

「소득세법」 제118조의 2에 규정된 국외자산의 양도차익을 실지거래가액으로 계산함에 있어 당해 자산의 양도가액 및 취득가액으로 수수된 외화대출금의 환차손은 필요경비에 해당되지 아니함.

서면4팀-3322, 2007. 11. 16.

대주주가 소유주식 50% 이상 타인에게 양도하는 경우 종업원단체가 주식양도를 승인하는 조건으로 주식양도가액의 일부를 종업원단체에게 지급하기로 약정된 경우 동 금액은 필요경비에 해당하지 않음.

서면5팀-2881, 2007. 11. 5.

자산을 양도하기 위하여 직접 지출하는 비용에는 자산을 양도하기 위한 계약서 작성비용 · 공증비용 · 인지대 · 소개비 등을 포함하는 것이나, 임차인에게 지급한 이사비용은 양도비에 포함하지 아니함.

서면4팀-715, 2007. 2. 27.

법적인 지급의무 없이 취득자 대신 지급한 등록세 등 별도의 비용은 양도자산의 필요경비에 해당하지 않음.

서면4팀-109, 2006. 1. 23.

계약서 작성비용 · 공증비용 · 인지대 · 소개비 등은 자산을 양도하기 위한 비용에 포함되나 전세와 관련된 소개비와 이사비용은 양도비에 해당하지 아니함.

서면4팀-1747, 2004. 10. 28.

토지양도시 건물철거를 위한 직접 지출비는 필요경비로 공제하지만, 보상비 명목의 합의금은 필요경비에 포함하지 아니함.

서면4팀-1724, 2004. 10. 26.

묘지의 이장비 및 건물의 철거비는 토지의 양도가액에서 공제하는 필요경비에 포함하나, 건축물 소유주 또는 묘지의 자손들에게 지급하는 보상비 명목의 비용은 공제하는 필요경비에 포함하지 아니함.

서일 46014-10388, 2001. 10. 31.

실지거래가액에 의한 양도차익을 산정함에 있어, 비상장주식의 양도가액 결정 위한 주식평가비용(주식실사비용), 법률 및 재정자문비용은 '양도비 등'에 포함 안 됨.

재재산 46014-127, 1999. 4. 16.

토지와 건물을 함께 양도하면서 매수자의 요구로 건물을 철거하는 경우, '건물철거비용'은 건물 양도가액에 대한 필요경비로만 공제할 수 있음.

배우자 증여자산 양도와 관련된 예규, 판례

서면-2020-법령해석재산-1541, 2020. 4. 16.

조정대상지역에 종전의 주택(A주택)을 보유한 1세대가 2018년 9월 13일 이전에 조정대상지역에 있는 신규 분양권(B분양권)을 매매계약 체결하고 계약금을 지급한 경우로서 2019년 12월 17일 이후 B분양권의 지분 일부(70%)를 같은 세대인 배우자에게 증여하는 경우, 일시적2주택 보유 허용기간은 3년을 적용하는 것임.

서면-2017-부동산-1596, 2017. 8. 11.

「소득세법」(법률 제9270호, 2008. 12. 26.) 부칙 제14조(양도소득세의 세율 등에 관한 특례)(2009. 5. 21. 개정)를 적용함에 있어 '취득'이라 함은 매매뿐만 아니라 교환·상속·증여 등의 사유에 의한 경우도 포함하는 것입니다.

서면-2016-부동산-4653, 2016. 12. 12.

배우자가 상속받은 주택을 상대 배우자가 증여받은 경우 「소득세법 시행령」 제155조 제2항을 적용받을 수 없는 것임.

심사-양도-2015-0061, 2015. 7. 14.

쟁점주택은 청구인이 증여로 취득하였으나 실제로는 이혼위자료 등의 대물변제로 유상양수한 것으로 보임[일부인용]. 쟁점주택은 청구인이 전 배우자로부터 증여받은 것이나 실지로는 전 배우자로부터 이혼위자료 명목으로 대물변제 받은 것이므로 유상매매된 것으로 보아야 하고, 소득세법상 증여취득에 따른 배우자 이월과세를 적용할 수 없음.

조심 2014광 0536, 2014. 4. 21.

배우자로부터 증여받아 취득한 부동산 지분의 취득가액을 평가 전 2년 이내의 당해재산 매매사례가액을 시가로 적용하여 산정함이 타당함[인용]. 청구인이 배우자로부터 쟁점부동산 지분을 증여받은 날로부터 2년 이내의 기간에 매매계약이 체결된 당해재산 매매사례가액이 존재하고, 그 사이 가격변동의 특별한 사정이 없었던 것으로 보이는 점 등을 종합할 때, 이를 시가로 보아 증여받은 쟁점부동산 지분의 취득가액을 산정함이 타당함.

서면4팀-2622, 2007. 9. 10.

배우자이월과세 규정이 적용되는 자산의 비사업용 토지 해당 여부를 판정함에 있어 당해 자산의 취득시기는 증여한 배우자가 당해 자산을 취득한 날임.

서면4팀-1864, 2007. 6. 7.

부당행위계산 부인규정을 적용함에 있어 증여자가 당해 자산을 양도일로부터 소급하여 5년 이내에 그 배우자로부터 증여받은 때에는 배우자이월과세가 적용됨.

서면4팀-530, 2007. 2. 8.

배우자가 이혼 위자료 지급에 갈음하여 소유 부동산으로 대물변제한 때에는 그 자산을 양도한 것으로 보아 배우자 증여자산에 대하여 이월과세 규정이 적용되지 않음.

서면4팀-2517, 2005. 12. 14.

배우자로부터 5년 이내에 증여받은 주택을 양도하는 경우 필요경비는 배우자의 취득당시 취득가액과 납부하거나 납부할 증여세 상당액임.

서면4팀-2139, 2005. 11. 11.

배우자로부터 증여받은 부동산을 5년 이내에 양도하는 경우 취득가액은 증여한 배우자의 취득가액으로 하는 것이며 동 자산에 대하여 납부하였거나 납부할 증여세 상당액은 필요경비에 산입하며, 취득일은 증여받은 날이 되는 것임.

서일 46014-10934, 2003. 7. 15.

배우자로부터 증여받은 부동산을 5년 이내에 양도한 경우 그 취득일은 '증여받은 날'이 되며, 취득가액은 '증여한 배우자'의 취득가액으로 하고, '1년 내' 양도시는 '실지거래가액' 적용대상임.

서일 46014-11414, 2002. 10. 25.

배우자로부터 증여받은 자산을 5년 내 양도시, 증여당시에는 토지와 건물에 해당했으나 양도당시에는 재건축입주권에 해당하는 경우에도 배우자의 취득가액 이월과세가 적용됨.

필요경비개산공제와 관련된 예규, 판례

조심 2013중 4999, 2014 4. 29.

실지거래가액을 적용하는 경우, 청구인이 당초 신고한 취득가액을 실지거래가액으로 보기는 어려우므로, 처분청이 청구인의 실지취득가액을 금융증빙 등에 의하여 재조사하여 그 결과에 따라 경정하는 것이 타당함.

서울고법 2012누 25448, 2013. 2. 8.

검인계약서상 매매대금을 넘어서는 금액이 중도금 지급기일에 지급된 점, 검인계약서상 거래가액은 기준시가보다 낮은 점 등에 비추어 검인계약서는 실제 매매계약서로 보이지 않고 실지취득가액을 확인할 수 없는 경우에 해당하여 환산취득가액을 적용하여야 하고 이 경우 필요경비는 개산공제만이 허용됨.

서면4팀-3724, 2006. 11. 9.

실지거래가액으로 양도차익을 산정하는 경우 취득가액이 확인되지 않는 경우 매매사례가액, 감정가액, 환산가액을 순차적으로 적용하며 기준시가의 3%를 필요경비로 공제함.

양도소득의 필요경비로 보지 않는 비용과 관련된 예규, 판례

조심-2016-부-3670, 2016. 12. 8.

청구인이 전배우자에게 지급한 위자료 및 재산분할 비용과 이혼소송비용이 쟁점부동산 양도에 대한 필요경비에 해당하는지 여부[기각] 쟁점비용은 청구인와 ◇◇◇ 간의 이혼 및 재산분할 등에 따른 비용으로서 쟁점부동산의 소유권을 확보하기 위하여 직접 소요된 소송비용이나 화해비용에 해당되지 않는 점 등에 비추어 이 건 처분은 달리 잘못이 없는 것으로 판단됨.

조심-2016-서-2576, 2016. 11. 28.

취득가액을 환산가액으로 하는 경우에도 실제 지출한 금액을 기타 필요경비로 인정할 수 없음[기각]. 양도가액에서 공제할 필요경비는 취득당시의 실지거래가액을 확인할 수 없는 경우 「소득세법」 제97조 제2항 제2호에서 같은 법 시행령 제176조의 2에 따라 계산한 환산가액에 같은 영 제163조 제6항에 규정한 개산공제액을 더하여 계산하는 점 등에 비추어 청구주장을 받아들이기 어려움.

조심-2016-중-3641, 2016. 11. 25.

쟁점금액을 타인 소유 건물신축에 지출된 비용으로 보아 쟁점토지의 필요경비로 인정하지 아니함[기각]. 배우자가 펜션을 신축하고 쟁점금액 관련 부가가치세를 환급받은 점, 견적서에 공급받는 자가 펜션으로 기재되어 있는 점 등에 비추어 쟁점금액은 건물신축 관련 비용으로 보이므로 쟁점토지의 필요경비로 볼 수 없음.

대법원-2016-두-37935, 2016. 7. 14.

(심리불속행) 먼저 체결된 매매계약의 해제 대가인 위약금은 양도가액에서 제외되거나 필요경비로 처리될 성질의 것이 아님[국승]. (원심 요지) 먼저 체결된 매매계약의 해제 대가인 위약금은 양도가액에서 제외되거나 필요경비로 처리될 성질의 것이 아님.

법규재산 2012-357, 2012. 9. 25.

양도자가 부동산을 양도하기 전에 다른 매수자와의 매매계약이 해제됨에 따라 민사소송이 제기되고 그 소송결과 양도자가 계약해제 위약금을 부담한 경우 해당 위약금은 「소득세법」 제97조 제1항의 필요경비에 해당하지 아니하는 것임.

서면4팀-3220, 2007. 11. 7.

시유지를 불하받기 전에 장기간 지불한 사용료는 당해 자산을 취득하기 위하여 직접적으로 소요된 비용으로 볼 수 없으므로 양도차익 산정시 취득가액에 포함되지 않는 것임.

서면4팀-2342, 2007. 7. 31.

토지 매수인이 토지를 취득한 후 건축허가를 득하여 공사를 진행하던 중 당해 공사와 관련 제3자의 도로를 사용하고 그에 대한 대가를 양도인이 양도일 이후에 지급하는 경우 필요경비에 해당하지 않음.

서면4팀-27, 2006. 1. 6.

경매로 취득한 주택의 전 소유자에게 명도합의시 지급한 이사비용은 양도소득금액 계산시 필요경비에 포함되지 아니함.

서면4팀-18, 2006. 1. 6.

자산의 양도차익을 실지거래가액으로 산정함에 있어 매매대금의 지급수단으로 활용된 금융기관 차입금에 대한 근저당설정비용 및 지급이자 상당액은 필요경비에 해당하지 아니함.

서면4팀-1848, 2004. 11. 16.

실지거래가액에 의한 양도차익 산정시 증여받은 자산의 취득가액은 취득당시의 상속세 및 증여세법상 평가액으로 하는 것이므로, 해당 증여받은 자산에 담보된 채무를 인수하여 상환한 금액은 양도가액에서 공제되는 필요경비에 산입되지 않는 것임.

제 5 절 장기보유특별공제액

1 의 의

장기보유특별공제제도는 장기간(3년 이상)에 걸쳐 형성된 양도소득을 양도한 연도에 전 기간 동안의 양도차익을 초과누진세율로 과세하는 체계를 보완하여 장·단기보유에 따른 세부담의 균형을 유지하고, 장기보유를 유도하여 부동산투기억제효과를 거두기 위한 목적으로 채택한 제도이다.

※ 소득세법 제89조 제1항 제3호에 따라 양도소득세의 비과세대상에서 제외되는 고가주택(이에 딸린 토지를 포함한다) 및 같은 항 제4호 각 목 외의 부분 단서에 따라 양도소득의 비과세대상에서 제외되는 조합원입주권에 대한 장기보유특별공제는 제2절의 '고가주택에 대한 양도차익 등의 계산' 참조

2 공제대상자산

장기보유특별공제 적용 대상자산과 적용 제외 자산은 다음과 같이 구분할 수 있다.

공제대상	적용 제외
3년 이상 보유한 토지 또는 건물	• 미등기양도자산 • 조정대상지역에 있는 주택으로서 양도소득세가 중과되는 1세대 2주택 • 조정대상지역에 있는 주택으로서, 1세대가 주택과 조합원입주권을 각각 1개씩 보유한 경우의 해당 주택. 다만, 대통령령으로 정하는 장기임대주택 등은 제외 • 조정대상지역에 있는 주택으로서 대통령령으로 정하는 1세대 3주택 이상에 해당하는 주택 • 조정대상지역에 있는 주택으로서 1세대가 주택과 조합원입주권을 보유한 경우로서 그 수의 합이 3 이상인 경우 해당 주택. 다만, 대통령령으로 정하는 장기임대주택 등은 제외 • 비사업용 토지(2007. 1. 1.~2015. 12. 31. 양도분) • 국외자산 중 토지 또는 건물부동산(2008. 1. 1. 이후 양도분) • 부동산을 취득할 수 있는 권리 • 주식 등 • 기타자산

공제대상	적용 제외
조합원입주권(관리처분계획인가 전 토지 또는 건물분의 양도차익으로 한정함)	• 조합원으로부터 취득한 것(승계 조합원입주권) • 기존부동산의 보유기간(취득일~관리처분계획인가일 전일까지의 기간)이 3년 미만인 경우

※ 조합원입주권에 대한 장기보유특별공제

- 국세청은 업무지침 및 예규(기획재정부 재산세제과-621, 2009. 3. 26.) 등에 따라 기존부동산이 주택(이에 딸린 토지 포함)이 아닌 경우(예를 들면 근린생활시설 등)에도 조합원입주권(승계 조합원입주권 제외)에 대해서 관리처분계획인가 전 양도차익에 대해 장기보유특별공제를 적용해 주었다.
- 그러나, 2013. 1. 1. 「소득세법」 제95조가 개정되어 조합원입주권의 경우에는 기존부동산이 주택인 경우에만 장기보유특별공제를 적용하도록 하였으나, 재개발·재건축 대상에 주택뿐 아니라, 토지, 상가건물 등도 포함되는 점을 고려하여, 기존에 상가 등을 보유하다가 취득한 조합원입주권을 양도하는 경우에도 장기보유특별공제를 적용하는 것으로 2014년 재개정하였다.

3 | 장기보유특별공제액의 계산

장기보유특별공제액은 위 공제대상자산의 양도차익에 보유기간별 공제율을 곱하여 계산한다.

장기보유특별공제액 = 공제대상자산의 양도차익 × 보유기간별 공제율

① 공제한도

장기보유특별공제액은 해당 자산의 양도차익을 한도로 공제한다.

② 보유기간

가) 원 칙

장기보유특별공제액을 계산할 때 자산의 보유기간은 그 자산의 취득일부터 양도일까지로 한다.

나) 예 외

㉠ 취득가액 이월과세 및 부당행위계산 부인

취득가액 이월과세 규정(소득법 §97의 2 ①)이 적용되는 경우에는 보유기간을 계산할 때 증여한 배우자 또는 직계존비속이 해당 자산을 취득한 날부터 기산(起算)하며, 부당행위계산 부인 규정(소득법 §101 ②)이 적용되는 경우에는 보유

기간을 계산할 때 증여한 특수관계인이 해당 자산을 취득한 날부터 기산한다.

㉡ 가업상속공제 적용 자산

「소득세법」 제97조의 2 제4항 제1호에 따른 가업상속공제가 적용된 비율에 해당하는 자산의 경우에는 피상속인이 해당 자산을 취득한 날부터 기산한다(2014. 1. 1. 이후 가업상속재산을 상속받아 양도하는 분부터 적용).

㉢ 비사업용 토지(2016. 1. 1. 이전 취득분)

비사업용 토지(「소득세법」 제104조의 3)로서 2016. 1. 1. 이전에 취득하여 보유하고 있는 자산인 경우에는 2016. 1. 1.일부터 기산한다(2016. 1. 1. 이후 양도하는 분부터 적용).

㉣ 조합원입주권

조합원입주권(승계조합원입주권은 제외)의 경우에는 관리처분계획인가 전의 보유기간(= 기존부동산의 보유기간 : 취득일~관리처분계획인가일까지의 기

㉤ 재개발·재건축으로 취득한 신축주택

기존부동산의 취득일부터 신축주택의 양도일까지로 하되, 청산금을 납부한 경우에는 「소득세법 시행령」 제166조 제5항에 따라 계산한다.

- 청산금납부분 양도차익에서 장기보유특별공제액을 공제하는 경우의 보유기간 : 관리처분계획인가일부터 신축주택과 그 부수토지의 양도일까지의 기간
- 기존건물분 양도차익에서 장기보유특별공제액을 공제하는 경우의 보유기간 : 기존건물과 그 부수토지의 취득일부터 신축주택과 그 부수토지의 양도일까지의 기간

4 공제율

양도시기별 공제율의 개정 연혁은 다음과 같다.

① 2002. 12. 31. 이전 양도분

보유기간	공제율
3년 이상 5년 미만	10%
5년 이상 10년 미만	15%
10년 이상	30%

② 2003. 1. 1.~2005. 12. 31. 양도분

보유기간	공제율	
	일반부동산	기준면적 미만 고가주택*
3년 이상 5년 미만	10%	10%
5년 이상 10년 미만	15%	25%
10년 이상	30%	50%

기준면적 미만 고가주택

양도소득의 비과세대상에서 제외되는 고가주택(이에 부수되는 토지를 포함한다)으로서 아래 면적기준 미만인 주택

ⓐ 주택의 연면적(「소득세법 시행령」 제154조 제3항 본문의 규정에 의하여 주택으로 보는 부분과 주거전용으로 사용되는 지하실 부분의 면적을 포함한다)이 264㎡ 미만이고 주택에 부수되는 토지의 연면적이 495㎡ 미만인 주택

ⓑ 공동주택(다가구주택을 포함하되, 「소득세법 시행령」 제155조 제15항의 규정에 의하여 단독주택으로 보는 경우를 제외한다)으로서 주택의 전용면적(주거전용으로 사용되는 지하실 부분의 면적을 포함한다)이 149㎡ 미만인 주택

③ 2006. 1. 1.~2007. 12. 31. 양도분

보유기간	공제율	
	일반부동산	양도소득세가 과세되는 대통령령이 정하는 1세대 1주택*
3년 이상 5년 미만	10%	10%
5년 이상 10년 미만	15%	15%
10년 이상	30%	30%
15년 이상		45%

양도소득세가 과세되는 대통령령이 정하는 1세대 1주택

1세대가 양도일 현재 국내에 1주택을 소유하고 있는 경우의 그 주택(「소득세법 시행령」 제155조 · 제155조의 2 · 제156조의 2 · 제159조의 3(2020. 1. 1. 이후 양도분부터 적용) 및 그 밖의 규정에 의하여 1세대 1주택으로 보는 주택을 포함한다)을 말한다.

* 예) 고가주택, 거주기간 요건 등을 갖추지 못한 1세대 1주택, 2주택을 소유한 경우에도 1세대 1주택으로 보는 경우(일시적 2주택 · 상속주택 · 동거봉양합가 · 혼인합가 · 농어촌주택 · 문화재주택 · 거주주택 · 직전거주주택보유주택 · 장기저당담보주택 · 조합원입주권을 보유한 경우 · 조세특례제한법상 특례주택을 보유한 경우 등) 등

④ 2008. 1. 1.~2008. 3. 20. 양도분

보유기간	공제율	
	일반부동산	대통령령으로 정하는 1세대 1주택*
3년 이상 4년 미만	10%	10%
4년 이상 5년 미만	12%	12%
5년 이상 6년 미만	15%	15%
6년 이상 7년 미만	18%	18%
7년 이상 8년 미만	21%	21%
8년 이상 9년 미만	24%	24%
9년 이상 10년 미만	27%	27%
10년 이상 11년 미만	30%	30%
11년 이상 12년 미만		33%
12년 이상 13년 미만		36%
13년 이상 14년 미만		39%
14년 이상 15년 미만		42%
15년 이상		45%

▶▶ 대통령령으로 정하는 1세대 1주택

위 ③의 부연설명과 같음.

⑤ 2008. 3. 21.~2008. 12. 31. 양도분

보유기간	공제율	
	일반부동산	대통령령으로 정하는 1세대 1주택*
3년 이상 4년 미만	10%	12%
4년 이상 5년 미만	12%	16%
5년 이상 6년 미만	15%	20%
6년 이상 7년 미만	18%	24%
7년 이상 8년 미만	21%	28%
8년 이상 9년 미만	24%	32%
9년 이상 10년 미만	27%	36%
10년 이상 11년 미만	30%	40%
11년 이상 12년 미만		44%
12년 이상 13년 미만		48%
13년 이상 14년 미만	30%	52%
14년 이상 15년 미만		56%
15년 이상 16년 미만		60%
16년 이상 17년 미만		64%
17년 이상 18년 미만		68%
18년 이상 19년 미만		72%
19년 이상 20년 미만		76%
20년 이상		80%

▶▶ 대통령령으로 정하는 1세대 1주택
위 ③의 부연설명과 같음.

⑥ 2009. 1. 1. 이후 양도분

보유기간	공제율	
	일반부동산	대통령령으로 정하는 1세대 1주택*
3년 이상 4년 미만	10%	24%
4년 이상 5년 미만	12%	32%
5년 이상 6년 미만	15%	40%
6년 이상 7년 미만	18%	48%
7년 이상 8년 미만	21%	56%

보유기간	공제율	
	일반부동산	대통령령으로 정하는 1세대 1주택*
8년 이상 9년 미만	24%	64%
9년 이상 10년 미만	27%	72%
10년 이상	30%	80%

⑦ 2019. 1. 1. 이후 양도분

보유기간	공제율	
	일반부동산	대통령령으로 정하는 1세대 1주택*
3년 이상 4년 미만	6%	24%
4년 이상 5년 미만	8%	매년 8% 인상, 10년 이상 80%
5년 이상 6년 미만	10%	
6년 이상 7년 미만	12%	
7년 이상 8년 미만	14%	
8년 이상 9년 미만	16%	
9년 이상 10년 미만	18%	
10년 이상 11년 미만	20%	
11년 이상 12년 미만	22%	
12년 이상 13년 미만	24%	
13년 이상 14년 미만	26%	
14년 이상 15년 미만	28%	
15년 이상	30%	

관련예규 및 판례요약

장기보유특별공제 : 소득법 §95

장기보유특별공제와 관련된 예규, 판례

서면 - 2018 - 부동산 - 3971, 2019. 9. 3.

「소득세법」 제168조에 따른 사업자등록과 「민간임대주택에 관한 특별법」 제5조에 따른 임대사업자등록을 하고 일정한 요건을 충족하는 경우 장기일반민간임대주택등을 양도함으로써 발생하는 소득에 대해서는 장기보유 특별공제액을 계산할 때 100분의 50의 공제율을 적용하는 것임.

서면 - 2019 - 부동산 - 1529, 2019. 7. 24.

장기일반민간(준공공)임대주택을 등록하여 「조세특례제한법」 제97조의 3 제1항 각 호의 요건을 모두 충족하는 경우 그 주택을 양도함으로써 발생하는 소득에 대해서는 장기보유특별공제액을 계산할 때 100분의 50의 공제율을 적용하며, 10년 이상 계속하여 임대한 후 양도하는 경우에는 100분의 70의 공제율을 적용하는 것.

기획재정부 재산세제과 - 34, 2017. 1. 16.

멸실 후 재건축한 고가주택의 토지에 대한 장기보유특별공제 적용 시 보유기간은 종전 주택의 부수토지 기간을 포함하는 것임.

서면법령재산 - 3313, 2016. 7. 14.

증여당시 1세대 1주택에 해당하는 주택을 배우자로부터 증여받아 이혼 후 양도하는 경우에는 소득세법 제97조의 2 "양도소득의 필요경비 계산 특례" 제2항 제2호를 적용하지 아니함.

조심 - 2016 - 서 - 1156, 2016. 6. 20.

장기보유특별공제를 적용함에 있어 멸실 전 종전주택의 보유기간을 통산하여야 하는지 여부 [인용] 처분청이 주택 부수토지로서의 보유기간을 통산하지 아니하는 것으로 보아 경정청구를 거부한 처분은 잘못이라고 판단됨.

서면부동산 - 2332, 2015. 12. 4.

배우자 및 직계존비속간 증여 후 5년 이내에 양도하는 경우에는 「소득세법」 제97조의 2를 적용하는 것이며, 그 외 특수관계인간 증여 후 5년 이내에 양도할 때에는 같은 법 제101조(부당행위계산)을 적용하는 것임.

조심-2015-중-0716, 2015. 6. 19.

8년 이상 자경농지에 대한 양도소득세 감면은 이를 주장하는 자에게 입증책임이 있음[일부인용]. 청구인이 제출한 증빙자료 만으로는 양도소득세 감면의 적용대상으로 보기 어려우나, 청구인이 양도일 직전 5년 중 3년 이상의 기간 등에는 쟁점토지를 자경한 것으로 보이므로 쟁점토지는 비사업용 토지에 해당하지 아니하여 쟁점토지의 양도에 대해 장기보유특별공제를 적용함이 타당함.

대법원-2014-두-36921, 2015. 4. 23.

종전주택을 멸실하고 신축한 경우 1세대 1주택 부수토지 장기보유특별공제액 산정시 종전주택 보유기간을 통산해야함[국패]. (원심 판결과 같음) 「소득세법 시행령」 제154조는 1세대 1주택 비과세요건 판단시 멸실주택과 신축주택의 보유기간 및 거주기간을 통산한다고 규정하고 있는데, 비과세 요건을 충족하지 못하는 1세대 1주택의 경우에도 그 보유기간을 통산한다고 해석하는 것이 합리적임.

서면법규과-501, 2013. 4. 30.

[사실관계]

- 甲은 비거주자로서 3년 이상 보유한 주택(동일세대원인 피상속인 보유기간 포함)을 경기도 의왕시 내손동 소재 포일주공아파트 주택재건축사업에 제공하고 해당 재건축정비조합으로부터 받은 조합원입주권을 2009. 7. 16. 양도함.
- 사업시행인가일 현재 기존주택을 3년 이상 보유(피상속인 보유기간 포함)하였고, 양도일 현재 다른 주택이 없어 1세대 1주택 비과세 특례 요건을 갖추었으나, 비거주자인 관계로 양도소득세 신고·납부함(장기보유특별공제는 기존주택 부분의 30%를 적용).

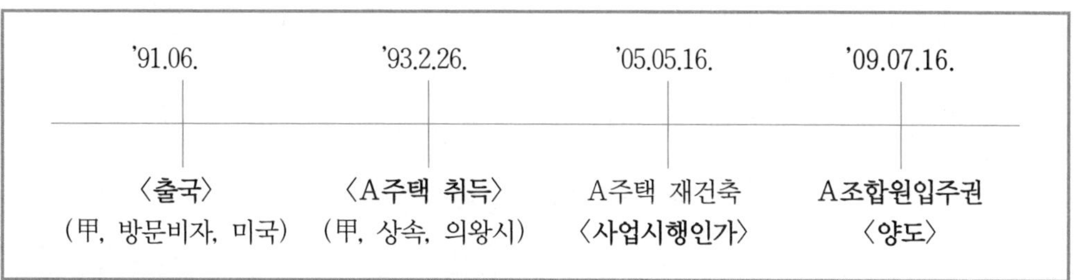

※ 甲은 2007. 11. 취업이민으로 영주권을 취득

※ A주택 재건축사업의 관리처분계획인가일 : 2006. 12. 28.

[질의]

비거주자가 1세대 1주택으로 보는 조합원입주권을 양도하는 경우 「소득세법」 제95조 제2항 표2에 따른 1세대 1주택 장기보유특별공제율을 적용받을 수 있는지 여부

[회신]

귀 질의의 경우, 비거주자가 주택재건축사업을 시행하는 정비사업조합의 조합원으로 해당 조합에 기존주택과 그 부수토지를 제공하고 취득한 조합원입주권을 양도한 것에 대하여 「소득세법」(2009. 12. 31. 법률 제9897호로 개정되기 전의 것) 제121조 제2항에 따라 과세되는 경우로서 해당 조합원입주권이 같은 법 시행령 제155조 제17항의 요건에 해당하는 경우에는 같은 법 제95조 제2항 단서에 따른 1세대 1주택 장기보유특별공제가 적용되는 것임.

기획재정부 국제조세제도과-572, 2012. 12. 26.

비거주자가 국내 소재 1주택을 양도하여 종전 「소득세법」(2009. 12. 31. 법률 제9897호로 개정되기 전의 것) 제121조 제2항에 따라 과세되는 경우 같은 법 제95조 제2항 단서에 따른 1세대 1주택 장기보유특별공제가 적용됨(2009. 12. 31. 이전 양도분에 대한 해석사례임).

헌재 2009헌가 22, 2010. 3. 31. 합헌

부동산의 건전한 투자 및 소유 행태를 유도하기 위한 장기보유특별공제 제도의 입법취지를 고려할 때, 부동산 과다보유 법인의 주주가 그 법인 보유의 부동산을 직접 소유한 것으로 의제하여 장기보유특별공제를 인정해야 할 당위성은 인정하기 어렵고 특정주식 양도자와 부동산 양도자를 자의적으로 차별취급하고 있다고 보기 어려워 조세평등주의에 반하지 아니함.

서면5팀-3124, 2007. 11. 28.

토지와 건물을 함께 양도하는 경우에는 각각 자산별로 장기보유특별공제액을 계산하여 그 양도차익에서 각각 공제하는 것임.

제 6 절 양도소득 기본공제

1 | 공제대상자산(소득법 §103)

미등기 양도자산을 제외한 양도소득세 과세대상인 모든 자산은 양도소득 기본공제대상이다. 종전에는 2년 이상 보유한 경우에만 적용대상이었으나 1996년 이후 보유기간의 제한은 없다.

2 | 공제금액 및 공제방법

가. 양도소득 기본공제는 국내자산(주식 등, 주식 등 외의 자산) 및 국외자산(주식 등, 주식 등 외의 자산)으로 구분하여 각각 1과세기간에 250만원을 공제한다. 그러므로 거주자가 1과세기간에 아래과 같이 자산을 양도한 경우에는 1천만원을 공제한다. 다만 거주자의 국외자산 중 대통령령으로 정하는 파생상품등의 거래 또는 행위로 발생하는 소득 등은 공제대상에서 제외한다.

자 산		양도소득 기본공제
국내자산	토지, 건물, 부동산에 관한 권리, 기타자산	250만원
	주식 등	250만원
국외자산	토지, 건물, 부동산에 관한 권리, 기타자산	250만원
	주식 등	250만원
계		1천만원

나. 양도소득금액에 「소득세법」 또는 「조세특례제한법」이나 그 밖의 법률에 따른 감면소득금액이 있는 경우에는 그 감면소득금액 외의 양도소득금액에서 먼저 공제하고, 감면소득금액 외의 양도소득금액 중에서는 해당 과세기간에 먼저 양도한 자산의 양도소득금액에서부터 순서대로 공제한다.

다. 1과세기간에 세율이 다른 부동산을 양도한 경우로서 어느 부동산을 먼저 양도하였는지의 여부가 불분명한 경우에는 납세자에게 유리하다고 판단되는 양도자산의 양도소득금액에서부터 순차로 공제한다(재일 46014-1685, 1997. 7. 11.).

라. 공동소유자산을 양도하는 경우에는 양도차익 및 양도소득금액은 각자의 지분별로 계산하고 양도소득 기본공제도 각각 공제한다.

제7절 과세표준 및 세율

1 과세표준의 의의

"과세표준"(課稅標準)이란 세법에 따른 세액산출의 기초가 되는 과세대상의 수량 또는 가액(價額)을 말한다.

2 양도소득 과세표준 계산 방법

양도소득 과세표준은 종합소득 및 퇴직소득에 대한 과세표준과 구분하여 계산하며, 양도소득금액에서 양도소득 기본공제를 한 금액으로 한다.

양도소득 과세표준 = 양도소득금액 - 양도소득 기본공제

3 양도소득세의 세율

가. 세율의 의의

세율이란 과세표준과 그에 상응하여 산출되는 세액과의 비율, 즉, 산출세액의 계산을 위하여 과세표준에 적용하는 법정비율을 말한다.

양도소득세 산출세액 = 양도소득 과세표준 × 세율

나. 양도소득세의 세율[1]

양도소득세의 세율은 과세대상자산의 유형, 보유기간, 중과대상 여부 등에 따라 달리 적용된다.

1) 소득세법 제104조(양도소득세의 세율) 참조

여기에서는 양도소득세 세율의 종류를 알아보고, 중과대상인 1세대 2주택 이상 및 비사업용 토지의 범위에 대해서는 별도로 설명한다.

1) 토지, 건물 및 부동산에 관한 권리에 대한 세율

토지, 건물 및 부동산에 관한 권리는 보유기간, 중과대상 여부(조정대상지역 내 1세대 2주택 이상, 비사업용 토지), 미등기 양도자산 해당 여부 등에 따라 적용되는 세율이 다르다.

<table>
<tr><th>자 산</th><th colspan="2">구 분</th><th>2002.1.1.
이후 양도</th><th>2004.1.1.
이후 양도</th><th>2018.1.1.
이후 양도</th></tr>
<tr><td rowspan="6">토지 · 건물
부동산에
관한 권리</td><td rowspan="3">보유
기간</td><td>1년 미만</td><td>36%</td><td>50%</td><td rowspan="3">분양권에 대한 양도소득 세율은 보유기간에 관계없이 50% 단일세율.
단, 무주택세대로서 다음 조건을 모두 충족하는 경우 50% 세율배제 ① 양도 당시 다른 분양권이 없는 경우, ② 30세 이상 또는 30세 미만으로서 배우자가 있는 경우
※ 미성년자는 제외하고, 배우자가 사망 또는 이혼한 경우 포함</td></tr>
<tr><td>1년 이상 2년 미만</td><td>누진세율</td><td>40%</td></tr>
<tr><td>2년 이상</td><td>누진세율</td><td>누진세율</td></tr>
<tr><td colspan="2">1세대 2주택 이상</td><td>해당없음</td><td>중과세율
(또는 유예)</td><td></td></tr>
<tr><td colspan="2">비사업용 토지 등</td><td>해당없음</td><td>중과세율
(또는 유예)</td><td></td></tr>
<tr><td colspan="2">미등기 양도자산</td><td>60%</td><td>70%</td><td></td></tr>
</table>

※ 중과대상 주택 양도 시 장기보유 특별공제 적용 배제 : 양도소득세 중과대상 주택(2주택자 혹은 3주택자가 양도하는 조정대상지역 내 주택)

〈다주택자가 조정대상지역 내 주택 양도 시 양도소득세 중과, 2018년 4월 1일부터 적용〉

- 2주택자 또는 1주택 1조합원입주권 보유자가 조정대상지역 내 주택 양도시 : 제55조 제1항에 따른 세율에 10% 가산

- 3주택 이상 보유자 또는 주택과 조원원입주권의 수가 총 3개 이상인자가 주택 양도시 : 제55조 제1항에 따른 세율에 20% 가산

가) 누진세율

양도시기별 양도소득세 누진세율은 아래와 같다.

과세표준	2002년~2008년		과세표준	2009년		2010년~2011년		과세표준	2012년~2013년		과세표준	2014년 이후		과세표준	2017년 이후		과세표준	2018년 이후	
	세율	누진공제		세율	누진공제	세율	누진공제		세율	누진공제		세율	누진공제		세율	누진공제		세율	누진공제
1,000만원 이하	9%	–	1,200만원 이하	6%	–	6%	–	1,200만원 이하	6%	–	1,200만원 이하	6%	–	1,200만원 이하	6%	–	1,200만원 이하	6%	–
4,000만원 이하	18%	90만원	4,600만원 이하	16%	120만원	15%	108만원	4,600만원 이하	15%	108만원	4,600만원 이하	15%	108만원	4,600만원 이하	15%	108만원	4,600만원 이하	15%	108만원
8,000만원 이하	27%	450만원	8,800만원 이하	25%	534만원	24%	522만원	8,800만원 이하	24%	522만원	8,800만원 이하	24%	522만원	8,800만원 이하	24%	522만원	8,800만원 이하	24%	522만원
8,000만원 초과	36%	1,170만원	8,800만원 초과	35%	1,414만원	35%	1,490만원	3억원 이하	35%	1,490만원	1.5억원 이하	35%	1,490만원	1.5억원 이하	35%	1,490만원	1.5억원 이하	35%	1,490만원
														5억원 이하	38%	1,940만원	3억원 이하	38%	1,940만원
								3억원 초과	38%	2,390만원	1.5억원 초과	38%	1,940만원	5억원 초과	40%	2,940만원	5억원 이하	40%	2,540만원
																	5억원 초과	42%	3,540만원

▶▶ 양도소득세를 부과함에 있어 같은 과세기간에 이루어진 일반 양도소득과 공용수용으로 인한 양도소득을 합산하여 누진세율을 적용하는 것은 두 유형의 소득을 다르게 취급하여야 할 이유가 없어 재산권을 침해하거나 평등원칙에 반하지 않음(헌법재판소 2009헌바 218, 2010. 7. 29. 합헌).

나) 중과세율

양도소득세 중과세율은 다주택, 비사업용 토지, 비사업용 토지 과다소유법인 주식 등에 대한 중과세율로 구분된다.

① 1세대 2주택 이상 중과세율

1. 2004. 1. 1. ~ 2008. 12. 31. 양도*				
구분	2년 이상	2년 미만	1년 미만	비 고
3주택	60%	60%	60%	
2주택	50%	50%	50%	

* 1세대 3주택 : 2004. 1. 1.~2008. 12. 31.
* 주택과 조합원입주권의 합이 3 이상인 경우의 그 주택 : 2006. 1. 1.~2008. 12. 31.
* 1세대 2주택 : 2007. 1. 1.~2008. 12. 31.
* 주택과 조합원입주권을 각각 1개씩 보유한 경우 그 주택 : 2007. 1. 1.~2008. 12. 31.

2. 2009. 1. 1. ~ 2009. 3. 15. 양도

구분	2년 이상	2년 미만	1년 미만	비 고
3주택	45%	45%	50%	
2주택	누진세율	40%	50%	

3. 2009. 3. 16. ~ 2013. 12. 31. 양도

구분	소재지	2년 이상	2년 미만	1년 미만
3주택	지정지역*1)	누진세율 + 10%	40%*2)	50%
	기타지역	누진세율	40%	50%
2주택	모든지역	누진세율	40%	50%

*1) 지정지역 : 2013년 5월 현재 지정지역 없음.
*2) 40% → 2 이상의 세율에 해당하는 때에는 가장 높은 세액을 적용(누진세율+10%와 40% 비례세율의 경합시 세액이 높은 것을 적용)

4. 2018. 4. 1. 이후

구분		보유기간	세율	비 고
2주택	조정대상지역	1년 미만	① 40%	①, ② 중 산출세액이 큰 것
			② 기본세율 + 10%	
	일반지역	1년 미만	40%	
		2년 미만	기본세율	
3주택 이상	조정대상지역	1년 미만	① 40%	①, ② 중 산출세액이 큰 것
			② 기본세율 + 20%	
	일반지역	1년 미만	40%	
		2년 미만	기본세율	
	지정지역 ('17. 8. 3.~'18. 3. 31.)	1년 미만	① 40%	①, ② 중 산출세액이 큰 것
			② 기본세율 + 10%	
		2년 미만	기본세율 + 10%	

1과세기간에 투기지정지역과 일반지역의 주택을 양도한 경우 계산사례

* 투기지정지역 주택 과세표준이 5천만원이고 일반지역 주택 과세표준이 1억원인 경우

(단위 : 천원)

구 분	과세표준	세 액	비 고
일반 주택 등	100,000	25,573	② [150,000 × 35% − 14,140] × 100,000 / 150,000
투기지역 주택	50,000	17,787	③ [150,000 × 45% − 14,140] × 50,000 / 150,000
계	①150,000	④43,360	

* 투기지정지역 주택 과세표준이 1억원이고 일반지역 주택 과세표준이 2천만원인 경우

(단위 : 천원)

구 분	과세표준	세 액	비 고
일반 주택 등	20,000	4,643	② [120,000 × 35% − 14,140] × 20,000 / 120,000
투기지역 주택	100,000	33,217	③ [120,000 × 45% − 14,140] × 100,000 / 120,000
계	①120,000	④37,860	

* 투기지정지역 주택 과세표준이 2천만원이고 일반지역 주택 과세표준이 5천만원인 경우

(단위 : 천원)

구 분	과세표준	세 액	비 고
일반 주택 등	50,000	8,686	② [70,000 × 25% − 5,340] × 50,000 / 70,000
투기지역 주택	20,000	5,474	③ [70,000 × 35% − 5,340] × 20,000 / 70,000
계	①70,000	④14,160	

※ 다주택자가 조정대상지역 내 주택 양도시 양도소득세를 중과하는 규정이 신설됨에 따라 투기지역(지정지역) 내 주택 양도에 따른 양도소득세 중과 규정 삭제(2018년 4월 1일 이후 적용)

② 비사업용 토지 중과세율

구분	2007. 1. 1. ~ 2009. 3. 15.	2009. 3. 16. ~ 2015. 12. 31.*1)	2016. 1. 1. ~ 2016. 12. 31.			2017. 1. 1. ~ 2017. 12. 31.			2018. 1. 1. ~		
			과표	세율	누진공제	과표	세율	누진공제	과표	세율	누진공제
세율	60%	2년 이상 보유 일반세율 2년 미만 보유 단기세율 *소법(2014.1.1. 개정 전) §104 ⑥ *소법 부칙(2014.1.1. 제12169호) §20 *지정지역의 경우 10%p 추가세율 적용하였으나, 해당기간 지정지역 없음.	1,200만원 이하	16%	−	1,200만원 이하	16%	−	1,200만원 이하	16%	−
			4,600만원 이하	25%	108만원	4,600만원 이하	25%	108만원	4,600만원 이하	25%	108만원
			8,800만원 이하	34%	522만원	8,800만원 이하	34%	522만원	8,800만원 이하	34%	522만원
			1.5억원 이하	45%	1,490만원	1.5억원 이하	45%	1,490만원	1.5억원 이하	45%	1,490만원
			1.5억원 초과	48%	1,940만원	5억원 이하	48%	1,940만원	3억원 이하	48%	1,940만원
						5억원 초과	50%	2,940만원	5억원 이하	50%	2,540만원
									5억원 초과	52%	3,540만원

*1) 2009. 3. 16.~2012. 12. 31.까지 취득한 자산을 양도하는 경우에는 일반세율 적용[소법 부칙(제9270호, 2008.12.26.) §14]

2) 주식 등에 대한 세율

<table>
<tr><th>구 분</th><th colspan="3">대주주 여부 및 보유기간 등</th><th>2018. 1. 1. 이후</th></tr>
<tr><td rowspan="6">주권 상장법인 또는 주권 비상장법인</td><td rowspan="4">대주주</td><td colspan="2">1년 미만 보유 중소기업 외 주식</td><td>30%</td></tr>
<tr><td rowspan="3">그 외 주식</td><td>과세표준 3억원 이하</td><td>20%</td></tr>
<tr><td rowspan="2">과세표준 3억원 초과</td><td rowspan="2">6천만원+(3억원 초과액×25%)</td></tr>
<tr></tr>
<tr><td rowspan="2">대주주가 아닌 자</td><td colspan="2">중소기업 외</td><td>20%</td></tr>
<tr><td colspan="2">중소기업</td><td>10%</td></tr>
<tr><td rowspan="2">외국법인 발행하였거나 외국에 있는 시장에 상장된 주식</td><td colspan="3">중소기업</td><td>10%</td></tr>
<tr><td colspan="3">그 밖의 주식</td><td>20%</td></tr>
</table>

* 중소기업의 범위(소득령 §167의 8)

* 중소기업 대주주 과표구분에 따른 세율인상(25% 적용)은 2020. 1. 1. 이후 양도분부터 적용

2012. 2. 1. 이전 양도분	2012. 2. 2. 이후 양도분
주식등의 양도일이 속하는 사업연도의 직전사업연도 종료일 현재 「중소기업기본법」 제2조에 따른 중소기업에 해당하는 기업	주식등의 양도일 현재 「중소기업기본법」 제2조에 따른 중소기업에 해당하는 기업

▶▶ 중소기업이 유예기간 중의 기업을 흡수합병하여 중소기업에 해당하지 아니하게 된 경우와 달리 유예기간 중의 기업이 중소기업을 흡수합병한 경우는 유계기간 제외규정이 적용되지 아니하므로 여전히 유예기간이 적용되는 것임(대법원 2012두 17520, 2013. 2. 14.).

3) 기타자산에 대한 세율

기타자산은 보유기간에 관계없이 누진세율이 적용된다.

| 조세특례제한법상 특례 세율 |

미분양주택 과세특례 (조특법 §98)	서울시 외 지역, 미분양된 국민주택규모 이하, 1995. 11. 1.~1997. 12. 31. 및 1998. 3. 1.~1998. 12. 31. 중 취득(계약 후 계약금납부 포함)하여 5년 이상 보유 · 임대 후 양도시	20%*
신축주택 과세특례 (조특법 §99의2)	취득가액이 6억원 이하이거나 주택의 연면적(공동주택의 경우에는 전용면적)이 85제곱미터 이하인 주택을 2013. 4. 1.부터 2013. 12. 31.까지 「주택법」 제54조에 따라 주택을 공급하는 사업주체 등 대통령령으로 정하는 자와 최초로 매매계약을 체결하여 그 계약에 따라 취득(2013. 12. 31.까지 매매계약을 체결하고 계약금을 지급한 경우를 포함한다)한 경우에 해당 주택을 취득일부터 5년 이내에 양도함으로써 발생하는 양도소득에 대하여는 양도소득세의 100분의 100에 상당하는 세액을 감면하고, 취득일부터 5년이 지난 후에 양도하는 경우에는 해당 주택의 취득일부터 5년간 발생한 양도소득금액을 해당 주택의 양도소득세 과세대상소득금액에서 공제한다. 이 경우 공제하는 금액이 과세대상소득금액을 초과하는 경우 그 초과금액은 없는 것으로 한다.	

* 양도소득세 납부방법(세율 20% 적용)과 종합소득세 납부방법(종합소득세 세율) 중 선택

4) 양도소득 산출세액 비교과세 시 합산하는 자산 명확화

해당 과세기간에 토지 또는 건물, 부동산을 취득할 수 있는 권리 · 지상권 · 전세권과 등기된 부동산임차권 및 토지 또는 건물과 함께 양도하는 영업권 · 이용권과 회원권 및 시설물이용권 · 부동산과다보유법인의 과점주주가 양도하는 주식 등을 둘 이상 양도하는 경우 양도소득 산출세액은 모든 자산의 과세표준 합계액에 일반세율을 적용한 산출세액에서 양도소득세감면액을 차감한 금액과 자산별로 산출한 세액(다만 둘 이상의 세율이 적용되는 자산이 둘 이상인 경우 각 자산별로 과세표준을 합산하여 각 세율을 적용한 산출세액 중 큰 것의 합계액)의 합계액에서 양도소득세감면액을 차감한 금액 중 큰 것으로 한다.

5) 국외자산 양도소득세의 세율

국외자산의 양도소득에 대한 소득세는 해당 과세기간의 양도소득세 과세표준에 소득세법 제55조 제1항에 따른 세율 적용한다.

다. 보유기간의 계산

토지, 건물 및 부동산에 관한 권리에 대한 단기양도 세율(40% 또는 50%) 적용 여부 판단, 중소기업 외의 법인의 주식 등으로서 대주주가 1년 미만 보유(30%)였는지 여부의 판단 시 보유기간은 해당 자산의 취득일부터 양도일까지로 한다. 다만, 다음 각 호의 어느 하나에 해당하는 경우에는 각각 그 정한 날을 그 자산의 취득일로 본다.

① 상속받은 자산은 피상속인이 그 자산을 취득한 날

② 법인의 합병・분할[물적분할(物的分割)은 제외한다]로 인하여 합병법인, 분할신설법인 또는 분할・합병의 상대방 법인으로부터 새로 주식등을 취득한 경우에는 피합병법인, 분할법인 또는 소멸한 분할・합병의 상대방 법인의 주식등을 취득한 날

라. 하나의 자산이 둘 이상의 세율에 해당할 때 적용 방법

하나의 자산이 둘 이상의 세율에 해당할 때에는 그 중 가장 높은 것을 적용한다.

4 양도소득세액의 감면

가. 감면 적용 방법

양도소득금액에 「소득세법」 또는 「조세특례제한법」 등에서 규정하는 감면소득금액이 있을 때에는 「소득세법」 제90조에 따라 감면을 적용한다.

감면 적용 방법에는 세액감면방식과 소득금액차감방식이 있다.

나. 세액감면방식

「소득세법」 제95조에 따른 양도소득금액에 「소득세법」 또는 「소득세법」 외의 법률에서 규정하는 감면소득금액이 있을 때에는 양도소득과세표준에 「소득세법」 제104조에 따른 세율을 적용하여 계산한 금액에, 해당 감면소득금액에서 양도소득 기본공제를 한 후의 금액이 양도소득 과세표준에서 차지하는 비율을 곱하여 계산한 금액에 상당하는 양도소득세를 면제한다.

$$감면세액 = 산출세액 \times \frac{감면소득금액 - 양도소득\ 기본공제^{*}}{양도소득\ 과세표준} \times 감면율$$

* 감면소득금액 외의 양도소득금액에서 먼저 공제함.

다. 소득금액차감방식

「조세특례제한법」에서 양도소득세의 감면을 양도소득금액에서 감면대상 양도소득금액을 차감하는 방식으로 규정하는 경우*에는 양도소득금액에서 감면대상 양도소득금액을 차감한 후 양도소득 과세표준을 계산하는 방식으로 양도소득세를 감면한다(2013. 1. 1. 이후 신고, 결정 또는 경정하는 분부터 적용함. 2013. 1. 1. 법률 제11611호 §14).

이 경우 양도소득세 감면세액은 다음과 같이 계산한다(농어촌특별세 과세대상인 경우 아래 감면세액을 기준으로 하여 농어촌특별세를 계산한다).

감면세액 = 감면대상 양도소득금액을 과세표준에 산입하여 계산한 세액 − 감면대상 양도소득금액을 과세표준에서 제외*하고 계산한 세액

* 양도소득금액에서 감면대상 양도소득금액을 차감한 후 양도소득 과세표준을 계산하는 방법임.

「조세특례제한법」상 소득금액차감방식의 감면 유형*

① 조특법 제98조의 3【미분양주택의 취득자에 대한 양도소득세의 과세특례】
② 조특법 제98조의 5【수도권 밖의 지역에 있는 미분양주택의 취득자에 대한 양도소득세의 과세특례】
③ 조특법 제98조의 6【준공후 미분양주택의 취득자에 대한 양도소득세의 과세특례】
④ 조특법 제98조의 7【미분양주택의 취득자에 대한 양도소득세의 과세특례】
⑤ 조특법 제99조【신축주택의 취득자에 대한 양도소득세의 감면】
⑥ 조특법 제99조의 2【신축주택 등 취득자에 대한 양도소득세의 과세특례】
⑦ 조특법 제99조의 3【신축주택의 취득자에 대한 양도소득세의 과세특례】

*주택 취득일부터 5년 경과 후 양도시 적용됨.

제 8 절 신고와 납부

1 양도소득 과세표준 예정신고와 납부

가. 양도소득 과세표준 예정신고

양도소득세 과세대상 자산을 양도한 거주자는 파생상품등의 거래 또는 행위로 발생하는 소득이나 외국법인이 발행하였거나 외국에 있는 시장에 상장된 주식등의 경우를 제외하고는 양도소득 과세표준을 다음 각 호의 구분에 따른 기간에 납세지 관할 세무서장에게 신고하여야 한다. 한편, 양도차익이 없거나 양도차손이 발생한 경우에도 예정신고를 하여야 한다(부담부증여의 채무액에 해당하는 부분으로서 양도로 보는 경우에는 그 양도일이 속하는 달의 말일부터 3개월).

1) 토지, 건물, 부동산에 관한 권리 및 기타자산

그 양도일이 속하는 달의 말일부터 2개월. 다만, 「부동산 거래신고 등에 관한 법률」 제10조 제1항에 따른 토지거래계약에 관한 허가구역에 있는 토지를 양도할 때 토지거래계약허가를 받기 전에 대금을 청산한 경우에는 그 허가일이 속하는 달의 말일부터 2개월로 한다(법 제105조 제94조 제1항 제3호 각 목에 따른 자산을 양도한 경우에는 그 양도일이 속하는 반기의 말일부터 2개월). 다만 허가를 받기 전에 허가구역 지정이 해제된 경우 해제일이 속하는 달의 말일부터 2개월로 한다.

2) 주식 등(외국법인이 발행하였거나 외국에 있는 시장에 상장된 주식 등 제외)

그 양도일이 속하는 반기의 말일부터 2개월

나. 제출서류

예정신고를 하려는 자는 양도소득 과세표준 신고 및 납부계산서, 양도소득금액 계산명세서 또는 주식 양도소득금액 계산명세서에 다음 각 호의 구분에 따른 서류를 첨부하여 납세지 관할 세무서장에게 제출하여야 한다.

1) 토지, 건물 및 부동산에 관한 권리를 양도하는 경우

가) 환지예정지증명원 · 잠정등급확인원 및 관리처분내용을 확인할 수 있는 서류 등
나) 당해 자산의 매도 및 매입에 관한 계약서 사본
다) 자본적 지출액 · 양도비 등의 명세서
라) 감가상각비명세서

2) 주식 등 및 기타자산을 양도하는 경우

가) 해당 자산의 매도 및 매입에 관한 계약서 사본
나) 양도비 등의 명세서
다) 법인(주권상장법인 외의 법인을 포함한다)의 대주주등에 해당하는 경우에는 주식거래내역서
라) 법인의 주주 1인 및 기타주주로서 「소득세법 시행령」 제157조 제4항 제1호 후단의 규정에 해당하게 되는 경우(과세기간 중에 대주주에 해당하는 경우)에는 대주주등 신고서

다. 예정신고납부

거주자가 예정신고를 할 때에는 산출세액에서 「조세특례제한법」이나 그 밖의 법률에 따른 감면세액을 뺀 세액을 납세지 관할 세무서, 한국은행 또는 체신관서에 납부하여야 한다.

예정신고납부를 하는 경우 「소득세법」 제82조 및 제118조에 따른 수시부과세액이 있을 때에는 이를 공제하여 납부한다.

라. 예정신고 산출세액의 계산

1) 산출세액

예정신고납부를 할 때 납부할 세액은 그 양도차익에서 장기보유 특별공제 및 양도소득기본공제를 한 금액에 「소득세법」 제104조 제1항에 따른 세율을 적용하여 계산한 금액을 그 산출세액으로 한다.

2) 누진세율 적용대상 자산을 합산 신고하는 경우 산출세액

해당 과세기간에 누진세율 적용대상 자산에 대한 예정신고를 2회 이상 하는 경우로서 거

주자가 이미 신고한 양도소득금액과 합산하여 신고하려는 경우에는 다음 계산식에 따라 계산한 금액을 제2회 이후 신고하는 예정신고 산출세액으로 한다.

> 예정신고 산출세액 = [(이미 신고한 양도소득 과세표준 + 제2회 이후 신고하는 양도소득 과세표준) × 「소득세법」 제104조 제1항 제1호 · 제11호 가목에 따른 세율] - 이미 신고한 예정신고 산출세액

마. 예정신고납부세액공제(2009년 이전 양도분)

예정신고와 함께 자진납부를 하는 때에는 그 산출세액에서 납부할 세액의 100분의 10에 상당하는 금액을 공제한다.

예정신고자진납부를 하지 아니한 자가 그 신고기간 경과후 다른 자산의 양도로 인하여 예정신고자진납부를 하는 경우에 그 예정신고자진납부를 하지 아니한 자산의 양도소득금액에 상당하는 세액을 함께 납부하는 때의 예정신고납부세액공제는 예정신고에 따라 자진납부할 세액의 100분의 10으로 한다.

※ 예정신고납부세액공제 폐지에 관한 특례(2009. 12. 31. 법률 제9897호 부칙 §16)

① 부동산, 부동산에 관한 권리, 기타자산 중 누진세율 적용 대상자산을 2010. 12. 31.까지 양도시 과세표준 4,600만원 이하 부분에 대해 적용
- 과세표준 4,600만원 이하 : 전체 납부할 세액의 5% 세액공제
- 과세표준 4,600만원 초과 : 과세표준 4,600만원 부분에 해당하는 납부할 세액의 5% 세액공제(291천원 한도)

② 협의매수 · 수용되는 부동산으로서 사업인정고시일이 2009. 12. 31. 이전인 부동산을 2010. 12. 31.까지 사업시행자에게 양도시 5% 세액공제(한도 없음)

계산사례

- 양도세 과표가 3,000만원인 경우 예정신고세액공제금액
  : [1,200만원 × 6% + (3,000만원 - 1,200만원) × 15%] × 5% = 171천원
- 양도세 과표가 6,000만원인 경우 예정신고세액공제금액
  : [1,200만원 × 6% + (4,600만원 - 1,200만원) × 15%] × 5% = 291천원
  * 2010년 세율 적용 : 과표 1,200만원 이하 6%, 과표 1,200만원 초과 4,600만원 이하 15%

2 양도소득 과세표준 확정신고와 납부

가. 양도소득 과세표준 확정신고

해당 과세기간의 양도소득금액이 있는 거주자는 그 양도소득 과세표준을 그 과세기간의 다음 연도 5월 1일부터 5월 31일까지(「국토의 계획 및 이용에 관한 법률」 제117조 제1항에 따른 토지거래계약에 관한 허가구역에 있는 토지를 양도할 때 토지거래계약허가를 받기 전에 대금을 청산한 경우에는 토지거래계약에 관한 허가일이 속하는 과세기간의 다음 연도 5월 1일부터 5월 31일까지) 납세지 관할 세무서장에게 신고하여야 한다. 확정신고는 해당 과세기간의 과세표준이 없거나 결손금액이 있는 경우에도 적용한다.

나. 확정신고납부

거주자는 해당 과세기간의 과세표준에 대한 양도소득 산출세액에서 감면세액과 세액공제액을 공제한 금액을 확정신고기한*까지 확정신고와 함께 납세지 관할 세무서장에게 납부하거나 「국세징수법」에 따른 납부서에 양도소득과세표준확정신고 및 납부계산서를 첨부하여 한국은행 또는 체신관서에 납부하여야 한다. 이 경우 양도소득과세표준확정신고 및 납부계산서를 납부서에 첨부하여 한국은행 또는 체신관서에 제출한 경우에는 확정신고를 한 것으로 본다.

한편, 확정신고납부를 하는 경우 예정신고 산출세액, 이미 결정 · 경정한 세액 또는 수시부과세액이 있을 때에는 이를 공제하여 납부한다.

확정신고기한 특례

① 거주자가 사망한 경우 그 상속인은 그 상속 개시일이 속하는 달의 말일부터 6개월이 되는 날(이 기간 중 상속인이 출국하는 경우에는 출국일 전날)까지 사망일이 속하는 과세기간에 대한 그 거주자의 과세표준을 신고하여야 한다.
② 1월 1일과 5월 31일 사이에 사망한 거주자가 사망일이 속하는 과세기간의 직전 과세기간에 대한 과세표준확정신고를 하지 아니한 경우에는 ①을 준용한다.
③ 위 ①과 ②는 해당 상속인이 과세표준확정신고를 정해진 기간에 하지 아니하고 사망한 경우에 준용한다.
④ 과세표준확정신고를 하여야 할 거주자가 출국하는 경우에는 출국일이 속하는 과세기간의 과세표준을 출국일 전날까지 신고하여야 한다.

다. 확정신고 대상자

1) 원 칙

예정신고를 한 자는 원칙적으로 해당 소득에 대한 확정신고를 하지 아니할 수 있다.

2) 예 외

해당 과세기간에 누진세율 적용대상 자산에 대한 예정신고를 2회 이상 하는 경우 등으로서 다음 중 어느 하나에 해당하는 경우에는 확정신고를 하여야 한다.

가) 당해연도에 누진세율의 적용대상 자산에 대한 예정신고를 2회 이상 한 자가 이미 신고한 양도소득금액과 합산하여 신고(「소득세법」 제107조 제2항)하지 아니한 경우

나) 토지, 건물, 부동산에 관한 권리 및 기타자산을 2회 이상 양도한 경우로서 양도소득 기본공제를 「소득세법」 제103조 제2항에 따라 적용할 경우 당초 신고한 양도소득산출세액이 달라지는 경우

다) 주식 등을 2회 이상 양도한 경우로서 양도소득 기본공제를 「소득세법」 제103조 제2항에 따라 적용할 경우 당초 신고한 양도소득산출세액이 달라지는 경우

라) 둘 이상의 자산을 양도한 후 종합소득세 산출세액 계산 방식과 자산 호별 산출세액의 합계액 중 큰 금액으로 예정신고하지 않은 경우

라. 확정신고시 제출서류

1) 「소득세법 시행령」 제169조 제1항 및 제2항 각 호의 서류(예정신고서에 첨부할 서류와 같음)
2) 과세표준과 세액의 결정・경정 통지를 받은 경우에는 「소득세법 시행령」 제177조 제1항의 규정에 의한 통지서 사본
3) 양도소득 부당행위계산 부인 규정(「소득세법」 제101조)에 따라 소득금액을 계산한 경우에는 필요경비불산입 명세서

마. 소득처분금액에 대한 확정신고・납부 간주 규정

1) 확정신고기한이 지난 후에 「법인세법」에 따라 법인이 법인세과세표준을 신고하거나 세무서장이 법인세과세표준을 결정 또는 경정할 때 익금에 산입한 금액이 배당・상여 또는 기타소득으로 처분됨으로써 확정신고를 한 자가 양도소득금액에 변동이 발생하

여 「소득세법」 제96조 제3항에 해당하게 되는 경우 해당 법인(「소득세법 시행령」 제192조 제1항 단서*에 따라 거주자가 통지를 받은 경우에는 해당 거주자를 말한다)이 「소득세법 시행령」 제192조 제1항에 따른 소득금액변동통지서를 받은 날(「법인세법」에 따라 법인이 신고하여 양도소득금액이 변동한 경우에는 해당 법인의 법인세신고기일을 말한다)이 속하는 달의 다음다음 달 말일까지 추가신고 납부(환급신고를 포함한다)한 때에는 양도소득 과세표준 확정신고기한까지 신고납부한 것으로 본다.

* 해당 법인의 소재지가 분명하지 아니하거나 그 통지서를 송달할 수 없는 경우 또는 당해 법인이 「국세징수법」 제86조 제1항 제1호 · 제2호 및 제4호의 규정에 해당하는 경우에는 당해 주주 및 당해 상여나 기타소득의 처분을 받은 거주자에게 통지하여야 함.

2) 행정소송 제기를 통해 수용보상금이 증액된 경우 해당판결확정일이 속하는 달의 다음다음 달 말일까지 추가신고 납부(환급신고를 포함한다)한 때에도 양도소득 과세표준 확정신고기한까지 신고납부한 것으로 본다.

바. 재외국민과 외국인의 부동산등 양도신고 확인

재외국민과 외국인은 소득세법 제94조 제1항 제1호의 자산을 양도하고 그 소유권을 이전하기 위하여 등기관서의 장에게 등기를 신청할 때에는 관할 세무서장에게 부동산등양도신고확인서를 확인받아 제출하여야 한다.

3 양도소득세의 분납

가. 개 요

거주자로서 예정신고 및 확정신고시 납부할 세액이 각각 1천만원을 초과하는 자는 그 납부할 세액의 일부를 납부기한이 지난 후 2개월(2008년 이전은 45일) 이내에 분할납부할 수 있다.

나. 분납세액

1) 납부할 세액이 2천만원 이하인 때에는 1천만원을 초과하는 금액
2) 납부할 세액이 2천만원을 초과하는 때에는 그 세액의 100분의 50 이하의 금액

4 | 수정신고, 경정 등의 청구, 기한 후 신고

가. 수정신고(국기법 §45)

과세표준신고서를 법정신고기한까지 제출한 자는 다음 중 어느 하나에 해당할 때에는 관할 세무서장이 각 세법에 따라 해당 국세의 과세표준과 세액을 결정 또는 경정하여 통지하기 전으로서 국세부과의 제척기간이 끝나기 전까지 과세표준수정신고서를 제출할 수 있다.

1) 과세표준신고서에 기재된 과세표준 및 세액이 세법에 따라 신고하여야 할 과세표준 및 세액에 미치지 못할 때
2) 과세표준신고서에 기재된 결손금액 또는 환급세액이 세법에 따라 신고하여야 할 결손금액이나 환급세액을 초과할 때
3) 기타 원천징수의무자의 정산 과정에서의 누락, 세무조정 과정에서의 누락 등 불완전한 신고를 하였을 때(경정 등의 청구를 할 수 있는 경우는 제외한다)

한편, 세법에 따라 과세표준신고액에 상당하는 세액을 자진납부하는 국세에 관하여 과세표준수정신고서를 제출하는 납세자는 이미 납부한 세액이 과세표준수정신고액에 상당하는 세액에 미치지 못할 때에는 그 부족한 금액과 이 법 또는 세법에서 정하는 가산세를 과세표준수정신고서 제출과 동시에 추가하여 납부하여야 한다.

나. 경정 등의 청구(국기법 §45의 2)

1) 일반적인 경우

과세표준신고서를 법정신고기한까지 제출한 자는 다음 중 어느 하나에 해당할 때에는 최초신고 및 수정신고한 국세의 과세표준 및 세액의 결정 또는 경정을 법정신고기한이 지난 후 5년* 이내에 관할 세무서장에게 청구할 수 있다. 다만, 결정 또는 경정으로 인하여 증가된 과세표준 및 세액에 대하여는 해당 처분이 있음을 안 날(처분의 통지를 받은 때에는 그 받은 날)부터 90일 이내(법정신고기한이 지난 후 5년 이내에 한한다)에 경정을 청구할 수 있다.

가) 과세표준신고서에 기재된 과세표준 및 세액(각 세법에 따라 결정 또는 경정이 있는 경우에는 해당 결정 또는 경정 후의 과세표준 및 세액을 말한다)이 세법에 따라 신고하여야 할 과세표준 및 세액을 초과할 때
나) 과세표준신고서에 기재된 결손금액 또는 환급세액(각 세법에 따라 결정 또는 경정이

있는 경우에는 해당 결정 또는 경정 후의 결손금액 또는 환급세액을 말한다)이 세법에 따라 신고하여야 할 결손금액 또는 환급세액에 미치지 못할 때

* 일반적 경정청구기한 개정 사항(3년 ⇒ 5년)

- 2015. 1. 1. 이후 결정 또는 경정을 청구하는 분부터 5년으로 적용함.
- 다만, 2015. 1. 1. 전에 종전 규정에 따른 청구기간(3년)이 경과한 분에 대해서는 개정규정(5년)에도 불구하고 종전의 규정(3년)에 따름

2) 후발적 경정청구 사유

과세표준신고서를 법정신고기한까지 제출한 자 또는 국세의 과세표준 및 세액의 결정을 받은 자는 다음 중 어느 하나에 해당하는 사유가 발생하였을 때에는 위 1)에서 규정하는 기간에도 불구하고 그 사유가 발생한 것을 안 날부터 3개월* 이내에 결정 또는 경정을 청구할 수 있다.

가) 최초의 신고 · 결정 또는 경정에서 과세표준 및 세액의 계산 근거가 된 거래 또는 행위 등이 그에 관한 소송에 대한 판결(판결과 같은 효력을 가지는 화해나 그 밖의 행위를 포함한다)에 의하여 다른 것으로 확정되었을 때

나) 소득이나 그 밖의 과세물건의 귀속을 제3자에게로 변경시키는 결정 또는 경정이 있을 때

다) 조세조약에 따른 상호합의가 최초의 신고 · 결정 또는 경정의 내용과 다르게 이루어졌을 때

라) 결정 또는 경정으로 인하여 그 결정 또는 경정의 대상이 되는 과세기간 외의 과세기간에 대하여 최초에 신고한 국세의 과세표준 및 세액이 세법에 따라 신고하여야 할 과세표준 및 세액을 초과할 때

마) 위 가)부터 라)까지와 유사한 사유로서 대통령령으로 정하는 사유가 해당 국세의 법정신고기한이 지난 후에 발생하였을 때

* 후발적 경정청구기한 개정 사항(2개월 ⇒ 3개월)

- 2016. 1. 1. 이후 결정 또는 경정을 청구하는 분부터 5년으로 적용함.
- 다만, 2016. 1. 1. 전에 종전 규정에 따른 청구기간(2개월)이 경과한 분에 대해서는 개정규정(3개월)에도 불구하고 종전의 규정(2개월)에 따름

3) 경정 등의 청구에 대한 조치

위 1) 또는 2)에 따라 결정 또는 경정의 청구를 받은 세무서장은 그 청구를 받은 날부터 2개월 이내에 과세표준 및 세액을 결정 또는 경정하거나 결정 또는 경정하여야 할 이유가

없다는 뜻을 그 청구를 한 자에게 통지하여야 한다. 다만, 청구를 한 자가 2개월 이내에 아무런 통지를 받지 못한 경우에는 통지를 받기 전이라도 그 2개월이 되는 날의 다음 날부터 이의신청, 심사청구, 심판청구 또는 「감사원법」에 따른 심사청구를 할 수 있다.

다. 기한 후 신고(국기법 §45의 3)

법정신고기한까지 과세표준신고서를 제출하지 아니한 자는 관할 세무서장이 세법에 따라 해당 국세의 과세표준과 세액(가산세를 포함한다)을 결정하여 통지하기 전까지 기한후과세표준신고서를 제출할 수 있다.

한편, 기한후과세표준신고서를 제출한 자로서 세법에 따라 납부하여야 할 세액(가산세를 포함한다)이 있는 자는 그 세액을 납부하여야 한다. 제1항에 따라 기한후과세표준신고서를 제출한 경우 관할 세무서장은 세법에 따라 신고일부터 3개월 이내에 해당 국세의 과세표준과 세액을 결정하여야 한다. 다만, 과세표준과 세액을 조사할 때 조사 등에 장기간이 걸리는 등 부득이한 사유로 신고일부터 3개월 이내에 결정할 수 없는 경우에는 그 사유를 신고인에게 통지하여야 한다.

5 | 양도소득 과세표준과 세액의 결정 및 경정

가. 결정 대상

납세지 관할 세무서장 또는 지방국세청장은 양도소득 과세표준 예정신고를 하여야 할 자 또는 양도소득 과세표준 확정신고를 하여야 할 자가 그 신고를 하지 아니한 경우에는 해당 거주자의 양도소득 과세표준과 세액을 결정한다.

나. 경정 대상

납세지 관할 세무서장 또는 지방국세청장은 양도소득 과세표준 예정신고를 한 자 또는 양도소득 과세표준 확정신고를 한 자의 신고 내용에 탈루 또는 오류가 있는 경우에는 양도소득 과세표준과 세액을 경정한다.

한편, 납세지 관할 세무서장 또는 지방국세청장은 양도소득 과세표준과 세액을 결정 또는 경정한 후 그 결정 또는 경정에 탈루 또는 오류가 있는 것이 발견된 경우에는 즉시 다시 경정한다.

다. 결정 및 경정 방법

납세지 관할 세무서장 또는 지방국세청장은 양도소득 과세표준과 세액을 결정 또는 경정하는 경우 양도가액은 「소득세법」 제96조, 취득가액은 「소득세법」 제97조의 가액에 따라야 한다.

이 경우 적용할 때 양도가액 및 취득가액을 실지거래가액에 따라 양도소득 과세표준 예정신고 또는 확정신고를 한 경우로서 그 신고가액이 사실과 달라 납세지 관할 세무서장 또는 지방국세청장이 실지거래가액을 확인한 경우에는 그 확인된 가액을 양도가액 또는 취득가액으로 하여 양도소득 과세표준과 세액을 경정한다(2002. 1. 1. 이후 최초로 신고하는 분부터 적용함. 2001. 12. 31. 법률 제6557호 부칙 §13).

라. 등기부 기재가액에 따른 결정

토지 또는 건물의 양도로 양도가액 및 취득가액을 실지거래가액에 따라 양도소득 과세표준 예정신고 또는 확정신고를 하여야 할 자("신고의무자"라 한다)가 그 신고를 하지 아니한 경우로서 양도소득 과세표준과 세액 또는 신고의무자의 실지거래가액 소명(疏明) 여부 등을 고려하여 대통령령으로 정하는 경우*에 해당할 때에는 납세지 관할 세무서장 또는 지방국세청장은 위 "다"에도 불구하고 「부동산등기법」 제68조에 따라 등기부에 기재된 거래가액("등기부 기재가액"이라 한다)을 실지거래가액으로 추정하여 양도소득 과세표준과 세액을 결정할 수 있다. 다만, 납세지 관할 세무서장 또는 지방국세청장이 등기부 기재가액이 실지거래가액과 차이가 있음을 확인한 경우에는 그러하지 아니하다.

* "양도소득 과세표준과 세액 또는 신고의무자의 실지거래가액 소명 여부 등을 고려하여 대통령령으로 정하는 경우"란 다음 중 어느 하나에 해당하는 경우를 말한다.

① 등기부기재가액을 실지거래가액으로 추정하여 계산한 납부할 양도소득세액이 300만원* 미만인 경우

② 등기부기재가액을 실지거래가액으로 추정하여 계산한 납부할 양도소득세액이 300만원* 이상인 경우로서 다음 각 목의 요건을 모두 충족하는 경우

가. 납세지 관할 세무서장 또는 지방국세청장이 과세표준 확정신고 첨부서류를 첨부하여 「국세기본법」 제45조의 3에 따른 기한 후 신고를 하지 아니할 경우 등기부기재가액을 실지거래가액으로 추정하여 양도소득 과세표준과 세액을 결정할 것임을 신고의무자에게 통보하였을 것

나. 신고의무자가 가목에 따른 통보를 받은 날부터 30일 이내에 기한 후 신고를 하지

아니하였을 것

▶▶ 2007. 1. 1. 이후 최초로 결정하는 분부터 적용(2006. 12. 30. 법률 제8144호 부칙 §16)하되, 예정신고 무신고자에 대한 등기부 기재가액 적용결정은 2012. 1. 1. 이후 최초로 결정하는 분부터 적용한다(2012. 1. 1. 법률 제11146호 부칙 §11).

* 개정사항 : 2007년 제도 도입 이후 그 동안의 물가상승분을 반영하여, 등기부기재가액을 실지거래가액으로 추정할 수 있는 대상을 넓힘으로써 국세행정의 효율성을 제고하기 위하여 기준금액을 50만원에서 300만원으로 상향 조정하였다. 개정 규정은 2014. 2. 21. 이후 결정하거나 결정할 것임을 통지하는 분부터 적용한다(2014. 2. 21. 대통령령 제25193호 부칙 §21).

마. 추계결정

위 "가"부터 "라"까지의 규정을 적용할 때 양도가액 또는 취득가액을 실지거래가액에 따라 정하는 경우로서 일정한 사유로 장부나 그 밖의 증명서류에 의하여 해당 자산의 양도당시 또는 취득당시의 실지거래가액을 인정 또는 확인할 수 없는 경우에는 양도가액 또는 취득가액을 매매사례가액, 감정가액, 환산취득가액(양도가액은 환산가액 적용 불가) 또는 기준시가 등에 따라 추계조사하여 결정 또는 경정할 수 있다.

1) 추계결정 · 경정 대상

위에서 "일정한 사유"란 다음 중 어느 하나에 해당하는 경우를 말한다.

가) 양도 또는 취득당시의 실지거래가액의 확인을 위하여 필요한 장부 · 매매계약서 · 영수증 기타 증빙서류가 없거나 그 중요한 부분이 미비된 경우

나) 장부 · 매매계약서 · 영수증 기타 증빙서류의 내용이 매매사례가액, 「부동산 가격공시에 관한 법률」 제2조 제9호에 따른 감정평가업자(2015. 2. 2. 이전 평가분은 감정평가법인으로 한정함)가 평가한 감정가액 등에 비추어 허위임이 명백한 경우

2) 추계결정 · 경정 방법

양도가액 또는 취득가액을 추계결정 또는 경정하는 경우에는 다음 각 호의 방법을 순차로 적용하여 산정한 가액에 의한다. 다만, 매매사례가액 또는 감정가액이 특수관계인과의 거래에 따른 가액 등으로서 객관적으로 부당하다고 인정되는 경우에는 해당 가액을 적용하지 아니한다.

가) 매매사례가액

양도일 또는 취득일 전후 각 3개월 이내에 해당 자산과 동일성 또는 유사성이 있는 자산의 매매사례가 있는 경우 그 가액

* 주권상장법인의 주식 등은 매매사례가액 적용 안함.

나) 감정가액의 평균액

양도일 또는 취득일 전후 각 3월 이내에 당해 자산에 대하여 2 이상의 「부동산 가격공시에 관한 법률」 제2조 제9호에 따른 감정평가업자(2015. 2. 2. 이전 평가분은 감정평가법인으로 한정함)가 평가한 것으로서 신빙성이 있는 것으로 인정되는 감정가액(감정평가기준일이 양도일 또는 취득일 전후 각 3월 이내인 것에 한한다)이 있는 경우에는 그 감정가액의 평균액(다만, 기준시가 10억원 이하 부동산의 경우에는 하나의 감정기관 감정가액도 인정)

* 주식 등은 감정가액의 평균액 적용 안함.

다) 환산취득가액

(신주인수권의 경우 2013. 2. 15. 이후 양도하는 분부터는 환산취득가액을 적용하지 아니함. 2013. 2. 15. 대통령령 제24356호 부칙 §23)

환산취득가액 계산 방법

① 주식 등 및 기타자산

$$\text{양도당시의 실지거래가액, 매매사례가액 또는 감정가액} \times \frac{\text{취득당시의 기준시가}}{\text{양도당시의 기준시가}}$$

② 토지 · 건물 및 부동산을 취득할 수 있는 권리*

$$\text{양도당시의 실지거래가액, 매매사례가액 또는 감정가액} \times \frac{\text{취득당시의 기준시가}}{\text{양도당시의 기준시가}^{**}}$$

* 의무실가대상자산에 한정하여 적용하며, 2006년 이전 양도분으로서 기준시가 대상자산 중 실가신고 자산(「소득세법 시행령」 §96 ② 6호)은 의제취득일 전에 취득한 경우에만 환산취득가액을 적용한다.

** 「소득세법 시행령」 제164조 제8항의 규정에 해당하는 경우(보유기간 중 새로운 기준시가가 고시되지 아니함으로써 양도당시의 기준시가와 취득당시의 기준시가가 동일한 경우)에는 동항의 규정에 의한 양도당시의 기준시가

라) 기준시가

「소득세법」 제99조에 따른 양도 및 취득당시의 기준시가를 말한다.

6 | 가산세

양도소득세에 적용되는 가산세는 신고불성실 가산세, 납부불성실 가산세, 기장 불성실가산세, 부정 감면신청 가산세가 있다.

가. 무신고가산세 및 과소신고 · 초과환급신고가산세(국기법 §47의 2, §47의 3)

납세의무자가 법정신고기한까지 세법에 따른 국세의 과세표준 신고(예정신고를 포함한다)하지 아니한 경우, 그 신고로 납부하여야 할 세액("무신고납부세액"라 한다)한 경우에는 다음과 같이 가산세를 부과하고, 신고를 한 경우로서 납부할 세액을 신고하여야 할 세액보다 적게 신고(이하 "과소신고"라 한다)하거나 환급받을 세액을 신고하여야 할 금액보다 많이 신고(이하 "초과신고"라 한다)한 경우에는 과소신고한 납부세액과 초과신고한 금액을 합한 금액에 가산세를 부과한다.

- 무신고 가산세 = 산출세액 × 20%(부정무신고 40%, ※ 국제거래의 경우 60%)
- 과소신고 가산세 = 산출세액 × $\frac{\text{과소신고분 과세표준}}{\text{양도소득금액}}$ × 10%(부정과소신고 40%, ※ 국제거래의 경우 60%)

「소득세법」 제114조에 따라 양도소득세를 결정 또는 경정하는 경우로서 추가로 납부할 세액(가산세액은 제외한다)이 없는 경우에는 무신고가산세를 적용하지 아니한다(2011. 1. 1. 이후 최초로 신고 · 결정 또는 경정하는 분부터 적용. 2010. 12. 27. 법률 제10405호 §4).

한편, 예정신고와 관련하여 무신고가산세 또는 과소신고가산세가 부과되는 부분에 대해서는 확정신고와 관련하여 무신고가산세 또는 과소신고가산세를 적용하지 아니한다.

* 예정신고 의무화(2010년 이후)에 따른 무신고가산세의 적용에 관한 특례(2010. 1. 1. 법률 제9911호 §6)

- 부동산, 부동산에 관한 권리, 기타자산 중 누진세율 적용 대상 자산을 2010. 1. 1.~2010. 12. 31.까지 양도하여 발생하는 소득에 대하여 양도소득 과세표준 예정신고를 하지 아니한 경우에는 무신고가산세를 20%가 아닌 10%로 적용한다.

부정행위 : 「조세범 처벌법」 제3조 제6항 각 호의 어느 하나에 해당하는 행위

① 이중장부의 작성 등 장부의 거짓 기장
② 거짓 증빙 또는 거짓 문서의 작성 및 수취
③ 장부와 기록의 파기
④ 재산의 은닉, 소득 · 수익 · 행위 · 거래의 조작 또는 은폐
⑤ 고의적으로 장부를 작성하지 아니하거나 비치하지 아니하는 행위 또는 계산서, 세금계산서 또는 계산서합계표, 세금계산서합계표의 조작
⑥ 「조세특례제한법」 제5조의 2 제1호에 따른 전사적 기업자원 관리설비의 조작 또는 전자세금계산서의 조작(2015. 12. 29. 개정)
⑦ 그 밖에 위계(僞計)에 의한 행위 또는 부정한 행위

나. 납부불성실 · 환급불성실가산세(국기법 §47의 4)

납세의무자가 세법에 따른 납부기한까지 국세의 납부(양도소득 예정신고 납부 포함)를 하지 아니하거나 납부하여야 할 세액보다 적게 납부("과소납부"라 한다)한 경우에는 다음의 금액을 합한 금액을 가산세로 한다.

- 무납부 가산세 = 무납부세액 × 무납부기간(일수) × (2.5/10,000)
- 과소납부 가산세 = 과소납부세액 × 무납부기간(일수) ×(2.5/10,000)

* 무납부세액 및 과소납부세액을 계산할 때에는 세법에 따라 가산하여 납부하여야 할 이자 상당 가산액이 있는 경우에는 그 금액을 더한다.

* 무납부기간 : 납부기한의 다음 날부터 자진납부일 또는 납세고지일까지의 기간

다. 환산취득가액 적용 시 가산세(소득법 §114의 2)

거주자가 건물을 신축 · 증축(85㎡ 초과 증축에 한함)하고 그 건물의 취득일부터 5년 이내에 해당 건물을 양도하는 경우 취득가액을 감정가액 · 환산취득가액으로 하여 양도소득세를 신고하는 경우에는 해당 건물 감정가액 · 환산취득가액의 5%를 가산세로 한다. 이 경우 양도소득 산출세액이 없는 경우에도 적용한다.

라. 기장 불성실가산세(소득법 §115 ②)

법인(중소기업 포함)의 대주주가 양도하는 주식등에 대하여 거래명세 등을 기장하지 아니하였거나 누락하였을 때에는 기장을 하지 아니한 소득금액 또는 누락한 소득금액이 양도소득금액에서 차지하는 비율을 산출세액에 곱하여 계산한 금액의 100분의 10에 해당하는 금액("기장 불성실가산세"라 한다)을 산출세액에 더한다.

다만, 산출세액이 없을 때에는 그 거래금액의 1만분의 7에 해당하는 금액을 기장 불성실가산세로 한다.

- 기장신고불성실 가산세 = 무기장산출세액 × 10%
- 누락기장불성실 가산세 = 산출세액 × $\dfrac{\text{누락소득금액}}{\text{양도소득금액}}$ × 10%

라. 가산세의 감면

1) 정당한 사유가 있는 경우

가산세 부과의 원인이 되는 사유가 「국세기본법」 제6조 제1항에 따른 기한연장 사유에 해당하거나 납세자가 의무를 이행하지 아니한 데 대한 정당한 사유가 있는 때에는 해당 가산세를 부과하지 아니한다.

2) 다음 중 어느 하나에 해당하는 경우에는 해당 가산세액에서 다음의 금액을 감면한다.

① 법정신고기한이 지난 후 수정신고한 경우(과소신고 · 초과환급신고 가산세만 해당하며, 과세표준과 세액을 경정할 것을 미리 알고 과세표준수정신고서를 제출한 경우는 제외한다)에는 다음의 구분에 따른 금액

㉮ 법정신고기한이 지난 후 6개월 이내에 수정신고한 경우 : 해당 가산세액의 100분의 50에 상당하는 금액

㉯ 법정신고기한이 지난 후 6개월 초과 1년 이내에 수정신고한 경우 : 해당 가산세액의 100분의 20에 상당하는 금액

㉰ 법정신고기한이 지난 후 1년 초과 2년 이내에 수정신고한 경우 : 해당 가산세액의 100분의 10에 상당하는 금액

② 법정신고기한이 지난 후 기한 후 신고 · 납부를 한 경우(무신고가산세만 해당하며, 과세표준과 세액을 결정할 것을 미리 알고 기한 후 과세표준신고서를 제출한 경우는 제외한다)에는 다음의 구분에 따른 금액

㉮ 법정신고기한이 지난 후 1개월 이내에 기한 후 신고 · 납부를 한 경우 : 해당 가산세액의 100분의 50에 상당하는 금액

㉯ 법정신고기한이 지난 후 1개월 초과 6개월 이내에 기한 후 신고 · 납부를 한 경우 : 해당 가산세액의 100분의 20에 상당하는 금액

③ 다음 각 목의 어느 하나에 해당하는 경우에는 해당 가산세액의 100분의 50에 상당하는 금액

㉮ 「국세기본법」 제81조의 15에 따른 과세전적부심사 결정 · 통지기간에 그 결과를 통지하지 아니한 경우(결정 · 통지가 지연됨으로써 해당 기간에 부과되는 납부불성실 · 환급불성실 가산세만 해당한다)

㉯ 세법에 따른 제출, 신고, 가입, 등록, 개설("제출등"이라 한다)의 기한이 지난 후 1개월 이내에 해당 세법에 따른 제출등의 의무를 이행하는 경우(제출등의 의무위반에 대하여 세법에 따라 부과되는 가산세만 해당한다)

7 | 양도소득세의 부과제척기간

가. 사기나 그 밖의 부정행위로 국세를 포탈(逋脫)하거나 환급 · 공제받은 경우

국세를 부과할 수 있는 날부터 10년간

나. 납세자가 법정신고기한(확정신고기한)까지 과세표준신고서를 제출하지 아니한 경우

국세를 부과할 수 있는 날부터 7년간

다. 위 외의 경우

국세를 부과할 수 있는 날부터 5년간

라. 부담부증여에 따라 증여세와 함께 「소득세법」 제88조 제1항 후단에 따른 소득세가 과세되는 경우

양도소득세의 부과제척기간은 증여세의 부과제척기간과 동일하게 적용(2013. 1. 1. 이후 소득세를 부과할 수 있는 날이 개시하는 분부터 적용. 2013. 1. 1. 법률 제11604호 §4 ②)

일반적인 경우 증여세의 부과제척기간

(원칙) 10년
(예외) 15년
① 납세자가 부정행위로 증여세를 포탈하거나 환급·공제받은 경우
② 「상속세 및 증여세법」 제67조 및 제68조에 따른 증여세 과세표준 신고서를 제출하지 아니한 경우
③ 증여세 과세표준 신고시 거짓신고·누락신고 한 경우

* 포탈 관련 재산가액이 50억원 초과하는 경우로서 일정한 경우에는 증여가 있음을 안 날부터 1년 이내에 증여세 부과 가능

Chapter 03

양도소득세의 중과

제1절 1세대 2주택 이상 중과

1 개 요

정부는 2003. 10. 29. 주택시장 안정 종합대책의 일환으로 투기행위에 대한 과세를 강화하여 부동산의 公共性을 높이고 부동산을 통한 투기적 이익을 철저히 차단하기 위하여 1세대 3주택 이상자에 대한 중과 제도를 시행하기로 하였다. 다주택 중과를 통하여 투기적 거래에 대한 이익은 세금으로 최대한 흡수하고자 하였다.

중과 규정은 2003. 12. 30. 소득세법 개정시 신설하여 2004. 1. 1.부터 시행하였으며, 다만, 2004. 1. 1. 현재 1세대 3주택 이상에 해당하는 자가 2004. 1. 1. 이후 다른 주택을 새로이 취득하지 않는 경우로서 2003. 12. 31. 이전에 취득한 주택(이에 딸린 토지를 포함)을 2004. 12. 31. 이전에 양도하는 경우에는 중과규정을 적용하지 아니한다.

2014년 다주택자에 대한 중과제도가 폐지(투기지역 3주택 이상자는 중과유지)되었는데, 2016년 이후 특정 지역을 중심으로 공동주택 가격이 급격히 상승함에 따라 투기수요를 차단하고자 정부는 2017. 8. 2. 부동산 안정대책을 발표하였다. 이에 따라 다주택자가 조정대상지역의 주택을 2018. 4. 1. 이후 양도하는 경우 양도소득세 중과(1세대 2주택자는 세율 10% 또는 1세대 3주택 이상인 자는 20% 가산 및 장기보유특별공제 배제)제도를 부활하였다.

가. 연 혁

1) 2004. 1. 1. 1세대 3주택 이상 중과 신설

2003. 12. 30. 법률 제7006호로 「소득세법」 제104조 제1항 제2호의 3을 신설하여 2004. 1. 1.부터 시행하였다(60% 세율 적용, 장기보유특별공제 배제).

* 경과규정 : 이 법 시행당시(2004. 1. 1.) 부동산매매업자 또는 1세대 3주택 이상에 해당하는 자가 이 법 시행 전에 취득한 주택(이에 부수되는 토지를 포함한다)을 2004. 12. 31. 이전에 양도하는 경우에는 제64조·제95조 및 제104조 제1항 제2호의 3의 개정규정을 적용하지 아니한다. 다만, 당해 부동산매매업자 또는 1세대 3주택 이상에 해당하는 자가 2004. 1. 1. 이후 다른 주택을 새로이 취득하는 경우에는 그러하지 아니하다.

2) 2006. 1. 1. 조합원입주권을 주택 수에 포함하여 중과 및 1세대 2주택 이상 중과 신설

2005. 12. 31. 법률 제7837호로 「소득세법」 제104조 제1항 제2호의 4(주택과 조합원입주권의 수 3개 이상 중과), 제2호의 5(1세대 2주택 중과), 제2호의 6(1주택 및 1조합원입주권 중과)을 신설하였다(60% 세율 적용, 장기보유특별공제 배제).

* 시행시기 : 제2호의 5(1세대 2주택 중과), 제2호의 6(1주택 및 1조합원입주권 중과)은 2007. 1. 1.부터 시행한다.

3) 2009. 1. 1. 중과세율 인하 및 중과 유예

2008. 12. 26. 법률 제9270호로 「소득세법」 제104조 제6항 및 부칙을 신설하였다. 다만, 이 경우에도 장기보유특별공제는 적용하지 아니한다.

가) 2009. 1. 1.~2010. 12. 31.까지 양도분

(1) 1세대 3주택(조합원입주권 포함) 이상 중과 관련
45%의 세율을 적용(1년 미만 보유한 경우에는 50% 세율 적용)

(2) 1세대 2주택(조합원입주권 포함) 중과 관련
누진세율 적용(1년 미만 보유한 경우에는 50%, 1년 이상 2년 미만 보유한 경우에는 40% 세율 적용)

나) 2009. 1. 1.~2010. 12. 31.까지 취득분

(1) 1세대 3주택(조합원입주권 포함) 이상 중과 관련
45%의 세율을 적용(1년 미만 보유한 경우에는 50% 세율 적용)

(2) 1세대 2주택(조합원입주권 포함) 중과 관련

누진세율 적용(1년 미만 보유한 경우에는 50%, 1년 이상 2년 미만 보유한 경우에는 40% 세율 적용)

4) 2009. 3. 16. 1세대 3주택(조합원입주권 포함) 중과 유예 및 지정지역 소재 부동산 10%p 세율 가산

2009. 5. 21. 법률 제9672호로 「소득세법」 제104조 제4항, 제6항 및 부칙을 개정하였으며, 2009. 3. 16. 이후 최초로 양도하는 분부터 적용한다. 다만, 이 경우에도 장기보유특별공제는 적용하지 아니한다.

가) 2009. 3. 16.~2010. 12. 31.까지 양도분

1세대 2주택(조합원입주권 포함) 뿐만 아니라 1세대 3주택(조합원입주권 포함) 이상인 경우에도 누진세율을 적용한다(1년 미만 보유한 경우에는 50%, 1년 이상 2년 미만 보유한 경우에는 40% 세율 적용).

나) 2009. 3. 16.~2010. 12. 31.까지 취득분

1세대 2주택(조합원입주권 포함) 뿐만 아니라 1세대 3주택(조합원입주권 포함) 이상인 경우에도 누진세율을 적용한다(1년 미만 보유한 경우에는 50%, 1년 이상 2년 미만 보유한 경우에는 40% 세율 적용).

다) 지정지역 소재 1세대 3주택(조합원입주권 포함) 이상인 경우

지정지역 소재 1세대 3주택(조합원입주권 포함) 이상인 경우 2009. 3. 16.~2010. 12. 31. 까지 양도분에 대해서 "누진세율 + 10%p" 세율을 적용한다.

5) 2011. 1. 1. 중과유예 연장

2010. 12. 27. 법률 제10408호로 「소득세법」 제104조 제4항, 제6항 및 부칙을 개정하였으며, 2011. 1. 1. 이후 최초로 양도하는 분부터 적용한다.

다주택 중과 유예 및 지정지역 소재 1세대 3주택(조합원입주권 포함) 이상자 10% 가산 세율 적용을 2012년말까지 2년 연장하였다(2012년말까지 양도·취득분). 다만, 이 경우에도 장기보유특별공제는 적용하지 아니한다.

6) 2012. 1. 1. 다주택자 장기보유특별공제 허용

2012. 1. 1. 법률 제11146호로 「소득세법」 제95조 제2항을 개정하여 1세대 2주택인 경우에도 장기보유특별공제를 적용하도록 하였다.

7) 2013. 1. 1. 중과유예 1년 연장(2014. 1. 1. **삭제**)

2013. 1. 1. 법률 제11611호로 「소득세법」 제104조 제4항 및 제6항을 개정하였으며, 2013. 1. 1. 이후 최초로 양도하는 분부터 적용한다.

다주택 중과 유예 및 지정지역 소재 1세대 3주택(조합원입주권 포함) 이상자 10% 가산세율 적용을 2013년말까지 1년 연장하였다(2013년말까지 양도분만 유예함).

8) 제104조의 2 제2항에 따른 지정지역에 있는 부동산으로서 대통령령이 정하는 1세대 3주택 이상에 해당하는 주택의 경우 제55조 제1항에 따른 세율에 100분의 10을 더한 세율을 적용한다. 다만, 부동산 보유기간이 2년 미만인 경우 제55조 제1항에 따른 세율에 100분의 10을 적용하여 계산한 양도소득 산출세액과 제104조 제1항 제2호 또는 제3호의 세율을 적용하여 계산한 산출세액 중 큰 세액을 양도소득 산출세액으로 한다(2014. 1. 1. 개정).

9) 2017. 9. 19. 이후 양도분부터 조정대상지역 내 1세대 1주택 비과세요건 중 2년 거주요건 추가

10) 2018. 1. 1. 이후 양도분부터 조정대상지역 내 주택 분양권 중과세

11) 2018. 4. 1. 이후 양도분부터 조정대상지역 내 다주택자 중과세

나. 1세대

거주자 및 그 배우자가 그들과 동일한 주소 또는 거소에서 생계를 같이 하는 가족과 함께 구성하는 1세대를 말한다. 이 경우 "가족"이라 함은 거주자와 그 배우자의 직계존비속(그 배우자를 포함한다) 및 형제자매를 말하며, 취학 · 질병의 요양, 근무상 또는 사업상의 형편으로 본래의 주소 또는 거소를 일시퇴거한 자를 포함한다.

다. 조합원입주권

1) 의 미

"조합원입주권"이란 「도시 및 주거환경정비법」 제74조에 따른 관리처분계획의 인가 및 「빈집 및 소규모주택 정비에 관한 특례법」 제29조에 따른 사업시행인가로 인하여 취득한 입주자로 선정된 지위[같은 법에 따른 주택재건축사업 또는 주택재개발사업, 「빈집 및 소

규모주택 정비에 관한 특례법」에 따른 소규모재건축사업을 시행하는 정비사업조합의 조합원으로서 취득한 것(그 조합원으로부터 취득한 것을 포함한다)으로 한정하며, 이에 딸린 토지를 포함한다. 이하 "조합원입주권"이라 한다]로서 다음 중 어느 하나에 해당하는 것을 말한다(소득법 §89 ②, 2005. 12. 31. 법률 제7837호 부칙 §12).

① 2006. 1. 1. 이후 최초로 「도시 및 주거환경정비법」에 따른 주택재개발사업 또는 주택재건축사업의 관리처분계획이 인가로 인하여 취득한 입주자로 선정된 지위[주택재건축사업 또는 주택재개발사업을 시행하는 정비사업조합의 조합원으로서 취득한 것에 한정함]

② 위 ①을 그 조합원으로부터 취득한 것

③ 2006. 1. 1. 전에 「도시 및 주거환경정비법」에 따른 주택재개발사업 또는 주택재건축사업의 관리처분계획이 인가되어 취득된 입주자로 선정된 지위를 2006. 1. 1. 이후에 매매 · 상속 등으로 인하여 승계취득한 것

④ 「주택건설촉진법」(법률 제6852호 「도시 및 주거환경정비법」으로 개정되기 전의 것을 말한다) 제33조의 규정에 따라 주택재건축 사업계획승인을 얻어 취득된 입주자로 선정된 지위를 2006. 1. 1. 이후에 매매 · 상속 등으로 인하여 승계취득한 것

2) 조합원입주권의 주택 수 포함 방법

가) 1세대 1주택 비과세 관련

1세대 1주택 비과세 규정을 적용하는 경우 위 1)에 해당하는 조합원입주권은 주택수에 포함된다. 그러므로 조합원입주권을 보유하고 있는 경우에는 주택에 대해서는 1세대 1주택 비과세를 적용받을 수 없다. 다만, 「도시 및 주거환경정비법」에 따른 주택재건축사업 또는 주택재개발사업의 시행기간 중 거주를 위하여 주택을 취득하는 경우나 그 밖의 부득이한 사유로서 대통령령으로 정하는 경우(소득령 §156의 2)에는 그러하지 아니하다.

나) 다주택 중과 관련

다주택 중과 규정을 적용하는 경우 위 1)에 해당하는 조합원입주권 중 일정한 것(소재지, 권리가액 등으로 판정)만 주택 수에 포함된다.

라. 주택 및 조합원입주권의 수 계산 방법

주택 및 조합원입주권의 수 계산 시점은 주택 양도일 현재를 기준으로 계산한다. 한편,

2개 이상의 주택을 같은 날에 양도하는 경우에는 당해 거주자가 선택하는 순서에 따라 주택을 양도한 것으로 보며, 같은 날 다른 1주택을 취득하고 1주택을 양도한 경우에는 1주택을 양도한 후 다른 1주택을 취득한 것으로 본다(선양도 후취득).

1) "1세대 3주택 이상" 또는 "주택 수와 조합원입주권의 수 3개 이상"의 판정시(소득령 §167의 3, §167의 4)

소 재 지	주택수 계산시 포함되는 주택 · 조합원입주권
-서울 -모든 광역시(군지역 제외) -경기도(읍 · 면지역 제외)	-모든 주택 -모든 조합원입주권
-모든 광역시의 군지역 -경기도 읍 · 면지역 -기타 도지역	-기준시가가 3억원을 초과하는 주택 -조합원입주권 중 종전 주택의 가격이 3억원을 초과하는 조합원입주권

* 종전 주택의 가격 : 「도시 및 주거환경정비법」 제74조 제1항 제5호에 따른 종전 주택의 가격을 말한다. 즉, 분양대상자별 종전의 토지 또는 건축물의 사업시행인가의 고시가 있은 날을 기준으로 한 가격을 말한다.

2) 1세대 2주택 판정시(소득령 §167의 5) (2014. 2. 21. 삭제)

구분	주택 양도시기	
	2008.10.6. 이전	2008.10.7. 이후
소재지	-서울 -**모든** 광역시(군지역 제외) -경기도(읍 · 면지역 제외)	-서울 -**인천**광역시(군지역 제외) -경기도(읍 · 면지역 제외)
	《모든 주택》	
	-모든 광역시의 군지역 -경기도 읍 · 면지역 -기타 도지역	-**지방 광역시** -인천광역시 군지역 -경기도 읍 · 면지역 -기타 도지역
	《기준시가가 3억원을 초과하는 주택》	

3) 1주택과 1조합원입주권 판정시(소득령 §167의 6)

<table>
<tr><th rowspan="2">구분</th><th colspan="2">주택 양도시기</th></tr>
<tr><th>2010.12.31. 이전</th><th>2011.1.1. 이후</th></tr>
<tr><td rowspan="4">소재지</td><td>-서울
-모든 광역시(군지역 제외)
-경기도(읍 · 면지역 제외)</td><td>-서울
-인천광역시(군지역 제외)
-경기도(읍 · 면지역 제외)</td></tr>
<tr><td colspan="2">《모든 주택》《모든 조합원입주권》</td></tr>
<tr><td>-모든 광역시의 군지역
-경기도 읍 · 면지역
-기타 도지역</td><td>-지방 광역시
-인천광역시 군지역
-경기도 읍 · 면지역
-기타 도지역</td></tr>
<tr><td colspan="2">《기준시가가 3억원을 초과하는 주택》
《조합원입주권 중 종전 주택의 가격이 3억원을 초과하는 조합원입주권》</td></tr>
</table>

※ 중과 적용시 조세특례제한법상 특례 주택의 취급

조특법상 특례 주택	다주택 중과 적용
제98조의 2 지방미분양주택 제98조의 3 서울시 밖 미분양주택 제98조의 5 수도권 밖 미분양주택 제98조의 6 준공 후 미분양주택 제98조의 7 미분양주택 제99조의 2 신축주택	• 다주택 중과 판정시 주택수에 포함되지 않음. • 중과배제(해당 조특법 특례 조항에서 규정)
제97조 장기임대주택 제97조의 2 신축임대주택 제98조 미분양주택 제99조 신축주택 제99조의 3 신축주택	• 소재지 및 기준시가에 따라 주택 수 포함 여부 판단 • 중과배제(「소득세법 시행령」에서 규정)

4) 기타 주택 수 계산 방법

가) 다가구주택

(1) 원 칙

「건축법 시행령」 별표 1 제1호 다목에 해당하는 다가구주택은 한 가구가 독립하여 거주할 수 있도록 구획된 부분을 각각 하나의 주택으로 본다.

(2) 예 외

다가구주택을 구획된 부분별로 분양하지 아니하고 하나의 매매단위로 하여 양도하는 경우에는 그 전체를 하나의 주택으로 본다. 다만, 거주자가 선택하는 경우에 한정하여 적용한다.

(3) 소형주택(중과 배제 대상) 판정시 다가구주택의 취급

다가구주택을 구획된 부분별로 분양하지 아니하고 하나의 매매단위로 하여 양도하는 경우에는 거주자의 선택 여부에 관계없이 그 전체를 하나의 주택으로 보다 소형주택 해당 여부를 판정한다(2012. 2. 2. 최초로 양도하는 분부터 적용한다).

나) 공동상속주택

공동상속주택(상속으로 여러 사람이 공동으로 소유하는 1주택을 말한다)은 상속지분이 가장 큰 상속인의 소유로 하여 주택수를 계산하되, 상속지분이 가장 큰 자가 2인 이상인 경우에는 다음 각 호의 순서에 의한 자가 당해 공동상속주택을 소유한 것으로 본다.

▶▶ 당해 주택에 거주하는 자 ⇒ 호주승계인(2008. 2. 22. 삭제) ⇒ 최연장자

다) 부동산매매업자의 재고자산

부동산매매업자가 보유하는 재고자산인 주택은 주택수의 계산에 있어서 이를 포함한다.

라) 혼인에 따른 주택 및 조합원입주권의 수 계산 특례(1세대 3주택 이상 중과 관련)

혼인으로 인한 합가(合家)로 1세대 3주택 이상 보유자에 대하여 양도소득세 중과세율을 적용하는 것은 「헌법」상 혼인의 자유 등을 침해한다는 헌법재판소의 헌법불합치 결정(2009 헌바 146, 2011. 11. 24.) 내용을 반영하여 혼인으로 인하여 1세대 3주택을 보유하게 된 경우 혼인한 날부터 5년 이내에 양도하는 주택은 양도일 현재 배우자의 주택 수를 차감하여 계산한 주택 수에 따른 양도소득세율을 적용하도록 2012. 2. 2. 「소득세법 시행령」 제167조의 3 제9항 및 제167조의 4 제5항을 신설하였다. 해당 특례는 2011. 11. 24. 이후 최초로 양도소득세를 결정 또는 경정하는 분부터 적용한다.

* 혼인에 따른 1세대 2주택, 혼인에 따른 1주택 및 1조합원입주권 중과 유예(5년)는 「소득세법 시행령」 제167조의 5 제1항 제5호 및 제167조의 6 제3항 제6호에 따라 종전부터 적용

(1) 1주택 이상을 보유하는 자들이 혼인한 경우

1주택 이상을 보유하는 자가 1주택 이상을 보유하는 자와 혼인함으로써 혼인한 날 현재

1세대 3주택 이상에 해당하는 주택을 보유하게 된 경우로서 그 혼인한 날부터 5년 이내에 해당 주택을 양도하는 경우에는 양도일 현재 양도자의 배우자가 보유한 주택 수를 차감하여 해당 1세대가 보유한 주택 수를 계산한다. 다만, 혼인한 날부터 5년 이내에 새로운 주택을 취득한 경우 해당 주택의 취득일 이후 양도하는 주택에 대해서는 이를 적용하지 아니한다.

(2) 1주택 또는 1조합원입주권 이상을 보유하는 자들이 혼인한 경우

1주택 또는 1조합원입주권 이상을 보유하는 자가 1주택 또는 1조합원입주권 이상을 보유하는 자와 혼인함으로써 혼인한 날 현재 주택 수와 조합원입주권 수의 합이 3 이상이 된 경우 그 혼인한 날부터 5년 이내에 해당 주택을 양도하는 경우에는 양도일 현재 배우자가 보유한 주택 및 조합원입주권 수를 차감하여 해당 1세대가 보유한 주택 및 조합원입주권 수를 계산한다. 다만, 혼인한 날부터 5년 이내에 새로운 주택 또는 조합원입주권을 취득한 경우 해당 주택 또는 조합원입주권의 취득일 이후 양도하는 주택에 대해서는 이를 적용하지 아니한다.

2 | 다주택 중과대상에서 제외되는 주택

가. 1세대 3주택(조합원입주권 포함) 이상 중과 배제주택

1세대 3주택(조합원입주권 포함) 이상에 해당하는 경우에도 다음 중 어느 하나에 해당하는 주택을 양도하는 경우에는 중과대상에서 제외된다.

1) 주택 수에 산입하지 아니하는 주택

「소득세법 시행령」 제167조의 3 제1항 제1호에 해당하는 주택, 제167조의 4 제2항에 해당하는 주택 및 조합원입주권은 주택의 수 및 조합원입주권의 수를 계산할 때 산입하지 아니하며, 여기에 해당하는 주택을 양도하는 경우 중과대상에서도 제외된다.

2) 장기임대주택

장기임대주택이란 사업자등록 등(「소득세법」 제168조에 따른 사업자등록과 「임대주택법」 제6조에 따른 임대사업자 등록을 말함)을 한 거주자가 임대주택으로 등록하여 임대하는 주택으로서 매입임대주택, 기존매입임대주택, 건설임대주택, 미분양매입임대주택을 말한다.

① 매입임대주택(2003. 10. 30. 이후 사업자등록 등을 하여 임대하는 주택)

「임대주택법」 제2조 제3호에 따른 매입임대주택을 1호 이상 임대하고 있는 거주자가 5년 이상 임대한 주택으로서 해당 주택 및 이에 부수되는 토지의 기준시가의 합계액이 해당 주택의 임대개시일 당시 6억원(수도권 밖의 지역인 경우에는 3억원)을 초과하지 아니하는 주택

② 기존매입임대주택[2003. 10. 29.(기존사업자기준일) 이전에 사업자등록 등을 하여 임대하는 주택]

기존사업자기준일 이전에 사업자등록 등을 하고 「주택법」 제2조 제3호에 따른 국민주택규모에 해당하는 「임대주택법」 제2조 제3호에 따른 매입임대주택을 2호 이상 임대하고 있는 거주자가 5년 이상 임대한 주택(기존사업자기준일 이전에 임대주택으로 등록하여 임대하는 것에 한한다)으로서 당해 주택 및 이에 부수되는 토지의 기준시가의 합계액이 해당 주택의 취득 당시 3억원을 초과하지 아니하는 주택

▶▶ 기존사업자기준일 현재 「임대주택법」 제6조에 따른 임대사업자등록을 하였으나 「소득세법」 제168조에 따른 사업자등록을 하지 아니한 거주자가 2004. 6. 30.까지 사업자등록을 한 때에는 「임대주택법」 제6조에 따른 임대사업자등록일에 「소득세법」 제168조에 따른 사업자등록을 한 것으로 본다.

③ 건설임대주택(「임대주택법」에 따른 건설임대주택)

「임대주택법」에 의하여 대지면적이 298제곱미터 이하이고 주택의 연면적(「소득세법 시행령」 제154조 제3항 본문의 규정에 의하여 주택으로 보는 부분과 주거전용으로 사용되는 지하실부분의 면적을 포함하고, 공동주택의 경우에는 전용면적을 말한다)이 149제곱미터 이하인 건설임대주택을 2호 이상 임대하는 거주자가 5년 이상 임대하거나 분양전환(동법에 의하여 임대사업자에게 매각하는 경우를 포함한다)하는 주택. 이 경우 당해 주택 및 이에 부수되는 토지의 기준시가의 합계액(「부동산 가격공시에 관한 법률」에 의한 주택가격이 있는 경우에는 그 가격을 말한다)이 해당 주택의 임대개시일 당시 6억원을 초과하지 아니하는 주택을 말한다.

④ 미분양매입임대주택

「임대주택법」 제2조 제3호에 따른 매입임대주택[미분양주택(「주택법」 제38조에 따른 사업주체가 같은 조에 따라 공급하는 주택으로서 입주자모집공고에 따른 입주자의 계약일이 지난 주택단지에서 2008. 6. 10.까지 분양계약이 체결되지 아니하여 선착순의 방법으로 공급하는 주택을 말한다)으로서 2008. 6. 11.부터 2009. 6. 30.까지 최초로 분양계약을 체결하

고 계약금을 납부한 주택에 한정한다]으로서 다음의 요건을 모두 갖춘 주택

㉮ 대지면적이 298제곱미터 이하이고 주택의 연면적(「소득세법 시행령」 제154조 제3항 본문에 따라 주택으로 보는 부분과 주거전용으로 사용되는 지하실부분의 면적을 포함하고, 공동주택의 경우에는 전용면적을 말한다)이 149제곱미터 이하일 것

㉯ 5년 이상 임대하는 것일 것

㉰ 취득 당시 해당 주택 및 이에 부수되는 토지의 기준시가의 합계액이 3억원 이하일 것

㉱ 수도권 밖의 지역에 소재할 것

㉲ ㉮부터 ㉱까지의 요건을 모두 갖춘 매입임대주택("미분양매입임대주택"이라 한다)이 같은 시 · 군에서 5호 이상일 것[위 ①에 따른 매입임대주택이 5호 이상이거나 ②에 따른 매입임대주택이 2호 이상인 경우에는 ① 또는 ②에 따른 매입임대주택과 미분양매입임대주택을 합산하여 5호 이상일 것(②에 따른 매입임대주택과 합산하는 경우에는 그 미분양매입임대주택이 같은 시 · 군에 있는 경우에 한정한다)]

가) 유형별 장기임대주택의 요건

장기임대주택은 여러 차례 법령개정이 이루어져 시기별로 그 요건이 다르다. 이를 요약하면 다음과 같다.

양도시기별 장기임대주택(「소득세법 시행령」 §167의 3 ① 2호) 요약*

구 분		요 건	'04.1.1. 이후	'05.5.31. 이후	'08.7.24. 이후	'08.10.7. 이후	'10.9.20. 이후	'11.3.31. 이후	'11.10.14. 이후	'13.2.15. 이후
매입임대주택	수도권	임대의무호수	같은 시(특별시, 광역시 포함), 군에 5호 이상				서울시: 5호 이상	수도권: 3호 이상	전국: 1호 이상	
		규 모	국민주택				서울시: 국민주택	수도권: 대지면적 298㎡ 이하 주택면적 **149**㎡ 이하	전국: 대지면적 298㎡ 이하 주택면적 **149**㎡ 이하	불 문
		의무임대기간	10년 이상				서울시: 10년 이상	수도권: **5년** 이상	전국: 5년 이상	
		기 준 시 가	임대주택 또는 일반주택 양도당시 3억원 이하		임대주택 또는 일반주택 **취득당시** 3억원 이하		서울시: 임대주택 또는 일반주택 취득당시 3억원 이하	수도권: 임대주택 또는 일반주택 취득당시 **6억원** 이하	전국: • 임대개시일 당시 6억원 이하 (수도권 밖은 3억원 이하) • 임대보증금 또는 임대료 연 증가율 5% • 2018. 3. 31.까지 사업자등록을 한 주택	
							인천시 경기도: 같은 시(광역시 포함), 군에서 3호 이상			
							인천시 경기도: 국민주택			
							인천시 경기도: **7년** 이상			
							인천시 경기도: 임대주택 또는 일반주택 취득당시 **6억원** 이하			
	수도권밖	임대의무호수	같은 시(특별시, 광역시 포함), 군에 5호 이상			**1호** 이상				
		규 모	국민주택			대지면적 **298**㎡ 이하, 주택면적 **149**㎡ 이하				
		의무임대기간	10년 이상			**7년** 이상		5년 이상		
		기 준 시 가	임대주택 또는 일반주택 양도당시 3억원 이하		임대주택 또는 일반주택 **취득당시** 3억원 이하					
기존 매입 임대 주택		임 대 의 무 호 수	소재지 불문 2호 이상							
		규 모	국민주택							
		의 무 임 대 기 간	5년 이상							
		기 준 시 가	임대주택 또는 일반주택 양도당시 3억원 이하		임대주택 또는 일반주택 **취득당시** 3억원 이하				임대주택 취득당시 3억원 이하	
건설 임대 주택		임 대 의 무 호 수	소재지 불문 5호 이상	소재지 불문 **2호** 이상						
		규 모	국민주택	대지면적 **298**㎡ 이하, 주택면적 **149**㎡ 이하						
		의 무 임 대 기 간	5년 이상 임대 또는 임대주택법에 의하여 분양한 주택	5년 이상 임대 또는 임대주택법에 의하여 분양전환(임대사업자에게 매각하는 경우 포함)하는 주택 (2005.5.31. 이후 사용승인 또는 사용검사를 받은 주택부터 적용)						
		기 준 시 가	불 문	임대주택 또는 일반주택 양도당시 **6억원** 이하	임대주택 또는 일반주택 **취득당시** 6억원 이하				임대개시일 당시 6억원 이하	
		기 타							임대보증금 또는 임대료 연 증가율 5% 2018. 3. 31.까지 등록한 주택	
미분양 매입 임대 주택		대 상			2008. 6. 11. 현재 미분양주택					
		취 득 기 간			2008. 6. 11.부터 2009. 6. 30.까지 최초로 분양계약을 체결하고 계약금 납부					
		임 대 의 무 호 수			같은 시·군에 5호 이상(또는 매입임대주택·기존임대주택과 합산하여 5호 이상)					
		규 모			대지면적 298㎡ 이하, 주택면적 149㎡ 이하					
		의 무 임 대 기 간			5년 이상					
		기 준 시 가			취득당시 3억원 이하					
		소 재 지			수도권 밖에 소재					
장기일반 민간임대 주택		의 무 임 대 기 간			8년 이상					
		기 준 시 가 등			임대개시일 당시 6억원 이하, 임대보증금 또는 임대료 연 증가율 5%					
장기일반 민간임대 주택		규 모			대지면적 298㎡ 이하, 주택면적 149㎡ 이하					
		의 무 임 대 기 간			8년 이상					
		기 준 시 가 등			임대개시일 당시 6억원 이하, 임대보증금 또는 임대료 연 증가율 5%					

* 국세청, 「2019 양도소득세 실무해설」

나) 장기임대주택의 임대기간 계산 방법

장기임대주택의 임대기간의 계산은 「조세특례제한법 시행령」 제97조의 규정을 준용한다. 이 경우 사업자등록 등을 하고 임대주택으로 등록하여 임대하는 날부터 임대를 개시한 것으로 본다.

임대기간 계산 방법

① 주택임대기간의 기산일은 주택의 임대를 개시한 날로 할 것
② 상속인이 상속으로 인하여 피상속인의 임대주택을 취득하여 임대하는 경우에는 피상속인의 주택임대기간을 상속인의 주택임대기간에 합산할 것
③ 임대의무호수 미만의 주택을 임대한 기간은 주택임대기간으로 보지 아니할 것
④ 위 ①, ②를 적용함에 있어 기존 임차인의 퇴거일부터 다음 임차인의 입주일까지의 기간으로서 3월 이내의 기간은 주택임대기간에 산입할 것

다) 경과조치

(1) 2011. 3. 31. 대통령령 제22811호 부칙

제2조【일반적 적용례】

이 영은 이 영 시행 후 최초로 양도하는 분부터 적용한다.

제3조【양도소득세 중과에서 제외되는 임대주택의 임대기간에 관한 경과조치】

① 이 영 시행 전에 종전의 제167조의 3 제1항 제2호 가목(이하 "종전의 규정"이라 한다)에 따라 임대기간 요건을 제외한 다른 요건(이하 "임대기간 외의 요건"이라 한다)을 모두 충족한 주택의 경우에는 제167조의 3 제1항 제2호 가목의 개정규정(이하 "개정규정"이라 한다)에도 불구하고 종전의 규정에 따른 임대기간 요건을 충족한 날과 개정규정에 따른 임대기간(이 영 시행일 이후 최초로 임대한 날부터 계산한다) 요건을 충족한 날 중 빠른 날에 임대기간 요건을 충족한 것으로 본다.

② 이 영 시행 전에 종전의 규정에 따른 임대기간 외의 요건을 충족하지 못한 주택의 경우에는 이 영 시행일 이후 개정규정에 따른 임대기간 외의 요건을 모두 충족한 후 최초로 임대한 날부터 주택의 임대기간을 계산한다.

매입임대사업자 세제지원 경과규정 적용사례(기획재정부 보도자료, 2011. 3. 16.)

임대기간에 대하여 경과규정을 두는 이유는?

□ 종전의 매입임대사업자 세제지원 요건을 만족하고 시행일 현재 주택을 5년 이상 임대한 경우

○ 경과규정 없이 시행일 이후 양도분부터 적용하면 기존 임대사업자의 경우 특정한 경우(아래그림)에 임대주택을 바로 양도해도 세제혜택을 받게 되어

○ 임대주택 활성화를 통한 전·월세 공급이라는 세제지원 취지에 배치되므로 기간에 대해서는 경과규정을 두는 것임.

〈사례〉 시행일 전 7년 임대한 경우 (서울)

시행일

5채 (7년 기임대)

⇨ 이미 5채를 7년 임대하였으므로 경과규정이 없으면 시행일 이후 바로 양도해도 세제지원을 받게 되는 문제 발생

임대기간에 대한 경과규정 적용사례는?

① 매입임대사업자 지원요건(종전요건)을 충족하여 시행일 이전에 이미 매입임대사업을 하고 있는 경우

⇒ 종전의 의무임대기간(예 : 서울 10년) 충족일과 개정된 의무임대기간(예 : 서울 5년) 충족일 중 빠른 날

〈사례1〉 시행일 전 7년 임대한 경우 (서울)

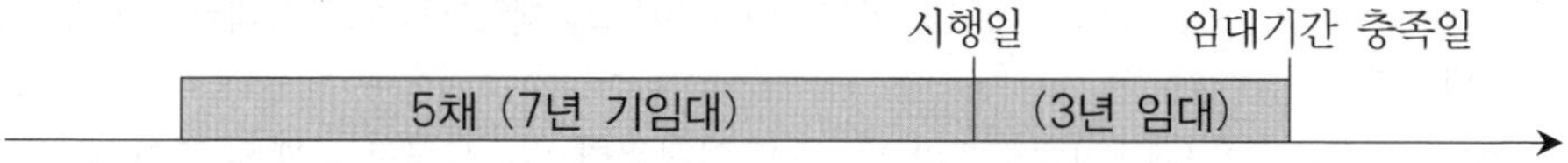

시행일 임대기간 충족일

5채 (7년 기임대) (3년 임대)

⇨ 종전 규정에 의한 남은기간 3년과 개정된 의무임대기간 5년 중 빠른 날

〈사례2〉 시행일 전 3년 임대한 경우 (서울)

시행일 임대기간 충족일

5채(3년 기임대) (5년 임대)

⇨ 종전 규정에 의한 남은기간 7년과 개정된 의무임대기간 5년 중 빠른 날

② 종전에 임대사업자 세제지원 요건을 충족하지 못하고 개정규정에 따라 신규로 임대사업자 세제지원 요건을 충족하는 경우

⇒ 개정요건 충족 후 임대한 날부터 의무임대기간(5년) 계산

* 요건 충족전 임대주택의 기임대기간은 의무임대기간 계산에 미포함

〈사례1〉 주택 2호를 임대(3년차)하고 있는 자가 시행일 후 신규로 주택 1호를 취득·임대하여 임대사업자가 되는 경우

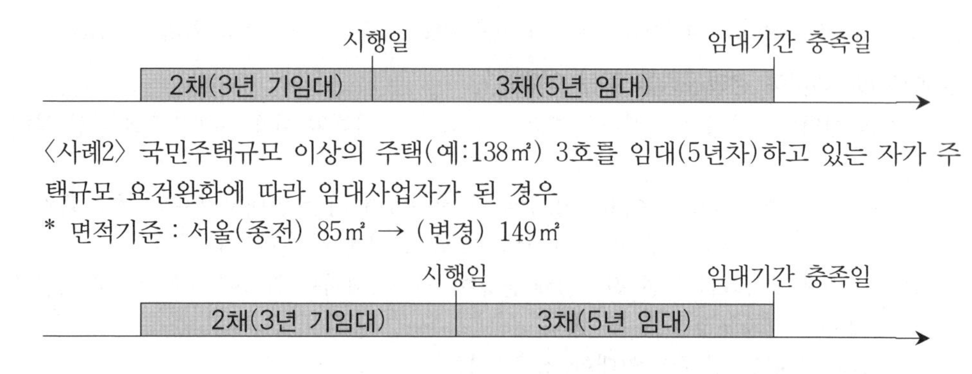

〈사례2〉 국민주택규모 이상의 주택(예:138㎡) 3호를 임대(5년차)하고 있는 자가 주택규모 요건완화에 따라 임대사업자가 된 경우

* 면적기준 : 서울(종전) 85㎡ → (변경) 149㎡

(2) 2011. 10. 14. 대통령령 제23218호 부칙

제2조 【일반적 적용례】

이 영은 이 영 시행 후 최초로 양도하는 주택부터 적용한다.

* 임대의무호수 개정 규정 : 2011. 10. 14. 이후 최초로 양도하는 분부터 적용

제3조 【양도소득세 중과에서 제외되는 임대주택의 가액기준 변경에 관한 적용례】

제167조의 3 제1항 제2호 가목의 개정규정 중 가액기준 변경에 관한 개정부분과 같은 호 다목의 개정규정은 이 영 시행 후 「임대주택법」 제6조에 따라 임대주택으로 등록하는 주택부터 적용한다.

* 가액기준 개정 규정 : 2011. 10. 14. 이후 「임대주택법」 제6조에 따라 임대주택으로 등록하는 주택부터 적용

⇒ 2011. 10. 13. 이전에 「임대주택법」에 따라 임대주택으로 등록한 주택은 종전의 규정(취득 당시 기준시가 6억원 또는 수도권 밖은 3억원 이하) 적용

3) 감면대상장기임대주택

「조세특례제한법」 제97조(장기임대주택) · 제97조의 2(신축임대주택) 및 제98조(미분양주택)의 규정에 의하여 양도소득세가 감면되는 임대주택으로서 5년 이상 임대한 국민주택

4) 장기사원용주택

종업원(사용자의 「국세기본법 시행령」 제1조의 2 제1항에 따른 특수관계인을 제외한다)에게 무상으로 제공하는 사용자 소유의 주택으로서 당해 무상제공기간이 10년 이상(의무무상기간)인 주택

5) 신축주택

「조세특례제한법」 제99조 및 제99조의 3의 규정에 의하여 양도소득세가 감면되는 신축주택

6) 문화재주택

「소득세법 시행령」 제155조 제6항 제1호의 규정에 해당하는 문화재주택

* 문화재주택 : 「문화재보호법」 제2조 제2항에 따른 지정문화재 및 같은 법 제53조 제1항에 따른 등록문화재

7) 상속주택

「소득세법 시행령」 제155조 제2항의 규정에 해당하는 상속받은 주택(상속받은 날부터 5년이 경과하지 아니한 경우에 한한다)

8) 저당권의 실행으로 인하여 취득하거나 채권변제를 대신하여 취득한 주택으로서 취득일부터 3년이 경과하지 아니한 주택

* 2006. 2. 9. 이후 최초로 양도하는 분부터 적용함(2006. 2. 9. 대통령령 제19327호 부칙 §3).

9) 장기가정어린이집

1세대의 구성원이 「영유아보육법」 제13조의 규정에 따라 시장·군수 또는 구청장(자치구의 구청장을 말한다)의 인가를 받고 「소득세법」 제168조의 규정에 따른 사업자등록을 한 후 5년 이상(의무사용기간) 가정어린이집으로 사용하고, 가정어린이집로 사용하지 아니하게 된 날부터 6월이 경과하지 아니한 주택

* 2006. 1. 1. 이후 최초로 양도하는 분부터 적용함(2005. 12. 31. 대통령령 제19254호 부칙 §2).

10) 소형주택

주택의 가액 및 면적 등을 감안하여 기획재정부령이 정하는 일정 규모 이하의 소형주택을 양도하는 경우에는 중과규정이 적용되지 아니한다.

중과배제 대상 소형주택은 1세대 3주택(조합원입주권 포함) 이상 중과에서 배제되는 소형주택과 1세대 2주택(조합원입주권 포함) 중과에서 배제되는 소형주택 2가지가 있다(소득칙 §82).

구 분	1세대 3주택(조합원입주권 포함) 이상 중과에서 배제되는 소형주택	1세대 2주택(조합원입주권 포함) 중과에서 배제되는 소형주택
용 도	오피스텔(「건축법 시행령」 별표1의 제10호 나목)이 아닐 것	
소 재 지	정비구역이 아닐 것	• 원칙 : 정비구역이 아닐 것 • 예외 : 주거환경개선사업의 경우 해당 사업시행자에게 양도하는 주택은 정비구역 소재여부 불문(2008. 4. 29. 최초로 양도하는 분부터 적용)
취득시기	2003. 12. 31. 이전 취득	취득시기 불문
규 모	• 단독주택 : 대지 120㎡ 이하, 주택의 연면적 60㎡ 이하 • 공동주택 : 전용면적 60㎡ 이하	규모 불문
양도당시 기준시가	4천만원 이하	1억원 이하

* 정비구역 : 「도시 및 주거환경정비법」에 의한 정비구역(종전의 「주택건설촉진법」에 의하여 설립인가를 받은 재건축조합의 사업부지를 포함한다)으로 지정 · 고시된 지역

* 주택의 연면적 : 겸용주택에 대해서 「소득세법 시행령」 제154조 제3항 본문의 규정에 의하여 주택으로 보는 부분과 주거전용으로 사용되는 지하실부분의 면적을 포함함.

* 다가구주택 : 「건축법 시행령」 별표 1 제1호 다목에 해당하는 다가구주택은 한 가구가 독립하여 거주할 수 있도록 구획된 부분을 각각 하나의 주택으로 본다. 다만, 해당 다가구주택을 구획된 부분별로 분양하지 아니하고 하나의 매매단위로 하여 양도하는 경우에는 거주자의 선택 여부에 관계없이 그 전체를 하나의 주택으로 본다(2012. 2. 2. 최초로 양도하는 분부터 적용).

11) 일반주택

1세대가 1)~9)에 해당하는 주택을 제외하고 1개의 주택만을 소유하고 있는 경우의 당해 주택

* ex) 신축주택 & 상속주택 & 일반주택 1개 중 일반주택 양도시

** 유의사항 : 소형주택을 소유하고 있는 경우에는 일반주택도 중과 적용됨.

가) 의무임대기간 등 충족 전에 일반주택 양도시

1세대가 장기임대주택 · 감면대상장기임대주택 · 장기사원용주택 또는 장기가정어린이집(“장기임대주택 등”이라 한다)의 의무임대기간 · 의무무상기간 또는 의무사용기간(“의무임대기간 등”이라 한다)의 요건을 충족하기 전에 일반주택을 양도하는 경우에도 해당 임대주택 · 사원용주택 또는 가정어린이집(“임대주택 등”이라 한다)을 장기임대주택 등으로

보아 중과대상에서 제외한다.

나) 의무임대기간 등 미충족시 추징

위 가)에 따라 일반주택에 대해서 중과배제를 적용받은 1세대가 장기임대주택 등의 의무임대기간 등의 요건을 충족하지 못하게 되는 사유(장기임대주택 및 감면대상장기임대주택의 임대의무호수를 임대하지 아니한 기간이 6개월을 지난 경우를 포함한다)가 발생한 때에는 그 사유가 발생한 날이 속하는 달의 말일부터 2개월 이내에 다음 계산식에 따라 계산한 금액을 양도소득세로 신고·납부하여야 한다(1세대 2주택 이상 중과규정과 관련하여 동일하게 적용).

납부할 양도소득세 계산식
= 일반주택 양도 당시 해당 임대주택 등을 장기임대주택등으로 보지 아니할 경우에 「소득세법」 제104조에 따른 세율에 따라 납부하였을 세액 - 일반주택 양도 당시 중과배제[위 가)]를 적용받아 「소득세법」 제104조에 따른 세율에 따라 납부한 세액

* 2개월 이내 신고·납부 관련 규정은 2013. 2. 15. 이후 신고의무가 발생하는 분부터 적용함(2013. 2. 5. 대통령령 제24356호 부칙 §21).

* 2013. 2. 14. 이전에는 그 사유가 발생한 과세연도의 과세표준 신고시 납부하도록 규정되어 있었음.

이 경우 아래와 같이 의무임대기간 등 산정특례에 해당하는 경우에는 해당 규정에 따른다.

(1) 「공익사업을 위한 토지 등의 취득 및 보상에 관한 법률」 등에 의하여 수용(협의매수를 포함한다)되거나 사망으로 인하여 상속되는 경우의 사유로 해당 의무임대기간 등의 요건을 충족하지 못하게 되거나 임대의무호수를 임대하지 아니하게 된 때에는 해당 임대주택 등을 계속 임대·사용하거나 무상으로 사용하는 것으로 본다.

(2) 주택재건축사업 또는 주택재개발사업의 사유가 있는 경우에는 임대의무호수를 임대하지 아니한 기간을 계산할 때 해당 주택의 관리처분계획 인가일 전 6개월부터 준공일 후 6개월까지의 기간은 포함하지 아니한다.

[2012. 2. 2. 이후 최초로 양도하는 자산부터 적용하되, 2012. 2. 2. 당시 「도시 및 주거환경정비법」에 따른 준공인가일부터 6개월(6개월 이내에 등기일이 있는 경우에는 등기일을 말한다)이 지나지 아니한 주택재건축사업 또는 주택재개발사업에 대해서도 적용한다. 2012. 2. 2. 대통령령 제23588호 부칙 §11]

12) 한시적으로 2020. 6. 30.까지 보유기간 10년 이상인 주택을 양도하는 경우 중과 제외

13) 조정대상지역의 공고가 있은 날 이전에 해당 지역의 주택을 양도하기 위하여 매매계약을 체결하고 계약금을 지급받은 사실이 증빙서류에 의하여 확인되는 주택(2018. 8. 28. 이후에 양도하는 분부터 적용)

14) 혼인에 따라 1세대 3주택 · 입주권 이상이 되는 경우

1주택 또는 1조합원입주권 이상을 보유하는 자가 1주택 또는 1조합원입주권 이상을 보유하는 자와 혼인함으로써 혼인한 날 현재 주택 수와 조합원입주권 수의 합이 3 이상인 경우 혼인한 날부터 5년 이내에 양도하는 주택은 양도일 현재 배우자의 주택 및 조합원입주권 수를 차감하여 주택 수를 계산함. (단, 혼인한 날부터 5년 이내에 신규로 주택이나 조합원입주권을 취득하는 경우 적용배제)

나. 1세대 1주택 · 1조합원입주권 소유시 중과배제 주택

1) 1주택 · 1조합원입주권 소유시 1주택으로 보는 경우 해당 주택

「소득세법 시행령」 제156조의 2 제3항(일시적 1주택 · 1조합원입주권), 제4항(실수요 목적 조합원입주권 취득시 비과세 특례), 제5항(대체주택 비과세 특례)의 규정에 따라 1세대 1주택으로 보아 같은 영 제154조 제1항의 규정을 적용받는 주택으로서 양도소득세가 과세되는 주택

* 소득령 §156의 2 ③, ④, ⑤ 내용은 1세대 1주택 비과세 부분에서 설명함.

2) 장기임대주택 등

1세대 3주택(조합원입주권 포함) 이상 중과대상에서 제외되는 주택 중 위 가. 2)~9)에 해당하는 주택*은 1세대 1주택 · 1조합원입주권 소유시 중과대상에서도 제외된다.

* 장기임대주택, 감면대상장기임대주택, 장기사원용주택, 신축주택, 문화재주택, 상속주택, 저당권 실행 등으로 취득한 주택, 장기가정어린이집

3) 주택 수에 산입하지 아니하는 주택

「소득세법 시행령」 제167조의 6 제2항에 해당하는 주택은 주택의 수를 계산할 때 산입하지 아니하며, 여기에 해당하는 주택을 양도하는 경우 중과대상에서도 제외된다.

4) 취학 등 부득이한 사유로 취득한 주택

1세대의 구성원 중 일부가 취학, 근무상의 형편, 질병의 요양 등 부득이한 사유*로 인하여 다른 시(특별시 · 광역시 · 특별자치시 및 「제주특별자치도 설치 및 국제자유도시 조성을 위한 특별법」 제15조 제2항에 따라 설치된 행정시를 포함한다. 이 호에서 같다) · 군으로 주거를 이전하기 위하여 1주택(학교의 소재지, 직장의 소재지 또는 질병을 치료 · 요양하는 장소와 같은 시 · 군에 소재하는 주택으로서, 취득 당시 「소득세법」 제99조에 따른 기준시가의 합계액이 3억원을 초과하지 아니하는 것에 한정한다)을 취득함으로써 1세대가 1주택과 1조합원입주권을 소유하게 된 경우의 당해 주택(취득 후 1년 이상 거주하고 당해 사유가 해소된 날부터 3년이 경과하지 아니한 경우에 한한다)

* 부득이한 사유 등의 내용은 위 "나. 3)"과 같음.

5) 수도권 밖 소재 취학 등 부득이한 사유로 취득한 주택

취학, 근무상의 형편, 질병의 요양 등 부득이한 사유로 취득한 수도권 밖에 소재하는 주택

6) 직계존속 동거봉양합가에 따른 1주택 · 1조합원입주권

1주택 또는 1조합원입주권을 소유하고 1세대를 구성하는 자가 1주택 또는 1조합원입주권을 소유하고 있는 60세 이상의 직계존속(배우자의 직계존속을 포함하며, 직계존속 중 어느 한 사람이 60세 미만인 경우를 포함한다)을 동거봉양하기 위하여 세대를 합침으로써 1세대가 1주택과 1조합원입주권을 소유하게 되는 경우의 해당 주택(합친 날부터 5년이 경과하지 아니한 경우에 한정한다)은 1세대 1주택 · 1조합원입주권 중과대상에서 제외된다.

▶▶ 합가 당시 직계존속의 나이 요건 개정 연혁은 위 "나. 5)"와 같다.

7) 혼인에 따른 1주택 · 1조합원입주권

1주택 또는 1조합원입주권을 소유하는 자가 1주택 또는 1조합원입주권을 소유하는 다른 자와 혼인함으로써 1세대가 1주택과 1조합원입주권을 소유하게 되는 경우의 해당 주택(혼인한 날부터 5년이 경과하지 아니한 경우에 한한다)은 1세대 1주택 · 1조합원입주권 중과대상에서 제외된다.

8) 소유권에 관한 소송 관련 주택

주택의 소유권에 관한 소송이 진행 중이거나 해당 소송 결과로 취득한 주택(소송으로 인한 확정판결일로부터 3년이 경과하지 아니한 경우에 한함)

9) 소형주택

주택의 가액 및 면적 등을 감안하여 기획재정부령이 정하는 소형주택

* 소형주택의 범위는 위 "가. 10)"과 같다.

10) 조정대상지역의 공고가 있은 날 이전에 해당 지역의 주택을 양도하기 위하여 매매계약을 체결하고 계약금을 지급받은 사실이 증빙서류에 의하여 확인되는 주택(2018. 8. 28. 이후에 양도하는 분부터 적용)

| 1세대 2주택 이상 중과배제 대상 정리(소득령 §167의 3, §167의 4, §167의 10, §167의 11, 소득칙 §83) |

<table>
<tr><th colspan="2">3주택(조합원입주권) 이상 중과 관련</th><th>2주택 중과 관련</th><th>1주택 · 1조합원입주권 중과 관련</th></tr>
<tr><td colspan="4">수도권 · 광역시 · 특별자치시(세종시) 외의 지역의 양도당시 기준시가 3억원 이하 주택(광역시 소속 군지역, 경기도 및 특별자치시 읍 · 면 지역은 제외)으로 주택 수 계산에서도 제외한다.</td></tr>
<tr><td rowspan="6">장기 임대주택</td><td>매입임대주택(소령 §167의 3 ① 가)</td><td colspan="2" rowspan="10">좌동</td></tr>
<tr><td>기존매입임대주택(소령 §167의 3 ① 2 나)</td></tr>
<tr><td>건설임대주택(소령 §167의 3 ① 2 다)</td></tr>
<tr><td>수도권 밖 미분양임대주택(소령 §167의 3 ① 2 라)</td></tr>
<tr><td>장기일반민간임대주택(소령 §167의 3 ① 2 마)</td></tr>
<tr><td>장기일반민간임대주택(소령 §167의 3 ① 2 바)</td></tr>
<tr><td rowspan="3">감면대상 장기 임대주택</td><td>장기임대주택(조특법 §97)</td></tr>
<tr><td>신축임대주택(조특법 §97의 2)</td></tr>
<tr><td>미분양주택(조특법 §98)</td></tr>
<tr><td colspan="2">장기사원용주택(소령 §167의 3 ① 4)</td></tr>
</table>

<table>
<tr><th colspan="2">3주택(조합원입주권) 이상 중과 관련</th><th>2주택 중과 관련</th><th>1주택 · 1조합원입주권 중과 관련</th></tr>
<tr><td rowspan="4">감면대상 신축주택</td><td>지방미분양주택(조특법 §98의 2)</td><td colspan="2" rowspan="8">좌동</td></tr>
<tr><td>미분양주택(조특법 §98의 3)</td></tr>
<tr><td>미분양주택(조특법 §98의 5~8)</td></tr>
<tr><td>신축주택(조특법 §99, §99의 2, §99의 3)</td></tr>
<tr><td colspan="2">문화재주택(소령 §155 ⑥ 1)</td></tr>
<tr><td colspan="2">상속개시 후 5년 이내 상속주택(소령 §155 ① 7)</td></tr>
<tr><td colspan="2">저당권, 채권변제 관련주택(소령 §167의 3 ① 8)</td></tr>
<tr><td colspan="2">장기가정어린이집(소령 §167의 3 ① 8의 2)</td></tr>
<tr><td colspan="2" rowspan="6"></td><td>실수요 목적 취득주택 (소령 §167의 10 ① 3)</td><td rowspan="2">좌동</td></tr>
<tr><td>수도권 밖 실수요 목적 취득주택(소령 §167의 10 ① 4)</td></tr>
<tr><td>동거봉양 합가(합가 후 2주택)(소령 §167의 10 ① 5)</td><td>동거봉양 합가(합가 후 1주택과 1조합원입주권) (소령 §167의 11 ① 6)</td></tr>
<tr><td>혼인 합가(합가 후 2주택) (소령 §167의 10 ① 6)</td><td>혼인 합가(합가 후 1주택과 1조합원입주권) (소령 §167의 11 ① 7)</td></tr>
<tr><td>소유권 소송관련 주택 (소령 §167의 10 ① 7)</td><td>좌동</td></tr>
<tr><td>일시적 2주택 (소령 §167의 5 ① 8)</td><td></td></tr>
<tr><td colspan="2">소형주택(구 소령 §167의 3 ① 9)</td><td>소형주택(소령 §167의 10 ① 9)</td><td>좌동</td></tr>
<tr><td colspan="2">위 외의 1개 일반주택 (소령 §167의 3 ① 10, §167의 4 ③ 4)</td><td>위 외의 1개 일반주택 (소령 §167의 10 ① 10)</td><td>소령 §156의 2 ③, ④, ⑤에 따라 과세되는 주택(소령 §167의 11 ① 1)</td></tr>
<tr><td colspan="4">조정대상지역의 공고가 있은 날 이전에 해당 지역의 주택을 양도하기 위하여 매매계약을 체결하고 계약금을 지급받은 사실이 증빙서류에 의하여 확인되는 주택</td></tr>
</table>

※ 국세청 「2019 양도소득세 실무해설」 참조

관련예규 및 판례요약

1세대 3주택 이상 중과세 주택범위와 관련된 예규, 판례

서면-2018-부동산-3457, 2019. 2. 14.

「조세특례제한법」 제99조의 2를 적용받는 주택을 보유하고, 일반주택을 양도할 때 양도주택이 고가주택에 해당하고, 1세대 3주택자인 경우 고가주택에 해당하는 부분에 대해서는 중과세율 적용되고 장특공제 배제됨.

헌재 2009헌바 146, 2011. 11. 24. 헌법불합치

1세대 3주택 이상에 해당하는 주택에 대하여 양도소득세 중과세를 규정하고 있는 구 소득세법 제104조 제1항 제2호의 3은 과잉금지원칙에 반하여 재산권을 침해하지 않으나, 과잉금지원칙에 반하여 헌법 제36조 제1항이 정하고 있는 혼인의 자유를 침해하고 혼인에 따른 차별금지원칙에 위배되어 「헌법」 불합치 결정함.

헌재 2009헌바 67, 2010. 10. 28.

1세대 3주택자 이상에 해당하는 자에 대한 주택 양도에 따른 양도소득세 강화를 통한 주거생활 안정이라는 정책적 목적 등을 고려하면, 장기보유특별공제를 배제하고 고율의 단일세율을 적용하는 것이 과잉금지의 원칙에 위배되어 재산권을 침하였다고 볼 수 없음.

부동산거래관리과-615, 2010. 4. 28.

「소득세법」(법률 제9270호, 2008. 12. 26.) 부칙 제14조(양도소득세의 세율 등에 관한 특례)(2009. 5. 21. 개정)를 적용함에 있어 '취득'이라 함은 매매뿐만 아니라 교환·상속·증여 등의 사유에 의한 경우도 포함하는 것임(다만, 동일세대원으로부터 상속 또는 증여받은 주택은 제외함).

부동산거래관리과-236, 2010. 2. 11.

「소득세법」(법률 제9270호, 2008. 12. 26.) 부칙 제14조(양도소득세의 세율 등에 관한 특례)(2009. 5. 21. 개정)를 적용함에 있어 동일세대원으로부터 상속 또는 증여받은 주택은 당해 규정이 적용되지 아니함.

부동산거래관리과-215, 2010. 2. 8.

저당권의 실행으로 인하여 취득하거나 채권변제를 대신하여 취득한 주택으로서 취득일부터 3년이 경과하지 아니한 주택은 1세대 3주택 중과대상에 해당하지 아니하는 것이나, 귀 질의의 경우와 같이 공매를 통하여 취득한 주택은 당해 규정이 적용되지 아니함.

재산세과－621, 2009. 11. 3.

1세대의 구성원이 「영유아보육법」 제13조에 따라 시장 · 군수 또는 구청장(자치구의 구청장을 말함)의 인가를 받고 「소득세법」 제168조에 따른 사업자등록을 한 후 5년 이상 가정보육시설로 사용하고, 가정보육시설로 사용하지 아니하게 된 날부터 6월이 경과하지 않은 주택은 「소득세법」 제104조 제1항 제2호의 3 및 제2호의 5에 따른 세율이 적용되지 않으나, 가정보육시설로 사용하지 아니하게 된 날부터 6월이 경과한 주택은 동 규정이 적용되지 않는 것임.

재재산－1030, 2009. 6. 9.

「소득세법 시행령」 제167조의 3 제1항 제2호에 의한 임대주택과 같은 법 시행령 제167조의 3 제1항 제10호에 의한 일반주택을 보유하다가 동 임대주택이 의무임대기간 등의 요건을 충족하기 전에 「공익사업을 위한 토지 등의 취득 및 보상에 관한 법률」에 의해 수용된 귀 질의의 경우, 의무임대기간 등의 요건을 충족하여 양도된 것으로 보아 「소득세법」 제104조 제1항 제2의 3호의 세율을 적용하지 아니하는 것임.

서면4팀－1308, 2008. 5. 28.

「소득세법 시행령」 제167조의 3 제1항 제2호 나목의 규정에 따라 2003. 10. 29. 이전에 「소득세법」 제168조에 의한 사업자등록과 「임대주택법」 제6조에 의한 임대사업자 등록을 하고 2호 이상 국민주택을 임대하고 있는 비거주자가 5년 이상 임대한 임대주택을 양도하는 경우로서 당해 주택 및 이에 부수되는 토지의 기준시가의 합계액이 양도당시 3억원을 초과하지 아니하는 경우 「소득세법」 제104조 제1항 제2호의 3 규정의 세율이 적용되지 아니하는 것임.

서면4팀－732, 2008. 3. 19.

「소득세법 시행령」 제167조의 3 제1항 규정을 적용함에 있어 일반건축물 대장에 등재된 1동의 주택이 설계 및 건축 단계에서부터 6세대가 살 수 있도록 물리적으로 구획되어 있고, 각 세대단위마다 독립하여 방실과 생활시설이 설치되어 있어서 각각 독립된 주거생활을 영위할 수 있도록 되어 있으며, 대지, 벽, 기타 설비 등은 6세대가 공동으로 사용하도록 되어 있는 경우 당해 주택은 공동주택으로 보는 것이며, 이 경우 동법 시행규칙 제82조 제1항 제3호 규정의 기준시가는 고시된 개별주택가격에 주택 전체 면적에서 구획된 부분의 주택 면적(공유지분 포함)이 차지하는 비율을 곱하여 계산하는 것으로, 귀 질의가 이에 해당하는지는 사실 판단할 사항임.

재재산－290, 2008. 2. 19.

「소득세법」 제104조 제1항 제2호의 3 및 같은 법 시행령 제167조의 3 제1항을 적용함에 있어 공동상속주택을 양도하는 때에는 같은 법 시행령 제167조의 3 제2항 제2호에 따라 상속지분이 가장 큰 상속인의 소유로 하여 주택 수를 계산하되, 상속지분이 가장 큰 자가 2인 이상인 경우에는 같은 법 시행령 제155조 제3항 각 호의 순서에 의한 자가 당해 공동상속주택을 소유한 것으로 보는 것임.

서면5팀 - 3125, 2007. 11. 28.

「도시저소득주민의 주거환경개선을 위한 임시조치법」의 주거환경개선지구로 지정 · 고시된 지역에 소재한 소형주택은 1세대 2주택 이상으로 인한 양도소득세 중과대상에 해당함.

서면5팀 - 3062, 2007. 11. 22.

1세대 3주택 중과세율을 적용함에 있어 세대별로 소유하는 주택수 등은 양도일 현재를 기준으로 판정하는 것임.

서면5팀 - 3045, 2007. 11. 21.

주택의 소유권에 관한 소송이 진행 중이거나 소송결과로 취득한 주택(확정판결일로부터 3년이 경과하지 아니한 경우에 한함)을 양도하는 경우 중과세율이 적용되지 아니함.

서면5팀 - 2866, 2007. 10. 31.

1세대 3주택을 판정함에 있어 부동산매매업자가 보유하는 재고자산인 주택은 주택수를 계산함에 있어 포함되나 주택신축 판매업자의 재고자산인 주택은 포함하지 않음.

서면5팀 - 2845, 2007. 10. 29.

상속주택과 다세대주택(모두 기준시가 1억원 미만)을 소유한 1세대가 상속주택을 양도하는 경우 소득세가 중과되지 않음.

서면4팀 - 2433, 2007. 8. 10.

「소득세법 시행령」 제167조의 3에 해당하는 장기임대주택을 제외하고 1개의 주택만을 소유하고 있는 경우로서 일반주택을 양도하는 경우에는 3주택 양도소득세 중과세 적용대상에서 제외됨.

서면5팀 - 2300, 2007. 8. 10.

감면대상 신축주택과 일반주택 1채를 보유 중 2007. 12. 31. 이후 감면대상 신축주택을 양도하는 경우 2주택 중과세율이 적용되지 아니함.

서면4팀 - 2351, 2007. 7. 31.

2호 이상의 국민주택을 임대하고 있는 거주자가 기존 사업자기준일(2003. 10. 29.) 이전에 사업자등록을 하고 5년 이상 임대한 이후에 양도하는 경우 1세대 3주택 중과세율이 적용되지 아니함.

서면5팀 - 2023, 2007. 7. 10.

「소득세법 시행령」 제155조 제2항의 상속주택으로서 상속받은 날부터 5년이 경과하지 아니한 주택을 양도하는 경우에는 1세대 3주택 이상의 양도소득세 중과세율을 적용하지 아니함.

서면5팀-1623, 2007. 5. 22.

1세대가 소유한 3주택 중 1주택을 양도함에 있어 당해 양도하는 주택이 저당권의 실행으로 인하여 취득하거나 채권변제를 대신하여 취득한 주택으로서 취득일부터 3년이 경과하지 아니한 주택에 해당하는 경우에는 「소득세법 시행령」 제167조의 3 제1항 제8호의 규정에 의하여 양도소득세 중과세율이 적용되지 아니하는 것이나, 귀 질의의 경우와 같이 양도하는 주택이 금융기관의 근저당권 실행에 따른 법원의 부동산임의경매를 통하여 취득한 주택인 경우에는 해당하지 아니하는 것임.

서면4팀-89, 2006. 1. 19.

1세대 3주택 이상에 대한 양도소득세의 중과세율 적용시 2개 이상의 주택을 같은 날에 양도하는 경우 그 결정방법은 당해 거주자가 선택하는 순서에 따라 주택을 양도한 것으로 봄.

서면4팀-2545, 2005. 12. 20.

감면대상 신축주택과 일반주택 2채를 보유한 경우 일반주택 중 먼저 양도하는 1주택은 양도소득세 중과세율을 적용하는 것임.

서면4팀-2451, 2005. 12. 8.

장기임대주택과 2개의 일반주택을 소유하고 있는 1세대가 그중 1개의 일반주택을 양도하는 경우 중과세율이 적용됨.

서면4팀-2403, 2005. 12. 1.

동일세대원이 2주택을 상속받고 1주택 취득 후 상속받은 날부터 5년이 경과하지 아니한 상속주택을 양도한 경우 중과세율 적용대상 주택에서 제외하는 것임.

서면4팀-2388, 2005. 11. 30.

「소득세법 시행령」 제167조의 3 제1항 제2호 나목에 해당하는 기준시가 3억원 미만의 주택(장기임대주택)을 제외하고 1개의 주택만을 소유하고 있는 경우에는 일반주택을 양도하여도 중과세율(60%)을 적용하지 아니함.

서면4팀-1631, 2004. 10. 15.

실지거래가액으로 양도차익을 산정하는 1세대 3주택 이상자의 판정시에는 소유 주택수에 예외 없이 모든 주택을 포함하는 것이나, 60%의 세율로 중과세되고 장기보유특별공제가 배제되는 1세대 3주택 이상자의 판정시에는 「소득세법 시행령」 제167조의 3 각 호의 주택 등은 제외하는 것임.

재재산-837, 2004. 7. 7.

소득세법(2003. 12. 30. 법률 제7006호로 개정된 것) 부칙 제16조 단서의 규정에서 "다른 주택" 이라 함은 당해 주택 취득 당시 같은 법 제104조 제1항 제2호의 3의 규정을 적용받는 주택을 말함.

중과세대상 입주권 포함 1세대 3주택과 관련된 예규, 판례

서면4팀 - 3298, 2007. 11. 15.

1세대 3주택을 소유하던 자가 그 중 2주택이 2005. 12. 31. 이전 관리처분인가 되어 주택이 멸실된 이후 나머지 1주택을 양도한 경우 1주택으로 보아 비과세를 받을 수 있음.

서면5팀 - 1376, 2007. 4. 26.

1세대가 주택과 「소득세법」 제89조 제2항의 조합원입주권을 보유한 경우로서 주택과 조합원입주권의 합이 3 이상인 경우 주택을 양도하는 경우에는 60%의 중과세율 적용함.

서면4팀 - 4131, 2006. 12. 20.

주택 수와 조합원입주권 수의 합이 3 이상인 경우 주택을 양도하는 경우에는 60%의 중과세율이 적용되는 것이나 조합원입주권을 양도하는 경우 중과세율이 적용되지 아니함.

서면5팀 - 180, 2006. 9. 20.

2주택과 「소득세법」 제89조 제2항의 조합원입주권을 소유한 1세대가 조합원입주권을 양도하는 경우 양도소득세 중과세율(60%)이 적용되지 아니함.

서면4팀 - 1198, 2006. 5. 2.

1세대 3주택 중과세율 적용시 미철거된 재건축입주권은 주택수에 포함되나, 당해 미철거된 입주권을 양도하는 경우에는 부동산을 취득할 수 있는 권리로 보아 중과세율 적용대상이 아님.

서면4팀 - 935, 2006. 4. 12.

2005. 12. 31. 이전에 관리처분계획인가를 받은 당초 조합원의 조합입주권은 부동산을 취득할 수 있는 권리로 보는 것이나 인가일 이후 사실상 주거용으로 사용되는 경우 주택으로 보는 것임.

서면4팀 - 675, 2006. 3. 22.

1세대 3주택 중과세율 적용시 미철거된 재건축입주권은 주택수에 포함되나, 당해 미철거된 입주권을 양도하는 경우에는 부동산을 취득할 수 있는 권리로 보아 중과세율 적용대상이 아님.

중과세대상 1세대 2주택과 관련된 예규, 판례

부동산거래관리과-842, 2011. 10. 6.

1세대 2주택자가 소유하는 1주택(주택에 딸린 토지 제외)이 「공익사업을 위한 토지등의 취득 및 보상에 관한 법률」에 따른 협의매수 · 수용 및 그 밖의 법률에 따라서 수용된 후 주택에 딸린 토지가 나중에 수용된 경우 해당 토지는 「소득세법」 제104조 제1항 제6호가 적용되는 것임.

부동산거래관리과-81, 2010. 1. 19.

양도인과 양수인이 주택 매매계약을 체결하고 양도인이 중도금을 수령한 후 쌍방합의로 중도금을 반환하고 계속 보유하는 주택은 「소득세법 시행령」 제167조의 5 제1항 제6호에 규정된 '소유권에 관한 소송결과로 취득한 주택'에 해당하지 아니함.

재산세과-2501, 2008. 8. 28.

아파트 동 · 호수 추첨에 관한 분쟁으로 소송이 진행 중인 경우, 소송이 진행 중인 당해 주택은 「소득세법 시행령」 제167조의 5 제1항 제6호(주택의 소유권에 관한 소송이 진행 중이거나, 당해 소송결과로 취득한 주택) 규정이 적용되지 아니함.

서면5팀-4, 2008. 1. 2.

거주자가 혼인 후 배우자 명의로 취득한 2주택에 대해 관할법원에 재산분할을 청구하여 당해 2주택의 소유권을 이전받은 후 그 2주택 중 1주택을 양도하는 경우, 「소득세법 시행령」 제167조의 5 【양도소득세가 중과되는 1세대 2주택에 해당하는 주택의 범위】 제1항 제6호의 규정을 적용받을 수 없는 것임.

서면5팀-3134, 2007. 11. 30.

「도시저소득주민의 주거환경개선을 위한 임시조치법」의 주거환경개선지구로 지정 · 고시된 지역은 도시 및 주거환경정비법에 따른 정비구역으로 지정 · 고시된 지역에 해당함.

서면4팀-3417, 2007. 11. 27.

1주택과 「소득세법」 제89조 제2항의 조합원입주권을 소유한 1세대가 조합원입주권을 양도하는 경우에는 양도세 중과세율(50%)이 적용되지 아니함.

중과세대상 입주권 포함 1세대 2주택과 관련 예규, 판례

서면5팀-2969, 2007. 11. 13.

1주택과 조합원입주권을 소유한 1세대가 조합원입주권을 양도하는 경우 부동산을 취득할 수 있는 권리를 양도한 것으로 보는 것이므로 중과세율이 적용되지 않음.

서면5팀-2917, 2007. 11. 9.

1주택과 조합원입주권(관리처분인가일 2005. 12. 31. 이전)을 소유한 1세대가 조합원입주권을 양도하는 경우 중과세율이 적용되지 않음.

서면5팀-2179, 2007. 7. 31.

1주택과 1입주권(2006. 1. 1. 이후 취득)을 각각 보유한 1세대가 그 주택을 양도하는 경우 50%의 중과세율이 적용됨.

서면4팀-2131, 2007. 7. 11.

국내에 1주택을 소유한 1세대가 그 주택을 양도하기 전에 조합원입주권을 취득함으로써 일시적으로 1주택과 1조합권입주권을 소유하게 된 경우로서 입주권을 취득한 날부터 1년 이내에 양도한 경우 1주택으로 봄.

서면4팀-1777, 2007. 5. 30.

1세대가 2주택을 소유하다가 2주택이 모두 재건축된 경우 먼저 양도하는 1주택(입주권)에 양도소득세가 과세됨.

서면4팀-1139, 2007. 4. 6.

주택수 산정시 주택으로 보는 조합원입주권에 상가입주권은 포함되지 않음.

제2절 비사업용 토지 중과

1 비사업용 토지 중과 제도

가. 개 요

정부는 2005. 8. 31. "서민주거 안정과 부동산투기 억제를 위한 부동산제도 개혁방안"을 발표하였고, 그 일환으로 비사업용 토지 제도를 도입하였다. 비사업용 토지 중과세 제도는 단순히 재산의 증식수단으로 보유하는 토지의 양도소득에 대하여는 양도소득세의 부담을 높임으로써 토지에 대한 투기수요를 억제하고 나아가 부동산시장의 안정화 및 투기이익을 환수하기 위한 정책적 제도이다.(2014. 1. 1.부터 폐지)

이후 부동산 시장의 침체가 지속됨에 따라 2009. 3. 16.~2012. 12. 31. 중에 취득하거나 2009. 3. 16.~2013. 12. 31. 중에 양도하는 자산에 대하여는 중과를 한시적으로 완화하였다가 2014. 1. 1. 소득세법 개정을 통해 비사업용 토지에 적용하던 60% 세율을 기본세율에 10%를 더하는 것으로 추가 완화하는 한편, 그 적용도 2015. 12. 31.까지 유예하였다. 그러나, 2018. 1. 1. 양도분부터는 조정대상지역내 비사업용 토지를 양도하는 경우에 10%를 가산한 세율을 적용하는 것으로 개정하였다.

1) 비사업용 토지에 대한 과세 개요

가) 개인의 비사업용 토지

(1) 2006년부터 실지거래가액으로 과세

(2) 2007년부터 장기보유특별공제 배제 및 중과세율(60%) 적용

(3) 2007년부터 비사업용 토지 과다소유법인의 주식 양도시 중과세율(60%) 적용

나) 개인 중 부동산매매업자(사업소득)

(1) 2007년부터 비사업용 토지 매매차익에 대해 중과세율(60%) 적용

다) 법 인

(1) 2007년부터 법인의 경우도 개인과 비슷한 수준으로 과세할 수 있도록 비사업용 토지에 대해 법인세 특별부가세(추가법인세) 30%(미등기토지는 40%) 부과

2) 비사업용 토지에 대한 중과 유예

부동산 거래 정상화 등을 위해 부동산 시장 과열시 도입된 비사업용 토지에 대한 중과 제도 적용을 유예하고 있다.

가) 개 인

※ 중과세율 적용은 유예하고 있으나, 장기보유특별공제는 계속 배제함.

(1) 2009. 3. 16.~2013. 12. 31. 양도분

(가) 중과세율(60%) 적용을 유예하고 누진세율 적용

* 보유기간 2년 미만인 자산은 단기양도세율(1년 미만 50%, 2년 미만 40%) 적용

(나) 지정지역(토지 투기지역) 소재 비사업용 토지에 대해 "누진세율+10%" 세율 적용

* 단기양도세율과 "누진세율+10%" 세율 경합시 세액이 큰 것을 적용

(2) 2009. 3. 16.~2012. 12. 31. 취득분

(가) 중과세율(60%) 적용을 유예하고 누진세율 적용

* 보유기간 2년 미만인 자산은 단기양도세율(1년 미만 50%, 2년 미만 40%) 적용

(3) 비사업용 토지 과다소유법인의 주식 양도시

(가) 2009. 3. 16.~2013. 12. 31. 양도분
중과세율(60%) 적용을 유예하고 누진세율 적용

(나) 2009. 3. 16.~2012. 12. 31. 취득분
중과세율(60%) 적용을 유예하고 누진세율 적용

나) 개인 중 부동산 매매업자(사업소득)

양도소득세(비사업자)와 동일하게 유예

다) 법 인

(1) 2009. 3. 16.~2012. 12. 31. 양도분 또는 취득분

(가) 추가법인세(30%) 적용 배제

(나) 지정지역(토지 투기지역) 소재 비사업용 토지에 대해 "기본세율+10%" 세율 적용

(2) 2014. 1. 1. 이후 양도분부터는 추가과세를 종전 30%에서 10%로 인하

(가) 미등기 토지 등은 40%

(나) 중소기업의 경우 2015. 12. 31.까지 추가과세 적용 유예

나. 비사업용 토지의 의미

양도소득세 중과 대상인 "비사업용 토지"란 해당 토지를 소유하는 기간 중 일정 기간(「소득세법 시행령」 제168조의 6에 따른 비사업용 토지의 기간기준을 말한다) 동안 「소득세법」 제104조의 3 제1항 각 호의 어느 하나에 해당하는 토지를 말한다.

다만, 토지 취득 후 법률에 따른 사용 금지나 그 밖에 부득이한 사유가 있어 그 토지가 「소득세법」 제104조의 3 제1항 각 호의 어느 하나에 해당하는 경우에는 그 토지를 비사업용 토지로 보지 아니할 수 있다.

다. 비사업용 토지의 판정 방법

"비사업용 토지"에 해당하는지의 여부는 기본적으로 해당 토지의 지목별로 그 본래의 용도로 사용하였는지의 여부에 의하여 판단한다. 이 경우 그 사용상황 등은 양도일을 기준으로 판단하는 것이 아니라 당해 토지의 소유기간 중 사업용(또는 비사업용)으로 소유한 기간이 얼마인지의 여부에 의하여 판단한다. 이는 양도소득세가 토지의 소유기간에 발생한 양도소득의 총액을 그 과세대상으로 하는 것이기 때문이기도 하지만 사업용(또는 비사업용)으로 사용한 것인지의 여부를 입증하기 위한 납세의무자의 편의도모와 그 확인에 따르는 과세관청의 집행가능성을 고려한 조치이다.

이를 요약하면 비사업용 토지는 당해 토지의 소유기간 중 일정기간 이상을 사업용(또는 비사업용)으로 사용한 것인지의 여부, 즉 비사업용 토지의 기간기준을 적용하여 판정한다.

한편, 기간기준을 적용할 때 토지를 취득한 후 사용이 금지 또는 제한된 기간 등 부득이한 사유가 있는 경우에는 일정기간 동안은 비사업용 기간으로 보지 아니한다.{아래 "4)"}

또한 일정한 경우에는 기간기준에 관계없이 무조건 비사업용 토지에서 제외된다.{아래 "3)"}

실무상으로는 기간기준에 관계없이 비사업용 토지에서 제외되는 경우에 해당하는지를 먼저 판단한 후 비사업용 토지의 기간기준을 적용하는 것이 편리하다.

1) 비사업용 토지의 기간기준

가) 토지의 소유기간이 5년 이상인 경우

아래 모두에 해당하는 경우 비사업용 토지	아래 중 어느 하나에 해당하는 경우 사업용 토지
① 양도일 직전 5년 중 2년을 초과하는 기간동안 비사업용으로 용	① 양도일 직전 5년 중 3년 이상의 기간동안 사업용으로 사용

아래 모두에 해당하는 경우 비사업용 토지	아래 중 어느 하나에 해당하는 경우 사업용 토지
② 양도일 직전 3년 중 1년을 초과하는 기간동안 비사업용으로 사용 ③ 토지의 소유기간의 100분의 40에 상당하는 기간을 초과하는 기간동안 비사업용으로 사용(기간의 계산은 일수로 함. 초일불산입, 말일산입)	② 양도일 직전 3년 중 2년 이상의 기간동안 사업용으로 사용 ③ 토지의 소유기간의 100분의 60에 상당하는 기간 이상을 사업용으로 사용(기간의 계산은 일수로 함. 초일불산입, 말일산입)

나) 토지의 소유기간이 3년 이상 5년 미만인 경우

아래 모두에 해당하는 경우 비사업용 토지	아래 중 어느 하나에 해당하는 경우 사업용 토지
① 토지의 소유기간에서 3년을 차감한 기간을 초과하는 기간 동안 비사업용으로 사용 ② 양도일 직전 3년 중 1년을 초과하는 기간동안 비사업용으로 사용 ③ 토지의 소유기간의 100분의 40에 상당하는 기간을 초과하는 기간동안 비사업용으로 사용(기간의 계산은 일수로 함. 초일불산입, 말일산입)	① 토지의 소유기간 중 3년 이상의 기간동안 사업용으로 사용 ② 양도일 직전 3년 중 2년 이상의 기간동안 사업용으로 사용 ③ 토지의 소유기간의 100분의 60에 상당하는 기간 이상을 사업용으로 사용(기간의 계산은 일수로 함. 초일불산입, 말일산입)

다) 토지의 소유기간이 3년 미만인 경우

아래 모두에 해당하는 경우 비사업용 토지	아래 중 어느 하나에 해당하는 경우 사업용 토지
① 토지의 소유기간에서 2년을 차감한 기간을 초과하는 기간 동안 비사업용으로 사용 ② 토지의 소유기간의 100분의 40에 상당하는 기간을 초과하는 기간동안 비사업용으로 사용(기간의 계산은 일수로 함. 초일불산입, 말일산입)	① 토지의 소유기간 중 2년 이상의 기간동안 사업용으로 사용 ② 토지의 소유기간의 100분의 60에 상당하는 기간 이상을 사업용으로 사용(기간의 계산은 일수로 함. 초일불산입, 말일산입)

* 소유기간이 2년 미만인 경우에는 ①을 적용하지 아니함(2009. 2. 4. 이후 양도분부터 적용).

2) 비사업용 토지의 기간기준 적용시 양도일 의제

다음 중 어느 하나에 해당하는 토지에 대하여는 해당 각 호에서 규정한 날을 양도일로 보아 비사업용 토지의 기간기준을 적용하여 비사업용 토지에 해당하는지 여부를 판정한다.

가) 「민사집행법」에 따른 경매에 따라 양도된 토지 : 최초의 경매기일

나) 「국세징수법」에 따른 공매에 따라 양도된 토지 : 최초의 공매일

다) 한국자산관리공사에 매각을 위임한 토지 : 매각을 위임한 날

라) 전국을 보급지역으로 하는 일간신문을 포함한 3개 이상의 일간신문에 다음 각 목의 조건으로 매각을 3일 이상 공고하고, 공고일(공고일이 서로 다른 경우에는 최초의 공고일)부터 1년 이내에 매각계약을 체결한 토지 : 최초의 공고일

(1) 매각예정가격이 「소득세법 시행령」 제167조 제5항의 규정에 따른 시가 이하일 것

(2) 매각대금의 100분의 70 이상을 매각계약 체결일부터 6월 이후에 결제할 것

마) 위 "라)"에 따른 토지로서 동호 각 목의 요건을 갖추어 매년 매각을 재공고(직전 매각공고시의 매각예정가격에서 동 금액의 100분의 10을 차감한 금액 이하로 매각을 재공고한 경우에 한한다)하고, 재공고일부터 1년 이내에 매각계약을 체결한 토지 : 최초의 공고일

3) 기간기준에 관계없이 비사업용 토지에서 제외되는 경우

다음 중 어느 하나에 해당하는 토지는 기간기준 요건에 관계없이 비사업용 토지로 보지 아니한다.

가) 2006. 12. 31. 이전에 상속받은 농지 · 임야 및 목장용지로서 2009. 12. 31.까지 양도하는 토지

나) 직계존속 또는 배우자가 8년 이상 기획재정부령으로 정하는 토지소재지에 거주하면서 직접 경작한 농지 · 임야 및 목장용지로서 이를 해당 직계존속 또는 해당 배우자로부터 상속 · 증여받은 토지. 다만, 양도 당시 「국토의 계획 및 이용에 관한 법률」에 따른 도시지역(녹지지역 및 개발제한구역은 제외한다) 안의 토지는 제외한다(2008. 1. 1. 이후 양도분부터 적용함. 2008. 12. 31. 대통령령 제21195호 부칙 §4).

* 배우자로부터 상속 · 증여받은 토지는 2013. 2. 15. 이후 최초로 양도하는 분부터 적용함.

위에서 "기획재정부령으로 정하는 토지소재지에 거주하면서 직접 경작한 농지 · 임야 및 목장용지"란 다음의 토지를 말한다.

① 8년 이상 농지의 소재지와 같은 시 · 군 · 구(자치구를 말한다. 이하 이 항에서 같다), 연접한 시 · 군 · 구 또는 농지로부터 직선거리 20킬로미터 이내에 있는 지역에 사실상 거주하면서 주민등록이 되어 있는 자가 「조세특례제한법 시행령」 제66조 제13항에 따른 자경을 한 농지

② 8년 이상 임야의 소재지와 같은 시 · 군 · 구, 연접한 시 · 군 · 구 또는 임야로부터

직선거리 30킬로미터 이내에 있는 지역에 사실상 거주하면서 주민등록이 되어 있는 자가 소유한 임야

③ 8년 이상 축산업을 영위하는 자가 소유하는 목장용지로서 「소득세법 시행령」 별표 1의 3에 따른 가축별 기준면적과 가축두수를 적용하여 계산한 토지의 면적 이내의 목장용지

한편, 직계존속의 경작기간을 계산할 때 직계존속이 그 배우자로부터 상속 · 증여받아 경작한 사실이 있는 경우에는 직계존속의 배우자가 취득 후 토지소재지에 거주하면서 직접 경작한 기간은 직계존속이 경작한 기간으로 본다(2013. 2. 15. 이후 최초로 양도하는 분부터 적용함).

다) 2006. 12. 31. 이전에 20년 이상을 소유한 농지 · 임야 및 목장용지로서 2009. 12. 31.까지 양도하는 토지

라) 「공익사업을 위한 토지 등의 취득 및 보상에 관한 법률」 및 그 밖의 법률에 따라 협의매수 또는 수용되는 토지로서

① 사업인정고시일이 2006. 12. 31. 이전인 토지 또는

② 취득일*이 사업인정고시일부터 2년(2014. 2. 20. 이전 양도분은 5년)** 이전인 토지

* 취득일 : 상속받은 토지는 피상속인이 해당 토지를 취득한 날(2008. 1. 1. 이후 양도분), 배우자 · 직계존비속 이월과세 규정(「소득세법」 제97조 제4항)을 적용받는 경우에는 증여한 배우자 또는 직계존비속이 해당 자산을 취득한 날(2013. 2. 15. 이후 양도분)

** 공익사업의 원활한 시행을 지원하기 위하여 2014. 2. 21. 이후 양도분부터 요건 완화

| 협의매수 · 수용 토지 중 비사업용 토지 제외대상 개정 연혁(양도시기별) |

2007.12.31. 이전	2008.1.1. 이후	2013.2.15. 이후	2014.2.21. 이후
① 사업인정고시일이 2006. 12. 31. 이전인 토지	① 좌동	① 좌동	① 좌동
	② 취득일(상속받은 토지는 피상속인 취득일)이 사업인정 고시일부터 5년 이전인 토지 (2008. 12. 31. 대통령령 제21195호 부칙 §4)	② 취득일(상속받은 토지는 피상속인 취득일, 이월과세 적용 자산은 증여자 취득일)이 사업인정고시일부터 5년 이전인 토지	② 취득일(상속받은 토지는 피상속인 취득일, 이월과세적용 자산은 증여자 취득일)이 사업인정고시일부터 2년 이전인 토지

마) 「소득세법」 제104조의 3 제1항 제1호 나목에 해당하는 농지(주거 · 상업 · 공업지역 편입농지)로서 다음 중 어느 하나에 해당하는 농지

(1) 종중이 소유한 농지(2005. 12. 31. 이전에 취득한 것에 한한다)

(2) 상속에 의하여 취득한 농지로서 그 상속개시일부터 5년 이내에 양도하는 토지

바) 공장의 가동에 따른 소음 · 분진 · 악취 등으로 인하여 생활환경의 오염피해가 발생되는 지역 안의 토지로서 그 토지소유자의 요구에 따라 취득한 공장용 부속토지의 인접토지

사) 2006. 12. 31. 이전에 이농한 자가 「농지법」 제6조 제2항 제5호에 따라 이농당시 소유하고 있는 농지로서 2009. 12. 31.까지 양도하는 토지

아) 「기업구조조정 촉진법」에 따른 부실징후기업과 채권금융기관협의회가 같은 법 제10조에 따라 해당 부실징후기업의 경영정상화계획 이행을 위한 약정을 체결하고 그 부실징후기업이 해당 약정에 따라 양도하는 토지(2008. 12. 31. 이전에 취득한 것에 한정한다) (2009. 4. 14. 이후 최초로 양도하는 분부터 적용)

자) 채권은행 간 거래기업의 신용위험평가 및 기업구조조정방안 등에 대한 협의와 거래기업에 대한 채권은행 공동관리절차를 규정한 「채권은행협의회 운영협약」에 따른 관리대상기업과 채권은행자율협의회가 같은 협약 제19조에 따라 해당 관리대상기업의 경영정상화계획 이행을 위한 특별약정을 체결하고 그 관리대상기업이 해당 약정에 따라 양도하는 토지 (2009. 4. 14. 이후 최초로 양도하는 분부터 적용)

차) 「산업집적활성화 및 공장설립에 관한 법률」 제39조에 따라 산업시설구역의 산업용지를 소유하고 있는 입주기업체가 산업용지를 같은 법 제2조에 따른 관리기관(같은 법 제39조 제2항 각 호의 유관기관을 포함한다)에 양도하는 토지 (2009. 4. 14. 이후 최초로 양도하는 분부터 적용)

카) 「농촌근대화촉진법」(법률 제4118호로 개정되기 전의 것)에 따른 방조 제공사로 인한 해당 어민의 피해에 대한 보상대책으로 같은 법에 따라 조성된 농지를 보상한 경우로서 같은 법에 따른 농업진흥공사로부터 해당 농지를 최초로 취득하여 8년 이상 직접 경작한 농지. 이 경우 농지소재지 거주요건은 적용하지 아니한다. (2009. 4. 14. 이후 최초로 양도하는 분부터 적용)

4) 사용의 금지 등으로 일정기간 동안 비사업용 기간으로 보지 아니하는 경우

다음 중 어느 하나에 해당하는 토지는 해당 각 호에서 규정한 기간동안 비사업용에 해당하지 아니하는 토지로 보아 비사업용 토지에 해당하는지 여부를 판정한다.

가) 토지를 취득한 후 법령에 따라 사용이 금지 또는 제한된 토지 : 사용이 금지 또는 제한된 기간

나) 토지를 취득한 후 「문화재보호법」에 따라 지정된 보호구역 안의 토지 : 보호구역으로 지정된 기간

다) "가)" 및 "나)"에 해당되는 토지로서 상속받은 토지 : 상속개시일부터 "가)" 및 "나)"에 따라 계산한 기간(2008. 2. 22. 이후 최초로 양도하는 분부터 적용)

라) 토지를 취득한 후 법령에 따라 당해 사업과 관련된 인가 · 허가(건축허가를 포함한다) · 면허 등을 신청한 자가 「건축법」 제18조 및 행정지도에 따라 건축허가가 제한됨에 따라 건축을 할 수 없게 된 토지 : 건축허가가 제한된 기간

다만, 부동산매매업(한국표준산업분류에 따른 건물건설업 및 부동산공급업을 말한다)을 영위하는 자가 취득한 매매용부동산에 대하여는 해당 특례를 적용하지 아니한다.

마) 토지를 취득한 후 법령에 따라 당해 사업과 관련된 인가 · 허가 · 면허 등을 받았으나 건축자재의 수급조절을 위한 행정지도에 따라 착공이 제한된 토지 : 착공이 제한된 기간

다만, 부동산매매업(한국표준산업분류에 따른 건물건설업 및 부동산공급업을 말한다)을 영위하는 자가 취득한 매매용부동산에 대하여는 해당 특례를 적용하지 아니한다.

바) 사업장(임시 작업장을 제외한다)의 진입도로로서 「사도법」에 따른 사도 또는 불특정다수인이 이용하는 도로 : 사도 또는 도로로 이용되는 기간

사) 「건축법」에 따라 건축허가를 받을 당시에 공공공지(公共空地)로 제공한 토지 : 당해 건축물의 착공일부터 공공공지로의 제공이 끝나는 날까지의 기간

아) 지상에 건축물이 정착되어 있지 아니한 토지를 취득하여 사업용으로 사용하기 위하여 건설에 착공(착공일이 불분명한 경우에는 착공신고서 제출일을 기준으로 한다)한 토지 : 당해 토지의 취득일부터 2년 및 착공일 이후 건설이 진행 중인 기간(천재지변, 민원의 발생 그 밖의 정당한 사유로 인하여 건설을 중단한 경우에는 중단한 기간을 포함한다)

자) 저당권의 실행 그 밖에 채권을 변제받기 위하여 취득한 토지 및 청산절차에 따라 잔여재산의 분배로 인하여 취득한 토지 : 취득일부터 2년

차) 당해 토지를 취득한 후 소유권에 관한 소송이 계속(係屬) 중인 토지 : 법원에 소송이 계속되거나 법원에 의하여 사용이 금지된 기간

카) 「도시개발법」에 따른 도시개발구역 안의 토지로서 환지방식에 따라 시행되는 도시개발사업이 구획단위로 사실상 완료되어 건축이 가능한 토지 : 건축이 가능한 날부터 2년

타) 건축물이 멸실·철거되거나 무너진 토지 : 당해 건축물이 멸실·철거되거나 무너진 날부터 2년

파) 거주자가 2년 이상 사업에 사용한 토지로서 사업의 일부 또는 전부를 휴업·폐업 또는 이전함에 따라 사업에 직접 사용하지 아니하게 된 토지 : 휴업·폐업 또는 이전일부터 2년

하) 천재지변 그 밖에 이에 준하는 사유의 발생일부터 소급하여 2년 이상 계속하여 재촌(아래 2. 가. 3)에 따른 재촌을 말한다)하면서 자경(아래 2. 가. 4)에 따른 자경을 말한다)한 자가 소유하는 농지로서 농지의 형질이 변경되어 황지(荒地)가 됨으로써 자경하지 못하는 토지 : 당해 사유의 발생일부터 2년

거) 당해 토지를 취득한 후 "라)" 내지 "하)"의 사유 외에 도시계획의 변경 등 정당한 사유로 인하여 사업에 사용하지 아니하는 토지 : 당해 사유가 발생한 기간

5) 토지지목의 판정

비사업용 토지 해당 여부는 농지, 임야, 목장용지, 주택부속토지, 별장과 그 부속토지, 그 외의 토지로 나누어 판정한다. 이 경우 농지·임야·목장용지 및 그 밖의 토지의 판정은 「소득세법 시행령」에 특별한 규정이 있는 경우를 제외하고는 사실상의 현황에 의한다. 다만, 사실상의 현황이 분명하지 아니한 경우에는 공부상의 등재현황에 의한다.

2 | 지목별 비사업용 토지 판정 방법

가. 농지의 비사업용 토지 판정

1) 농지의 범위

"농지"란 전·답 및 과수원으로서 지적공부상의 지목에 관계없이 실제로 경작에 사용되는 토지를 말한다. 이 경우 농지의 경영에 직접 필요한 농막·퇴비사·양수장·지소(池沼)·농도·수로 등의 토지 부분을 포함한다.

2) 비사업용 토지 해당 여부 판정 흐름

가) 기간기준에 관계없이 비사업용 토지에서 제외되는 경우인지 확인

나) 기간기준을 적용하여 비사업용 토지 판정

농지의 경우 원칙적으로 재촌하지 아니한 기간, 자경하지 아니한 기간, 도시지역에 편입된 기간은 비사업용 기간에 해당한다.

한편, 기간기준 검토 시에는 사용의 금지 등으로 일정기간 동안 비사업용 기간으로 보지 아니하는 경우에 해당하는지를 검토한다.

3) 재 촌

가) 원 칙

농지 소유기간 중 재촌하지 아니한 기간은 원칙적으로 비사업용 기간에 해당한다. 이 경우 "재촌"이란 농지의 소재지와 동일한 시(「제주특별자치도 설치 및 국제자유도시 조성을 위한 특별법」 제10조 제2항에 따라 설치된 행정시를 포함한다) · 군 · 구(자치구를 말한다), 그와 연접한 시 · 군 · 구 또는 농지로부터 직선거리 30킬로미터 이내에 있는 지역에 주민등록이 되어 있고 사실상 거주하는 것을 말한다(직선거리 30킬로미터 규정은 2016. 2. 17. 개정).

※ 근로소득(총급여) 및 사업소득(농업, 임업 및 비과세 농가부업소득, 부동산임대소득 제외)이 연간 3,700만원 이상인 경우 해당 연도는 자경기간에서 제외(농업 · 축산업 · 임업 및 비과세 농가부업소득, 부동산임대소득 제외)

나) 예 외

「농지법」이나 그 밖의 법률에 따라 소유할 수 있는 농지로서 「소득세법 시행령」 제168조의 8 제3항 각 호의 어느 하나에 해당하는 농지{아래 "6)"에서 설명} 의 경우에는 재촌하지 않은 경우에도 비사업용 기간으로 보지 아니한다.

4) 자 경

가) 원 칙

농지 소유기간 중 자경하지 아니한 기간은 원칙적으로 비사업용 기간에 해당한다. 이 경우 "자경"이란 「농지법」 제2조 제5호의 규정에 따른 자경을 말한다.

▶▶ 농업인이 그 소유 농지에서 농작물 경작 또는 다년생식물 재배에 상시 종사하거나 농작업(農作業)의 2분의 1 이상을 자기의 노동력으로 경작 또는 재배하는 것과 농업법인이 그 소유 농지에서 농작물을 경작하거나 다년생식물을 재배하는 것

나) 예 외

「농지법」이나 그 밖의 법률에 따라 소유할 수 있는 농지로서 「소득세법 시행령」 제168조의 8 제3항 각 호의 어느 하나에 해당하는 농지{아래 "6)"에서 설명} 의 경우에는 자경하지 않은 경우에도 비사업용 기간으로 보지 아니한다.

5) 도시지역

가) 원 칙

농지 소유기간 중 도시지역에 편입된 기간은 원칙적으로 비사업용 기간에 해당한다. 이 경우 도시지역이란 ①특별시 · 광역시(광역시에 있는 군은 제외한다) · ②특별자치시(특별자치시에 있는 읍 · 면지역은 제외한다) · ③특별자치도(「제주특별자치도 설치 및 국제자유도시 조성을 위한 특별법」 제15조 제2항에 따라 설치된 행정시의 읍 · 면지역은 제외한다) 및 ④시지역(「지방자치법」 제3조 제4항에 따른 도농 복합형태인 시의 읍 · 면지역은 제외한다) 중 「국토의 계획 및 이용에 관한 법률」에 따른 도시지역(주거지역, 상업지역, 공업지역, 녹지지역)을 말한다. 다만, 녹지지역 및 개발제한구역은 도시지역에서 제외한다.

나) 예 외

다음 중 어느 하나에 해당하는 농지로서 특별시 · 광역시 · 특별자치시 · 특별자치도 및 시지역의 도시지역에 편입된 날부터 2년의 기간은 비사업용 기간으로 보지 아니한다.

(1) 도시지역에 편입된 날부터 소급하여 1년 이상 재촌하면서 자경하던 농지

(2) 재촌 · 자경하는 것으로 간주하는 농지{아래 "6)"에 해당하는 농지를 말함}

6) 재촌 · 자경한 것으로 간주하는 농지의 범위

「농지법」이나 그 밖의 법률에 따라 소유할 수 있는 농지로서 「소득세법 시행령」 제168조의 8 제3항 각 호의 어느 하나에 해당하는 아래 농지의 경우에는 재촌 · 자경하지 않은 경우에도 비사업용 기간으로 보지 아니한다. 다만, 해당 농지가 도시지역에 편입된 경우에는 비사업용 기간에 해당한다(예외 : 도시지역 편입일부터 2년간은 유예).

가) 「농지법」 제6조 제2항 제2호에 해당하는 농지

▶▶ 「초 · 중등교육법」 및 「고등교육법」에 따른 학교, 농림축산식품부령으로 정하는 공공단체 · 농업연구기관 · 농업생산자단체 또는 종묘나 그 밖의 농업 기자재 생산자가 그 목적사업을 수행하기 위하여 필요한 시험지 · 연구지 · 실습지 또는 종묘생산지로 쓰기 위하여 농림축산식품부령으로

정하는 바에 따라 농지를 취득하여 소유하는 경우

나) 「농지법」 제6조 제2항 제3호에 해당하는 농지

▶▶ 주말 · 체험영농(농업인이 아닌 개인이 주말 등을 이용하여 취미생활이나 여가활동으로 농작물을 경작하거나 다년생식물을 재배하는 것을 말한다)을 하려고 농지를 소유하는 경우

다) 「농지법」 제6조 제2항 제9호에 해당하는 농지

▶▶ 「한국농촌공사 및 농지관리기금법」 제24조 제2항에 따른 농지의 개발사업지구에 있는 농지로서 1천500제곱미터 미만의 농지나 「농어촌정비법」 제98조 제3항에 따른 농지를 취득하여 소유하는 경우

* "1천500제곱미터 미만의 농지"란 「한국농어촌공사 및 농지관리기금법」 제24조 제2항에 따라 한국농어촌공사가 개발하여 매도하는 다음 각 호의 어느 하나에 해당하는 농지를 말한다(이 경우 개인이 농지를 소유하는 경우 그 면적의 계산은 세대원 전부가 소유하는 총면적으로 한다).

① 도 · 농간의 교류촉진을 위한 1천500제곱미터 미만의 농원부지
② 농어촌관광휴양지에 포함된 1천500제곱미터 미만의 농지

라) 「농지법」 제6조 제2항 제10호 가목 또는 다목에 해당하는 농지

(1) 「한국농촌공사 및 농지관리기금법」에 따라 한국농촌공사가 농지를 취득하여 소유하는 경우
(2) 「공유수면매립법」에 따라 매립농지를 취득하여 소유하는 경우

마) 「농지법」 제6조 제2항 제4호에 따라 상속[상속인에게 한 유증(遺贈)을 포함한다]에 의하여 취득한 농지로서 그 상속개시일부터 3년이 경과하지 아니한 토지

바) 「농지법」 제6조 제2항 제5호에 따라 이농당시 소유하고 있던 농지로서 그 이농일부터 3년이 경과하지 아니한 토지

▶▶ 8년 이상 농업경영을 하던 자가 이농(離農)한 후에도 이농 당시 소유하고 있던 농지를 계속 소유하는 경우

사) 「농지법」 제6조 제2항 제7호에 따른 농지전용허가를 받거나 농지전용신고를 한 자가 소유한 농지 또는 같은 법 제6조 제2항 제8호에 따른 농지전용협의를 완료한 농지로서 당해 전용목적으로 사용되는 토지

아) 「농지법」 제6조 제2항 제10호 라목부터 바목까지의 규정에 따라 취득한 농지로서 당해 사업목적으로 사용되는 토지

(1) 토지수용으로 농지를 취득하여 소유하는 경우

(2) 농림축산식품부장관과 협의를 마치고 「공익사업을 위한 토지 등의 취득 및 보상에 관한 법률」에 따라 농지를 취득하여 소유하는 경우

(3) 「공공토지의 비축에 관한 법률」 제2조 제1호 가목에 해당하는 토지 중 같은 법 제7조 제1항에 따른 공공토지비축심의위원회가 비축이 필요하다고 인정하는 토지로서 「국토의 계획 및 이용에 관한 법률」 제36조에 따른 계획관리지역과 자연녹지지역 안의 농지를 한국토지주택공사가 취득하여 소유하는 경우. 이 경우 그 취득한 농지를 전용하기 전까지는 한국농어촌공사에 지체 없이 위탁하여 임대하거나 사용대(使用貸)하여야 한다.

자) 종중이 소유한 농지(2005. 12. 31. 이전에 취득한 것에 한한다)

차) 농지 소유자(「소득세법 시행령」 제154조 제6항에 따른 가족 중 소유자와 동거하면서 함께 영농에 종사한 자를 포함한다)가 질병(1년 이상의 치료나 요양을 필요로 하는 질병), 고령(65세 이상의 연령), 징집, 취학, 선거에 의한 공직취임, 그 밖에 부득이한 사유(교도소·구치소 또는 보호감호시설에 수용 중인 경우)로 인하여 자경할 수 없는 경우로서 다음 각 목의 요건을 모두 갖춘 토지

(1) 해당 사유 발생일부터 소급하여 5년 이상 계속하여 재촌하면서 자경한 농지로서 당해 사유 발생 이후에도 소유자가 재촌하고 있을 것. 이 경우 당해 사유 발생당시 소유자와 동거하던 「소득세법 시행령」 제154조 제6항의 규정에 따른 가족이 농지 소재지에 재촌하고 있는 경우에는 그 소유자가 재촌하고 있는 것으로 본다.

(2) 「농지법」 제23조에 따라 농지를 임대하거나 사용대할 것

예정 또는 확정신고시 제출 서류

- 「소득세법 시행규칙」 별지 제90호서식의 질병 등으로 인한 농지의 비사업용토지 제외 신청서
- 재직증명서(자경할 수 없는 사유가 공직취임인 경우에 한한다)
- 재학증명서(자경할 수 없는 사유가 취학인 경우에 한한다)
- 진단서 또는 요양증명서(자경할 수 없는 사유가 질병인 경우에 한한다)
- 그 밖에 자경할 수 없는 사유를 확인할 수 있는 서류

카) 「지방세특례제한법」 제22조 · 제41조 · 제50조 및 제89조에 따른 사회복지법인 등, 학교등, 종교 · 제사 단체 및 정당이 그 사업에 직접 사용하는 농지

타) 「한국농어촌공사 및 농지관리기금법」 제3조에 따른 한국농어촌공사가 같은 법 제24조의 4 제1항에 따라 8년 이상 수탁(개인에게서 수탁한 농지에 한한다)하여 임대하거나 사용대(使用貸)한 농지

파) 「주한미군기지 이전에 따른 평택시 등의 지원 등에 관한 특별법」에 따라 수용된 농지를 대체하여 「국토의 계획 및 이용에 관한 법률 시행령」 제119조 제1항 제2호 단서에 따라 취득한 농지로서 해당 농지로부터 직선거리 80킬로미터 이내에 있는 지역에 주민등록이 되어 있고 재촌하는 자가 자경을 하는 농지(2012. 2. 2. 최초로 양도하는 분부터 적용함)

▶▶ 개정 취지 : 「주한미군기지 이전에 따른 평택시 등의 지원 등에 관한 특별법」에 따라 수용된 농지를 대체하여 취득한 농지에 대해서 비사업용 토지에서 제외되기 위한 재촌의 요건을 농지로부터 직선거리 80킬로미터 이내의 지역으로 완화함으로써 해당 지역의 수용 농민을 보호함.

▶▶ 이 규정은 재촌요건에 관한 특례이므로 해당 농지를 자경하지 않은 경우에는 비사업용 토지에 해당함.

「국토의 계획 및 이용에 관한 법률 시행령」 제119조 【허가기준】

① 법 제119조 제1호 다목에서 "대통령령이 정하는 자"라 함은 다음 각 호의 어느 하나에 해당하는 자를 말한다.

1. 「농어업 · 농어촌 및 식품산업 기본법」 제3조 제2호에 따른 농어업인 또는 「임업 및 산촌 진흥촉진에 관한 법률」 제2조 제2호의 규정에 의한 임업인(이하 이 조에서 "농업인등"이라 한다)으로서 그가 거주하는 특별시 · 광역시(광역시의 관할구역 안에 있는 군을 제외한다) · 특별자치시 · 특별자치도 · 시 또는 군(광역시의 관할구역 안에 있는 군을 포함한다)에 소재하는 토지에 관한 소유권 · 지상권 또는 소유권 · 지상권의 취득을 목적으로 하는 권리를 이전 또는 설정(이하 이 조 및 제124조에서 "토지의 취득"이라 한다)하고자 하는 자
2. 농업인등으로서 그가 거주하는 주소지로부터 30킬로미터 이내에 소재하는 토지를 취득하려는 자. 다만, 다음 각 목의 어느 하나에 해당하는 자로서 협의양도하거나 수용된 날부터 3년 이내에 협의양도 또는 수용된 농지를 대체하기 위하여 농지를 취득하려는 경우에는 그가 거주하는 주소지로부터의 거리가 80킬로미터 안에 소재하는 농지를 취득할 수 있으며, 이 때 행정기관의 장이 관계 법령이 정하는 바에 따라 구체적인 대상을 정하여 대체농지의 취득을 알선하는 경우를 제외하고는 새로 취득하는 농지의 가액(공

시지가를 기준으로 하는 가액을 말한다)은 종전의 토지가액 이하이어야 한다.
가. 「공익사업을 위한 토지 등의 취득 및 보상에 관한 법률」, 그 밖의 법령에 따라 공익사업용으로 「농지법」 제2조 제1호에 따른 농지를 협의양도하거나 농지가 수용된 자(실제의 경작자에 한한다)
나. 가목에 해당하는 농지를 임차 또는 사용차하여 경작하던 자로서 「공익사업을 위한 토지 등의 취득 및 보상에 관한 법률」에 따른 농업의 손실에 대한 보상을 받은 자
3. 제1호 및 제2호에 해당하지 아니하는 자로서 거주지·거주기간 등 국토교통부령이 정하는 요건을 갖춘 자

나. 임야의 비사업용 토지 판정

1) 비사업용 토지 해당 여부 판정 흐름

가) 기간기준에 관계없이 비사업용 토지에서 제외되는 경우인지 확인

나) 기간기준을 적용하여 비사업용 토지 판정

임야의 경우 원칙적으로 비사업용 토지에 해당한다. 다만, 임야가 아래 "2)"에 해당하는 기간은 비사업용 기간에서 제외된다.

한편, 기간기준 검토시에는 사용의 금지 등으로 일정기간 동안 비사업용 기간으로 보지 아니하는 경우에 해당하는지를 검토한다.

2) 비사업용 토지에서 제외되는 임야의 유형

가) 「산림자원의 조성 및 관리에 관한 법률」에 따라 지정된 산림유전자원보호림, 보안림(保安林), 채종림(採種林), 시험림(試驗林), 그 밖에 아래 공익을 위하여 필요하거나 산림의 보호·육성을 위하여 필요한 임야로서 다음 중 어느 하나에 정하는 것

(1) 「산림보호법」에 따른 산림보호구역, 「산림자원의 조성 및 관리에 관한 법률」에 따른 채종림(採種林) 또는 시험림

(2) 「산지관리법」에 따른 산지 안의 임야로서 다음 각 목의 어느 하나에 해당하는 임야. 다만, 「국토의 계획 및 이용에 관한 법률」에 따른 도시지역(동법 시행령 제30조의 규정에 따른 보전녹지지역을 제외한다) 안의 임야로서 도시지역으로 편입된 날부터 2년이 경과한 임야를 제외한다.

(가) 「산림자원의 조성 및 관리에 관한 법률」에 따른 산림경영계획인가를 받아 시업(施業) 중인 임야

(나) 「산림자원의 조성 및 관리에 관한 법률」에 따른 특수산림사업지구 안의 임야

(3) 사찰림 또는 동유림(洞有林)

(4) 「자연공원법」에 따른 공원자연보존지구 및 공원자연환경지구 안의 임야

(5) 「도시공원 및 녹지 등에 관한 법률」에 따른 도시공원 안의 임야

(6) 「문화재보호법」에 따른 문화재보호구역 안의 임야

(7) 「전통사찰의 보존 및 지원에 관한 법률」에 따라 전통사찰이 소유하고 있는 경내지

(8) 「개발제한구역의 지정 및 관리에 관한 특별조치법」에 따른 개발제한구역 안의 임야

(9) 「군사기지 및 군사시설 보호법」에 따른 군사기지 및 군사시설 보호구역 안의 임야

(10) 「도로법」에 따른 접도구역 안의 임야

(11) 「철도안전법」에 따른 철도보호지구 안의 임야

(12) 「하천법」에 따른 홍수관리구역 안의 임야

(13) 「수도법」에 따른 상수원보호구역 안의 임야

나) 임야 소재지에 거주하는 자가 소유한 임야

"임야소재지에 거주하는 자가 소유한 임야"라 함은 임야의 소재지와 동일한 시(「제주특별자치도 설치 및 국제자유도시 조성을 위한 특별법」 제10조 제2항에 따라 설치된 행정시를 포함한다. 이 조에서 같다) · 군 · 구(자치구를 말한다), 그와 연접한 시 · 군 · 구 또는 임야로부터 직선거리 30킬로미터 이내에 있는 지역에 주민등록이 되어 있고 사실상 거주하는 자가 소유하는 임야를 말한다.

다) 토지의 소유자, 소재지, 이용 상황, 보유기간 및 면적 등을 고려하여 거주 또는 사업과 직접 관련이 있다고 인정할 만한 상당한 이유가 있는 임야로서 다음 중 어느 하나에 해당하는 것

(1) 「임업 및 산촌 진흥촉진에 관한 법률」에 따른 임업후계자가 산림용 종자, 산림용 묘목, 버섯, 분재, 야생화, 산나물 그 밖의 임산물의 생산에 사용하는 임야

(2) 「산림자원의 조성 및 관리에 관한 법률」에 따른 종 · 묘생산업자가 산림용 종자 또는 산림용 묘목의 생산에 사용하는 임야

(3) 「산림문화 · 휴양에 관한 법률」에 따른 자연휴양림을 조성 또는 관리 · 운영하는 사업에 사용되는 임야

(4) 「수목원조성 및 진흥에 관한 법률」에 따른 수목원을 조성 또는 관리・운영하는 사업에 사용되는 임야
(5) 산림계가 그 고유목적에 직접 사용하는 임야
(6) 「지방세특례제한법」 제22조・제41조・제50조 및 제89조에 따른 사회복지법인등, 학교등, 종교・제사 단체 및 정당이 그 사업에 직접 사용하는 임야
(7) 상속받은 임야로서 상속개시일부터 3년이 경과하지 아니한 임야
(8) 종중이 소유한 임야(2005년 12월 31일 이전에 취득한 것에 한한다)

다. 목장용지의 비사업용 토지 판정

1) 목장용지의 범위

"목장용지"란 축산용으로 사용되는 축사와 부대시설의 토지, 초지 및 사료포(飼料圃)를 말한다.

2) 비사업용 토지 해당 여부 판정 흐름

가) 기간기준에 관계없이 비사업용 토지에서 제외되는 경우인지 확인

나) 기간기준을 적용하여 비사업용 토지 판정

목장용지의 경우 원칙적으로 아래 "3)"에 해당하는 기간은 비사업용 기간에 해당한다. 다만, 토지의 소유자, 소재지, 이용 상황, 보유기간 및 면적 등을 고려하여 거주 또는 사업과 직접 관련이 있다고 인정할 만한 상당한 이유가 있는 목장용지로서 아래 "4)"에 해당하는 기간은 비사업용 기간에서 제외된다.

한편, 기간기준 검토시에는 사용의 금지 등으로 일정기간 동안 비사업용 기간으로 보지 아니하는 경우에 해당하는지를 검토한다.

3) 비사업용 해당하는 경우

목장용지로서 다음 각 목의 어느 하나에 해당하는 기간은 비사업용 기간에 해당한다.

가) 축산업을 경영하는 자가 소유하는 목장용지로서 축산용 토지의 기준면적(「소득세법 시행령」 별표 1의 3, 축산용 토지 및 건물의 기준면적)을 초과하는 경우 그 초과면적
나) 축산업을 경영하는 자가 소유하는 목장용지로서 특별시・광역시(광역시에 있는 군은 제외한다)・특별자치시(특별자치시에 있는 읍・면지역은 제외한다)・특별자치도(「제주특별자치도 설치 및 국제자유도시 조성을 위한 특별법」 제10조 제2항에 따

라 설치된 행정시의 읍 · 면지역은 제외한다) 및 시지역「지방자치법」 제3조 제4항에 따른 도농 복합형태인 시의 읍 · 면지역은 제외한다)의 도시지역(녹지지역 및 개발제한구역은 제외한다)에 있는 것

다만, 도시지역에 편입된 날부터 3년의 기간은 비사업용 기간으로 보지 아니한다.

* 녹지지역 및 개발제한구역 제외 사항은 2008. 1. 1. 이후 양도하는 분부터 적용함(2008. 2. 22. 대통령령 제20618호 부칙 §3 단서).

다) 축산업을 경영하지 아니하는 자가 소유하는 토지

4) 비사업용 기간에서 제외되는 경우

토지의 소유자, 소재지, 이용 상황, 보유기간 및 면적 등을 고려하여 거주 또는 사업과 직접 관련이 있다고 인정할 만한 상당한 이유가 있는 목장용지로서 다음 중 어느 하나에 해당하는 기간은 비사업용 기간에서 제외한다.

가) 상속받은 목장용지로서 상속개시일부터 3년이 경과하지 아니한 것

나) 종중이 소유한 목장용지(2005. 12. 31. 이전에 취득한 것에 한한다)

다)「지방세특례제한법」 제22조 · 제41조 · 제50조 및 제89조에 따른 사회복지법인등, 학교등, 종교 · 제사 단체 및 정당이 그 사업에 직접 사용하는 목장용지

라. 주택부속토지의 비사업용 토지 판정

1) 비사업용 토지 해당 여부 판정 흐름

가) 기간기준에 관계없이 비사업용 토지에서 제외되는 경우인지 확인

나) 기간기준을 적용하여 비사업용 토지 판정

한편, 기간기준 검토시에는 사용의 금지 등으로 일정기간 동안 비사업용 기간으로 보지 아니하는 경우에 해당하는지를 검토한다.

2) 비사업용 기간에 해당하는 토지

「지방세법」 제106조 제2항에 따른 주택부속토지 중 주택이 정착된 면적에 지역별로 다음 각 호의 배율을 곱하여 산정한 면적을 초과하는 토지에 해당하는 기간(초과면적)은 비사업용 기간에 해당한다.

가)「국토의 계획 및 이용에 관한 법률」 제6조 제1호에 따른 도시지역* 내의 토지 : 5배

* 주거・상업・공업・녹지지역을 말함(읍・면 지역에 소재하는 경우에도 도시지역에 해당함).

나) 그 밖의 토지 : 10배

3) 주택부속토지

주택부속토지는 「지방세법」 제106조 제2항에 따른 주택부속토지를 말하며, 이 경우 "주택"이란 세대(世帶)의 구성원이 장기간 독립된 주거생활을 할 수 있는 구조로 된 건축물의 전부 또는 일부를 말한다.

4) 주택부속토지의 범위 산정

주거용과 주거 외의 용도를 겸하는 건물에서 주택의 범위를 구분하는 방법, 주택 부속토지의 범위 산정은 다음 각 호에서 정하는 바에 따른다.

가) 1동(棟)의 건물이 주거와 주거 외의 용도로 사용되고 있는 경우에는 주거용으로 사용되는 부분만을 주택으로 본다. 이 경우 건물의 부속토지는 주거와 주거 외의 용도로 사용되는 건물의 면적비율에 따라 각각 안분하여 주택의 부속토지와 건축물의 부속토지로 구분한다.

나) 1구(構)의 건물이 주거와 주거 외의 용도로 사용되고 있는 경우에는 주거용으로 사용되는 면적이 전체의 100분의 50 이상인 경우에는 주택으로 본다.

다) 주택의 부속토지의 경계가 명백하지 아니한 경우에는 그 주택의 바닥면적의 10배에 해당하는 토지를 주택의 부속토지로 한다.

마. 별장과 그 부속토지의 비사업용 토지 판정

1) 별장의 범위

별장이란 주거용 건축물로서 상시주거용으로 사용하지 아니하고 휴양, 피서, 위락 등의 용도로 사용하는 건축물을 말한다.

2) 비사업용 토지 해당 여부 판정 흐름

가) 기간기준에 관계없이 비사업용 토지에서 제외되는 경우인지 확인

나) 기간기준을 적용하여 비사업용 토지 판정

별장과 그 부속토지의 경우 원칙적으로 비사업용 토지에 해당한다. 별장 부속토지의 경

우 전체 면적이 비사업용 토지에 해당하나 별장에 부속된 토지의 경계가 명확하지 아니한 경우에는 그 건축물 바닥면적의 10배에 해당하는 토지를 별장부속토지로 본다.

다만, 「지방자치법」 제3조 제3항 및 제4항에 따른 읍 또는 면에 소재하고 아래 "3)"에 해당하는 농어촌주택과 그 부속토지는 비사업용 토지에서 제외한다.

한편, 기간기준 검토시에는 사용의 금지 등으로 일정기간 동안 비사업용 기간으로 보지 아니하는 경우에 해당하는지를 검토한다.

3) 별장과 그 부속토지에서 제외되는 농어촌주택과 그 부속토지의 범위

"별장과 그 부속토지"에서 제외되는 농어촌주택과 그 부속토지는 다음 각 호의 요건을 모두 갖춘 주택과 그 부속토지를 말한다.

가) 건물의 연면적이 150제곱미터 이내이고 그 건물의 부속토지의 면적이 660제곱미터 이내일 것

나) 건물과 그 부속토지의 가액이 기준시가 2억원 이하일 것

다) 다음 중 어느 하나에 해당하는 지역*을 제외한 지역에 소재할 것

(1) 수도권지역(경기도 연천군, 인천광역시 옹진군은 제외)

* 2008. 12. 31. 이전은 광역시에 소속된 군지역도 포함됨.

(2) 「국토의 계획 및 이용에 관한 법률」 제6조 및 같은 법 제117조에 따른 도시지역 및 허가구역

(3) 「소득세법」 제104조의 2 제1항에 따른 지정지역

(4) 「관광진흥법」 제2조에 따른 관광단지

바. 기타 토지*의 비사업용 토지 판정

* 농지 · 임야 · 목장용지 · 주택부속토지 · 별장과 그 부속토지 외의 토지

1) 비사업용 토지 해당 여부 판정 흐름

가) 기간기준에 관계없이 비사업용 토지에서 제외되는 경우인지 확인

나) 기간기준을 적용하여 비사업용 토지 판정

기타 토지는 원칙적으로 비사업용 토지에 해당한다. 다만, 아래 "2)"에 해당하는 기간은 비사업용 기간에서 제외한다.

한편, 기간기준 검토시에는 사용의 금지 등으로 일정기간 동안 비사업용 기간으로 보지

아니하는 경우에 해당하는지를 검토한다.

2) 비사업용 토지에서 제외되는 토지

가) 「지방세법」 또는 관계 법률에 따라 재산세가 비과세되거나 면제되는 토지

나) 「지방세법」 제106조 제1항 제2호 및 제3호에 따른 재산세 별도합산과세대상 또는 분리과세대상이 되는 토지

다) 토지의 이용 상황, 관계 법률의 의무 이행 여부 및 수입금액 등을 고려하여 거주 또는 사업과 직접 관련이 있다고 인정할 만한 상당한 이유가 있는 토지로서 대통령령으로 정하는 것{아래 "3)"에서 설명함}

▶▶ "다)"는 재산세 종합합산과세대상이나 비사업용 토지에서 제외되는 유형임.

▶▶ 기타 토지는 재산세 과세유형을 먼저 검토(비과세 · 면제 · 별도합산 · 분리과세)하고, 종합합산과세대상인 경우에는 "다)"에 해당하는지를 검토하는 것이 편리하다.

3) 재산세 종합합산과세대상이나 비사업용 토지에서 제외되는 토지

기타 토지로서 다음 중 어느 하나에 해당하는 기간은 비사업용 기간에서 제외한다.

가) 운동장 · 경기장 등 체육시설용 토지로서 다음 각 목의 어느 하나에 해당하는 것

(1) 선수전용 체육시설용 토지

(가) 「국민체육진흥법」에 따라 직장운동경기부를 설치한 자가 선수전용으로 계속하여 제공하고 있는 체육시설용 토지로서 기획재정부령이 정하는 선수전용 체육시설의 기준면적(「소득세법 시행규칙」 별표3) 이내의 토지.

다만, 직장운동경기부가 다음 각 호의 모든 요건을 갖추지 아니하는 경우에는 그러하지 아니하다.

① 선수는 대한체육회에 가맹된 경기단체에 등록되어 있는 자일 것

② 경기종목별 선수의 수는 당해 종목의 경기정원 이상일 것

③ 경기종목별로 경기지도자가 1인 이상일 것

(나) 운동경기업을 영위하는 자가 선수훈련에 직접 사용하는 체육시설로서 기획재정부령이 정하는 기준면적(「소득세법 시행규칙」 별표4) 이내의 토지

(2) 종업원 체육시설용 토지

종업원의 복지후생을 위하여 설치한 체육시설용 토지 중 기획재정부령이 정하는 종업원 체육시설의 기준면적(「소득세법 시행규칙」 별표5) 이내의 토지.

다만, 다음 각 호의 기준에 적합하지 아니하는 경우에는 그러하지 아니하다.

① 운동장과 코트는 축구 · 배구 · 테니스 경기를 할 수 있는 시설을 갖출 것

② 실내체육시설은 영구적인 시설물이어야 하고, 탁구대를 2면 이상을 둘 수 있는 규모일 것

(3) 「체육시설의 설치·이용에 관한 법률」에 따른 체육시설업을 영위하는 자가 동법의 규정에 따른 적합한 시설 및 설비를 갖추고 당해 사업에 직접 사용하는 토지

(4) 경기장운영업을 영위하는 자가 당해 사업에 직접 사용하는 토지

나) 주차장용 토지로서 다음 각 목의 어느 하나에 해당하는 것

(1) 「주차장법」에 따른 부설주차장(주택의 부설주차장을 제외한다)으로서 동법에 따른 부설주차장 설치기준면적 이내의 토지. 다만, 아래 "바)"에 따른 휴양시설업용 토지 안의 부설주차장용 토지에 대하여는 아래 "바)"에서 정하는 바에 의한다.

(2) 「지방세법 시행령」 제101조 제3항 제1호에 따른 사업자 외의 자로서 업무용자동차(승용자동차 · 이륜자동차 및 종업원의 통근용 승합자동차를 제외한다)를 필수적으로 보유하여야 하는 사업에 제공되는 업무용자동차의 주차장용 토지. 다만, 소유하는 업무용자동차의 차종별 대수에 「여객자동차 운수사업법」 또는 「화물자동차 운수사업법」에 규정된 차종별 대당 최저보유차고면적기준을 곱하여 계산한 면적을 합한 면적(이하 "최저차고기준면적"이라 한다)에 1.5를 곱하여 계산한 면적 이내의 토지에 한한다.

(3) 주차장운영업용 토지

주차장운영업을 영위하는 자가 소유하고, 「주차장법」에 따른 노외주차장으로 사용하는 토지로서 토지의 가액에 대한 1년간의 수입금액의 비율이 100분의 3 이상인 토지

다) 「사회기반시설에 대한 민간투자법」에 따라 지정된 사업시행자가 동법에서 규정하는 민간투자사업의 시행으로 조성한 토지 및 그 밖의 법률에 따라 사업시행자가 조성하는 토지로서 다음 중 어느 하나에 해당하는 토지. 다만, 토지의 조성이 완료된 날부터 2년이 경과한 토지를 제외한다.

(1) 「경제자유구역의 지정 및 운영에 관한 법률」에 따른 개발사업시행자가 경제자유구역개발계획에 따라 경제자유구역 안에서 조성한 토지

(2) 「관광진흥법」에 따른 사업시행자가 관광단지 안에서 조성한 토지
(3) 「기업도시개발특별법」에 따라 지정된 개발사업시행자가 개발구역 안에서 조성한 토지
(4) 「물류시설의 개발 및 운영에 관한 법률」에 따른 물류단지개발사업시행자가 해당 물류단지 안에서 조성한 토지
(5) 「중소기업진흥 및 제품구매촉진에 관한 법률」에 따라 단지조성사업의 실시계획이 승인된 지역의 사업시행자가 조성한 토지
(6) 「지역균형개발 및 지방중소기업 육성에 관한 법률」에 따라 지정된 개발촉진지구 안의 사업시행자가 조성한 토지
(7) 「한국컨테이너부두공단법」에 따라 설립된 한국컨테이너부두공단이 조성한 토지

라) 「청소년활동진흥법」에 따른 청소년수련시설용 토지로서 동법에 따른 시설·설비기준을 갖춘 토지. 다만, 기준면적(수용정원에 200제곱미터를 곱한 면적)을 초과하는 토지를 제외한다.

마) 종업원 등의 예비군훈련을 실시하기 위하여 소유하는 토지로서 다음 각 목의 요건을 모두 갖춘 토지

(1) 지목이 대지 또는 공장용지가 아닐 것
(2) 「국토의 계획 및 이용에 관한 법률」에 따른 도시지역의 주거지역·상업지역 및 공업지역 안에 소재하지 아니할 것
(3) 기획재정부령이 정하는 시설기준(「소득세법 시행규칙」 별표6 제1호)을 갖추고 기획재정부령이 정하는 기준면적(「소득세법 시행규칙」 별표6 제2호) 이내일 것
(4) 수임 군부대의 장으로부터 예비군훈련의 실시를 위임받은 자가 소유할 것

바) 「관광진흥법」에 따른 전문휴양업·종합휴양업 등 휴양시설업용 토지로서 기준면적 이내의 토지

(1) 휴양시설업용 토지

「관광진흥법」에 따른 전문휴양업·종합휴양업 그 밖에 이와 유사한 시설을 갖추고 타인의 휴양이나 여가선용을 위하여 이를 이용하게 하는 사업용 토지(「관광진흥법」에 따른 전문휴양업·종합휴양업 그 밖에 이와 유사한 휴양시설업의 일부로 운영되는 스키장업 또는 수영장업용 토지를 포함하며, 온천장용 토지를 제외한다)를 말한다.

(2) 기준면적

다음 각 호의 기준면적을 합한 면적을 말한다.

(가) 옥외 동물방목장 및 옥외 식물원이 있는 경우 그에 사용되는 토지의 면적

(나) 부설주차장이 있는 경우 「주차장법」에 따른 부설주차장 설치기준면적의 2배 이내의 부설주차장용 토지의 면적. 다만, 「도시교통정비 촉진법」에 따라 교통영향분석 · 개선대책이 수립된 주차장의 경우에는 같은 법 제16조 제4항에 따라 해당 사업자에게 통보된 주차장용 토지면적으로 한다.

(다) 「지방세법 시행령」 제101조 제1항 제2호에 따른 건축물이 있는 경우 재산세 종합합산과세대상 토지 중 건축물의 바닥면적(건물 외의 시설물인 경우에는 그 수평투영면적을 말한다)에 동조 제2항의 규정에 따른 용도지역별 배율을 곱하여 산정한 면적 범위 안의 건축물 부속토지의 면적

사) 하치장용 등의 토지

물품의 보관 · 관리를 위하여 별도로 설치 · 사용되는 하치장 · 야적장 · 적치장 등(「건축법」에 따른 건축허가를 받거나 신고를 하여야 하는 건축물로서 허가 또는 신고없이 건축한 창고용 건축물의 부속토지를 포함한다)으로서 매년 물품의 보관 · 관리에 사용된 최대면적의 100분의 120 이내의 토지

아) 골재채취장용 토지

「골재채취법」에 따라 시장 · 군수 또는 구청장(자치구의 구청장에 한한다)으로부터 골재채취의 허가를 받은 자가 허가받은 바에 따라 골재채취에 사용하는 토지

자) 「폐기물관리법」에 따라 허가를 받아 폐기물처리업을 영위하는 자가 당해 사업에 사용하는 토지

차) 광천지 [鑛泉地(청량음료제조업 · 온천장업 등에 사용되는 토지로서 지하에서 온수 · 약수 등이 용출되는 용출구 및 그 유지를 위한 부지를 말한다)]로서 토지의 가액에 대한 1년간의 수입금액의 비율이 100분의 4 이상인 토지

카) 「측량 · 수로조사 및 지적에 관한 법률」에 따른 양어장 또는 지소(池沼)용 토지(내수면양식업 · 낚시터운영업 등에 사용되는 댐 · 저수지 · 소류지(小溜池) 및 자연적으로 형성된 호소와 이들의 유지를 위한 부지를 말한다)로서 다음 각 목의

어느 하나에 해당하는 토지

(1) 「수산업법」에 따라 허가를 받은 육상해수양식어업 및 종묘생산어업에 사용되는 토지

(2) 「내수면어업법」에 따라 시장 · 군수 또는 구청장(자치구의 구청장을 말하며, 서울특별시의 한강의 경우에는 한강관리에 관한 업무를 관장하는 기관의 장을 말한다. 이하 이 목에서 같다)으로부터 면허 또는 허가를 받거나 시장 · 군수 · 구청장에게 신고한 자가 당해 면허어업 · 허가어업 및 신고어업에 사용하는 토지

(3) 위 (1) 및 (2) 외의 토지로서 토지의 가액에 대한 1년간의 수입금액의 비율이 100분의 4 이상인 토지

타) 기타 수입금액비율 적용 토지

블록 · 석물 · 토관제조업용 토지 등으로서 토지의 가액에 대한 1년간의 수입금액의 비율이 일정 비율 이상인 토지를 말한다.

이 경우 각 토지의 수입금액 기준율은 아래와 같다.

(1) 블록 · 석물 및 토관제조업용 토지 : 100분의 20

(2) 조경작물식재업용 토지 및 화훼판매시설업용 토지 : 100분의 7

(3) 자동차정비 · 중장비정비 · 중장비운전에 관한 과정을 교습하는 학원용 토지 : 100분의 10

(4) 농업에 관한 과정을 교습하는 학원용 토지 : 100분의 7

(5) 블록 · 석물 · 토관 · 벽돌 · 콘크리트제품 · 옹기 · 철근 · 비철금속 · 플라스틱파이프 · 골재 · 조경작물 · 화훼 · 분재 · 농산물 · 수산물 · 축산물의 도매업 및 소매업용(농산물 · 수산물 및 축산물의 경우에는 「유통산업발전법」에 따른 시장과 그 밖에 이와 유사한 장소에서 운영하는 경우에 한함) 토지 : 100분의 10

파) 나지(裸地)

"나지"란 주택을 소유하지 아니하는 1세대가 소유하는 1필지의 나지["가)"부터 "타)"에 해당하지 아니하는 토지로서 어느 용도로도 사용되고 있지 아니한 토지를 말한다)]로서 주택 신축의 가능여부 등을 고려하여 다음 기준에 해당하는 토지(660제곱미터 이내에 한한다)를 말한다.

(1) 나지의 기준

법령의 규정에 따라 주택의 신축이 금지 또는 제한되는 지역에 소재하지 아니하고, 그

지목이 대지이거나 실질적으로 주택을 신축할 수 있는 토지(「건축법」 제44조에 따른 대지와 도로와의 관계를 충족하지 못하는 토지를 포함한다)를 말한다.

(2) 나지가 2필지 이상인 경우

나지가 2필지 이상인 경우에는 당해 세대의 구성원이 나지로 적용받을 토지를 선택할 수 있다. 이 경우 나지의 양도일이 속하는 과세기간의 과세표준신고시에 무주택세대 소유 나지의 비사업용 토지 제외신청서(「소득세법 시행규칙」 별지 제91호 서식)를 제출하면 된다. 다만, 무주택세대 소유 나지의 비사업용 토지 제외신청서를 제출하지 아니한 경우에는 나지에 해당하는 필지의 결정은 다음 각 호의 방법에 의한다.

(가) 1세대의 구성원 중 2인 이상이 나지를 소유하고 있는 경우에는 다음의 순서를 적용한다.

① 세대주

② 세대주의 배우자

③ 연장자

(나) 1세대의 구성원 중 동일인이 2필지 이상의 나지를 소유하고 있는 경우에는 면적이 큰 필지의 나지를, 동일한 면적인 필지의 나지 중에서는 먼저 취득한 나지를 우선하여 적용한다.

4) 수입금액비율의 계산 방법 등

가) 수입금액비율 계산 방법

토지의 가액에 대한 1년간의 수입금액의 비율("수입금액비율")은 과세기간별로 계산하되, 다음 각 호의 비율 중 큰 것으로 한다. 이 경우 당해 토지에서 발생한 수입금액을 토지의 필지별로 구분할 수 있는 경우에는 필지별로 수입금액비율을 계산한다.

(1) 당해 과세기간의 연간수입금액을 당해 과세기간의 토지가액으로 나눈 비율

(2) (당해 과세기간의 연간수입금액 + 직전 과세기간의 연간수입금액) ÷ (당해 과세기간의 토지가액 + 직전 과세기간의 토지가액)

나) 연간수입금액의 계산 방법

"연간수입금액"이란 다음 각 호에 규정한 방법에 따라 계산한 금액을 말한다.

(1) 당해 토지 및 건축물 · 시설물 등에 관련된 사업의 1과세기간의 수입금액으로 하되, 당해 토지 및 건축물 · 시설물 등에 대하여 전세 또는 임대계약을 체결하여 전세금

또는 보증금을 받는 경우에는 「부가가치세법 시행령」 제49조의 2 제1항에 규정된 산식을 준용하여 계산한 금액을 합산한다.

(2) 1과세기간의 수입금액이 당해 토지 및 건축물·시설물 등("당해 토지등"이라 한다)과 그 밖의 토지 및 건축물·시설물 등("기타토지등"이라 한다)에 공통으로 관련되고 있어 그 실지귀속을 구분할 수 없는 경우에는 당해 토지등에 관련된 1과세기간의 수입금액은 다음 산식에 따라 계산한다.

당해 토지등에 관련된 1과세기간의 수입금액 = 당해 토지등과 기타토지등에 공통으로 관련된 1과세기간의 수입금액 × (당해 과세기간의 당해 토지의 가액 ÷ 당해 과세기간의 당해 토지의 가액과 그 밖의 토지의 가액의 합계액)

(3) 사업의 신규개시·폐업, 토지의 양도 또는 법령에 따른 토지의 사용금지 그 밖의 부득이한 사유로 인하여 1과세기간 중 당해 토지에서 사업을 영위한 기간이 1년 미만인 경우에는 당해 기간 중의 수입금액을 1년간으로 환산하여 연간수입금액을 계산한다.

다) 토지가액의 계산 방법

"당해 과세기간의 토지가액"이란 당해 과세기간 종료일(과세기간 중에 양도한 경우에는 양도일)의 기준시가를 말한다.

라) 다수필지가 하나의 용도로 사용되는 경우

비사업용 토지 판정시 연접하여 있는 다수 필지의 토지가 하나의 용도에 일괄하여 사용되고 그 총면적이 비사업용 토지 해당여부의 판정기준이 되는 면적("기준면적"이라 한다)을 초과하는 경우에는 다음 각 호의 구분에 따라 해당 호의 각 목의 순위에 따른 토지의 전부 또는 일부를 기준면적 초과부분으로 본다.

(1) 토지 위에 건축물 및 시설물이 없는 경우

(가) 취득시기가 늦은 토지

(나) 취득시기가 동일한 경우에는 거주자가 선택하는 토지

(2) 토지 위에 건축물 또는 시설물이 있는 경우

(가) 건축물의 바닥면적 또는 시설물의 수평투영면적을 제외한 토지 중 취득시기가 늦은 토지

(나) 취득시기가 동일한 경우에는 거주자가 선택하는 토지

마) 토지 위에 하나 이상의 건축물이 있는 경우

비사업용 토지 판정시 토지 위에 하나 이상의 건축물(시설물 등을 포함한다)이 있고, 그 건축물이 거주자의 거주 또는 특정 사업에 사용되는 부분(다수의 건축물 중 거주 또는 특정 사업에 사용되는 일부 건축물을 포함한다. 이 항에서 "특정용도분"이라 한다)과 그러하지 아니한 부분이 함께 있는 경우 건축물의 바닥면적 및 부속토지면적(이 항에서 "부속토지면적등"이라 한다) 중 특정용도분의 부속토지면적등의 계산은 다음 산식에 의한다.

(1) 하나의 건축물이 복합용도로 사용되는 경우

> 특정용도분의 부속토지면적등 = 건축물의 부속토지면적등 × 특정용도분의 연면적 / 건축물의 연면적

(2) 동일경계 안에 용도가 다른 다수의 건축물이 있는 경우

> 특정용도분의 부속토지면적 = 다수의 건축물의 전체 부속토지면적 × 특정용도분의 바닥면적 / 다수의 건축물의 전체 바닥면적

바) 업종의 분류

비사업용 토지 판정시 업종의 분류는 「소득세법 시행령」에 특별한 규정이 있는 경우를 제외하고는 「통계법」에 따라 통계청장이 고시하는 한국표준산업분류에 따른다.

관련예규 및 판례요약

중과대상 비사업용 토지의 범위와 관련된 예규, 판례

기획재정부 재산세제과-854, 2018. 10. 10.

2009. 3. 16.부터 2012. 12. 31.까지 취득한 비사업용 토지를 2016. 1. 1. 이후 양도 시 일반세율을 적용함.

조심 2016부 3797, 2017. 1. 6. 경정(재조사)

쟁점토지가 2009. 12. 15. 답에서 전으로 형질변경된 점, 쟁점토지의 항공사진에 의하여 2010년부터 경작의 흔적이 보이는 점 등에 비추어 청구인이 쟁점토지의 양도일 직전 3년 중 2년 이상의 기간은 쟁점토지의 일부를 자경한 것으로 보이므로 처분청은 항공사진 등에 의하여 청구인의 경작 면적을 재조사하여 그 결과에 따라 해당 면적을 비사업용 토지에서 제외함이 타당함.

서면부동산-3881, 2016. 12. 30.

비사업용토지의 범위를 판단함에 있어 농지전용협의를 완료한 농지로서 당해 전용목적으로 사용되는 경우 당해 기간은 사업용으로 사용한 기간으로 보는 것이나 당해 농지 소유자가 농지전용허가 받지 않거나 농지전용신고를 하지 않은 경우 또는 농지전용협의 상의 전용목적으로 사용되지 않은 경우에는 그렇지 않은 것임.

조심 2016중 2874, 2016. 11. 29. 경정

비사업용 토지의 면적은 양도 당시 소유한 면적의 보유기간에 대하여 적용하는 것이므로, 2015. 7. 31. 상속재산 협의분할로 인하여 청구인에게 쟁점농지 중 지분 1020분의 534가 귀속되었고 2015. 8. 10. 청구인을 포함한 공동상속인들의 지분이 전부 양도된 이상, 처분청이 쟁점농지의 양도 당시 청구인의 지분면적인 534㎡를 비사업용토지로 보아 장기보유특별공제를 부인한 처분은 잘못이 없음.

사전법령재산-231, 2016. 10. 14.

지목이 대지인 토지의 일부가 도로로 수용되고 남은 부분의 토지가 접도구역으로 지정된 경우 사용이 제한된 토지에 해당하지 아니하며, 접도구역으로 지정되지 아니한 남은 부분의 토지만으로 건축이 불가능하다는 사유는 같은 법 시행규칙 제83조의 5 【부득이한 사유가 있어 비사업용 토지로 보지 아니하는 토지의 판정기준 등】 제1항 제1호 규정이 적용되지 아니하는 것임.

조심 2015중 4530, 2016. 4. 11. 경정(재조사)

원칙적으로 비사업용 토지에 해당하나 일부 면적이 사권제한으로 재산세가 감면된 것으로 확인되므로 해당 면적에 대하여 비사업용 토지에 해당하는지 여부를 재조사하여 과세표준 및 세액을 경정하는 것이 타당함.

조심 2016서 382, 2016. 4. 7. 인용

쟁점토지 일부의 공부상 지목은 전으로 되어 있으나 실제 현황은 대지임이 분명하고, 그 지상에는 주한미군 아파트에 거주하는 미군 및 그 가족이 사용하는 야구장, 주차장, 교회건물 등의 시설물이 건립되어 있었으며, 위 화해조서에 따라 피상속인 및 청구인이 계속하여 국가로부터 감정평가에 의하여 객관적으로 산정된 사용료를 받고 있었던 점 등에 비추어 쟁점토지는 비사업용 토지에 해당하지 아니한다고 판단됨.

사전법령재산-446, 2016. 1. 26.

대습상속에 해당하지 않는 이상 祖父 소유의 임야 지분이 신청인 명의로 등기된 경우 해당 지분은 父의 상속개시일에 상속받은 것에 해당하며, 父가 재촌 요건을 갖추지 못한 경우 비사업용토지에서 제외되는 토지가 아님.

심사양도 2015-125, 2015. 11. 27. 인용

농지등이 도시지역에 편입된지 2년이 경과되었다 하더라도 보유기간에 따라 기간기준을 적용하여 비사업용 토지 여부를 판단하여야 함.

서면부동산-1868, 2015. 10. 8.

「도시개발법」에 따른 도시개발구역 안의 토지를 도시개발사업이 진행중에 취득한 경우, 해당 토지를 취득한 날부터 건축이 가능한 날의 전일까지의 기간은 비사업용토지의 기간에서 제외하지 않는 것임.

대법 2012두 15371, 2014. 10. 30. 국패

한 필지의 토지가 사업용 토지와 비사업용 토지로 구분되는 경우에는 사업용 토지 부분과 비사업용 토지 부분을 각각 '하나의 자산'으로 보아 각기 다른 세율을 적용하여야 함.

대법원 2012두 20496, 2013. 2. 28.

비사업용 임야 거주요건 중 '주민등록'은 예시적인 요건에 불과한 것이 아니라 '사실상 거주'라는 요건과 별개의 요건으로 보아야 하고, 그와 같은 해석이 실질과세 및 조세평등의 원칙 등에 반하거나 모법의 위임 범위를 벗어난 것이라고 볼 수 없음.

대법원 2010두 17281, 2012. 10. 25.

비사업용 토지 중과제도의 시행시기를 정함에 있어 법 시행 전에 비사업용토지를 취득하였다가 시행 후에 양도한 경우에도 중과하도록 정하였다고 하여 신뢰보호의 원칙이나 과잉금지 원칙에 위배된다고 볼 수 없고 재촌·자경하였다 하더라도 도시지역 편입 전 소유기간이 1년에 미치지 못하므로 비사업용토지에서 제외될 수 없음.

재재산-915, 2011. 10. 27.

거주자가 「소득세법」 제89조 제1항 제3호의 규정에 의하여 양도소득의 비과세 대상에서 제외되는 고가주택(이에 부수되는 토지를 포함한다)을 양도하고 같은 법 시행령 제160조의 규정에 따라 해당 주택과 그 부수토지의 양도차익을 산정하는 경우로서 주택의 부수토지가 주택이 정착된 면적에 지역별로 같은 영 제168조의 12에서 정하는 배율을 곱하여 산정한 면적

(이하 "기준면적"이라 한다)을 초과하는 때에는 기준면적을 초과하는 토지부분의 양도차익의 경우 같은 법 제104조의 3에 따른 비사업용 토지로서 과세되며, 주택 및 기준면적 이내 토지부분의 양도차익의 경우 「소득세법 기본통칙」 95-1(고가주택의 양도차익 계산)의 계산방법에 따라 주택과 전체 부수토지의 양도차익을 구분하여 각기 산정하되, 기준면적 이내 토지부분의 양도차익의 경우 해당 계산방법을 통해 도출된 전체 부수토지의 양도차익에서 기준면적을 초과하는 토지부분의 양도차익분을 공제하여 산정(단, 해당 계산방법을 통해 도출된 전체 부수토지의 양도차익보다 기준면적을 초과하는 토지부분의 양도차익이 더 클 경우 그 초과금액은 없는 것으로 본다)하는 것임.

재재산-546, 2009. 3. 20.

「소득세법」 제104조의 3 제1항 제1호 나목의 규정에 의한 농지의 비사업용 토지를 판정함에 있어 「국토의 계획 및 이용에 관한 법률」 제36조 제1항 제1호 다목의 공업지역에 소재하는 농지는 비사업용 토지에 해당하는 것임.

서면5팀-3177, 2007. 12. 6.

농지, 임야, 목장용지 외의 토지의 경우 재산세 종합합산과세대상인 토지가 법 소정기간 동안 사업에 사용되는 토지의 범위에 해당하지 아니한 경우에는 비사업용 토지로 봄.

서면4팀-3479, 2007. 12. 5.

주택부속토지 중 주택이 정착한 면적에 배율을 곱하여 산정한 면적을 초과하는 토지는 비사업용 토지에 해당함.

서면5팀-3139, 2007. 11. 30.

비사업용 토지의 판정시 농지, 임야, 목장용지 및 그 밖의 토지의 판정은 특별한 규정이 있는 경우를 제외하고는 사실상의 현황에 의하는 것이나 사실상의 현황이 분명하지 아니한 경우에는 공부상의 현황에 의함.

서면4팀-3365, 2007. 11. 21.

토지 소유기간 중 지목이 변경된 경우 지목별로 비사업용 토지 해당 기간을 합산하여 비사업용 토지 여부를 판단함.

서면4팀-3320, 2007. 11. 16.

과세연도 중에 양도한 토지(주차장운영업 운영 토지)의 수입금액은 1년간으로 환산하여 비사업용 수입금액을 계산함.

서면5팀-2949, 2007. 11. 12.

비사업용 토지의 양도소득세를 적용함에 있어 도시지역에 편입된 날이라 함은 「국토의 계획 및 이용에 관한 법률」의 규정에 의한 도시지역(녹지지역 및 개발제한구역 제외)에 편입된 날을 말함.

서면4팀-2960, 2007. 10. 15.

토지를 취득한 이후 개발제한구역에서 해제되면서 도시개발구역으로 지정된 경우 토지를 취득한 후 법령에 따라 사용이 금지 또는 제한된 토지에 해당하지 아니함.

재재산-1236, 2007. 10. 11.

「도시개발법」에 의한 환지처분되는 토지는 건축이 가능한 날부터 기산하여 2년간은 비사업용 토지에 해당하지 않는 토지로 보는 것임.

서면4팀-2912, 2007. 10. 10.

「도시개발법」상 환지방식에 의한 토지개발사업이 진행되는 도중 토지소유자의 신청 · 동의로 환지를 정하지 않고 청산금이 교부된 토지는 비사업용 토지에서 제외되지 않음.

중과대상에서 제외되는 비사업용 토지와 관련된 예규, 판례

서면부동산-5274, 2016. 12. 30.

「공익사업을 위한 토지 등의 취득 및 보상에 관한 법률」 및 그 밖의 법률에 따라 협의매수 또는 수용되는 토지로서 취득일이 사업인정고시일부터 2년 이전인 토지는 비사업용 토지로 보지 않는 것임.

서면부동산-5483, 2016. 11. 18.

「소득세법 시행령」 제168조의 9 제1항 제9호 규정에 따라 「군사기지 및 군사시설보호법」에 따른 군사기지 및 군사시설보호구역 안의 임야는 해당하는 기간동안 비사업용 토지로 보지 아니하는 것임.

재재산-666, 2016. 10. 19.

계획관리지역으로 지정되었더라도 토지의 용도에 따른 통상적인 제한의 범위를 넘어 특별히 사용이 제한되지 않은 토지는 '법령에 따라 사용이 금지 또는 제한된 토지'에 해당되지 않는 것임.

조심 2016서 800, 2016. 7. 20. 인용

토지대장 등에 의하면 청구인이 취득하여 지목을 답에서 잡종지로 변경한 점, 청구인이 쟁점토지를 취득한 직후 그 일대가 주택신축 등 개발행위가 제한되는 구역으로 지정된 점, 공부상 지목이 잡종지인 쟁점토지에 대하여 재산세가 분리과세된 점 등에 비추어 청구인이 주택신축 목적으로 쟁점토지를 취득한 것으로 보이므로 개발제한구역으로 지정된 기간을 비사업용 토지에서 제외되는 기간으로 보는 것이 타당한 점 등에 비추어 쟁점토지를 비사업용 토지로 보아 장기보유특별공제를 부인하여 양도소득세를 부과한 처분은 잘못이 있음.

심사양도 2016-24, 2016. 6. 10. 인용

지목이 '임야'인 토지를 '농지'로 판단하고, 양도 전 2년 5개월 동안 임대한 사실을 두고 직접 자경한 것으로 볼 수 없다고 하여 비사업용토지로 보아 장기보유특별공제를 배제한 처분은 잘못임.

서면부동산-1362, 2015. 10. 8.

도시지역 내 주거지역으로 편입된 농지로써 도시개발구역으로 지정되어 건축물 건축 등 개발행위가 제한되는 경우, 도시개발구역지정의 고시일부터 사업이 구획단위로 사실상 완료되어 건축이 가능하게 된 날까지의 기간에 2년을 더한 기간은 '비사업용 토지'의 기간에서 제외하는 것

서면부동산-168, 2015. 6. 3.

「도시개발법」 제9조의 도시개발구역지정 고시일부터 사업이 구획단위로 사실상 완료되어 건축이 가능하게 된 날까지의 기간에 2년을 더한 기간은 '비사업용 토지에서 제외되는 기간'으로 보는 것임.

부동산납세-24, 2015. 1. 15.

토지를 취득하여 사업용으로 사용하기 위하여 건설에 착공한 토지는 당해 토지의 취득일부터 2년 및 착공일 이후 건설이 진행 중인 기간은 「소득세법 시행규칙」 제85조의 5 제1항 제5호에 따라 비사업용 토지로 보는 기간에서 제외되는 것임.

부동산납세-871, 2014. 11. 19 .

주거지역으로 지정된 농지가 개발행위허가제한구역으로 지정되거나 도시개발구역으로 지정되어 건축물 건축 등 개발행위가 제한되는 경우 개발행위허가제한구역 및 도시개발구역으로 지정 · 고시된 날부터 「소득세법 시행령」 제168조의 14 제1항 제1호의 규정에 따른 '법령에 따라 사용이 제한된 토지'로 보는 것임.

부동산납세-814, 2014. 10. 29.

비사업용 토지에서 제외되는 기간기준을 적용할 때 상속받은 농지는 피상속인의 자경기간과 상속인의 자경기간을 통산하지 않음.

대법원 2011두 20529, 2013. 2. 28.

이농 당시 소유하고 있는 일정 농지를 한시적으로 비사업용 토지의 범위에서 제외하는 규정

(「소득세법 시행규칙」 제83조의 5 제3항 제2호)은 도시지역 안의 농지를 그 적용대상에서 배제하고 있지 않은 점, 해당 농지를 비사업용 토지에서 제외하는 취지 등을 종합하여 보면 위 규정은 도시지역 안의 농지도 적용되는 것임.

대법원 2011두 28950, 2013. 2. 14.

토지를 취득한 후 도시계획의 변경 등 정당한 사유로 인하여 비사업용토지로 보지 아니하는 토지는 토지 취득 후에 기존 도시계획의 변경 등으로 인하여 사용이 금지 또는 제한된 기간이 연장된 토지도 포함되므로 토지구획정리사업계획의 변경에 따라 사업기간이 연장된 경우 비사업용 토지로 보지 아니함.

대법원 2010두 21020, 2012. 11. 15.

피상속인이 토지와 지상건축물을 취득한 후 건축물을 철거하여 철거일로부터 2년 동안 비사업용토지로 보지 않도록 하는 규정의 적용사유가 발생하게 된 때에는 피상속인이 토지 양도 전에 사망하여 상속인이 이를 상속한 후 양도한 경우에도 위 규정을 적용함이 타당함.

재재산-898, 2012. 10. 31.

부가 소유한 임야를 모가 상속받아 소유하다가 사망하여 자녀가 상속받은 후 양도하는 경우 부모의 재촌·보유기간을 합산한 기간을 「소득세법 시행령」 제168조의 14 제3항 제1호의 2에 따른 직계존비속의 재촌 보유기간으로 보아 비사업용 토지 여부를 판단하는 것임.

대법원 2011두 31963, 2012. 7. 12.

양도소득세의 면제나 중과요건의 판정은 특별한 사정이 없는 한 양도시를 기준으로 하는 것이 원칙인 점 등에 비추어 20년 이상 소유하다가 양도한 농지·임야 및 목장용지에 대한 비사업용 토지 배제 규정은 양도 당시에도 농지·임야·목장용지에 해당하는 경우에만 적용됨.

부동산거래관리과-344, 2012. 7. 5.

「소득세법 시행령」 제168조의 11 제1항 제13호에 해당하는 토지인지 여부를 판정할 때 주택을 소유하지 아니한 1세대가 소유하는 1필지의 나지(裸地)를 분할함에 따라 소유 나지가 2필지 이상이 된 경우로서 같은 법 시행규칙 제83조의 4 제17항 각 호 외의 부분 본문과 제18항에 따른 '무주택세대 소유 나지의 비사업용 토지 제외신청서'에 기재된 나지 중 토지의 소유자가 비사업용 토지 제외 적용을 받기 위해 선택한 경우 선택한 필지의 660제곱미터 이내의 부분은 주택을 소유하지 아니한 기간 동안 비사업용 토지에서 제외되는 것이며, 선택한 해당 필지의 660제곱미터 초과분과 나머지 필지의 나지에 대해서는 비사업용 토지로 보는 것임.

부동산거래관리과-297, 2012. 5. 30.

농지·임야·목장용지 외의 토지의 경우 「광업법」에 따라 광업권이 설정된 광구의 토지로서 산업통상자원부장관으로부터 채굴계획 인가를 받은 토지(채굴 외의 용도로 사용되는 부분이 있는 경우 그 부분은 제외함)에 해당하여 「지방세법」 제106조 제1항 제3호에 따른 재산세 분리과세대상이 되는 기간은 「소득세법」 제104조의 3 제1항 제4호 나목을 적용하는 것이며, 비사업용 토지 여부는 같은 법 시행령 제168조의 6에 따라 판정하는 것임.

재재산-276, 2012. 4. 10.

지상에 건축물이 정착되어 있지 아니한 토지를 취득하여 사업용으로 사용하기 위해서 건설에 착공한 경우에는 당해 토지의 취득일부터 2년 및 착공일 이후 건설이 진행 중인 기간은 「소득세법 시행규칙」 제82조의 5 제1항 제5호에 따라 비사업용토지에 해당하지 아니하는 토지로 보는 것임. 이 경우 당해 기간동안 비사업용토지로 보지 아니하는 토지의 범위는 건축물이 정착된 면적에 「지방세법 시행령」 제101조 제2항에 따른 용도지역별 적용배율을 곱하여 산정한 면적 이내를 말하는 것이며, 부속토지의 지목판정은 건축허가 여부와 상관없이 「소득세법 시행령」 제168조의 7에 따라 사실상의 현황에 의하는 것임.

부동산거래관리과-0792, 2011. 9. 9.

소득세법 제104조의 3 비사업용 토지의 범위 판단시 「소득세법 시행령」 제168조의 14에서 정하는 부득이한 사유로 「소득세법 시행규칙」 제83조의 5에서 건축물이 멸실·철거된 토지의 경우 당해 건축물이 멸실·철거된 날부터 2년간 비사업용토지에서 제외하는 규정에는 주택부속토지 중 주택이 정착된 면적에 지역별로 대통령령으로 정하는 배율을 곱하여 산정한 면적을 초과하는 부분은 포함되지 아니함.

부동산거래관리과-437, 2010. 3. 22.

[질의]

「소득세법 시행규칙」 제83조의 5 제1항 제9호 적용과 관련하여 건축물이 멸실된 날부터 2년의 기간 중에 가설건축물을 신축하여 임대하다 멸실한 경우 당초 건축물이 멸실된 날부터 2년의 기간이 사업용 기간에 해당하는지 여부

[회신]

귀 질의의 경우 건축물에 딸린 토지가 「지방세법」에 따른 별도합산과세 대상인 경우로서 건축물을 철거하고 「건축법」 제20조의 가설건축물을 신축하여 임대하다가 철거한 때에는 「소득세법 시행규칙」 제83조의 5 제1항 제9호에 따라 당초 건축물이 철거된 날부터 2년 기간 동안은 비사업용 토지로 보지 아니하는 것임.

재재산-134, 2010. 2. 8.

2006. 12. 31. 이전에 이농한 자가 「농지법」 제6조 제2항 제5호에 따라 이농당시 소유하고 있는 농지(「농지법」 제7조에 따른 농지소유상한을 초과하는 부분을 포함함)로서 2009. 12. 31. 까지 양도하는 토지는 「소득세법」 제104조의 3에 의한 비사업용 토지로 보지 아니하는 것임.

재산세과-222, 2009. 9. 15.

토지의 일부가 수용되어 잔여토지가 활용이 불가능한 경우에도 '법령에 따라 사용이 금지 또는 제한'되지 않은 경우에는 「소득세법 시행령」 제168조의 14 제1항 제1호 규정이 적용되지 않음.

재재산-942, 2009. 5. 26.

구 「소득세법 시행규칙」(2009. 4. 14. 기획재정부령 제71호로 개정되기 전의 것) 제83조의 5 제3항 제2호의 규정에 의한 이농은 농업경영을 하던 자가 농업경영을 중단하는 것으로서 주소지 이전 여부와는 관계없는 것임.

재재산-659, 2009. 3. 30.

도시개발법(구 토지구획정리사업법)에 따른 토지구획정리사업의 시행기간 중 공사 중지 및 지장물 보상지연 등 불가피한 사유로 인하여 같은 법에 따라 사업계획이 변경인가되어 사업시행기간이 연장된 경우, 해당 연장된 기간은 「소득세법 시행령」 제168조의 14 제1항 제4호 및 「소득세법 시행규칙」 제83조의 5 제1항 제12호에 따른 정당한 사유로 인하여 사업에 사용하지 아니하는 토지에 해당하는 것임.

재재산-541, 2009. 3. 20.

지상에 건축물이 정착되어 있지 아니한 토지를 취득하고 사업용으로 사용하기 위하여 건설에 착공한 경우에는 착공주체에 관계없이 「소득세법 시행규칙」 제83조의 5 제1항 제5호가 적용되는 것임.

재재산-1129, 2008. 12. 31.

건축허가를 제한하고 있는 구청장 방침이 「건축법」 제12조(2008. 3. 28. 법률 제9019호로 개정되기 전) 및 행정지도에 따른 것이면 「소득세법 시행규칙」 제83조의 5 제1항 제1호에 따라 건축허가가 제한된 기간동안은 비사업용 토지에 해당하지 아니함.

재산세과-2762, 2008. 9. 10.

토지를 취득한 후 舊「토지구획정리사업법」에 따른 토지구획정리지구로 지정되어 환지방식으로 토지구획정리사업이 시행되는 경우 토지구획정리지구로 지정된 날로부터 사업이 구획단위로 사실상 완료되어 건축이 가능하게 된 날까지의 기간(당해 토지가 농지인 경우 경작이 제한되지 않는 기간은 제외) 및 건축이 가능한 날부터 2년간은 '사업용으로 사용한 기간'으로 보아 「소득세법 시행령」 제168조의 6에 규정된 기간기준을 적용함.

서면5팀-1316, 2008. 6. 24.

양도하는 토지가 「소득세법 시행령」 제168조의 14 제3항 제2호에서 규정하는 농지에 해당하는지는 「소득세법 시행령」 제162조의 규정에 의한 양도일 현재를 기준으로 판단하는 것이나, 양도일 이전에 매매계약 조건에 따라 매수자가 형질변경한 경우에는 매매계약일 현재로 판정하는 것임.

서면4팀-1471, 2008. 6. 20.

주차장운영업을 영위하는 자가 「국세기본법」 제45조 제1항 제1호 규정에 따라 부가가치세 과세표준 및 세액을 수정신고한 경우로서, 수정신고한 수입금액이 객관적으로 입증되고 확인되는 경우 해당 주차장운영업에 사용하는 토지가 「소득세법 시행령」 제168조의 11 제1항 제2호 다목에 해당하는지는 수정신고 수입금액으로 판단하는 것임.

서면5팀-219, 2008. 1. 30.

2005. 12. 31. 이전에 취득한 종중이 소유한 농지 및 2006. 12. 31. 이전에 20년 이상을 소유한 농지로서 2009. 12. 31.까지 양도하는 토지는 비사업용 토지에서 제외되는 것이며, 명의신탁 해지를 원인으로 소유권 환원하는 경우 취득시기는 명의신탁자의 취득일이나, 이에 해당하는지 여부는 관련사실을 확인하여 판단할 사항임.

서면4팀-3457, 2007. 12. 3.

2006. 12. 31. 이전에 상속받은 농지를 2009. 12. 31.까지 양도하는 경우 비사업용 토지로 보지 않음.

서면5팀-3126, 2007. 11. 29.

사업인정고시일 이후에 「공익사업을 위한 토지 등의 취득 및 보상에 관한 법률」 및 그 밖의 법률에 따라 협의매수 또는 수용되는 토지로서 사업인정고시일이 2006. 12. 31. 이전인 토지는 비사업용 토지로 보지 아니함.

서면5팀-3119, 2007. 11. 28.

토지를 취득한 후 도시개발구역으로 지정되어 환지방식으로 토지개발사업이 시행되는 경우에는 지정일로부터 사업이 구획단위로 사실상 완료되어 건축이 가능하게 된 날까지의 기간에 2년을 더한 기간은 사업용으로 봄.

서면5팀-3120, 2007. 11. 28.

토지의 취득 후 관계법령에 따른 개발행위의 제한으로 사실상 토지의 사용이 제한된 경우에는 그 사용이 제한된 기간 동안은 비사업용 토지로 보지 아니함.

서면4팀-3416, 2007. 11. 27.

「지방세법」 또는 관계 법률의 규정에 의하여 재산세가 비과세되거나 면제되는 토지의 경우 비과세 또는 면제되는 기간 동안은 비사업용 토지에서 제외됨

서면4팀-3290, 2007. 11. 14.

주택과 그 부수토지를 소유하고 있던 자의 당해 주택의 건축물이 멸실된 토지는 당해 건축물이 멸실된 날부터 2년 기간 동안은 비사업용 토지에 해당하지 않음.

서면5팀-2948, 2007. 11. 12.

자가 건물을 신축하여 임대하는 경우로서 사업자등록과 임대사업자등록을 한 주택으로 「소득세법 시행령」 제167조의 3 요건을 갖춘 경우 중과세가 적용되지 않음.

서면5팀-2881, 2007. 11. 5.

「소득세법 시행령」 제168조의 14 제3항 제2호 규정을 적용함에 있어 2006. 12. 31. 이전에 20년 이상을 소유한 농지 · 임야 및 목장용지라 함은 취득일부터 양도일까지 계속하여 농지 · 임야 및 목장용지인 경우를 의미함.

서면4팀-3106, 2007. 10. 30.

「소득세법 시행규칙」 제2조에 따른 1거주자로 보는 단체 명의로 소유하는 임야는 「소득세법」 제104조의 3 제1항 제2호 나목(임야 소재지에 거주하는 자가 소유하는 임야) 규정에 해당되지 아니함.

서면4팀-3054, 2007. 10. 24.

농지, 임야, 목장용지 외의 토지가 「지방세법」에 의한 재산세가 별도합산 또는 분리과세대상이 되는 토지인 경우 재산세가 별도합산 또는 분리과세대상인 기간 동안은 비사업용 토지에서 제외됨.

서면5팀-2787, 2007. 10. 22.

2006. 12. 31. 이전에 개인이 20년 이상을 소유한 농지 · 임야 및 목장용지로서 2009. 12. 31.까지 양도하는 경우에는 비거주자 일지라도 비사업용 토지로 보지 아니하는 것임.

재재산-1227, 2007. 10. 10.

지상에 건축물이 정착되어 있지 아니한 토지를 취득하여 사업용으로 사용하기 위하여 건설에 착공한 토지에 대하여는 「소득세법 시행규칙」 제83조의 5 제1항 제5호의 규정이 적용되는 것이며, 사업용으로 사용하기 위하여 건설에 착공하였는지 여부는 당해 토지의 취득 · 착공 · 사용현황 등에 따라 판단할 사항임.

서면4팀-2402, 2007. 8. 9.

[사실관계]

- 「소득세법 시행규칙」 제83조의 5 제1항 제9호의 규정에서, "건축물이 멸실 · 철거되거나 무너진 토지에 대하여는 그 날부터 2년 동안은 비사업용으로 보지 않는다"라고 규정하고 있음.

[질의요지]

(질문 1) 무허가 주택도 「소득세법 시행규칙」 제83조의 5 제1항 제9호에서 규정하고 있는 건축물의 범위에 해당하는지 여부

(질문 2) 무허가주택과 부속토지를 양도한 경우 그 과세표준에 대한 세율을 적용함에 있어 「소득세법」 제104조 제1항 제1호의 규정(일반세율)을 적용할 수 있는지 여부

[회신]

무허가주택은 「소득세법」 제104조의 3 제1항 제5호에서 규정하는 주택의 범위에 포함되나, 동법 시행규칙 제83조의 5 제1항 제9호 규정은 적용되지 아니함.

서면4팀 - 1487, 2007. 5. 4.

지방자치단체의 조례에 의하여 재산세가 50% 감면되는 토지는 「소득세법」 제104조의 3 제1항 제4호 가목 규정이 적용되지 아니함.

서면4팀 - 1483, 2007. 5. 4.

토지 소유자가 토지를 무단 점유한 자를 상대로 제기한 무허가 건축물철거 및 토지 인도청구 소송이 계속 중인 경우 「소득세법 시행규칙」 제83조의 5 제1항 제7호가 적용되지 아니하며, 「소득세법 시행규칙」 제83조의 5 제1항 제9호 규정은 무허가 건축물을 철거한 경우에는 적용되지 아니함.

서면5팀 - 341, 2006. 10. 9.

「소득세법」 제96조 제2항 제8호 및 제104조 제1항 제2호의 7에서 규정하는 "비사업용 토지"라 함은 당해 토지를 소유하는 기간 중 동법 시행령 제168조의 6에서 정하는 기간 동안 동법 제104조의 3에서 규정하는 비사업용 토지에 해당하는 토지를 말하는 것이며, 가설건축물에 대하여는 동법 시행규칙 제83조의 5 제1항 제9호 규정이 적용되지 아니함.

Chapter

04

양도소득세 비과세 및 감면

제1절 비과세 및 감면 개요

1 개 요

비과세란 당초부터 양도소득세의 납세의무가 발생하지 않는 것으로 면제와 구별되고, 신청이 없는 경우에도 비과세 된다. 따라서 비과세 대상인 경우는 신고의무가 없으나, 면제나 감면대상은 양도소득세 신고 및 세액면제신청이 필요하다.

위의 세액감면·면제 대상은 「조세특례제한법」에서 별도로 정하고 있다.

2 비과세 또는 감면의 배제

가. 미등기 양도자산

미등기 양도자산(소득법 §104 ③)에 대하여는 양도소득세의 비과세 및 감면에 관한 규정을 적용하지 아니한다.

나. 거짓계약서 작성시 비과세 또는 감면 배제

토지 또는 건물(소득법 §94 ① 1호) 및 부동산에 관한 권리(소득법 §94 ① 2호)의 자산을 매매하는 거래당사자가 매매계약서의 거래가액을 실지거래가액과 다르게 적은 경우에는 해당 자산에 대하여 양도소득세의 비과세 또는 감면에 관한 규정을 적용할 때 비과세 또는 감면받았거나 받을 세액에서 다음 각 호의 구분에 따른 금액을 뺀다.

[2011. 7. 1. 이후 최초로 매매계약하는 분부터 적용함. 2010. 12. 27. 법률 제10408호「소득세법」부칙 §9, 2010. 12. 27. 법률 제10406호「조세특례제한법」부칙 §48]

1) 양도소득세의 비과세에 관한 규정을 적용받을 경우 : Min(①, ②)

① 비과세에 관한 규정을 적용하지 아니하였을 경우의 양도소득 산출세액

② 매매계약서의 거래가액과 실지거래가액과의 차액

2) 양도소득세의 감면에 관한 규정을 적용받았거나 받을 경우 : Min(①, ②)

① 감면에 관한 규정을 적용받았거나 받을 경우의 해당 감면세액

② 매매계약서의 거래가액과 실지거래가액과의 차액

제 2 절 「소득세법」상 양도소득세 비과세

「소득세법」 제89조 제1항에 따라 다음 각 호의 소득에 대해서는 양도소득세를 과세하지 아니한다.

- 파산선고에 의한 처분으로 발생하는 소득
- 농지의 교환 또는 분합(分合)으로 발생하는 소득
- 1세대 1주택(고가주택은 제외한다)과 주택부수토지의 양도로 발생하는 소득

1 파산선고에 의한 처분으로 발생하는 소득

법원의 파산선고에 따라 처분되는 자산은 양도소득세가 부과되지 아니한다.

'파산선고에 의한 처분'이라 함은 개인이나 법인이 경제적으로 파탄하여 채무를 변제할 수 없는 상태에 이르러 다수의 채권자가 경합하여 변제 충당하여야 할 사권보호의 필요가 있을 때 법률적 수단으로써 강제적으로 채무자의 전 재산을 관리 · 환가하여 총채권자에게 공평한 변제를 해 주기 위한 재판상 절차이다.

파산선고가 되면 채무자는 그 재산에 대한 관리처분권을 상실하고 파산재단이 성립되어 그 재산권은 파산재단에 들어가게 되고, 또한 채권자는 파산자에 대하여 그 권리를 실행할 수 없게 되며, 파산절차에 참가할 수밖에 없게 된다. 파산재단의 관재인은 관리 및 처분하여 금전으로 환가하여 총채권자들에게 분배하게 된다.

사업의 실패 등으로 사실상 파산한 경우라 하더라도 법원의 파산선고를 받지 않으면 비과세 규정이 적용될 수 없다. 즉 법원의 선고가 필수요건이다. 일반적인 부도나 파산상태에 따라 판단하지 않는다는 것에 유의해야 한다.

예를 들어 타인의 채무보증을 목적으로 부동산을 담보로 제공한 후 채무자의 파산으로 인하여 피담보부동산이 공매처분되어 채무에 충당된 경우에 동 공매처분은 당해 거주자의 파산선고에 의한 처분이 아니므로 비과세 규정이 적용되지 아니한다.

2 | 농지의 교환 또는 분합으로 인한 소득

농지를 교환하거나 분합함으로써 발생하는 소득에 대하여는 양도소득세를 부과하지 아니한다. 한편 농지 대토의 경우 2005년 이전에는 비과세 대상이었으나, 2006년부터는 감면제도로 전환하여 「조세특례제한법」에서 규정하고 있다.

가. 비과세 대상

다음 중 어느 하나에 해당하는 농지(아래 "다"의 어느 하나에 해당하는 농지는 제외한다)를 교환 또는 분합하는 경우로서 교환 또는 분합하는 쌍방 토지가액의 차액이 가액이 큰 편의 4분의 1 이하인 경우를 말한다.

* "농지"라 함은 전 · 답으로서 지적공부상의 지목에 관계없이 실제로 경작에 사용되는 토지를 말하며, 농지경영에 직접 필요한 농막 · 퇴비사 · 양수장 · 지소 · 농도 · 수로 등을 포함한다(소득칙 §70 ①).

1) 국가 또는 지방자치단체가 시행하는 사업으로 인하여 교환 또는 분합하는 농지
2) 국가 또는 지방자치단체가 소유하는 토지와 교환 또는 분합하는 농지
3) 경작상 필요에 의하여 교환하는 농지. 다만, 교환에 의하여 새로이 취득하는 농지를 3년 이상 농지소재지에 거주하면서 경작하는 경우에 한한다.

▶▶ 새로운 농지의 취득후 3년 이내에 「공익사업을 위한 토지 등의 취득 및 보상에 관한 법률」에 의한 협의매수 · 수용 및 그 밖의 법률에 의하여 수용되는 경우에는 3년 이상 농지소재지에 거주하면서 경작한 것으로 본다.

▶▶ 새로운 농지 취득후 3년 이내에 농지소유자가 사망한 경우로서 상속인이 농지 소재지에 거주하면서 계속 경작한 때에는 피상속인의 경작기간과 상속인의 경작기간을 통산한다.

4) 「농어촌정비법」 · 「농지법」 · 「한국농어촌공사 및 농지관리기금법」 또는 「농업협동조합법」에 의하여 교환 또는 분합하는 농지

나. 농지소재지

위 "가. 3)"에서 "농지소재지"란 다음 중 어느 하나에 해당하는 지역(경작개시 당시에는 당해 지역에 해당하였으나 행정구역의 개편 등으로 이에 해당하지 아니하게 된 지역을 포함한다)을 말한다.

1) 농지가 소재하는 시시(「제주특별자치도 설치 및 국제자유도시 조성을 위한 특별법」 제15조 제2항에 따라 설치된 행정시를 포함한다) · 군 · 구(자치구를 말한다)안의 지역
2) "1)"의 지역과 연접한 시 · 군 · 구안의 지역
3) 농지로부터 직선거리 30킬로미터 이내에 있는 지역(2015. 2. 3. 이후 최초로 양도하는 분부터 적용)

다. 비과세 되는 농지의 교환 · 분합에서 제외되는 농지

다음 중 어느 하나에 해당하는 농지는 비과세 대상에서 제외된다.

1) 양도일 현재 특별시 · 광역시(광역시에 있는 군을 제외한다) · 특별자치시(특별자치시에 있는 읍 · 면지역은 제외한다) · 특별자치도(「제주특별자치도 설치 및 국제자유도시 조성을 위한 특별법」 제15조 제2항에 따라 설치된 행정시의 읍 · 면지역은 제외한다) 또는 시지역(「지방자치법」 제3조 제4항의 규정에 의한 도 · 농복합형태의 시의 읍 · 면지역을 제외한다)에 있는 농지 중 「국토의 계획 및 이용에 관한 법률」에 의한 주거지역 · 상업지역 또는 공업지역안의 농지로서 이들 지역에 편입된 날부터 3년이 지난 농지. 다만, 다음 중 어느 하나에 해당하는 경우는 제외한다.
   가) 사업지역 내의 토지소유자가 1천명 이상이거나 사업시행면적이 일정 규모 이상* 인 개발사업지역(사업인정고시일이 같은 하나의 사업시행지역을 말한다) 안에서 개발사업의 시행으로 인하여 「국토의 계획 및 이용에 관한 법률」에 따른 주거지역 · 상업지역 또는 공업지역에 편입된 농지로서 사업시행자의 단계적 사업시행 또는 보상지연으로 이들 지역에 편입된 날부터 3년이 지난 경우

      * 사업시행면적 : 100만제곱미터(「택지개발촉진법」에 의한 택지개발사업 또는 「주택법」에 의한 대지조성사업의 경우로서 당해 개발사업시행면적이 10만제곱미터) 이상

   나) 사업시행자가 국가, 지방자치단체, 「공공기관의 운영에 관한 법률」에 따라 지정된 공공기관과 「지방공기업법」에 따라 설립된 지방직영기업 · 지방공사 · 지방공단인 개발사업지역 안에서 개발사업의 시행으로 인하여 「국토의 계획 및 이용에 관한 법률」에 따른 주거지역 · 상업지역 또는 공업지역에 편입된 농지로서 사업 또는 보상이 지연된 경우로서 그 책임이 해당 사업시행자에게 있다고 인정되는 경우
2) 당해 농지에 대하여 환지처분이전에 농지 외의 토지로 환지예정지의 지정이 있는 경

우로서 그 환지예정지 지정일부터 3년이 지난 농지

※ 주거지역 등에 편입되거나 환지예정지로 지정된 농지 중 비과세 제외대상이 아닌 경우(예를 들면 주거지역 편입 후 3년 이내 양도하는 경우 또는 읍지역의 주거지역에 소재하는 경우 등)에는 농지 대토·8년 이상 자경농지에 대한 양도소득세 감면과 달리 주거지역 등 편입일·환지예정지 지정일 후에 발생한 소득도 비과세 된다.

3 | 농지의 대토로 인하여 발생하는 소득

농지대토에 대하여 2005년 이전까지는 「소득세법」에서 비과세로 규정하였고, 2006년 이후부터는 「조세특례제한법」에서 감면대상으로 규정하였다.

가. 비과세 대상인 농지대토

비과세 대상인 농지대토는 경작상의 필요에 의하여 대토하는 농지{위 "나. 3)"에 해당하는 농지를 제외한다)}로서 다음 각 호의 요건을 갖춘 경우를 말한다.

1) 4년 이상 종전의 농지소재지에 거주하면서 경작한 자가 종전의 농지의 양도일부터 1년(협의매수 또는 수용의 경우는 2년) 내에 다른 농지를 취득하여, 그 취득한 날부터 1년(부득이한 사유로 경작하지 못하는 경우에는 2년) 내에 새로운 농지에 거주하면서 3년 이상 경작한 경우 또는 새로운 농지의 취득일부터 1년 내에 종전의 농지를 양도한 후 종전의 농지 양도일부터 1년(부득이한 사유로 경작하지 못하는 경우에는 2년) 내에 새로운 농지소재지에 거주하면서 3년 이상 경작한 경우

※ 부득이한 사유 : 1년 이상의 치료나 요양을 필요로 하는 질병의 치료 또는 요양을 위한 경우 또는 농지개량이나 자연재해로 영농이 불가능하게 되어 휴경하는 경우

2) 위에서 새로운 농지의 경작을 개시한 후 새로운 농지소재지에 거주하면서 계속하여 경작한 기간과 종전의 농지 경작기간을 합산한 기간이 8년 이상이어야 하며, 새로 취득하는 농지의 면적이 양도하는 농지 면적의 2분의 3 이상이거나 그 가액이 양도하는 농지의 가액의 2분의 1 이상인 경우

▶▶ 농지소재지 : 위 "2. 나"에 해당하는 지역{그 중 "3)"은 제외}을 말함.

▶▶ 새로운 농지의 취득후 4년 이내에 「공익사업을 위한 토지 등의 취득 및 보상에 관한 법률」에 의한 협의매수·수용 및 그 밖의 법률에 의하여 수용되는 경우에는 4년 이상 농지소재지에 거주하면서 경작한 것으로 본다.

▶▶ 새로운 농지 취득후 3년 이내에 농지소유자가 사망한 경우로서 상속인이 농지 소재지에 거주하면서 계속 경작한 때에는 피상속인의 경작기간과 상속인의 경작기간을 통산한다.

※ 주거지역 등에 편입되거나 환지예정지로 지정된 농지 중 비과세 제외대상이 아닌 경우에는 농지대토 · 8년 이상 자경농지에 대한 양도소득세 감면과 달리 주거지역 등 편입일 · 환지예정지 지정일 후에 발생한 소득도 비과세 된다.

나. 농지대토 비과세에 관한 경과조치

2005. 12. 31. 이전에 농지대토에 대해서 비과세 받았거나 비과세를 적용받기 위하여 농지를 양도한 경우에는 개정규정(「조세특례제한법」에 따른 감면)에 불구하고 종전의 규정(「소득세법」에 따른 비과세)을 적용한다(2005. 12. 31. 법률 제7837호 §20).

제 3 절 1세대 1주택 양도소득세 비과세

다음 중 어느 하나에 해당하는 주택(▶고가주택 제외)과 이에 딸린 토지로서 건물이 정착된 면적에 지역별로 일정 배율을 곱하여 산정한 면적 이내의 토지(이하 "주택부수토지"라 함)의 양도로 발생하는 소득에 대해서는 비과세 한다(소득법 §89 ① 3호).

① 「소득세법 시행령」 제154조 제1항에 따른 1세대 1주택

② 1세대가 1주택을 양도하기 전에 다른 주택을 대체취득하거나 상속, 동거봉양, 혼인 등으로 인하여 2주택 이상을 보유하는 경우로서 「소득세법 시행령」 제155조에 따른 1세대 1주택의 특례에 해당하여 「소득세법 시행령」 제154조를 적용하는 주택

한편, 1세대가 주택(주택부수토지를 포함한다)과 조합원입주권을 보유하다가 그 주택을 양도하는 경우에는 원칙적으로 비과세를 적용받을 수 없다. 다만, 「도시 및 주거환경정비법」 및 「빈집 및 소규모주택 정비에 관한 특별법」에 따른 주택재건축사업 또는 주택재개발사업의 시행기간 중 거주를 위하여 주택을 취득하는 경우나 그 밖의 부득이한 사유로서 「소득세법 시행령」 제156조의 2에서 정하는 특례 대상(4.에서 설명)인 경우에는 비과세를 적용받을 수 있다.

* 조합원입주권의 개념은 "다주택 중과" 부분 참고

1 1세대 1주택의 비과세 기본 요건

거주자 및 그 배우자(법률상 이혼을 하였으나 생계를 같이 하는 등 사실상 이혼한 것으로 보기 어려운 경우 포함)가 그들과 동일한 주소 또는 거소에서 생계를 같이 하는 가족과 함께 구성하는 1세대가 양도일 현재 국내에 1주택을 보유하고 있는 경우로서 해당 주택의 보유기간이 2년 이상인 것을 말한다(비거주자가 해당 주택을 3년 이상 보유하고 그 주택에서 거주한 상태로 거주자로 전환된 경우에는 3년).

비과세 대상인 1세대 1주택의 기본 요건

- 대상자 : 거주자가 구성하는 1세대
- 양도일 현재 보유 주택 등
  ① 국내에 1주택 보유(등록 임대주택 포함)
  ② 조합원입주권을 보유하지 않을 것
- 보유기간 : 2년 이상(취득 당시 조정대상지역인 경우 보유기간 중 2년 이상 거주, 2017년 9월 19일 이후 양도 분부터 적용)
- 미등기 양도자산이 아닐 것
- 고가주택이 아닐 것
- 주택 부수토지 : 주택 정착면적의 5배(또는 10배) 이내
- 취득 및 양도당시 거짓계약서를 작성하지 않을 것

※ 거주요건 적용 제외
 - 사업자등록 및 임대사업자로 등록한 경우(임대의무기간 준수 필요)
 - 2017년 8월 2일 이전에 주택을 취득한 경우
 - 2017년 8월 2일 이전에 무주택 세대가 매매계약을 체결하고 계약금을 지급한 사실이 확인되는 경우

1세대 1주택 비과세와 관련하여 위 기본 요건 및 특례 등에 대해서는 아래 조항에서 규정하고 있다.

- 소득법 §89 ① 3호 : 1세대 1주택 비과세 원칙
- 소득법 §89 ② : 조합원입주권 보유시 비과세 배제 원칙
- 소득령 §154 : 1세대 1주택의 범위
- 소득령 §154의 2 : 공동소유주택의 주택 수 계산
- 소득령 §155 : 1세대 1주택의 특례
- 소득령 §155의 2 : 장기저당담보주택에 대한 1세대 1주택의 특례
- 소득령 §156 : 고가주택의 범위
- 소득령 §156의 2 : 주택과 조합원입주권을 소유한 경우 1세대 1주택의 특례
- 소득칙 §71 : 1세대 1주택의 범위
- 소득칙 §72 : 1세대 1주택의 특례
- 소득칙 §73 : 농어촌주택
- 소득칙 §74의 2 : 계속 임대로 보는 부득이한 사유
- 소득칙 §75 : 주택과 조합원입주권을 소유한 경우의 경매 등으로 인한 1세대 1주택 특

례의 요건

• 소득칙 §75의 2 : 주택과 조합원입주권을 소유한 경우의 취학 등으로 인한 1세대 1주택 특례의 요건

2 | 1세대 요건

가. 세대의 정의

1세대란 거주자 및 그 배우자(법률상 이혼을 하였으나 생계를 같이 하는 등 사실상 이혼한 것으로 보기 어려운 관계에 있는 사람을 포함한다)가 그들과 동일한 주소 또는 거소에서 생계를 같이하는 가족과 함께 구성하는 세대를 말한다. 배우자가 없는 경우에는 원칙적으로 1세대는 세대로 보지 아니하나 다음의 경우에는 배우자가 없는 때에도 이를 1세대로 본다.

1) 당해 거주자의 연령이 30세 이상인 경우
2) 배우자가 사망하거나 이혼한 경우
3) 「소득세법」 제4조에 따른 소득(종합소득 · 퇴직소득 · 양도소득)이 「국민기초생활 보장법」 제2조 제11호에 따른 기준 중위소득의 100분의 40 이상*으로서 소유하고 있는 주택 또는 토지를 관리 · 유지하면서 독립된 생계를 유지할 수 있는 경우. 다만, 미성년자의 경우를 제외하되, 미성년자의 결혼, 가족의 사망 그 밖에 기획재정부령이 정하는 사유로 1세대의 구성이 불가피한 경우에는 그러하지 아니하다.

* 2016. 2. 16. 이전 양도분은 「국민기초생활 보장법」 제2조 제6호의 규정에 따른 최저생계비 수준 이상

▶▶ 2016. 11월 현재 기획재정부령이 정하는 사유는 없음.

▶▶ 연도별 최저생계비 및 기준 중위소득의 40%

(원/월)

연도	1인 가구	2인 가구	3인 가구	4인 가구	5인 가구	6인 가구
2006	418,309	700,849	939,849	1,170,422	1,353,242	1,542,382
2007	435,921	734,421	972,866	1,205,535	1,405,412	1,609,630
2008	463,047	784,319	1,026,603	1,265,848	1,487,878	1,712,186
2009	490,845	835,763	1,081,186	1,326,609	1,572,031	1,817,454
2010	504,344	858,747	1,110,919	1,363,091	1,615,263	1,867,435

연도	1인 가구	2인 가구	3인 가구	4인 가구	5인 가구	6인 가구
2011	532,583	906,830	1,173,121	1,439,413	1,705,704	1,971,995
2012	553,354	942,197	1,218,873	1,495,550	1,772,227	2,048,904
2013	572,168	974,231	1,260,315	1,546,399	1,832,482	2,118,566
2014	603,403	1,027,417	1,329,118	1,630,820	1,932,522	2,234,223
2015	617,281	1,051,048	1,359,688	1,668,329	1,976,970	2,285,610
2016	649,932	1,106,641	1,431,608	1,756,574	2,081,540	2,406,506
2017	661,172	1,125,780	1,456,366	1,786,952	2,117,538	2,448,124
2018	668,842	1,138,839	1,473,260	1,807,681	2,142,102	2,473,528
2019	682,803	1,162,611	1,504,013	1,845,414	2,186,816	2,528,218
2020	702,878	1,196,792	1,548,231	1,899,670	2,251,108	2,602,547

나. 가족의 범위

가족이란 거주자와 그 배우자의 직계존비속(그 배우자를 포함한다) 및 형제자매를 말하며, 취학 · 질병의 요양, 근무상 또는 사업상의 형편으로 본래의 주소 또는 거소를 일시퇴거한 자를 포함한다.

따라서 배우자의 직계존속(장인, 장모)과 배우자의 형제 · 자매(처남 · 처제)도 동일한 주소에서 생계를 같이하는 경우에는 그들 명의로 된 주택이 있으면 1세대 2주택이 되는 것이다.

다. 거주자

1세대를 판정할 때 거주자란 국내에 주소를 두거나 1년 이상의 거소(居所)를 둔 개인을 말한다.

원칙적으로 비거주자는 비과세를 적용받을 수 없다(다만, "5. 다. 3) 및 4)"의 해외이주 등에 따른 비과세 특례 대상인 경우는 비과세 적용).

라. 세대의 판정

세대 또는 세대원의 판정은 주민등록에 의하는 원칙이나, 주민등록이 사실과 다른 경우는 궁극적으로 가족 또는 배우자와의 사실상 동거 여부(생계를 같이 하는지 여부)를 기준으로 판정한다(실질과세원칙). 같이 살면서(생계를 같이 하면서) 주민등록만 독립세대로 분리한 경우 1세대로 본다.

3 | 1주택 보유 요건

가. 주택의 정의 및 범위

일반적으로 주거용에 공하는 건물을 주택이라 하는 것이므로 건물을 그 용도에 의하여 구별하여야 할 것이다. 그리고 용도구별은 공부상 구분을 원칙으로 하되 공부와 실제가 다를 경우는 등기부 또는 건축물대장 등 공부상의 용도에 불구하고 실제용도에 따라 구분한다. 따라서 소유하고 있던 공부상의 주택인 1세대 1주택을 주거용이 아닌 영업용 건물(점포, 사무실 등)로 사용하다가 주거용이 아닌 상태에서 양도하는 때에는 1세대 1주택으로 보지 아니한다.

주택이라 함은 상시 거주용으로 사용되는 것이어야 하므로 일시적으로 거주하는 공장의 합숙소, 콘도미니엄, 별장, 기숙사, 영업용 건물에 속한 일시주거를 위한 방 등은 주택으로 보지 않으며, 명칭과 관계없이 합숙소, 산림관리사를 상시 주거용으로 이용하는 경우에는 주택으로 본다. 그러나 사실상 상시 거주용으로 사용하지 않고 소유만 한 경우에 동 주택이 사업을 위한 종업원 숙소라 할지라도 그 주택이 오직 사업에만 전용될 수 있도록 건축된 건물이 아니고 언제든지 본인이 주택으로 사용할 수 있는 것이고 그 구조나 용도가 거주용인 이상은(예를 들어 공장 외부에 아파트를 취득한 경우 등) 이를 주택으로 보아야 한다. 이와 같은 취지로 자기가 거주하지 않고 임대용에 공하는 주택일지라도 이를 주택으로 보게 된다. 무허가주택의 경우에도 상시 주거용으로 사용되는 이상 이를 주택으로 본다.

▶▶ 최근 유행인 주거형 오피스텔, 아파텔 등으로 주거와 사무실(office) 용도가 혼용된 건축물은 실지 사용용도에 따라 주택인지 일반건축물인지 구분해야 하며 획일적으로 주택, 또는 사무실로 구분할 수 없을 것이다.
예를 들어 오피스텔·아파텔에서 가족과 함께 살림을 하면서 거주하였다면 주택으로써 취급하여 양도소득세 비과세 주택이 될 수 있을 것이다. 그리고 주거용인 경우는 부가가치세 면세(국민주택)이므로 분양받을 시 부가가치세 환급도 받을 수 없으며, 임대의 경우에도 부가가치세를 신고납부 할 의무가 없다. 즉 부가세 납세의무자가 아니다.

나. 1주택 소유개념

1) 주택의 수

주택의 수는 등기부나 지번의 수에 의하는 것이 아니라 사회적 견지에서 사실판단하여야 한다. 이에 따라 2필지의 토지 위에 주택이 있거나 한 울타리 내에 수개의 주택건물이 설치되어 있는 경우에도 한 울타리 내에서 사실상 1세대의 주거용으로 사용하고 있으면 이를 1주택으로 본다. 아파트의 경우 인접한 2개 호의 아파트 칸막이를 철거하고, 1세대가 하나의 주거공간으로 실제 사용하는 경우에는 등기부상에는 2개 주택이라 하더라도 1주택에 해당한다.

2) 조합원입주권의 주택수 포함

2006년부터 조합원입주권을 주택 수에 포함한다.

* 주택수에 포함되는 조합원입주권(다주택 중과 부분 참고) : "2006. 1. 1. 이후 재개발 · 재건축사업의 관리처분계획이 인가된 것" 또는 "2005. 12. 31. 이전에 재개발 · 재건축사업의 관리처분계획이 인가된 입주권을 2006. 1. 1. 이후 승계취득한 것"

참고 주택재건축 · 재개발 정비사업시 조합원입주권의 주택 해당 여부

□ 재개발 · 재건축사업 관련 재화 · 용역 및 자금흐름도

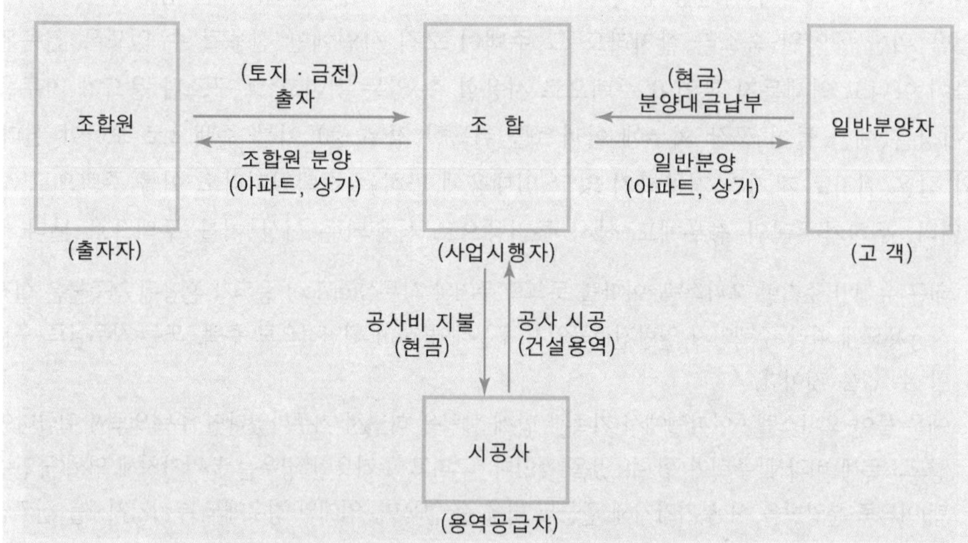

○ 주택재건축 · 주택재개발 조합원 분양에 따른 조합원입주권 : 주택수 계산에 포함.
- 「도시 및 주거환경정비법」상 조합원이 기존 주택 등 대신 취득한 조합원입주권
- 제3자가 조합원으로부터 승계취득(매매 · 상속 · 증여 등)한 조합원입주권

○ 일반분양에 따른 입주권 등 : 주택수 계산에 포함하지 않음.
- 제3자가 일반분양에 의하여 취득한 입주권
- 「도시 및 주거환경정비법」 상 재건축·재개발 사업이 아닌 조합원입주권
- 「도시 및 주거환경정비법」상 도시환경정비사업·주거환경개선사업 조합원
- 「주택법」상 지역조합·직장조합·리모델링조합 조합원
- 「건축법」상 허가받은 임의조합 건축주인 조합원

3) 1주택 여부의 판정

- 1세대 1주택 여부의 판정은 주택의 판정과 마찬가지로 양도일 현재 1세대가 소유하고 있는 주택의 수에 따라 판정한다. 따라서 2주택을 소유한 자가 그중 1개 주택을 헐어버리고 나대지 상태로 소유하고 있는 동안에는 나머지 1주택이 1세대 1주택 비과세요건에 해당하면 이를 1주택으로 보아 비과세하고, 이러한 사례의 대표적인 예는 재건축·재개발·폐허된 농가주택 철거 등이 될 수 있으며, 2주택자인 경우 잘 활용하면 비과세를 받을 수 있을 것이다. 또한 세대원이 실제로 '소유'하여야 하므로 실질적인 종중재산을 종중의 대표자로서 명의만 등재하고 있는 경우에는 이를 2주택으로 보지 않는다.
- 소유한 자가 앞서의 주택의 정의에서 설명한 '주택'에 해당하는 것을 하나 더 소유하고 있는 경우 이는 2주택으로 보는 것인 바, 무허가건물에 해당하는 주택을 소유하고 있는 경우, 영업용 건물의 일부에 주택을 설치하여 사실상 주택으로 사용한 경우(겸용주택을 소유한 경우) 등에는 등기부상 비록 1주택을 소유한 것으로 나타나더라도 사실상 2주택을 소유한 것으로 보아 비과세 대상에서 제외한다.
- 앞의 경우와는 반대로 사실상 1세대 1주택을 양도하였으나 동 주택을 매수한 자가 소유권 이전등기를 하지 않거나 지연되어 부득이 공부상 1세대 2주택이 된 경우에도 매매계약서 등에 의하여 1세대 1주택임이 입증되는 때에는 이를 1주택 양도로 보아 비과세한다.
- 1주택을 여러 사람이 공동으로 소유하는 경우에는 각 개개인이 1주택을 소유한 것으로 보므로 1주택과 공유주택을 함께 소유한 경우에는 1세대 2주택으로 먼저 양도하는 주택은 양도소득세가 과세된다(공동상속주택은 예외).
- 「조세특례제한법」 에 따른 일정한 감면·과세특례 대상 주택은 1세대 1주택 비과세 판정시 거주자의 소유주택으로 보지 아니한다.
- 문화재로 지정된 가옥은 매매·보수 등 사유재산권 행사에 각종 제한을 받게 되므로 문화재 주택의 소유자가 일반주택을 소유하여 2주택인 경우는 일반주택 1주택을 소유한 것으로 보아 비과세 판정한다.

4) 1세대 2주택의 동시양도

양도소득세가 비과세되는 1세대 1주택의 요건을 갖춘 주택과 그러하지 아니한 주택을 동시에 양도한 경우 1세대 1주택으로 비과세되는 주택은 납세자의 선택에 의한다.

5) 주택 또는 부수토지의 분할양도 등

가) 주택에 부수되는 토지를 분할하여 양도(지분으로 양도하는 경우를 포함한다. 다만, 1세대 1주택 비과세 대상에 해당하는 주택과 그 부수토지를 함께 지분으로 양도하는 경우를 제외한다)하는 경우에 그 양도하는 부분의 토지는 1세대 1주택에 부수되는 토지로 보지 아니한다.

나) 1주택을 2 이상의 주택으로 분할하여 양도(1주택 비과세 대상에 해당하는 주택을 지분으로 양도하는 경우를 제외한다)한 경우에는 먼저 양도하는 부분의 주택은 그 1세대 1주택으로 보지 아니한다.

다) 위 가) 및 나)를 적용할 때 주택 및 그 부수토지의 일부가 「공익사업을 위한 토지 등의 취득 및 보상에 관한 법률」에 의한 협의매수 · 수용 및 그밖의 법률에 의하여 수용되는 경우의 당해 주택(그 부수토지를 포함한다)과 그 양도일 또는 수용일부터 5년(2013. 2. 22. 이전은 3년, 2012. 6. 28. 이전은 2년) 이내에 양도하는 잔존토지 및 잔존주택(그 부수토지를 포함한다)은 그러하지 아니하다.

라) 건물멸실 후 나대지양도

건물을 멸실하여 나대지 상태로 양도하는 경우에도 원칙적으로 양도일 현재 건물이 있었느냐를 기준으로 판정하게 되는바, 양도일 전에 건물을 멸실하고 나대지를 양도하는 경우는 주택으로 볼 수 없으나, 매수자의 필요에 의하여 토지만이 등기이전되고, 건물은 양도일 이후에 철거되었다면 이를 주택의 양도로 보아야 한다.

마) 기 타

주택을 분할양도하는 경우라 함은 시차를 두고 2부분으로 나누어 양도하는 경우와 1주택을 2인 이상에게 나누어 양도하는 경우로 구분할 수 있는바, 시차를 두고 양도하는 경우에는 사실상 1개의 매매계약에 의해 동시에 양도되었음이 확인되는 경우를 제외하고는 무조건 비과세되는 1세대 1주택의 양도로 볼 수 없다.

그러나 1주택을 2인 이상에게 동시에 분할 양도할 경우에는 사실상 이를 1주택의 양도로 본다.

한편 1세대 1주택의 비과세요건에 해당하는 주택을 대지와 건물로 구분하여 각각 양도하는 경우에도 건물부분은 당연히 1세대 1주택으로 비과세되나 대지부분은 양도소득세가 과세된다.

주택 중에서 부수토지만을 별개로 양도하는 경우에는 이를 1세대 1주택의 부수토지로 보지 않는다. 따라서 주택을 멸실한 후 나대지를 분할하여 양도하는 경우는 당연히 비과세대상이 아니고, 주택부분을 증여한 후 동일인에게 토지를 양도하는 경우에도 부수토지만의 양도로 보아 양도소득세가 과세된다.

4 2년 이상 보유 요건

가. 개 요

현행 1세대 1주택 비과세 대상은 해당 주택의 보유기간이 2년 이상인 것을 말한다. 다만, 양도시기별로 보유기간 요건이 다르고, 2011. 6. 2. 이전에는 일정한 지역은 보유기간 요건뿐만 아니라 거주기간 요건도 충족하여야 비과세를 적용받을 수 있다. 양도시기별 및 지역별로 보유기간 및 거주기간 요건을 요약하면 다음과 같다.

1세대 1주택 비과세 보유 · 거주요건 개정 연혁

<table>
<tr><th colspan="2" rowspan="2">구 분</th><th colspan="6">양도시기별 보유 · 거주기간 요건</th></tr>
<tr><th>'03.9.30.
이전</th><th>'03.10.1.~
'03.12.31.</th><th>'04.1.1.~
'04.12.31.</th><th>'05.1.1.~
'11.6.2.</th><th>'11.6.3.~
'12.6.28.</th><th>'12.6.29.
이후</th></tr>
<tr><td rowspan="2">서울
과천
5 대
신도시</td><td>일반적인
경우</td><td>3년 이상
보 유</td><td>3년 이상 보유
&
1년 이상 거주</td><td colspan="2">3년 이상 보유
&
2년 이상 거주</td><td>3년 이상
보유</td><td rowspan="4">2년 이상
보유</td></tr>
<tr><td>1999년 중
계약으로
취득한 주택</td><td>1년 이상
보 유</td><td colspan="2">1년 이상 보유
&
1년 이상 거주</td><td>3년 이상
보유 &
2년 이상
거주</td><td>3년 이상
보유</td></tr>
<tr><td rowspan="2">기타
지역</td><td>일반적인 경우</td><td colspan="5">3년 이상 보유</td></tr>
<tr><td>1999년 중 계약
으로 취득한 주택</td><td colspan="3">1년 이상 보유</td><td colspan="2">3년 이상 보유</td></tr>
</table>

* 5대 신도시 : 「택지개발촉진법」 제3조에 따라 택지개발예정지구로 지정 · 고시된 분당 · 일산 · 평촌 · 산본 · 중동 신도시지역

※ 취득 당시 조정대상지역인 경우 보유기간 중 2년 이상 거주 요건 신설(2017년 9월 19일 이후 양도 분부터 적용)

나. 보유기간 및 거주기간의 계산

1) 원 칙

보유기간의 계산은 해당 자산의 취득일부터 양도일까지로 하고, 거주기간은 주민등록표상의 전입일자부터 전출일까지의 기간에 의한다. 다만, 실제 거주내용이 주민등록표상의 내용과 다른 경우에는 실제 거주내용에 따라 거주기간을 계산한다.

2) 예 외

거주기간 또는 보유기간을 계산함에 있어서 다음 각 호의 기간을 통산한다.

가) 거주하거나 보유하는 중에 소실·도괴·노후 등으로 인하여 멸실되어 재건축한 주택인 경우에는 그 멸실된 주택과 재건축한 주택에 대한 거주기간 및 보유기간

나) 비거주자가 해당 주택을 3년 이상 계속 보유하고 그 주택에서 거주한 상태로 거주자로 전환된 경우에는 해당 주택에 대한 거주기간 및 보유기간(2008. 2. 22. 이후 최초로 양도하는 분부터 적용함)

* 이 경우 보유기간 요건은 3년임.

다) 상속받은 주택으로서 상속인과 피상속인이 상속개시 당시 동일세대인 경우에는 상속개시 전에 상속인과 피상속인이 동일세대로서 보유한 기간

다. 보유기간 및 거주기간 요건의 특례

1세대가 양도일 현재 국내에 1주택을 보유하고 있는 경우로서 다음 각 호의 어느 하나에 해당하는 경우에는 그 보유기간(2011. 6. 3. 이전은 보유기간 및 거주기간)의 제한을 받지 아니한다.

1) 「임대주택법」에 따른 건설임대주택을 취득하여 양도하는 경우로서 해당 건설임대주택의 임차일부터 해당 주택의 양도일까지의 기간 중 세대전원이 거주(취학, 근무상의 형편, 질병의 요양, 그 밖에 부득이한 사유로 세대의 구성원 중 일부가 거주하지 못하는 경우를 포함한다)한 기간이 5년 이상인 경우

▶▶ 1세대 1주택 비과세 대상인 건설임대주택의 거주기간 요건(세대전원 거주)을 명확히 함(2014. 2. 21. 이후 양도하는 분부터 적용).

이 경우 취학, 근무상의 형편, 질병의 요양 기타 부득이한 사유라 함은 세대전원이 다

음 중 어느 하나에 해당하는 사유로 다른 시(특별시, 광역시, 특별자치시 및 「제주특별자치도 설치 및 국제자유도시 조성을 위한 특별법」 제15조 제2항에 따라 설치된 행정시를 포함한다) · 군으로 주거를 이전하는 경우(광역시지역 안에서 구지역과 읍 · 면지역 간에 주거를 이전하는 경우와 특별자치시, 「지방자치법」 제7조 제2항에 따라 설치된 도농복합형태의 시지역 및 「제주특별자치도 설치 및 국제자유도시 조성을 위한 특별법」 제15조 제2항에 따라 설치된 행정시 안에서 동지역과 읍 · 면지역 간에 주거를 이전하는 경우를 포함한다)를 말한다. 이 경우 해당 사유가 발생한 당사자 외의 세대원 중 일부가 취학, 근무 또는 사업상의 형편 등으로 당사자와 함께 주거를 이전하지 못하는 경우에도 세대전원이 주거를 이전한 것으로 본다.

가) 「초 · 중등교육법」에 따른 학교(초등학교 및 중학교를 제외한다) 및 「고등교육법」에 따른 학교에의 취학

나) 직장의 변경이나 전근등 근무상의 형편

다) 1년 이상의 치료나 요양을 필요로 하는 질병의 치료 또는 요양

라) 「학교폭력예방 및 대책에 관한 법률」에 따른 학교폭력으로 인한 전학(같은 법에 따른 학교폭력대책자치위원회가 피해학생에게 전학이 필요하다고 인정하는 경우에 한한다)(2016. 3. 16. 이후 결정 또는 경정하는 분부터 적용)

2) 주택 및 그 부수토지(사업인정 고시일 전에 취득한 주택 및 그 부수토지에 한한다)의 전부 또는 일부가 「공익사업을 위한 토지 등의 취득 및 보상에 관한 법률」에 의한 협의매수 · 수용 및 그 밖의 법률에 의하여 수용되는 경우. 이 경우 그 양도일 또는 수용일부터 5년(2013. 2. 14. 이전 양도분은 2년) 이내에 양도하는 그 잔존주택 및 그 부수토지를 포함하는 것으로 한다.

* 사업인정 고시일 전 취득 요건 개정 연혁

2006.2.8. 이전 양도분	2006.2.9. 이후 양도분
사업인정 고시일 전후 취득 불문	사업인정 고시일 전 취득분 특례 배제

▶▶ 경과 규정 : 2006. 2. 8. 이전에 사업인정 고시일 이후에 취득한 사업인정 고시된 지역의 주택 및 그 부수토지를 2007. 12. 31.까지 양도하는 경우에는 제154조 제1항 제2호 가목의 개정규정에 불구하고 종전의 규정에 의한다(2006. 2. 9. 대통령령 제19327호 부칙 §30 ①).

3) 「해외이주법」에 따른 해외이주로 세대전원이 출국하는 경우. 다만, 출국일 현재 1주택을 보유하고 있는 경우로서 출국일부터 2년 이내에 양도하는 경우에 한한다.

▶▶ 경과 규정 : 2006. 2. 8. 이전에 「해외이주법」에 따른 해외이주로 세대전원이 출국한 경우로서 2007. 12. 31.까지 주택을 양도하는 경우에는 제154조 제1항 제2호 나목의 개정규정에 불구하고 종전의 규정(출국 후 2년 경과 후 양도하는 경우에도 특례 적용)에 의한다(2006. 2. 9. 대통령령 제19327호 부칙 §30 ②).

한편, 「해외이주법」에 따른 현지이주의 경우 출국일은 영주권 또는 그에 준하는 장기체류 자격을 취득한 날을 말한다.

4) 1년 이상 계속하여 국외거주를 필요로 하는 취학 또는 근무상의 형편으로 세대전원이 출국하는 경우. 다만, 출국일 현재 1주택을 보유하고 있는 경우로서 출국일부터 2년 이내에 양도하는 경우에 한한다.

▶▶ 경과 규정 : 2006. 2. 8. 이전에 국외거주를 필요로 하는 취학 또는 근무상의 형편으로 세대전원이 출국한 경우로서 2007. 12. 31.까지 주택을 양도하는 경우에는 제154조 제1항 제2호 다목의 개정규정에 불구하고 종전의 규정(출국 후 2년 경과 후 양도하는 경우에도 특례 적용)에 의한다(2006. 2. 9. 대통령령 제19327호 부칙 §30 ①).

5) 1년 이상 거주한 주택을 취학, 근무상의 형편, 질병의 요양 기타 부득이한 사유로 양도하는 경우

이 경우 취학, 근무상의 형편, 질병의 요양 기타 부득이한 사유라 함은 세대 전원이 다음 중 어느 하나에 해당하는 사유로 다른 시(특별시, 광역시, 특별자치시 및 「제주특별자치도 설치 및 국제자유도시 조성을 위한 특별법」 제15조 제2항에 따라 설치된 행정시를 포함한다) · 군으로 주거를 이전하는 경우(광역시지역 안에서 구지역과 읍 · 면지역 간에 주거를 이전하는 경우와 특별자치시, 「지방자치법」 제7조 제2항에 따라 설치된 도농복합형태의 시지역 및 「제주특별자치도 설치 및 국제자유도시 조성을 위한 특별법」 제15조 제2항에 따라 설치된 행정시 안에서 동 지역과 읍 · 면지역 간에 주거를 이전하는 경우를 포함한다)를 말한다. 이 경우 아래의 사유가 발생한 당사자 외의 세대원 중 일부가 취학, 근무 또는 사업상의 형편 등으로 당사자와 함께 주거를 이전하지 못하는 경우에도 세대전원이 주거를 이전한 것으로 본다.

가) 「초 · 중등교육법」에 의한 학교(유치원 · 초등학교 및 중학교를 제외한다) 및 「고등교육법」에 의한 학교에의 취학
나) 직장의 변경이나 전근등 근무상의 형편
다) 1년 이상의 치료나 요양을 필요로 하는 질병의 치료 또는 요양

라) 「학교폭력예방 및 대책에 관한 법률」에 따른 학교폭력으로 인한 전학(같은 법에 따른 학교폭력대책자치위원회가 피해학생에게 전학이 필요하다고 인정하는 경우에 한한다).(2016. 3. 16. 신설)

라. 1세대 1주택 양도세 비과세 보유기간 요건 강화

2021. 1. 1. 이후 양도하는 분부터는 1세대가 1주택 이상을 보유한 경우 다른 주택들을 모두 양도하고 최종적으로 1주택만 보유하게 된 날부터 2년 이상 보유하여야 1세대 1주택 비과세 특례 적용 대상이 된다. 다만, 일시적 2주택자나 상속·동거봉양 등 부득이한 사유로 인해 1주택 비과세를 받는 주택은 제외한다.

5 | 1주택 보유요건의 특례

1) 일시적 1세대 2주택

가) 일반적인 경우

국내에 1주택을 소유한 1세대가 그 주택("종전의 주택")을 양도하기 전에 다른 주택을 취득(자기가 건설하여 취득한 경우를 포함한다)함으로써 일시적으로 2주택이 된 경우 종전의 주택을 취득한 날부터 1년 이상이 지난 후 다른 주택을 취득*하고 그 다른 주택을 취득한 날부터 3년 이내(3년 이내에 양도하지 못하는 경우로서 기획재정부령으로 정하는 사유에 해당하는 경우를 포함한다)에 종전의 주택을 양도하는 경우에는 이를 1세대 1주택으로 보아 비과세 여부를 판정한다.

▶▶ 종전의 주택을 취득한 날부터 1년 이상이 지난 후 다른 주택을 취득해야 하는 요건은 2012. 6. 29. 이후 최초로 양도하는 분부터 적용함.
다만, 「소득세법 시행령」 제154조 제1항 제1호(건설임대주택에 대한 특례), 제2호 가목(수용·협의매수에 대한 특례) 및 제3호(취학 등 부득이한 사유에 대한 특례)의 어느 하나에 해당하는 경우에는 종전의 주택을 취득한 날부터 1년 이상이 지난 후 다른 주택을 취득하는 요건을 적용하지 아니함(2013. 2. 15. 이후 최초로 양도하는 분부터 적용함).

(1) 중복보유허용기간의 개정 연혁

양도시기	2002.3.30.~	2008.11.28.~	2012.6.29.~	2018.10.23.~	2020.2.11.~
중복허용기간	1년	2년	3년	조정대상지역 2년 기타지역 3년	조정대상지역 1년 기타지역 3년

▶▶ 2002. 3. 30. 대통령령 제17555호 부칙 제3항【중복보유기간 단축에 따른 경과조치】

2002. 3. 30. 현재 종전의 「소득세법 시행령」 제155조 제1항의 규정에 의하여 국내에 1주택을 소유한 1세대가 그 주택을 양도하기 전에 다른 주택을 취득한 경우로서 종전의 규정에 의한 1세대 2주택의 보유허용기간(2년)이 종료되지 아니한 경우 다음 각 호의 날까지 종전의 주택을 양도하는 경우에는 이를 1세대 1주택으로 보아 비과세 여부를 판정한다.

① 다른 주택을 취득한 날부터 이 영 시행일(2002. 3. 30.)까지의 기간이 1년을 초과하지 아니한 때

㉮ 이 영 시행일부터 1년이 되는 날(2003. 3. 29.)까지 종전의 주택을 양도하면 일시적 2주택 특례 적용

㉯ 다만, 이 영 시행일(2002. 3. 30.)부터 6월이 경과하는 날 이후에 종전의 주택이 1세대 1주택 비과세 보유기간(건설임대주택 비과세 특례 대상은 거주기간)을 충족하는 경우에는 보유기간등을 충족하는 날에 6월을 가산한 날 또는 그 다른 주택의 취득일부터 2년이 되는 날 중 빠른 날까지 종전이 주택을 양도하면 일시적 2주택 비과세 특례 적용

② 다른 주택을 취득한 날부터 이 영 시행일(2002. 3. 30.)까지의 기간이 1년을 초과한 때에는 다른 주택의 취득일부터 2년이 되는 날

(2) 중복보유허용기간의 예외

다른 주택을 취득한 날부터 3년이 되는 날(중복보유허용기간 종료일) 현재 다음 각 호의 어느 하나에 해당하는 경우로서 해당 각 호의 어느 하나의 방법에 따라 양도된 경우에는 중복보유허용기간이 지나서 종전의 주택을 양도하는 경우에도 일시적 2주택 비과세 특례를 적용한다.

① 「금융기관부실자산 등의 효율적 처리 및 한국자산관리공사의 설립에 관한 법률」에 의하여 설립된 한국자산관리공사에 매각을 의뢰한 경우

② 법원에 경매를 신청한 경우

③ 「국세징수법」에 의한 공매가 진행 중인 경우

④ 「도시 및 주거환경정비법」에 따른 주택재개발사업 또는 주택재건축사업의 시행으로

같은 법 제47조에 따라 현금으로 청산을 받아야 하는 토지 등 소유자가 사업시행자를 상대로 제기한 현금청산금 지급을 구하는 소송절차가 진행 중인 경우
(2012. 2. 28. 이후 최초로 양도하는 분부터 적용하되, 2012. 2. 28. 현재 현금청산금 지급을 구하는 소송절차가 진행 중인 경우에 대해서도 적용할 수 있다. 2012. 2. 28. 기획재정부령 제265호 제4조)

⑤「도시 및 주거환경정비법」등에 따른 주택재개발사업 또는 주택재건축사업 등 시행으로 사업시행자의 매도청구 소송 제기에 따라 소송 진행 중인 경우

(3) 공공기관 지방이전시 중복보유허용기간의 예외

수도권에 소재한 법인 또는「국가균형발전 특별법」제2조 제9호에 따른 공공기관이 수도권 밖의 지역으로 이전하는 경우로서 법인의 임원과 사용인 및 공공기관의 종사자가 구성하는 1세대가 취득하는 다른 주택이 해당 공공기관 또는 법인이 이전한 시(특별자치시 · 광역시 및「제주특별자치도 설치 및 국제자유도시 조성을 위한 특별법」제10조 제2항에 따라 설치된 행정시를 포함한다) · 군 또는 이와 연접한 시 · 군의 지역에 소재하는 경우에는 중복보유허용기간을 3년을 5년으로 적용한다. 이 경우 해당 1세대에 대해서는 종전의 주택을 취득한 날부터 1년 이상이 지난 후 다른 주택을 취득하는 요건을 적용하지 아니한다.

※ 이 특례 규정은 2006. 2. 9. 신설되었으며, 2006. 2. 9. 이후 수도권 외의 지역으로 이전한 법인 또는 공공기관의 임원 · 사용인 또는 종사자가 최초로 주택을 양도하는 분부터 적용한다(2006. 2. 9. 대통령령 제19327호 §16).

나) 조정대상지역 내 일시적 2주택 양도소득세 비과세 요건 강화

2019. 12. 17. 이후 조정대상지역 내에 종전 주택이 있는 상태에서 조정대상지역 내 주택을 취득하는 경우 2년 이내 종전 주택을 양도하여야 한다.

① 2년 이내라 함은 신규주택 취득 후 1년 이내 전입 + 전입 후 1년 이내 종전 주택 양도를 말한다.

② 신규 주택에 기존 임차인이 있는 경우에는 전 소유자와 임차인간의 임대차계약 종료시까지 전입 + 종전 주택 양도(신규 주택 취득일로부터 최대 2년을 한도로 하고, 신규 주택 취득일 이후 갱신된 계약은 인정하지 않음)

③ 2019. 12. 16. 이전 주택 또는 주택을 취득할 수 있는 권리를 취득한 경우와 이전 주택 또는 주택을 취득할 수 있는 권리를 취득하기 위한 매매계약을 체결하고 계약금을 지급한 경우는 제외한다.

다) 협의매수 · 수용시 잔존주택 및 부수토지에 대한 특례

일시적 1세대 2주택 비과세 특례를 적용할 때 종전의 주택 및 그 부수토지의 일부가 협의매수되거나 수용되는 경우*로서 당해 잔존하는 주택 및 그 부수토지를 그 양도일 또는 수용일부터 3년 이내에 양도하는 때에는 당해 잔존하는 주택 및 그 부수토지의 양도는 종전의 주택 및 그 부수토지의 양도 또는 수용에 포함되는 것으로 본다.

* 주택 및 그 부수토지(사업인정 고시일 전에 취득한 주택 및 그 부수토지에 한한다)의 전부 또는 일부가 「공익사업을 위한 토지 등의 취득 및 보상에 관한 법률」에 의한 협의매수 · 수용 및 그 밖의 법률에 의하여 수용되는 경우를 말함.

일시적 1세대 2주택 비과세 특례 관련 예규변경 내용(재산 46014-10135, 2002. 11. 22.)

「소득세법 시행령」 제155조 제1항의 일시적 2주택 비과세특례 규정(1세대가 일시적으로 2주택이 된 경우 1년 이내에 종전주택을 양도시 비과세) 적용시 기존주택을 멸실하고 재건축한 주택을 준공시점에서 새로 취득한 주택으로 볼 것인지, 아니면 기존주택의 연장으로 볼 것인지 여부

〈1안〉 준공시점에서 새로 취득하는 주택으로 봄(현행예규)

〈2안〉 기존주택의 연장으로 봄(예규변경)

■ 심의결과 : 〈2안〉(예규변경) (재산 46014-10135, 2002. 11. 22.)

⇨ 새로운 예규의 적용시기 : 새로운 예규는 2002. 11. 23. 이후 최초로 결정(신고 포함)하는 분부터 적용한다. 다만, 새로운 예규에 의하여 과세대상에 해당하는 것은 2002. 11. 23 이후 최초로 양도하는 분부터 적용한다.

⇨ 새로운 예규의 적용사례

① 1세대 2주택자가 그 중 1주택이 재건축으로 새로이 준공된 이후에 재건축하지 않은 다른 주택 양도시 비과세 여부

(사례) • A주택 취득 : 1990. 7. 5.
• B주택 취득 : 1991. 5. 12.
• A주택 멸실 : 1999. 5. 12.
• A주택 멸실후 준공 : 2001. 12. 28.
• B주택 양도 : 2002. 11. 30.

(문) 2002. 11. 30. 양도한 B주택이 양도소득세 비과세대상인지.

(새로운 예규 적용시) : B주택은 과세대상임(비과세 배제).

② 1주택을 가진 1세대가 당해 주택이 재건축으로 멸실되어 있는 상태에서 다른 주택을 취득한 경우로서 당해 재건축주택을 준공후 양도하는 경우 비과세 여부

(사례) • A주택 취득 : 1990. 7. 5.
• A주택 멸실 : 2001. 5. 12.

• B주택 취득 : 2002. 2. 28.
• A주택 멸실후 준공 : 2002. 11. 30.
• 재건축한 A주택 양도 : 2002. 11. 30.

(문) 2002. 12. 28. 양도한 A주택이 양도소득세 비과세대상인지.
(새로운 예규 적용시) : 재건축한 A주택은 비과세대상임.

2) 상속받은 주택

가) 원 칙

상속받은 주택(조합원입주권을 상속받아 사업시행 완료 후 취득한 신축주택(상속받은 1주택이 재개발·재건축 등으로 2주택 이상이 된 경우 1주택에 대해서만 적용)을 포함하며*, 피상속인이 상속개시 당시 2 이상의 주택을 소유한 경우에는 다음 각 호의 순위에 따른 1주택을 말한다)과 그 밖의 주택(상속개시 당시 보유한 주택** 또는 상속개시 당시 보유한 조합원입주권에 의하여 사업시행 완료 후 취득한 신축주택***만 해당하며, "일반주택"이라 한다)을 국내에 각각 1개씩 소유하고 있는 1세대가 일반주택을 양도하는 경우에는 국내에 1개의 주택을 소유하고 있는 것으로 보아 1세대 1주택 비과세 여부를 판정한다. 이 경우 상속개시 당시 같은 세대원으로부터 주택을 상속받은 경우에는 상속받은 주택으로 보지 아니한다{아래 (1)의 경우는 예외}.

- 사전 증여주택에 대한 특례적용 배제【상속개시일부터 소급하여 2년 이내에 피상속인으로부터 증여받은 주택(조합원입주권)은 '일반주택'으로 보지 않고 비과세 배제, 2018년 2월 13일 이후 증여받은 분부터 적용】

* 조합원입주권으로 상속받은 경우는 2008. 2. 22. 이후 최초로 양도하는 분부터 적용

** 상속 받은 주택을 소유한 상태에서 일반주택을 수차례 취득·양도하는 경우 매번마다 양도소득세 비과세를 받을 수 있는 불합리를 개선하기 위하여 상속개시 당시 보유한 일반주택에 대해서만 특례를 적용하도록 개정하였으며, 2013. 2. 15. 이후 일반주택을 취득하여 양도하는 분부터 적용한다(2013. 2. 15. 대통령령 제24356호 부칙 §20).

사 례	2013.2.14. 이전 양도	2013.2.15. 이후 양도
일반주택 소유자가 상속주택 취득 후 일반주택 양도	특례 적용	특례 적용
상속주택 소유자가 일반주택 취득(2013. 2. 14. 이전) 후 일반주택 양도	특례 적용	특례 적용
상속주택 소유자가 일반주택 취득(2013. 2. 15. 이후) 후 일반주택 양도	-	특례 배제

다만, 수도권 밖의 읍·면에 소재하는 상속주택(피상속인이 5년 이상 거주한 주택에 한함)의 경우에는 현행과 같이 1세대 1주택 비과세 판정시 주택수 계산에서 제외하여 일반주택을 수차례 취득·양도해도 비과세 계속 적용이 가능하다(「소득세법 시행령」 제155조 제7항).

*** 일반주택과 조합원입주권간 과세형평을 고려하여 상속개시 당시 보유한 조합원입주권에 의하여 사업시행 완료 후 취득한 신축주택에 대해서도 2014. 2. 21. 이후 양도분부터 특례를 적용한다.

피상속인이 상속개시 당시 2 이상의 주택을 소유한 경우 상속주택 적용 순위

① 피상속인이 소유한 기간이 가장 긴 1주택
② 피상속인이 소유한 기간이 같은 주택이 2 이상일 경우에는 피상속인이 거주한 기간이 가장 긴 1주택
③ 피상속인이 소유한 기간 및 거주한 기간이 모두 같은 주택이 2 이상일 경우에는 피상속인이 상속개시당시 거주한 1주택
④ 피상속인이 거주한 사실이 없는 주택으로서 소유한 기간이 같은 주택이 2 이상일 경우에는 기준시가가 가장 높은 1주택(기준시가가 같은 경우에는 상속인이 선택하는 1주택)

| 상속주택 비과세 특례 개정 내용 |

2002.12.31. 이전	2003.1.1. 이후	2018. 2.13. 이후
○상속주택 양도시 비과세 – 1세대 1주택자(무주택자 포함)가 상속받은 주택은 보유기간 및 양도시기에 상관없이 비과세	○상속주택도 일반주택과 동일하게 과세 –다만, 상속주택 외의 주택을 양도시에는 상속주택은 없는 것으로 보아 1세대 1주택 비과세 여부 판정	○사전 증여주택은 특례적용 배제 –상속받은 주택(조합원입주권 포함):선순위 상속주택(1채) –일반주택:상속개시 당시 보유한 주택(조합원입주권) 단, 상속개시일부터 소급하여 2년 이내에 피상속인으로부터 증여받은 주택(조합원입주권)은 '일반주택'으로 보지 않고 비과세 배제

* 경과조치 : 2003. 1. 1. 이후 최초로 양도하는 분부터 적용하되, 2002. 12. 31. 이전에 상속받은 주택에 대하여는 이 영 시행후 2년이 되는 날(2004. 12. 31.)까지 당해 주택을 양도하는 경우에는 제155조 제2항의 개정규정에 불구하고 종전의 규정에 의한다(2002. 12. 30. 대통령령 제17825호 §19).

나) 직계존비속 동거봉양 합가 후 상속이 개시된 경우

상속인과 피상속인이 상속개시 당시 1세대인 경우에는 1주택을 보유하고 1세대를 구성하는 자가 직계존속(배우자의 직계존속을 포함하며, 세대를 합친 날 현재 직계존속 중 어느 한 사람 또는 모두가 60세 이상으로서 1주택을 보유하고 있는 경우만 해당한다)을 동거봉양하기 위하여 세대를 합침에 따라 2주택을 보유하게 되는 경우로서 합치기 이전부터 보유하고 있었던 주택만 상속받은 주택으로 본다.

* 경과조치 : 2010. 2. 18. 이후 최초로 양도하는 분부터 적용하되, 2009. 2. 4. 전에 직계존속(여자의 경우만 해당한다)을 동거봉양하기 위하여 세대를 합친 경우에는 "60세"를 "55세"로 한다(2010. 2. 18. 대통령령 제22034호 §19).

동거봉양 합가 세대의 상속주택 취득자의 비과세 특례

○동거봉양을 위해 1주택자인 子가 1주택자인 父와 세대합가 후
- 父의 사망으로 父가 합가 당시 보유하던 주택을 子가 상속받고
- 子가 세대를 합치기 전부터 보유하던 주택을 양도하는 경우
  ➔ 1세대 1주택 비과세 적용(종전 규정에 따르면 과세대상임)
    • 양도주택은 2년 이상 보유요건을 갖춘어야 함.
    • 동거봉양을 위한 합가는 합가 당시 직계존속이 60세 이상이어야 함.

* 합가당시 父·子 중 하나가 무주택자로서 합가 후 취득한 주택을 상속받는 경우에는 과세대상임.

다) 공동상속주택

1세대 1주택 비과세를 판정할 때 공동상속주택(상속으로 여러 사람이 공동으로 소유하는 1주택을 말한다) 외의 다른 주택을 양도하는 때에는 당해 공동상속주택은 당해 거주자의 주택으로 보지 아니한다. 다만, 상속지분이 가장 큰 상속인의 경우는 그러하지 아니하며 이 경우 상속지분이 가장 큰 상속인이 2인 이상인 때에는 그 2인 이상의 자 중 다음 각 호의 순서에 따라 당해 각 호에 해당하는 자가 당해 공동상속주택을 소유한 것으로 본다.

공동상속주택의 소유자 판정 순위

① 상속지분이 가장 큰 상속인
② 상속개시 당시 당해 주택에 거주하는 자
③ 호수승계인(2008. 2. 22. 삭제)
④ 최연장자

한편, 공동상속주택 소유시 일반주택 비과세 특례 적용시에도 위 "나)"에 따른 내용이 동일하게 적용된다. 또한, 공동상속주택의 소유자가 아닌 경우에는 동일세대원으로부터 상속받은 경우에도 특례가 적용되며, "가)"에 따른 선순위 상속주택이 아닌 경우에도 특례를 적용받을 수 있다. 아울러 공동상속주택(소수지분) 취득 후에 일반주택을 취득하여 양도하는 경우에도 특례를 적용받을 수 있다.

라) 상속주택 협의분할 등기 관련 적용 방법

위 가)~다)를 적용할 때 상속주택 외의 일반주택을 양도할 때까지 상속주택을 「민법」 제1013조에 따라 협의분할하여 등기하지 아니한 경우에는 「민법」 제1009조 및 제1010조에 따른 상속분에 따라 해당 상속주택을 소유하는 것으로 본다.

* 해당 규정은 2011. 1. 1. 이후 최초로 양도하는 분부터 적용한다. 다만, 관련 예규(부동산거래관리과-329, 2011. 4. 19.)에 따라 2010년 이전 양도분에 대해서도 해당 규정을 적용함.

다만, 상속주택 외의 주택을 양도한 이후 「국세기본법」 제26조의 2에 따른 국세 부과의 제척기간 내에 상속주택을 협의분할하여 등기한 경우로서 등기 전 상속주택 및 공동상속주택 특례 규정에 따라 1세대 1주택 비과세를 적용받았다가 등기 후 특례 적용을 받지 못하여 양도소득세를 추가 납부하여야 할 자는 그 등기일이 속하는 달의 말일부터 2개월 이내에 다음 계산식에 따라 계산한 금액을 양도소득세로 신고 · 납부하여야 한다(2013. 2. 15. 이후 신고의무가 발생하는 분부터 적용. 2013. 2. 15. 대통령령 제24356호 부칙 §21).

납부할 양도소득세 = 일반주택 양도 당시 상속주택 및 공동상속주택 특례를 적용하지 아니하였을 경우에 납부하였을 세액 - 일반주택 양도 당시 상속주택 및 공동상속주택 특례를 적용받아 납부한 세액

* 2013. 2. 15. 개정 전에는 상속주택 외의 주택을 양도한 이후 「국세기본법」 제26조의 2에 따른 국세 부과의 제척기간 내에 상속주택을 협의분할하여 등기한 경우 납세지 관할 세무서장은 그 내용에 따라 거주자의 양도소득과세표준과 세액을 결정하거나 경정하도록 규정되어 있었음.

3) 직계존비속 동거봉양합가에 따른 1세대 2주택

1주택을 보유하고 1세대를 구성하는 자가 1주택을 보유하고 있는 60세 이상의 직계존속(배우자의 직계존속을 포함하며, 직계존속 중 어느 한 사람이 60세 미만인 경우를 포함한다)을 동거봉양하기 위하여 세대를 합침으로써 1세대가 2주택을 보유하게 되는 경우 합친 날부터 10년*(2018년 2월 13일 이후 양도 분부터 적용) 이내에 먼저 양도하는 주택은 이를

1세대 1주택으로 보아 비과세 여부를 판정한다.

* 2009. 2. 3. 이전 양도분은 2년(2018년 2월 13일 이전 양도 분 5년)

* 직계존속 나이 요건 개정 연혁(직계존속 중 어느 한 사람만 나이 요건을 충족하면 됨)

2009.2.3. 이전 양도	2009.2.4. 이후 양도	2018.2.13. 이후 양도	2019.2.12. 이후 양도
• 남자 : 60세 • 여자 : 55세	• 남자, 여자 : 60세 • 어느 한 사람이 60세 이상이면 가능	좌동	• 남자, 여자 : 60세 • 어느 한 사람이 60세 이상이면 가능 • 결핵 · 희귀난치성 · 중증질환으로 요양급여를 받는 경우에는 60세 미만이어도 가능

4) 혼인에 따른 1세대 2주택

1주택을 보유하는 자가 1주택을 보유하는 자와 혼인함으로써 1세대가 2주택을 보유하게 되는 경우 또는 1주택을 보유하고 있는 60세 이상의 직계존속을 동거봉양하는 무주택자가 1주택을 보유하는 자와 혼인함으로써 1세대가 2주택을 보유하게 되는 경우 각각 혼인한 날부터 5년 이내에 먼저 양도하는 주택은 이를 1세대 1주택으로 보아 비과세 여부를 판정한다.

* 2009. 2. 3. 이전 양도분은 2년임.

가) 혼인합가의 유형

(1) 1주택을 보유하는 자가 1주택을 보유하는 자와 혼인함으로써 1세대가 2주택을 보유하게 되는 경우

(2) "1주택을 보유하고 있는 60세 이상의 직계존속"을 동거봉양하는 무주택자가 1주택을 보유하는 자와 혼인함으로써 1세대가 2주택을 보유하게 되는 경우(2012. 2. 2. 이후 최초로 양도하는 분부터 적용함)

5) 문화재주택

문화재주택(「문화재보호법」 제2조 제2항에 따른 지정문화재 및 같은 법 제53조 제1항에 따른 등록문화재를 말한다)과 그 밖의 주택("일반주택"이라 한다)을 국내에 각각 1개씩 소유하고 있는 1세대가 일반주택을 양도하는 경우에는 국내에 1개의 주택을 소유하고 있는 것으로 보아 1세대 1주택 비과세 여부를 판정한다.

6) 농어촌주택

농어촌주택과 그 밖의 주택("일반주택"이라 한다)을 국내에 각각 1개씩 소유하고 있는 1세대가 일반주택을 양도하는 경우에는 국내에 1개의 주택을 소유하고 있는 것으로 보아 1세대 1주택 비과세 여부를 판정한다. 다만, 귀농주택에 대해서는 그 귀농주택을 취득한 날부터 5년 이내에 일반주택을 양도하는 경우에 한정하여 적용한다(2016. 2. 17. 이후 귀농주택을 취득하는 분부터 적용).

가) 농어촌주택의 유형

다음 중 어느 하나에 해당하는 주택으로서 「수도권정비계획법」 제2조 제1호에 따른 수도권밖의 지역 중 읍지역(도시지역 안의 지역을 제외한다) 또는 면지역에 소재하는 주택을 말한다.

* 도시지역 : 주거지역 · 상업지역 · 공업지역 · 녹지지역

(1) 상속받은 주택(피상속인이 취득 후 5년 이상 거주한 사실이 있는 경우에 한한다)

* 상속받은 농어촌주택시 일반주택 비과세 특례 적용시에도 위 "2) 나)"에 따른 내용이 동일하게 적용된다. 다만, "가)"에 따른 선순위 상속주택이 아닌 경우에도 특례를 적용받을 수 있다. 한편, 해당 상속받은 농어촌주택 취득 후에 일반주택을 취득하여 양도하는 경우에도 특례를 적용받을 수 있다.

(2) 이농인(어업에서 떠난 자를 포함한다)이 취득일 후 5년 이상 거주한 사실이 있는 이농주택

(3) 영농 또는 영어의 목적으로 취득한 귀농주택

나) 이농주택

"이농주택"이란 영농 또는 영어에 종사하던 자가 전업으로 인하여 다른 시(「제주특별자치도 설치 및 국제자유도시 조성을 위한 특별법」 제10조 제2항에 따라 설치된 행정시를 포함한다) · 구(특별시 및 광역시의 구를 말한다) · 읍 · 면으로 전출함으로써 거주자 및 그 배우자와 생계를 같이하는 가족 전부 또는 일부가 거주하지 못하게 되는 주택으로서 이농인이 소유하고 있는 주택을 말한다.

다) 귀농주택

(1) 의 미

"귀농주택"이란 영농 또는 영어에 종사하고자 하는 자가 취득(귀농이전에 취득한 것을

포함한다)하여 거주하고 있는 주택으로서 다음 각 호의 요건을 갖춘 것을 말한다.

① 연고지에 소재할 것(2016. 2. 16. 이전 귀농주택 취득분만 연고지 소재 요건 적용)

* 연고지 : 귀농주택 소재지에 다음 각 호의 어느 하나에 해당하는 자의 가족관계등록부의 최초 등록기준지이거나 5년 이상 거주한 사실이 있는 곳을 말한다. 이 경우 가족관계등록부의 최초 등록기준지는 그 등록기준지가 소재한 읍지역(도시계획구역안의 지역을 제외한다) 또는 면지역과 그 연접한 읍·면지역을 말한다.

㉮ 영농 또는 영어에 종사하고자 하는 자와 그 배우자

㉯ ㉮에 해당하는 자의 직계존속

▶▶ 2016. 2. 17. 이후 귀농주택 취득분부터는 연고지 소재 요건을 삭제하였음.

② 취득당시 고가주택에 해당하지 아니할 것

③ 대지면적이 660제곱미터 이내일 것

④ 영농 또는 영어의 목적으로 취득하는 것으로서 다음 각 목의 어느 하나에 해당할 것

㉮ 1,000제곱미터 이상의 농지를 소유하는 자 또는 그 배우자가 해당 농지의 소재지(「소득세법 시행령」 제153조 제3항의 규정에 의한 농지소재지를 말한다)에 있는 주택을 취득하는 것일 것(취득 후 1년 이내 1,000제곱미터 이상의 농지를 취득하는 경우는 2016. 3. 31. 이후부터 적용)

* 2007. 2. 27. 이전에 취득한 귀농주택을 소유한 자에 관하여는 제155조 제10항 제4호 가목의 개정규정에 불구하고 종전의 규정(990㎡)에 따른다(2007. 2. 28. 대통령령 제19890호 부칙 §21).

㉯ 어업인이 취득하는 것일 것

* 어업인 : 「수산업법」에 의한 신고·허가 및 면허어업자 또는 해당 어업자에게 고용된 어업종사자

⑤ 세대전원이 이사(「소득세법 시행규칙」 제71조 제3항에 따른 취학, 근무상의 형편, 질병의 요양, 그 밖의 부득이한 사유로 세대의 구성원 중 일부가 이사하지 못하는 경우를 포함한다)하여 거주할 것

▶▶ 1세대 1주택 비과세 판정은 세대 단위를 기준으로 하므로 귀농주택도 세대 전원이 이주하여 거주하는 경우 적용됨을 명확화, 2014. 2. 21. 이후 양도하는 분부터 적용

※ 귀농주택 취득 후 5년 이내 종전 주택 처분

(2) 비과세 적용 대상

귀농으로 인하여 세대전원이 농어촌주택으로 이사하는 경우에는 귀농 후 최초로 양도하

는 1개의 일반주택에 한정하여 특례 규정을 적용한다.

(3) 귀농주택 소유자의 영농 · 영어 종사 요건

귀농주택 소유자가 귀농일(귀농주택에 주민등록을 이전하여 거주를 개시한 날을 말한다)부터 계속하여 3년 이상 영농 또는 영어에 종사하지 아니하거나 그 기간동안 당해 주택에 거주하지 아니한 경우 그 양도한 일반주택은 1세대 1주택으로 보지 아니한다. 이 경우 3년의 기간을 계산함에 있어 그 기간 중에 상속이 개시된 때에는 피상속인의 영농 또는 영어의 기간과 상속인의 영농 또는 영어의 기간을 통산한다.

(4) 3년 미만 영농 · 영어 종사시 신고 · 납부

귀농주택 소유자가 3년 이상 영농 또는 영어에 종사하지 아니하거나 그 기간동안 해당 주택에 거주하지 아니하는 경우에는 그 사유가 발생한 날이 속하는 달의 말일부터 2개월 이내에 다음 계산식에 따라 계산한 금액을 양도소득세로 신고 · 납부하여야 한다(2013. 2. 15. 이후 신고의무가 발생하는 분부터 적용. 2013. 2. 15. 대통령령 제24356호 부칙 §21).

납부할 양도소득세 = 일반주택 양도 당시 비과세를 적용하지 아니하였을 경우에 납부하였을 세액 – 일반주택 양도 당시 비과세 특례를 적용받아 납부한 세액

7) 수도권 밖 실수요 취득 주택

취학, 근무상의 형편, 질병의 요양, 그 밖에 부득이한 사유("부득이한 사유"라 한다)로 취득한 수도권 밖에 소재하는 주택과 그 밖의 주택("일반주택"이라 한다)을 국내에 각각 1개씩 소유하고 있는 1세대가 부득이한 사유가 해소된 날부터 3년 이내에 일반주택을 양도하는 경우에는 국내에 1개의 주택을 소유하고 있는 것으로 보아 1세대 1주택 비과세 여부를 판정한다.

* 해당 규정은 2008. 11. 28. 이후 최초로 양도하는 분부터 적용하되, 2008. 11. 28. 전에 부득이한 사유로 취득한 수도권 밖 소재 주택을 소유하고 있는 경우에도 적용된다.

한편, 2012. 2. 2. 이후 부득이한 사유가 해소되는 경우에는 부득이한 사유가 해소된 날부터 3년 이내에 일반주택을 양도하는 경우(부득이한 사유 해소 전에 양도하는 경우 포함)에만 특례가 적용된다(2012. 2. 2. 대통령령 제23588호 부칙 §10).

가) 부득이한 사유

부득이한 사유란 다음 중 어느 하나에 해당하는 사유로 다른 시(특별시와 광역시를 포함

한다)·군으로 주거를 이전하는 경우(광역시지역 안에서 구지역과 읍·면지역 간에 주거를 이전하는 경우 및 「지방자치법」 제7조 제2항에 따라 설치된 도농복합형태의 시지역 안에서 동지역과 읍·면지역 간에 주거를 이전하는 경우를 포함한다)를 말한다. 이 경우 부득이한 사유가 발생한 당사자 외의 세대원 중 일부가 취학, 근무 또는 사업상의 형편 등으로 당사자와 함께 주거를 이전하지 못하는 경우에도 세대원이 주거를 이전한 것으로 본다.

① 「초·중등교육법」에 의한 학교(유치원·초등학교 및 중학교를 제외한다) 및 「고등교육법」에 의한 학교에의 취학

② 직장의 변경이나 전근 등 근무상의 형편

③ 1년 이상의 치료나 요양을 필요로 하는 질병의 치료 또는 요양

* 부득이한 사유에 해당하는지의 확인은 재학증명서, 재직증명서, 요양증명서 등 해당 사실을 증명하는 서류에 따른다.

8) 장기임대주택 소유시 거주주택 비과세 특례

가) 개 요

장기임대주택(1세대 2주택 이상 중과 적용 대상에서 제외되는 「소득세법 시행령」 제167조의 3 제1항 제2호에 따른 장기임대주택을 말한다)과 그 밖의 1주택을 국내에 소유하고 있는 1세대가 다음 각 호의 요건을 충족하고 해당 1주택("거주주택"이라 한다)을 양도하는 경우에는 국내에 1개의 주택을 소유하고 있는 것으로 보아 1세대 1주택 비과세 여부를 판정한다.

이 경우 해당 거주주택이 「임대주택법」 제6조에 따라 임대주택으로 등록한 사실이 있고 그 보유기간 중에 양도한 다른 거주주택(양도한 다른 거주주택이 둘 이상인 경우에는 가장 나중에 양도한 거주주택을 말한다. "직전거주주택"이라 한다)이 있는 거주주택("직전거주주택보유주택"이라 한다)인 경우에는 직전거주주택의 양도일 후의 기간분에 대해서만 국내에 1개의 주택을 소유하고 있는 것으로 보아 1세대 1주택 비과세 규정을 적용한다.

※ 2019. 2. 12. 이후 취득하는 분부터는 최초 거주주택에 대해서만 비과세(평생 1회)

① **거주주택** : 거주 및 보유기간(직전거주주택보유주택의 경우에는 「임대주택법」 제6조에 따라 임대주택사업자로 등록한 날 이후의 거주기간을 말한다)이 2년 이상일 것

② **장기임대주택** : 양도일 현재 장기임대주택을 「임대주택법」 제6조에 따라 임대주택으로 등록하여 임대하고 있을 것

해당 특례 규정은 2011. 10. 14. 이후 최초로 양도하는 주택부터 적용한다.

나) 임대기간요건 충족 전에 거주주택을 양도하는 경우

1세대가 장기임대주택의 임대기간요건을 충족하기 전에 거주주택을 양도하는 경우에도 해당 임대주택을 장기임대주택으로 보아 1세대 1주택 비과세 여부를 판정한다.

다) 임대기간요건 미충족시 신고·납부

1세대가 위 "나)"를 적용받은 후에 임대기간요건을 충족하지 못하게 된(장기임대주택의 임대의무호수를 임대하지 아니한 기간이 6개월을 지난 경우를 포함한다) 때에는 그 사유가 발생한 날이 속하는 달의 말일부터 2개월 이내에 다음 계산식에 따라 계산한 금액을 양도소득세로 신고·납부하여야 한다(2013. 2. 15. 이후 신고의무가 발생하는 분부터 적용. 2013. 2. 15. 대통령령 제24356호 부칙 §21).

> 납부할 양도소득세 계산식
> = 거주주택 양도 당시 해당 임대주택을 장기임대주택으로 보지 아니할 경우에 납부하였을 세액
> − 거주주택 양도 당시 위 "가)"를 적용받아 납부한 세액*
> * 거주주택 비과세 특례를 적용받아 납부한 세액을 말함.

* 2013. 2. 15. 개정 전에는 그 사유가 발생한 과세연도의 과세표준을 신고할 때 위 계산식에 따라 계산한 금액을 양도소득세로 납부하도록 규정되어 있었음.

라) 임대기간요건 산정 특례

(1) 「공익사업을 위한 토지 등의 취득 및 보상에 관한 법률」 또는 그 밖의 법률에 따라 수용(협의매수를 포함한다)된 경우 또는 사망으로 상속되는 경우로서 해당 임대기간요건을 충족하지 못하게 되거나 임대의무호수를 임대하지 아니하게 된 때에는 해당 임대주택을 계속 임대하는 것으로 본다.

(2) 「도시 및 주거환경정비법」 등에 따른 주택재건축사업 또는 주택재개발사업의 사유가 있는 경우에는 임대의무호수를 임대하지 아니한 기간을 계산할 때 해당 주택의 관리처분계획 인가일 전 6개월부터 준공일 후 6개월까지의 기간은 포함하지 아니하고, 「주택법」에 따른 리모델링 사업의 경우에도 리모델링 사업 허가일 전 6개월부터 준공일 후 6개월까지의 기간은 포함하지 아니한다.

* 2012. 2. 2. 이후 최초로 양도하는 분부터 적용하되, 2012. 2. 2. 현재 「도시 및 주거환경정비법」에 따른 준공인가일부터 6개월(6개월 이내에 등기일이 있는 경우에는 등기일을 말한다)이 지나지 아니한 주택재건축사업 또는 주택재개발사업에 대해서도 적용한다(2012. 2. 2. 대통령령 제23588호 §11).

마) 특례 적용 신청

거주주택 비과세 특례를 적용받으려는 자는 거주주택을 양도하는 날이 속하는 과세연도의 과세표준신고서와 임대주택사업자의 거주주택 1세대 1주택 특례적용신고서(별지 제83호의 2 서식)에 다음 각 호의 서류를 첨부하여 납세지 관할 세무서장에게 제출하여야 한다.

① 「임대주택법 시행령」 제8조 제2항에 따른 임대사업자 등록증
② 장기임대주택의 임대차계약서 사본
③ 임차인의 주민등록표 등본 또는 그 사본, 주민등록증 사본 또는 주민등록 전입세대열람 내역

바) 직전거주주택 양도 후 마지막으로 양도하는 장기임대주택의 비과세 특례

직전거주주택을 양도하고 비과세 특례를 적용받은 후 가장 마지막에 양도하는 장기임대주택에 대해서는 직전거주주택의 양도일 후의 기간분에 대해서만 국내에 1주택을 보유한 것으로 보아 비과세를 규정한다. 이 경우 해당 장기임대주택은 다음 요건에 모두 해당하는 경우를 말한다.

(1) 「임대주택법」 제6조에 따라 임대주택으로 등록한 사실이 있을 것
(2) 해당 주택의 보유기간 중에 「소득세법 시행령」 제155조 제19항 각 호 외의 부분 후단에 따른 직전거주주택이 있었을 것

사) 직전거주주택보유주택 등에 대한 양도소득금액 등의 계산

(1) 위 "마)"에 따른 1세대 1주택 및 위 "가)"에 따른 직전거주주택보유주택("직전거주주택보유주택등"이라 한다)의 양도소득금액은 다음 계산식에 따라 계산한 금액으로 한다.

이 경우 양도소득금액 계산시 장기보유특별공제액은 「소득세법」 제95조 제2항 표1(6%~30% 공제율)을 적용한다(2019년 1월 1일 이후 최초로 양도하는 분부터 적용함).

* 2013. 2. 14. 이전 양도분은 표2 적용

$$\text{소득세법 제95조 제1항에 따른 양도소득금액} \times \frac{\text{직전거주주택의 양도당시 직전거주주택보유주택등의 기준시가} - \text{직전거주주택보유주택등의 취득당시의 기준시가}}{\text{직전거주주택보유주택등의 양도당시의 기준시가} - \text{직전거주주택보유주택등의 취득당시의 기준시가}}$$

한편, 위 계산 금액이 「소득세법」 제95조 제1항에 따른 양도소득금액을 초과하는 경우에는 그 초과하는 금액은 없는 것으로 한다.

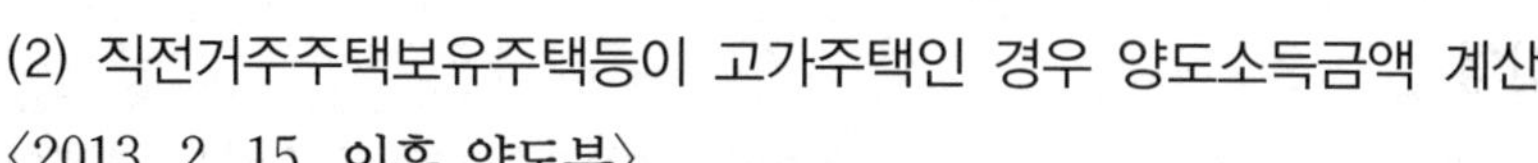

(2) 직전거주주택보유주택등이 고가주택인 경우 양도소득금액 계산

〈2013. 2. 15. **이후 양도분**〉

직전거주주택보유주택등이 고가주택인 경우 해당 직전거주주택보유주택등의 양도소득금액은 다음 각 호의 계산식에 따라 계산한 금액을 합산한 금액으로 한다.

① 직전거주주택 양도일 이전 보유기간분 양도소득금액

$$\text{소득세법 제95조 제1항에 따른 양도소득금액} \times \frac{\text{직전거주주택의 양도당시 직전거주주택보유주택등의 기준시가} - \text{직전거주주택보유주택등의 취득당시의 기준시가}}{\text{직전거주주택보유주택등의 양도당시의 기준시가} - \text{직전거주주택보유주택등의 취득당시의 기준시가}}$$

* 양도소득금액 계산시 장기보유특별공제액은 「소득세법」 제95조 제2항 표1(6%~30%, 2019년 1월 1일 이후 양도 분부터 적용)을 적용

② 직전거주주택 양도일 이후 보유기간분 양도소득금액

$$\text{소득세법 제95조 제1항에 따른 양도소득금액} \times \frac{\text{직전거주주택보유주택 등의 양도당시의 기준시가} - \text{직전거주주택 양도 당시 직전거주주택보유주택 등의 기준시가}}{\text{직전거주주택보유주택 등의 양도당시의 기준시가} - \text{직전거주주택보유주택 등의 취득당시의 기준시가}} \times \frac{\text{양도가액} - \text{9억원}}{\text{양도가액}}$$

* 양도소득금액 계산시 장기보유특별공제액은 「소득세법」 제95조 제2항 표2(24%~80%)를 적용

〈2013. 2. 14. **이전 양도분**〉

직전거주주택보유주택등이 고가주택인 경우 해당 직전거주주택보유주택등의 양도소득금액은 「소득세법」 제95조 제1항 · 제3항 및 「소득세법 시행령」 제160조에 따라 계산하되, 같은 영 제160조 제1항을 적용할 때 "9억원"은 다음 계산식에 따라 계산한 금액으로 한다. 다만, 해당 계산 금액이 9억원을 초과하는 경우에는 그 초과하는 금액은 없는 것으로 한다.

* 양도소득금액 계산시 장기보유특별공제액은 「소득세법」 제95조 제2항 표2(24%~80%)를 적용

$$\text{9억원} \times \frac{\text{직전거주주택보유주택등의 양도당시의 기준시가} - \text{직전거주주택의 양도당시 직전거주주택보유주택등의 기준시가}}{\text{직전거주주택보유주택등의 양도당시의 기준시가} - \text{직전거주주택보유주택등의 취득당시의 기준시가}}$$

9) 장기저당담보주택

가) 장기저당담보주택 양도시 거주기간 특례

국내에 1주택을 소유한 1세대가 다음 각 호의 요건을 갖춘 장기저당담보대출계약을 체결하고 장기저당담보로 제공된 주택("장기저당담보주택"이라 한다)을 양도하는 경우에는 1세대 1주택 비과세 규정(소득령 §154 ①)을 적용할 때 거주기간의 제한을 받지 아니한다. 다만, 1세대가 장기저당담보주택을 계약기간 만료 이전에 양도하는 경우에는 해당 특례를 적용하지 아니한다.

(1) 계약체결일 현재 주택을 담보로 제공한 가입자가 60세 이상일 것
(2) 장기저당담보 계약기간이 10년 이상으로서 만기시까지 매월・매분기별 또는 그 밖에 기획재정부령이 정하는 방법으로 대출금을 수령하는 조건일 것
(3) 만기에 당해 주택을 처분하여 일시 상환하는 계약조건일 것

나) 직계존비속 동거봉양 합가시 특례

1주택을 소유하고 1세대를 구성하는 자가 장기저당담보주택을 소유하고 있는 직계존속(배우자의 직계존속을 포함한다)을 동거봉양하기 위하여 세대를 합침으로써 1세대가 2주택을 소유하게 되는 경우 먼저 양도하는 주택에 대하여는 국내에 1개의 주택을 소유하고 있는 것으로 보아 1세대 1주택 비과세 여부를 판정하되, 장기저당담보주택은 거주기간의 제한을 받지 아니한다.

10) 거주주택 외에 가정어린이집 보유시 1세대 1주택 비과세 적용 특례

가) 세대원이 5년 이상 운영한 가정어린이집(시・군・구 인가를 받아 사업자등록한 가정어린이집으로서, 가정어린이집으로 사용하지 않은 날부터 6개월이 경과하지 않을 것)을 소유한 상태에서 거주주택 양도시 1세대 1주택 비과세 적용(2018년 2월 13일 이후 양도 분부터 적용)

6 조합원입주권 보유시 1세대 1주택 비과세 특례

주택에 대한 1세대 1주택 비과세 규정을 적용할 때 조합원입주권을 소유하고 있는 경우에는 원칙적으로 비과세를 적용받을 수 없다. 다만, 「도시 및 주거환경정비법」 및 「빈집 및 소규모주택 정비에 관한 특례법」에 따른 주택재건축사업 또는 주택재개발사업의 시행기간

중 거주를 위하여 주택을 취득하는 경우나 그 밖의 부득이한 사유로서 다음과 같은 경우에는 조합원입주권을 소유하고 있는 경우에도 주택에 대해서 1세대 1주택 비과세 규정을 적용받을 수 있다.

가. 일시적 1주택 · 1조합원입주권(3년 이내 종전의 주택 양도)

1) 개 요

국내에 1주택을 소유한 1세대가 그 주택("종전의 주택"이라 한다)을 양도하기 전에 조합원입주권을 취득함으로써 일시적으로 1주택과 1조합원입주권을 소유하게 된 경우 종전의 주택을 취득한 날부터 1년 이상이 지난 후에 조합원입주권을 취득*하고 그 조합원입주권을 취득한 날부터 3년 이내에 종전의 주택을 양도하는 경우(3년 이내에 양도하지 못하는 경우로서 기획재정부령으로 정하는 사유에 해당하는 경우를 포함한다)에는 이를 1세대 1주택으로 보아 비과세 여부를 판정한다.

▶▶ 종전의 주택을 취득한 날부터 1년 이상이 지난 후에 조합원입주권을 취득해야 하는 요건은 2012. 6. 29. 이후 최초로 양도하는 분부터 적용.
다만, 「소득세법 시행령」 제154조 제1항 제1호(건설임대주택에 대한 특례), 제2호 가목(수용 · 협의매수에 대한 특례) 및 제3호(취학 등 부득이한 사유에 대한 특례)의 어느 하나에 해당하는 경우에는 종전의 주택을 취득한 날부터 1년 이상이 지난 후 조합원입주권을 취득하는 요건을 적용하지 아니함(2013. 2. 15. 이후 최초로 양도하는 분부터 적용함).

2) 중복보유허용기간의 개정 연혁

양도시기	2006.1.1.~	2008.11.28.~	2012.6.29.~
중복허용기간	1년	2년	3년

3) 중복보유허용기간 특례

위 "1)"에서 "3년 이내에 양도하지 못하는 경우로서 기획재정부령으로 정하는 사유에 해당하는 경우"란 조합원입주권을 취득한 날부터 3년이 되는 날 현재 다음 각 호의 어느 하나에 해당하는 경우로서 해당 각 호의 어느 하나의 방법에 따라 양도된 경우를 말한다.

① 한국자산관리공사에 매각을 의뢰한 경우
② 법원에 경매를 신청한 경우
③ 「국세징수법」에 따른 공매가 진행 중인 경우

④ 「도시 및 주거환경정비법」에 따른 주택재개발사업 또는 주택재건축사업의 시행으로 같은 법 제47조에 따라 현금으로 청산을 받아야 하는 토지등소유자가 사업시행자를 상대로 제기한 현금청산금 지급을 구하는 소송절차가 진행 중인 경우 또는 소송절차는 종료되었으나 해당 청산금을 지급받지 못한 경우 (2017. 2. 3. 신설)

⑤ 「도시 및 주거환경정비법」등에 따른 주택재개발사업 또는 주택건축사업 등 시행으로 사업시행자의 매도청구 소송 제기에 따라 소송 진행 중인 경우

나. 일시적 1주택·1조합원입주권(3년 경과 후 종전의 주택 양도)

1) 개 요

국내에 1주택을 소유한 1세대가 그 주택을 양도하기 전에 조합원입주권을 취득함으로써 일시적으로 1주택과 1조합원입주권을 소유하게 된 경우 조합원입주권을 취득한 날부터 3년이 지나 종전의 주택을 양도하는 경우로서 다음 각 호의 요건을 모두 갖춘 때에는 이를 1세대 1주택으로 보아 비과세 여부를 판정한다. 이 경우 중복보유허용기간의 개정 연혁은 위 가) (2)와 같다.

가) 주택재개발사업 또는 주택재건축사업의 관리처분계획에 따라 취득하는 주택이 완성된 후 2년(2008. 11. 27. 이전은 1년) 이내에 그 주택으로 세대전원이 이사(기획재정부령이 정하는 취학, 근무상의 형편, 질병의 요양 그 밖의 부득이한 사유로 세대의 구성원 중 일부가 이사하지 못하는 경우를 포함한다)하여 1년 이상 계속하여 거주할 것

나) 주택재개발사업 또는 주택재건축사업의 관리처분계획에 따라 취득하는 주택이 완성되기 전 또는 완성된 후 2년(2008. 11. 27. 이전은 1년) 이내에 종전의 주택을 양도할 것

위 “가)”에서 “기획재정부령이 정하는 취학, 근무상의 형편, 질병의 요양 그 밖의 부득이한 사유”란 세대의 구성원 중 일부가 다음 각 호의 어느 하나에 해당하는 사유로 다른 시(특별시, 광역시, 특별자치시 및 「제주특별자치도 설치 및 국제자유도시 조성을 위한 특별법」 제15조 제2항에 따라 설치된 행정시를 포함한다)·군으로 주거를 이전하는 경우(광역시지역 안에서 구지역과 읍·면지역 간에 주거를 이전하는 경우와 특별자치시, 「지방자치법」 제7조 제2항에 따라 설치된 도농복합형태의 시지역 및 「제주특별자치도 설치 및 국제자유도시 조성을 위한 특별법」 제15조 제2항에 따라 설치된 행정시 안에서 동지역과

읍 · 면지역 간에 주거를 이전하는 경우를 포함한다)를 말한다.

① 「초 · 중등교육법」에 따른 학교(유치원 · 초등학교 및 중학교를 제외한다) 및 「고등교육법」에 따른 학교에의 취학

② 직장의 변경이나 전근 등 근무상의 형편

③ 1년 이상의 치료나 요양을 필요로 하는 질병의 치료 또는 요양

④ 「학교폭력예방 및 대책에 관한 법률」에 따른 학교폭력으로 인한 전학(같은 법에 따른 학교폭력대책자치위원회가 피해학생에게 전학이 필요하다고 인정하는 경우에 한한다. (2016. 3. 16. 신설)

다. 대체주택 비과세 특례

1) 개 요

국내에 1주택을 소유한 1세대가 그 주택에 대한 주택재개발사업 또는 주택재건축사업의 시행기간 동안 거주하기 위하여 다른 주택("대체주택"이라 한다)을 취득한 경우로서 다음 각 호의 요건을 모두 갖추어 대체주택을 양도하는 때에는 이를 1세대 1주택으로 보아 비과세 여부를 판정한다. 이 경우 「소득세법 시행령」 제154조 제1항의 보유기간 및 거주기간의 제한을 받지 아니한다.

가) 주택재개발사업 또는 주택재건축사업의 사업시행인가일 이후 대체주택을 취득하여 1년 이상 거주할 것

나) 주택재개발사업 또는 주택재건축사업의 관리처분계획에 따라 취득하는 주택이 완성된 후 2년(2008. 11. 27. 이전은 1년) 이내에 그 주택으로 세대전원이 이사*하여 1년 이상 계속하여 거주할 것.

* 위 나)의 경우와 마찬가지로 기획재정부령이 정하는 취학, 근무상의 형편, 질병의 요양 그 밖의 부득이한 사유로 세대원 중 일부가 이사하지 못하는 경우를 포함한다.

다만, 주택이 완성된 후 2년 이내에 취학 또는 근무상의 형편으로 1년 이상 계속하여 국외에 거주할 필요가 있어 세대전원이 출국하는 경우에는 출국사유가 해소(출국한 후 3년 이내에 해소되는 경우만 해당한다)되어 입국한 후 1년 이상 계속하여 거주하여야 한다(2010. 2. 18. 이후 최초로 양도하는 분부터 적용함).

다) 주택재개발사업 또는 주택재건축사업의 관리처분계획에 따라 취득하는 주택이 완성되기 전 또는 완성된 후 2년(2008. 11. 27. 이전은 1년) 이내에 대체주택을 양도할 것

라. 상속받은 조합원입주권

1) 개 요

상속받은 조합원입주권과 그 밖의 주택주택(상속개시 당시 보유한 주택* 또는 상속개시 당시 보유한 조합원입주권에 의하여 사업시행 완료 후 취득한 신축주택**만 해당하며, "일반주택"이라 한다)을 국내에 각각 1개씩 소유하고 있는 1세대가 일반주택을 양도하는 경우에는 국내에 1개의 주택을 소유하고 있는 것으로 보아 1세대 1주택 비과세 여부를 판정한다. 이 경우 상속개시 당시 같은 세대원으로부터 조합원입주권을 상속받은 경우에는 상속받은 조합원입주권으로 보지 아니한다{아래 "3)"의 경우는 예외}.

* 상속 받은 조합원입주권을 소유한 상태에서 일반주택을 수차례 취득 · 양도하는 경우 매번마다 양도소득세 비과세를 받을 수 있는 불합리를 개선하기 위하여 상속개시 당시 보유한 일반주택에 대해서만 특례를 적용하도록 개정하였으며, 2013. 2. 15. 이후 일반주택을 취득하여 양도하는 분부터 적용한다(2013. 2. 15. 대통령령 제24356호 부칙 §20).

사 례	2013.2.14. 이전 양도	2013.2.15. 이후 양도
일반주택 소유자가 조합원입주권을 상속받은 후 일반주택 양도	특례 적용	특례 적용
상속받은 조합원입주권 소유자가 일반주택 취득(2013. 2. 14. 이전) 후 일반주택 양도	특례 적용	특례 적용
상속받은 조합원입주권 소유자가 일반주택 취득(2013. 2. 15. 이후) 후 일반주택 양도	-	특례 배제

** 일반주택과 조합원입주권간 과세형평을 고려하여 상속개시 당시 보유한 조합원입주권에 의하여 사업시행 완료 후 취득한 신축주택에 대해서도 2014. 2. 21. 이후 양도분부터 특례를 적용한다.

2) 상속받은 조합원입주권의 범위

피상속인이 상속개시 당시 주택을 소유하지 아니한 경우의 상속받은 조합원입주권만 해당하며, 피상속인이 상속개시 당시 2 이상의 조합원입주권을 소유한 경우에는 다음 각 호의 순위에 따른 1조합원입주권만 해당한다.

가) 피상속인이 소유한 기간(주택 소유기간과 조합원입주권 소유기간을 합한 기간을 말한다)이 가장 긴 1조합원입주권

나) 피상속인이 소유한 기간이 같은 조합원입주권이 2 이상일 경우에는 피상속인이 거주한 기간(주택에 거주한 기간을 말한다)이 가장 긴 1조합원입주권

다) 피상속인이 소유한 기간 및 피상속인이 거주한 기간이 모두 같은 조합원입주권이 2

이상일 경우에는 상속인이 선택하는 1조합원입주권

3) 직계존비속 동거봉양합가 후 상속이 개시된 경우

상속인과 피상속인이 상속개시 당시 1세대인 경우에는 1주택을 보유하고 1세대를 구성하는 자가 직계존속(배우자의 직계존속을 포함하며, 세대를 합친 날 현재 직계존속 중 어느 한 사람 또는 모두가 60세 이상으로서 1주택을 보유하고 있는 경우만 해당한다)을 동거봉양하기 위하여 세대를 합침에 따라 2주택을 보유하게 되는 경우로써 합치기 이전부터 보유하고 있었던 주택이 조합원입주권으로 전환된 경우에만 상속받은 조합원입주권으로 본다

* 경과조치 : 2010. 2. 18. 이후 최초로 양도하는 분부터 적용하되, 2009. 2. 4. 전에 직계존속(여자의 경우만 해당한다)을 동거봉양하기 위하여 세대를 합친 경우에는 "60세"를 "55세"로 한다(2010. 2. 18. 대통령령 제22034호 §19).

4) 공동으로 상속받은 조합원입주권의 소유자

가) 상속지분이 가장 큰 상속인

나) 당해 조합원입주권의 관리처분계획 인가일등 현재 해당 주택에 거주하였던 자

다) 최연장자

마. 상속주택 또는 상속받은 조합원입주권 보유시 위 가, 나, 다 적용

1) 개 요

상속받은 주택 또는 상속받은 조합원입주권과 상속 외의 원인으로 취득한 주택("일반주택"이라 한다) 및 상속 외의 원인으로 취득한 조합원입주권을 국내에 각각 1개씩 소유하고 있는 1세대가 일반주택을 양도하는 경우에는 국내에 일반주택과 상속 외의 원인으로 취득한 조합원입주권을 소유하고 있는 것으로 보아 위 가, 나, 다의 특례를 적용한다.

이 경우 가, 나, 다의 규정을 적용받는 일반주택은 상속개시 당시 보유한 주택으로 한정한다(상속개시 당시 보유한 일반주택에 대해서만 특례를 적용하는 규정은 2013. 2. 15. 이후 일반주택을 취득하여 양도하는 분부터 적용한다. 2013. 2. 15. 대통령령 제24356호 부칙 §20).

해당 특례 유형을 요약하면 다음과 같다.

① 상속받은 주택 & 일반주택 & 상속 외의 원인으로 취득한 조합원입주권 중 일반주택을 양도하는 경우

▶▶ 일반주택 & 상속 외의 원인으로 취득한 조합원입주권을 소유하고 있는 것으로 보아 위 가, 나, 다 특례 판단

② 상속받은 조합원입주권 & 일반주택 & 상속 외의 원인으로 취득한 조합원입주권 중 일반주택을 양도하는 경우

▶▶ 일반주택 & 상속 외의 원인으로 취득한 조합원입주권을 소유하고 있는 것으로 보아 위 가, 나, 다 특례 판단

2) 상속받은 주택의 범위

피상속인이 상속개시 당시 2 이상의 주택을 소유한 경우에는 「소득세법 시행령」 제155조 제2항 각 호의 순위에 따른 1주택에 한한다{위 "3. 2) 가)" 참고}. 한편, 이 경우에도 위 "3. 2) 나)"의 내용이 동일하게 적용된다.

3) 상속받은 조합원입주권의 범위

피상속인이 상속개시 당시 주택을 소유하지 아니한 경우의 상속받은 조합원입주권을 말한다. 이 경우 피상속인이 상속개시 당시 2 이상의 조합원입주권을 소유한 경우에는 위 "라. 2)"의 순위에 따른 1조합원입주권에 한정한다. 한편, 이 경우에도 위 "라. 3)"의 내용이 동일하게 적용된다.

바. 직계존비속 동거봉양합가에 따른 조합원입주권 보유시 비과세 특례

다음의 (1)에 해당하는 자가 (2)에 해당하는 자를 동거봉양하기 위하여 세대를 합침으로써 1세대가 1주택과 1조합원입주권, 1주택과 2조합원입주권, 2주택과 1조합원입주권 또는 2주택과 2조합원입주권을 소유하게 되는 경우 합친 날부터 5년(2009. 2. 3. 이전 양도분은 2년) 이내에 먼저 양도하는 주택("최초양도주택"이라 한다)이 (3), (4) 또는 (5)에 따른 주택 중 어느 하나에 해당하는 경우에는 이를 1세대 1주택으로 보아 비과세 여부를 판정한다.

* (5)에 해당하는 주택 양도시 비과세 되는 규정은 2013. 2. 15. 이후 최초로 양도하는 분부터 적용함

(1) 다음 각 목의 어느 하나를 소유하고 1세대를 구성하는 자
　① 1주택
　② 1조합원입주권
　③ 1주택과 1조합원입주권

(2) 다음 각 목의 어느 하나를 소유하고 있는 60세 이상의 직계존속(배우자의 직계존속을 포함하며, 직계존속 중 어느 한 사람이 60세 미만인 경우나, 암과 같은 희귀성 질

환 등 중대한 질병 등이 발생한 경우는 60세 미만도 포함)

① 1주택

② 1조합원입주권

③ 1주택과 1조합원입주권

* 직계존속 나이 요건 개정 연혁(직계존속 중 어느 한 사람만 나이 요건을 충족하면 됨)

2009.2.3. 이전 합가	2009.2.4. 이후 합가
• 남자 : 60세 • 여자 : 55세	• 남자, 여자 : 60세

(3) 합친 날 이전에 (1)① 또는 (2)①에 해당하는 자가 소유하던 주택

(4) 합친 날 이전에 (1)③ 또는 (2)③에 해당하는 자가 소유하던 주택. 다만, 다음 각 목의 어느 하나의 요건을 갖춘 경우에 한한다.

① 합친 날 이전에 소유하던 조합원입주권(합친 날 이전에 최초 양도주택을 소유하던 자가 소유하던 조합원입주권을 말한다. "합가전 조합원입주권"이라 한다)이 「도시 및 주거환경정비법」 제74조의 규정에 따른 관리처분계획의 인가로 인하여 최초 취득된 것("최초 조합원입주권"이라 한다)인 경우에는 최초 양도주택이 그 주택재개발사업 또는 주택재건축사업의 시행기간 중 거주하기 위하여 사업시행인가일 이후 취득된 것으로서 취득 후 1년 이상 거주하였을 것

② 합가전 조합원입주권이 매매 등으로 승계취득된 것인 경우에는 최초 양도주택이 합가전 조합원입주권을 취득하기 전부터 소유하던 것일 것

(5) 합친 날 이전에 (1)② 또는 (2)②에 해당하는 자가 소유하던 1조합원입주권에 의하여 주택재개발사업 또는 주택재건축사업의 관리처분계획에 따라 합친 날 이후에 취득하는 주택

사. 혼인에 따른 조합원입주권 보유시 비과세 특례

다음 (1)에 해당하는 자가 (1)에 해당하는 다른 자와 혼인함으로써 1세대가 1주택과 1조합원입주권, 1주택과 2조합원입주권, 2주택과 1조합원입주권 또는 2주택과 2조합원입주권을 소유하게 되는 경우 혼인한 날부터 5년(2009. 2. 3. 이전 양도분은 2년) 이내에 먼저 양도하는 주택이 (2), (3) 또는 (4)에 따른 주택 중 어느 하나에 해당하는 경우에는 이를 1세대 1주택으로 보아 비과세 여부를 판정한다.

* (4)에 해당하는 주택 양도시 비과세 되는 규정은 2013. 2. 15. 이후 최초로 양도하는 분부터 적용함.

(1) 다음 각 목의 어느 하나를 소유하는 자
① 1주택
② 1조합원입주권
③ 1주택과 1조합원입주권
(2) 혼인한 날 이전에 (1)①에 해당하는 자가 소유하던 주택
(3) 혼인한 날 이전에 (1)③에 해당하는 자가 소유하던 주택. 다만, 다음 각 목의 어느 하나의 요건을 갖춘 경우에 한한다.
① 혼인한 날 이전에 소유하던 조합원입주권(혼인한 날 이전에 최초 양도주택을 소유하던 자가 소유하던 조합원입주권을 말한다. "혼인 전 조합원입주권"이라 한다)이 최초 조합원입주권인 경우에는 최초 양도주택이 그 주택재개발사업 또는 주택재건축사업의 시행기간 중 거주하기 위하여 사업시행인가일 이후 취득된 것으로서 취득 후 1년 이상 거주하였을 것
② 혼인 전 조합원입주권이 매매 등으로 승계취득된 것인 경우에는 최초 양도주택이 혼인 전 조합원입주권을 취득하기 전부터 소유하던 것일 것
(4) 혼인한 날 이전에 (1)②에 해당하는 자가 소유하던 1조합원입주권에 의하여 주택재개발사업 또는 주택재건축사업의 관리처분계획에 따라 혼인한 날 이후에 취득하는 주택

아. 문화재주택 보유시 위 가, 나, 다 적용

문화재주택과 그 밖의 주택("일반주택"이라 한다) 및 조합원입주권을 국내에 각각 1개씩 소유하고 있는 1세대가 일반주택을 양도하는 경우에는 국내에 일반주택과 조합원입주권을 소유하고 있는 것으로 보아 위 가, 나, 다에 따른 특례를 적용한다.

* 문화재주택 : 「문화재보호법」 제2조 제2항에 따른 지정문화재 및 같은 법 제53조 제1항에 따른 등록문화재

자. 이농주택 보유시 위 가, 나, 다 적용

이농주택과 그 밖의 주택("일반주택"이라 한다) 및 조합원입주권을 국내에 각각 1개씩 소유하고 있는 1세대가 일반주택을 양도하는 경우에는 국내에 일반주택과 조합원입주권을 소유하고 있는 것으로 보아 위 가, 나, 다에 따른 특례를 적용한다.

* 이농주택 : 「소득세법 시행령」 제155조 제7항의 규정에 따른 농어촌주택 중 이농주택을 말하며, 귀농주택이나 상속받은 농어촌주택은 해당하지 않음.

차. 일반주택 비과세 적용 후 요건 미충족시 신고 · 납부

위 "나" 또는 "다" 규정을 적용받은 1세대[위 "마" · "아" 또는 "자"의 규정에 따라 "나" 또는 "다"의 규정을 적용받은 1세대를 포함한다]가 "나. 1), 가)" 또는 "다. 1). 나)"의 요건을 충족하지 못하게 된 때에는 그 사유가 발생한 날이 속하는 달의 말일부터 2개월 이내에 주택 양도당시 "나" 또는 "다"를 적용받지 아니할 경우에 납부하였을 세액을 양도소득세로 신고 · 납부하여야 한다(2013. 2. 15. 이후 신고의무가 발생하는 분부터 적용. 2013. 2. 15. 대통령령 제24356호 부칙 §21).

* 2013. 2. 15. 개정 전에는 그 사유가 발생한 과세연도의 과세표준신고시 납부하도록 규정되어 있었음.

조세특례제한법상 특례 주택 보유시 1세대 1주택 비과세 적용

이상에서 설명한 소득세법상 주택 수 계산 특례 규정 외에도 다음에 해당하는 조세특례제한법상 특례 주택은 1세대 1주택 비과세 적용시 거주자의 소유주택으로 보지 아니한다.

① 조특법 제97조 장기임대주택
② 조특법 제97조의 2 신축임대주택
③ 조특법 제97조의 3 준공공임대주택에 대한 과세특례
④ 조특법 제97조의 4 장기임대주택에 대한 과세특례
⑤ 조특법 제97조의 5 준공공임대주택에 대한 감면
⑥ 조특법 제97조의 6 임대주택 부동산투자회사의 현물출자 과세특례
⑦ 조특법 제97조의 7 기업형 임대사업자에게 양도한 토지에 대한 과세특례
⑧ 조특법 제97조의 8 공모부동산투자회사의 현물출자자에 대한 과세특례
⑨ 조특법 제98조 미분양주택
⑩ 조특법 제98조의 2 지방 미분양주택
⑪ 조특법 제98조의 3 미분양주택 취득에 대한 과세특례
⑫ 조특법 제98조의 4 비거주자의 주택취득에 대한 과세특례
⑬ 조특법 제98조의 5 수도권 밖 미분양주택
⑭ 조특법 제98조의 6 준공후 미분양주택
⑮ 조특법 제98조의 7 미분양주택
⑯ 조특법 제98조의 8 준공후미분양주택의 취득자에 대한 과세특례
⑰ 조특법 제99조 신축주택
⑱ 조특법 제99조의 2 신축주택 등
⑲ 조특법 제99조의 3 신축주택
⑳ 조특법 제99조의 4 농어촌주택 및 고향주택

7 | 1세대 1주택의 부수토지

가. 개 요

비과세 대상인 주택부수토지란 1세대 1주택에 딸린 토지로서 건물이 정착된 면적에 지역별로 일정 배율을 곱하여 산정한 면적 이내의 토지를 말한다.

① 「국토의 계획 및 이용에 관한 법률」 제6조 제1호에 따른 도시지역 내의 토지 중 수도권의 주거·상업·공업지역은 3배, 수도권의 녹지지역과 수도권 밖은 5배(개정규정은 2022. 1. 1. 이후 양도분부터 적용)

② 그 밖의 토지 : 10배

나. 대상토지

부수토지라 함은 당해 거주자가 2년 이상 보유하고 있던 주택에 실제적으로 부수하여 사용하고 있는 토지를 그 대상을 하는 것으로, 주택 소유자 또는 같은 세대원이 소유하는 토지여야 하며, 통상 주택의 판정과 마찬가지로 한 울타리 내에서 사용하고 있는 토지를 말하고 등기부상의 명의나 지번의 수에 상관없이 실질사용에 따라 판단한다.

다. 주택정착면적

주택정착면적은 건물의 수평투영면적을 기준으로 하며, 지상 및 지하 건물이 있는 경우에도 모든 층의 투영면적으로 한다.

무허가주택을 양도하는 경우에 무허가주택의 정착면적도 사실상 주택에 해당하는 건물이 양도 당시 존재하고 실제 거주한 경우에도 건물이 정착된 면적에 포함되며, 이때 무허가주택과 대지를 양도하는 자가 계약서상 토지만을 양도하고 토지가액만을 적용한 경우에도 무허가주택이 사실상 존재한 경우 주택부수토지로 본다.

8 겸용주택의 비과세

가. 개 요

겸용주택이란 한 울타리 내에 있는 1동의 건물에 주거용에 공하는 부분과 주거용 외의 점포, 사무실, 공장 등 비거주용 부분이 같이 있는 경우 또는 같은 지번상에 주택과 주거용 이외의 건물이 설치되어 있는 경우를 지칭하는 바, 이 경우에는 그 전부를 주택으로 본다. 다만, 주택의 면적이 주택 이외의 면적보다 작거나 같을 때에는 주택부분 이외의 건물은 주택으로 보지 아니한다.

주택면적 > 주택 이외의 면적	⇒	전부를 주택으로 본다.
주택면적 ≦ 주택 이외의 면적	⇒	주택부분만을 주택으로 본다

나. 겸용주택의 부수토지

주택의 면적이 주택 외의 면적보다 작거나 같을 때에는 주택부분 외의 건물은 주택으로 보지 아니하는 바(과세대상이 됨), 이 경우에 주택에 부수되는 토지는 전체 토지면적에 주택부분의 면적이 건물면적에서 차지하는 비율을 곱하여 계산한다.
도시지역 내의 주택의 경우에는 정착면적의 5배, 도시지역 밖의 경우에는 10배 이내의 토지에 대하여 주택에 부수되는 토지로 보는 바, 겸용주택의 주택 정착면적과 주택에 부수되는 토지면적의 계산은 다음과 같이 계산한다.

① 주택의 정착면적 = 건물전체 정착면적 × $\frac{\text{주택부분 연면적}}{\text{건물전체 연면적}}$

② 주택에 부수되는 토지면적 = 건물에 부수된 토지면적 × $\frac{\text{주택부분 연면적}}{\text{건물전체 연면적}}$

③ 비과세 대상 주택부수토지 = Min[①×5배(또는 10배), ②]

겸용주택의 부수토지는 다음 순서에 따라 계산한다.

1) 주택의 정착면적 계산

2) 주택의 부수토지면적

3) 비과세 대상 주택부수토지 면적 판단 : Min[(가)×배율, (나)]

사례

- 건물바닥면적 40평
- 주택연면적 120평
- 기타 건물연면적 200평
- 토지 총면적 700평
- 건물은 도시지역 밖에 위치해 있음.

㉮ 주택의 정착면적 : $40 \times \dfrac{120}{120 + 200} = 15$평

㉯ 주택의 부수토지 : $700 \times \dfrac{120}{120 + 200} = 262.5$평

㉰ 비과세 대상 주택부수토지 = Min[15평 × 10배, 262.5평] = 150평
⇒ 150평만 비과세 대상이고 700평 − 150평 = 550평은 양도소득세가 과세된다.

9 | 조합원입주권을 양도하는 경우

가. 개 요

1세대 1주택 비과세 대상은 원칙적으로 주택 및 그 부수토지이다. 다만, 일정한 요건을 갖춘 조합원입주권의 경우에는 1세대 1주택으로 보아 비과세를 적용받을 수 있다.

나. 비과세 대상인 조합원입주권

조합원입주권(2005년 이전은 입주권)을 1개 소유한 1세대[「도시 및 주거환경정비법」 제74조에 따른 관리처분계획의 인가일 및 「빈집 및 소규모주택 정비에 관한 특별법」 제29조에 따른 사업시행인가일(인가일 전에 기존주택이 철거되는 때에는 기존주택의 철거일) 현재 「소득세법 시행령」 제154조 제1항에 해당하는 기존주택을 소유하는 세대에 한한다]가 해당 조합원입주권을 양도하는 경우 다음 각 호의 어느 하나에 해당하는 경우에는 「소득세법」 제94조 제1항 제2호 가목에도 불구하고 「소득세법 시행령」 제154조 제1항에 따른 1세대 1주택으로 본다.

즉, 기존 주택이 1세대 1주택 비과세 요건을 갖춘 경우에는 부동산을 취득할 수 있는 권리인 조합원입주권으로 바뀌더라도 1세대 1주택 비과세를 적용할 수 있도록 한 것이다.

1) 양도일 현재 다른 주택이 없는 경우

2) 양도일 현재 1조합원입주권 외에 1주택을 소유한 경우로서 해당 1주택을 취득한 날부터 3년 이내에 해당 조합원입주권을 양도하는 경우(3년 이내에 양도하지 못하는 경우로서 기획재정부령으로 정하는 사유에 해당하는 경우를 포함한다)

가) 중복보유허용기간의 개정 연혁

양도시기	~2008.11.27.	2008.11.28.~	2012.6.29.~
중복허용기간	1년	2년	3년

나) 중복보유허용기간의 특례

위 2)에서 3년 이내에 양도하지 못하는 경우로서 기획재정부령으로 정하는 사유에 해당하는 경우란 다른 주택을 취득한 날부터 3년(2011. 1. 1.~2012. 6. 28.까지 양도분은 2년)이 되는 날 현재 다음 각 호의 어느 하나에 해당하는 경우로서 해당 각 호의 어느 하나의 방법에 따라 양도된 경우를 말한다.

① 「금융기관부실자산 등의 효율적 처리 및 한국자산관리공사의 설립에 관한 법률」에 의하여 설립된 한국자산관리공사에 매각을 의뢰한 경우

② 법원에 경매를 신청한 경우

③ 「국세징수법」에 의한 공매가 진행 중인 경우

④ 「도시 및 주거환경정비법」에 따른 주택재개발사업 또는 주택재건축사업의 시행으로 같은 법 제47조에 따라 현금으로 청산을 받아야 하는 토지등 소유자가 사업시행자를 상대로 제기한 현금청산금 지급을 구하는 소송절차가 진행 중인 경우

다) 조합원입주권(2005년 이전은 입주권)으로 변환되는 시기

기 간 별	재개발사업	재건축사업
2003.6.30. 이전	관리처분계획인가일 (도시재개발법)	사업계획승인인가일 (주택건설촉진법, 주택법)
2003.7.1. ~2005.5.30.	관리처분계획인가일 (도시 및 주거환경 정비법)	사업시행인가일 (도시 및 주거환경 정비법)

기 간 별	재개발사업	재건축사업
2005.5.31. 이후	관리처분계획인가일 (도시 및 주거환경 정비법)	관리처분계획인가일 (도시 및 주거환경 정비법)
2018.1.1. 이후	사업시행계획인가일 (빈집 및 소규모주택 정비에 관한 특례법)	사업시행계획인가일 (빈집 및 소규모주택 정비에 관한 특례법)

▶▶ 경과규정 : 2005. 5. 30. 이전에 「도시 및 주거환경정비법」에 의하여 사업시행인가를 받은 주택재건축사업의 조합원에 대한 1세대 1주택 특례 적용은 종전의 규정에 의한다(2005. 5. 31. 대통령령 제18850호 부칙 ④) ⇒ 주택재건축 사업에 따라 입주권으로 변환시기는 사업시행인가일

라) 기존주택의 비과세 요건 판정 기준일

기 간 별	기 준 일
2003.6.30. 이전	• 주택재개발사업 관리처분계획의 인가일 또는 주택재건축사업 사업계획의 승인일 (다만, 그 전에 기존주택이 철거되는 경우에는 기존주택의 철거일)
2003.7.1. ~ 2003.12.31.	• 주택재개발사업 관리처분계획의 인가일 또는 주택재건축사업 사업시행인가일
2004.1.1. ~ 2005.5.30.	• 주택재개발사업 관리처분계획의 인가일 또는 주택재건축사업 사업시행인가일 (다만, 그 전에 기존주택이 철거되는 경우에는 기존주택의 철거일)
2005.5.31. 이후	• 주택재개발사업 및 주택재개발사업의 관리처분계획의 인가일 (다만, 그 전에 기존주택이 철거되는 때에는 기존주택의 철거일)

※ 조합원입주권(또는 입주권) 비과세 특례와 관련하여 기존주택의 보유기간을 계산할 때 「도시 및 주거환경정비법」 등에 따른 관리처분계획의 인가일(2005. 5. 30. 이전 사업시행인가일 또는 사업계획승인일) 이후에 철거되지 않은 건물이 사실상 주거용으로 사용되고 있는 경우에는 이를 기존주택의 보유기간으로 봄.

10 고가주택

해당 주택이 비록 1세대 1주택 비과세 요건을 갖추었더라도 고가주택에 해당하는 경우에는 기준금액을 초과하는 부분에 대해서는 양도소득세를 과세한다.

▶▶ 고가주택의 범위, 양도차익 · 장기보유특별공제액 계산 방법에 대해서는 "제3장 제2절 2." 및 "제3장 제3절 2. 가. 1)"를 참고

11 미등기 양도자산에 해당하는 경우

해당 주택이 비록 1세대 1주택 비과세 요건을 갖추었더라도 미등기 양도자산에 해당하는 경우에는 양도소득세를 과세한다.

▶▶ 미등기 양도자산의 범위, 제외대상, 중과 관련 내용은 "제3장 제3절 2. 가. 3)"을 참고

관련예규 및 판례요약

1세대 1주택 비과세요건 등 : 소득법 §89

1세대의 정의와 관련된 예규, 판례

서면-2020-법령해석재산-1541, 2020. 4. 16.

조정대상지역에 종전의 주택(A주택)을 보유한 1세대가 2018년 9월 13일 이전에 조정대상지역에 있는 신규 분양권(B분양권)을 매매계약 체결하고 계약금을 지급한 경우로서 2019년 12월 17일 이후 B분양권의 지분 일부(70%)를 같은 세대인 배우자에게 증여하는 경우, 일시적 2주택 보유 허용기간은 3년을 적용하는 것임.

서면-2019-부동산-2091, 2019. 9. 26.

「건축법 시행령」 별표1 제1호 다목에 해당하는 다가구주택의 요건을 모두 충족하여 구획된 부분별로 양도하지 아니하고 하나의 매매단위로 하여 양도하는 경우에는 그 전체를 하나의 주택으로 보아 「소득세법 시행령」 제154조 제1항을 적용하는 것입니다.

서면부동산-5213, 2016. 12. 30.

1세대 1주택을 적용함에 있어 1주택을 소유한 거주자가 그 주택을 동일세대원인 가족에게 증여한 후 그 수증자가 이를 양도하는 경우 증여자의 보유기간을 통산하여 비과세 여부를 판정하는 것임.

사전법령재산-259, 2016. 7. 10.

거주자의 형제자매의 배우자는 함께 생계를 같이 하더라도 1세대의 범위에 해당하지 아니하므로 거주자와 그의 형제자매를 기준으로 1세대 1주택 여부를 판단하는 것임.

부동산납세-154, 2014. 3. 19.

1세대 1주택 비과세의 "1세대"라 함은 거주자 및 그 배우자가 그들과 동일한 주소 또는 거소에서 생계를 같이 하는 가족과 함께 구성하는 세대를 말하는 것이며 취학 · 질병의 요양, 근무상 또는 사업상의 형편으로 본래의 주소 또는 거소를 일시퇴거한 자를 포함하는 것으로서, 거주자와 그 배우자는 세대 또는 생계를 달리하는 경우에도 동일세대원으로 보는 것임.

법규과-78, 2010. 1. 20.

거주자 및 배우자 등이 구성하는 1세대가 1주택을 보유하면서 배우자가 가정 불화로 인한 별거 등 부득이한 사유로 해당 주택에서 일시 퇴거한 경우 나머지 세대원이 거주요건을 충족하였다면 「소득세법 시행령」 제154조 제1항을 적용받을 수 있음.

서면5팀-3153, 2007. 12. 3.

주민등록상 동일세대원으로 등재되어 있지 아니한 경우에도 사실상 생계를 같이하는 가족에 해당하는 경우 동일세대원으로 보나, 이에 해당하는지는 사실판단함.

서면5팀-3133, 2007. 11. 30.

관리처분인가일 이후에 조합원입주권을 승계, 취득한 경우에는 기존 건물의 멸실 여부와 관계없이 부동산을 취득할 수 있는 권리로 보아 주택 보유기간 계산 등을 판단함.

서면5팀-2317, 2007. 8. 16.

거주기간 계산을 적용함에 있어 거주란 원칙적으로 세대전원이 거주하는 경우를 말하나 세대원의 일부가 근무상 형편 등 부득이한 사유로 일시 퇴거한 경우에는 거주요건을 갖춘 것으로 봄.

서면5팀-2202, 2007. 7. 31.

부부가 단독세대를 구성하였을 경우에도 동일한 세대로 봄.

법규-1224, 2007. 3. 16.

1세대 1주택자가 취학 · 근무상의 형편 · 질병의 요양 등의 부득이한 사유 발생으로 세대전원이 거주 이전함에 따라 양도소득세가 비과세되는 1년 이상 거주 주택의 해당 여부는 주택 취득일로부터 양도일까지의 거주기간으로 판정함.

서면4팀-2258, 2005. 11. 18.

「소득세법 시행령」 제154조 제2항의 별도세대를 형성할 수 있는 자녀가 분가하여 별도세대를 구성한 후 비과세요건을 충족한 자녀의 1주택을 양도하는 경우 양도소득세가 비과세됨.

1주택의 정의와 관련된 예규, 판례

서면-2019-부동산-0724, 2019. 9. 27.

A주택을 소유한 1세대가 재개발 사업시행 인가된 C주택을 취득한 후, C주택의 재개발사업 시행기간 동안 거주하기 위하여 D주택을 취득하고 1년 이상 거주 후 D주택을 양도하는 경우, 재개발사업의 시행기간 동안 거주하기 위하여 취득한 주택에 해당하지 아니하므로 「소득세법 시행령」 제156조의 2 제5항은 적용되지 않는 것임.

서면부동산-5722, 2016. 12. 30.

공부상 업무시설인 오피스텔을 임차인이 사실상 업무용으로 사용한 경우에는 주택으로 보지 아니하는 것으로, 오피스텔의 실제 사용용도는 사실판단 사항임.

조심 2016중 3126, 2016. 11. 30.

쟁점건물의 공부상 창고로 되어 있고 재산세도 건축물로 과세되어 온 점, 주민등록상 청구인이나 배우자가 쟁점건물에서 거주한 사실이 나타나지 아니하고 실제 쟁점건물 또는 쟁점외 주택에서 거주하였는지가 명확하지 않은 점 등에 비추어 쟁점건물을 주택으로 보아 양도주택을 양도한 데 대하여 1세대 1주택 비과세 적용을 배제하여 양도소득세를 과세한 이 건 처분은 잘못이 있음.

서면법령재산-2306, 2016. 7. 29.

1주택(A), 상가(B) 소유한 1세대(갑)가 1주택(C)을 보유한 장모와 동거봉양 합가 이후, 갑 보유 상가(B)로 인해 조합원입주권(B′)을 전환취득하여 1세대가 2주택과 1조합원입주권을 소유하다가, 갑이 장모와 세대분리 후 1세대(갑)가 1주택(A)과 1조합원입주권(B′)을 소유한 상태에서 양도하는 1주택(A)은 1세대 1주택 특례 적용함.

서면부동산-3380, 2016. 4. 11.

1주택을 60세 이상의 직계존속이 1/2, 언니가 1/2을 각각 소유하고 있는 1세대로 1주택을 소유하고 있는 동생이 합가하고, 그 합가일로부터 5년 내에 동생이 소유하고 있는 1주택을 양도할 때에는 「소득세법 시행령」 제155조 【1세대 1주택의 특례】 제4항의 규정을 적용할 수 없는 것임.

서면4팀-3421, 2007. 11. 27.

1세대 2주택을 소유하던 거주자가 그 중 하나의 주택이 2005. 12. 31. 이전에 관리처분인가되고 사실상 주택이 멸실된 상태에서 나머지 주택을 양도한 경우 1주택으로 보아 비과세 여부를 판정함.

서면4팀-3404, 2007. 11. 26.

같은 날에 1주택을 취득・양도하는 경우에는 1주택을 먼저 양도한 후 1주택을 취득한 것으로 보아 「소득세법 시행령」 제155조(1세대 1주택의 특례)를 적용함.

서면4팀-3362, 2007. 11. 21.

3주택 이상을 소유한 1세대가 같은 날에 1주택은 증여하고 1주택은 양도하는 경우 거주자가 선택하는 순서에 따라 주택을 양도한 것으로 판단하는 것임.

서면5팀-3033, 2007. 11. 20.

1세대 1주택 비과세규정을 적용함에 있어 주택이라 함은 공부상 용도 또는 사업자등록 여부와 관계없이 사실상 상시 주거용으로 사용하는 건물을 말함.

서면5팀-3041, 2007. 11. 20.

조합원입주권을 1개 소유한 1세대가 당해 조합원입주권을 양도하는 경우로서 입주권 양도일 현재 다른 주택이 없는 경우 1세대 1주택으로 보아 양도세를 비과세하는 것임.

서면4팀-190, 2006. 2. 3.

오피스텔이 주택에 해당하는지 여부는 당해 오피스텔의 내부구조, 주변환경 및 사실상 사용현황 등을 종합하여 사실판단하는 것임.

서면4팀-104, 2006. 1. 23.

장기간 공가상태로 방치한 건물이 건축법상 건축물로 볼 수 없을 정도로 폐가가 된 경우에는 주택으로 보지 아니하는 것임.

서면4팀-29, 2006. 1. 6.

1세대 1주택(소득령 §154)을 적용함에 있어 상시 주거용으로 사용하지 아니하는 별장은 주택에 포함하지 아니함.

서면4팀-2664, 2006. 1. 3.

1세대 1주택 비과세 여부는 양도하는 주택의 양도일 현재 보유기간이 3년 이상인 경우에 비과세됨.

서면4팀-2489, 2005. 12. 12.

재건축사업 승인일 이후 철거되지 않은 건물이 사실상 주거용으로 사용하고 있는 경우 주택으로 봄.

주택의 보유기간 계산 원칙과 관련된 예규, 판례

서면-2019-법령해석재산-2349, 2020. 2. 25.

1주택과 1입주권(원조합원) 보유세대가 1입주권 양도(과세) 후 남은 "최종 1주택"을 양도하는 경우 1세대 1주택 비과세 판정시 보유기간은 조합원입주권을 양도하여 1주택이 된 날부터 기산함.

법규재산 2014-2126, 2014. 12. 2.

1세대 1주택 비과세 규정을 적용함에 있어 부인이 남편과 함께 1주택을 공동(지분 각 1/2)으로 취득하여 보유하던 중 남편으로부터 남편 지분을 증여받은 후 이혼하고 당해 주택을 양도하는 경우 남편으로부터 증여받은 주택지분에 대한 보유기간 계산은 증여를 받은 날부터 기산하는 것임.

재재산-62, 2014. 1. 21.

청산금이 종전주택의 양도인지 여부 및 비과세 여부 판정시 보유기간 계산방법

심사양도 2013-70, 2013. 4. 23.

1세대 1주택 비과세 해당여부를 판정함에 있어 주택을 점포로 용도 변경하여 사용하다가 이를 다시 주택으로 용도 변경한 후 동 주택을 양도하는 때에 당해 주택의 거주기간 및 보유기간 계산은 통산된 주택용도의 사용 기간임.

부동산거래-70, 2013. 2. 8.

1세대 1주택자가 다른 주택을 취득하여 일시적으로 2주택이 된 경우 다른 주택을 취득한 날부터 1년 이내에 종전주택을 양도하는 경우 「소득세법 시행령」 제154조 제1항을 적용하는 것이며, 1세대 1주택 비과세 규정을 적용 시 주택의 보유기간 계산은 「민법」 제157조에서 정하는 초일불산입의 규정에 불구하고 초일을 산입하여 보유기간을 계산하는 것임.

재재산-588, 2012. 7. 18.

2005. 5. 30. 이전에 「도시 및 주거환경정비법」에 따라 사업시행인가를 받은 주택재건축사업의 조합원으로부터 그 사업시행인가일 이후에 조합원입주권을 승계취득하여 재건축한 주택을 양도하는 경우 「소득세법 시행령」 제154조 제1항, 「소득세법」 제95조 제2항 및 제104조 제1항 제6항을 적용함에 있어 그 주택의 보유기간은 「소득세법 시행령」 제154조 제5항, 「소득세법」 제95조 제4항 및 제104조 제2항에 따른 재건축한 주택의 취득일(사용검사필증 교부일. 다만, 사용검사 전에 사실상 사용하거나 사용승인을 얻은 경우에는 그 사실상의 사용일 또는 사용승인일)부터 기산하는 것임.

재재산 - 218, 2012. 3. 19.

「소득세법 시행령」 제154조 제1항에 따른 1세대 1주택 비과세 판정시 같은 조 제8항 제2호의 규정은 거주자로 전환되는 시점에서 3년 이상 1주택을 계속 보유하고, 그 주택에서 거주한 상태로 거주자로 전환된 모든 비거주자에게 적용되는 것임.

부동산거래 - 96, 2012. 2. 13.

거주주택의 비과세 특례를 적용함에 있어 거주주택의 거주기간은 보유기간 중 거주기간을 통산함(다만, 직전거주 주택보유주택의 경우에는 임대주택사업자로 등록한 날 이후의 거주기간으로 계산함).

부동산거래관리과 - 842, 2010. 6. 21.

1세대 1주택 비과세 규정을 적용함에 있어 거주자가 그 배우자로부터 부담부증여 받은 주택을 이혼 후에 양도하는 경우 「소득세법」 제88조 제1항 후단의 규정에 의한 '양도로 보는 부분'(증여가액 중 그 채무액에 상당하는 부분을 말함)의 보유기간은 증여등기접수일부터 기산하는 것임.

서면5팀 - 3167, 2007. 12. 4.

건설임대주택의 전세계약자와 분양받은 자가 상이한 경우에도 동일세대원인 경우에는 임대주택에 대한 거주기간을 적용받을 수 있는 것임.

서면4팀 - 3174, 2007. 11. 2.

종전주택의 수용으로 특별분양받은 주택의 1세대 1주택 비과세 여부를 판정하기 위한 보유 · 거주기간은 수용된 주택의 보유 · 거주기간을 통산하지 아니함.

서면5팀 - 2466, 2007. 9. 4.

증여한 상속주택을 양도한 경우로서 피상속인, 상속인 및 수증자가 상속개시일 현재 계속하여 동일세대원인 경우에는 피상속인, 상속인 및 수증자의 동일세대원으로서 보유기간을 통산함.

서면4팀 - 2383, 2007. 8. 3.

국내에 1주택을 소유한 거주자가 국외이주로 인하여 거주자가 되었다가 그 비거주자가 다시 귀국하여 거주자가 된 상태에서 주택을 양도하는 경우 보유기간은 거주자로서 보유기간만을 통산하는 것임.

서면4팀 - 2344, 2007. 7. 31.

동일세대원이던 피상속인으로부터 상속받은 주택(「소득세법 시행령」 제155조 제2항 각 호의 순위에 따른 1주택을 말함)의 경우 피상속인의 보유기간과 상속인의 보유기간을 통산하는 것임.

서면5팀-2198, 2007. 7. 31.

1세대 1주택을 적용함에 있어 동일 세대원인 가족에게 증여한 후 그 수증자가 이를 양도하는 경우 증여자의 보유기간 및 거주기간은 통산하여 비과세 여부를 판정함.

서면4팀-67, 2006. 1. 18.

비거주자인 상태에서 잔금청산으로 취득한 주택을 거주자가 된 상태에서 양도하는 경우 보유기간 및 거주기간은 거주자로 되는 시기부터 기산하는 것임.

서면4팀-2634, 2005. 12. 27.

1세대 1주택 비과세 적용시 증여받은 주택의 보유기간 및 거주기간의 계산은 증여를 받은 날부터 기산하는 것임.

서면4팀-2502, 2005. 12. 13.

1세대 1주택의 보유기간을 계산함에 있어 입주권을 승계받아 취득하는 아파트는 사용검사필증교부일(사실상 사용일, 사용승인일)부터 기산하는 것임.

서면4팀-2436, 2005. 12. 7.

동일세대원이던 피상속인으로부터 상속받은 주택의 보유기간은 피상속인의 보유기간과 상속인의 보유기간을 통산하는 것임.

서면4팀-2137, 2005. 11. 11.

조합원의 지위를 승계받아 재건축한 주택을 양도하는 경우 1세대 1주택 비과세, 장기보유특별공제 및 세율을 적용함에 있어 보유기간 기산일은 사용검사필증교부일(사실상 사용일, 사용승인일)이 되는 것임.

서면4팀-77, 2004. 2. 18.

1세대가 1주택(모 명의)을 소유하던 중에 모가 사망하여 동일세대원이던 子에게 당해 주택이 상속되어 양도(양도일 현재도 1세대 1주택임)하는 경우, 3년 이상 보유하였는지 여부 판정은 피상속인인 모의 취득일로부터 기산하여 산정하는 것임.

재산 46014-1058, 2000. 9. 1.

1세대 1주택 3년 이상 보유기간 여부 판정시 가등기한 기간은 보유기간으로 볼 수 없음.

재산 46014-228, 2000. 2. 29.

재개발 전 나대지를 소유한 조합원이 재개발로 취득한 주택의 보유기간은 준공검사필증 교부일(또는 그전의 사실상 사용일 등)로부터 양도일까지임.

멸실주택의 보유기간 계산과 관련된 예규, 판례

서면-2018-부동산-3365, 2019. 7. 9.

1세대가 일시적 2주택에 해당하는 2주택과 재개발사업중인 관리처분계획인가 전 멸실된 주택을 보유하고 있는 경우 일시적 2주택에 해당하는 종전주택 양도시 「소득세법」 제89조 제1항 제3호 규정은 적용되지 아니함.

서울고법 2013누 48684, 2014. 4. 23.

「소득세법 시행령」 제154조는 1세대 1주택 비과세요건 판단시 멸실주택과 신축주택의 보유기간 및 거주기간을 통산한다고 규정하고 있는데, 비과세 요건을 충족하지 못하는 1세대 1주택의 경우에도 그 보유기간을 통산한다고 해석하는 것이 합리적임.

서울행법 2013구단 9154, 2013. 9. 13.

「소득세법 시행령」 제154조는 1세대 1주택 비과세요건 판단시 멸실주택과 신축주택의 보유기간 및 거주기간을 통산한다고 규정하고 있는데, 비과세 요건을 충족하지 못하는 1세대 1주택의 경우에도 그 보유기간을 통산한다고 해석하는 것이 합리적임.

서면5팀-1791, 2007. 6. 13.

재건축된 주택을 양도하는 경우 1세대 1주택의 비과세 규정 적용시 보유기간의 계산은 멸실된 구주택의 보유기간과 재건축기간 및 재건축된 신주택의 보유기간을 합산함.

서면4팀-1055, 2007. 3. 30.

재건축주택의 1세대 1주택 비과세 판정을 위한 보유기간은 멸실된 구주택과 재건축한 신주택의 보유기간을 합산하되, 재건축사업에 의한 청산금 납부로 인해 증가된 주택부수토지 부분은 당해 재건축주택의 취득시기부터 보유기간을 계산함.

서면4팀-1908, 2004. 11. 25.

1세대 1주택의 비과세 판정시 재건축주택의 경우에는 당초 주택의 보유기간 및 거주기간을 합산하여 계산하는 것이며, 재건축아파트의 취득시기는 사용검사필증교부일(사실상의 사용일 또는 사용승인일 중 빠른 날)이 되는 것임.

기타 재건축 등 보유기간의 판정과 관련된 예규, 판례

서면-2016-법령해석재산-6168, 2019. 1. 31.

자산의 양도차익을 계산할 때 재건축된 주택의 취득시기는 「소득세법 시행령」 제162조 제1

항 제4호에 따라 준공인가증이 교부된 날(준공인가증 교부일 전에 사실상 사용하는 경우 사실상 사용일)이 되는 것임.

기획재정부 재산세제과 - 856, 2018. 10. 10.

2017. 8. 2. 이전 취득한 조정대상지역 내 주택을 재건축하여 2017. 8. 3. 이후 준공한 경우 「소득세법 시행령」 제154조 제1항의 거주요건을 적용하지 않음.

부동산거래관리과 - 319, 2010. 3. 2.

1. 귀 질의의 경우 주택 1채와 「도시 및 주거환경정비법」에 의한 재건축사업시행인가일(2005. 5. 30. 이전) 이후에 주택재건축사업을 시행하는 정비사업의 조합원으로부터 취득한 입주자로 선정된 지위(이하 "입주권"이라 함) 2개를 정비조합에 제공하고 조합 규약에 따라 분양받은 1채의 신축주택을 양도하는 경우 「소득세법 시행령」 제154조 제1항의 보유기간은 종전 주택 취득부분과 입주권 승계취득부분으로 구분하여 계산하는 것임.
2. 위 "1"과 관련하여 종전 주택 취득부분의 보유기간은 당초 주택의 보유기간 및 재건축 공사기간, 재건축 후 주택의 보유기간을 통산하는 것이며, 입주권 승계취득부분의 보유기간은 재건축 주택의 사용검사필증 교부일(사용검사 전에 사실상 사용하거나 사용승인을 얻은 경우에는 그 사실상의 사용일 또는 사용승인일)부터 계산하는 것임.

재산세과 - 1913, 2008. 7. 25.

「도시 및 주거환경정비법」에 의해 재건축된 주택을 양도하는 경우 1세대 1주택 비과세 여부를 판정함에 있어 보유기간 계산은 멸실된 종전주택의 보유기간과 재건축기간 및 재건축한 신주택의 보유기간을 합산함(기존주택의 면적보다 새로운 주택의 면적이 큰 경우 포함). 다만, 재건축사업계획에 따라 청산금을 납부한 경우로서 재건축 주택의 부수토지 면적이 종전 주택의 부수토지 면적보다 증가한 경우 그 증가된 부수토지는 재건축 주택의 사용검사필증 교부일(사용검사 전에 사실상 사용하거나 사용승인을 받은 경우에는 그 사실상 사용일 또는 사용승인일)부터 보유기간을 계산함.

서면5팀 - 2751, 2007. 10. 16.

공동사업자 본인들이 자가 사용하는 신축주택에 대한 1세대 1주택 비과세 판정시 보유기간의 기산일은 사용검사필증 교부일(사실상 사용일, 사용승인일)이 되는 것임.

서면5팀 - 2074, 2007. 7. 16.

1세대 1주택을 취득하여 보유하던 중 명의자인 배우자로부터 당해 주택을 증여받은 후 이혼하고 당해 주택을 양도하는 경우 보유기간 및 거주기간은 증여받은 날부터 기산함.

서면4팀 - 4059, 2006. 12. 13.

사업시행인가일 이후에도 사실상 주거용으로 사용되는 경우에는 이를 주택으로 보아 사업시행인가일 전의 보유 및 거주기간을 합산하는 것임.

서면4팀 - 179, 2006. 2. 2.

재건축주택의 보유기간은 멸실된 구주택의 보유기간과 재건축기간 및 재건축한 신주택의 보유기간을 합산하는 것이며 거주기간은 멸실된 구주택에서 실제 거주기간과 신주택에서의 거주기간을 합산하는 것임.

서면4팀 - 133, 2006. 1. 26.

1세대 1주택의 보유기간을 계산함에 있어 협의 또는 재판상 이혼시 혼인 후 부부공동의 노력으로 취득한 재산에 대한 재산분할청구권의 행사에 따라 취득한 주택을 양도하는 경우 소유권을 이전해 준 다른 이혼자의 당초 부동산 취득시기부터 기산하는 것임.

서면4팀 - 135, 2006. 1. 26.

2주택을 소유한 동일세대원이던 남편이 사망하여 배우자와 子가 각각 1주택을 상속받은 후 子의 상속주택을 철거하고 배우자의 상속주택을 양도하는 경우 피상속인의 보유기간을 통산함.

서면4팀 - 76, 2006. 1. 18.

재건축사업시행인가일(2005. 5. 30. 이전) 또는 관리처분계획인가일(2005. 5. 31. 이후) 이후에 조합원으로부터 입주자로 선정된 지위를 승계취득한 경우 부동산을 취득할 수 있는 권리로 보아 보유기간 계산 등을 판단함.

서면4팀 - 2506, 2005. 12. 14.

거주자들이 주택과 부수토지를 현물출자하여 20세대 미만의 주택을 신축하고 본인들이 1주택을 사용하고 나머지는 일반분양하는 경우 자가사용하는 신축주택의 1세대 1주택 판정시 보유기간 기산일은 사용검사필증교부일(사실상 사용일, 사용승인일)임.

서면4팀 - 1634, 2005. 9. 9.

공동주택의 리모델링의 경우, 「소득세법 시행령」 제154조 제1항(1세대 1주택의 범위)에서 정하는 보유기간의 계산은 건물의 증축·개축 등과 같이 리모델링 전·진행 중(사업기간)·후의 보유기간을 통산하는 것이며, 거주기간의 계산에 있어 리모델링 사업기간 중의 실제 거주한 기간은 포함되는 것이나, 실제 거주하지 않은 기간은 제외되는 것임.

리모델링된 주택은 리모델링 기간 중에 주택이 멸실되지 아니한 것이므로 멸실 후 새롭게 건축된 건물이라 할 수 없는 바, 리모델링 공사기간과 관계없이 다른 주택을 취득한 날로부터 1년 이내에 기존 리모델링 주택을 양도하여야 「소득세법 시행령」 제155조 제1항의 규정에 의한 일시적 2주택의 비과세특례를 적용받을 수 있는 것임.

장기보유특별공제율은 양도당시의 주택 면적을 기준하여 적용하는 것이므로, 리모델링 공사로 전용면적이 44.99평에서 55평으로 증가하여 기준면적(149㎡)을 초과하는 경우에는 「소득세법」 제95조 제2항의 규정에 의한 기준면적 미만 고가주택의 공제율을 적용받을 수 없는 것임.

서일 46014-10456, 2003. 4. 11.

일시적인 1세대 2주택의 경우, 종전주택이 양도일 이전에 동일세대원간의 증여로 명의변경된 경우에는 증여자 및 수증자의 보유기간을 통산함.

건설임대주택 취득 양도 비과세와 관련된 예규, 판례(보유기간 적용 예외)

서면-2017-부동산-1460, 2017. 8. 14.

「소득세법 시행령」 제155조 제1항에 따른 특례를 적용할 때 같은 영 제154조 제1항 제1호에 해당하는 건설임대주택을 취득하여 양도하는 경우에도 동 특례를 적용받을 수 있는 것이며, 이 경우 해당 건설임대주택에 대해서는 종전의 주택을 취득한 날부터 1년 이상이 지난 후 다른 주택 취득요건을 적용하지 아니함.

부동산거래-521, 2011. 6. 27.

건설임대주택 비과세 특례를 적용함에 있어 배우자가 가정불화로 인한 별거 등 부득이한 사유로 일시퇴거한 경우로서 나머지 세대원이 거주한 경우에는 세대전원이 거주한 것으로 보아 비과세 여부를 판정함.

부동산거래-214, 2011. 3. 10.

건설임대주택 비과세 특례를 적용함에 있어 거주기간은 건설임대주택의 임차일부터 당해 주택의 양도일까지의 거주기간을 통산하는 것이며 다른 주택을 취득한 날부터 2년 이내에 당해 주택을 양도하는 경우 일시적 2주택 비과세 특례가 적용됨.

재재산-1221, 2010. 12. 20.

남편 명의로 임차하여 5년 거주 후 분양받은 「임대주택법」상 건설임대주택을 증여받은 경우로서 이혼 후 동일세대가 아닌 상태에서 해당 주택을 양도하는 때에는 「소득세법 시행령」 제154조 제1항 단서 및 같은 항 제1호에 따라 보유기간 및 거주기간의 제한없이 1세대 1주택 비과세 적용을 받을 수 있는 경우에 해당하지 아니하는 것임.

서면4팀-3240, 2007. 11. 8.

건설임대주택을 취득하여 5년 이상 거주한 경우에는 취득일 이후 3년 보유 여부에 관계없이 1세대 1주택 비과세를 적용받을 수 있음.

서면4팀-3198, 2007. 11. 6.

건설임대주택을 취득하여 양도하는 경우로서 당해 건설임대주택의 임차일로부터 당해 주택의 양도일까지의 거주기간이 5년 이상인 경우에는 취득일 이후 3년 보유 여부에 관계없이 1세대 1주택으로 비과세됨.

서면4팀-1951, 2007. 6. 20.

건설임대주택을 취득하여 양도하는 경우 거주기간은 원칙적으로 주민등록표상의 전입일자부터 전출일자까지의 기간에 의하는 것이나 실질내용이 다른 경우 실질내용에 따르는 것임.

서면5팀-1804, 2007. 6. 14.

건설임대주택에 세대원 중 일부가 근무상의 형편 등 부득이한 사유로 미거주한 경우 일시퇴거자도 생계를 같이하는 가족으로 보아 1세대 1주택 비과세 규정을 적용함.

재산 46014-44, 2001. 1. 8.

일시적인 2주택의 경우 다른 주택 취득일부터 2년 내에 종전주택 양도시는 비과세되며, '보유기간 특례주택'인 경우, 비과세되는 1세대 1주택 판정시 보유기간 '3년'을 '1년'으로 봄.

재일 46014-1517, 1997. 6. 23.

「임대주택법」에 의한 건설임대주택을 취득, 양도시 임차일로부터 양도일까지의 '거주기간 5년'에 전임차인의 거주기간은 산입 안함.

공공사업시행자에게 양도 비과세와 관련된 예규, 판례(보유기간 예외)

서면부동산-53, 2015. 5. 13.

거주주택이 공익사업용으로 수용되어 장기임대주택으로 전입하게 됨으로써 장기임대주택의 임대기간요건(5년)을 충족하지 못하게 되는 경우에 수용되는 거주주택은 1세대 1주택 비과세 특례를 적용받을 수 없는 것임.

부동산납세-699, 2014. 9. 17.

1세대가 양도일 현재 국내에 1개의 주택을 보유하고 있는 경우로서 그 보유한 주택 및 그 부수토지(사업인정 고시일 전에 취득한 주택 및 그 부수토지에 한한다)의 전부 또는 일부가 「공익사업을 위한 토지 등의 취득 및 보상에 관한 법률」에 의한 협의매수 · 수용 및 그 밖의 법률에 의하여 수용되는 경우 1세대 1주택 비과세 규정을 적용하는 것임.

부동산거래-231, 2012. 4. 23.

거주자가 보유한 주택 및 그 부수토지가 「공익사업을 위한 토지 등의 취득 및 보상에 관한 법률」에 따라 수용되는 경우로서 주택보다 그 부수토지가 먼저 수용되는 경우에도 수용당시 해당 주택의 보유기간이 3년 이상인 경우 해당 주택 및 그 부수토지에 대해서 「소득세법 시행령」 제154조 제1항의 규정을 적용받을 수 있는 것임.

부동산거래－1009, 2011. 12. 2.

1세대 1주택 비과세 규정을 적용함에 있어 「공익사업을 위한 토지 등의 취득 및 보상에 관한 법률」에 의하여 주택 및 그 부수토지가 함께 수용된 경우로서, 당해 주택 및 부수토지에 대한 보상액이 시차를 두고 지급된 경우에는 전체를 하나의 양도행위로 보아 「소득세법 시행령」 제154조 제1항의 규정을 적용하는 것임.

서면4팀－2990, 2007. 10. 17.

1주택을 소유한 1세대가 주택법의 사업계획승인을 받은 민간건설업자에게 양도한 경우 당해 주택과 부수토지는 「소득세법 시행령」 제154조 제1항 제2호 가목이 적용되지 아니함.

서면5팀－1973, 2007. 7. 4.

사업인정고시일 전에 취득한 주택(1세대 1주택)이 「공익사업을 위한 토지 등의 취득 및 보상에 관한 법률」에 의해 협의매수, 수용되는 경우 보유기간 및 거주기간에 관계없이 비과세됨.

서면4팀－749, 2007. 3. 2.

1주택을 소유한 1세대가 공익사업용으로 주택과 부수토지가 수용되는 경우 보유기간 및 거주기간에 관계없이 양도소득세가 비과세됨.

서면4팀－3258, 2006. 9. 25.

1주택을 소유한 1세대가 그 주택 및 부수토지의 전부 또는 일부가 공익사업용으로 수용되는 경우에는 보유기간 및 거주기간의 제한을 받지 아니하고 양도소득세를 비과세함(고가주택 제외).

서면4팀－653, 2006. 3. 22.

입주권이 확정되는 날 이후에도 철거되지 않고 사실상 주거용으로 사용되는 경우 보유기간 및 거주기간은 관리처분인가일 이후에도 실제 거주하는 기간을 합산하여 계산함.

재일 46014－1107, 1996. 5. 3.

2주택 소유한 세대에서 한 주택의 부수토지 중 일부가 공공사업용으로 수용된 경우 양도세 과세됨.

법률에 의한 수용 비과세와 관련된 예규, 판례(보유기간 예외)

서면-2017-부동산-1838, 2017. 9. 13.

1세대 1주택에 해당하는 주택이 「공익사업을 위한 토지 등의 취득 및 보상에 관한 법률」 등에 의해 수용되는 경우 그 수용일부터 5년 이내에 양도하는 그 부수토지에 대하여는 1세대 1주택 비과세 규정을 적용하는 것임.

조심 2016서 951, 2016. 7. 14.

「소득세법 시행령」 제155조 제21항 제2호 및 같은 법 시행규칙 제74조의 2에서 임대기간 산정특례로 「공익사업을 위한 토지 등의 취득 및 보상에 관한 법률」 또는 그 밖의 법률에 수용된 경우 및 사망으로 상속되는 경우를 규정하고 있고, 이 건처럼 경매로 양도된 경우는 규정되어 있지 아니한 점 등에 비추어 청구주장을 받아들이기 어려움

서면4팀-897, 2005. 6. 4.

양도일(보상금수령일) 현재 1주택을 보유한 1세대가 그 주택 및 부수토지의 전부 또는 일부를 「공익사업을 위한 토지 등의 취득 및 보상에 관한 법률」에 의한 협의매수・수용되는 경우 보유기간 및 거주기간의 제한을 받지 아니하고 양도소득세 비과세를 적용함.

서일 46014-10671, 2002. 5. 20.

양도세 비과세대상인 1세대 1주택이 수용된 이후, 2주택 이상을 취득한 상태에서 그 잔존부수토지 양도시는 양도세 과세됨.

국외 이주에 따른 양도 비과세와 관련된 예규, 판례(보유기간 예외)

※ 유의 : 비거주자의 보유기간 등 특례조치는 2006. 1. 1. 이후 이주자는 2년 내에 양도해야 하며 그 이전 출국자는 2007. 12. 31.까지 양도하는 경우에만 적용함.

사전법령재산-324, 2015. 11. 12.

외국인과 혼인을 기초로 하여 해외이주로 세대전원이 출국한 사실이 해외이주신고확인서로 확인되는 경우에 한하여 비과세 특례를 적용할 수 있는 것임.

서면부동산-1739, 2015. 10. 23.

「해외이주법」에 따른 해외이주로 출국하는 경우 세대전원이 출국한 날부터 2년 이내에 국내에 보유하던 1주택을 양도하는 경우 해당 주택은 「소득세법 시행령」 제154조 제1항 제2호 나목의 규정을 적용받을 수 있는 것임.

대법 2012두 3972, 2012. 7. 5.

1세대 1주택 보유기간 및 거주기간의 제한을 받지 아니하는 경우를 규정한 소득세법 시행령 조항은 전체 체계상 해외로의 주거이전과 국내에서의 주거이전이 각 호로 분명하게 구분되어 있으므로 '다른 시 · 군으로 주거를 이전하는 경우'에 국외이주는 당연히 포함되지 않는다고 봄이 상당함.

부동산거래관리과-330, 2012. 6. 15.

「소득세법 시행령」 제154조 제1항 제2호 나목을 적용할 때 「해외이주법」에 따른 현지이주의 경우 출국일은 영주권 또는 그에 준하는 장기체류 자격을 취득한 날을 말하는 것임.

부동산거래-392, 2011. 5. 11.

국외이주에 따른 양도세 과세특례를 적용함에 있어 현지이주의 경우 출국일은 영주권 또는 그에 준하는 장기체류 자격을 취득한 날을 말함.

부동산거래-295, 2011. 4. 5.

양도하는 주택이 해외로 출국한 이후에 분양받은 주택인 경우에는 국외이주에 따른 보유기간의 제한을 받지 않는 1세대 1주택의 범위에 해당되지 아니하는 것임.

부동산거래-1443, 2010. 12. 6.

국외이주에 따른 1세대 1주택 양도의 비과세 특례를 적용함에 있어 전세대원이 출국하지 않는 상태에서는 보유 및 거주기간(2년 거주 및 3년 보유)을 충족한 경우에만 비과세되는 것임.

부동산거래-808, 2010. 6. 11.

아파트를 분양받아 중도금 불입 중 국외거주를 필요로 하는 근무상의 형편으로 출국한 후 아파트가 준공되어 1주택을 보유한 상태에서 1주택을 보유한 자와 혼인함으로써 1세대가 2주택을 보유하게 된 경우 국외이주에 따른 과세특례가 적용되지 아니함.

부동산거래-464, 2010. 3. 24.

근무상 형편에 따른 국외이주 비과세 특례 적용 여부는 출국사유, 국외거주 예정기간 등을 확인하여 판단할 사항임.

재재산-141, 2009. 1. 28.

「소득세법 시행령」 제154조 제1항 제2호 나목의 "해외 이주자에 대한 비과세특례" 규정은 거주자로서 국내에서 1주택을 소유하다가 국외로 이주한 다음 추가로 주택을 취득하였더라도 그 추가로 취득한 주택을 먼저 처분한 다음 출국일로부터 2년 이내에 당초 소유하던 주택을 양도한 경우에도 적용되는 것이며, 구체적 사실관계 여부는 관할 세무서장이 판단할 사항임.

재산세과-3686, 2008. 11. 7.

현지이주도 해외이주 비과세 특례가 적용됨.

서면5팀-3183, 2007. 12. 6.

2006. 2. 9. 당시 해외이주 또는 1년 이상 계속하여 국외거주를 필요로 하는 취학 또는 근무상의 형편으로 세대전원이 출국할 경우로서 2007. 12. 31.까지 주택을 양도하는 경우 양도기간에 관계없이 비과세됨.

서면4팀-3352, 2007. 11. 21.

1년 이상 계속하여 국외거주를 필요로 하는 취학 또는 근무상의 형편으로 세대전원이 출국할 것을 알면서 취득한 주택은 국외이주에 따른 1세대 1주택 비과세 특례를 적용받을 수 없음.

서면5팀-3010, 2007. 11. 15.

해외이주 당시 1세대 2주택에 해당하는 경우 당해 2주택 모두 국외이주에 따른 양도소득세 비과세 규정이 적용되지 않음.

서면5팀-2984, 2007. 11. 14.

1주택과 입주권(2005. 12. 31. 이전 관리처분인가됨)을 소유하던 1세대가 재건축사업의 완성일 전에 비거주자인 상태에서 1주택을 양도하는 경우 보유・거주기간에 관계없이 비과세됨.

서면4팀-3105, 2007. 10. 29.

1주택을 보유한 1세대가 1년 이상 국외거주를 필요로 하는 취학 또는 근무상의 형편으로 1주택을 양도한 경우 보유 및 거주기간에 관계없이 비과세되나 고가주택은 제외됨.

서면5팀-2734, 2007. 10. 11.

국외이주한 경우 비과세특례 적용시 출국일이란 세대전원이 출국한 날이며 이에 대한 확인은 주민등록표등본과 재학증명서 등 당해 사실을 증명하는 서류에 의함.

서면4팀-2756, 2007. 9. 19.

2006. 2. 9. 당시 「해외이주법」에 의하여 세대전원이 출국한 경우로서 2007. 12. 31.까지 주택을 양도하는 경우 종전의 비과세 규정을 적용하는 것임.

서면4팀-1898, 2004. 11. 24.

「해외이주법」에 의한 국외이주가 아닌 사업상의 형편으로 전세대원이 출국하여 해외에서 장기체류하는 기간 중에 국내의 1주택을 양도하는 경우에는 「소득세법 시행령」 제154조 제1항 단서의 규정에 의한 비과세특례를 적용받을 수 없음.

 근무상의 사유로 양도소득세 비과세와 관련된 예규, 판례(보유기간 예외)

기준법령재산-10, 2016. 9. 13.

서울에서 근무하던 거주자가 「소득세법 시행규칙」 제72조 제7항에 따른 근무상의 형편 등의 부득이한 사유로 수도권 밖 소재 주택을 취득하고 세대전원이 수도권 밖 소재 주택으로 주거를 이전하여 거주하다가 당해 부득이한 사유가 해소되지 아니한 상태에서 수도권 소재 일반주택을 양도하는 경우 일반주택에 대하여 1세대 1주택으로 본다.

사전법령재산-227, 2016. 7. 8.

별도세대인 상태에서 증여를 받은 후 동일세대인 상태에서 양도하는 경우 양도소득세 비과세 판정을 위한 보유기간은 증여일부터 기산하는 것이며, 사실상 동일세대거나 근무상 형편 등으로 일시퇴거한 경우로서 동일세대인지 여부는 사실판단할 사항임.

서면부동산-2254, 2015. 12. 1.

직장의 변경이나 전근등 근무상의 형편(부득이한 사유)으로 세대전원이 1년 이상 거주한 주택을 양도할 때는 그 보유기간의 제한을 받지 아니하고 비과세 규정을 적용함.

서면부동산-2018, 2015. 11. 6.

근무상의 형편 등 부득이한 사유로 1년 이상 거주한 주택을 양도하는 경우 1세대 1주택 비과세를 적용받을 수 있는 것이나, 부득이한 사유는 현 주소지에서 통상 출퇴근이 불가능하여 다른 시 · 군으로 주거를 이전하는 경우를 말하는 것으로서 이에 해당하는지 여부는 사실판단할 사항임.

서면부동산-2090, 2015. 11. 6.

1년 이상 거주한 주택을 기획재정부령으로 정하는 취학, 근무상의 형편, 질병의 요양, 그 밖에 부득이한 사유로 양도하는 경우에는 「소득세법 시행령」 제154조 제1항 제3호를 적용받을 수 있는 것이나, 부득이한 사유 발생 후에 주택을 취득한 경우에는 동 규정을 적용받을 수 없는 것임.

조심 2015중 3266, 2015. 9. 15.

청구인의 경우 쟁점외주택이 소재하는 ○○도 ○○시에서 ****.**.**.부터 '○○○○'이라는 상호로 사업을 영위한 사실이 확인되고, 직장의 변경이나 전근 등을 확인할 수 있는 입증자료가 제시되지 아니하는 점, 「소득세법 시행규칙」이 1996. 3. 30. 개정되면서 「소득세법 시행령」 제155조 제8항의 '부득이한 사유' 중 '사업상의 형편'을 삭제하여 '직장의 변경이나 전근 등 근무상의 형편' 등으로 제한된 점 등에 비추어 이 건 과세처분은 잘못이 없음.

대법 2015두 43520, 2015. 9. 10.

취학 및 근무상의 형편이라는 부득이한 사유로 수도권밖에 소재하는 주택을 소유할 수밖에 없는 사정이 계속되는 상황 하에서 제2청주주택으로 교체하여 취득한 것이므로, 1세대 1주택의 양도에 해당함.

서면부동산-845, 2015. 7. 28.

부득이한 사유로 취득한 주택인지 여부는 근무상의 형편 등 관련 내용을 종합적으로 검토하여 사실 판단할 사항임.

서면부동산-1013, 2015. 7. 22.

1세대가 양도일 현재 국내에 1주택을 보유하고 있는 경우로서 1년 이상 거주한 주택을 취학, 근무상의 형편, 질병의 요양, 그 밖에 부득이한 사유로 양도하는 경우에는 그 보유기간의 제한을 받지 아니하는 것이나, 사업상의 형편으로 양도하는 경우에는 이에 해당하지 아니하는 것임.

서면부동산-864, 2015. 7. 14.

1세대가 양도일 현재 국내에 1주택을 보유하고 있는 경우로서 근무상 형편 등 부득이한 사유로 1년 이상 거주한 주택을 양도할 때는 그 보유기간의 제한을 받지 않고 1세대 1주택 비과세 규정을 적용하는 것임.

조심 2012중 2951, 2013. 2. 12.

청구인이 쟁점아파트를 임차·취득하여 양도시점까지 주민등록상의 주소지에서 5년 이상 거주한 것으로 나타나고, 쟁점아파트를 임대하거나 다른 임차인이 거주한 사실이 확인되지 아니한 점, 결혼과 함께 배우자가 근무상의 어려움으로 인하여 전세주택(산호아파트)을 임시거처로 사용하였다는 이유만으로 청구인과 배우자가 쟁점아파트에 거주하지 아니하였다고 단정하기 어려운 점을 감안하면, 쟁점아파트 양도에 대해 청구인이 5년 이상 거주하지 아니한 것으로 본 처분은 잘못이라고 판단됨.

조심 2012서 1085, 2012. 11. 5.

근무상 형편으로 세대전원이 출국한 것으로 인정되므로, 거주기간에 관계없이 1세대 1주택 비과세를 적용함이 타당함.

조심 2012구 1609, 2012. 9. 20.

청구인이 서울 소재 쟁점아파트에서 1년 이상 거주하다가 근무상 형편으로 지방으로 주거를 이전한 것으로 보이고, 직장에서 퇴사한 이후에도 계속 지방에서 생활한 점 등을 감안할 때, 청구인의 쟁점아파트 양도는 1세대 1주택 비과세 거주요건을 충족한 것으로 봄이 타당함.

서울고등법원 2011누 20392, 2011. 12. 20.

직장이 종래 거주하던 시에서 다른 시로 변경됨에 따라 새로운 직장과 가까운 거리로 주거를 이전하였으므로 직장의 변경이라는 근무상 형편으로 인하여 종래 주거지인 시와 다른 시로 주거를 이전한 경우에 해당하여 1세대 1주택의 양도로 보아야 함.

서면5팀-3186, 2007. 12. 6.

세대원의 일부가 근무상 형편 등으로 주택에 거주하지 못한 경우에도 나머지 세대원이 거주한 경우 거주요건을 갖춘 것으로 보아, 세대원의 일부가 처음부터 거주하지 아니한 경우에는 제외됨.

서면5팀-3009, 2007. 11. 15.

근무상의 형편 등 부득이한 사유라 함은 현주소지에서 통상 출퇴근이 불가능하여 출퇴근이 가능한 시군으로 세대전원이 주거이전하게 된 경우를 말함.

서면5팀-2976, 2007. 11. 14.

근무지 변경 당시 아파트가 완성되지 않아 근무지 변경 후 나머지 세대원이 1년 이상 거주하다가 양도한 경우 근무상의 형편으로 양도하는 1세대 1주택 과세특례가 적용되지 않음.

서면5팀-2955, 2007. 11. 12.

1주택을 소유하는 거주자가 전근의 사유가 발생하기 전에 다른 시군으로 주거를 먼저 이전한 경우에는 근무상의 사유로 양도하는 1세대 1주택 특례를 적용받을 수 없음.

서면4팀-3006, 2007. 10. 18.

근무상의 형편에 의한 1세대 1주택 비과세 적용시 1년 이상 거주한 주택인지는 당해 주택의 취득일부터 부득이한 사유로 양도한 날까지 기간으로 계산하는 것임(2007. 2. 26.부터 적용).

서면4팀-1820, 2004. 11. 11.

1세대 1주택자가 근무상 사유로 3년 이상 보유하지 못한 주택을 양도하는 경우 비과세하나, 전가족이 거주이전하지 않는 경우에는 비과세되지 않는 것임.

서면4팀-979, 2004. 6. 30.

근무상 형편으로 출국한 후 다른 주택을 취득한 사실이 있는 경우 비과세특례 적용 배제함.

국심 2003중 3448, 2004. 2. 10.

직장 변경과 같은 부득이한 사유가 발생하여 취득시점부터 양도시점까지 1년 이상 거주한 주택을 양도하고 세대전원이 다른 시로 이전하였다면 동 주택의 양도소득은 비과세대상에 해당됨.

서면1팀-40, 2004. 1. 16.

세대원의 일부가 근무상 형편 등 부득이한 사유로 일시퇴거하여 당해 주택에 거주하지 못한 경우에도 나머지 세대원이 「소득세법 시행령」 제154조 제1항이 정하는 기간을 거주한 경우에는 거주기간에 관한 비과세요건을 갖춘 것으로 보는 것임.

재개발(재건축) 사업기간 중 취득한 대체주택 양도 비과세와 관련된 예규, 판례

법규재산 2014-452, 2014. 12. 2.

국내에 1주택을 소유한 1세대가 그 주택에 대한 도시 및 주거환경정비법에 따른 주택재건축사업 또는 주택재개발사업의 시행기간 동안 거주하기 위하여 다른 주택(이하 "대체주택"이라 함)을 취득한 경우로서 대체주택을 취득하여 1년 이상 거주하지 아니하고 양도하는 경우 양도소득세 비과세대상에 해당하지 아니함.

부동산납세-723, 2014. 9. 23.

국내에 1주택을 소유한 1세대가 그 주택에 대한 「도시 및 주거환경정비법」에 따른 주택재개발사업 또는 주택재건축사업의 시행기간 동안 거주하기 위하여 다른 주택(대체주택)을 취득한 경우로서 「소득세법 시행령」 제156조의 2 제5항 각 호의 요건을 모두 갖추어 대체주택을 양도하는 때에는 이를 1세대 1주택으로 보아 제154조 제1항을 적용하는 것임.

부동산납세-567, 2014. 8. 8.

2주택을 소유하는 1세대가 그 중 1주택을 주택재개발사업을 시행하는 정비사업조합에 제공하여 관리처분계획(변경)인가로 취득한 상가의 입주자로 선정된 지위를 보유한 상태에서 나머지 1주택을 양도하는 경우 해당 1주택에 대해서는 「소득세법 시행령」 제154조 제1항을 적용받을 수 있는 것임.

서면4팀-3138, 2007. 10. 31.

국내에 1주택을 소유한 1세대가 그 주택에 대한 재건축 시행기간 동안 거주하기 위하여 다른 주택을 취득한 경우로서 비과세요건을 모두 갖추어 대체주택을 양도하는 때에는 이를 1세대 1주택으로 봄.

서면4팀-2814, 2007. 10. 2.

재건축 기간 중 취득한 대체주택 양도에 따른 비과세 특례는 「소득세법 시행령」 제156조의 2 제5항의 요건을 충족하여야 함.

법규-4477, 2007. 9. 20.
재건축기간 중 취득한 대체취득 양도에 따른 비과세특례 해석 변경
종전 예규는 일반주택에서 거주한 경우만 비과세하였으나 일반주택에서 거주하지 아니한 경우에도 대체주택만 비과세 요건 갖추면 가능한 것으로 변경함.

서면5팀-2081, 2007. 7. 16.
1주택자가 2005. 12. 31. 이전에 재건축사업의 시행으로 사업시행기간 동안 거주하기 위하여 취득한 주택을 「소득세법 시행령」 제156조의 2 제5항의 요건을 갖추어 양도하는 때에는 양도소득세가 비과세됨.

서면4팀-2140, 2007. 7. 11.
재건축사업 시행 전에 분양(분양권 매입 포함)받은 주택을 주택재건축사업 시행기간 중 취득하여 1년 이상 거주하다가 재건축주택으로 세대전원이 이사하게 된 경우 비과세 특례가 적용됨.

재재산-577, 2007. 5. 17.
주택재개발 사업시행인가일 이전에 대체 주택을 취득하는 경우 대체주택에 대한 과세특례 규정을 적용받을 수 없음.

서면5팀-1475, 2007. 5. 4.
국내에 1주택을 소유한 1세대가 주택재건축사업의 시행기간 동안 거주하기 위하여 다른 주택을 취득한 경우로서 새로 취득한 주택이 다른 재건축아파트입주권을 취득하여 완공된 주택인 경우 적용되지 않음.

서면4팀-187, 2006. 2. 3.
2주택을 보유하던 1세대가 그중 하나의 주택이 2005. 12. 31. 이전에 관리처분계획의 인가를 받은 후 주택재건축사업의 시행으로 멸실된 상태에서 재건축주택의 완성일 전에 나머지 주택(비과세요건 충족)을 양도하는 경우 양도소득세가 비과세됨.

서면4팀-2031, 2005. 11. 1.
재건축사업시행기간 중 취득한 주택을 1년 이상 거주하고 양도하고 재건축주택으로 1세대가 이주한 경우 비과세가 적용됨.

서면4팀-2032, 2005. 11. 1.
재건축사업시행기간 중 취득한 주택을 1년 이상 거주하고 양도하고 재건축주택으로 1세대가 이주한 경우 비과세가 적용됨.

서면4팀-1083, 2005. 6. 28.

2주택을 소유하고 있던 1세대가 주택재건축사업의 시행으로 멸실된 상태에서 재건축 주택의 완성일 전에 나머지 주택(1세대 1주택 비과세요건 갖춤)을 양도하는 경우 비과세됨.

서면4팀-779, 2005. 5. 20.

「도시 및 주거환경정비법」에 의한 주택재건축사업의 정비사업조합의 조합원으로 참여한 자가 재건축사업 시행기간 중 다른 주택을 취득하여 1년 이상 거주하다가 동법에 의한 사업계획에 따라 취득하는 주택으로 세대전원이 이사하는 경우 양도하는 주택은 비과세됨.

서면4팀-426, 2005. 3. 23.

2주택을 소유하고 있던 중 거주하고 있던 주택이 재건축 시행으로 멸실된 경우 새로 취득하는 주택은 1세대 1주택 비과세 특례규정이 적용 안 됨.

서면4팀-1970, 2004. 12. 3.

재건축아파트의 입주권이 1세대 1주택으로 양도소득세가 비과세되기 위해서는 '사업계획승인일 등 현재 및 동 입주권 양도일 현재' 모두 1세대 1주택 비과세요건을 충족하여야 함.

서면4팀-1955, 2004. 12. 1.

1세대 1주택자로 재건축사업시행기간 중 다른 주택을 취득하여 거주하다가 재건축주택으로 세대전원이 이사하는 경우 그 다른 주택을 양도하는 때에는 보유기간에 제한 없이 양도소득세가 비과세됨.

서면4팀-1822, 2004. 11. 11.

2주택 중 재건축 추진중인 1주택이 철거된 후부터 사용검사 등을 받기 전에 나머지 1주택을 양도하는 경우 그 주택 양도일 현재 1세대 1주택 요건 충족시 비과세됨.

서면4팀-1377, 2004. 9. 1.

재개발사업기간 중 취득하는 주택의 취득자 범위에는 동일세대원인 처도 포함됨.

1세대 1주택 부수토지의 비과세 범위와 관련된 예규, 판례

조심-2019-중-1722, 2019. 7. 15.

주택부수토지란 주거용건물이 정착하고 있는 토지면적과 이에 연결된 토지를 말하는 것으로서 처분청이 제시한 증빙만으로는 쟁점부동산의 주거용건물 정착면적과 분리하여 사업용으로 전용되었다고 보기는 어려운 점 등에 비추어 처분청이 쟁점부동산 중 쟁점건물 정착면적 외의 토지에 대하여 1세대 1주택 비과세 적용을 배제한 처분은 잘못이 있음.

서면-2017-부동산-1838, 2017. 9. 13.

1세대 1주택에 해당하는 주택이 「공익사업을 위한 토지 등의 취득 및 보상에 관한 법률」 등에 의해 수용되는 경우 그 수용일부터 5년 이내에 양도하는 그 부수토지에 대하여는 1세대 1주택 비과세 규정을 적용하는 것임.

조심 2015부 5848, 2016. 10. 18.

1세대 1주택 비과세는 주택(건물)과 그 부수토지를 같이 양도하는 경우에 한하여 그 부수토지를 주택의 일부로 보아 양도소득세를 비과세하는 것이고 주택과 분리되어 별개로 부수토지가 양도된 경우에는 「소득세법 시행규칙」 제72조 제2항에 따라 1세대 1주택 비과세 특례가 적용되지 아니하므로 쟁점토지를 양도한 데 대하여 1세대 1주택 비과세를 적용하지 아니한 처분은 잘못이 없음.

조심 2016중 1126, 2016. 7. 21.

쟁점1토지는 멸실된 다른 주택의 부수토지로서 쟁점주택과는 지번도 다르고 높낮이에도 상당한 차이가 있으며 주변과 나무 울타리로 구분되어 있어 쟁점주택의 부수토지로 보기 어려운 점, 쟁점2토지의 경우도 쟁점주택과의 사이에 차량 진출입로가 있어 경계가 구분되고 현장확인 결과 지목은 대지이나 실질적으로 농지로 활용된 것으로 확인된 점 등에 비추어 쟁점1토지와 쟁점2토지의 일부를 쟁점주택의 부수토지로 보아야 한다는 청구주장을 받아들이기 어려움.

조심 2016부 220, 2016. 6. 29.

쟁점부동산은 등기사항전부증명서에 근린생활시설로 기재되어 있고, 청구인의 배우자인 ○○○이 1995. 8. 5.부터 2014. 11. 28.까지 쟁점부동산에서 ○○○업을 영위한 사실이 사업자등록이력 및 신용카드결제내역 등에 의하여 확인되는 점, 청구인이 쟁점부동산 전체를 주택으로 사용하였음을 입증할 수 있는 객관적 증빙을 제시하지 못하는 점 등에 비추어 처분청이 쟁점부동산의 상가부분 및 그 부수토지에 대하여 1세대 1주택 비과세 규정을 배제하여 양도소득세를 과세한 이 건 처분은 잘못이 없음.

서면부동산-2725, 2016. 1. 29.

주택은 동일세대 내에서 공동소유하고 있고, 그 부수토지는 동일세대 중 1인이 단독소유하고 있는 경우에 주택을 동일세대로써 공동소유한 기간을 통산하여 그 부수토지까지 비과세 여부를 판단함.

서면부동산-1886, 2015. 12. 24.

도정법에 따른 주택재개발역내 주택 부수토지로 장기간 사용 · 수익한 시유지를 불하받아 구주택과 함께 주택재개발조합에 제공하고 받은 조합원입주권이 주택으로 완성된 후 양도하는 경우 1세대 1주택 비과세 적용을 위한 보유기간은 해당 시유지 취득분에 상관없이 주택의 보유기간으로 판정.

사전법령재산-304, 2015. 11. 11.

1세대 1주택 판단은 양도하는 거주자를 기준으로 판단하고, 주택부수토지의 1/2을 소유한 모친이 1주택을 보유한 아들과 생계를 같이 하는 경우, 부친이 소유한 1주택을 합산하여 모친은 2주택자에 해당함.

조심 2015서 4675, 2015. 11. 9.

인터넷포털사이트의 로드뷰사진, 청구인이 ○○구청장에게 제출한 용도변경허가신청서 등에 따르면 쟁점 토지 위의 주택은 20XX년~20XX년 X월 기간 중에 멸실된 것으로 보이고, 청구인은 이로부터 약 4년 뒤에 쟁점토지를 양도하였는바, 쟁점토지를 해당 주택의 부수토지로 보기 어려운 점, 청구인은 해당 주택의 멸실 당시 다른 주택을 보유하고 있었는바, 멸실 시점에 1세대 1주택자에 해당하지 않는 점 등에 비추어 쟁점토지를 나대지로 보아 청구인에게 양도소득세를 과세한 처분은 잘못이 없음.

서면부동산-1570, 2015. 10. 8.

상속받은 주택을 멸실하고 그 부수토지에 새로운 주택을 신축한 경우(「도시 및 주거환경정비법」에 따른 주택재개발사업 또는 주택재건축사업에 따라 신축한 경우 포함) 그 새로운 주택은 상속받은 주택으로 보는 것이나, 질의의 경우에는 이에 해당하지 아니하는 것임.

조심 2015부 1527, 2015. 5. 18.

종전주택이 수용된 후 잔존토지인 쟁점토지에 ○○○ 근린생활시설을 포함한 쟁점건물을 신축하여 양도한 점 등에 비추어 근린생활시설의 부수토지에 해당하는 부분에 대하여 처분청이 종전주택의 부수토지에 해당하지 아니하는 것으로 보아 이 건 경정청구를 거부한 처분은 잘못이 없음.

조심 2014중 4846, 2015. 3. 13.

토지가 1세대 1주택의 부수토지로서 비과세를 적용받기 위해서는 원칙적으로 주택과 함께 양도되어야 할 것이고, 「소득세법 시행규칙」 제72조 제2항 전단에 따라 주택에 부수되는 토지를 분할하여 양도하는 경우에 그 양도하는 부분의 토지는 1세대 1주택에 부수되는 토지로 보기 어려운 점 등에 비추어 청구주장을 받아들이기 어려움.

조심 2014부 2218, 2014. 7. 21.

청구인은 쟁점②주택의 건축물을 철거한 후 하나의 주택으로 사용하고자 취득하였고 실제로 담장을 허물고 부수토지를 합병하였으나 임차인의 퇴거 지연으로 철거를 당분간 유보하고 있는 점, 경상남도 창녕군수는 쟁점①·②주택을 하나의 주택으로 보아 2013. 6. 1. 기준 개별주택가격을 산출하였고 그 주택분 재산세도 하나의 주택으로 과세한 점 등에 비추어 쟁점 ①·②주택을 하나의 주택으로 보아 일시적 2주택에 대한 1세대 1주택 비과세 특례를 제외하여 과세한 처분은 잘못임.

심사양도 2013-98, 2014. 5. 20.

자경농지로 감면신청한 토지 중 쟁점주택과 한 울타리안에 있고 주택수평투영면적의 5배 이내의 면적은 1세대 1주택의 부수토지로 인정할 수 있음.

서면4팀-3254, 2007. 11. 9.

시유지에 「소득세법 시행령」 제154조 제1항의 주택을 소유한 거주자가 당해 토지를 불하받아 재개발조합에 제공하고 완성된 새로운 주택을 취득하고 양도하는 경우 1세대 1주택 비과세특례를 적용받을 수 있음.

서면5팀-2727, 2007. 10. 10.

1세대 1주택의 부수토지와 연접한 다른 필지의 토지로서 주택과 한울타리 내에 있고 실제 거주용으로 사용되는 토지는 주택의 부수토지로 봄.

서면5팀-1515, 2007. 5. 10.

주택과 그 부수토지를 각각 다른 세대가 보유하는 경우 또는 보유하다가 양도하는 경우 당해 주택의 소유자는 건물소유자를 기준으로 판단하는 것임.

서면5팀-1324, 2007. 4. 24.

주택과 부수토지를 동일세대원이 아닌 자가 각각 소유하고 있는 경우 부수토지의 소유자는 주택을 소유한 것으로 보지 아니하는 것임.

서면4팀-819, 2007. 3. 8.

주택의 부수토지는 주택의 정착면적에 「소득세법 시행령」 제154조 제7항 규정의 지역별 배율을 곱하여 산정한 면적 이내의 토지를 말하는 것임.

서면4팀-3871, 2006. 11. 24.

양도일 현재 동일세대원이 아닌 자가 소유하고 있는 주택에 부수되는 토지는 양도소득세가 비과세되는 1세대 1주택의 부수토지로 보지 아니함.

서면4팀-2385, 2005. 11. 30.

양도일 현재 주택의 소유자와 주택부속토지의 소유자가 별도세대원인 경우 별도세대원이 보유하고 있는 주택부속토지에 대하여는 1세대 1주택 비과세 규정을 적용할 수 없음.

서면4팀 - 2340, 2005. 11. 28.

1세대 1주택의 부수토지 배율 범위 내의 토지의 경우에도 주거용으로 사용되지 아니하고 사업용으로 사용되는 경우 당해 주택의 부수토지로 볼 수 없는 것임.

서면4팀 - 2252, 2005. 11. 17.

동일한 지번에 주택과 주택 이외의 건물이 별도로 건축되어 있는 경우 주택에 부수되는 토지의 면적은 전체 토지면적에 주택부분의 연면적이 건물전체 연면적에서 차지하는 비율을 곱하여 계산하는 것임.

서면4팀 - 1426, 2005. 8. 16.

한 울타리 내에 있는 주택의 부수토지에 타인소유주택이 함께 있는 경우에는 타인소유주택에 부수되는 토지는 나대지로 보아 양도소득세가 과세되는 것임.

서면4팀 - 1237, 2005. 7. 19.

주택의 부수토지라 함은 당해 주택과 경제적 일체를 이루어 주거생활공간으로 인정되는 토지를 의미함.

서면4팀 - 1093, 2005. 6. 29.

양도소득세가 비과세되는 1세대 1주택에는 주택 및 부수토지를 동시에 양도하는 경우로서 주택과 부수토지의 양수자를 각각 달리하는 경우를 포함하는 것임.

서면4팀 - 940, 2004. 6. 28.

도시계획선에 맞춰 분할된 토지도 주택과 한 울타리 내에서 실제 거주용으로 사용된 경우 비과세되는 1세대 1주택의 부수토지에 해당함.

겸용주택의 1세대 1주택 과세상 취급과 관련된 예규, 판례

조심 - 2019 - 부 - 1354, 2019. 7. 15.

쟁점주택과 쟁점상가가 동일한 생활영역 안에 있다고 보기 어려우므로 처분청이 쟁점상가에 대하여 1세대 1주택 비과세 규정 적용대상이 아니라고 보아 이 건 양도소득세를 과세한 처분은 달리 잘못이 없는 것으로 판단됨.

조심 - 2017 - 중 - 3573, 2018. 1. 31.

쟁점주택과 쟁점겸용주택은 각각 개별적으로 등기가 되어 있고 분리하여 양도할 수 있는 점, 외관상 2채의 건물로 보이는 점, 하나의 출입구 및 통로를 사용하였는지가 명확하지 아니하는 점 등에 비추어 쟁점주택과 쟁점겸용주택이 사회통념상 하나의 주거생활단위를 이루고 있었다고 보기는 어렵다고 판단됨.

조심 2016부 2465, 2016. 11. 7.

청구인이 쟁점겸용주택의 지상1층에서 계란판매업을 영위하고 있었던 점, 처분청 현지확인시 청구인이 지하1층에 계란포장재 등을 보관하였다는 주변 진술을 확보한 것으로 나타나는 바, 쟁점겸용주택의 지하1층은 상가용도로 보여지므로 쟁점겸용주택 전부를 주택으로 보아 1세대 1주택 비과세를 적용하여야 한다는 청구주장은 받아들이기 어려움.

조심 2016서 2133, 2016. 8. 30.

쟁점겸용주택 2층은 피아노 교습소로 사용되다가 이후 창고 등으로 사용된 것으로 보이고 이를 주거용으로 사용하였음을 뒷받침할 수 있는 구체적 · 객관적 증빙이 부족해 보이는바, 쟁점겸용주택의 2층은 양도당시에 주택으로 사용되었다고 보기 어려우므로 1세대 1주택 비과세를 배제하고 양도소득세를 과세한 처분은 달리 잘못이 없는 것으로 판단됨.

서울행법 2013구단 18257, 2014. 11. 28.

이 사건 겸용주택의 지하1층에서는 원고의 딸 부부가, 1층에서는 원고 부부가 거주함으로써 그 공부상 기재에도 불구하고 실제 주거용으로 사용되었음이 인정됨.

서울고법 2012누 36943, 2013. 7. 31.

겸용주택의 3층 증축 부분 중 증축신고가 있었던 부분은 주거용으로 사용되었고 2층도 그 중 일부가 일시적으로 사무실 용도로 사용된 듯 하지만 대부분 비어 있는 상태로서 본래 주거용에 적합하고 주거기능이 유지되고 있었던 것으로 보이므로 주택부분으로 봄이 상당하여 주택면적이 주택 외의 면적보다 큰 것으로 인정됨.

조심 2010중 855, 2010. 9. 29.

겸용주택의 1세대 1주택 판정시 주택으로 사용된 부분이 확인되는 면적은 주택으로 보아 양도소득세를 적용하는 것이 타당함.

서면5팀-2720, 2007. 10. 10.

복합건물의 경우 주택의 면적이 주택 외의 면적보다 적거나 같을 때에는 주택 외의 부분은 주택으로 보지 아니함.

서면4팀-2610, 2005. 12. 26.

주택과 주택 외의 부분으로 복합되어 있는 경우로서 주택의 면적이 주택 외의 면적보다 큰 겸용주택의 고가주택의 판단은 주택 외의 부분도 포함시켜 판단함.

서면4팀-1223, 2005. 7. 18.

1세대 1주택 비과세 판정시 복합주택을 세대를 달리하는 여러 사람이 공동으로 소유하는 경우 각각 개개인이 1주택을 소유하는 것으로 보는 것임.

서면4팀 - 1760, 2004. 10. 29.

기준면적 미만 고가주택의 연면적을 계산하는 경우에는 주택으로 보는 부분과 주거전용으로 사용되는 지하실 부분의 면적을 포함함.

서면4팀 - 1628, 2004. 10. 14.

겸용주택에서 주택면적이 주택 외 면적보다 큰 경우 그 전부를 주택으로 보아 1세대 1주택 비과세 규정을 적용하고, 주택 외 부분을 포함한 실거래가액의 합계액이 6억원을 초과하면 고가주택에 대한 양도차익 계산규정을 적용함.

일시적 2주택 비과세와 관련된 예규, 판례

서면 - 2020 - 법령해석재산 - 1541, 2020. 4. 16.

조정대상지역에 종전의 주택(A주택)을 보유한 1세대가 2018년 9월 13일 이전에 조정대상지역에 있는 신규 분양권(B분양권)을 매매계약 체결하고 계약금을 지급한 경우로서 2019년 12월 17일 이후 B분양권의 지분 일부(70%)를 같은 세대인 배우자에게 증여하는 경우, 일시적 2주택 보유 허용기간은 3년을 적용하는 것임.

서면 - 2018 - 부동산 - 3365, 2019. 7. 9.

1세대가 일시적 2주택에 해당하는 2주택과 재개발사업중인 관리처분계획인가 전 멸실된 주택을 보유하고 있는 경우 일시적 2주택에 해당하는 종전 주택 양도시 「소득세법」 제89조 제1항 제3호 규정은 적용되지 아니함.

서면법령재산 - 2941, 2016. 8. 19.

장기임대주택 1주택과 일시적 2주택을 보유한 거주자가 일반주택 1주택을 보유한 자와 혼인하여 종전의 1주택을 양도하는 경우 1세대 1주택 비과세가 적용되지 않으며, 양도일 현재 장기임대주택이 주택 외의 용도로 사용되어 주택에 해당되지 아니하는 경우 나머지 주택 취득일로부터 3년 이내에 양도주택을 매도하는 경우 1세대 1주택 비과세 규정이 적용되는 것임.

서면부동산 - 1967, 2015. 10. 30.

「소득세법 시행령」 제155조 제1항에 따른 일시적 2주택 특례는 양도시점을 기준으로 판정하는 것임.

서면부동산 - 1572, 2015. 8. 27.

1주택을 소유한 1세대가 그 주택(종전의 주택)을 양도하기 전에 다른 주택을 취득함으로써 일시적으로 2주택이 된 경우 종전의 주택을 취득한 날부터 1년 이상이 지난 후 다른 주택을 취득하고 그 다른 주택을 취득한 날부터 3년 이내에 종전의 주택을 양도하는 경우에는 이를 1세대 1주택으로 보아 「소득세법 시행령」 제154조 제1항을 적용하는 것임.

서면부동산-345, 2015. 5. 14.

「소득세법 시행령」 제155조 제1항에 따른 일시적 2주택 특례를 적용할 때에도 상속주택 소수지분은 해당 거주자의 주택으로 보지 아니하는 것임.

부동산납세-777, 2014. 10. 17.

1주택을 가진 1세대가 해당 주택이 재건축으로 멸실되어 있는 상태에서 다른 주택을 취득한 경우로서 해당 재건축주택을 준공 후 양도하는 경우 재건축한 주택은 기존주택의 연장으로 보아 「소득세법 시행령」 제155조 제1항에 따른 일시적 2주택 특례규정을 적용하는 것임.

부동산납세-468, 2014. 7. 4.

「소득세법 시행령」 제155조 제1항에 따른 일시적 2주택 특례규정을 적용할 때 종전의 주택이 상속받은 주택으로서 상속인과 피상속인이 상속개시 당시 동일세대인 경우 상속개시 전에 상속인과 피상속인이 동일세대로서 보유한 기간 및 상속개시일부터 다른 주택 취득일 전일까지의 기간을 합산하여 특례 해당 여부를 판정하는 것임.

부동산납세-268, 2014. 4. 17.

혼인으로 인한 일시적인 2주택의 비과세 특례를 적용함에 있어 5년 이내에 배우자가 사망한 경우 생존한 배우자의 주택을 먼저 양도하는 경우 비과세 특례 적용함.

법규재산 2014-34, 2014. 2. 28.

일시적 2주택 요건을 충족하지 못한 첫번째 양도주택은 과세, 두번째 양도주택은 「소득세법 시행령」 제155조 제5항을 적용하여 비과세.

대법 2010두 27806, 2014. 2. 27.

일반주택과 장기임대주택을 소유한 거주자가 다른 주택을 취득함으로써 장기임대주택을 제외하고도 2주택을 소유하게 되었더라도, 사회통념상 일시적이라고 인정되는 특별한 사정이 있는 경우에는 양도소득세를 중과할 수는 없음.

재재산-23, 2013. 1. 10.

「소득세법 시행령」 제154조 제1항 제1호를 충족하는 건설임대주택을 취득하여 양도하는 경우에는, 같은 법 시행령 제155조 제1항의 일시적 2주택자에 대한 1세대 1주택 양도소득세 비과세 특례 적용시 '종전의 주택을 취득한 날부터 1년 이상이 지난 후 다른 주택을 취득'하는 요건은 적용하지 않는 것임.

* 2013. 2. 15.「소득세법 시행령」개정시 반영

서면4팀 - 3478, 2007. 12. 5.

국내에 1주택(이하 '일반주택'이라 함)을 소유한 거주자인 1세대가 상속개시 당시 별도세대인 피상속인으로부터 1주택(피상속인이 상속개시 당시 2 이상의 주택을 소유한 경우에는 「소득세법 시행령」제155조 제2항 각 호의 순위에 따른 1주택을 말한다)을 상속받아 2주택이 된 상태에서 별도세대인 다른 피상속인으로부터 1주택을 취득한 경우로서 그 주택 취득일부터 1년 이내에 일반주택을 양도하는 경우「소득세법 시행령」제155조 제1항의 규정이 적용되는 것임.

서면4팀 - 3244, 2007. 11. 9.

1세대 1주택이던 자가 소유하던 상가를 용도변경하여 주택으로 사용하는 때에는 주택으로 용도변경한 때에 다른 주택을 취득한 것으로 보아 일시적인 1세대 2주택 비과세 특례를 적용함.

서면4팀 - 3016, 2007. 10. 19.

종전주택을 양도하기 전에 비거주자인 상태에서 다른 주택을 취득함으로써 일시적으로 1세대 2주택이 된 경우에는 일시적 2주택 비과세특례를 적용받을 수 없음.

서면4팀 - 127, 2006. 1. 25.

1주택자가 상속개시일 현재 동일세대원이 아닌 피상속인으로부터 1주택을 상속받아 2주택이 된 상태에서 새로이 1주택을 취득한 경우로서 1년 이내 종전주택을 양도하는 경우 1세대 1주택 비과세 규정을 적용받을 수 있음.

서면4팀 - 43, 2006. 1. 11.

일시적인 1세대 2주택 비과세특례 적용시 다른 주택을 취득한 날부터 1년 이내 종전주택을 양도하고 양도일 현재 종전주택을 3년 이상 보유한 경우에는 양도소득세를 비과세하는 것임.

서면4팀 - 2636, 2005. 12. 27.

1세대 3주택의 경우 1주택을 먼저 처분하고 나머지 2주택 중 새로운 주택의 취득일부터 1년 이내 종전의 주택을 양도함에 따라 양도하는 주택이 비과세요건을 충족한 경우 양도소득세가 비과세됨.

서면4팀 - 2352, 2005. 11. 28.

1세대 1주택자가 상속받아 2주택이 된 상태에서 새로이 1주택을 취득한 경우로서 그 주택취득일로부터 1년 이내 상속주택 외의 종전주택을 양도하는 경우 1세대 1주택으로 보아 동 규정을 적용하는 것임.

서면4팀-2332, 2005. 11. 25.

재건축조합원으로 참여한 자가 시행기간 중 다른 주택을 취득하여 1년 이상 거주하다가 재건축아파트로 세대전원이 이사하게 되는 경우로서 다른 주택을 1년 이내 양도하는 경우 보유기간에 제한 없이 양도소득세가 비과세됨.

서면4팀-1697, 2004. 10. 22.

동일자에 다른 1주택을 취득하면서 기존 1주택을 양도한 경우에는 기존 1주택을 양도한 후 다른 1주택을 취득한 것으로 보아 해당 조항을 적용하는 것임.

서일 46014-10466, 2003. 4. 11.

2주택 보유 거주자가 2주택 모두를 배우자에게 증여한 후, 그 배우자가 증여받은 2주택 중 먼저 취득한 1주택 양도시, 보유기간을 통산해 일시적 2주택의 비과세 여부를 판단함.

주택의 분할 양도와 관련된 예규, 판례

서면부동산-4033, 2016. 8. 23.

1세대 1주택 비과세 요건을 갖춘 1주택을 2주택으로 분할하여 양도한 경우 먼저 양도하는 부분의 주택은 그 1세대 1주택으로 보지 아니하지만, 「소득세법 시행령」 제154조 제1항 본문의 1세대 1주택에 해당하는 주택을 지분으로 양도하는 경우에는 이를 1세대 1주택 양도로 보아 양도소득세를 비과세하는 것임.

법규재산 2012-358, 2012. 11. 9.

재개발조합원이 지급받는 청산금은 종전 주택(부수토지 포함)의 분할양도에 해당하므로 원칙적으로 양도소득세 과세대상이며, 이 경우 재개발조합에 제공한 종전 주택(부수토지 포함)이 '고가주택'에 해당하는지 여부는 관리처분계획에 따라 정하여진 가격에 의하는 것임.

부동산거래-1321, 2010. 11. 4.

「소득세법」 제89조 제3호의 1세대 1주택 비과세의 규정을 적용함에 있어 "미등기양도자산"에 대해서는 양도소득에 대한 비과세규정을 적용하지 아니하는 것임. 소득세법의 1세대 1주택 비과세라 함은 거주자 및 배우자가 그들과 생계를 같이하는 동거가족과 함께 구성하는 1세대가 국내의 1주택을 3년 이상 보유하다 양도하는 경우의 당해 주택을 말하는 것이므로 1필지의 토지를 부수토지로 하고 있는 2동의 주택을 분할하여 양도한 경우에는 먼저 양도한 부분의 주택 및 부수토지는 1세대 1주택으로 보지 아니하여 양도소득세가 과세되는 것임.

재산 46014-199, 2002. 7. 6.

1세대 1주택 비과세대상인 종전주택의 평가액이 커서 재건축아파트 입주권을 1채 이상 받은 경우, 먼저 양도하는 1채 이상분의 입주권은 양도세 과세됨.

재산 46014-1059, 2000. 9. 1.

1세대 1주택에 해당하는 주택을 지분으로 양도하는 경우 1세대 1주택 양도로 보아 비과세함.

재산 46014-446, 2000. 4. 8.

1세대 1주택 비과세요건을 갖춘 주택과 부수토지를 동일세대원이 각각 소유하던 중 부수토지 소유자가 주택소유자에게 양도시는 과세됨.

재일 46014-1618, 1999. 8. 31.

1주택을 2 이상의 주택으로 분할해 양도하는 경우 먼저 양도하는 주택은 1세대 1주택으로 보지 않으며, 나머지 주택 양도시도 1세대 1주택 요건을 갖춰야 비과세됨.

1세대 2주택 보유시 양도소득세 과세 원칙과 관련된 예규, 판례

조심-2018-중-1201, 2018. 6. 26.

「소득세법」 제89조 및 같은 법 시행령 제155조 제1항 및 제4항에서 규정하는 1세대 1주택 특례규정 요건을 모두 충족하였으므로, 1세대 1주택 비과세 규정의 적용을 배제하여 청구인에게 2016년 귀속 양도소득세를 과세한 처분은 잘못이 있음.

조심-2018-중-0274, 2018. 4. 11.

일시적 1세대 2주택으로서 비과세를 적용하기 위해서는 손녀가 별도 세대여야 하나, 주민등록표상 손녀는 출생시부터 청구인과 동일 주소지에 거주한 것으로 나타나고, 청구인의 지원으로 생계를 유지한 것으로 보이며, 손녀는 20세에 불과한 점 등에 비추어 이 건 과세처분은 달리 잘못이 없는 것으로 판단됨.

사전법령재산-197, 2016. 8. 26.

1주택을 보유한 1세대가 1주택을 보유하는 부모님을 동거봉양하기 위하여 세대를 합침으로써 1세대 2주택을 보유한 경우 합가한 날부터 5년 이내에 먼저 양도하는 주택은 1세대 1주택으로 보아 비과세를 적용하는 것이나, 양도 전에 1주택을 보유하는 다른 1세대가 합가하여 양도 당시 1세대 3주택이 된 경우에는 비과세를 적용하지 아니하는 것임.

서면부동산-2938, 2016. 2. 25.

일시적 1세대 2주택을 소유한 1세대와 1주택을 소유한 1세대가 동거봉양합가하여 1세대 3주택이 된 경우, 일시적 주택자의 종전 주택을 취득한 날부터 1년이 경과한 후 일시적 2주택자의 다른 주택을 취득하고 그 다른 주택을 취득한 날부터 3년 이내에 종전 주택을 양도할 때에는 비과세 적용함.

재재산-26, 2013. 1. 10.
관리처분계획인가일 이후 조합원입주권을 포기하고 현금청산하는 경우는 조합원입주권의 취득 후 양도로 보아 1세대 2주택 여부 판정.

재재산-822, 2011. 10. 4.
거주자가 동일 세대원이 아닌 피상속인이 기존 주택을 철거하고 신축 중이던 주택을 상속받아 건축주 명의를 변경하여 취득한 신축주택은 「소득세법 시행령」 제155조 제2항을 적용함.

서면4팀-2588, 2007. 9. 5.
같은 날에 1주택을 취득 · 양도하는 경우에는 1주택을 먼저 양도한 후 1주택을 취득한 것으로 보는 것임.

서면5팀-2142, 2007. 7. 26.
승계취득한 재건축입주권에 따른 아파트 준공 후 1년 이내에 다른 주택을 양도하는 경우 일시적·2주택으로 비과세를 적용받을 수 있음.

서면4팀-173, 2006. 2. 1.
공동상속받은 1주택의 상속지분이 가장 큰 상속인이 상속개시일 이후 다른 상속인의 지분을 매매 또는 증여에 의해 취득하고 당해 공동상속주택 외에 1주택을 양도하는 경우 당해 공동상속주택은 거주자의 주택으로 보지 아니함.

서면4팀-58, 2006. 1. 16.
상속주택(소득령 §155 ②)과 일반주택을 소유하고 있는 1세대가 상속받은 주택을 먼저 양도하는 경우 양도소득세가 과세되는 것임.

서면4팀-2582, 2005. 12. 22.
1주택을 보유한 거주자가 1세대 1주택 비과세요건을 갖춘 분양권을 보유한 직계존속을 봉양하기 위하여 세대를 합친 후 2년 이내에 입주권을 양도하는 경우 비과세됨.

서면4팀-2547, 2005. 12. 20.
동일세대원의 피상속인으로부터 1세대 1주택을 상속받은 후 상속받은 주택을 멸실하고 새로운 주택을 신축하여 양도한 경우 그 새로운 주택은 상속주택으로 보고 소득세법 시행령 제154조 제1항의 비과세 여부를 판단함.

서면4팀-2548, 2005. 12. 20.

상속개시일 현재 1주택을 소유한 1세대가 주택의 명의등기자가 사망하여 동일세대의 세대원에게 상속되어 당해 상속주택을 양도하는 경우 보유・거주기간은 피상속인과 상속인을 통산하는 것임.

서면4팀-1861, 2004. 11. 18.

증여로 취득한 부동산의 보유기간을 계산함에 있어서 그 취득시기는 증여받은 날이며, 1세대 2주택 보유시 먼저 양도하는 주택은 양도소득세가 과세되며 나머지 1주택 양도시 당해 주택이 1세대 1주택에 해당하는 경우에는 비과세됨.

상속으로 인한 주택의 취득과 관련된 예규, 판례

조심-2019-서-2002, 2019. 8. 22.

청구인이 이 건 주택을 양도할 당시 청구인이 소수지분으로 상속받아 보유한 쟁점분당주택 및 쟁점312호는 청구인의 보유주택 수에 포함되지 않는 것으로 판단됨.

사전법령재산-411, 2016. 12. 30.

1조합원 입주권을 보유한 1세대가 1주택을 보유하고 있는 직계존속을 동거봉양하기 위하여 세대를 합친 후 직계존속이 사망하여 해당 주택을 상속받아 양도하는 경우 비과세 대상에 해당하지 아니하는 것

사전법령재산-18, 2016. 12. 27.

2년 이상 보유한 단독상속주택과 소수지분에 해당하는 상속주택을 보유한 1세대가 경우로서 단독상속주택을 양도하는 경우 1세대 1주택 비과세 적용 대상에 해당하지 아니함.

사전법령재산-352, 2016. 11. 16.

「소득세법 시행령」 제155조 【1세대 1주택의 특례】 제2항 및 제3항을 적용할 때 상속주택 외의 주택을 양도할 때까지 상속주택을 「민법」 제1013조에 따라 협의분할하여 등기하지 아니한 경우에는 같은 법 제1009조 및 제1010조에 따른 상속분에 따라 해당 상속주택의 소유자를 판단하는 것임.

사전법령재산-343, 2015. 12. 17.

「소득세법 시행령」 제155조 제2항 및 제3항을 적용할 때 상속주택 외의 주택을 양도할 때까지 상속주택을 「민법」 제1013조에 따라 협의분할하여 등기하지 아니한 경우에는 같은 법 제1009조 및 제1010조에 따른 상속분에 따라 해당 상속주택의 소유자를 판단하는 것임.

서면부동산-2295, 2015. 12. 4.

일반주택을 보유한 상태에서 공동상속받은 주택을 양도할 때에는 1세대 1주택 특례를 적용할 수 없고, 미등기 자산을 양도할 때에는 장기보유특별공제는 적용되지 않고, 70%의 세율이 적용 됨.

조심 2015중 2794, 2015. 9. 17.

거주자가 주택을 공동으로 상속받은 경우에는 상속지분이 가장 큰 사람, 상속지분이 가장 큰 상속인이 2인 이상인 때에는 그 2인 이상의 자 중 당해 주택에 거주하는 자, 최연장자의 순서에 따라 해당하는 자를 제외하고는 거주자의 주택으로 보지 아니하도록 규정하고 있는 점 등에 비추어 쟁점주택의 양도에 대하여 1세대 1주택 비과세 적용을 배제하고 양도소득세를 과세한 처분은 잘못이 있음.

법규-2166, 2015. 2. 5.

상속받은 주택을 2개 소유하고 있는 1세대가 상속받은 1주택을 양도하는 경우에는 1세대 1주택 비과세 특례를 적용받을 수 없는 것임.

서면법규-1330, 2014. 12. 17.

국내 1주택을 소유한 1세대가 별도세대원인 피상속인이 소유한 2주택을 상속받아 3주택이 된 경우로서 해당 국내 1주택을 양도하는 경우에는 1세대 1주택의 특례가 적용되지 아니하는 것임.

조심 2014지 1218, 2014. 9. 12.

청구인이 쟁점주택을 상속받아 취득한 날 현재 청구인이 소유한 타인 소유의 주택용 건축물의 부속토지를 주택으로 볼 수 없으므로 청구인의 쟁점주택의 취득은 상속으로 인한 1가구 1주택의 취득으로 취득세 비과세대상임.

부동산납세-21, 2013. 9. 6.

「소득세법 시행령」 제154조 제1항에 따른 1세대 1주택 비과세를 적용할 때 국내에 공동상속주택 2개를 소유하고 있는 1세대가 그 중 1주택을 양도하는 때에는 해당 공동상속주택은 「소득세법 시행령」 제155조 제3항의 규정이 적용되지 아니하는 것임.

부동산거래관리과-628, 2012. 11. 20.

[질의]

상속개시당시 피상속인과 상속인이 동일세대인 경우 다른 주택 1세대 1주택 비과세 판정시 공동상속주택의 소수지분을 거주자의 주택으로 보는지 여부

[회신]

「소득세법 시행령」 제154조 제1항을 적용함에 있어서 공동상속주택(상속으로 여러 사람이 공동으로 소유하는 1주택을 말함) 외의 다른 주택을 양도하는 때에는 해당 공동상속주택은 해당 거주자의 주택으로 보지 아니하는 것입니다. 다만, 같은 영 제155조 제3항 단서에 따라 해당 공동상속주택을 소유한 것으로 보는 상속인은 그러하지 아니하는 것입니다.

부동산거래관리과-578, 2012. 10. 26.

귀 질의의 경우, 아버지와 어머니가 각각 1/2지분으로 1주택(A주택)을 소유하던 상태에서 아버지의 사망으로 어머니(3/18)와 자녀 3명(각 2/18)이 공동으로 상속받고, 어머니가 사망하여 A주택의 어머니 지분(12/18)을 자녀 3명이 공동(각 4/18)으로 상속받은 이후, 자녀 3명 중 1명이 공동상속주택(A주택) 외의 다른 B주택을 양도하는 경우 「소득세법 시행령」 제155조 제3항을 적용함에 있어 A주택의 상속지분은 아버지와 어머니로부터 상속받은 지분을 합하여 판단하는 것이며, 상속지분이 가장 큰 자가 2인 이상인 경우 같은 항 각 호의 순서에 따른 공동상속주택 소유자에 해당하는지 여부는 어머니의 사망일을 기준으로 판단하는 것임.

부동산거래관리과-373, 2012. 7. 16.

국내에 1주택(종전 주택)을 소유한 1세대가 「소득세법 시행령」(2011. 10. 14. 대통령령 제23218호로 개정되기 전의 것) 제155조 제2항이 적용되는 주택과 다른 주택을 상속(별도세대원으로부터 상속받은 것을 말한다)받아 일시적으로 3주택이 된 경우로서 다른 주택을 취득한 날부터 2년 이내에 종전 주택을 양도하는 경우에는 이를 1세대 1주택으로 보아 같은 영 제154조 제1항을 적용하는 것임.

재재산-708, 2011. 9. 1.

동일세대원으로부터 상속받은 공동상속주택의 소수지분자가 이후에 공동상속인 중 1인(피상속인의 배우자)의 사망으로 별도세대원이 된 상태에서 공동상속인의 지분을 재상속받아 해당 공동상속주택의 최다지분자가 되고, 해당 상속주택과 일반주택을 각각 1개씩 소유하다 일반주택을 양도하는 경우 「소득세법 시행령」 제154조 제1항에 따른 1세대 1주택 비과세 규정을 적용받을 수 있는 것임.

재산세과-764, 2009. 4. 17.

일반주택(A주택), 「소득세법 시행령」 제155조 제2항에 해당하는 상속주택(B주택, 부친으로부터 상속), 동조 제3항에 해당하는 소수지분 공동상속주택(C주택, 배우자가 장인으로부터 상속)을 소유한 1세대가 A주택을 양도하는 경우에는 이를 1세대 1주택으로 보아 같은법 시행령 제154조 제1항을 적용하는 것임.

서면4팀-3478, 2007. 12. 5.

1주택을 소유한 1세대가 상속개시 당시 별도세대인 피상속인 2명으로부터 상속받은 상속주택 2개와 일반주택 1개를 소유한 상태에서 1년 이내에 일반주택을 양도하는 경우 양도소득세가 비과세됨.

서면5팀-2990, 2007. 11. 14.

별도세대인 피상속인으로부터 상속받은 주택과 일반주택을 각각 1개씩 소유하고 있는 1세대가 일반주택을 양도하는 경우 1개의 주택을 소유한 것으로 보아 비과세 여부를 판정함.

서면4팀-173, 2006. 2. 1.

공동상속받은 1주택의 상속지분이 가장 큰 상속인이 상속개시일 이후 다른 상속인의 지분을 매매 또는 증여에 의해 취득하고 당해 공동상속주택 외에 1주택을 양도하는 경우 당해 공동상속주택은 거주자의 주택으로 보지 아니함.

서면4팀-2547, 2005. 12. 20.

동일세대원의 피상속인으로부터 1세대 1주택을 상속받은 후 상속받은 주택을 멸실하고 새로운 주택을 신축하여 양도한 경우 그 새로운 주택은 상속주택으로 보고 「소득세법 시행령」 제154조 제1항의 비과세 여부를 판단함.

서면4팀-1887, 2004. 11. 22.

상속받은 주택과 그 밖의 주택을 국내에 각각 1개씩 소유하고 있는 1세대가 그 밖의 주택을 양도하는 경우에는 국내에 1개의 주택을 소유하고 있는 것으로 보아 비과세 여부를 판정하나, 2005년 이후 상속받은 주택을 먼저 양도하는 경우에는 양도소득세가 과세됨.

서면4팀-1821, 2004. 11. 11.

상속받은 주택과 그 밖의 일반주택 각 1개씩 소유한 1세대가 일반주택 양도시 1주택으로 보며, 상속받은 주택이 무허가주택이더라도 피상속인의 소유 및 거주사실이 확인되는 경우에도 등기 여부에 불구하고 상속주택에 포함됨.

서면4팀-1777, 2004. 11. 2.

1주택자가 1주택을 상속받아 2주택이 된 상태에서 새로이 1주택을 취득한 경우로서 그 주택 취득일로부터 1년 내에 상속주택 외의 종전 주택을 양도하는 경우 1세대 1주택으로 봄.

서면4팀-1475, 2004. 9. 21.

동일상속인이 2주택을 상속받은 경우 먼저 양도하는 주택은 양도세 과세되고, 나중 양도소득은 비과세요건을 갖춘 경우에 한해 비과세됨.

재재산-833, 2004. 7. 7.

국내에 1주택을 소유한 1세대가 1주택을 상속받아 2주택이 된 상태에서 새로이 1주택을 취득한 경우, 그 주택 취득일로부터 1년 이내에 종전 주택을 양도하는 경우에는 이를 1세대 1주택으로 봄.

재재산-577, 2004. 5. 12.

상속주택의 보유기간 계산은 상속개시일로부터 양도일까지로 하나, 동일세대원이던 피상속인으로부터 상속받은 주택의 경우에는 피상속인의 보유기간과 상속인의 보유기간을 통산하는 것임.

재재산-465, 2004. 4. 17.

2002. 12. 31. 이전에 1주택을 소유한 1세대가 상속받은 주택을 2004. 12. 31.까지 양도하는 경우에는 보유기간 및 거주기간의 제한 없이 양도소득세가 비과세됨.

서일 46014-10689, 2003. 5. 29.

1주택을 소유한 1세대가 1주택을 상속받은 후 종전주택 양도시 1세대 1주택 비과세특례 규정 적용됨.

세대합가에 따른 1세대 2주택 보유 비과세와 관련된 예규, 판례

조심-2019-부-2865, 2020. 1. 10.

매월 노령연금을 수령하고, 임대 및(월세 및 일용직) 일정한 수입 등이 발생하여 별도 독립된 생계를 유지한 것으로 보이는 점, 주민등록등 · 초본 상 세대합가일로부터 10년 이내인 쟁점주택을 양도한 점 등에 비추어 처분청이 1세대 1주택 비과세적용을 배제하여 양도소득세를 과세한 처분은 잘못이 있다고 판단됨.

서면-2019-부동산-0627, 2019. 3. 19.

「소득세법 시행령」 제155조 제5항에 따른 특례적용시 해당 법령에서 규정하는 「소득세법 시행령」 제154조 제1항의 요건을 충족해야 함.

조심 2016서 371, 2016. 7. 18.

청구인의 모친이 세대합가 이후에도 노령연금을 수령하며 예금, 무허가주택을 소유하였고 그 병원비를 청구인의 형제들이 분담하여 모친을 생계를 같이 하는 동일세대원이라 보기는 어려운 점,청구인이 봉양하기 위하여 세대합가를 하였으나 요양병원에 장기간 입원치료하여 사실상 동거봉양을 위한 세대합가 사유가 해소되었다고 보이는 점 등에 비추어 쟁점주택의 양도는 1세대 1주택 비과세 적용대상에 해당하므로 이 건 처분은 잘못이 있음.

조심 2014서 3507, 2014. 10. 7.

청구인이 부모를 봉양하기 위하여 2003년 세대합가를 하였으나 부모는 2011년과 2012년부터 요양병원에 장기간 입원 · 치료 중에 있어 쟁점주택 양도 당시에는 사실상 동거봉양을 위한 세대합가 사유가 해소되었다고 보이는 점 등에 비추어 쟁점주택의 양도는 1세대 1주택 비과세대상으로 봄이 타당함.

조심 2014중 643, 2014. 7. 10.

청구인과 아들이 별도로 1세대를 구성하고 각각 1주택을 보유하고 있던 중 동거봉양을 위하여 세대합가함으로써 1세대가 2주택을 보유하게 된 것으로 보이는 점 등에 비추어, 쟁점주택 양도에 대하여 동거봉양 목적의 세대합가에 대한 1세대 1주택 비과세 특례를 적용함이 타당함.

대법 2013두 16005, 2013. 12. 2.

부동산 양수회사가 건축물을 헐고 연립주택을 건축하기 위하여 부동산을 매수하였으므로 양도인이 부동산 매도계약을 체결한 후 그곳에서 퇴거하였다면 양수회사가 이를 인도받아 사용 · 수익할 수 있는 상태에 있었다고 봄이 타당하고 양도인의 세대합가는 부동산에서의 퇴거를 전제로 하는 것이므로 부동산의 인도는 세대합가에 선행되는 것으로 봄이 타당함.

부동산거래 - 44, 2012. 1. 17.

장기임대주택을 소유하고 있는 경우에도 직계존속 동거봉양합가 특례가 적용되나, 세대합가 후에 취득한 주택을 보유하고 있는 경우에는 그러하지 않음.

서면5팀 - 2756, 2007. 10. 17.

1주택을 보유하고 1세대를 구성하는 자가 1세대를 보유하고 있는 60세(여성 55세) 이상의 직계존속을 동거봉양하기 위하여 세대를 합가한 후 2년 이내에 먼저 양도하는 주택은 비과세됨.

서면4팀 - 1126, 2007. 4. 5.

직계존속을 동거봉양하기 위하여 세대를 합친 경우에도 양도하는 주택의 건물은 존속 소유이고 그 주택의 부수토지는 비속 소유인 경우 세대합가에 따른 비과세특례를 적용받을 수 없음.

서면4팀 - 270, 2007. 1. 19.

무주택세대가 1세대를 보유한 부모세대를 동거봉양하기 위하여 합가한 후 2년 이내에 직계존속이 사망하여 주택을 상속받아 양도하는 경우 부모봉양에 의한 비과세특례를 적용받을 수 없음.

서면4팀 - 2582, 2005. 12. 22.

1주택을 보유한 거주자가 1세대 1주택 비과세요건을 갖춘 분양권을 보유한 직계존속을 봉양하기 위하여 세대를 합친 후 2년 이내에 입주권을 양도하는 경우 비과세됨.

서면4팀 - 1694, 2005. 9. 20.

직계존속을 동거 · 봉양하기 위하여 세대를 합쳤더라도 양도한 주택의 주택 부분은 존속소유이고 부속토지는 비속소유이므로 부속토지는 1세대 1주택 비과세특례가 적용되지 아니함.

혼인으로 인한 1세대 2주택 보유 비과세와 관련된 예규, 판례

서면-2016-법령해석재산-5923, 2017. 6. 5.

혼인 당시 모친과 공동으로 1주택을 보유한 자가 모친으로부터 모친 보유의 주택 지분을 증여받아 혼일한 날로부터 5년 이내에 해당 주택을 양도하는 경우에는 1세대 1주택 비과세를 적용하는 것임.

서면부동산-5751, 2016. 12. 30.

1주택을 보유하는 자가 1주택을 보유하는 자와 혼인함으로써 1세대가 2주택을 보유하게 되는 경우 각각 혼인한 날부터 5년 이내에 먼저 양도하는 주택은 이를 1세대 1주택으로 보는 것임.

서면법령재산-2941, 2016. 8. 19.

장기임대주택 1주택과 일시적 2주택을 보유한 거주자가 일반주택 1주택을 보유한 자와 혼인하여 종전의 1주택을 양도하는 경우 1세대 1주택 비과세가 적용되지 않으며, 양도일 현재 장기임대주택이 주택 외의 용도로 사용되어 주택에 해당되지 아니하는 경우 나머지 주택 취득일로부터 3년 이내에 양도주택을 매도하는 경우 1세대 1주택 비과세 규정이 적용되는 것임.

서면부동산-2181, 2015. 12. 4.

혼인 전에 승계취득한 조합원입주권보다 먼저 취득한 주택을 양도할 때에는 1세대 1주택으로 보아 비과세 특례가 적용되나, 나중에 취득한 주택을 먼저 양도할 때는 비과세 특례를 적용할 수 없는 것임.

서면부동산-1200, 2015. 8. 27.

혼인으로 1세대가 2주택 된 후, 혼인 전 소유하던 주택의 주택재건축사업으로 인하여 조합원입주권을 취득함으로써 1세대가 1주택과 1조합원입주권을 소유한 상태에서 새로운 주택을 취득하고, 혼인한 날부터 5년 이내에, 새로운 주택을 취득한 날부터 3년 이내에 해당 조합원입주권을 양도할 때에는 비과세 적용함.

재재산-221, 2015. 3. 11.

거주자가 혼인 이후 배우자로부터 증여받은 주택은 혼인에 따른 1세대 1주택 비과세특례 규정이 적용되지 아니하는 것임.

조심 2014중 287, 2014. 4. 25.

청구인과 아들의 소득현황, 아들의 연령 및 혼인관계 등을 종합적으로 고려할 때, 생계를 달리 영위한 것으로 보이므로 이들을 동일세대로 보아 쟁점양도주택 양도에 대하여 1세대 1주택 비과세 적용을 배제하고 양도소득세를 과세한 처분은 잘못임.

서면법규 - 1246, 2013. 11. 12.

2주택 보유자(甲)와 1주택 보유자(乙)가 혼인하여 혼인 당시 1세대 3주택에 해당하였으나 이 중 1주택을 양도한 이후 다시 새로운 주택을 취득하여 다시 1세대 3주택이 된 경우 혼인 합가 이전에 보유하던 주택을 양도하더라도 혼인으로 인한 1세대 1주택 특례를 적용받을 수 없음.

법규재산 2012 - 297, 2012. 7. 20.

1주택을 보유하는 甲과 1주택을 보유한 乙이 혼인하여 1세대가 2주택을 보유하게 된 경우로서 그 혼인한 날부터 5년 이내에 甲의 근무상 형편으로 인한 부득이한 사유로 세대전원이 주거를 이전하기 위하여 甲 소유의 1주택(1년 이상 거주한 경우에만 적용함)을 먼저 양도하는 경우 당해 주택에 대하여는 「소득세법 시행령」 제155조 제5항 및 제154조 제1항 단서의 규정을 적용할 수 있음.

1세대 1주택의 비과세 규정을 적용함에 있어 거주기간은 원칙적으로 양도일 현재 시점의 세대전원이 당해 주택에서 거주한 기간만으로 계산하는 것이나, 1세대 1주택의 양도당시 혼인으로 그 배우자가 있는 경우에는 혼인 전의 당해 거주자의 거주기간(다른 가족과 함께 거주한 기간 포함)과 혼인 후 배우자와 함께 거주한 기간을 통산하여 계산하는 것임.

법규재산 2011 - 372, 2011. 10. 18.

동일세대원인 자녀들과 함께 1주택을 공동으로 상속받은 자가 1주택을 보유하는 자와 혼인함으로써 1세대 2주택이 되는 경우 그 혼인한 날부터 5년 이내에 먼저 양도하는 주택은 「소득세법 시행령」 제155조 제5항이 적용되는 것임.

부동산거래관리과 - 0594, 2011. 7. 13.

1주택을 보유한 비거주자가 1주택을 보유한 거주자와 혼인한 경우 「소득세법 시행령」 제155조 제5항을 적용받을 수 없는 것임.

재재산 - 530, 2010. 6. 8.

혼인함으로써 1세대가 2조합원입주권을 보유하게 되는 귀 질의의 경우 「소득세법 시행령」 제155조 제5항 및 제156조의 2 제9항이 적용되지 아니하는 것임.

대법원 2007두 26544, 2010. 1. 14.

혼인으로 인한 1세대 1주택 비과세 특례에서 '1주택을 보유한 자'에는 일시적 2주택 보유자는 포함하지 않으므로 일시적 2주택자와 다른 2주택을 보유한 자와 혼인하여 4주택 보유상태에서 1주택을 양도한 경우 1세대 1주택 비과세 특례에 해당하지 않음.

재재산-1410, 2009. 9. 10.

1주택을 보유하는 자가 다른 1주택을 보유하는 자와 혼인을 하여 1세대 2주택이 된 경우 해당 2주택 중 1주택이 「소득세법」 제89조 제2항에 따른 조합원입주권으로 전환되어 해당 1세대가 1주택과 1조합원입주권을 보유하다가 그 혼인한 날로부터 5년 이내에 해당 조합원입주권을 먼저 양도한 경우 해당 조합원입주권을 1세대 1주택으로 보아 비과세 규정을 적용함.

서면4팀-3494, 2007. 12. 6.

신축주택과 일반주택을 소유한 자가 일반주택을 소유한 자와 혼인함으로써 하나의 신축주택과 2개의 일반주택이 된 경우 혼인한 날부터 2년 이내에 일반주택을 양도한 경우 1세대 1주택 비과세 규정이 적용됨.

서면5팀-488, 2007. 2. 7.

재혼으로 합가하여 1세대 2주택이 된 경우 혼인한 날부터 2년 이내에 먼저 양도하는 주택은 1세대 1주택으로 보아 양도소득세를 비과세하는 것임.

서면5팀-132, 2007. 1. 10.

혼인으로 2주택이 된 후 다시 1주택을 취득하여 1세대 3주택이 된 경우 새로운 주택을 양도한 후 혼인한 날부터 2년 이내에 양도하는 주택(종전 주택)은 1세대 1주택의 규정을 적용함.

서면4팀-178, 2005. 1. 25.

이혼한 부부가 상당한 기간이 경과한 후 이혼한 당사자끼리 재혼하는 경우 당해 행위가 조세를 부당하게 감소시킬 의도가 없음이 명백하게 인정되는 경우 재혼한 후 2년 이내에 먼저 양도하는 주택으로서 비과세요건을 갖춘 경우 비과세함.

재산 46014-1011, 2000. 9. 5.

1주택을 보유하고 1세대를 구성하는 자가 1주택을 보유하고 1세대를 구성하는 자와 혼인함으로써 1세대가 2주택을 보유하게 되는 경우 그 "혼인한 날"부터 2년 이내에 먼저 양도하는 주택(비과세요건을 갖춘 경우에 한함)은 양도소득세를 비과세하며, 이 경우 "혼인한 날"이라 함은 「민법」 제812조 혼인의 성립규정에 근거하여 호적법에 정한 바에 따라 관할지방관서에 혼인신고를 한 날임.

일반주택과 농어촌주택 보유시 비과세와 관련된 예규, 판례

조심 2015부 5667, 2016. 4. 21.

청구인이 쟁점일반주택을 양도할 당시 쟁점일반주택과 「소득세법 시행령」 제155조 제2항 및

제7항에 따른 상속받은 주택에 해당하지 아니하는 쟁점농어촌주택을 보유한 사실이 확인되는 점 등에 비추어 처분청이 쟁점일반주택의 양도가 1세대 1주택의 양도에 해당하지 아니하여 비과세 대상이 아닌 것으로 보아 양도소득세를 과세한 처분은 잘못이 없음.

서면부동산-348, 2015. 7. 3.

「조세특례제한법」 제99조의 4 제1항 제1호에 해당하는 1채의 농어촌주택을 취득하여 3년 이상 보유하고 그 농어촌주택 취득 전에 보유하던 다른 주택을 양도하는 경우에는 그 농어촌주택을 해당 1세대의 소유주택이 아닌 것으로 보아 1세대 1주택 비과세를 적용하는 것임.

서면부동산-193, 2015. 3. 13.

2주택(A, B) 중 1주택(B)을 장기임대주택으로 등록하고 새로운 주택(C)을 취득(일시적 2주택, 귀농주택 또는 「조세특례제한법」상 농어촌주택등에 해당하는 주택을 말함)하는 경우 양도하는 주택(A)이 2년 이상 거주한 거주주택인 경우에는 이를 1세대 1주택으로 보아 「소득세법 시행령」 제154조 제1항을 적용하는 것임.

부동산납세-870, 2014. 11. 19.

상속받은 농어촌주택(A)과 장기임대주택(B)을 보유하고 있는 거주자가 1주택(C)을 취득하여 1세대 3주택이 된 상태에서 C주택을 취득한 날부터 1년 이상이 지난 후 다른 1주택(D)을 취득하고 D주택을 취득한 날부터 3년 이내에 2년 이상 거주한 C주택을 양도하는 경우에는 1세대 1주택 비과세 규정이 적용되지 아니하는 것임.

부동산납세-484, 2014. 7. 11.

「조세특례제한법」 제99조의 4 제1항 각 호에 해당하는 1채의 농어촌주택등을 취득하여 3년 이상 보유하고 그 농어촌주택등 취득 전에 보유하던 다른 주택을 양도하는 경우에는 그 농어촌주택등을 해당 1세대의 주택이 아닌 것으로 보아 비과세 여부를 판단.

조심 2013전 4235, 2013. 12. 18.

2010. 2. 18. 개정 전 「소득세법 시행령」 제155조 적용시 동일세대원으로부터 상속받은 농어촌주택과 상속 후 취득한 일반주택을 각각 1개씩 소유한 1세대가 일반주택을 양도하는 경우 위 1세대 1주택 비과세 특례 대상에 해당한다고 봄이 타당함.

국심 2007전 1360, 2007. 11. 7.

「소득세법 시행령」 제155조 제7항의 상속받은 농어촌주택과 일반주택을 각각 1개씩 소유하다가 1세대 1주택 비과세 요건을 충족한 일반주택을 양도하였으므로 양도소득세가 비과세됨.

서면4팀-2924, 2007. 10. 10.

요건을 갖춘 귀농주택을 취득하여 1세대 2주택이 된 경우 영농 또는 영어를 목적으로 세대전원이 귀농한 후 종전 주택을 양도하는 경우에는 국내에 1개의 주택을 소유하고 있는 것으로 봄.

서면5팀-1823, 2007. 6. 18.

「소득세법 시행령」 제155조 제7항 제1호의 농어촌주택(동일세대원 상속)과 그 외의 일반주택을 각각 1개씩 소유하고 있는 1세대가 일반주택을 양도하는 경우 「소득세법 시행령」 제154조 제1항을 적용하지 아니함.

서면5팀-1767, 2007. 6. 8.

연고지라 함은 영농 또는 영어에 종사하고자 하는 자와 그 배우자 및 그들의 직계존속의 본적 또는 원적이 있거나 귀농주택의 취득일 이전에 5년 이상 거주한 사실이 있는 곳을 말함.

서면4팀-2697, 2006. 8. 4.

1주택자가 귀농주택을 취득하여 1세대 2주택이 된 경우 영농 등을 목적으로 세대전원이 귀농한 후 종전의 주택을 양도하는 경우에는 국내에 1개의 주택을 소유하고 있는 것으로 보는 것임.

다가구주택과 양도소득세 비과세와 관련된 예규, 판례

서면부동산-22301, 2015. 3. 11.

「건축법 시행령」 별표1 제1호 다목에 해당하는 다가구주택은 한 가구가 독립하여 거주할 수 있도록 구획된 부분을 각각 하나의 주택으로 보아 임대기간과 해당 주택의 임대개시일 당시 6억원(수도권 밖 3억원) 요건을 적용하는 것임.

대법 2014두 36419, 2014. 7. 24.

1세대 1주택 비과세대상인 '다가구주택'은 소유자가 '다가구주택'이라는 법적 지위를 부여한 경우만 의미한다고 보는 것이 적절하고, 원고의 이 사건 주택 양도 당시 용도가 다세대주택인 이 사건 주택에는 비과세 특례조항을 적용할 수 없음.

상속증여-26, 2013. 4. 2.

임대다가구주택과 일반주택 2채를 소유하다가 일반주택을 양도할 경우 임대다가구주택이 「소득세법 시행령」 제167조의 3 제1항 제2호의 요건을 갖추지 못한 경우 일반주택은 1세대 1주택 비과세 적용을 받을 수 없는 것임.

서면5팀-2822, 2007. 10. 25.

다가구주택을 가구별로 분양하지 아니하고 하나의 매매단위로 하여 양도하는 경우에는 단독주택으로 보아 「소득세법 시행령」 제154조 제1항의 규정을 적용하는 것임(1세대 1주택 비과세 적용 가능함).

서면4팀-2556, 2007. 8. 31.

다가구주택을 다세대주택으로 변경하였다가 다시 다가구주택으로 변경한 경우로서 취득 당시의 소유지분 변동없이 공부상의 용도변경만 이루어진 경우 용도변경 전·후의 주택 보유기간을 통산할 수 있음.

서면5팀-1495, 2007. 5. 9.

다가구주택을 가구별로 분양하지 아니하고 하나의 매매단위로 하여 1인에게 양도하는 것은 단독주택으로 보는 것이나 다세대주택은 세대별로 각각 하나의 주택으로 보는 것임.

서면4팀-17, 2006. 1. 6.

동일세대원이 아닌 자와 공유지분으로 소유하는 다가구주택의 경우로서 공유지분만을 양도하는 경우에는 납세자의 선택에 따라 1가구(부수토지 포함)의 본인소유 지분만 1세대 1주택 규정을 적용받을 수 있음.

고가주택에 대한 양도소득세 비과세 부과원칙과 관련된 예규, 판례

서면부동산-2780, 2016. 2. 25.

1세대가 2년 이상 보유하고 양도하는 조특법 제99조의 2 제1항에 해당하는 1개의 감면대상 주택이 고가주택에 해당하는 경우 「소득세법」 제95조 제3항 및 같은 법 시행령 제160조를 적용한 후 「조세특례제한법」 제99조의 2 제1항의 규정을 적용하는 것임.

부동산납세-808, 2014. 10. 24.

9억원을 초과하는 1주택을 양도하는 경우 해당 주택의 양도차익을 산정할 때에는 해당 주택이 「소득세법」 제89조 제1항 제3호에 따른 양도소득세의 비과세대상이면서 고가주택인 경우에만 같은 법 제95조 제3항 및 같은 영 제160조 제1항의 규정에 따른 고가주택 양도차익 산정방법을 적용하는 것임.

부동산납세-625, 2014. 8. 25.

「소득세법 시행령」 제156조의 규정에 따른 고가주택 해당여부는 그 소유지분에 관계없이 1주택(그 부수토지 포함) 전체를 기준으로 판정하는 것임.

상속증여-14, 2013. 3. 28.

다가구 도시형 생활주택을 하나의 매매단위로 1인에게 양도한 경우 단독주택으로 보아 1세대 1주택 및 고가주택을 판단하는 것이나, 해당 도시형 생활주택이 다가구주택인지 다세대주택인지는 공부 및 실질에 따라 사실판단할 사항임.

법규재산 2012-358, 2012. 11. 9.

재개발조합원이 지급받는 청산금은 종전 주택(부수토지 포함)의 분할양도에 해당하므로 원칙적으로 양도소득세 과세대상이며, 이 경우 재개발조합에 제공한 종전 주택(부수토지 포함)이 '고가주택'에 해당하는지 여부는 관리처분계획에 따라 정하여진 가격에 의하는 것임.

대법원 2009두 23419, 2010. 9. 9.

과세관청이 오랜 기간 동안 고급주택 등의 기준이 되는 공동주택 전용면적을 산정함에 있어 발코니 면적을 제외함으로써 발코니 부분의 면적은 공동주택의 전용면적에 포함시키지 않는다는 의사를 대외에 묵시적으로 표시한 것으로 볼 수 있고, 납세자가 그와 같은 관행을 신뢰하는 것이 무리가 아니라고 인정될 정도에 이르렀다고 할 수 있으므로 공동주택의 전용면적을 산정함에 있어 발코니 부분의 면적을 제외하는 과세관행이 성립됨.

서면5팀-3095, 2007. 11. 27.

고가주택의 판정시 주택과 그 부수토지의 소유자가 각각 다른 경우에도 주택 및 그 부수토지의 양도가액 합계액이 6억원을 초과하는 경우에는 고가주택으로 보는 것임.

서면4팀-52, 2006. 1. 12.

주택과 그 부수토지의 소유자가 각각 다른 경우에도 주택 및 부수토지의 양도가액이 6억원을 초과하는 경우 이를 고가주택으로 보는 것임.

서면4팀-2627, 2005. 12. 27.

고가주택은 소유지분에 관계없이 1주택(부수토지 포함) 전체를 기준으로 판단하는 것임.

서면4팀-2606, 2005. 12. 26.

주택과 그 부수토지가 시차를 두고 수용(협의매도)된 경우 전체(주택 및 부수토지)를 하나의 거래로 보아 고가주택 여부를 판정하는 것임.

서면4팀-2539, 2005. 12. 19.

고가주택 판정시 부수토지는 1세대 1주택 비과세대상 부수토지 면적(도시지역 안의 토지 5배)과 관계없이 양도하는 주택의 부수토지 전체면적에 대한 가액을 의미함.

서면4팀-2140, 2005. 11. 11.

고가주택의 판정은 주택(부수토지 포함)의 전체이전, 일부이전, 부담부 증여이전 등 이전방식에 관계없이 1주택의 전체가액을 기준으로 판정하는 것임.

조합원입주권 보유로 인한 1세대 1주택의 비과세 특례에 관련된 예규, 판례

서면-2019-법령해석재산-2349, 2020. 2. 25.

1주택과 1입주권(원조합원) 보유세대가 1입주권 양도(과세) 후 남은 "최종 1주택"을 양도하는 경우 1세대 1주택 비과세 판정시 보유기간은 조합원입주권을 양도하여 1주택이 된 날부터 기산함.

서면법령재산-2306, 2016. 7. 29.

1주택(A), 상가(B) 소유한 1세대(갑)가 1주택(C)을 보유한 장모와 동거봉양 합가 이후, 갑 보유 상가(B)로 인해 조합원입주권(B′)을 전환취득하여 1세대가 2주택과 1조합원입주권을 소유하다가, 갑이 장모와 세대분리 후 1세대(갑)가 1주택(A)과 1조합원입주권(B′)을 소유한 상태에서 양도하는 1주택(A)은 1세대 1주택 특례 적용함.

서면부동산-4259, 2016. 7. 12.

일시적으로 1주택과 1조합원 입주권을 소유하게 된 경우 조합원입주권을 취득한 날부터 3년이 지나 종전의 주택을 양도하는 경우로서 「소득세법 시행령」 제156조의 2 【주택과 조합원입주권을 소유한 경우 1세대 1주택의 특례】 제4항 각 호의 요건을 모두 갖춘 때에는 이를 1세대 1주택으로 보아 1세대 1주택 비과세혜택을 적용받는 것임.

사전법령재산-439, 2016. 5. 4.

상속받은 주택이 「도시 및 주거환경정비법」 제48조의 규정에 의한 관리처분계획인가로 인하여 조합원입주권으로 전환됨에 따라 1주택과 1조합원입주권을 소유하다가 1주택을 양도하는 경우 1세대 1주택 비과세 적용 가능.

서면부동산-2181, 2015. 12. 4.

혼인 전에 승계취득한 조합원입주권보다 먼저 취득한 주택을 양도할 때에는 1세대 1주택으로 보아 비과세 특례가 적용되나, 나중에 취득한 주택을 먼저 양도할 때는 비과세 특례를 적용할 수 없는 것임.

서면부동산-1815, 2015. 11. 17.

1세대가 소유하던 2개의 주택 중 1개의 주택이 "조합원입주권"으로 전환되고, 해당 "조합원입주권"을 소유한 상태에서 나머지 1개의 주택을 양도할 때에는 소득세 비과세 특례를 적용할 수 없는 것임.

서울고법 2014누 46142, 2014. 9. 16.

이 사건 주택을 양도하기 전에 조합원입주권을 취득함으로써 일시적으로 1주택과 1조합원입주권을 소유하게 된 바 조합원입주권을 취득한 날부터 1년 이내에 종전의 주택을 양도하였으므로 양도소득세 비과세 대상임.

부동산납세-585, 2014. 8. 12.

「소득세법 시행령」 제156조의 2 제4항 각 호의 요건을 갖춘 종전주택(A) 및 조합원입주권으로 취득한 주택(B)을 보유하여 일시적 2주택인 상태에서 「소득세법 시행령」 제155조 제2항에 해당하는 주택(C)을 상속받아 종전주택(A)을 양도하는 경우 이를 1세대 1주택으로 보아 같은 영 제154조 제1항을 적용함.

부동산납세-337, 2014. 5. 9.

당초 관리처분계획의 인가시에는 현금청산대상이었으나 관리처분계획인가 취소되고 「도시 및 주거환경정비법」 제48조에 따른 관리처분계획변경 인가시 입주자로 선정된 지위를 취득하는 경우 그 변경 인가일에 조합원입주권을 취득한 것

부동산납세-133, 2013. 11. 6.

조합원입주권을 동일세대원으로부터 상속받아 양도하는 경우 관리처분계획인가일 현재 기존주택이 「소득세법 시행령」 제154조 제1항에 해당하는지 여부는 피상속인과 상속인의 보유 및 거주기간을 통산하여 판단하는 것임.

부동산납세-115, 2013. 10. 30.

관리처분계획의 인가일 현재 2주택을 보유한 경우 그 양도하는 조합원입주권에 해당하는 기존주택이 관리처분계획의 인가일 현재 「소득세법 시행령」 제154조 제1항의 비과세요건을 충족하는 경우에는 같은 영 제155조 제17항의 1세대 1주택 특례를 적용받을 수 있는 것임.

부동산납세-102, 2013. 10. 23.

1주택을 소유한 세대가 주택을 양도하기 전에 1조합원입주권을 취득하고 동 입주권 취득한 날부터 3년이 지나 종전주택을 양도하는 경우로서 「소득세법 시행령」 제156조의 2 제4항 각 호의 요건을 모두 갖춘 때에는 1세대 1주택 비과세되는 것임.

재재산-26, 2013. 1. 10.

관리처분계획인가일 이후 조합원입주권을 포기하고 현금청산하는 경우는 조합원입주권의 취득 후 양도로 보아 「소득세법」 제89조 제2항 및 같은 법 시행령 제155조 제1항을 적용하는 것임.

서면5팀-3123, 2007. 11. 28.

1주택을 보유한 1세대가 다른 주택을 취득하여 조합원입주권으로 전환된 상태에서 1년 이내에 기존주택을 양도하는 경우 「소득세법 시행령」 제156조의 2 제3항을 적용받을 수 있음.

서면4팀 - 3224, 2007. 11. 7.

1주택과 2조합원입주권을 소유하다가 추가취득한 조합입주권의 양도로 1주택과 1조합원입주권을 소유한 상태에서 양도하는 1주택은 「소득세법 시행령」 제156조의 2 제4항 규정을 적용받을 수 있음.

서면5팀 - 2853, 2007. 10. 30.

1주택과 1입주권(2005. 12. 31. 이전 관리처분계획 인가됨)을 소유한 1세대가 1주택을 양도하는 경우 1주택으로 보아 비과세 여부를 판정함.

서면5팀 - 2817, 2007. 10. 24.

조합원입주권 1개를 소유한 1세대가 당해 조합원입주권을 양도하는 경우 입주권 양도일 현재 다른 주택이 없거나, 1주택을 소유한 경우(취득일로부터 1년 이내 양도하는 경우) 양도소득세가 비과세됨.

서면5팀 - 2783, 2007. 10. 19.

1주택을 소유한 1세대가 2005. 12. 31. 이전에 조합원입주권을 승계취득하고 당해 주택이 완공되어 일시적 2주택이 된 후 1년 이내에 종전 주택(요건충족)을 양도한 경우 양도소득세가 비과세됨.

재재산 - 1237, 2007. 10. 11.

주택재개발 사업시행인가일 이전에 대체주택을 취득하는 경우 대체주택에 대한 과세특례 규정을 적용받을 수 없음.

서면4팀 - 3187, 2006. 9. 15.

「도시 및 주거환경정비법」에 따른 주택재건축사업의 관리처분계획의 인가가 무효로 되고 다시 새로운 관리처분계획의 인가를 받은 경우 그 새로운 인가일에 당해 정비사업조합의 조합원이 입주자로 선정된 지위(이하 "입주권"이라 함)를 취득한 것으로 보는 것이며, 그 새로운 인가일이 2006. 1. 1. 이후인 경우에는 당해 입주권은 「소득세법」 제89조 제2항 규정의 "조합원입주권"에 해당하는 것임

서면4팀 - 178, 2006. 2. 2.

2주택 중 1주택이 재건축되는 경우 재건축대상 주택이 사실상 주거용으로 이용되고 있는 경우에는 1세대 2주택에 해당하는 것임.

서면4팀 - 140, 2006. 1. 27.

재건축입주권을 양도하기 전에 다른 주택을 취득한 경우 다른 주택의 취득일로부터 1년 이내 입주권을 양도하고 기존주택에 대하여 보유기간 등의 요건을 갖춘 경우 입주권의 양도소득

은 비과세됨(2005. 9. 29. 이후).

서면4팀 - 76, 2006. 1. 18.

재건축사업시행인가일(2005. 5. 30. 이전) 또는 관리처분계획인가일(2005. 5. 31. 이후) 이후에 조합원으로부터 입주자로 선정된 지위를 승계취득한 경우 부동산을 취득할 수 있는 권리로 보아 보유기간 계산 등을 판단함.

서면4팀 - 42, 2006. 1. 11.

소정의 요건을 충족하는 조합원입주권을 1개 소유한 1세대가 당해 조합원입주권을 양도하는 경우로서 양도일 현재 다른 주택이 없는 경우 양도소득세를 비과세함.

장기임대주택 보유시 거주주택 비과세 범위와 관련된 예규, 판례

기획재정부 재산세제과 - 192, 2020. 2. 18.

「소득세법 시행령」 제155조 제20항 전단에 따른 거주주택 비과세를 한번 적용받은 1세대가 다시 거주용으로 사용한 신규주택을 양도할 경우, 거주주택 비과세 특례가 적용되지 않음.

기획재정부 재산세제과 - 190, 2020. 2. 18.

2019년 2월 12일 이후에 거주주택을 취득한 뒤 조정대상지역 소재 임대주택(「소득세법 시행령」 제167조의 3 제1항 제2호 각 목 외의 본문 및 가목 본문의 요건은 모두 충족)을 취득하여 해당 거주주택을 양도한 경우, 같은 영 제155조 제20항 전단의 비과세 특례가 적용됨.

서면부동산 - 3751, 2016. 12. 30.

「민간임대주택에 관한 특별법」에 따른 준공공임대주택으로 등록한 경우 「소득세법 시행령」 제155조 제19항의 장기임대주택에 해당하여 거주주택 양도시 1세대 1주택 비과세 적용이 가능한 것임.

서면법령재산 - 2941, 2016. 8. 19.

장기임대주택 1주택과 일시적 2주택을 보유한 거주자가 일반주택 1주택을 보유한 자와 혼인하여 종전의 1주택을 양도하는 경우 1세대 1주택 비과세가 적용되지 않으며, 양도일 현재 장기임대주택이 주택 외의 용도로 사용되어 주택에 해당되지 아니하는 경우 나머지 주택 취득일로부터 3년 이내에 양도주택을 매도하는 경우 1세대 1주택 비과세 규정이 적용되는 것임.

서면부동산 - 2422, 2016. 3. 25.

장기임대주택과 "신축주택 등 취득자에 대한 양도소득세의 과세특례"에 해당하는 감면대상 주택을 소유한 1세대가 「소득세법 시행령」 제155조 "1세대 1주택의 특례" 제19항 및 같은 항 각 호의 요건을 충족한 거주주택을 양도할 때에는 국내에 1개의 주택을 소유한 것으로 보아 같은 영 제154조 "1세대 1주택의 범위" 제1항을 적용하는 것임.

서면부동산-2342, 2015. 12. 22.

1세대가 장기임대주택의 임대기간요건을 채우기 전에 거주주택 비과세특례를 적용받은 후, 장기임대주택의 임대기간요건을 충족하지 못하게 되는 경우에는 비과세받은 양도소득세를 납부하여야 하며, 임대기간요건을 충족한 1개의 장기임대주택을 양도할 때에는 직전거주주택 양도일 후의 기간분에 대해서만 1세대 1주택 비과세 적용함.

서면부동산-2133, 2015. 11. 17.

「소득세법 시행령」 제155조 제19항에 따른 장기임대주택 보유시 거주주택 특례를 적용할 때 거주주택의 거주기간은 보유기간 중 거주기간을 통산하는 것임.

서면법규-1309, 2014. 12. 12.

거주주택과 장기임대주택 외 다른 주택을 보유하다 거주주택을 양도하는 경우 거주주택 비과세 특례가 적용되지 않으나, 일시적 2주택 비과세 특례는 적용받을 수 있으며, 거주주택 비과세 특례는 1회에 한정하지 않으며 거주주택을 모두 양도하고 1채의 장기임대주택을 양도하는 경우 마지막 양도한 거주주택의 양도일 이후 양도소득금액에 대해서만 비과세 특례를 적용함.

부동산납세-870, 2014. 11. 19.

상속받은 농어촌주택(A)과 장기임대주택(B)을 보유하고 있는 거주자가 1주택(C)을 취득하여 1세대 3주택이 된 상태에서 C주택을 취득한 날부터 1년 이상이 지난 후 다른 1주택(D)을 취득하고 D주택을 취득한 날부터 3년 이내에 2년 이상 거주한 C주택을 양도하는 경우에는 1세대 1주택 비과세 규정이 적용되지 아니하는 것임.

부동산납세-810, 2014. 10. 24.

장기임대주택은 사업자등록과 임대사업자등록을 하고 임대하는 날부터 임대를 개시한 것으로 보는 것이고, 장기임대주택을 소유하고 있는 상태에서 거주주택을 양도하는 경우에 비과세 및 일시적 1세대 2주택 특례 적용함.

부동산납세-670, 2014. 9. 5.

「소득세법 시행령(2013. 2. 15. 대통령령 제24356호로 개정되기 전의 것)」 제167조의 3 제1항 제2호에서 규정한 장기임대주택에 해당하는지 여부는 그 소유지분에 관계없이 1주택 전체를 기준으로 판정하는 것임.

부동산거래관리과-16, 2013. 1. 11.

「소득세법 시행령」 제155조 제19항에 따른 장기임대주택과 거주주택을 소유한 1세대가 같은 영 제156조의 2 제3항에 따라 해당 거주주택을 양도하기 전에 조합원입주권을 취득한 경우로서 그 조합원입주권을 취득한 날부터 3년 이내에 거주주택을 양도하는 경우에는 이를 1세대 1주택으로 보아 같은 영 제154조 제1항을 적용받을 수 있는 것임.

부동산거래관리과-615, 2012. 11. 13.

장기임대주택인 2호의 구주택이 「도시 및 주거환경정비법」에 따른 재건축으로 인해 청산금을 지급받지 아니하는 경우로서 1호의 신주택을 환지로 공급받는 경우 해당 장기임대주택의 임대기간을 계산할 때 철거된 재건축 공사기간은 합산하지 아니하고, 재건축 후 신축된 주택의 임대기간은 합산하는 것임.

부동산거래관리과-561, 2012. 10. 18.

「소득세법 시행령」 제154조 제1항 및 제155조 제19항에 따라 1세대 1주택 비과세 해당 여부를 판단할 때 거주자가 같은 세대원인 배우자에게 주택을 증여한 후 수증자가 해당 주택을 양도하는 경우에는 증여자의 보유기간 및 거주기간을 통산하는 것임.

부동산거래관리과-511, 2012. 9. 25.

장기임대주택의 임대기간은 해당 주택에 대해 「소득세법」 제168조에 따른 사업자등록과 「임대주택법」 제6조에 따른 임대사업자등록을 하고 임대주택으로 등록하여 임대하는 날부터 임대를 개시한 것으로 보아 계산하는 것임.

부동산거래관리과-488, 2012. 9. 13.

[질의]

장기임대주택(B)을 소유한 상태에서 조합원입주권(A)을 양도하는 경우 비과세 특례 적용 여부

[회신]

「소득세법」 제89조 제2항 본문에 따른 조합원입주권을 양도하는 경우 1세대 1주택 비과세 해당 여부는 같은 법 시행령 제155조 제17항에 따라 판단하는 것임.

부동산거래관리과-208, 2012. 4. 18.

「소득세법 시행령」 제155조 제19항에 따른 거주주택의 비과세 특례를 적용함에 있어 거주주택의 거주기간은 보유기간 중 거주기간을 통산하는 것입니다. (다만, 직전거주주택보유주택의 경우에는 「임대주택법」 제6조에 따라 임대주택사업자로 등록한 날 이후의 거주기간으로 계산함)

부동산거래관리과-426, 2012. 8. 10.

「소득세법 시행령」 제167조의 3 제1항 제2호에 따른 장기임대주택과 그 밖의 1주택을 국내에 소유하고 있는 1세대가 같은 영 제155조 제19항 각 호의 요건을 모두 충족하는 해당 1주택을 양도하는 경우에는 국내에 1개의 주택을 소유하고 있는 것으로 보아 같은 영 제154조 제1항을 적용하는 것임. 귀 질의의 경우, 해당 거주주택(B아파트)이 2년 거주요건을 충족하지 못하였으므로 비과세 특례를 적용받을 수 없는 것임.

부동산거래관리과-244, 2012. 5. 1.

장기임대주택을 소유하고 있는 경우에도 「소득세법 시행령」 제155조 제5항에 따른 혼인으로 인한 비과세 특례가 적용됨.

부동산거래관리과-212, 2012. 4. 18.

「소득세법 시행령」(2011. 10. 14. 개정된 것) 제167조의 3 제1항 제2호 가목에 해당하는 장기임대주택과 같은 영 제155조 제19항의 거주주택을 각각 1채씩 소유하고 있는 1세대가 당해 거주주택을 양도하는 경우에는 국내에 1개의 주택을 소유하고 있는 것으로 보아 같은 영 제154조 제1항을 적용하는 것이나, 별도세대인 갑과 병이 1/2씩 공동으로 소유하는 주택을 1채 임대하는 경우 당해 임대주택은 같은 영 제167조의 3 제1항 제2호 가목에 해당하지 아니하는 것임.

부동산거래관리과-1072, 2011. 12. 23.

「소득세법 시행령」 제167조의 3 제1항 제2호 각 목에 따른 주택(장기임대주택)과 그 밖의 1주택을 국내에 소유하고 있는 1세대가 같은 영 제155조 제19항 각 호의 요건을 모두 충족하는 해당 1주택(거주주택)을 양도하는 경우에는 국내에 1개의 주택을 소유하고 있는 것으로 보아 같은 영 제154조 제1항에 따른 1세대 1주택 비과세 규정을 적용하는 것임. 한편, 1세대가 거주주택 양도일 현재 해당 거주주택에서 거주하고 있지 않은 경우에도 위 특례 규정이 적용되는 것임.

부동산거래관리과-1038, 2011. 12. 14.

「소득세법 시행령」 제155조 제19항을 적용받는 임대주택의 호수계산은 세대단위로 판단하여 1호 이상이면 되는 것이므로 부부가 공동으로 보유한 임대주택도 국내에 1개의 주택을 소유하고 있는 것으로 보아 제154조 제1항을 적용하는 것임.

부동산거래관리과-1055, 2011. 12. 16.

장기임대주택을 소유하고 있는 경우에도 「소득세법 시행령」 제155조 제2항에 따른 상속주택 비과세 특례가 적용됨.

부동산거래관리과-975, 2011. 11. 21.

장기임대주택을 소유하고 있는 경우에도 「소득세법 시행령」 제155조 제1항에 따른 일시적 2주택 비과세 특례가 적용됨.

조합원입주권을 양도하는 경우 1세대 1주택의 비과세 특례에 관련된 예규, 판례

부동산거래관리과-20, 2013. 1. 17.

「소득세법 시행령」 제155조 제17항에 따른 조합원입주권에 대한 비과세 특례를 적용할 때 2개 이상의 조합원입주권을 같은 날에 양도하는 경우에는 해당 거주자가 선택하는 순서에 따라 조합원입주권을 양도한 것으로 보는 것임.

부동산거래관리과-631, 2012. 11. 20.

청산금을 교부받기 전에 다른 주택을 취득함으로써 「소득세법 시행령」 제155조 제1항에 따른 일시적인 2주택이 된 경우 교부받은 해당 청산금은 같은 영 제154조 제1항의 규정을 적용받을 수 있는 것임.

부동산거래관리과-380, 2012. 7. 20.

「도시 및 주거환경정비법」에 따라 주택재건축사업을 시행하는 정비사업조합의 조합원이 종전주택을 당해 조합에 제공하고 종전주택의 평가액과 신축건물 분양가액의 차이에 따른 청산금을 수령한 경우 그 청산금의 1세대 1주택 비과세는 양도일 현재를 기준으로 적용하는 것이나, 정비사업조합의 조합원이 3년 미만 보유하던 종전주택을 당해 조합에 제공한 경우 그 청산금은 「소득세법 시행령」(2012. 6. 29. 개정되기 전의 것) 제154조 제1항의 1세대 1주택 비과세 요건을 충족하지 아니하여 양도소득세가 과세되는 것임. 이 경우 장기보유특별공제 적용시 보유기간은 「소득세법」 제95조 제4항에 따라 당해 자산의 취득일부터 양도일까지로 하는 것임.

법규재산 2012-192, 2012. 6. 28.

「도시 및 주거환경정비법」에 따라 주택재건축사업을 시행하는 정비사업조합의 조합원이 당해 조합에 기존건물(그 부수토지를 포함, 이하 같음)을 제공하고 기존건물의 평가액과 신축건물의 분양가액에 차이가 있어 청산금을 수령한 경우 청산금 해당부분에 대한 양도시기는 대금을 청산한 날이나, 대금을 청산한 날까지 「도시 및 주거환경정비법」 제54조의 소유권이전 고시를 하지 아니하여 당해 청산금에 상당하는 기존건물이 확정되지 아니한 경우 그 양도시기는 「소득세법 시행령」 제162조 제1항 제8호에 따라 목적물이 확정된 날(「도시 및 주거환경정비법」 제54조의 소유권이전 고시일의 다음날)임.

부동산거래관리과-216, 2012. 4. 18.

A아파트 관리처분계획의 인가일 현재 다른 조합원입주권(B)을 보유하다가 그 조합원입주권(B)을 먼저 양도한 후 A아파트 조합원입주권을 양도하는 경우 기존주택(A아파트)이 관리처분계획의 인가일 현재 「소득세법 시행령」 제154조 제1항의 보유기간 등 비과세 요건을 충족하면 같은 법 시행령 제155조 제17항의 1세대 1주택 특례를 적용받을 수 있는 것임.

재재산-1061, 2010. 11. 1.

「도시 및 주거환경정비법」에 따른 주택재개발사업 또는 주택재건축사업을 시행하는 정비사업조합의 조합원이 해당 조합에 기존건물과 그 부수토지를 제공하여 취득한 조합원입주권으로서 해당 조합원입주권이 「소득세법 시행령」 제155조 제17항에 따른 1세대 1주택에 해당하는 고가주택일 경우 해당 조합원입주권의 양도차익은 「소득세법」 제95조 제3항 및 같은 법 시행령 제160조 제1항 제1호의 규정에 따라 조합원입주권 양도당시의 실지거래가액의 합계액이 9억원을 초과하는 부분에 대해 계산하는 금액으로 하는 것임.

부동산거래관리과-1080, 2010. 8. 20.

1. 상가 및 그 부수토지를 취득하여 보유하는 자가 「도시 및 주거환경정비법」에 따른 정비사업의 시행으로 인하여 청산금의 납부없이 신축상가 및 그 부수토지를 분양받은 경우 신축상가의 취득시기는 사용검사필증교부일이고, 그 부수토지의 취득시기는 종전 상가 부수토지의 취득일이며, 귀 질의가 이에 해당하는지 여부는 사실 판단할 사항임.
2. 신축상가를 4호로 분할하여 그 중 1호를 양도하는 경우 기존건물과 그 부수토지의 취득가액 및 평가액 중 상가 분할 당시의 분할 전 상가의 기준시가에서 분할한 상가의 기준시가가 차지하는 비율에 상당하는 가액을 기존건물과 그 부수토지의 취득가액 및 평가액으로 보아 「소득세법 시행령」 제166조를 적용하는 것임.

부동산거래관리과-954, 2010. 7. 21.

[질의]

관리처분계획인가일 이후 양도차익을 산정함에 있어 기존건물과 그 부수토지의 평가액이 없어 매매사례가액을 적용하는 경우 납부한 청산금을 양도가액에서 공제하는지 여부

[회신]

주택재개발사업에 따른 조합원이 정비사업조합에 기존건물과 그 부수토지를 제공하고 취득한 조합원 입주권을 청산금을 납부하고 양도하는 경우 조합원 입주권의 양도차익은 「소득세법 시행령」 제166조 제1항 제1호에 따라 산정하며, 기존건물과 그 부수토지의 평가액이 없는 경우 같은 법 제166조 제1항 제1호의 '기존건물과 그 부수토지의 평가액'은 같은 법 시행령 제166조 제4항 제2호의 가액을 적용하는 것임.

재재산－394, 2010. 4. 28.

1. 「소득세법」 제89조 제2항의 본문에 따른 조합원입주권을 1개 소유한 1세대[2006년 1월 1일 이후 「도시 및 주거환경정비법」에 의한 관리처분계획의 인가를 받고 같은 법 제48조에 따른 관리처분계획의 인가일(인가일 전에 기존주택이 철거되는 때에는 기존주택의 철거일) 현재 「소득세법 시행령」 제154조 제1항에 해당하는 기존주택을 소유한 세대에 한한다]가 양도일 현재 다른 주택이 없이 당해 조합원입주권을 양도하는 경우에는 「소득세법 시행령」 제154조 제1항에 따른 1세대 1주택으로 보는 것임.
2. 관리처분계획의 인가일 현재 2주택을 보유한 귀 질의 경우 그 양도하는 조합원입주권에 해당하는 기존주택이 관리처분계획의 인가일 현재 「소득세법 시행령」 제154조 제1항의 거주 및 보유기간 등 비과세요건을 충족하면 같은 법 시행령 제155조 제17항의 1세대 1주택 특례를 적용받을 수 있는 것임.

부동산거래관리과－267, 2010. 2. 18.

「소득세법 시행령」 제155조 제17항에 따른 조합원입주권 비과세 특례와 관련하여 기존주택의 보유기간 및 거주기간을 계산함에 있어 입주권이 확정되는 날 이후에도 철거되지 않고 사실상 주거용으로 사용하는 경우에는 이를 주택으로 보아 보유기간 및 거주기간에 합산하는 것임.

부동산거래관리과－201, 2010. 2. 8.

주택재건축사업을 시행하는 정비사업조합의 조합원이 해당 조합에 기존건물과 그 부수토지를 제공하고 취득한 입주자로 선정된 지위를 양도하는 경우로서 기존건물과 그 부수토지의 평가가액이 분양가액 보다 커 교부받을 청산금이 발생한 경우 입주자로 선정된 지위의 양도가액과 청산금 상당액을 합한 가액을 양도가액으로 하여 「소득세법 시행령」 제155조 제17항(종전 제16항)을 적용하는 것이며, 같은 법 시행령 제166조에 따라 양도차익을 산정하는 경우 입주자로 선정된 지위의 양도가액과 청산금 상당액은 구분 계산하는 것임.

재재산－621, 2009. 3. 26.

주택재건축사업을 시행하는 정비사업조합의 조합원이 해당 조합에 기존건물과 그 부수토지를 제공하고 취득한 입주자로 선정된 지위를 양도하고 해당 양도소득금액을 계산할 때, 「소득세법」 제95조 제1항에 따른 장기보유특별공제액은 같은 법 제2항 및 같은 법 시행령 제166조 제1항에 따라 기존건물과 그 부수토지의 관리처분계획인가일까지의 양도차익에 대하여 해당 기존건물과 그 부수토지의 취득일부터 관리처분계획인가일까지의 기간에 해당하는 공제율을 곱하여 계산한 금액을 적용하는 것임.

재산세과－2216, 2008. 8. 13.

국・시유지 위에 주택("기존주택"이라 함)만을 소유한 자가 그 국・시유지를 주택의 부수토지로 장기간 사용 · 수익한 사실에 근거하여 국가 등으로부터 이를 불하받아 기존주택과 함께 주택재개발조합에 제공하고 취득한 재개발아파트의 입주권이 주택으로 완성된 후 양도하는 경우, 양도일(입주권을 양도하는 경우에는 관리처분계획인가일, 그 이전에 철거된 경우에는 철거일)현재 주택의 보유기간(기존주택의 보유기간 및 재개발기간 포함)이 3년 이상인 경우에는 당해 부수토지의 보유기간과 관계없이 「소득세법 시행령」 제154조 제1항에서 규정한 보유요건을 충족한 것으로 보는 것이나, 귀 질의와 같이 기존주택의 부수토지가 아닌 다른 토지를 불하받아 제공하는 경우에는 당해 토지는 기존주택의 부수토지에 해당하지 아니하는 것임.

제 4 절 「조세특례제한법」상 양도소득세 감면

「조세특례제한법」은 조세(租稅)의 감면 또는 중과(重課) 등 조세특례와 이의 제한에 관한 사항을 규정하여 과세(課稅)의 공평을 기하고 조세정책을 효율적으로 수행함으로써 국민경제의 건전한 발전에 이바지함을 목적으로 하는 특별법이다. 따라서 조세의 감면에 관해서는 「조세특례제한법」이 다른 법률보다 우선 적용되며, 동법에 저촉되는 기타의 특별법은 그 범위 내에서 효력이 없다.

동법 제3조에서는 조세특례를 규정할 수 있는 법률을 지정하고 있고, 이 지정된 법률에 의하지 아니하고는 특례를 할 수 없도록 규정함으로써 조세특례에 관한 일체의 사항을 총괄적으로 조정하도록 하고 있다.

양도소득세의 감면에 대하여는 아래와 같이 조세정책적 목적으로 다양한 제도가 있으나, 그 중에서 실무상 자주 발생되는 감면 등에 대해서 설명하고, 감면종합한도에 대해서 알아보기로 한다.

조세특례제한법상 부동산 관련 주요 양도소득세 감면 조항

1. 중소기업의 통합에 대한 양도소득세의 이월과세(조특법 §31)
2. 법인전환에 대한 양도소득세의 이월과세(조특법 §32)
3. 주주 등의 자산양도에 따른 양도소득세의 감면(조특법 §40)
4. 구조조정대상 부동산의 취득자에 대한 양도소득세의 감면(조특법 §43)
5. 영농조합법인에 농지 등 현물출자시 양도소득세 면제 등(조특법 §66 ④)
6. 영어조합법인 등에 어업용 토지 등 현물출자시 양도소득세 면제(조특법 §67)
7. 농업회사법인에 농지 등 현물출자시 양도소득세 면제 등(조특법 §68)
8. 자경농지에 대한 양도소득세의 감면(조특법 §69)
9. 축사용지에 대한 양도소득세의 감면(조특법 §69의 2)
10. 농지대토에 대한 양도소득세의 감면(조특법 §70)
11. 공익사업용 토지 등에 대한 양도소득세 감면(조특법 §77)
12. 대토보상에 대한 양도소득세 과세이연(조특법 §77의 2)
13. 개발제한구역 지정에 따른 매수대상 토지등에 대한 양도소득세의 감면(조특법 §77의 2)
14. 행정중심복합도시·혁신도시 개발예정지구 내 공장의 지방 이전에 대한 과세특례(조특법 §85의 2)
15. 어린이집용 토지 등의 양도차익에 대한 과세특례(조특법 §85의 5)

16. 공익사업을 위한 수용등에 따른 공장 이전에 대한 과세특례(조특법 §85의 7)
17. 중소기업의 공장이전에 대한 과세특례(조특법 §85의 8)
18. 공익사업을 위한 수용 등에 따른 물류시설 이전에 대한 과세특례(조특법 §85의 9)
19. 국가에 양도하는 산지에 대한 양도소득세의 감면(조특법 §85의 10)
20. 장기임대주택에 대한 양도소득세 감면(조특법 §97)
21. 신축임대주택에 대한 양도소득세의 감면특례(조특법 §97의 2)
22. 미분양주택에 대한 과세특례(조특법 §98)
23. 지방 미분양주택 취득에 대한 양도소득세 등 과세특례(조특법 §98의 2)
24. 미분양주택의 취득자에 대한 양도소득세의 과세특례(조특법 §98의 3)
25. 비거주자의 주택취득에 대한 양도소득세의 과세특례(조특법 §98의 4)
26. 수도권 밖의 지역에 있는 미분양주택의 취득자에 대한 양도소득세의 과세특례(조특법 §98의 5)
27. 준공후미분양주택의 취득자에 대한 양도소득세의 과세특례(조특법 §98의 6)
28. 미분양주택의 취득자에 대한 양도소득세의 과세특례(조특법 §98의 7)
29. 신축주택의 취득자에 대한 양도소득세의 감면(조특법 §99)
30. 신축주택 등 취득자에 대한 양도소득세의 과세특례(조특법 §99의 2)
31. 신축주택의 취득자에 대한 양도소득세의 과세특례(조특법 §99의 3)
32. 농어촌주택 취득자에 대한 양도소득세 과세특례(조특법 §99의 4)
33. 산업단지 개발사업 시행에 따른 양도소득세 과세특례(조특법 §104의 20)

1 | 자경농지에 대한 양도소득세의 감면(조특법 §69)

8년 이상[한국농어촌공사 또는 농업법인에 2018. 12. 31.까지 양도하는 경우에는 3년 이상] 직접 경작한 농지의 양도로 인하여 발생하는 소득에 대해서는 양도소득세의 100분의 100에 상당하는 세액을 감면한다.

가. 적용대상

1) 대상자

가) 농지 양도일 현재 「소득세법」 제1조의 2 제1항 제1호에 따른 거주자인 자
나) 비거주자가 된 날부터 2년 이내인 자

▶▶ 경과조치 : 2013. 2. 15. 현재 비거주자인 자가 2015. 12. 31.까지 토지를 양도하는 경우에는

비거주자가 된 날부터 2년이 지나 토지를 양도하는 경우에도 종전 규정에 따라 감면 적용함 (2013. 2. 15. 대통령령 제24368호 부칙 §27).

2) 대상 농지

농지 보유기간 중 8년(또는 3년) 이상 해당 농지소재지에 거주하면서 직접경작한 농지

나. 농지소재지

농지소재지란 다음 중 어느 하나에 해당하는 지역을 말한다. 이 경우 경작개시 당시에는 농지 소재지에 해당하였으나 행정구역의 개편 등으로 이에 해당하지 아니하게 된 지역을 포함한다.

① 농지가 소재하는 시(특별자치시와 「제주특별자치도 설치 및 국제자유도시 조성을 위한 특별법」 제10조 제2항에 따라 설치된 행정시를 포함한다)・군・구(자치구를 말한다) 안의 지역

② ①의 지역과 연접한 시・군・구안의 지역

③ 해당 농지로부터 직선거리 30킬로미터 이내의 지역

다. 직접경작

직접경작이란 거주자가 그 소유농지에서 농작물의 경작 또는 다년성(多年性) 식물의 재배에 상시 종사하거나 농작업의 2분의 1 이상을 자기의 노동력에 의하여 경작 또는 재배하는 것을 말한다.

라. 거주 및 직접경작 기간 요건

1) 원 칙

8년 이상 농지소재지에 거주하면서 직접경작하여야 한다.

2) 예 외

「농산물의 생산자를 위한 직접지불제도 시행규정」 제4조에 따른 경영이양보조금의 지급대상이 되는 농지를 다음 중 어느 하나에 해당하는 자에게 2021. 12. 31.까지 양도하는 경우에는 3년 이상 농지소재지에 거주하면서 직접경작하여야 한다.

① 「한국농어촌공사 및 농지관리기금법」에 따른 한국농어촌공사

② 농업법인

* 농업법인이란 농업을 주업으로 하는 법인으로서 「농어업경영체 육성 및 지원에 관한 법률」 제16조에 따른 영농조합법인 및 같은 법 제19조에 따른 농업회사법인을 말함.

추징 대상

다음 중 어느 하나에 해당하는 경우에는 농업법인이 그 사유가 발생한 과세연도의 과세표준신고를 할 때 거주자가 감면받은 세액에 상당하는 금액을 법인세로 납부하여야 한다.
① 농업법인이 해당 토지를 취득한 날부터 3년 이내에 그 토지를 양도하는 경우
② 당해 토지를 취득한 날부터 3년 이내에 휴업 · 폐업하거나 해산하는 경우
③ 당해 토지를 3년 이상 경작하지 아니하고 다른 용도로 사용하는 경우

마. 감면 배제 대상

다음 중 어느 하나에 해당하는 것은 감면이 적용되지 아니한다.

1) 주거지역 등 편입농지

가) 원 칙

양도일 현재 특별시 · 광역시(광역시에 있는 군을 제외한다) 또는 시[「지방자치법」 제3조 제4항에 따라 설치된 도농(都農) 복합형태의 시의 읍 · 면 지역 및 「제주특별자치도 설치 및 국제자유도시 조성을 위한 특별법」 제10조 제2항에 따라 설치된 행정시의 읍 · 면 지역은 제외한다]에 있는 농지 중 「국토의 계획 및 이용에 관한 법률」에 의한 주거지역 · 상업지역 및 공업지역 안에 있는 농지로서 이들 지역에 편입된 날부터 3년이 지난 농지는 감면을 적용받을 수 없다.

나) 예 외

주거지역 등에 편입된 경우에도 다음 중 어느 하나에 해당하는 경우에는 감면을 적용받을 수 있다.

(1) 사업시행지역 안의 토지소유자가 1천명 이상이거나 사업시행면적이 일정규모 이상인 개발사업지역(사업인정고시일이 동일한 하나의 사업시행지역을 말한다) 안에서 개발사업의 시행으로 인하여 「국토의 계획 및 이용에 관한 법률」에 따른 주거지역 · 상업지역 또는 공업지역에 편입된 농지로서 사업시행자의 단계적 사업시행 또는 보

상지연으로 이들 지역에 편입된 날부터 3년이 지난 경우

* 일정규모 : 100만 제곱미터(「택지개발촉진법」에 의한 택지개발사업 또는 「주택법」에 의한 대지조성사업의 경우에는 10만 제곱미터)

(2) 사업시행자가 국가, 지방자치단체, 공공기관인 개발사업지역 안에서 개발사업의 시행으로 인하여 「국토의 계획 및 이용에 관한 법률」에 따른 주거지역·상업지역 또는 공업지역에 편입된 농지로서 부득이한 사유에 해당하는 경우

* 공공기관 : 「공공기관의 운영에 관한 법률」에 따라 지정된 공공기관과 「지방공기업법」에 따라 설립된 지방직영기업·지방공사·지방공단을 말한다.

* 부득이한 사유 : 사업 또는 보상을 지연시키는 사유로서 그 책임이 사업시행자에게 있다고 인정되는 사유를 말한다.

(3) 「국토의 계획 및 이용에 관한 법률」에 따른 주거지역·상업지역 및 공업지역에 편입된 농지로서 편입된 후 3년 이내에 대규모개발사업이 시행되고, 대규모개발사업 시행자의 단계적 사업시행 또는 보상지연으로 이들 지역에 편입된 날부터 3년이 지난 경우(대규모개발사업지역 안에 있는 경우로 한정한다)
(2013. 2. 15. 이후 양도하는 분부터 적용)

2) 환지처분된 농지

가) 원 칙

「도시개발법」 또는 그 밖의 법률에 따라 환지처분 이전에 농지 외의 토지로 환지예정지를 지정하는 경우에는 그 환지예정지 지정일부터 3년이 지난 농지는 감면을 적용받을 수 없다.

나) 예 외

환지처분에 따라 교부받는 환지청산금에 해당하는 부분은 환지예정지 지정일부터 3년이 지난 경우에도 감면을 적용받을 수 있다(2011. 6. 3. 이후 최초로 양도하는 분부터 적용함).

바. 주거지역 등 편입농지에 대한 감면 범위

1) 개 요

8년(또는 3년) 이상 농지소재지에 거주하면서 직접 경작한 농지에 대해서는 양도소득금액 전부에 대해서 감면이 적용된다.

다만, 해당 토지가 「국토의 계획 및 이용에 관한 법률」에 따른 주거지역 · 상업지역 및 공업지역(이하 "주거지역등"이라 한다)에 편입되거나 「도시개발법」 또는 그 밖의 법률에 따라 환지처분(換地處分) 전에 농지 외의 토지로 환지예정지 지정을 받은 경우에는 주거지역등에 편입되거나, 환지예정지 지정을 받은 날까지 발생한 소득에 대해서만 감면을 적용한다(토지조성공사 착수일 현재의 농지 기준).

▶▶ 경과규정 : 2002. 1. 1. 당시 도시계획법의 규정에 의한 주거지역 · 상업지역 또는 공업지역에 편입되거나 도시개발법 그밖의 법률의 규정에 의하여 환지처분 전에 농지 외의 토지로 환지예정지 지정을 받은 농지를 양도하는 경우에는 양도소득금액 전부에 대해서 감면이 적용된다(2001. 12. 29. 법률 제6538호 §28 ①).

▶▶ 유의사항 : 위 "마"에 따라 감면배제대상인 토지는 주거지역 등 편입일 · 환지예정지 지정일 이전에 발생한 소득도 감면이 적용되지 아니함.

2) 감면소득금액 계산 방법

주거지역 등에 편입된 토지에 대한 감면소득금액은 아래 산식에 따라 계산한다.

다만, 「공익사업을 위한 토지 등의 취득 및 보상에 관한 법률」 및 그 밖의 법률에 따라 협의매수되거나 수용되는 경우에는 다음 산식 중 양도당시의 기준시가를 보상가액 산정의 기초가 되는 기준시가로 한다(2008. 1. 1. 이후 최초로 양도하는 분부터 적용함. 2008. 12. 31. 대통령령 제21196호 부칙 §3). 이 경우 보상가액 산정의 기초가 되는 기준시가는 보상금 산정 양도 당시의 기준시가로 본다.

$$\text{양도소득금액} \times \frac{(\text{주거지역 등에 편입되거나 환지예정지 지정을 받은 날의 기준시가}) - (\text{취득 당시의 기준시가})}{(\text{양도 당시의 기준시가}) - (\text{취득 당시의 기준시가})}$$

* 양도소득금액 : 「소득세법」 제95조 제1항의 규정에 의한 양도소득금액

사. 농지의 판정

1) 농지의 범위

농지는 전 · 답으로서 지적공부상의 지목에 관계없이 실지로 경작에 사용되는 토지로 하며, 농지경영에 직접 필요한 농막 · 퇴비사 · 양수장 · 지소 · 농도 · 수로 등을 포함하는 것으로 한다.

2) 판정 기준

농지 해당 여부는 양도일(소득법 §98, 소득령 §162) 현재의 농지를 기준으로 한다. 다만, 다음 중 어느 하나에 해당하는 경우에는 다음 각 호의 구분에 따른 기준에 따른다.

가) 양도일 이전에 매매계약조건에 따라 매수자가 형질변경, 건축착공 등을 한 경우 : 매매계약일 현재의 농지 기준

나) 환지처분 전에 해당 농지가 농지 외의 토지로 환지예정지 지정이 되고 그 환지예정지 지정일부터 3년이 경과하기 전의 토지로서 토지조성공사의 시행으로 경작을 못하게 된 경우 : 토지조성공사 착수일 현재의 농지 기준

다) 「광산피해의 방지 및 복구에 관한 법률」, 지방자치단체의 조례 및 지방자치단체의 예산에 따라 광산피해를 방지하기 위하여 휴경하고 있는 경우 : 휴경계약일 현재의 농지 기준(2012. 2. 2. 이후 최초로 양도하는 분부터 적용함)

아. 경작기간의 계산

1) 원 칙

가) 거주자(농지소유자)가 해당 농지 소유기간 중 직접경작한 기간으로 계산한다.

나) 사업소득(농업, 임업 및 비과세 농가부업소득, 부동산임대소득 제외)금액과 총급여액의 합계액이 3,700만원 이상인 과세기간은 자경기간에서 제외한다.

다) 복식부기 의무자 수입금액기준(도 · 소매업, 부동산매매업의 경우 3억원, 제조업 등의 경우 1.5억원) 이상의 수입금액이 있는 경우 해당 과세기간은 자경기간에서 제외한다.

2) 예 외

가) 교환 · 분합 및 대토농지의 수용시 특례

「소득세법」 제89조 제1항 제2호 및 「조세특례제한법」 제70조의 규정에 의하여 농지를 교환 · 분합 및 대토한 경우로서 새로이 취득하는 농지가 「공익사업을 위한 토지 등의 취득 및 보상에 관한 법률」에 의한 협의매수 · 수용 및 그 밖의 법률에 의하여 수용되는 경우에 있어서는 교환 · 분합 및 대토전의 농지에서 경작한 기간을 당해 농지에서 경작한 기간으로 본다.

나) 상속받은 농지의 경작기간 계산 특례

상속받은 농지의 취득일은 상속개시일이므로 원칙적으로 상속개시일 이후 상속인이 경작한 기간만 경작기간으로 계산한다. 다만, 일정한 경우에는 피상속인의 경작기간을 상속인의 경작기간으로 본다. 피상속인의 경작기간을 통산할 수 있는 경우를 양도시기별로 요약하면 아래와 같다.

(1) 2006. 2. 8. 이전 양도분

피상속인이 경작한 기간은 상속인이 경작한 기간으로 본다.

(2) 2006. 2. 9.~2008. 12. 31. 양도분

(가) 상속인이 상속받은 농지를 경작하는 경우

(나) 상속인이 상속받은 농지를 경작하지 아니한 경우에는 상속받은 날부터 3년이 되는 날까지 양도하는 경우

(다) 2006. 2. 8. 이전에 상속받은 농지로서 2008. 12. 31.까지 양도하는 경우(2006. 2. 9. 대통령령 제19329호 부칙 §23)

(3) 2009. 1. 1.~2010. 12. 31. 양도분

(가) 상속인이 상속받은 농지를 경작하는 경우

(나) 상속인이 상속받은 농지를 경작하지 아니한 경우에는 상속받은 날부터 3년이 되는 날까지 양도하는 경우

(다) 「공익사업을 위한 토지 등의 취득 및 보상에 관한 법률」 및 그 밖의 법률에 따라 협의매수 또는 수용되는 경우로서 상속받은 날부터 3년이 되는 날까지 다음 중 어느 하나에 해당하는 지역으로 지정(관계 행정기관의 장이 관보 또는 공보에 고시한 날을 말한다)되는 경우(상속받은 날 전에 지정된 경우를 포함한다)

① 「택지개발촉진법」 제3조에 따라 지정된 택지개발예정지구

② 「산업입지 및 개발에 관한 법률」 제6조 · 제7조 또는 제7조의 2에 따라 지정된 산업단지

③ 제1호 및 제호 외의 지역으로서 기획재정부령으로 정하는 지역

(라) 2006. 2. 9. 이전에 상속받은 농지가 「공익사업을 위한 토지 등의 취득 및 보상에 관한 법률」 및 그 밖의 법률에 따라 협의매수 또는 수용되는 경우로서 그 농지가 2008. 12. 31.까지 위 (다)의 어느 하나에 해당하는 지역으로 지정된 경우(2009. 2. 4. 대통령령 제21307호 부칙 §17)

(4) 2011. 1. 1. 이후 양도분

(가) 상속인이 상속받은 농지를 1년 이상 계속하여 경작하는 경우

(나) 상속인이 상속받은 농지를 1년 이상 계속하여 경작하지 아니한 경우에는 상속받은 날부터 3년이 되는 날까지 양도하는 경우

(다) 위 "(3) (다)"에 해당하는 경우

(라) 위 "(3) (라)"에 해당하는 경우

통산대상인 피상속인 경작기간의 범위

(원칙) 경작기간 통산대상이 되는 피상속인의 경작기간은 직전 피상속인의 경작기간으로 한정한다.

(예외) 다만, 피상속인이 배우자로부터 상속받아 경작한 사실이 있는 경우에는 피상속인의 배우자가 취득하여 경작한 기간도 통산대상에 해당한다(2010. 2. 18. 이후 양도하는 분부터 적용).

〈사례〉

• 父의 경작기간 10년 ⇒ 母가 상속받아 2년 경작 ⇒ 子가 母로부터 상속받아 3년 경작 후 양도시
(2010. 2. 17. 이전 양도분) 母의 경작기간만 통산 ⇒ 총 경작기간 5년(감면배제)
(2010. 2. 17. 이후 양도분) 父 및 母의 경작기간 통산 ⇒ 총 경작기간 15년(감면대상)
* 유의사항 : 母가 경작한 사실이 없는 경우에는 父의 경작기간 통산불가

자. 감면여부의 확인

1) 양도자가 8년(「한국농어촌공사 및 농지관리기금법」에 따른 한국농어촌공사, 「농어업경영체 육성 및 지원에 관한 법률」에 따른 영농조합법인 및 농업회사법인에게 양도하는 경우에는 3년) 이상 소유한 사실이 다음 중 어느 하나의 방법에 의하여 확인되는 토지일 것
   가) 등기부 등본 또는 토지대장 등본의 확인
   나) 가목에 따른 방법으로 확인할 수 없는 경우에는 그 밖의 증빙자료의 확인

2) 양도자가 8년 이상(「한국농어촌공사 및 농지관리기금법」에 따른 한국농어촌공사, 「농어업경영체 육성 및 지원에 관한 법률」에 따른 영농조합법인 및 농업회사법인에게 양도하는 경우에는 3년) 농지소재지에 거주하면서 자기가 경작한 사실이 있고 양도일 현재 농지임이 다음 모두의 방법에 의하여 확인되는 토지일 것

가) 주민등록표 등본의 확인
나) 시 · 구 · 읍 · 면장이 교부 또는 발급하는 농지원부원본과 자경증명의 확인

차. 감면한도

자경농지에 대한 양도소득세 감면에 대해서는 「조세특례제한법」 제133조 제1항에 따른 감면한도(1과세기간 1억원, 5개 과세기간 2억원)가 적용된다(27. 참조).

관련예규 및 판례요약

자경농지에 대한 양도소득세 감면과 관련된 예규, 판례

조심-2019-광-3066, 2019. 12. 12.
2008년 이후 양도일까지의 기간 동안 청구인이 쟁점농지에 조경수를 식재하여 직접 재배하지 아니하였다고 단정하기 어렵고 이를 반증할 만한 객관적이고 구체적인 증거가 없는 점 등에 비추어 쟁점농지 중 느티나무가 식재되어 있는 면적은 실제 측량하는 방법으로 재조사하여 그 결과에 따라 과세표준 및 세액을 경정함이 타당함.

조심 2016부 3797, 2017. 1. 6.
쟁점토지의 항공사진에서 2009년 이전에 경작의 흔적이 확인되지 아니하고, 청구인의 농자재 구매내역 및 농지원부의 최초작성일 등에 비추어 청구인이 쟁점토지를 8년 이상 자경한 것으로 보기는 어려움.

조심 2016전 2444, 2016. 10. 6.
청구인은 주변이 농지로 둘러싸인 전형적인 농가주택에 거주하고 있는 점, 청구인은 농자재 구입과 수확물과 관련한 확인서 및 영수증 등을 제시하고 있고, 쌀 생산량은 서울에 거주하는 3명의 자녀들에게 보내거나 정미소를 통하여 여러 번에 걸쳐 판매하였다고 소명하고 있으므로 청구인이 쟁점농지를 적어도 1년 이상은 자경한 것으로 보임.

조심 2016광 757, 2016. 9. 29.
쟁점토지는 청구인이 약 90년 이상을 보유하였고, 종중원들이 쟁점토지 소재지에 거주한 것이 나타나는 점 등에 비추어 처분청이 쟁점토지를 대리경작농지로 보아 8년 이상 자경농지

감면의 적용을 배제한 이 건 처분은 잘못임.

대법 2016두 43237, 2016. 9. 9.

지방공무원으로 근무한 이력이 있고 양도농지 포함하여 소유한 과수원의 면적이 50,000㎡ 이상으로 방대하여 임야를 직접 경작한 사실을 인정하기 어려우며 매매계약서에 특약사항으로 감나무 가액을 별도로 산정하여 매매한 이상 이를 토지의 일부에 해당한다 하여 그 가액을 양도가액에 포함한 처분은 위법함.

서면법령재산-2053, 2016. 7. 10.

경관보전직불사업에 참여하여 경관작물을 재배하는 토지는 「조세특례제한법」 제69조에 따른 자경농지에 대한 양도소득세 감면이 적용되지 않는 것임.

서면법령재산-1932, 2016. 7. 8.

경관보전직불사업에 참여하여 경관작물을 재배하는 토지는 「조세특례제한법」 제69조에 따른 자경농지에 대한 양도소득세 감면이 적용되지 않는 것임.

재재산-451, 2016. 7. 8.

경관보전직불사업에 참여하여 경관작물을 재배하는 토지는 「조세특례제한법」 제69조에 따른 자경농지에 대한 양도소득세 감면이 적용되지 않는 것임.

기준법령재산-197, 2015. 9. 24.

사실상 구분소유하고 있는 공유농지의 일부를 직접 경작한 경우 경작한 면적에 대하여 자경감면 규정 적용함. 다만, 사실상 구분소유 여부는 공유자간 구분소유 합의내용, 실제 경작자가 누구인지 등을 종합적으로 고려하여 사실판단할 사항임.

조심 2015전 992, 2015. 7. 2.

청구인의 아버지의 병력으로 보아 청구인의 아버지가 홀로 대규모의 양도농지를 경작하였다고 보기 어려운 점, 청구인이 제출한 확인서, 과일구입영수증 등에서 경작사실이 확인되는 점, 청구인이 농작업과 관련하여 세부적인 사항도 잘 알고 있는 것으로 보아 청구인이 양도농지에서 과일을 재배한 것으로 보이는 점 등에 비추어 처분청이 자경감면을 부인하여 양도소득세를 과세한 처분은 잘못이 있음.

서면부동산-171, 2015. 6. 26.

「조세특례제한법 시행령」 제66조 제4항에 따른 경작한 기간을 계산할 때 상속인이 상속받은 농지를 1년 이상 계속하여 농지소재지에서 거주하면서 경작하는 경우 피상속인이 경작한 기간은 상속인이 경작한 기간으로 보는 것이며, 피상속인 및 상속인의 재촌 · 자경여부는 사실판단할 사항임.

서면부동산-187, 2015. 5. 27.

「조세특례제한법」 제69조에 따른 자경농지에 대한 양도소득세의 감면 규정을 적용할 때 식용을 목적으로 호두 열매를 거두기 위하여 해당묘목을 재배하는 토지는 농지의 범위에 포함되는 것임.

서면부동산-411, 2015. 5. 26.

「조세특례제한법 시행령」 제66조 제4항에 따른 경작한 기간을 계산할 때 상속인이 상속받은 농지를 1년 이상 계속하여 농지소재지에서 거주하면서 경작하는 경우 피상속인이 경작한 기간은 상속인이 경작한 기간으로 보는 것이며, 피상속인 및 상속인의 재촌 · 자경여부는 사실판단할 사항임.

서면부동산-443, 2015. 5. 26.

「조세특례제한법」 제69조에 따른 자경농지에 대한 양도소득세의 감면을 적용할 때 시(광역시의 군, 도농(都農) 복합형태의 시의 읍 · 면 지역 및 행정시의 읍 · 면 지역은 제외)에 있는 농지 중 주거지역 · 상업지역 및 공업지역 안에 있는 농지로서 이들 지역에 편입된 날부터 3년이 지난 농지는 동 감면규정을 적용받을 수 없는 것임.

서울고법 2014누 60360, 2015. 4. 24.

항공사진 등에 의하면 이 사건 토지가 경작지였음이 확인되고 직접 영농에 종사하는 이상 다른 직업을 겸업하더라도 직업특성(오전만 근무), 경작지와의 거리, 경작지 면적 등을 볼 때 원고는 자경농민에 해당함.

대법 2012두 21062, 2015. 1. 2.

과수원으로부터 직선거리 20㎞ 이내 거주한 점, 건설업을 운영하며 얻은 사업소득이 소액이고 개인용달업, 여관업을 한 기간이 불과 몇 개월 정도인 점, 농협의 조합원 실태조사에서도 과수원을 직접 경작하였다고 확인한 점 등에 비추어 8년 이상 과수원을 직접 경작한 것으로 인정됨.

부동산납세-776, 2014. 10. 17.

주거지역에 편입된 농지로서 편입된 후 3년 이내에 대규모개발사업에 해당하는 「경제자유구역의 지정 및 운영에 관한 특별법」에 따른 경제자유구역에 관한 사업이 시행되었는지 여부는 같은 법 제13조에 따른 사업인정 및 사업인정의 고시가 있는 때를 기준으로 판정하는 것임.

부동산납세-648, 2014. 8. 29.

농지 소재지에 거주하는 거주자가 8년 이상[3년] 직접 경작(거주자가 그 소유농지에서 농작물의 경작 또는 다년성(多年性) 식물의 재배에 상시 종사하거나 농작업의 2분의 1 이상을 자기의 노동력에 따라 경작 또는 재배)한 토지의 양도로 인하여 발생하는 소득에 대해서는 양도소득세의 100분의 100에 상당하는 세액을 감면하는 것임.

부동산납세-619, 2014. 8. 22.

「조세특례제한법 시행령」 제66조 제4항 제2호의 규정에 의하여 환지예정지를 지정하는 경우에는 그 환지예정지 지정일부터 3년이 지난 농지는 "자경농지에 대한 양도소득세 감면"에서 제외하는 것임.

조심 2014중 552, 2014. 7. 24.

청구인이 쟁점농지 인근에서 거주하는 점, 쟁점농지 보유기간 중 상시 근로를 필요로 하는 직업을 가지지 아니한 점, 우리 원의 쟁점농지 현장확인 조사결과 등에 비추어, 청구인이 쟁점농지를 8년 이상 자경한 사실이 인정되므로 8년 자경 감면을 적용함이 타당함.

대법 2012두 3088, 2014. 6. 12.

양도일 이전에 매매계약조건에 따라 매수자가 단독주택을 짓기 위해 착공을 한 것으로 보이므로 양도일 현재가 아닌 매매계약일 현재 농지인지를 기준으로 자경농지 여부가 결정된다 할 것임.

대법원 2010두 26841, 2012. 8. 30.

주거지역 등에 편입된 자경농지에 대한 감면소득금액 산정시 주거지역 편입시에는 그 연도의 개별공시지가가 고시되지 않았더라도 사후에 그 연도의 개별공시지가를 알 수 있다면 '편입시의 기준시가'는 편입일이 속한 연도의 개별공시지가를 적용하는 것이 타당함.

* 현재 예규와는 배치되는 판례이므로 적용시 유의하여야 함.

부동산거래관리과-406, 2012. 7. 27.

1. 피상속인의 재산을 증여받은 자가 「민법」 제1115조에 따라 증여받은 재산을 유류분권리자에게 반환하는 경우로서 증여받은 재산을 양도한 후 그 양도대금으로 반환한 경우에는 그 반환한 양도대금에 해당하는 재산가액은 당초부터 증여가 없었던 것으로 보는 것입니다. 이 경우 유류분권리자가 반환받은 양도대금에 해당하는 재산을 상속받아 양도한 것으로 보는 것임.
2. 「조세특례제한법」 제69조에 따른 자경농지에 대한 양도소득세의 감면을 판단할 때 상속받은 농지의 경우 같은 법 시행령 제66조 제11항 및 제12항에 따라 경작기간을 계산할 수 있는 것임.

법규재산 2012-238, 2012. 6. 28.

8년 이상 직접 경작한 농지가 토지구획정리사업구역으로 편입되어 환지예정지 지정되고 환지예정지가 변경 지정된 경우 최초 환지예정지 지정일부터 3년이 지난 농지는 「조세특례제한법 시행령」 제66조 제4항 제2호에 따라 양도소득세 감면대상 농지에서 제외되는 것임.

부동산거래관리과 - 289, 2012. 5. 21.

「조세특례제한법」 제69조에 따른 자경농지에 대한 양도소득세의 감면대상이 되는 농지는 원칙적으로 양도일 현재 실제 경작에 사용되는 토지를 의미하는 것이며, 귀 질의의 경우 수용되는 토지가 양도일 현재 실제 경작에 사용되는 농지에 해당되지 아니하므로 동 감면 규정을 적용받을 수 없는 것임.

법규재산 2012 - 151, 2012. 5. 4.

군의 읍·면지역의 농지로서 「산업입지 및 개발에 관한 법률」 제7조의 일반산업단지로 지정됨에 따라 「국토의 계획 및 이용에 관한 법률」 제42조의 도시지역으로 지정되었으나 주거지역·상업지역·공업지역으로 구분하여 지정되지 아니한 농지는 「조세특례제한법」 제69조 제1항 단서 규정이 적용되지 않는 것임. 다만, 해당 농지가 「도시개발법」 또는 그 밖의 법률에 따라 농지 외의 토지로 환지예정지 지정을 받은 경우에는 「조세특례제한법」 제69조 제1항 단서 규정이 적용되는 것임.

법규재산 2011 - 262, 2011. 7. 20.

경작개시 당시에는 농지소재지에 해당하였으나 행정구역의 개편 등으로 이에 해당하지 아니한 경우에도 「조세특례제한법 시행령」 제66조 제1항에 따라 농지소재지로 보는 것이나, 행정구역의 개편 후에 거주 이전한 경우에는 그러하지 아니하는 것임.

부동산거래관리과 - 1313, 2010. 11. 2.

농지대토 비과세 또는 감면과 「조세특례제한법」 제69조에 따른 8년 자경농지 감면이 동시에 적용되는 종전농지를 양도하고 8년 자경농지로 양도소득세 감면 결정된 후 새로 취득한 농지가 「공익사업을 위한 토지 등의 취득 및 보상에 관한 법률」에 의하여 협의매수·수용 및 그 밖의 법률에 의하여 수용되는 경우 당해 농지의 경작기간은 종전농지가 농지대토 비과세 또는 감면요건에 해당하는 경우 「조세특례제한법 시행령」 제66조 제6항에 따라 종전농지의 경작기간을 통산하는 것임.

재산세과 - 405, 2009. 10. 7.

「소득세법 시행규칙」 제2조의 규정에 따라 단체를 1거주자로 보는 경우로서 그 단체의 소유농지를 단체의 책임하에 단체 구성원이 8년 이상 당해 농지의 소재지에서 거주하면서 경작한 사실이 있는 경우에는 「조세특례제한법」 제69조의 규정에 의하여 양도소득세가 감면되는 것이나, 귀 질의와 같이 그 단체와의 약정에 따라 단체 구성원의 책임하에 농지를 경작하고 그 수확물이 경작자에게 전부 귀속되는 경우에는 그러하지 아니함.

재재산-379, 2008. 7. 4.

「조세특례제한법」 제69조의 자경농지에 대한 양도소득세 감면요건을 판정함에 있어 같은 법 시행령 제66조 제1항 제2호에서 규정하는 연접한 시·군·구(자치구인 구)에 국립지리원이 간행한 지형도상의 해상경계선으로 연접되는 경우도 포함되는 것임.

재재산-1533, 2007. 12. 20.

비거주자가 자경농지의 양도소득세 감면요건을 모두 충족하는 농지를 피상속인으로부터 상속받아 양도하는 경우, 동 감면규정을 적용받을 수 있음(2013. 2. 15. 관련 조특령 §66 ① 개정).

서면5팀-3027, 2007. 11. 19.

농지의 소유자가 아닌 동일세대원이 농작물의 재배에 상시 종사하는 경우 자경농지 감면시 "직접 경작"에 해당하지 아니함.

서면5팀-3006, 2007. 11. 15.

행정구역 개편일 이후에 연접지역이 아닌 지역으로 거주를 이전한 경우 자경농지에 대한 양도소득세 감면을 적용받을 수 없음.

국심 2007서 2801, 2007. 11. 7.

「조세특례제한법」 제69조 제1항 단서의 규정에 의한 주거지역에 편입된 날이라 함은 「국토의 계획 및 이용에 관한 법률」 제30조 제6항에 따라 도시관리계획의 결정내용을 건설교통부장관이 관보에 고시한 날을 의미함.

서면5팀-2885, 2007. 11. 5.

「조세특례제한법 시행령」 제66조 제11항 및 제12항의 개정규정을 적용함에 있어서 동 규정 시행 전에 상속받은 농지로서 2008. 12. 31.까지 양도하는 경우에는 종전의 규정에 의하는 것임.

재재산-1313, 2007. 10. 30.

자경농지에 대한 양도소득세의 감면은 「조세특례제한법 시행령」 제66조 제5항 단서에 해당하는 경우를 제외하고는 양도일 현재 농지를 기준으로 하는 것임.

재재산-1229, 2007. 10. 11.

자경농지에 대한 양도소득세 감면 규정은 직접 경작한 경우에 한하여 적용됨.

서면4팀-2922, 2007. 10. 10.

성(姓)과 본(本)을 같이 하는 종중원이 아닌 자가 종중소유 농지를 경작하는 경우 당해 농지는 자경농지에 대한 양도소득세의 감면 규정이 적용되지 아니함.

서면4팀-2891, 2007. 10. 8.

상속받은 농지를 양도하는 경우 경작기간은 양도자(상속인)의 직전 피상속인이 취득하여 경작한 기간만을 양도자의 경작기간에 통산하여 계산함.

서면4팀-192, 2006. 2. 3.

재산분할청구로 취득한 농지는 양도일 현재 농지이고 이혼 전 배우자가 농지를 취득한 때부터 당해 거주자가 양도할 때까지의 사이에 8년 이상 농지소재지에 거주하면서 자기가 경작한 경우 양도소득세가 감면됨.

서면4팀-54, 2006. 1. 12.

자경농지에 대한 양도소득세 감면 적용시 농지란 전·답으로서 지적공부상의 지목에 관계없이 실지로 경작에 사용되는 토지를 말하는 것임.

서면4팀-45, 2006. 1. 11.

1필지의 농지를 관념상 구분하여 자경농지에 대한 감면과 농지대토에 따른 비과세규정을 각각 적용할 수 없는 것임.

서면4팀-15, 2006. 1. 6.

자경농지에 대한 양도소득세 감면 적용시 거주자가 남편으로부터 증여받은 농지의 경작기간은 거주자가 증여받은 날부터 계산하는 것임.

서면4팀-2658, 2005. 12. 30.

환지 예정지의 농지 여부를 판단하는 경우 환지예정지 지정 후 토지조성공사의 시행으로 경작을 못하게 된 경우에는 토지조성공사 착수일 현재를 기준으로 함.

재재산-1597, 2004. 11. 30.

「조세특례제한법 시행령」 제66조(자경농지에 대한 양도소득세 감면) 제4항 제1호의 규정을 적용함에 있어 양도일 현재 당해 농지가 대규모개발사업 시행 전에 주거·상업·공업지역에 편입되어 이들 지역에 편입된 날로부터 3년이 지난 경우에는 적용하지 아니함.

2 축사용지에 대한 양도소득세의 감면(조특법 §69의 2)

8년 이상 직접 축산에 사용한 축사용지를 폐업을 위하여 2020. 12. 31. 까지 양도함에 따라 발생하는 소득에 대하여는 양도소득세의 100분의 100에 상당하는 세액을 감면한다.

가. 적용대상

1) 대상자

가) 축사용지 양도일 현재 「소득세법」 제1조의 2 제1항 제1호에 따른 거주자인 자

나) 비거주자가 된 날부터 2년 이내인 자

▶▶ 경과조치 : 2013. 2. 15. 현재 비거주자인 자가 2015. 12. 31.까지 토지를 양도하는 경우에는 비거주자가 된 날부터 2년이 지나 토지를 양도하는 경우에도 종전 규정에 따라 감면 적용함 (2013. 2. 15. 대통령령 제24368호 부칙 §27).

2) 대상 축사용지

축사용지 보유기간 중 8년 이상 해당 축사용지 소재지에 거주하면서 직접축산에 사용한 축사용지

* 축사용지 : 축산에 사용하는 축사와 이에 딸린 토지

나. 축사용지 소재지

축사용지 소재지란 다음 중 어느 하나에 해당하는 지역을 말한다. 이 경우 축산개시 당시에는 축사용지 소재지에 해당하였으나 행정구역의 개편 등으로 이에 해당하지 아니하게 된 지역을 포함한다.

① 축사용지가 소재하는 시(특별자치시와 「제주특별자치도 설치 및 국제자유도시 조성을 위한 특별법」 제10조 제2항에 따라 설치된 행정시를 포함한다)·군·구(자치구를 말한다) 안의 지역

② ①의 지역과 연접한 시·군·구안의 지역

③ 해당 축사용지로부터 직선거리 30킬로미터 이내의 지역

다. 직접축산

직접축산이란 거주자가 그 소유 축사용지에서 「축산법」 제2조 제1호에 따른 가축의 사육에 상시 종사하거나 축산작업의 2분의 1 이상을 자기의 노동력에 의하여 수행하는 것을 말한다.

라. 폐업의 범위

폐업은 거주자가 축산을 사실상 중단하는 것으로서 해당 축사용지 소재지의 시장(「제주특별자치도 설치 및 국제자유도시 조성을 위한 특별법」에 따른 행정시장을 포함한다) · 군수 · 구청장(자치구의 구청장을 말한다)으로부터 축산기간 및 폐업 확인서에 폐업임을 확인받은 경우를 말한다.

마. 거주 및 직접축산 사용기간 요건

8년 이상 축산에 사용하는 축사와 이에 딸린 토지가 소재하는 시 · 군 · 구 안에 지역과 연접한 시 · 군 · 구 안의 지역, 해당 축사용지로부터 직선거리 30킬로미터 이내 지역

바. 축사용지 감면세액 계산 방법

축사용지에 대한 감면세액은 다음 산식에 따라 계산한다.

$$\text{감면세액} = \text{양도소득세 산출세액} \times \frac{\text{축사용지면적}^{*}}{\text{총 양도면적}}$$

* 축사용지면적 : 1,650제곱미터를 초과하는 경우 1,650제곱미터로 한다.

사. 감면 배제 대상

다음 중 어느 하나에 해당하는 것은 감면이 적용되지 아니한다.

1) 주거지역 등 편입 축사용지

가) 원 칙

양도일 현재 특별시 · 광역시(광역시에 있는 군을 제외한다) 또는 시[「지방자치법」 제3조 제4항에 따라 설치된 도농(都農) 복합형태의 시의 읍 · 면 지역 및 「제주특별자치도 설치 및 국제자유도시 조성을 위한 특별법」 제10조 제2항에 따라 설치된 행정시의 읍 · 면 지역은 제외한다]에 있는 축사용지 중 「국토의 계획 및 이용에 관한 법률」에 의한 주거지역 · 상업지역 및 공업지역 안에 있는 축사용지로서 이들 지역에 편입된 날부터 3년이 지난

축사용지는 감면을 적용받을 수 없다.

나) 예 외

주거지역 등에 편입된 경우에도 다음 중 어느 하나에 해당하는 경우에는 감면을 적용받을 수 있다.

(1) 사업시행지역 안의 토지소유자가 1천명 이상이거나 사업시행면적이 일정규모 이상인 개발사업지역(사업인정고시일이 동일한 하나의 사업시행지역을 말한다) 안에서 개발사업의 시행으로 인하여 「국토의 계획 및 이용에 관한 법률」에 따른 주거지역·상업지역 또는 공업지역에 편입된 축사용지로서 사업시행자의 단계적 사업시행 또는 보상지연으로 이들 지역에 편입된 날부터 3년이 지난 경우

* 일정규모 : 100만 제곱미터(「택지개발촉진법」에 의한 택지개발사업 또는 「주택법」에 의한 대지조성사업의 경우에는 10만 제곱미터)

(2) 사업시행자가 국가, 지방자치단체, 공공기관인 개발사업지역 안에서 개발사업의 시행으로 인하여 「국토의 계획 및 이용에 관한 법률」에 따른 주거지역·상업지역 또는 공업지역에 편입된 축사용지로서 부득이한 사유에 해당하는 경우

* 공공기관 : 「공공기관의 운영에 관한 법률」에 따라 지정된 공공기관과 「지방공기업법」에 따라 설립된 지방직영기업·지방공사·지방공단을 말한다.

* 부득이한 사유 : 사업 또는 보상을 지연시키는 사유로서 그 책임이 사업시행자에게 있다고 인정되는 사유를 말한다.

(3) 「국토의 계획 및 이용에 관한 법률」에 따른 주거지역·상업지역 및 공업지역에 편입된 축사용지로서 편입된 후 3년 이내에 대규모개발사업이 시행되고, 대규모개발사업 시행자의 단계적 사업시행 또는 보상지연으로 이들 지역에 편입된 날부터 3년이 지난 경우(대규모개발사업지역 안에 있는 경우로 한정한다)(2013. 2. 15. 이후 양도하는 분부터 적용)

2) 환지처분된 축사용지

가) 원 칙

「도시개발법」 또는 그 밖의 법률에 따라 환지처분 이전에 축사용지 외의 토지로 환지예정지를 지정하는 경우에는 그 환지예정지 지정일부터 3년이 지난 축사용지는 감면을 적용받을 수 없다.

나) 예 외

환지처분에 따라 교부받는 환지청산금에 해당하는 부분은 환지예정지 지정일부터 3년이 지난 경우에도 감면을 적용받을 수 있다.

아. 주거지역 등 편입 축사용지에 대한 감면 범위

1) 개 요

8년 이상 축사용지 소재지에 거주하면서 직접 축산에 사용한 축사용지에 대해서는 양도소득금액 전부에 대해서 감면이 적용된다.

다만, 해당 토지가 「국토의 계획 및 이용에 관한 법률」에 따른 주거지역 · 상업지역 및 공업지역(이하 "주거지역등"이라 한다)에 편입되거나 「도시개발법」 또는 그 밖의 법률에 따라 환지처분(換地處分) 전에 축사용지 외의 토지로 환지예정지 지정을 받은 경우에는 주거지역등에 편입되거나, 환지예정지 지정을 받은 날까지 발생한 소득에 대해서만 감면을 적용한다.

▶▶ 유의사항 : 위 "마"에 따라 감면배제대상인 토지는 주거지역 등 편입일 · 환지예정지 지정일 이전에 발생한 소득도 감면이 적용되지 아니함.

2) 감면소득금액 계산 방법

주거지역 등에 편입된 토지에 대한 감면소득금액은 아래 산식에 따라 계산한다.

다만, 「공익사업을 위한 토지 등의 취득 및 보상에 관한 법률」 및 그 밖의 법률에 따라 협의매수되거나 수용되는 경우에는 다음 산식 중 양도당시의 기준시가를 보상가액 산정의 기초가 되는 기준시가로 한다. 이 경우 보상가액 산정의 기초가 되는 기준시가는 보상금 산정 당시 해당 토지의 개별공시지가로 한다.

$$\text{양도소득금액} \times \frac{(\text{주거지역 등에 편입되거나 환지예정지 지정을 받은 날의 기준시가}) - (\text{취득 당시의 기준시가})}{(\text{양도 당시의 기준시가}) - (\text{취득 당시의 기준시가})}$$

* 양도소득금액 : 「소득세법」 제95조 제1항의 규정에 의한 양도소득금액

자. 축사용지의 판정

1) 축사용지의 범위

축사용지란 축산에 사용하는 축사와 이에 딸린 토지를 말하며, 지적공부상의 지목에 관계없이 실지로 가축의 사육에 사용한 축사와 이에 딸린 토지로 한다.

2) 판정 기준

축사용지 해당 여부는 양도일(소득법 §98, 소득령 §162) 현재의 축사용지를 기준으로 한다. 다만, 양도일 이전에 매매계약조건에 따라 매수자가 형질변경, 건축착공 등을 한 경우에는 매매계약일 현재의 축사용지를 기준으로 하며, 환지처분 전에 해당 축사용지가 축사용지 외의 토지로 환지예정지 지정이 되고 그 환지예정지 지정일부터 3년이 경과하기 전의 토지로서 환지예정지 지정 후 토지조성공사의 시행으로 축산을 하지 못하게 된 경우에는 토지조성공사 착수일 현재의 축사용지를 기준으로 한다.

차. 축산 사용기간의 계산

1) 원 칙

가) 거주자(축사용지 소유자)가 해당 축사용지 소유기간 중 직접 축산에 사용한 기간으로 계산한다.

나) 사업소득(농업, 임업 및 비과세 농가부업소득, 부동산임대소득 제외)금액과 총급여액의 합계액이 3,700만원 이상인 과세기간은 자영기간에서 제외한다.

다) 복식부기 의무자 수입금액기준(도 · 소매업, 부동산매매업의 경우 3억원, 제조업 등의 경우 1.5억원) 이상의 수입금액이 있는 경우 해당 과세기간은 자경기간에서 제외한다.

2) 예 외

가) 교환 · 분합 및 대토한 축사용지의 수용시 특례

축산에 사용한 기간을 계산할 때 축사용지를 교환 · 분합 및 대토한 경우로서 새로이 취득하는 축사용지가 「공익사업을 위한 토지 등의 취득 및 보상에 관한 법률」 및 그 밖의 법률에 따라 협의매수되거나 수용되는 경우에는 교환 · 분합 및 대토 전의 축사용지를 축산에 사용한 기간을 포함하여 계산한다.

나) 상속받은 축사용지의 축산 사용기간 계산 특례

상속받은 축사용지의 취득일은 상속개시일이므로 원칙적으로 상속개시일 이후 상속인이 축산에 사용한 기간으로 계산한다. 다만, 일정한 경우에는 피상속인이 취득하여 축산에 사용한 기간은 상속인이 축산에 사용한 기간으로 본다.

(1) 상속인이 1년 이상 계속하여 재촌 · 축산사용하는 경우

축산에 사용한 기간을 계산할 때 상속인이 상속받은 축사용지를 1년 이상 계속하여 축산에 사용하는 경우(축사용지 소재지에 거주하면서 축산에 사용하는 경우를 말한다)에는 다음 각 호의 기간은 상속인이 축산에 사용한 기간으로 본다.

① 피상속인이 취득하여 축산에 사용한 기간(직전 피상속인이 축산에 사용한 기간으로 한정한다)

② 피상속인이 그 배우자로부터 상속받은 축사용지를 축산에 사용한 사실이 있는 경우에는 피상속인의 배우자가 취득한 축사용지를 축산에 사용한 기간

(2) 상속인이 1년 이상 계속하여 재촌 · 축산사용 하지 않는 경우

상속인이 상속받은 축사용지를 1년 이상 계속하여 축산에 사용하지 아니하더라도 상속받은 날부터 3년이 되는 날까지 양도하거나 「공익사업을 위한 토지 등의 취득 및 보상에 관한 법률」 및 그 밖의 법률에 따라 협의매수 또는 수용되는 경우로서 상속받은 날부터 3년이 되는 날까지 다음 중 어느 하나에 해당하는 지역으로 지정(관계 행정기관의 장이 관보 또는 공보에 고시한 날을 말한다)되는 경우(상속받은 날 전에 지정된 경우를 포함한다)에는 "(1) ① 및 ②"의 축산에 사용한 기간을 상속인이 축산에 사용한 기간으로 본다.

(가) 「택지개발촉진법」 제3조에 따라 지정된 택지개발지구

(나) 「산업입지 및 개발에 관한 법률」 제6조 · 제7조 · 제7조의 2 또는 제8조에 따라 지정된 산업단지

(다) 제1호 및 제2호 외의 지역으로서 기획재정부령으로 정하는 지역

카. 감면여부의 확인

1) 양도자가 8년 이상 소유한 축사용지임이 다음 중 어느 하나의 방법에 의하여 확인될 것

가) 등기부 등본 또는 토지대장 등본의 확인

나) 가목에 따른 방법으로 확인할 수 없는 경우에는 그 밖의 증빙자료의 확인

2) 양도자가 8년 이상 축사용지 소재지에 거주하면서 직접 가축의 사육에 종사한 사실이 있고 양도일 현재 축사용지임이 다음 모두의 방법에 의하여 확인될 것

가) 주민등록표 등본의 확인

나) 축산기간 및 폐업 확인서의 확인

타. 폐업 후 축산업 재영위시 추징

양도소득세를 감면받은 거주자가 해당 축사용지 양도 후 5년 이내에 축산업을 다시 하는 경우에는 감면받은 세액을 추징한다. 다만, 축산용지에 대한 양도소득세 감면을 받은 사람이 그 이후에 상속으로 인하여 축산업을 하게 되는 경우에는 그러하지 아니한다.

파. 농어촌특별세 및 감면한도

축사용지에 대한 양도소득세 감면에 대해서는 농어촌특별세가 비과세 되며, 「조세특례제한법」 제133조 제1항에 따른 감면한도(1과세기간 1억원, 5개 과세기간 1억원)가 적용된다(27. 참조).

하. 적용시기

2018. 1. 1. 이후 최초로 양도하는 분부터 적용한다(2017. 12. 19. 법률 제15227호 부칙 §2).

관련예규 및 판례요약

축사용지에 대한 양도소득세 감면과 관련된 예규, 판례

조심-2017-부-4287, 2017. 12. 14.

세무조사 절차가 미이행됐다는 청구주장은 받아들이기 어렵고, 쟁점토지 중 농지 및 축사용지에 대한 8년 자경 감면을 배제한 것은 잘못이 없으나, 장기보유특별공제 적용에 대하여는 축사용지로 사용했던 기간 등을 재조사하여 그 결과에 따라 경정하는 것이 타당함.

조심-2017-구-3702, 2017. 11. 7.

청구인과 배우자는 쟁점축사를 보유한 26년간 다른 직업이나 소득이 거의 없고, 타인에 의해 대리운영된 사실이 없는바, 배우자 명의로 등록된 축산업은 사실상 청구인과 배우자의 공동사업으로, 처분청이 쟁점부동산을 조세특례제한법 제69조의 2에 의한 축산용지에 대한 감면대상에 해당하지 아니하는 것으로 보아 경정청구를 거부한 처분은 잘못이 있음.

서면법령재산-2260, 2016. 6. 23.

축사용지를 타인에게 임대하여 임차인이 축산에 사용한 후 거주자가 해당 축사용지를 양도하는 경우에는 조특법 제69조의 2 【축사용지에 대한 양도소득세의 감면】 규정을 적용하지 아니함.

조심 2016중 956, 2016. 6. 3.

「조세특례제한법」 제69조의 2는 폐업으로 인한 축산농가의 경제적 손실을 지원하기 위하여 2011. 7. 25. 도입된 것으로, 폐업을 위하여 축사용지를 양도하는 경우에 한해 양도소득세를 감면하는 규정이고, 양도소득세를 감면받은 거주자가 해당 축사용지 양도 후 상속 등 대통령령이 정하는 사유 이외의 사유로 5년 이내에 축산업을 다시 하는 경우에는 감면받은 세액을 추징하는 것인 점, 청구인은 쟁점토지 양도 이후인 2015년에도 동일 사업장에서 양돈업을 계속 영위하고 있는 것으로 나타나는 점 등에 비추어 쟁점토지가 「조세특례제한법」 제69조의 2에 따른 감면대상에 해당한다는 청구주장은 받아들이기 어려운 것으로 판단됨.

조심 2015중 2091, 2015. 10. 26.

쟁점토지의 검인계약서상 양도시점에 쟁점토지는 축사용지가 아닌 것으로 보이고, 쟁점토지에 대한 조건부 매매계약서 원본을 제시하지 못하여 매매계약일을 기준으로 쟁점토지의 용도를 판단할 수 없는 점 등에 비추어 축사용지에 대한 양도소득세를 감면하기 어려우나, 청구인은 19XX년 축산시설을 신축 · 취득한 것으로 나타나고, 쟁점토지에 20XX년 철거 이전까지 축사가 존재한 것으로 보이고, 달리 청구인이 다른 직업을 영위하였다거나 축사가 타인에게 임대된 사실이 확인되지 않은 점 등에 비추어 쟁점토지를 비사업용 토지로 보아 장기보유특별공제의 적용을 배제한 처분은 잘못임.

서면법규-551, 2014. 5. 30.

「조세특례제한법」 제69조의 2 제1항의 축사용지에 대한 양도소득세 감면 대상이 되는 축사란 실제 가축의 사육에 사용되는 축사로서 이 경우 축사의 범위에는 가축의 사육에 사용되는 축사의 부속시설도 포함하는 것임.

부동산납세-184, 2013. 12. 4.

축사용지의 일부만 양도하고 계속 축산업을 하는 경우에는 「조세특례제한법」 제69조의 2를 적용 받을 수 없는 것임.

부동산거래 - 633, 2012. 11. 20.

거주자가 「조세특례제한법」 제69조의 2 제1항에 따른 축사용지를 양도한 경우 감면세액은 「소득세법」 제90조 및 「조세특례제한법 시행령」 제66조의 2 제9항에 따라 계산하는 것임.

부동산거래관리과 - 633, 2012. 11. 20.

축사용지(축사 + 이에 딸린 토지) 면적이 1인당 감면한도 면적인 990㎡를 초과하는 경우 축사용지 감면세액 계산 방법(면적기준으로 계산하는지 소득금액 기준으로 계산하는지)

▶▶ 거주자가 「조세특례제한법」 제69조의 2 제1항에 따른 축사용지를 양도한 경우 감면세액은 「소득세법」 제90조 및 「조세특례제한법 시행령」 제66조의 2 제9항에 따라 계산하는 것임.

부동산거래 - 348, 2012. 7. 5.

축산업 등록대상이 아닌 가축인 메추리를 사육하여 해당 축사용지 소재지의 시장 · 군수 · 구청장으로부터 「조세특례제한법 시행령」 제66조의 2 제8항에 따른 축산기간 및 폐업확인서를 발급받지 못하는 경우라도 8년 이상 축사용지 소재지에 거주하면서 직접 가축의 사육에 종사한 사실과 축산업의 폐업사실이 모두 인정되는 경우에는 같은 법 제69조의 2에 따른 감면을 적용받을 수 있는 것임.

부동산거래관리과 - 348, 2012. 7. 5.

「축산법 시행령」 제13조에 따른 축산업 등록대상이 아닌 가축인 메추리를 사육하여 해당 축사용지 소재지의 시장 · 군수 · 구청장으로부터 「조세특례제한법 시행령」 제66조의 2 제8항에 따른 축산기간 및 폐업 확인서를 발급받지 못하는 경우라도 8년 이상 축사용지 소재지에 거주하면서 직접 가축의 사육에 종사한 사실과 축산업의 폐업사실이 모두 인정되는 경우에는 같은 법 제69조의 2에 따른 감면을 적용받을 수 있는 것임.

법규재산 2011 - 508, 2011. 12. 26.

거주자가 8년 이상 직접 축산에 사용한 축사용지와 그 밖의 토지를 함께 양도하고 축산에 사용한 축사용지의 양도로 발생한 양도소득세에 대하여 「조세특례제한법」 제69조의 2에 따라 감면세액을 계산하는 경우 같은 법 시행령 제66조의 2 제9항 산식 분모의 총 양도면적은 축산에 사용한 축사용지 면적을 말하는 것임.

부동산거래관리과 - 1048, 2011. 12. 16.

「조세특례제한법」 제69조의 2 【축사용지에 대한 양도소득세의 감면】 은 거주자가 8년 이상 직접 축산에 사용한 축사용지(1명당 990제곱미터를 한도로 한다)를 폐업을 위하여 2014. 12. 31.까지 양도함에 따라 발생하는 소득에 대하여 양도소득세의 100분의 100에 상당하는 세액을 감면하는 것이며 귀하의 경우처럼 계속 축산업을 영위하는 경우 적용받을 수 없는 것임.

3 | 어업용 토지등에 대한 감면(조특법 §69의 3)

일정요건을 갖춘 자경농지 및 축사에 대하여 양도소득세를 감면하고 있는 점을 감안하여 8년 이상 직접 어업에 사용한 어업용 토지등을 2020. 12. 31.까지 양도함에 따라 발생하는 소득에 대하여는 양도소득세의 100분의 100에 상당하는 세액을 감면한다.

가. 적용대상

1) 대상자

어업용 토지등 소재지에 8년 이상 거주한 거주자로서 「수산업 · 어촌 발전 기본법」에 따른 어업인

2) 대상 어업용 토지등

해당 토지 등을 취득한 때부터 양도할 때까지의 사이에 8년 이상 자기가 직접 양식등에 사용한 토지 및 건물

나. 어업용 토지등 소재지

어업용 토지등 소재지란 다음 중 어느 하나에 해당하는 지역을 말한다. 이 경우 어업 개시 당시에는 그 지역에 해당하였으나 행정구역의 개편 등으로 이에 해당하지 아니하게 된 지역을 포함한다.

① 어업용 토지 등이 소재하는 시(특별자치시와 「제주특별자치도 설치 및 국제자유도시 조성을 위한 특별법」 제10조 제2항에 따라 설치된 행정시를 포함한다) · 군 · 구(자치구를 말한다) 안의 지역
② ①의 지역과 연접한 시 · 군 · 구안의 지역
③ 해당 어업용 토지등으로부터 직선거리 30킬로미터 이내의 지역

다. 직접 어업에 사용

직접 어업에 사용이란 어업용 토지 등에서 「수산업법」에 따른 육상해수양식어업, 「내수면어업법」에 따른 육상양식어업 및 「수산종자산업육성법」에 따른 수산종자생산업에 상시

종사하는 것으로 해당 작업의 2분의 1 이상을 자기의 노동력에 의하여 수행하는 것을 말한다.

라. 감면 배제 대상

다음 중 어느 하나에 해당하는 것은 감면이 적용되지 아니한다.

1) 주거지역 등 편입 어업용 토지등

가) 원 칙

양도일 현재 특별시·광역시(광역시에 있는 군을 제외한다) 또는 시[「지방자치법」 제3조 제4항에 따라 설치된 도농(都農) 복합형태의 시의 읍·면 지역 및 「제주특별자치도 설치 및 국제자유도시 조성을 위한 특별법」 제10조 제2항에 따라 설치된 행정시의 읍·면 지역은 제외한다]에 있는 어업용 토지등으로서 「국토의 계획 및 이용에 관한 법률」에 의한 주거지역·상업지역 또는 공업지역 안에 있는 어업용 토지등으로서 이들 지역에 편입된 날부터 3년이 지난 어업용 토지등은 감면을 적용받을 수 없다.

나) 예 외

주거지역 등에 편입된 경우에도 다음 중 어느 하나에 해당하는 경우에는 감면을 적용받을 수 있다.

(1) 사업시행지역 안의 토지소유자가 1천명 이상이거나 사업시행면적이 일정규모 이상인 개발사업지역(사업인정고시일이 동일한 하나의 사업시행지역을 말한다) 안에서 개발사업의 시행으로 인하여 「국토의 계획 및 이용에 관한 법률」에 따른 주거지역·상업지역 또는 공업지역에 편입된 어업용 토지등으로서 사업시행자의 단계적 사업시행 또는 보상지연으로 이들 지역에 편입된 날부터 3년이 지난 경우

* 일정규모 : 100만 제곱미터(「택지개발촉진법」에 의한 택지개발사업 또는 「주택법」에 의한 대지조성사업의 경우에는 10만 제곱미터)

(2) 사업시행자가 국가, 지방자치단체, <u>공공기관</u>인 개발사업지역 안에서 개발사업의 시행으로 인하여 「국토의 계획 및 이용에 관한 법률」에 따른 주거지역·상업지역 또는 공업지역에 편입된 어업용 토지등으로서 <u>부득이한 사유</u>에 해당하는 경우

* 공공기관 : 「공공기관의 운영에 관한 법률」에 따라 지정된 공공기관과 「지방공기업법」에 따라 설립된 지방직영기업·지방공사·지방공단을 말한다.

* 부득이한 사유 : 사업 또는 보상을 지연시키는 사유로서 그 책임이 사업시행자에게 있다고 인정되는 사유를 말한다.

(3) 「국토의 계획 및 이용에 관한 법률」에 따른 주거지역 · 상업지역 및 공업지역에 편입된 어업용 토지등으로서 편입된 후 3년 이내에 대규모개발사업이 시행되고, 대규모개발사업 시행자의 단계적 사업시행 또는 보상지연으로 이들 지역에 편입된 날부터 3년이 지난 경우(대규모개발사업지역 안에 있는 경우로 한정한다)

2) 환지처분된 어업용 토지등

가) 원 칙

「도시개발법」 또는 그 밖의 법률에 따라 환지처분 이전에 어업용 토지등 외의 토지로 환지예정지를 지정하는 경우에는 그 환지예정지 지정일부터 3년이 지난 어업용 토지등은 감면을 적용받을 수 없다.

나) 예 외

환지처분에 따라 교부받는 환지청산금에 해당하는 부분은 환지예정지 지정일부터 3년이 지난 경우에도 감면을 적용받을 수 있다.

마. 주거지역 등 편입 어업용 토지등에 대한 감면 범위

1) 개 요

8년 이상 어업용 토지등의 소재지에 거주하면서 직접 어업에 사용한 어업용 토지등에 대해서는 양도소득금액 전부에 대해서 감면이 적용된다.

다만, 해당 토지가 「국토의 계획 및 이용에 관한 법률」에 따른 주거지역 · 상업지역 및 공업지역(이하 "주거지역등"이라 한다)에 편입되거나 「도시개발법」 또는 그 밖의 법률에 따라 환지처분(換地處分) 전에 어업용 토지등 외의 토지로 환지예정지 지정을 받은 경우에는 주거지역등에 편입되거나, 환지예정지 지정을 받은 날까지 발생한 소득에 대해서만 감면을 적용한다.

▶▶ 유의사항 : 위 "라"에 따라 감면배제대상인 토지는 주거지역 등 편입일 · 환지예정지 지정일 이전에 발생한 소득도 감면이 적용되지 아니함.

2) 감면소득금액 계산 방법

주거지역 등에 편입된 토지에 대한 감면소득금액은 아래 산식에 따라 계산한다.

다만, 「공익사업을 위한 토지 등의 취득 및 보상에 관한 법률」 및 그 밖의 법률에 따라 협의매수되거나 수용되는 경우에는 다음 산식 중 양도당시의 기준시가를 보상가액 산정의 기초가 되는 기준시가로 한다. 이 경우 보상가액 산정의 기초가 되는 기준시가는 보상금 산정 당시 해당 토지의 개별공시지가로 한다.

$$\text{양도소득금액} \times \frac{(\text{주거지역 등에 편입되거나 환지예정지 지정을 받은 날의 기준시가}) - (\text{취득 당시의 기준시가})}{(\text{양도 당시의 기준시가}) - (\text{취득 당시의 기준시가})}$$

* 양도소득금액 : 「소득세법」 제95조 제1항의 규정에 의한 양도소득금액

바. 어업용 토지등의 판정

1) 어업용 토지등의 범위

어업용 토지등이란 어업에 직접 사용되는 토지와 건물을 말하며, 지적공부상의 지목에 관계없이 실지로 어업에 직접 사용한 것을 말한다.

2) 판정 기준

어업용 토지등에 해당 여부는 양도일(소득법 §98, 소득령 §162) 현재를 기준으로 한다. 다만, 양도일 이전에 매매계약조건에 따라 매수자가 형질변경, 건축착공 등을 한 경우에는 매매계약일 현재의 어업용 토지등을 기준으로 하며, 환지처분 전에 해당 어업용 토지등이 어업용 외의 토지등으로 환지예정지 지정이 되고 그 환지예정지 지정일부터 3년이 경과하기 전의 토지로서 환지예정지 지정 후 토지조성공사의 시행으로 어업을 하지 못하게 된 경우에는 토지조성공사 착수일 현재를 기준으로 한다.

사. 어업 사용기간의 계산

1) 원 칙

가) 거주자(어업용 토지등 소유자)가 해당 어업용 토지등 소유기간 중 직접 어업에 사용

한 기간으로 계산한다.

나) 사업소득(어업, 임업 및 비과세 농가부업소득, 부동산임대소득 제외)금액과 총급여액의 합계액이 3,700만원 이상인 과세기간은 자영기간에서 제외한다.

다) 복식부기 의무자 수입금액기준(도 · 소매업, 부동산매매업의 경우 3억원, 제조업 등의 경우 1.5억원) 이상의 수입금액이 있는 경우 해당 과세기간은 자경기간에서 제외한다.

2) 예 외

가) 교환 · 분합 및 대토한 어업용 토지등의 수용시 특례

어업에 사용한 기간을 계산할 때 어업용 토지등을 교환 · 분합 및 대토한 경우로서 새로이 취득하는 어업용 토지등이 「공익사업을 위한 토지 등의 취득 및 보상에 관한 법률」 및 그 밖의 법률에 따라 협의매수되거나 수용되는 경우에는 교환 · 분합 및 대토 전의 어업용 토지등을 양식등에 사용한 기간을 포함하여 계산한다.

나) 상속받은 어업용 토지등의 양식등 사용기간 계산 특례

상속받은 어업용 토지등의 취득일은 상속개시일이므로 원칙적으로 상속개시일 이후 상속인이 양식등에 사용한 기간으로 계산한다. 다만, 일정한 경우에는 피상속인이 취득하여 양식등에 사용한 기간은 상속인이 양식등에 사용한 기간으로 본다.

(1) 상속인이 1년 이상 계속하여 양식등에 사용하는 경우

양식등에 사용한 기간을 계산할 때 상속인이 상속받은 어업용 토지등을 1년 이상 계속하여 양식등에 사용하는 경우(어업용 토지등 소재지에 거주하면서 양식등에 사용하는 경우를 말한다)에는 다음 각 호의 기간은 상속인이 양식등에 사용한 기간으로 본다.

① 피상속인이 취득하여 양식등에 사용한 기간(직전 피상속인이 양식등에 사용한 기간으로 한정한다)

② 피상속인이 그 배우자로부터 상속받은 어업용 토지등을 양식등에 사용한 사실이 있는 경우에는 피상속인의 배우자가 취득한 어업용 토지등을 양식등에 사용한 기간

(2) 상속인이 1년 이상 계속하여 양식등에 사용하지 않는 경우

상속인이 상속받은 어업용 토지등을 1년 이상 계속하여 양식등에 사용하지 아니하더라도 상속받은 날부터 3년이 되는 날까지 양도하거나 「공익사업을 위한 토지 등의 취득 및 보상에 관한 법률」 및 그 밖의 법률에 따라 협의매수 또는 수용되는 경우로서 상속받은 날부터

3년이 되는 날까지 다음 중 어느 하나에 해당하는 지역으로 지정(관계 행정기관의 장이 관보 또는 공보에 고시한 날을 말한다)되는 경우(상속받은 날 전에 지정된 경우를 포함한다)에는 "(1) ① 및 ②"의 양식등에 사용한 기간을 상속인이 양식등에 사용한 기간으로 본다.

(가) 「택지개발촉진법」 제3조에 따라 지정된 택지개발지구

(나) 「산업입지 및 개발에 관한 법률」 제6조 · 제7조 · 제7조의 2 또는 제8조에 따라 지정된 산업단지

(다) 제1호 및 제2호 외의 지역으로서 기획재정부령으로 정하는 지역

아. 감면여부의 확인

양도자가 8년 이상 어업용 토지등 소재지에 거주하면서 직접 양식등에 종사한 사실이 있고 양도일 현재 어업용 토지등임이 다음 모두의 방법에 의하여 확인될 것

1) 주민등록표 등본의 확인
2) 등기부 등본 또는 토지대장 등본의 확인
3) 그 밖의 증빙자료의 확인

자. 농어촌특별세 및 감면한도

축사용지에 대한 양도소득세 감면에 대해서는 농어촌특별세가 비과세 되며, 「조세특례제한법」 제133조 제1항에 따른 감면한도(1과세기간 1억원, 5개 과세기간 1억원)가 적용된다(27. 참조).

차. 적용시기

2018. 1. 1. 이후 최초로 양도하는 분부터 적용한다(2017. 12. 19. 법률 제15227호 부칙 §2).

4 | 자경산지에 대한 감면(조특법 §69의 4)

산림자원의 육성 지원을 위해 거주자가 2018. 1. 1. 이후 일정요건을 갖춘 자경산지를 양도하는 경우 직접 경영한 기간별로 감면세율을 달리하여 양도소득세를 감면한다.

가. 적용대상

1) 대상자

산지 양도일 현재 자경산지 소재지에 10년 이상 거주한 거주자(「소득세법」에 따른 거주자인 사람으로 비거주자가 된 날부터 2년 이내인 경우를 포함한다)로서 「임업 및 산촌 진흥촉진에 관한 법률」에 따른 임업인

2) 대상 자경산지

「산림자원의 조성 및 관리에 관한 법률」 제13조에 따른 산림경영계획인가를 받아 10년 이상 직접 경영한 산지

나. 자경산지 소재지

자경산지 소재지란 다음 중 어느 하나에 해당하는 지역을 말한다. 이 경우 임업 개시 당시에는 그 지역에 해당하였으나 행정구역의 개편 등으로 이에 해당하지 아니하게 된 지역을 포함한다.

① 산지가 소재하는 시(특별자치시와 「제주특별자치도 설치 및 국제자유도시 조성을 위한 특별법」 제10조 제2항에 따라 설치된 행정시를 포함한다) · 군 · 구(자치구를 말한다) 안의 지역

② ①의 지역과 연접한 시 · 군 · 구안의 지역

③ 해당 산지로부터 직선거리 30킬로미터 이내의 지역

다. 감면 대상 산지

1) 감면 대상 산지란 해당 토지를 취득하고 「산림자원의 조성 및 관리에 관한 법률」에 따른 산림경영계획인가를 받은 날부터 양도할 때까지 기간에 10년 이상 직접 임업에 경영한 「산지관리법」에 따른 보전산지를 말한다.

2) 직접 경영한 산지란 거주자가 그 소유 산지에서 「임업 및 산촌 진흥촉진에 관한 법률」에 따른 임업에 상시 종사하는 것으로 해당 임작업의 2분의 1 이상을 자기의 노동력에 의하여 수행하는 것을 말한다.

라. 감면 배제 대상

다음 중 어느 하나에 해당하는 것은 감면이 적용되지 아니한다.

1) 주거지역 등 편입 산지

가) 원 칙

양도일 현재 특별시·광역시(광역시에 있는 군을 제외한다) 또는 시[「지방자치법」 제3조 제4항에 따라 설치된 도농(都農) 복합형태의 시의 읍·면 지역 및 「제주특별자치도 설치 및 국제자유도시 조성을 위한 특별법」 제10조 제2항에 따라 설치된 행정시의 읍·면 지역은 제외한다]에 있는 산지 중 「국토의 계획 및 이용에 관한 법률」에 의한 주거지역·상업지역 또는 공업지역 안에 있는 산지로서 이들 지역에 편입된 날부터 3년이 지난 산지는 감면을 적용받을 수 없다.

나) 예 외

주거지역 등에 편입된 경우에도 다음 중 어느 하나에 해당하는 경우에는 감면을 적용받을 수 있다.

(1) 사업시행지역 안의 토지소유자가 1천명 이상이거나 사업시행면적이 일정규모 이상인 개발사업지역(사업인정고시일이 동일한 하나의 사업시행지역을 말한다) 안에서 개발사업의 시행으로 인하여 「국토의 계획 및 이용에 관한 법률」에 따른 주거지역·상업지역 또는 공업지역에 편입된 산지로서 사업시행자의 단계적 사업시행 또는 보상지연으로 이들 지역에 편입된 날부터 3년이 지난 경우

* 일정규모 : 100만 제곱미터(「택지개발촉진법」에 의한 택지개발사업 또는 「주택법」에 의한 대지조성사업의 경우에는 10만 제곱미터)

(2) 사업시행자가 국가, 지방자치단체, 공공기관인 개발사업지역 안에서 개발사업의 시행으로 인하여 「국토의 계획 및 이용에 관한 법률」에 따른 주거지역·상업지역 또는 공업지역에 편입된 산지로서 부득이한 사유에 해당하는 경우

* 공공기관 : 「공공기관의 운영에 관한 법률」에 따라 지정된 공공기관과 「지방공기업법」에 따라 설립된 지방직영기업·지방공사·지방공단을 말한다.

* 부득이한 사유 : 사업 또는 보상을 지연시키는 사유로서 그 책임이 사업시행자에게 있다고 인정되는 사유를 말한다.

(3) 「국토의 계획 및 이용에 관한 법률」에 따른 주거지역·상업지역 및 공업지역에 편입

된 산지로서 편입된 후 3년 이내에 대규모개발사업이 시행되고, 대규모개발사업 시행자의 단계적 사업시행 또는 보상지연으로 이들 지역에 편입된 날부터 3년이 지난 경우(대규모개발사업지역 안에 있는 경우로 한정한다)

2) 환지처분된 산지

가) 원 칙

「도시개발법」 또는 그 밖의 법률에 따라 환지처분 이전에 산지 외의 토지로 환지예정지를 지정하는 경우에는 그 환지예정지 지정일부터 3년이 지난 산지는 감면을 적용받을 수 없다.

나) 예 외

환지처분에 따라 교부받는 환지청산금에 해당하는 부분은 환지예정지 지정일부터 3년이 지난 경우에도 감면을 적용받을 수 있다.

마. 주거지역 등 편입 산지에 대한 감면 범위

1) 개 요

해당 산지 소재지에 거주하면서 직접 임업에 사용한 산지에 대해서는 직접 경영한 기간별로 감면세율을 달리하여 양도소득세를 감면한다.

다만, 해당 산지가 「국토의 계획 및 이용에 관한 법률」에 따른 주거지역 · 상업지역 및 공업지역(이하 "주거지역등"이라 한다)에 편입되거나 「도시개발법」 또는 그 밖의 법률에 따라 환지처분(換地處分) 전에 산지 외의 토지로 환지예정지 지정을 받은 경우에는 주거지역등에 편입되거나, 환지예정지 지정을 받은 날까지 발생한 소득에 대해서만 감면을 적용한다.

▶▶ 유의사항 : 위 "라"에 따라 감면배제대상인 산지는 주거지역 등 편입일 · 환지예정지 지정일 이전에 발생한 소득도 감면이 적용되지 아니함.

2) 감면소득금액 계산 방법

주거지역 등에 편입된 산지에 대한 감면소득금액은 아래 산식에 따라 계산한다.

다만, 「공익사업을 위한 토지 등의 취득 및 보상에 관한 법률」 및 그 밖의 법률에 따라 협의매수되거나 수용되는 경우에는 다음 산식 중 양도당시의 기준시가를 보상가액 산정의 기초가 되는 기준시가로 한다. 이 경우 보상가액 산정의 기초가 되는 기준시가는 보상금 산정 당시 해당 토지의 개별공시지가로 한다.

$$\text{양도소득금액} \times \frac{\text{(주거지역 등에 편입되거나 환지예정지 지정을 받은 날의 기준시가)} - \text{(취득 당시의 기준시가)}}{\text{(양도 당시의 기준시가)} - \text{(취득 당시의 기준시가)}}$$

* 양도소득금액 : 「소득세법」 제95조 제1항의 규정에 의한 양도소득금액

바. 자경 산지의 판정

1) 자경 산지의 범위

자경 산지란 임업에 직접 사용되는 토지를 말하며, 지적공부상의 지목에 관계없이 실지로 임업에 직접 사용한 것을 말한다.

2) 판정 기준

자경 산지에 해당 여부는 양도일(소득법 §98, 소득령 §162) 현재를 기준으로 한다. 다만, 양도일 이전에 매매계약조건에 따라 매수자가 형질변경, 건축착공 등을 한 경우에는 매매계약일 현재의 산지를 기준으로 하며, 환지처분 전에 해당 산지가 임업용 이외의 토지등으로 환지예정지 지정이 되고 그 환지예정지 지정일부터 3년이 경과하기 전의 토지로서 환지예정지 지정 후 토지조성공사의 시행으로 임업을 하지 못하게 된 경우에는 토지조성공사 착수일 현재를 기준으로 한다.

사. 임업 사용기간의 계산

1) 원 칙

가) 거주자(자경산지 소유자)가 해당 산지 소유기간 중 직접 임업에 사용한 기간으로 계산한다.

나) 사업소득(농업, 임업 및 비과세 농가부업소득, 부동산임대소득 제외)금액과 총급여액의 합계액이 3,700만원 이상인 과세기간은 직접 경영기간에서 제외한다.

다) 복식부기 의무자 수입금액기준(도・소매업, 부동산매매업의 경우 3억원, 제조업 등의 경우 1.5억원) 이상의 수입금액이 있는 경우 해당 과세기간은 자경기간에서 제외한다.

2) 예 외

가) 교환 · 분합 및 대토한 산지의 수용시 특례

임업에 사용한 기간을 계산할 때 산지 등을 교환 · 분합 및 대토한 경우로서 새로이 취득하는 산지 등이 「공익사업을 위한 토지 등의 취득 및 보상에 관한 법률」 및 그 밖의 법률에 따라 협의매수되거나 수용되는 경우에는 교환 · 분합 및 대토 전의 산지 등을 임업에 사용한 기간을 포함하여 계산한다.

나) 상속받은 산지의 사용기간 계산 특례

상속받은 산지의 취득일은 상속개시일이므로 원칙적으로 상속개시일 이후 상속인이 임업에 사용한 기간으로 계산한다. 다만, 일정한 경우에는 피상속인이 취득하여 임업에 사용한 기간은 상속인이 임업에 사용한 기간으로 본다.

(1) 상속인이 1년 이상 계속하여 임업에 사용하는 경우

임업에 사용한 기간을 계산할 때 상속인이 상속받은 산지를 1년 이상 계속하여 임업에 사용하는 경우(해당 산지 소재지에 거주하면서 임업에 사용하는 경우를 말한다)에는 다음 각 호의 기간은 상속인이 임업에 사용한 기간으로 본다.

① 피상속인이 취득하여 임업에 사용한 기간(직전 피상속인이 임업에 사용한 기간으로 한정한다)

② 피상속인이 그 배우자로부터 상속받은 산지를 임업에 사용한 사실이 있는 경우에는 피상속인의 배우자가 취득한 산지를 임업에 사용한 기간

(2) 상속인이 1년 이상 계속하여 임업에 사용하지 않는 경우

상속인이 상속받은 산지를 1년 이상 계속하여 임업에 사용하지 아니하더라도 상속받은 날부터 3년이 되는 날까지 양도하거나 「공익사업을 위한 토지 등의 취득 및 보상에 관한 법률」 및 그 밖의 법률에 따라 협의매수 또는 수용되는 경우로서 상속받은 날부터 3년이 되는 날까지 다음 중 어느 하나에 해당하는 지역으로 지정(관계 행정기관의 장이 관보 또는 공보에 고시한 날을 말한다)되는 경우(상속받은 날 전에 지정된 경우를 포함한다)에는 "(1) ① 및 ②"의 임업에 사용한 기간을 상속인이 임업에 사용한 기간으로 본다.

(가) 「택지개발촉진법」 제3조에 따라 지정된 택지개발지구

(나) 「산업입지 및 개발에 관한 법률」 제6조 · 제7조 · 제7조의 2 또는 제8조에 따라 지정된 산업단지

(다) 제1호 및 제2호 외의 지역으로서 기획재정부령으로 정하는 지역

아. 감면여부의 확인

양도자가 해당 산지 소재지에 거주하면서 10년 이상 직접 임업에 경영한 산지임이 다음 중 어느 하나의 방법에 의하여 확인될 것

1) 주민등록표 등본의 확인
2) 등기부 등본 또는 토지대장 등본의 확인
3) 그 밖의 증빙자료의 확인

자. 농어촌특별세 및 감면한도

자경산지에 대한 양도소득세 감면에 대해서는 농어촌특별세가 비과세 되며, 「조세특례제한법」 제133조 제1항에 따른 감면한도(1과세기간 1억원, 5개 과세기간 1억원)가 적용된다(27. 참조).

차. 적용시기

2018. 1. 1. 이후 최초로 양도하는 분부터 적용한다(2017. 12. 19. 법률 제15227호 부칙 §2).

5 | 농지대토에 대한 양도소득세 감면(조특법 §70)

4년 이상 농지소재지에 거주하면서 직접 경작한 농지를 경작상의 필요에 의하여 대토(代土)함으로써 발생하는 소득에 대하여는 양도소득세의 100분의 100에 상당하는 세액을 감면한다.

* 농지소재지, 직접 경작, 농지의 범위는 위 "1. 자경농지에 대한 양도소득세 감면"에서와 같다.

가. 대상자

1) 농지 양도일 현재 「소득세법」 제1조의 2 제1항 제1호에 따른 거주자인 자
2) 비거주자가 된 날부터 2년 이내인 자

▶▶ 경과조치 : 2013. 2. 15. 현재 비거주자인 자가 2015. 12. 31.까지 토지를 양도하는 경우에는 비거주자가 된 날부터 2년이 지나 토지를 양도하는 경우에도 종전 규정에 따라 감면 적용함

(2013. 2. 15. 대통령령 제24368호 부칙 §27).

나. 대토요건

1) 선양도 후취득

가) 4년 이상 종전의 농지소재지에 거주하면서 경작한 자가

나) 종전의 농지의 양도일부터 1년(「공익사업을 위한 토지 등의 취득 및 보상에 관한 법률」에 따른 협의매수 · 수용 및 그 밖의 법률에 따라 수용되는 경우에는 2년, 취득원인이 상속 · 증여인 경우 제외) 내에 다른 농지를 취득한 후

다) 계속하여 8년 이상 새로운 농지소재지에 거주하면서 경작

2) 선취득 후양도

가) 4년 이상 종전의 농지소재지에 거주하면서 경작한 자가

나) 새로운 농지의 취득일부터 1년 내에 종전의 농지를 양도하고

다) 새로이 취득한 농지를 계속하여 8년 이상 새로운 농지소재지에 거주하면서 경작한 경우

▶▶ 새로운 농지를 취득한 후 4년 이내에 「공익사업을 위한 토지 등의 취득 및 보상에 관한 법률」에 따른 협의매수 · 수용 및 그 밖의 법률에 따라 수용되는 경우에는 4년 이상 농지소재지에 거주하면서 경작한 것으로 봄.

▶▶ 새로운 농지를 취득한 후 8년 이내에 농지 소유자가 사망한 경우로서 상속인이 농지소재지에 거주하면서 계속 경작한 때에는 피상속인의 경작기간과 상속인의 경작기간을 통산함.

다. 대토농지 취득요건〈① 또는 ②〉

① 새로 취득하는 농지의 면적 ≧ 양도하는 농지의 면적의 3분의 2

② 새로 취득하는 농지의 가액 ≧ 양도하는 농지의 가액의 2분의 1

라. 감면 배제 대상

다음 중 어느 하나에 해당하는 것은 감면이 적용되지 아니한다.

1) 주거지역 등 편입농지

가) 원 칙

양도일 현재 특별시·광역시(광역시에 있는 군을 제외한다) 또는 시[「지방자치법」 제3조 제4항에 따라 설치된 도농(都農) 복합형태의 시의 읍·면 지역 및 「제주특별자치도 설치 및 국제자유도시 조성을 위한 특별법」 제10조 제2항에 따라 설치된 행정시의 읍·면 지역은 제외한다]에 있는 농지 중 「국토의 계획 및 이용에 관한 법률」에 의한 주거지역·상업지역 및 공업지역 안에 있는 농지로서 이들 지역에 편입된 날부터 3년이 지난 농지는 감면을 적용받을 수 없다.

나) 예 외

주거지역 등에 편입된 경우에도 다음 중 어느 하나에 해당하는 경우에는 감면을 적용받을 수 있다.

(1) 사업시행지역 안의 토지소유자가 1천명 이상이거나 사업시행면적이 일정규모 이상인 개발사업지역(사업인정고시일이 동일한 하나의 사업시행지역을 말한다) 안에서 개발사업의 시행으로 인하여 「국토의 계획 및 이용에 관한 법률」에 따른 주거지역·상업지역 또는 공업지역에 편입된 농지로서 사업시행자의 단계적 사업시행 또는 보상지연으로 이들 지역에 편입된 날부터 3년이 지난 경우

* 일정규모 : 100만 제곱미터(「택지개발촉진법」에 의한 택지개발사업 또는 「주택법」에 의한 대지조성사업의 경우에는 10만 제곱미터)

(2) 사업시행자가 국가, 지방자치단체, <u>공공기관</u>인 개발사업지역 안에서 개발사업의 시행으로 인하여 「국토의 계획 및 이용에 관한 법률」에 따른 주거지역·상업지역 또는 공업지역에 편입된 농지로서 <u>부득이한 사유</u>에 해당하는 경우

* 공공기관 : 「공공기관의 운영에 관한 법률」에 따라 지정된 공공기관과 「지방공기업법」에 따라 설립된 지방직영기업·지방공사·지방공단을 말한다.

* 부득이한 사유 : 사업 또는 보상을 지연시키는 사유로서 그 책임이 사업시행자에게 있다고 인정되는 사유를 말한다.

(3) 「국토의 계획 및 이용에 관한 법률」에 따른 주거지역·상업지역 및 공업지역에 편입된 농지로서 편입된 후 3년 이내에 대규모개발사업이 시행되고, 대규모개발사업 시행자의 단계적 사업시행 또는 보상지연으로 이들 지역에 편입된 날부터 3년이 지난 경우(대규모개발사업지역 안에 있는 경우로 한정한다)
(2013. 2. 15. 이후 양도하는 분부터 적용)

2) 환지처분된 농지

가) 원 칙

「도시개발법」 또는 그 밖의 법률에 따라 환지처분 이전에 농지 외의 토지로 환지예정지를 지정하는 경우에는 그 환지예정지 지정일부터 3년이 지난 농지는 감면을 적용받을 수 없다.

나) 예 외

환지처분에 따라 교부받는 환지청산금에 해당하는 부분은 환지예정지 지정일부터 3년이 지난 경우에도 감면을 적용받을 수 있다(2011. 6. 3. 이후 최초로 양도하는 분부터 적용함).

마. 주거지역 등 편입농지에 대한 감면 범위

1) 개 요

농지대토 감면 대상 농지에 해당하는 토지가 「국토의 계획 및 이용에 관한 법률」에 따른 주거지역 · 상업지역 및 공업지역(이하 "주거지역등"이라 한다)에 편입되거나 「도시개발법」 또는 그 밖의 법률에 따라 환지처분(換地處分) 전에 농지 외의 토지로 환지예정지 지정을 받은 경우에는 주거지역등에 편입되거나, 환지예정지 지정을 받은 날까지 발생한 소득에 대해서만 감면을 적용한다(2010. 1. 1. 이후 최초로 양도하는 분부터 적용함).

▶▶ 유의사항 : 위 "라"에 따라 감면배제대상인 토지는 주거지역 등 편입일 · 환지예정지 지정일 이전에 발생한 소득도 감면이 적용되지 아니함.

2) 감면소득금액 계산 방법

주거지역 등에 편입된 토지에 대한 감면소득금액은 아래 산식에 따라 계산한다.

다만, 「공익사업을 위한 토지 등의 취득 및 보상에 관한 법률」 및 그 밖의 법률에 따라 협의매수되거나 수용되는 경우에는 다음 산식 중 양도당시의 기준시가를 보상가액 산정의 기초가 되는 기준시가로 한다. 이 경우 보상가액 산정의 기초가 되는 기준시가는 보상금 산정 당시 해당 토지의 개별공시지가로 한다.

$$\text{양도소득금액} \times \frac{(\text{주거지역 등에 편입되거나 환지예정지 지정을 받은 날의 기준시가}) - (\text{취득 당시의 기준시가})}{(\text{양도 당시의 기준시가}) - (\text{취득 당시의 기준시가})}$$

* 양도소득금액 : 「소득세법」 제95조 제1항의 규정에 의한 양도소득금액

바. 감면한도

농지대토에 대한 양도소득세 감면에 대해서는 「조세특례제한법」 제133조 제1항에 따른 감면한도(1과세기간 1억원, 5과세기간 1억원)가 적용된다(27. 참조).

참 고 농지대토 감면제도로 전환 및 감면요건 조정
(소득법 §89 4호 삭제, 조특법 §70, §133 ② 신설)

1) 개정내용

종 전	개 정
□ 농지대토 비과세 ㅇ감면한도 없음.	□ 감면제도(100%)로 전환 ㅇ감면한도 : 5년간 1억원 *8년 자경 감면한도와 동일
□ 농지대토 감면(비과세)요건 ㅇ자경요건 •3년 이상 자경한 농지 양도 •새 농지를 취득하여 3년 이상 자경 ㅇ대체취득 요건 •종전농지 면적 이상 또는 •가액의 1/2 이상 취득	□ 농지 대토 감면요건 완화 ㅇ(현행과 동일) ㅇ대체취득 요건 완화 •종전농지 면적 2/3 이상 또는 •가액의 1/2 이상 취득

2) 개정이유

농지대토 비과세제도가 과도한 농지 대체취득 수요를 유발하여 지가를 상승시키고 토지시장을 불안하게 하는 요인으로 작용하고 있으므로 비과세제도를 감면한도가 있는 감면제도로 전환하여 농지의 대체취득 수요를 감소시키고 토지시장의 안정을 유도

관련예규 및 판례요약

농지의 대토 양도소득세 감면과 관련된 예규, 판례

조심 - 2019 - 전 - 3609, 2020. 3. 11.

청구인이 양도시 쟁점토지에 식재되어 있던 소나무 및 은행나무○○○그루 등에 대한 지장물보상금 수령한 점, 그 외 심판관회의에서의 자경주장에 신빙성이 보이는 점 등에 비춰 쟁점토지를 4년 이상 자경 안한 것으로 단정하기 어렵다 할 것으로 처분청이 쟁점토지 양도에 대하여 농지대토에 대한 감면을 배제하고 양도소득세 과세한 처분은 잘못이 있는 것으로 판단됨.

서면 - 2018 - 부동산 - 0838, 2019. 3. 22.

양도일이 속하는 과세기간의 총급여액이 3,700만원 이상인 경우에는 농지대토에 대한 양도소득세 감면 적용 여부.

서면 - 2018 - 부동산 - 2007, 2018. 9. 19.

대토보상에 대한 양도소득세 과세특례는 양도대금을 해당 공익사업의 시행으로 조성한 토지로 보상받는 부분에 대하여 적용하는 것임.

조심 2015중 5854, 2016. 9. 13.

○○지역의 폭우 피해에 대한 ○○○의 발표자료 등으로 보아 청구인의 진술내용이 일리가 있어 보이는 점, 처분청이 대토농지에 대한 현지확인시에는 동절기가 끝나지 아니하여 과실수 관리상태를 제대로 확인하기 어려웠을 것으로 보이는 점 등에 비추어 청구인이 대토농지를 3년 이상 자경하지 아니한 것으로 보아 양도소득세를 과세한 처분은 잘못임.

조심 2015중 5854, 2016. 9. 12.

청구인이 현재 대토농지 소재지에 주민등록을 두고 거주하고 있고, 대토농지 외에 다른 토지도 경작하고 있음이 농지원부 등에 의하여 확인되며, 처분청이 현지확인 당시에는 동절기가 끝나지 아니하여 과실수 관리상태를 확인할 수 없었다는 청구주장에 신빙성이 있으므로 청구인이 대토농지를 3년 이상 자경하지 아니한 것으로 본 처분은 잘못임.

조심 2016중 1053, 2016. 8. 31.

청구인은 공익사업시행으로 수용당한 토지 중에서 대토로 보상을 받기로 하였다가 일부를 현금으로 보상받은 후 과세이연금액과 과세이연취소금액 등을 수정신고한 사실이 확인되는 점 등에 비추어 처분청이 대토로 인한 과세이연에 상당하는 양도소득금액을 현금으로 전환받은 비율로 안분 계산하여 이 건 양도소득세를 과세한 처분은 잘못임.

조심 2015중 227, 2015. 9. 11.

쟁점농지 및 대토농지가 농지라는 사실에는 처분청도 이견이 없고, 청구인은 쟁점농지 소재지에 주민등록이 되어 있는 점, 청구인은 20XX년부터 20XX년 XX월까지 ○○○㈜ 및 ㈜○○○ 등에서 근무기간을 제외하더라도 경작기간이 3년 이상에 해당하는 점, 청구인이 농지원부 및 농자재 구매내역 등으로 쟁점농지의 자경 사실을 입증하고 있는 반면, 처분청은 청구인이 쟁점농지를 자경하지 아니하였다는 객관적인 증빙을 제시하지 아니하고 있는 점 등에 비추어 청구인이 쟁점 농지를 자경하지 아니한 것으로 보아 양도소득세를 과세한 처분은 잘못임.

조심 2014전 3342, 2014. 12. 23.

청구인은 2011년, 2012년 쟁점토지에 콩을 경작한 사실을 확인받아 ○○공사로부터 보조금을 수령한 사실이 확인되는 점, 농지원부에 따르면 청구인은 여러 필지의 농지를 소유하거나 임차하여 영농에 종사하고 있는 것으로 나타나는 점 등에 비추어 청구인이 쟁점토지를 3년 이상 자경하고 양도한 후 대토농지를 취득한 것으로 판단됨.

수원지법 2013구단 3430, 2014. 10. 17.

대토농지가 국토해양부 고시에 의하여 고속도로 민간투자사업에 편입이 예정되어 있고, 이 사건 대토농지가 실제로 위와 같이 수용되었다 하더라도 원고가 이 사건 대토농지를 경작상 필요에 의하여 취득한 것이 아니라고 단정할 수는 없음.

조심 2014중 1301, 2014. 8. 11.

청구인은 다른 직업 없이 46년간 농지소재지에 거주하면서 농지를 경작해 온 전업농인 것으로 보이는 점, 쟁점토지 양도 시점에 청구인이 사육한 소는 농가부업규모 축산 범위 내로 청구인이 농작업이 아닌 낙농업을 주업으로 하였다고 보기 어려운 점 등에 비추어 농지의 형태가 변경되지 아니한 상태에서 일부 면적에 사료용 작물을 재배한 것으로 보이는 쟁점토지를 사료용 작물 재배 사실을 이유로 이를 농지대토감면 대상 농지가 아닌 것으로 보아 양도소득세 감면을 배제한 처분은 잘못된 것으로 판단됨.

조심 2013부 4193, 2013. 12. 31.

청구인이 부동산임대업을 영위하였다 하여 쟁점토지를 자경하지 아니하였다고 단정하기 어렵고, 처분청에서도 쟁점토지와 연접한 토지의 8년 자경 감면신청을 인정하였으며, 쟁점토지와 연접한 다른 토지를 계속 경작하여 온 청구인이 쟁점토지를 방치하여 두었다고 보기 어려운바, 청구인이 쟁점토지를 3년 이상 자경한 것으로 보아 농지대토에 대한 양도소득세 감면 규정을 적용하는 것이 타당함.

부동산거래관리과-43, 2012. 1. 17.

농지대토에 대한 양도소득세 감면 규정을 적용함에 있어 2필지 이상의 농지를 양도한 경우 농지대토 감면 대상 농지는 납세자가 선택하여 적용할 수 있음.

법규재산 2011-0438, 2011. 11. 2.

새로 취득한 토지가 농지가 아닌 경우 새로운 토지의 취득일로부터 1년 내에 농지로 개간이 완료되어 경작할 수 있는 상태가 된 후 3년 이상 농지소재지에서 거주하면서 경작하고, 새로운 토지의 취득일부터 1년 내에 종전의 농지를 양도하는 경우에 한하여 「조세특례제한법」 제70조를 적용하는 것임.

재재산-922, 2011. 10. 28.

「조세특례제한법」 제70조 및 같은 법 시행령 제67조의 규정을 적용함에 있어서 상속받은 농지의 경우에는 피상속인이 농지를 대토하는 자와 생계를 같이하는 동일세대를 구성하면서 경작한 경우 그 경작기간은 상속인의 경작기간에 통산하는 것임.

부동산거래관리과-0868, 2011. 10. 13.

「산지관리법」 제15조에 따라 "산지전용신고"를 하고 장뇌삼을 재배하는 임야는 「조세특례제한법」 제70조 규정이 적용되지 아니함.

기획재정부 조세정책과-618, 2011. 5. 23.

종전의 농지를 2006. 12. 15. 양도하고 다른 농지를 2007. 12. 17. 취득한 경우에는 「국세기본법」(2006. 12. 30. 법률 제8139호로 개정되기 전의 것) 제4조와 「민법」(2007. 12. 21. 법률 제8720호로 개정되기 전의 것) 제161조에 따라 「조세특례제한법」(2005. 12. 31. 법률 제7839호로 개정된 것) 제70조(농지대토에 대한 양도소득세 감면)가 적용되지 아니함.

부동산거래관리과-439, 2010. 3. 22.

「조세특례제한법 시행령」 제67조 제3항 제1호 가목의 면적기준을 충족하여 농지대토 감면을 적용 받은 후, 새로이 취득한 농지의 일부를 3년 이상 직접 경작하지 않고 분할 임대한 경우로서 잔존하는 농지의 면적이 위 면적기준을 충족하는 경우에는 당초 감면받은 양도소득세를 추징하지 아니함.

서면5팀-2848, 2007. 10. 30.

3년 이상 종전의 농지소재지에 거주하면서 경작한 자가 새로운 농지의 취득일부터 1년 내에 종전의 농지를 양도하고 새로운 농지를 3년 이상 경작한 경우 비과세됨.

서면5팀-2682, 2007. 10. 5.

농지대토 감면 규정을 적용함에 있어 농지소재지의 연접이란 행정구역상 동일한 경계선을 사이에 두고 서로 붙어 있는 시·군·구를 말함.

서면5팀-2120, 2007. 7. 24.

농지대토 감면 해당 여부를 판단함에 있어 농지는 전답으로서 지적공부상의 지목에 관계없이 실지로 경작에 사용되는 토지를 말함.

재재산-1498, 2004. 11. 10.

농지대토에 따른 양도소득세 비과세에서 상속받은 농지의 경우에는 피상속인이 농지를 대토하는 자와 생계를 같이하는 동일세대를 구성하면서 경작한 경우 그 경작기간은 이를 통산함.

서면4팀-1693, 2004. 10. 22.

비과세 농지의 경우 양도소득세 예정신고의무는 없는 것이고, 대토농지는 실제로 경작에 사용된 농지라면 반드시 동일한 지목으로 취득해야 하는 것은 아님.

서면4팀-1563, 2004. 10. 5.

양도일로부터 소급하여 3년 이상 농지소재지에서 거주하지 아니한 경우에는 양도소득세를 비과세하는 농지대토에 해당하지 아니함.

재재산 46014-33, 1998. 1. 26.

경작상 필요에 의하여 종전의 농지 양도일부터 1년내 다른 농지를 취득하여 3년 이상 농지소재지에 거주하면서 경작한 경우 또는 새로운 농지의 취득일부터 1년내에 종전의 농지를 양도하고 새로이 취득하는 농지를 3년 이상 농지소재지에 거주하면서 경작한 경우에는 「소득세법」 제89조 제4호의 규정에 의하여 종전의 농지 양도에 따른 양도소득세를 비과세함. 이 경우 종전의 농지 양도일 현재 같은 법 시행령 제153조 제3항의 규정에 의한 농지소재지에 당해 농지소유자가 거주하면서 자경하는 경우에 한하여 이를 적용하는 것임.

6 | 공익사업용 토지 등에 대한 양도소득세의 감면(조특법 §77)

가. 개 요

다음 중 어느 하나에 해당하는 소득으로서 해당 토지등이 속한 사업지역에 대한 사업인정고시일(사업인정고시일 전에 양도하는 경우에는 양도일)부터 소급하여 2년 이전에 취득한 토지등을 2018. 12. 31. 이전에 양도함으로써 발생하는 소득에 대해서는 양도소득세액의 일부를 감면한다.

① 「공익사업을 위한 토지 등의 취득 및 보상에 관한 법률」이 적용되는 공익사업에 필요

한 토지등을 그 공익사업의 시행자에게 양도함으로써 발생하는 소득

② 「도시 및 주거환경정비법」에 따른 정비구역(정비기반시설을 수반하지 아니하는 정비구역은 제외한다)의 토지등을 같은 법에 따른 사업시행자에게 양도함으로써 발생하는 소득

③ 「공익사업을 위한 토지 등의 취득 및 보상에 관한 법률」이나 그 밖의 법률에 따른 토지 등의 수용으로 인하여 발생하는 소득

정비기반시설

- 도로·상하수도·공원·공용주차장·공동구 그 밖에 주민의 생활에 필요한 가스 등의 공급시설 등을 말함.
  * 공동구 : 전기·가스·수도 등의 공급설비, 통신시설, 하수도시설 등 지하매설물을 공동 수용함으로써 미관의 개선, 도로구조의 보전 및 교통의 원활한 소통을 위하여 지하에 설치하는 시설물(「국토의 계획 및 이용에 관한 법률」 §2 9호)
  * 그 밖에 주민의 생활에 필요한 가스 등의 공급시설 등 : 녹지, 하천, 공공공지, 광장, 소방용수시설, 비상대피시설, 가스공급시설, 주거환경개선사업을 위하여 지정·고시된 정비구역 안에 설치하는 공동이용시설(「도정법」 §2 5호)로서 사업시행계획서(도정법 §30)에 당해 시장·군수 또는 자치구의 구청장이 관리하는 것으로 포함된 것

※ 취득일 적용 방법(아래 "나"에서도 같음)
① 상속받은 토지 : 피상속인이 해당 토지등을 취득한 날(2009. 1. 1. 이후 양도분부터 적용)
② 「소득세법」 제97조 제4항(취득가액 이월과세)이 적용되는 증여받은 토지 : 증여자가 해당 토지등을 취득한 날(2010. 1. 1. 이후 양도분부터 적용, 2010. 12. 27. 법률 제10406호 부칙 §25)

나. 사업시행자 지정 전 양도시 감면 특례

거주자가 공익사업의 시행자 등으로 지정되기 전의 사업자("지정 전 사업자"라 한다)에게 2년 이상 보유한 토지등(공익사업에 필요한 토지등 또는 정비구역의 토지등을 말한다)을 2015. 12. 31. 이전에 양도하고 해당 토지등을 양도한 날이 속하는 과세기간의 과세표준신고(예정신고를 포함한다)를 법정신고기한까지 한 경우로서 지정 전 사업자가 그 토지등의 양도일부터 5년 이내에 사업시행자로 지정받은 경우에는 양도소득세 감면을 받을 수 있다.

(2010. 1. 1. 이후 최초로 양도하는 분부터 적용함. 2010. 12. 27. 법률 제10406호 §25)

이 경우 공익사업용 토지 등을 양도한 자가 양도소득세를 감면받으려는 경우에는 사업시행자가 해당 사업시행자로 지정받은 날부터 2개월 이내에 세액감면신청서에 해당 사업시

행자임을 확인할 수 있는 서류를 첨부하여 양도자의 납세지 관할 세무서장에게 제출하여야 한다.

한편, 감면할 양도소득세의 계산은 감면율 등이 변경되더라도 양도 당시 법률에 따른다.

다. 감면율

1) 현금보상 : 10%

2) 토지등의 양도대금을 채권으로 받는 부분 : 15%

* 채권 : 법률 제6656호 「공익사업을 위한 토지 등의 취득 및 보상에 관한 법률」 부칙 제2조에 따라 폐지된 「토지수용법」 제45조 또는 「공익사업을 위한 토지 등의 취득 및 보상에 관한 법률」 제63조의 규정에 의한 보상채권

3) 「공공주택 특별법」 등에 따라 협의매수 또는 수용됨으로써 발생하는 소득으로서 채권을 3년 이상의 만기까지 보유하기로 특약을 체결하는 경우 : 30%(만기가 5년 이상인 경우에는 40%)

* 「공공주택 특별법」 등의 범위
① 「공공주택 특별법」
② 「택지개발촉진법」
③ 「공익사업을 위한 토지 등의 취득 및 보상에 관한 법률」
④ 위 법률과 유사한 법률로서 공익사업에 따른 협의매수 또는 수용에 관한 사항을 규정하고 있는 법률

* 만기보유특약 : 보상채권을 해당 사업시행자를 예탁자로 하여 개설된 계좌를 통하여 한국예탁결제원에 만기까지 예탁하는 것

* 보상명세・위반사실 통보 : 사업시행자는 보상채권을 만기까지 보유하기로 특약을 체결한 자("특약체결자"라 한다)가 있으면 그 특약체결자에 대한 보상명세를, 특약체결자가 그 특약을 위반하는 경우 그 위반사실을 다음 달 말일까지 납세지 관할 세무서장에게 통보하여야 한다.

라. 감면세액의 추징

1) 공익사업 미착수 등

다음 중 어느 하나에 해당하는 경우 해당 사업시행자는 위 "가" 또는 "나"에 따라 감면된 세액에 상당하는 금액을 그 사유가 발생한 과세연도의 과세표준신고를 할 때 소득세 또는 법인세로 납부하여야 한다. 이 경우 「조세특례제한법」 제33조의 2 제4항의 이자상당가산액에 관한 규정을 준용한다.

가) 위 "가. ①"에 따른 공익사업의 시행자가 사업시행인가 등을 받은 날부터 3년 이내에 그 공익사업에 착수하지 아니하는 경우

나) 위 "가. ②에 따른 사업시행자가 대통령령으로 정하는 기한*까지 「도시 및 주거환경정비법」에 따른 사업시행인가를 받지 아니하거나 그 사업을 완료하지 아니하는 경우

* 사업시행인가에 있어서는 「도시 및 주거환경정비법」에 의하여 사업시행자의 지정을 받은 날부터 1년이 되는 날, 사업완료에 있어서는 「도시 및 주거환경정비법」에 의하여 사업시행인가를 받은 사업시행계획서상의 공사완료일을 말함.

2) 만기보유특약 위반시

위 "다"에 따라 해당 채권을 만기까지 보유하기로 특약을 체결하고 30%(만기가 5년 이상인 경우에는 40%)에 상당하는 세액을 감면받은 자가 그 특약을 위반하게 된 경우에는 즉시 감면받은 세액 중 양도소득세의 15%(만기가 5년 이상인 경우에는 25%)에 상당하는 금액을 징수한다. 이 경우 「조세특례제한법」 제66조 제6항을 준용한다.

마. 감면한도

공익사업용 토지 등에 대한 양도소득세 감면에 대해서는 「조세특례제한법」 제133조 제1항에 따른 감면한도가 적용된다(27. 참조).

바. 농어촌특별세

공익사업용 토지 등에 대한 양도소득세 감면을 적용하는 경우 양도소득세 감면세액의 20%에 상당하는 세액은 농어촌특별세를 과세한다. 다만, 「조세특례제한법」 제69조 제1항 본문에 따라 직접 경작한 토지(8년 이상 경작기간 요건은 적용하지 아니함)에 대해서는 농어촌특별세를 비과세한다.

관련예규 및 판례요약

공익사업용 토지 등에 대한 양도소득세 감면과 관련된 예규, 판례

서면-2018-부동산-2007, 2018. 9. 19.

대토보상에 대한 양도소득세 과세특례는 양도대금을 해당 공익사업의 시행으로 조성한 토지로 보상받는 부분에 대하여 적용하는 것임.

서면법령법인-2457, 2016. 9. 8.

「농어업경영체 육성 및 지원에 관한 법률」에 의하여 설립된 영농조합법인은 「조세특례제한법」 제77조【공익사업용 토지 등에 대한 양도소득세의 감면】 제1항을 적용받을 수 없는 것임.

서면부동산-3868, 2016. 8. 23.

상속받은 임야를 관광단지지정에 따라 사업시행자에게 양도하는 경우, 해당 사업이 「관광진흥법」 제54조 제1항에 따라 조성계획의 승인 또는 변경승인을 받거나 같은 조 제5항에 따라 특별자치도지사가 관계 행정기관의 장과 협의하여 조성계획을 수립한 때에는 「조세특례제한법」 제77조(공익사업용 토지 등에 대한 양도소득세의 감면)이 적용가능함.

심사양도 2016-61, 2016. 8. 1.

「조특법」 제77조의 감면규정을 적용받기 위하여는 「도시정비법」에 따른 정비구역안의 토지로서 사업시행자에게 양도되어야 하는 것임.

조심 2015서 62, 2015. 6. 25.

청구인은 쟁점토지를 양도하면서 대토보상계약을 체결하였다가 대토보상을 철회하고 ○○○공사로부터 분양토지를 매수하기로 매매계약서를 작성하였으며, 동 매매계약서상 약정된 계약보증금 및 할부금 일부가 매매계약일에 납부완료된 것으로 나타나는 점등에 비추어 분양선수금으로 대체된 금액은 청구인이 현금보상을 받은 금액으로 볼 수 있으므로 「조세특례제한법」 제77조 제1항에 따른 감면 적용을 배제하여 경정청구를 거부한 처분은 잘못이 있음.

사전법령재산-82, 2015. 6. 4.

도정법에 따른 정비구역 안의 토지를 도정법에 따른 사업시행자에게 양도하는 경우 비사업용 토지의 기간기준에 따라 비사업용토지에 해당하지 아니하여 장기보유특별공제 가능함.

인천지법 2014구합 31760, 2015. 4. 2.

'공익사업의 시행자가 사업시행인가 등을 받은 날부터 3년 이내에 그 공익사업에 착수하지 아니하는 경우'에서 토지보상계획 통지는 사업시행인가 등에 포함되지 아니함.

조심 2014중 4670, 2014. 12. 30.

청구인이 「조세특례제한법」 제77조의 2에 따른 과세특례를 신청하였다가 현금보상으로 전환하면서 「조세특례제한법」 제77조의 감면을 적용하여 줄 것을 신청하였다고 하여 동 감면과 같은 법 제77조의 2에 따른 과세특례를 중복 적용하여 줄 것을 신청한 것이라고 보기는 어려우므로 처분청이 중복감면을 사유로 이 건 경정거부한 처분은 잘못이라고 판단됨.

조심 2014중 1326, 2014. 5. 23.

쟁점토지를 수용한 사업시행자의 사정으로 대토보상이 불가하여 금전으로 보상을 받게 된 점, 당초 과세이연 받은 세액 및 이자상당가산액을 양도소득세로 납부하여 대토보상에 대한 과세이연 효과는 사라지게 된 점 등을 종합할 때, 현금보상에 대한 「조세특례제한법」 제77조의 양도소득세 감면을 적용함이 타당함.

서면법규-462, 2014. 5. 2.

「공익사업수용보상법」 또는 그 밖의 법률에 따른 사업인정고시 절차 없이 양도한 토지에 대해서는 「조세특례제한법」 제77조에 따른 감면을 적용하지 않음.

법규재산 2013-176, 2013. 6. 13.

주택법에 따른 지역주택조합에 지역주택조합 사업부지 내의 토지를 양도하는 경우 해당 토지는 「조세특례제한법」 제77조의 양도소득세 감면대상에 해당되지 아니함.

부동산거래관리과-341, 2012. 6. 28.

「한국농어촌공사 및 농지관리기금법」에 따른 경영회생 지원에 따라 환매조건부로 농지를 양도한 경우 「소득세법」 제88조의 규정에 따른 양도로 보는 것임. 귀 질의의 경우 「한국농어촌공사 및 농지관리기금법」에 따른 경영회생 지원에 따라 환매조건부로 농지를 양도한 후 환매권을 행사하여 해당 토지를 다시 취득한 경우로서 다시 취득한 토지는 「소득세법 시행령」 제162조에 따른 환매대금을 청산한 날(대금을 청산한 날이 분명하지 아니하거나 대금을 청산하기 전에 소유권이전등기를 한 경우에는 등기접수일)을 취득시기로 보아 「조세특례제한법」 제77조에 따른 감면 규정 해당 여부를 판정하는 것임.

부동산거래관리과-312, 2012. 6. 8.

회원제골프장 용지의 경우 「도시계획시설의 결정 · 구조 및 설치기준에 관한 규칙」(2011. 11. 1. 국토교통부령 제394호로 개정된 것) 시행 전에 「국토의 계획 및 이용에 관한 법률」에 따라 도시계획시설의 사업시행인가를 받은 경우로서 해당 사업 시행자에게 양도하는 경우에 해당하므로 「조세특례제한법」 제77조에 따른 감면 규정을 적용받을 수 있는 것임.

재재산-441, 2012. 6. 1.

토지가 「자연공원법」 제76조에 따라 공원관리청에 양도되었으나 같은 법 제19조, 제22조에 따른 사업인정고시 절차 없이 양도된 경우 동 토지는 「조세특례제한법」 제77조의 양도소득세 감면대상에 해당되지 않는 것임.

부동산거래관리과-69, 2012. 2. 1.

거주자가 「공익사업을 위한 토지 등의 취득 및 보상에 관한 법률」에 따른 공익사업시행으로 토지 등을 해당 공익사업의 시행자에게 양도하고 「공익사업을 위한 토지 등의 취득 및 보상에 관한 법률 시행규칙」 제15조의 3에 따라 대토로 보상받기로 한 보상금을 현금으로 받은 경우 대토로 과세이연 받아 납부하여야 할 양도소득세는 「조세특례제한법」 제69조와 같은 법 제77조의 감면규정이 적용되지 아니함.

법규재산 2011-0531, 2011. 12. 29.

「자연공원법」 제19조 제2항의 공원사업 시행계획 절차 없이 같은 법 제76조에 따라 공원관리청에 부동산을 양도한 경우에는 「조세특례제한법」 제77조(공익사업용 토지 등에 대한 양도소득세의 감면)가 적용되지 아니하는 것임.

부동산거래관리과-70, 2011. 1. 25.

「조세특례제한법」(2010. 12. 27. 법률 제10406호로 개정되기 전의 것) 제77조 제1항을 적용함에 있어 1필지의 토지에 대해 채권으로 보상받은 경우로서 그 중 일부를 5년 이상의 만기까지 보유하기로 특약을 체결하는 경우 만기보유특약을 체결하는 분은 50%의 감면율을 적용하고 나머지는 25%의 감면율을 적용받을 수 있는 것임.

부동산거래관리과-1271, 2010. 10. 21.

「도시 및 주거환경정비법」에 따라 주택재건축사업을 시행하는 정비사업조합의 조합원이 관리처분계획이 인가됨에 따라 취득한 입주자의 지위를 해당 조합에 양도하는 경우에는 「조세특례제한법」 제77조 제1항 제2호가 적용되지 않는 것임.

부동산거래관리과-1258, 2010. 10. 14.

「토지구획정리사업법(2000. 1. 28. 제6252호로 폐지되기 전의 것)」에 따른 토지구획정리사업의 시행자로부터 교부받은 청산금에 대한 양도소득은 「조세특례제한법」 제77조 제1항 제1호를 적용받을 수 있는 것임.

부동산거래관리과-1164, 2010. 9. 17.

「도시 및 주거환경정비법」에 따른 정비구역(정비기반시설을 수반하지 아니하는 정비구역 제외)의 토지 등을 같은 법에 따른 사업시행자에게 양도함으로써 발생하는 소득에 대하여는 공익사업용 토지 등에 대한 양도소득세의 감면 규정이 적용되는 것으로서, 동 규정을 적용함에 있어 사업인정고시일은 「도시 및 주거환경정비법」에 따른 사업시행인가고시일이 적용되는 것임.

부동산거래관리과-1168, 2010. 9. 17.

「소득세법」 제95조 제1항의 규정에 의한 양도소득금액 중 「조세특례제한법 시행령」 제66조 제7항의 산식에 따라 계산한 금액을 초과하는 금액에 대하여는 「조세특례제한법」 제77조의 규정이 적용되지 아니하는 것임.

부동산거래관리과-581, 2010. 4. 19.

[질의]

공익사업용 토지 등에 양도소득세 감면과 관련하여 양도일 후에 채권만기보유특약(3년 만기)을 체결하는 경우 40% 감면율 적용 여부

[회신]

「조세특례제한법 시행령」 제72조 제2항에 따라 토지 등이 협의매수 또는 수용되어 보상금을 채권으로 지급받은 경우 「소득세법」 제105조 및 제110조에 따른 양도소득과세표준 예정신고 및 확정신고시 해당 채권을 3년 이상의 만기까지 보유하기로 특약을 체결한 사실 및 보상채권 예탁사실을 확인할 수 있는 서류를 제출하는 때에는 「조세특례제한법」 제77조 제1항의 100분의 40 및 100분의 50의 감면율을 적용받을 수 있음.

부동산거래관리과-192, 2010. 2. 4.

「조세특례제한법」 제77조 제1항 제1호의 규정은 「공익사업을 위한 토지 등의 취득 및 보상에 관한 법률」이 적용되지 않는 사업의 시행자에게 토지 등을 양도하는 경우에는 적용되지 않는 것임.

재산세과-167, 2009. 1. 14.

「한강수계 상수원수질개선 및 주민지원 등에 관한 법률」 제7조에 따라 한강유역환경청에 부동산을 양도한 경우에는 「조세특례제한법」 제77조(공익사업용 토지 등에 대한 양도소득세의 감면)가 적용되지 아니함.

재산세과-2217, 2008. 8. 13.

공익사업용으로 수용되어 필지별 구분 없이 현금 및 만기채권보상을 받은 경우 「조세특례제한법」 제77조의 감면세액은 "전체 산출세액 × [현금(만기채권)보상액 / 총보상액] × 10%(20%)"로 계산함.

서면4팀-845, 2008. 3. 28.

토지를 소유한 자가 당해 토지와 「공유재산 및 물품관리법」 제5조 제4항 규정에 해당하는

잡종재산을 같은 법 제39조 규정에 따라 교환하는 경우, 당해 교환으로 발생한 소득은 「조세특례제한법」 제77조 제1항 제3호의 규정에 해당하지 않는 것임.

7 대토보상에 대한 양도소득세 과세특례(조특법 §77의 2)

가. 개 요

거주자가 「공익사업을 위한 토지 등의 취득 및 보상에 관한 법률」에 따른 공익사업의 시행으로 해당 사업지역에 대한 사업인정고시일(사업인정고시일 전에 양도하는 경우에는 양도일)부터 소급하여 2년 이전에 취득한 토지등을 2021. 12. 31. 이전에 해당 공익사업의 시행자에게 양도함으로써 발생하는 양도차익으로서 토지등의 양도대금을 해당 공익사업의 시행으로 조성한 토지(이하 '대토'라 한다)로 보상(이하 "대토보상"이라 한다)받는 부분에 대해서는 해당 공익사업의 시행자가 대토보상을 받은 자(이하 "대토보상자"라 한다)에 대한 보상명세를 다음달 말일까지 대토보상자의 납세지 관할 세무서장에게 통보하는 경우 대통령령으로 정하는 바에 따라 양도소득세의 100분의 40에 상당하는 세액을 감면받거나 양도소득세의 과세를 이연받을 수 있다(2007. 10. 17. 이후 최초로 양도하는 분부터 적용. 2007. 12. 31. 법률 제8827호 부칙 §21).

* 대토보상 : 「공익사업을 위한 토지 등의 취득 및 보상에 관한 법률」 제63조 제1항 각 호 외의 부분 단서에 따라 그 공익사업의 시행으로 조성한 토지로 보상하는 것을 말함.

나. 과세특례 방법

1) 세액감면을 신청하는 경우

거주자가 해당 토지 등을 사업시행자에게 양도하여 발생하는 양도차익 중 다음 계산식에 따라 계산한 금액에 대한 양도소득세의 100분의 40에 상당하는 세액을 감면한다.

$$\text{해당 토지 등의 「소득세법」 제95조 제1항에 따른 양도차익에서 같은 조 제2항에 따른 장기보유특별공제액을 뺀 금액*} \times \frac{\text{대토보상상당액}}{\text{총보상액}}$$

2) 과세이연을 신청하는 경우

거주자가 토지등을 사업시행자에게 양도하고 토지등의 양도대금의 전부 또는 일부를 해당 공익사업의 시행으로 대토로 보상받은 경우에는 해당 토지등을 양도하여 발생하는 양도차익 중 다음 산식에 따라 계산한 금액("과세이연금액"이라 한다)에 대하여는 양도소득세를 과세하지 아니하되, 해당 대토를 양도할 때에 대토의 취득가액에서 과세이연금액을 뺀 금액을 취득가액으로 보아 양도소득세를 과세한다. 이 경우 「소득세법」 제95조 제2항에 따른 장기보유특별공제액을 계산할 때 보유기간은 대토의 취득 시부터 양도 시까지로 본다.

$$\text{과세이연금액} = \text{해당 토지 등의「소득세법」제95조 제1항에 따른 양도차익에서 같은 조 제2항에 따른 장기보유특별공제액을 뺀 금액*} \times \frac{\text{대토보상상당액}}{\text{총보상액}}$$

* 양도소득금액

다. 감면세액 및 과세이연세액 등의 납부

1) 감면세액, 과세이연세액 및 이자상당가산액을 납부해야 하는 경우

양도소득세 과세이연을 적용받은 거주자는 다음 중 어느 하나에 해당하면 과세이연금액에 상당하는 세액과 이자상당가산액을 사유가 발생한 날이 속하는 달의 말일부터 2개월 이내에 양도소득세로 신고·납부하여야 한다(2개월 이내 신고·납부 개정사항은 2013. 2. 15. 이후 신고하는 분부터 적용. 2013. 2. 15. 대통령령 제24368호 부칙 §10).

가) 「공익사업을 위한 토지 등의 취득 및 보상에 관한 법률」 제63조 제3항에 따른 전매금지를 위반함에 따라 대토보상이 현금보상으로 전환된 경우

나) 해당 대토에 대한 소유권 이전등기를 완료한 후 3년 이내에 해당 대토를 양도하는 경우(다만, 대토를 취득한 후 3년 이내에 「공익사업을 위한 토지 등의 취득 및 보상에 관한 법률」이나 그 밖의 법률에 따라 협의매수되거나 수용되는 경우에는 제외)

* 과세이연금액에 상당하는 세액 : 과세이연금액에 「소득세법」 제104조에 따른 세율을 곱하여 계산한 세액을 말한다.

* 이자상당가산액 : 과세이연을 받은 과세연도 종료일의 다음 날부터 납부사유가 발생한 과세연도 종료일까지의 기간 × 2.5/10,000

2) 감면세액 및 과세이연세액을 납부해야 하는 경우

대토보상으로 양도소득세를 감면받거나 양도소득세 과세이연을 적용받은 거주자[아래 다)의 상속의 경우에는 해당 거주자의 상속인을 말한다)] 는 다음 중 어느 하나에 해당하면 대토보상(40%)와 현금보상(10%)의 양도소득세 감면세액의 차액 또는 과세이연금액 상당세액을 사유가 발생한 날이 속하는 달의 말일부터 2개월 이내에 양도소득세로 신고・납부하여야 한다(2개월 이내 신고・납부 개정사항은 2013. 2. 15. 이후 신고하는 분부터 적용. 2013. 2. 15. 대통령령 제24368호 부칙 §10). 단 대토보상권을 부동산투자회사에 현물출자하는 경우에는 대토보상(40%)과 만기보유특약 없는 채권보상(15%)의 차액을 납부하여야 한다(현물출자시 현물출자계약서 사본을 세무서장에게 제출하여야 함).

가) 해당 대토에 관한 소유권 이전등기의 등기원인이 대토보상으로 기재되지 아니한 경우

나) 위 1). 가) 외의 사유로 현금보상으로 전환된 경우

다) 해당 대토를 증여하거나 그 상속이 이루어지는 경우

라. 사업시행자의 의무

1) 사업시행자는 대토보상자에게 대토보상을 현금보상으로 전환한 때에는 그 전환내역을 다음 달 말일까지 대토보상자의 납세지 관할 세무서장에게 통보하여야 한다.
2) 사업시행자는 해당 대토에 대한 소유권 이전등기를 완료한 때에는 납세지 관할 세무서장에게 그 등기부등본을 제출하여야 한다.

관련예규 및 판례요약

대토보상에 따른 양도소득세 과세특례와 관련된 예규, 판례

서면-2018-부동산-2007, 2018. 9. 19.

대토보상에 대한 양도소득세 과세특례는 양도대금을 해당 공익사업의 시행으로 조성한 토지로 보상받는 부분에 대하여 적용하는 것임.

서울고법 2015누 34122, 2015. 8. 28.

대토로 납세가 이연된 양도소득세의 채권은 대토로 보상 받을 권리를 처분하는 때에 비로소 성립하는 것임.

서면법령재산-20753, 2015. 4. 9.

대토보상을 현금보상으로 전환한 경우 양도소득금액 계산시 세율은 당초 과세기간의 양도소득과세표준(다른 토지등의 양도소득금액이 있는 경우 합산)에 적용되는 세율을 말하는 것임.

서면법령재산-21377, 2015. 4. 9.

대토보상을 현금보상으로 전환한 경우 양도소득금액 계산시 세율은 당초 과세기간의 양도소득과세표준(다른 토지등의 양도소득금액이 있는 경우 합산)에 적용되는 세율을 말하는 것임.

법규재산 2014-459, 2014. 11. 7.

1세대 1주택인 고가주택(그 부수토지 포함)이 공익사업 시행자에게 수용되고 부수토지 일부의 수용대가를 대토로 보상받아 과세이연금액을 계산할 때 "대토보상상당액"은 "부수토지에 대한 대토보상상당액"을 말하는 것이며, "총보상액"은 "부수토지에 대한 총보상액"을 말하는 것임.

부동산납세-497, 2014. 7. 15.

거주자가 공익사업의 시행으로 해당 사업지역에 대한 사업인정고시일부터 소급하여 2년 이전에 취득하여 8년 이상 재촌 · 자경한 농지를 2015. 12. 31. 이전에 해당 공익사업의 시행자에게 양도함으로써 발생한 소득에 대하여는 「조세특례제한법」 제69조 및 같은법 제77조의 2 규정을 적용받을 수 있음.

재재산-113, 2013. 2. 15.

「조세특례제한법」 제77조의 2 제1항에 따라 양도소득세를 과세이연 받은 거주자가 해당 공익사업의 시행으로 「공익사업을 위한 토지 등의 취득 및 보상에 관한 법률」 제63조 제1항 단서에 따라 토지로 보상받기로 결정된 권리를 「부동산투자회사법」에 따른 개발전문부동산투자회사에 현물출자하는 경우 「조세특례제한법 시행령」 제73조 제4항 각 호의 어느 하나에 해당되지 않아 과세이연 받은 세액만 양도소득세로 납부하는 것임.

재재산-114, 2013. 2. 15.

「조세특례제한법」 제77조의 2 제1항에 따라 양도소득세를 과세이연 받은 거주자가 대토를 공급받는 다른 자와 함께 공동사업자 등록한 후, 해당 공익사업의 시행으로 「공익사업을 위한 토지 등의 취득 및 보상에 관한 법률」 제63조 제1항 단서에 따라 토지로 보상받기로 결정된 권리를 공동개발사업에 현물출자하는 경우 「조세특례제한법 시행령」 제73조 제4항 각 호의 어느 하나에 해당되지 않아 과세이연받은 세액만 양도소득세로 납부하는 것임.

부동산거래관리과-283, 2012. 5. 21.

「소득세법」(2009. 12. 31. 법률 제9897호로 개정되기 전의 것) 제108조에 따른 예정신고납부세액공제는 같은 법 제105조 및 제106조에 따른 예정신고와 함께 자진납부를 하는 때에 적용되는 것으로서, 「조세특례제한법 시행령」(2010. 12. 30. 대통령령 제22583호로 개정되기 전의 것) 제73조 제5항에 따라 과세이연금액에 상당하는 세액을 납부하는 경우에는 적용되지 아니함.

부동산거래관리과-519, 2010. 4. 7.

「조세특례제한법」 제77조의 2에 따라 대토보상에 대한 양도소득세 과세특례는 거주자가 「공익사업을 위한 토지 등의 취득 및 보상에 관한 법률」에 따른 공익사업의 시행으로 해당 사업지역의 토지 등을 해당 공익사업시행자에게 양도하고 양도대금을 해당 공익사업의 시행으로 조성한 토지로 보상받는 분에 한하여 적용하는 것임.

재산세과-1095, 2009. 12. 23.

당해연도 중 기신고 양도소득금액이 있는 경우 「조세특례제한법 시행령」 제73조 제1항의 산식에 따라 계산한 과세이연금액과 기신고 양도소득금액을 합산하지 않는 것임.

재산세과-1348, 2009. 7. 3.

[사실관계]

- 농지 수용시(보상가액 1,273,918,750원) 일부를 대토보상(370,188,000원) 받음.
- 위 농지는 10년 이상 보유하였으며, 8년자경 감면요건과 대토보상 과세이연 요건을 충족함.

※ 과세이연금액 = 양도소득금액×(대토보상상당액/총보상액)
= 808,372,327×(370,188,000/1,273,918,750) =234,904,883

[질의]

위 농지에 대한 세액계산시 과세이연금액을 양도차익에서 차감하는지, 소득금액에서 차감하는지

[회신]

거주자가 「공익사업을 위한 토지 등의 취득 및 보상에 관한 법률」에 따른 공익사업의 시행으로 토지를 해당 공익사업의 시행자에게 양도하고 토지의 양도대금의 일부를 해당 공익사업의 시행으로 조성한 토지로 보상(대토보상)받은 경우에는 「조세특례제한법」 제77조의 2에 따라 대토보상에 상당하는 양도소득금액(과세이연금액)에 대하여는 양도소득세를 과세하지 아니하되, 해당 대토를 양도할 때에 대토의 취득가액에서 과세이연금액을 뺀 금액을 취득가액으로 보아 양도소득세를 과세하는 것임.

재산세과-1139, 2009. 6. 9.

「공익사업을 위한 토지등의 취득 및 보상에 관한 법률」에 따른 공익사업용 토지 등을 양도하고 대토보상을 받은 자가 「조세특례제한법」 제77조의 2에 따른 양도소득세 과세이연을 신청하지 아니하고, 같은 법 제77조에 따른 공익사업용 토지 등에 대한 양도소득세 감면을 신청한 경우에는 동 규정을 적용받을 수 있는 것이며, 이 경우 감면율은 20%가 적용되는 것임.

재산세과-3397, 2008. 10. 21.

거주자가 「공익사업을 위한 토지 등의 취득 및 보상에 관한 법률」에 따른 공익사업의 시행으로 해당 사업지역에 대한 사업인정고시일(사업인정고시일 전에 양도하는 경우에는 양도일)부터 소급하여 2년 이전에 취득하여 8년 이상 재촌 · 자경한 농지를 2009. 12. 31. 이전에 해당 공익사업의 시행자에게 양도함으로써 발생한 소득에 대하여는 「조세특례제한법」 제69조 및 제77조의 2 규정을 적용받을 수 있음.

8 | 개발제한구역 지정에 따른 매수대상 토지 등에 대한 양도소득세의 감면(조특법 §77의 3)

가. 감면대상 토지

1) 개발제한구역 내의 토지 등

「개발제한구역의 지정 및 관리에 관한 특별조치법」 제3조에 따라 지정된 개발제한구역 내의 해당 토지등을 같은 법 제17조에 따른 토지매수의 청구 또는 같은 법 제20조에 따른 협의매수를 통하여 2020. 12. 31.까지 양도함으로써 발생하는 소득에 대해서는 다음 각 호에 따른 세액을 감면한다.

가) 개발제한구역 지정일 이전에 해당 토지등을 취득하여 취득일부터 매수청구일 또는 협의매수일까지 해당 토지등의 소재지에서 거주한 자가 소유한 토지등 : 양도소득세의 100분의 40에 상당하는 세액

나) 매수청구일 또는 협의매수일부터 20년 이전에 취득하여 취득일부터 매수청구일 또는 협의매수일까지 해당 토지등의 소재지에서 거주한 자가 소유한 토지등 : 양도소득세의 100분의 25에 상당하는 세액

▶▶ 상속받은 토지등은 피상속인이 해당 토지등을 취득한 날을 해당 토지등의 취득일로 본다(아래 "2)"에서도 같음).

2) 개발제한구역에서 해제된 토지 등

개발제한구역에서 해제된 해당 토지등을「공익사업을 위한 토지 등의 취득 및 보상에 관한 법률」및 그 밖의 법률에 따른 협의매수 또는 수용을 통하여 2017. 12. 31.까지 양도함으로써 발생하는 소득에 대해서는 다음 각 호에 따른 세액을 감면한다. 다만, 개발제한구역 해제일부터 1년(개발제한구역 해제 이전에「경제자유구역의 지정 및 운영에 관한 법률」에 따른 경제자유구역의 지정 등 대통령령으로 정하는 지역*으로 지정이 된 경우에는 5년) 이내에「공익사업을 위한 토지 등의 취득 및 보상에 관한 법률」및 그 밖의 법률에 따라 사업인정고시가 된 경우에 한정한다.

가) 개발제한구역 지정일 이전에 해당 토지등을 취득하여 취득일부터 사업인정고시일까지 해당 토지등의 소재지에서 거주한 자가 소유한 토지등 : 양도소득세의 100분의 40에 상당하는 세액

나) 사업인정고시일부터 20년 이전에 취득하여 취득일부터 사업인정고시일까지 해당 토지등의 소재지에서 거주한 자가 소유한 토지등 : 양도소득세의 100분의 25에 상당하는 세액

> 「경제자유구역의 지정 및 운영에 관한 특별법」에 따른 경제자유구역의 지정 등 대통령령으로 정하는 지역이란 다음 중 어느 하나에 해당하는 지역을 말한다.
> ①「경제자유구역의 지정 및 운영에 관한 특별법」제4조에 따라 지정된 경제자유구역
> ②「택지개발촉진법」제3조에 따라 지정된 택지개발지구
> ③「산업입지 및 개발에 관한 법률」제6조, 제7조, 제7조의 2 또는 제8조에 따라 지정된 산업단지
> ④「기업도시개발 특별법」제5조에 따라 지정된 기업도시개발구역
> ⑤ ①부터 ④까지의 규정에 따른 지역과 유사한 지역으로서 기획재정부령으로 정하는 지역

나. 거주요건

위 "가"에서 "해당 토지등의 소재지에서 거주한 자"란 다음 중 어느 하나에 해당하는 지역(거주 개시 당시에는 해당 지역에 해당하였으나 행정구역의 개편 등으로 이에 해당하지 아니하게 된 지역을 포함한다)에 거주한 자를 말한다.

1) 해당 토지등이 소재하는 시(특별자치시와「제주특별자치도 설치 및 국제자유도시 조성을 위한 특별법」제15조 제2항에 따른 행정시를 포함한다)·군·구(자치구를 말한

다) 안의 지역

2) "1)"의 지역과 연접한 시 · 군 · 구 안의 지역

3) 해당 토지등으로부터 직선거리 30킬로미터 이내의 지역

다. 거주기간 계산 방법

1) 피상속인이 해당 토지등을 취득하여 거주한 기간은 상속인이 거주한 기간으로 본다.

2) 다음 중 어느 하나에 해당하는 부득이한 사유로 해당 토지등의 소재지에 거주하지 못하는 기간은 거주한 것으로 본다.

① 「초 · 중등교육법」에 따른 학교(유치원 · 초등학교 및 중학교를 제외한다) 및 「고등교육법」에 의한 학교에의 취학

② 「병역법」에 따른 징집

③ 1년 이상의 치료나 요양을 필요로 하는 질병의 치료 또는 요양

라. 적용시기

해당 감면 규정은 2009. 1. 1. 이후 최초로 양도하는 분부터 적용한다.

마. 감면한도

해당 감면 규정을 적용할 때에는 「조세특례제한법」 제133조 제1항에 따른 감면종합한도 규정이 적용된다(27. 참조).

▶▶ 과세기간별 감면한도 : 1억원

관련예규 및 판례요약

개발제한구역 지정에 따른 매수대상 토지등에 대한 양도소득세의 감면과 관련된 예규, 판례

조심-2019-중-1297, 2019. 5. 30.

쟁점토지의 경우 개발사업 인정고시 또는 개발계획 수립고시가 없었고 주거지역 편입은 개

발제한구역 해제에 의한 난개발을 방지하는데 있어 지방자치단체 및 공공기관의 사업시행과는 관련 없는 점, 쟁점토지는 항공사진상으로 야적장으로 확인되는 점, 청구인은 쟁점토지로 부동산임대입을 영위하면서 부가가치세를 신고한 점 등에 비추어 지경 감면 대상으로 볼 수 없음.

부동산납세-442, 2014. 6. 24.

「조세특례제한법」 제77조의 3 제1항 및 제2항의 규정에 따른 거주기간을 계산할 때 기획재정부령이 정하는 취학, 징집, 질병의 요양으로 해당 토지등의 소재지에 거주하지 못하는 기간은 거주한 것으로 보는 것이나, 근무상의 형편으로 거주하지 못한 경우에는 그러하지 아니하는 것임.

법규재산 2014-598, 2014. 5. 2.

개발제한구역으로 지정된 토지를 취득하여 개발제한구역에서 해제되지 않은 상태에서 「공익사업을 위한 토지 등의 취득 및 보상에 관한 법률」 및 그 밖의 법률에 따른 협의매수 또는 수용을 통하여 2014. 12. 31.까지 양도하는 경우에도 「조세특례제한법」 제77조의 3 제2항이 적용되는 것임.

부동산거래-1030, 2011. 12. 13.

개발제한구역 내의 토지 등을 협의매수 또는 수용을 통하여 2011. 12. 31.까지 양도하는 경우로서 개발제한구역에서 해제되기 전에 사업인정고시가 된 경우에도 「조세특례제한법」 제77조의 3 제2항은 적용되는 것임.

부동산거래-848, 2011. 10. 7.

개발제한구역 토지 등에 대한 양도소득세 감면 규정은 해당 토지 등의 취득일부터 사업인정고시일까지 해당 토지 등의 소재지에 계속하여 거주한 경우에 적용되는 것임.

법규-1183, 2011. 9. 6.

8년 이상 재촌 자경한 개발제한구역 내에 소재하는 1필지의 토지에 대해 8년 자경감면과 개발제한구역지정에 따른 감면을 중복하여 적용받을 수 있는 것임.

부동산거래관리과-285, 2010. 2. 24.

「개발제한구역의 지정 및 관리에 관한 특별조치법」 제3조에 따라 지정된 개발제한구역 내의 토지 등을 개발제한구역에서 해제되지 않은 상태에서 「공익사업을 위한 토지 등의 취득 및 보상에 관한 법률」 및 그 밖의 법률에 따른 협의매수 또는 수용을 통하여 2011. 12. 31.까지 양도하는 경우에도 「조세특례제한법」 제77조의 3 제2항은 적용되는 것이며, 해당 토지 등을 상속으로 취득한 경우에는 피상속인이 해당 토지 등을 취득한 날을 해당 토지 등의 취득일로 보아 동 규정을 적용하는 것임.

부동산거래관리과-1132, 2010. 9. 7.

"해당 토지등의 소재지에서 거주하는 거주자"란 「조세특례제한법 시행령」 제74조 제1항 각 호의 어느 하나에 해당하는 지역에 거주한 자를 말하며, 이 경우 거주기간을 계산함에 있어 같은 법 시행규칙 제30조 각 호에 따른 취학, 징집, 질병의 요양으로 해당 토지 등의 소재지에 거주하지 못한 기간은 거주한 것으로 보는 것임.

부동산거래관리과-853, 2010. 6. 25.

「조세특례제한법」 제77조 제1항 및 제2항의 거주기간을 계산함에 있어 같은 법 시행규칙 제30조 각 호에 따른 취학, 징집, 질병의 요양으로 해당 토지 등의 소재지에 거주하지 못한 기간은 거주한 것으로 보는 것이나, 근무상의 형편으로 거주하지 못한 경우는 그렇지 않는 것임.

부동산거래관리과-515, 2010. 4. 7.

「조세특례제한법」 제77조의 3 제2항에 따른 개발제한구역 토지 등에 대한 양도소득세 감면 규정은 해당 토지 등의 취득일부터 사업인정고시일까지 같은 법 시행령 제74조 제1항에 따른 해당 토지 등의 소재지에 계속하여 거주한 경우(같은 법 시행규칙 제30조에 따른 부득이한 사유로 거주하지 못한 기간은 거주한 것으로 봄)에 적용되는 것임.

재산세과-1474, 2009. 7. 20.

「개발제한구역의 지정 및 관리에 관한 특별조치법」에 따른 개발제한구역내의 종중 소유 토지 등을 같은 법 규정에 따라 매수청구 또는 협의매수를 통해 양도한 경우 종중은 「조세특례제한법 시행령」 제74조 제1항의 해당 토지등의 소재지에서 거주하는 거주자에 해당하지 않아 동법 규정의 양도소득세 감면을 적용받을 수 없는 것임.

재산세과-656, 2009. 2. 25.

「조세특례제한법」 제77조의 3에 의한 양도소득세의 감면을 적용함에 있어 같은 법 제77조에 의한 "공익사업용토지 등에 대한 양도소득세의 감면"과 중복되는 경우 선택해서 감면규정을 적용함.

9 장기임대주택에 대한 양도소득세의 감면(조특법 §97)

거주자가 5호 이상의 임대주택을 2000. 12. 31. 이전에 임대를 개시하여 임대한 후 양도하는 경우에는 해당 임대주택에 대한 양도소득세의 50% 또는 100%를 감면한다.

가. 감면대상자

감면대상자는 임대주택을 5호 이상 임대하는 거주자를 말한다.

나. 적용대상 주택

장기임대주택이란 아래 ①, ②, ③의 요건을 모두 충족하는 주택을 말한다.

① 국민주택(이에 딸린 해당 건물 연면적의 2배 이내의 토지를 포함함)일 것

② 다음 중 하나에 해당하는 주택일 것

(가) 1986. 1. 1.~2000. 12. 31. 기간 중 신축된 주택

(나) 1985. 12. 31. 이전에 신축된 공동주택으로서 1986. 1. 1. 현재 입주된 사실이 없는 주택

③ 2000. 12. 31. 이전에 임대를 개시하여 5년 이상 임대한 주택일 것

다. 감면율

1) 50% 감면되는 장기임대주택

5년 이상 임대한 일반임대주택

2) 100% 감면되는 장기임대주택

「민간임대주택에 관한 특별법」 또는 「공공주택 특별법」에 따른 건설임대주택 중 5년 이상 임대한 임대주택과 같은 법에 따른 매입임대주택 중 1995. 1. 1. 이후 취득 및 임대한 임대주택의 경우(2015. 8. 28. 개정)

라. 주택임대기간의 계산

임대주택의 임대기간은 5년 이상이어야 하는데 그 기간은 다음과 같이 계산한다.

① 주택임대기간의 기산일은 주택의 임대를 개시한 날로 한다.

② 상속인이 상속으로 인하여 피상속인의 임대주택을 취득하여 임대하는 경우에는 피상속인의 주택임대기간을 상속인의 주택임대기간에 합산한다.

③ 5호 미만의 주택을 임대한 기간은 주택임대기간으로 보지 아니한다.

④ 기존 임차인의 퇴거일부터 다음 임차인의 입주일까지의 기간으로서 3월 이내의 기간

은 이를 주택임대기간에 산입한다.

마. 기타 세제상 특례 등

1) 1세대 1주택 비과세 판정시 주택의 수에서 제외

1세대 1주택 비과세 규정을 적용할 때 감면대상인 장기임대주택은 해당 거주자의 소유주택으로 보지 아니한다.

2) 양도소득세 등의 종합한도 배제와 농어촌특별세 적용

장기임대주택에 대한 감면세액은 감면세액 종합한도규정을 적용하지 않으므로 양도소득세액 전액이 감면된다. 한편, 감면세액의 20%가 농어촌특별세로 과세된다.

관련예규 및 판례요약

장기임대주택 감면과 관련된 예규, 판례

조심-2019-중-2316, 2019. 10. 16.

쟁점주택은 기존주택에 연면적, 층수 또는 높이를 늘리는 것에 불과하므로 이는「건축법 시행령」상 신축이 아닌 증축으로 보이는 점, 건축물대장상에도 증축으로 기재되어 있고 달리 기존주택을 쟁점주택의 부속건축물로 볼 만한 구체적·객관적 증빙이 제시되지 않는 점 등에 비추어 볼 때, 청구주장을 받아들이기 어렵다고 판단됨.

서면-2019-부동산-1090, 2019. 4. 9.

「조세특례제한법」 제97조의 4에 따른 장기임대주택의 임대기간 계산은「소득세법」 제168조에 따른 사업자등록과 민간임대주택에 관한 특별법에 따른 임대사업자등록을 한 후 임대하는 날부터 계산하는 것임.

서면부동산-3052, 2016. 7. 21.

「조세특례제한법」 제97조에 해당하는 장기임대주택을 멸실하여 멸실 전 임대호수 보다 증가된 호수의 도시형 생활주택을 신축하여 임대하는 경우에도 임대주택의 임대기간은 멸실 전과 신축된 도시형 생활주택의 임대기간을 합산하는 것임.

사전법령재산-387, 2015. 12. 22.

고가주택에 해당하는 다가구주택이 「조세특례제한법」 제97조 규정에 의한 장기임대주택에 해당하는 경우에는 고가주택에 대한 1세대 1주택을 먼저 적용한 후 장기임대주택에 대한 양도소득세 감면규정을 적용

사전법령재산-386, 2015. 12. 4.

「조세특례제한법」 제97조는 주택의 임대를 개시한 날부터 3월 이내에 주택임대신고서를 임대주택의 소재지 관할 세무서장에게 제출하지 아니한 경우에도 적용

조심 2015중 3522, 2015. 12. 3.

장기임대주택을 5호 이상 임대하는 거주자에 해당 하는지 여부는 양도시기를 기준으로 판정하는 것이 타당하고, 청구인은 거주자가 된 날로부터 X년 XX개월 뒤에 쟁점주택을 양도한 점, 쟁점주택은 국민주택이며, 기타 장기임대주택에 대한 양도소득세 감면요건을 모두 충족한 것으로 보이는 점 등에 비추어 처분청이 장기임대주택에 대한 양도소득세 감면을 배제하고 양도소득세를 과세한 처분은 잘못이 있음.

서면부동산-1196, 2015. 8. 17.

다가구주택을 5호 이상 임대한 사실을 관할 세무서장에게 신고하고 2000. 12. 31. 이전에 임대를 개시하여 10년 이상 임대한 임대주택을 양도함으로써 발생하는 소득에 대해서는 「조세특례제한법」 제97조 제1항 단서에 따라 양도소득세를 면제하는 것임.

서면법령재산-213, 2015. 6. 30.

장기임대주택의 부수토지 중 일부가 분할되고 분할된 토지만이 수용된 경우 분할된 토지의 양도소득에 대하여 양도소득세 감면규정을 적용할 수 없음.

조심 2014중 1297, 2014. 7. 7.

「민법」 제830조 제1항에 의하여 부부의 일방이 혼인 중 그의 단독 명의로 취득한 부동산은 그 명의자의 특유재산으로 추정되나, 다른 일방이 실제로 당해 부동산의 대가를 부담하여 취득하였음을 증명한 경우에는 그 추정이 번복되고, 그 대가를 부담한 다른 일방이 실질적인 소유자로서 편의상 명의자에게 이를 명의신탁한 것으로 인정할 수 있는 점에 비추어, 쟁점② 임대주택은 청구인이 신축설계 및 자금지급부터 임대까지 관리한 실질적인 소유자로 보이므로 쟁점①임대주택을 「조세특례제한법」 제97조에 의한 임대주택으로 보아 양도소득세 감면함이 타당함.

법규재산 2014-491, 2014. 4. 11.

「조세특례제한법」 제97조에 따른 임대주택을 양도함으로써 발생하는 소득에 대한 세액을 감

면하고 감면된 양도소득세의 20%는 농어촌특별세로 과세됨.

상속증여 - 44, 2013. 4. 10.

10년 이상 장기임대주택이라고 하더라도 「조세특례제한법」 제97조 및 제97조의 2의 감면요건을 갖춘 장기임대주택 또는 신축임대주택에 한하여 양도소득세가 면제되는 것임.

부동산거래관리과 - 269, 2011. 3. 24.

「조세특례제한법」 제97조에 따른 장기임대주택에 대한 양도소득세의 감면을 적용함에 있어 근린생활시설을 신축하여 주택용도로 임대하는 경우에는 감면 대상에 해당하지 아니하는 것임.

재재산 - 283, 2010. 3. 29.

「조세특례제한법」 제97조에 따른 장기임대주택을 2000. 12. 31. 이전에 임대를 개시하여 5년 이상 임대한 후 재건축 등으로 당해 장기임대주택이 조합원입주권으로 전환되어 양도하는 경우에도 「조세특례제한법」 제97조의 장기임대주택에 대한 양도소득세 감면을 적용받을 수 있는 것이며, 이 경우 「조세특례제한법」 제97조의 장기임대주택을 양도함으로써 발생하는 소득은 당초 취득한 장기임대주택의 재건축 사업계획승인일 현재의 양도차익을 말하는 것임.

재산 - 2995, 2008. 9. 29.

「조세특례제한법」 제97조의 규정은 주택의 임대를 개시한 날부터 3월 이내에 주택임대신고서를 임대주택의 소재지 관할 세무서장에게 제출하지 아니한 경우에도 적용받을 수 있는 것임.

서면5팀 - 2729, 2007. 10. 10.

매입임대주택 중 1995. 1. 1. 이후 취득 및 임대를 개시하여 5년 이상 임대한 임대주택(취득당시 입주된 사실 없는 주택에 한함) 및 10년 이상 임대한 임대주택은 양도소득세를 100% 감면함.

서면4팀 - 2782, 2007. 9. 21.

「조세특례제한법」 제97조에 따른 장기임대주택에 대한 양도소득세의 감면 규정을 적용함에 있어서 거주자가 임대주택을 법인에게 임대하고 그 법인이 당해 임대주택을 상시 주거용도의 사택으로 사용하는 경우 당해 임대주택에 대하여 동 규정을 적용할 수 있음.

서면4팀 - 2445, 2007. 8. 14.

「조세특례제한법」 제97조의 장기임대주택에 대한 양도소득세 감면은 국민주택 5호 이상을 임대하는 거주자가 2000. 12. 31. 이전에 임대를 개시하여 5년 이상 임대한 경우에 적용 받을 수 있음.

서면4팀 - 2343, 2007. 7. 31.

장기임대주택에 대한 양도소득세 감면 요건을 모두 갖춘 장기임대주택 중 일부를 상속받은 자가 양도하는 당해 주택은 양도소득세를 감면받을 수 있음.

재재산-611, 2007. 5. 23.

5호 이상의 국민주택을 2000. 12. 31. 이전 임대를 개시하여 5년 이상 임대한 후 양도하는 경우에 양도소득세 감면 규정이 적용됨.

서면5팀-1518, 2007. 5. 11.

「조세특례제한법」 제97조의 규정에 의한 임대주택을 양도함으로써 발생하는 소득에 대한 양도소득세는 50%(10년 이상 임대한 경우 100%)를 감면하는 것임.

서면5팀-1473, 2007. 5. 4.

감면대상 장기임대주택은 당해 임대주택 외의 1호의 주택에 대한 1세대 1주택 비과세를 적용함에 있어 거주자의 소유주택으로 보지 않음.

서면4팀-363, 2007. 1. 26.

장기임대주택에 대한 양도소득세 감면 적용시 임대하던 주택을 헐고 재건축하여 임대한 경우 재건축공사기간은 임대기간에 포함되지 아니함.

서면4팀-3891, 2006. 11. 28.

'장기임대주택에 대한 양도소득세의 감면'규정 적용시 각 가구별 구조 및 지분 변동없이 다가구주택에서 다세대주택으로 전환된 임대주택의 임대기간 기산일은 당초 주택임대개시일로 함.

서면4팀-3799, 2006. 11. 17.

부부 중 한 사람이 취득한 장기임대주택을 부부 중 다른 사람이 재산분할로 취득하여 양도하는 경우 전 배우자의 임대기간을 합산하여 장기임대주택 감면 규정을 적용함.

서면4팀-2727, 2006. 8. 7.

「조세특례제한법」 제97조의 장기임대주택은 당해 임대주택 외의 1호의 주택에 대한 「소득세법」 제89조 제1항 제3호의 규정을 적용함에 있어 당해 거주자의 소유주택으로 보지 아니함.

서면4팀-2101, 2006. 7. 6.

양도소득세가 감면되는 장기임대주택의 임대기간 계산시 비거주자로서 임대한 기간은 임대기간에 포함되지 아니함.

재재산-771, 2006. 7. 3.

「조세특례제한법」 제97조 및 동법 시행령 제97조의 장기임대주택에 대한 양도소득세 감면규정을 적용함에 있어서 거주자라 함은 임대주택을 5호 이상 임대하는 거주자를 말하는 바 임대주택을 지분형태로 소유하는 공동사업자의 경우에는 임대주택의 호수에 지분비율을 곱하여 5호 이상(예 : 임대주택 10호를 공유하는 공동사업자 1인의 지분이 50%인 경우 5호를 보유하는 것으로 인정)이어야 동 감면규정이 적용됨.

서면4팀 - 189, 2006. 2. 3.

장기임대주택에 대한 양도소득세 감면 적용시 다가구주택의 경우에는 1가구를 1호로 보는 것이며 관할 세무서장에게 주택임대에 관한 사항을 신고하지 아니한 경우에도 임대주택으로 보는 것임.

서면4팀 - 2208, 2005. 11. 16.

장기임대주택에 대한 양도소득세 감면규정을 적용함에 있어 다가구주택은 독립하여 거주할 수 있도록 구획된 각 1가구를 1호로 보는 것이나 지분(공동)으로 소유하는 임대주택은 감면대상에서 제외됨.

서면4팀 - 2083, 2005. 11. 4.

관할 세무서장에게 주택임대에 관한 사항을 신고하지 아니한 경우에도 장기임대주택에 대한 양도소득세 감면을 적용받을 수 있음.

서면4팀 - 2019, 2005. 10. 31.

「조세특례제한법」 제97조의 장기임대주택에 해당하는 경우 관할 세무서장에게 주택임대에 대한 사항을 신고하지 아니한 경우에도 1세대 1주택 비과세 적용시 거주자의 소유주택으로 보지 아니함.

서면4팀 - 1885, 2005. 10. 17.

「조세특례제한법」 제97조의 장기임대주택이 건설교통부장관이 정하는 다가구주택인 경우 독립하여 거주할 수 있도록 구획된 각 1가구를 1호로 보는 것임.

서면4팀 - 1840, 2005. 10. 7.

2001. 1. 1. 이후 추가등록한 임대주택은 「조세특례제한법」상 장기임대주택에 해당하지 아니하므로 1세대 1주택 비과세 적용시 당해 거주자의 소유주택으로 보는 것임.

서면4팀 - 1804, 2005. 9. 30.

장기임대주택의 부수토지의 일부를 자녀에게 증여한 경우 당해 증여한 토지 부분에 대하여는 감면대상 부수토지에 포함하지 않는 것임.

서면4팀 - 1176, 2005. 7. 11.

장기임대주택에 대한 양도소득세 감면규정 적용시 임대를 개시한 날이라 함은 주택 5호 이상을 임대 개시한 날을 의미하는 것임.

서면4팀 - 462, 2005. 3. 29.

다가구주택을 임대하여 오던 중 외국 영주권을 얻어 세대전원이 출국한 경우에도 생계를 같이하는 가족의 거주지나 자산 소재지에 비추어 그 출국목적이 명백하게 일시적인 것으로 인정되는 때에는 그 출국한 기간도 국내에 거소를 둔 기간으로 보는 것임.

서면4팀 - 1935, 2004. 11. 30.

1세대 1주택의 비과세규정을 적용함에 있어서 「조세특례제한법」 제97조의 규정에 의한 장기임대주택은 당해 임대주택을 5호 이상 임대개시한 후부터 거주자의 소유주택으로 보지 아니하는 것임.

서면4팀 - 1638, 2004. 10. 15.

장기임대주택으로 감면되는 임대주택의 부수토지는 건물연면적의 2배 이내의 토지를 말하며, 임대주택법에 의한 주택은 1세대 1주택 비과세규정의 적용에 있어서 소유주택으로 보지 아니함.

서면4팀 - 1584, 2004. 10. 8.

장기임대주택에 대한 양도소득세 등의 감면을 적용받기 위하여는 2000. 12. 31. 이전에 임대를 개시한 임대주택이어야 하고, 다른 주택 임대사업자로부터 임대주택을 취득한 경우에는 전임대사업자의 임대기간은 합산하지 아니함.

서일 46014 - 11616, 2003. 11. 13.

1세대 1주택의 비과세요건 판정시 거주자의 소유로 보지 않는 임대주택은 5호 이상의 임대주택을 5년 이상 임대한 후 양도하는 임대주택을 말하는 것임.

서일 46014 - 10345, 2003. 3. 21.

'3주택' 이상 소유한 1세대가 주택 양도시, 그 양도가액은 실지거래가액에 의하며, 이 경우 1세대가 소유한 주택수 계산시, 양도세 감면특례대상인 '장기임대주택' 및 '신축임대주택'도 포함됨.

재재산 46014 - 20, 2000. 1. 20.

「조세특례제한법」 제97조(장기임대주택) 및 제97조의 2(신축임대주택)의 규정을 적용함에 있어서 임대주택을 내국인의 소유주택으로 보지 않는 시점은 5호(장기임대주택) 또는 2호(신축임대주택) 이상 임대를 개시한 날이며,

임대주택의 임대기간 중 기존 소유주택의 양도에 대하여 1세대 1주택의 비과세를 적용받은 후 임대하던 주택을 「조세특례제한법」 제97조 및 제97조의 2에서 규정하고 있는 감면요건을 충족하지 않고 양도하는 경우에도 임대기간 중 양도한 기존 소유주택은 1세대 1주택의 비과

세에 해당되며,

임대주택의 임대기간 중 기존 소유주택의 양도에 대하여 1세대 1주택의 비과세를 적용받은 후 임대주택을 소유주택으로 변경한 주택에 대한 1세대 1주택의 비과세 판정시 보유기간은 소유주택으로 변경한 날부터 계산하는 것임.

재재산 46014-30, 1999. 10. 12.

「조세특례제한법」 제97조 및 같은 법 시행령 제97조의 규정에 의한 장기임대주택에 대한 양도소득세 등의 감면에 있어서 장기임대주택의 임대기간의 기산일은 소재지 관할 세무서장이 확인한 사실상의 임대를 개시한 날을 기준으로 할 수 있음.

10 신축임대주택에 대한 양도소득세의 감면특례(조특법 §97의 2)

거주자가 1호 이상의 신축임대주택을 포함하여 2호 이상의 임대주택을 5년 이상 임대한 후 양도하는 경우에 해당 신축임대주택에 대하여는 양도소득세를 전액 면제한다.

* 신축임대주택이 아닌 일반임대주택을 양도하는 경우에는 감면이 적용되지 아니함.

가. 감면대상자

1호 이상의 신축임대주택을 포함하여 2호 이상의 임대주택을 5년 이상 임대하는 거주자

나. 신축임대주택

신축임대주택이란 아래 1), 2), 3)의 요건을 모두 충족하는 주택을 말한다.

1) 국민주택(이에 딸린 해당 건물 연면적의 2배 이내의 토지를 포함함)일 것

2) 아래 중 하나에 해당하는 건설임대주택 또는 매입임대주택일 것

가) 다음 중 어느 하나에 해당하는 「민간임대주택에 관한 특별법」 또는 「공공주택 특별법」에 따른 건설임대주택

(1) 1999. 8. 20.~2001. 12. 31. 기간 중 신축된 주택

(2) 1999. 8. 19. 이전에 신축된 공동주택으로서 1999. 8. 20. 현재 입주된 사실이 없는 주택

나) 다음 중 하나에 해당하는 「민간임대주택에 관한 특별법」 또는 「공공주택 특별법」에 의한 매입임대주택 중 1999. 8. 20. 이후 취득(1999. 8. 20.~2001. 12. 31.까지의 기간 중에 매매계약을 체결하고 계약금을 지급한 경우만 해당한다) 및 임대를 개시한 임대주택(취득 당시 입주된 사실이 없는 주택만 해당한다)

(1) 1999. 8. 20. 이후에 신축된 주택

(2) 1999. 8. 19. 이전에 신축된 공동주택으로서 1999. 8. 20. 현재 입주된 사실이 없는 주택

3) 주택임대기간이 5년 이상일 것

* 주택임대기간의 계산은 장기임대주택의 임대기간 계산 방법을 준용함.

다. 기타 사항

1) 감면율

양도소득세를 전액 면제한다. 다만, 신축임대주택 1호와 기존주택 1호를 임대하는 경우 신축임대주택은 양도소득세의 면제대상이 되나 기존주택은 양도소득세 면제대상이 아님을 유의해야 한다.

2) 준 용

신축임대주택에 대한 임대기간(5년 이상)의 계산방법은 장기임대주택의 임대기간 계산 방법을 준용한다.

3) 1세대 1주택 비과세 판정시 주택의 수에서 제외

1세대 1주택 비과세 규정을 적용할 때 감면대상인 신축임대주택은 해당 거주자의 소유주택으로 보지 아니한다. 다만, 신축임대주택 1호와 일반임대주택 1호를 구입하여 임대사업을 하는 경우 신축임대주택은 다른 주택의 1세대 1주택 비과세 판정시 주택의 수에 포함되지 않지만 일반임대주택 1호는 주택의 수에 포함된다.

4) 양도소득세 등의 종합한도 배제와 농어촌특별세 적용

장기임대주택에 대한 감면세액은 감면세액 종합한도규정을 적용하지 않으므로 양도소득세액 전액이 감면된다. 한편, 감면세액의 20%가 농어촌특별세로 과세된다.

관련예규 및 판례요약

신축임대주택에 대한 양도소득세 등의 감면특례와 관련된 예규, 판례

서면-2016-부동산-5643, 2016. 12. 30.

「조세특례제한법」 제97조의 2(신축임대주택에 대한 양도소득세의 감면 특례) 제1항 제2호에 따른 양도소득세 면제대상에는 분양권을 증여받아 취득하는 신축임대주택은 포함되지 않는 것임.

서면법령재산-22474, 2015. 5. 15.

「조세특례제한법」 제99조의 2 적용함에 있어 같은 조의 과세특례기간에 사업주체와 최초로 매매계약을 체결하여 계약금을 지급하고 시장 · 군수 · 구청장으로부터 당초 신축주택 등임을 확인하는 날인을 받은 후 "할인분양부가계약서"를 작성하여 매매가액이 변경되는 경우 과세특례를 적용할 수 있음.

법규재산 2014-226, 2014. 6. 27.

조특법 제97조의 2를 적용받을 수 있는 1999. 8. 20. 이후 신축된 매입임대주택은 1999. 8. 20. 이후 취득 및 임대를 개시한 주택을 말하는 것이며 1999. 8. 20. 이후 취득이라 함은 1999. 8. 20.~2001. 12. 31. 기간 중에 매매계약을 체결하고 계약금을 지급한 경우만 해당함.

부동산납세-81, 2014. 2. 12.

「조세특례제한법」 제97조의 2 신축임대주택에 대한 감면적용에 있어 임대개시 후 임대주택법에 의한 임대사업자등록을 늦게 한 경우에도 조세특례 적용을 받을 수 있는 것임.

상속증여-80, 2013. 4. 30.

「조세특례제한법」 제97조의 2에 따른 요건을 갖춘 신축임대주택은 양도소득세의 감면 특례 규정을 적용받을 수 있는 것이나 신축주택이 임대목적인지 아니면 판매목적인지 여부는 사실판단할 사항임.

조심 2012중 1833, 2012. 7. 2.

분양권을 구입하여 취득한 신축주택도 「조세특례제한법」 제97조의 2 감면특례를 적용받을 수 있음.

부동산거래-167, 2012. 3. 22.

「조세특례제한법」 제97조의 2의 규정에 의하여 1호 이상의 신축임대주택(동법 동조 제1항의 규정에 의한 신축임대주택을 말함)은 취득 당시 입주된 사실이 없는 주택에 한함.

부동산거래-114, 2012. 2. 16.

신축임대주택에 대한 양도소득세의 감면특례가 적용되는 주택에는 타인으로부터 분양권을 구입하여 취득하는 매입임대주택이 포함됨.

조심 2011서 1985, 2011. 6. 30.

주택건설업자가 아닌 제3자로부터 분양권 매입을 통해 취득한 쟁점주택을 5년 이상 임대하다가 양도한 경우 「조세특례제한법」 제97조의 2에 따른 신축임대주택에 대한 양도소득세의 감면특례규정을 적용할 수 있음.

재재산-330, 2011. 5. 6.

「조세특례제한법」 제97조의 2 제1항 제2호에 따른 매입임대주택으로 양도소득세의 감면특례가 적용되는 주택에는 타인으로부터 분양권을 구입하여 취득하는 것이 포함되는 것임.

대법원 2010두 6427, 2010. 8. 19.

재건축조합 등의 조합원이 임대사업자로서 임대를 목적으로 조합원용 건물을 취득하는 경우에는 그 건물을 법령상의 건설임대주택으로 볼 수 있다 할 것임.

서면4팀-3265, 2007. 11. 12.

상속받은 신축임대주택에 대한 주택임대기간은 피상속인의 임대기간과 상속인의 임대기간을 통산하는 것임.

서면4팀-1885, 2007. 6. 13.

2001. 12. 31. 이후 취득한 신축임대주택은 「조세특례제한법」 제97조의 2 규정을 적용받을 수 없음.

서면5팀-888, 2007. 3. 19.

「소득세법 시행령」 제167조의 3에 해당하는 장기임대주택을 제외하고 1채의 일반주택을 소유하고 있는 1세대가 일반주택을 양도하는 경우 중과세율이 적용되지 않음.

서면5팀-131, 2007. 1. 10.

신축임대주택과 그 부수토지의 소유자가 다른 경우 부수토지에 대하여는 양도소득세 감면규정이 적용되지 아니함.

서면5팀-1336, 2006. 12. 21.

양도소득세가 감면되는 신축임대주택은 다른 거주하는 주택의 1세대 1주택 비과세규정 적용시 당해 거주자의 소유주택으로 보지 아니함.

서면5팀 - 1260, 2006. 12. 15.

「조세특례제한법」 제97조의 2에 의하여 1호 이상의 신축임대주택을 포함하여 2호 이상의 임대주택을 5년 이상 임대하는 거주자가 임대주택을 양도하는 경우 양도소득세를 감면받을 수 있음.

서면5팀 - 817, 2006. 11. 14.

사업자등록 및 임대주택 신고서를 제출하지 아니한 경우에는 신축임대주택에 대한 양도소득세 감면특례를 적용할 수 없음.

서면4팀 - 116, 2006. 1. 25.

신축임대주택에 대한 양도소득세 감면은 요건을 갖춘 2호 이상의 임대주택을 5년 이상 임대한 후 양도하는 경우 적용하는 것임.

서면4팀 - 2482, 2005. 12. 9.

신축임대주택에 대한 양도소득세 등의 감면을 적용받기 위해서는 1호 이상의 신축임대주택을 포함하여 2호 이상의 임대주택을 5년 이상 임대한 후 양도하는 경우에 해당하여야 함.

서면4팀 - 2451, 2005. 12. 8.

1999. 8. 20. 전에 매매계약을 체결하고 계약금을 지급하여 취득한 주택을 신축임대주택 규정을 적용받을 수 없음.

재재산 - 551, 2005. 11. 10.

신축임대주택에 대한 양도소득세 감면특례는 「소득세법」 제1조에서 규정하는 거주자에 한하여 적용되는 것임.

재재산 - 1291, 2004. 9. 23.

신축임대주택 양도세 감면시 임대기간(5년)의 기산일은 사실상의 임대를 개시한 날을 기준으로 할 수 있음.

서면4팀 - 1320, 2004. 8. 20.

신축임대주택 양도소득세 감면특례에서 '5년 이상 임대 여부의 계산'시 임대기간은 등록을 하고 주택임대사업을 개시한 날부터 계산함.

11 미분양주택에 대한 과세특례(조특법 §98)

가. 적용대상자

1) 거주자가 미분양국민주택을 1995. 11. 1.부터 1997. 12. 31.까지의 기간 중에 취득(1997. 12. 31.까지 매매계약을 체결하고 계약금을 납부한 경우를 포함한다)하여 5년 이상 보유·임대한 후에 양도하는 경우(1996. 1. 1. 이후 최초로 양도하는 분부터 적용함)(조특법 §98 ③)

* 미분양주택 : 다음 요건을 모두 갖춘 국민주택규모 이하의 주택으로서 서울특별시 외의 지역에 소재하는 것

① 「주택법」에 의하여 사업계획승인을 얻어 건설하는 주택(「민간임대주택에 관한 특별법」 제2조 및 「공공주택 특별법」 제2조 제1호 가목에 규정하는 공공임대주택을 제외한다. 이하 이 조에서 같다)으로서 당해 주택의 소재지를 관할하는 시장·군수 또는 구청장이 1995. 10. 31. 현재 미분양주택임을 확인한 주택

② 주택건설업자로부터 최초로 분양받은 주택으로서 당해 주택이 완공된 후 다른 자가 입주한 사실이 없는 주택

2) 거주자가 미분양 국민주택을 1998. 3. 1.부터 1998. 12. 31.까지의 기간 중에 취득(1998. 12. 31.까지 매매계약을 체결하고 계약금을 납부한 경우를 포함한다)하여 5년 이상 보유·임대한 후에 양도하는 경우(1998. 4. 10. 이후 최초로 양도하는 분부터 적용함)(조특법 §98 ③)

* 미분양주택 : 다음 요건을 모두 갖춘 국민주택규모 이하의 주택으로서 서울특별시 외의 지역에 소재하는 것

① 「주택법」에 의하여 사업계획승인을 얻어 건설하는 주택으로서 당해 주택의 소재지를 관할하는 시장·군수·구청장이 1998. 2. 28. 현재 미분양주택임을 확인한 주택

② 주택건설업자로부터 최초로 분양받은 주택으로서 당해 주택이 완공된 후 다른 자가 입주한 사실이 없는 주택

나. 과세특례 내용

미분양주택의 양도로 발생하는 소득에 대하여는 다음 방법 중 하나를 선택하여 유리한 세부담 방법을 적용받을 수 있다.

① **양도소득세로 납부하는 방법** : 양도소득세의 세율은 20%로 적용
② **종합소득세로 납부하는 방법** : 총수입금액에 필요경비를 공제하는 방법으로, 소득금액을 계산하여 종합소득세로 납부

다. 기타사항

① 미분양주택 외의 다른 주택을 소유하고 있는 거주자가 다른 주택을 양도함에 있어서는 해당 미분양주택 외의 다른 주택만을 기준으로 하여 「소득세법」 제89조 제1항 제3호에 따른 1세대 1주택 규정을 적용한다.
② 미분양주택의 보유기간 계산은 당해 자산의 취득일부터 양도일까지로 한다. 다만, 배우자 · 직계존비속 이월과세 규정이 적용되는 경우에는 증여한 배우자가 당해 자산을 취득한 날부터 기산한다.
③ 미분양주택에 대한 과세특례적용분에 대하여는 농어촌특별세는 과세되지 아니한다.

관련예규 및 판례요약

미분양 국민주택의 범위와 관련된 예규, 판례

서면-2018-부동산-0411, 2018. 3. 28.

「조세특례제한법 시행령」 제98조의 3 제1항 제2호에 해당하는 주택은 입주자모집공고에 따른 입주자의 계약일이 2009년 2월 12일 이후 도래하는 주택을 말하는 것임.

서면-2017-부동산-1747, 2018. 1. 5.

「조세특례제한법」 제98조의 3에 해당하는 미분양 주택의 분양권을 다른 사람으로부터 증여받은 경우, 해당 증여받은 지분은 감면을 적용받을 수 없음. 거주주택특례를 적용받은 후, 임대의무기간을 채운 장기임대주택을 양도할 때에는 직전거주주택 양도일 후의 기간분에 대해서만 비과세 적용.

부동산납세-556, 2014. 8. 5.

「조세특례제한법」 제98조에서 규정하는 미분양주택과 미분양주택 외의 다른 주택을 소유한 자가 먼저 양도한 다른 주택에 대해 1세대 1주택 비과세를 적용받은 후 미분양주택을 양도하

는 경우로서, 1세대 1주택 비과세를 적용하는 경우 보유기간 계산은 해당 미분양주택 외의 다른 주택을 양도한 날의 다음 날부터 기산하는 것임.

조심 2011지 615, 2012. 2. 17.

미분양주택을 대물변제 받은 경우 해당 사업주체로부터 최초 분양받아 취득한 것으로 볼 수 있는지 여부

서면5팀-1134, 2008. 5. 28.

미분양국민주택을 1995. 11. 1.부터 1996. 12. 31.까지의 기간 중에 취득하여 5년 이상 보유하다 양도함으로써 발생하는 소득은 양도소득세를 납부하는 방법과 종합소득세를 납부하는 방법 중 선택하여 적용 받을 수 있음.

서면5팀-635, 2008. 3. 24.

다른 주택을 1세대 1주택 비과세 적용받은 이후 「조세특례제한법」 제98조의 미분양주택을 양도하는 경우로서 보유기간 계산은 당해 미분양주택 외의 다른 주택을 양도한 날의 다음 날부터 기산함.

서면5팀-616, 2008. 3. 21.

「조세특례제한법」 제98조의 미분양주택과 그 외의 일반주택을 소유한 1세대가 일반주택을 양도하고 나중에 미분양주택을 양도하는 경우 비과세 요건

서면4팀-1122, 2006. 4. 25.

「조세특례제한법」 제98조의 규정에 의한 미분양주택을 취득하여 5년 이상 보유 또는 임대하다 양도함으로써 발생하는 소득에 대하여는 양도소득세와 종합소득세 방식 중 선택하여 적용 가능함.

재일 46014-2273, 1996. 10. 9.

미분양주택 외의 다른 주택을 소유시 그 다른 주택만을 대상으로 1세대 1주택 비과세요건 해당 여부를 판정함.

소득 46011-2678, 1997. 10. 17.

미분양국민주택 분양받아 5년 이상 보유・임대 후 양도시 종합소득세 계산방식 선택의 경우 실지양도금액에서 필요경비 공제되고 결손금 통산됨.

재일 46014-2551, 1996. 11. 19.

1995. 11. 1.~1996. 12. 31. 기간 중 취득한 미분양국민주택 외의 다른 주택을 소유하다 그 다른 주택을 양도시 당해 미분양주택을 제외하고 1세대 1주택 여부 판정함.

12 지방 미분양주택 취득에 대한 양도소득세 등 과세특례 (조특법 §98의 2)

가. 적용대상자 : 거주자

나. 지방 미분양주택의 범위

지방 미분양주택이란 다음 중 어느 하나에 해당하는 주택을 말한다.

1) 「주택법」 제54조에 따른 사업주체가 같은 조에 따라 공급하는 주택으로서 입주자모집공고에 따른 입주자의 계약일이 지난 주택단지에서 2008. 11. 2.까지 분양계약이 체결되지 아니하여 2008. 11. 3. 이후 선착순의 방법으로 공급하는 주택
2) 2008. 11. 3.까지 「주택법」 제15조에 따른 사업계획승인(「건축법」 제11조에 따른 건축허가를 포함한다)을 얻었거나 사업계획승인신청을 한 사업주체가 해당 사업계획승인과 「주택법」 제54조에 따라 공급하는 주택(2008. 11. 3. 현재 입주자모집공고에 따른 입주자의 계약일이 지나지 아니한 주택에 한정한다)으로서 해당 사업주체와 최초로 매매계약을 체결하고 취득하는 주택

다. 취득기간 요건

2008. 11. 3.부터 2010. 12. 31.까지의 기간 중에 취득(2010. 12. 31.까지 매매계약을 체결하고 계약금을 납부한 경우를 포함한다)한 주택일 것

라. 소재지 요건

수도권(서울, 인천, 경기도) 밖에 소재하는 주택일 것

마. 특례 내용(2009. 1. 1. 이후 양도분부터 적용)

1) 거주자의 양도소득세

가) 장기보유특별공제액 : 1세대 2주택 이상인 경우에도 양도차익에 1세대 1주택자에 대한 특례 공제율(「소득세법」 제95조 제2항 표2에 따른 보유기간별 공제율)을 곱하여 계산

나) 세율 : 1세대 2주택 이상이거나 보유기간이 2년 미만인 경우에도 누진세율 적용

다) 주택 수 계산 : 1세대 1주택 비과세 및 다주택 중과 규정 적용시 지방미분양주택은 해당 거주자의 소유주택으로 보지 아니한다(2009. 3. 25. 이후 양도분부터 적용).

2) 부동산매매업자

부동산매매업을 경영하는 거주자가 지방 미분양주택을 양도함으로써 발생하는 소득에 대한 종합소득산출세액은 「소득세법」 제64조 제1항(비교과세 특례 규정)에도 불구하고 같은 법 제55조 제1항(기본세율)에 따른 종합소득산출세액으로 한다.

3) 법인세

법인이 지방 미분양주택을 양도함으로써 발생하는 소득에 대해서는 법인세 추가과세(30%, 「법인세법」 제55조의 2 제1항 제2호 및 제95조의 2)를 적용하지 아니한다. 다만, 미등기양도의 경우에는 그러하지 아니하다.

관련예규 및 판례요약

지방 미분양주택과 관련된 예규, 판례

상속증여-398, 2013. 7. 23.

「소득세법」 제89조 제1항 제3호에 따른 1세대 1주택 비과세를 적용할 때 「조세특례제한법」 제98조의 2 제1항을 적용받는 지방 미분양주택은 해당 거주자의 소유주택으로 보지 아니하는 것임.

부동산거래-340, 2012. 6. 28.

「임대주택법」 제21조에 따라 분양전환된 건설임대주택은 「조세특례제한법」 제98조의 2 및 같은 법 시행령 제98조의 2에 따른 지방 미분양주택 취득에 대한 양도소득세 등 과세특례 대상에 해당하지 아니하는 것임.

부동산거래-1012, 2011. 12. 2.

매매계약일 현재 입주한 사실이 있는 주택은 「조세특례제한법」 제98조의 2에 따른 미분양주택의 취득자에 대한 양도소득세 과세특례가 적용되지 않는 것임.

부동산거래-926, 2011. 11. 3.

장기할부조건에 해당하여 소유권이전등기(등록 및 명의개서 포함) 접수일 · 인도일 또는 사용수익일 중 빠른 날을 취득시기로 하는 것이며, 장기할부조건으로 취득한 자산으로서 그 계약조건에 의하여 양도 당시 그 자산의 취득에 관한 등기가 불가능한 자산은 미등기 양도로 보지 않으며, 「조세특례제한법」 제98조의 2 지방 미분양주택에 대하여는 양도차익에 「소득세법」 제95조 제2항 표2에 따른 보유기간별 공제율을 곱하여 계산한 금액을 장기보유특별공제액으로 하고, 「소득세법」 제104조 제1항 제2호 및 제2호의 2부터 제2호의 6까지의 규정에도 불구하고 세율은 동조 동항 제1호에 따른 세율(누진세율)을 적용하는 것임.

법규재산 2011-0243, 2011. 6. 30.

1세대가 「조세특례제한법」 제98조의 2 및 같은 법 제98조의 3에 해당하는 지방 미분양주택과 「소득세법 시행령」 제167조의 3 제1항 제1호 내지 제8호 및 제8호의 2에 해당하는 주택을 제외하고 1개의 일반주택만을 소유하고 있는 경우 그 일반주택 양도시 일반세율을 적용하며 장기보유특별공제를 적용받을 수 있음.

부동산거래관리과-337, 2011. 4. 19.

「조세특례제한법」 제98조의 2 및 같은 법 제98조의 3에 해당하는 지방 미분양주택을 상속받아 양도하는 귀 질의의 경우 동법에 따른 '지방 미분양주택 취득에 대한 양도소득세 등 과세특례' 및 '미분양주택의 취득자에 대한 양도소득세의 과세특례'규정 적용되지 않는 것임.

부동산거래관리과-822, 2010. 6. 16.

토지소유자로부터 토지개발을 위탁받은 신탁회사가 「조세특례제한법 시행령」 제98조의 2 제1항 제2호 및 제98조의 3 제1항 제2호에 따라 공급하는 주택을 거주자가 최초로 매매계약을 체결한 경우에는 해당 주택을 취득한 거주자의 귀책사유 없이 신탁회사가 변경된 경우에도 같은 법 제98조의 2 및 제98조의 3에 따라 미분양주택의 취득자에 대한 양도소득세 과세특례가 적용되는 것임. 다만, 「조세특례제한법」 제98조의 2와 제98조의 3이 동시에 적용되는 경우에는 같은 법 제127조 제9항에 따라 그 중 하나만을 적용받을 수 있는 것임.

13 미분양주택의 취득자에 대한 양도소득세의 과세특례 (조특법 §98의 3)

가. 미분양주택의 범위

미분양주택이란 다음 중 어느 하나에 해당하는 주택을 말한다. 다만, 수도권과밀억제권역 안의 지역인 경우에는 대지면적이 660제곱미터 이내이고, 주택의 연면적이 149제곱미터(공동주택의 경우에는 전용면적 149제곱미터) 이내인 주택에 한정한다.

1) 「주택법」 제54조에 따라 주택을 공급하는 사업주체가 같은 조에 따라 공급하는 주택으로서 해당 사업주체가 입주자모집공고에 따른 입주자의 계약일이 지난 주택단지에서 2009. 2. 11.까지 분양계약이 체결되지 아니하여 2009. 2. 12. 이후 선착순의 방법으로 공급하는 주택
2) 「주택법」 제15조에 따른 사업계획승인(「건축법」 제11조에 따른 건축허가를 포함한다)을 받아 해당 사업계획과 「주택법」 제54조에 따라 사업주체가 공급하는 주택(2009. 2. 12. 이후 입주자모집공고에 따른 입주자의 계약일이 도래하는 주택에 한정한다)
3) 주택건설사업자(20호 미만의 주택을 공급하는 자를 말하며, 제1호와 제2호에 해당하는 사업주체는 제외한다)가 공급하는 주택(2009. 2. 11.까지 매매계약이 체결되지 아니한 주택을 포함한다)
4) 「주택도시기금법」에 따른 주택도시보증공사가 같은 법 시행령 제22조 제1항 제1호 가목에 따라 매입한 주택으로서 해당 주택도시보증공사가 공급하는 주택
5) 주택의 시공자가 해당 주택의 공사대금으로 받은 주택으로서 해당 시공자가 공급하는 주택
6) 「법인세법 시행령」 제92조의 2 제2항 제1호의 5에 따른 기업구조조정부동산투자회사등이 취득한 주택으로서 해당 기업구조조정부동산투자회사등이 공급하는 주택
7) 주택 외의 시설과 주택을 동일건축물로 건설·공급하는 건축주가 2004. 3. 30. 전에 「건축법」 제11조에 따라 건축허가를 신청하여 건설한 주택(2009. 2. 11.까지 매매계약이 체결되지 아니한 주택에 한정한다)으로서 해당 건축주가 공급하는 주택
8) 「자본시장과 금융투자업에 관한 법률」에 따른 신탁업자가 「법인세법 시행령」 제92조의 2 제2항 제1호의 7에 따라 취득한 주택으로서 해당 신탁업자가 공급하는 주택
9) 자기가 건설한 신축주택

자기가 건설한 신축주택으로서 2009. 2. 12.부터 2010. 2. 11.까지의 기간 중에 공사에 착공(착공일이 불분명한 경우에는 착공신고서 제출일을 기준으로 한다)하고, 사용승인 또는 사용검사(임시사용승인을 포함한다)를 받은 주택을 포함한다. 다만, 다음 각 호의 경우에는 이를 적용하지 아니한다.

가) 「도시 및 주거환경정비법」에 따른 주택재개발사업 또는 주택재건축사업을 시행하는 정비사업조합의 조합원이 해당 관리처분계획에 따라 취득하는 주택

나) 거주하거나 보유하는 중에 소실 · 붕괴 · 노후 등으로 인하여 멸실되어 재건축한 주택

나. 취득기간 요건

다음 각 호의 기간 중에 「주택법」 제38조에 따라 주택을 공급하는 해당 사업주체(20호 미만의 주택을 공급하는 경우 해당 주택건설사업자를 포함한다)와 최초로 매매계약을 체결하고 취득(2010. 2. 11.까지 매매계약을 체결하고 계약금을 납부한 경우를 포함한다)할 것

1) 거주자인 경우 : 2009. 2. 12.부터 2010. 2. 11.까지의 기간

2) 비거주자인 경우 : 2009. 3. 16.부터 2010. 2. 11.까지의 기간

* 비거주자 : 「소득세법」 제120조에 따른 국내사업장이 없는 비거주자

다. 소재지 요건(모두 충족)

1) 서울특별시 밖의 지역에 소재하는 주택일 것

2) 「소득세법」 제104조의 2에 따른 지정지역 밖의 지역에 소재하는 주택일 것

라. 특례 내용(2009. 3. 25. 이후 최초로 양도하는 분부터 적용)

1) 양도소득세 감면

미분양주택 취득일부터 5년 이내에 양도함으로써 발생하는 소득에 대해서는 양도소득세의 100분의 100(수도권과밀억제권역인 경우에는 100분의 60)에 상당하는 세액을 감면하고, 해당 미분양주택의 취득일부터 5년이 지난 후에 양도하는 경우에는 해당 미분양주택의 취득일부터 5년간 발생한 양도소득금액(수도권과밀억제권역인 경우에는 양도소득금액의 100분의 60에 상당하는 금액)을 해당 주택의 양도소득세 과세대상소득금액에서

뺀다. 이 경우 공제하는 금액이 과세대상소득금액을 초과하는 경우 그 초과금액은 없는 것으로 한다.

* 과밀억제권역 : 서울, 인천(강화군, 옹진군 등 제외), 경기도의 14개 시(의정부, 구리, 남양주, 하남, 고양, 수원, 성남, 안양, 부천, 광명, 과천, 의왕, 군포, 시흥)를 말하며, 과밀억제권역 해당 여부는 매매계약일 현재를 기준으로 판정한다.

* 5년간 발생한 양도소득금액

$$= \text{양도소득금액} \times \frac{(\text{취득일부터 5년이 되는 날의 기준시가} - \text{취득당시의 기준시가})}{(\text{양도당시의 기준시가} - \text{취득당시의 기준시가})}$$

* 감면세액 계산 방법

: 취득일부터 5년 이내 양도시에는 세액감면방식에 따르고, 취득일부터 5년 경과 후 양도시에는 소득금액차감방식에 따름(제2장 제7절 4. 양도소득세의 감면 참고)

2) 주택 수 계산

1세대 1주택 비과세 및 다주택 중과 규정 적용시 미분양주택은 해당 거주자의 소유주택으로 보지 아니한다.

3) 장기보유특별공제액 및 세율

(1) 장기보유특별공제액 : 1세대 2주택 이상인 경우에도 장기보유특별공제 적용(양도일 현재 1세대 1주택인 경우에는 특례 공제율 적용)

(2) 세율 : 1세대 2주택 이상이거나 보유기간이 2년 미만인 경우에도 누진세율 적용

4) 농어촌특별세 비과세

미분양주택 과세특례를 적용받더라도 농어촌특별세를 비과세 한다.\

마. 특례 배제 대상

다음 각 호의 주택은 과세특례가 적용되지 아니한다.

1) 매매계약일 현재 입주한 사실이 있는 주택

2) 2009. 2. 12.부터 2010. 2. 11.까지의 기간("미분양주택 취득기간") 중에 사업주체*와 매매계약을 체결한 매매계약자가 해당 계약을 해제하고 매매계약자 또는 그 배우자(매매계약자 또는 그 배우자의 직계존비속 및 형제자매를 포함한다)가 당초 매매계약

을 체결하였던 주택을 다시 매매계약하여 취득한 주택

* 사업주체 : 위 가. 3)에 따른 주택건설사업자, 가. 4)에 따른 대한주택보증주식회사, 가. 5)에 따른 시공자, 가. 6)에 따른 기업구조조정부동산투자회사등, 가. 7)에 따른 건축주 및 가. 8)에 따른 신탁업자를 포함한다.

3) 미분양주택 취득기간 중에 해당 사업주체로부터 당초 매매계약을 체결하였던 주택에 대체하여 다른 주택을 매매계약하여 취득한 주택

바. 선택적용

거주자가 주택을 양도하여 「조세특례제한법」 제98조의 2(지방 미분양주택 취득에 대한 양도소득세 등 과세특례)와 제98조의 3(미분양주택의 취득자에 대한 양도소득세의 과세특례)이 동시에 적용되는 경우에는 그 중 하나만을 선택하여 적용받을 수 있다.

관련예규 및 판례요약

서울시 밖 미분양주택과 관련된 예규, 판례

서면부동산-2585, 2016. 1. 26.

주택과 주택 외의 부분으로 복합되어 있고 「조세특례제한법」 제98조의 3 제2항에 해당하는 신축주택이 수도권과밀억제권역 안에 있는 경우에 적용하는 면적기준은 주택부분의 면적으로 판정함.

서면법령재산-1884, 2015. 12. 7.

보유 나대지에 「조세특례제한법」 제98조의 3이 적용되는 주택(자기가 건설한 신축주택으로서 2009. 2. 12.~ 2010. 2. 11. 기간 중에 공사에 착공하고 사용승인을 받은 주택)을 양도하는 경우 토지의 취득일부터 신축주택의 취득일 전일까지 발생한 토지의 양도소득금액은 '미분양주택에 대한 양도소득세 과세특례'가 적용되지 아니하는 것임.

서면부동산-1872, 2015. 10. 30.

거주자가 「주택법」 제38조에 따라 주택을 공급하는 사업주체와 최초로 매매계약을 체결한 후 해당 주택의 지분 일부(1/2)를 배우자에게 증여한 경우, 증여한 지분에 대해서는 「조세특례제한법」 제98조의 3에 따른 양도소득세 과세특례를 적용하지 아니하는 것임.

서면부동산-1822, 2015. 10. 27.

「조세특례제한법」 제98조의 3 제1항 및 제2항을 적용받는 주택「소득세법」 제89조 제1항 제3호(1세대 1주택 비과세)를 적용할 때 해당 거주자의 주택으로 보지 아니함.

서면부동산-1418, 2015. 9. 4.

서울특별시 밖의 지역(지정지역 제외)에 소재하는 미분양주택 등으로서 2009. 2. 12.부터 2010. 2. 11.까지의 기간 중에 해당 사업주체와 최초로 매매계약을 체결하고 계약금을 납부하여 취득한 주택은「조세특례제한법」 제98조의 3을 적용받을 수 있는 것이며, 1세대 1주택 비과세를 적용할 때 해당 미분양주택은 거주자의 소유주택으로 보지 아니하는 것임.

서면법령재산-619, 2015. 8. 13.

보유 나대지에「조세특례제한법」 제98조의 3이 적용되는 주택(자기가 건설한 신축주택으로서 2009. 2. 12.~ 2010. 2. 11. 기간 중에 공사에 착공하고 사용승인을 받은 주택)을 양도하는 경우 토지의 취득일부터 신축주택의 취득일 전일까지 발생한 토지의 양도소득금액은「조세특례제한법」 제98조의 3이 적용되지 아니하는 것임.

서면부동산-956, 2015. 7. 22.

「조세특례제한법」 제98조의 3 제1항에 따른 미분양주택의 취득자에 대한 양도소득세의 과세특례를 적용할 때 해당 미분양주택(공동주택)의 취득일부터 5년이 되는 날 및 양도 당시의 공동주택가격이 취득 당시의 공동주택가격보다 낮은 경우 감면소득금액은 0원으로 계산하는 것임.

조심 2013중 2476, 2014. 2. 18.

2009년 8월 쟁점토지를 공사대금으로 대물변제 하기로 한 전소유자가 대물변제 예정인 쟁점토지 위에 쟁점주택 신축공사를 하였다고 보기 어려운 점, 2009년 9월 촬영한 항공사진에 의하면 쟁점토지 지상에 건물 등의 신축공사 흔적이 없는 점, 쟁점주택은 미분양주택 취득기간(2009. 2. 12.~2010. 2. 11.) 내에 청구인이 착공 및 사용승인을 받은 주택인 점 등에 비추어, 쟁점주택은「조세특례제한법」 제98조의 3에서 정한 양도소득세 과세특례대상으로 보임.

부동산거래관리과-641, 2012. 11. 23.

「소득세법」 제89조 제1항 제3호에 따른 1세대 1주택 비과세를 적용할 때「조세특례제한법」 제98조의 3 제1항 및 제2항을 적용받는 미분양주택은 해당 거주자의 소유주택으로 보지 아니함.

부동산거래관리과-405, 2011. 5. 17.

상속받은 미분양주택은「조세특례제한법」 제98조의 3 규정하는 미분양주택 취득자에 대한 양도소득세 과세특례를 적용 받을 수 없음.

부동산거래관리과-921, 2010. 7. 14.

주택을 취득한 후 멸실되어 그 토지에 주택을 재건축하는 경우에는 「조세특례제한법」 제98조의 3에 따른 '미분양주택의 취득자에 대한 양도소득세의 과세특례'가 적용되지 않는 것임.

재재산-572, 2010. 6. 20.

거주자가 미분양주택을 미분양주택 취득기간(2009. 2. 12. ~ 2010. 2. 11.) 중에 「주택법」 제38조에 따라 주택을 공급하는 해당 사업주체와 최초로 매매계약을 체결하고 취득하는 경우에는 「조세특례제한법」 제98조의 3 및 같은 법 시행령 제98조의 3의 규정이 적용되는 것임. 귀 질의와 같이 「주택법」 제38조에 따라 미분양주택 취득기간 중에 계약이 체결되고 해지된 주택을 당초 매매계약자 또는 그 배우자 등이 아닌 제3자가 같은 기간 중에 계약하고 취득하는 주택(「조세특례제한법 시행령」 제98조의 3 제2항 각 호에 해당하는 주택은 제외)은 「조세특례제한법 시행령」 제98조의 3 제1항 제2호의 규정에 의한 미분양주택에 해당되는 것임.

부동산거래관리과-809, 2010. 6. 11.

토지소유자로부터 토지개발을 위탁받은 신탁회사가 「조세특례제한법 시행령」 제98조의 3 제1항 제2호에 따라 공급하는 주택을 거주자가 최초로 매매계약을 체결한 경우에는 해당 주택을 취득한 거주자의 귀책사유 없이 신탁회사가 변경된 경우에도 같은 법 제98조의 3에 따른 미분양주택의 취득자에 대한 양도소득세 과세특례가 적용되는 것임.

부동산거래관리과-746, 2010. 5. 31.

종중은 「조세특례제한법」 제98조의 3에 따른 '미분양주택의 취득자에 대한 양도소득세의 과세특례'를 적용받을 수 없는 것임.

부동산거래관리과-498, 2010. 4. 1.

자기가 건설한 신축주택으로서 2인 이상이 「조세특례제한법」 제98조의 3 제1항에 규정된 미분양주택 취득기간(거주자의 경우 2009. 2. 12.~2010. 2. 11.) 중에 공동으로 공사에 착공하고, 사용승인 또는 사용검사(임시사용승인 포함)를 받은 주택을 공유하다가 실질적인 지분변동 없이 단순히 분할등기한 후 양도하는 경우 위 특례 규정을 적용받을 수 있는 것임.

부동산거래관리과-174, 2010. 2. 3.

「조세특례제한법」 제98조의 3에 따른 미분양주택의 취득자에 대한 양도소득세 과세특례는 매매계약일 현재 입주한 사실이 있는 주택은 적용되지 않는 것임.

부동산거래관리과-126, 2010. 1. 26.

거주자가 「조세특례제한법」 제98조의 3 제1항이 적용되는 신축주택과 그 부수토지를 신축일로부터 5년 이내에 양도하고 같은 법 시행령 제40조에 따라 감면대상 양도소득금액을 산정시 양도당시 개별공시지가가 신축주택 취득당시 개별공시지가보다 낮아 분자가 부수인 경우 토지분 감면소득금액은 0원으로 계산하는 것임.

부동산거래관리과－131, 2010. 1. 26.

「조세특례제한법 시행령」 제98조의 3 제1항 제1호에 해당하는 미분양주택을 시행사가 신탁사에 처분신탁하여 신탁사 및 시행사와 최초로 매매계약을 체결한 경우에도 같은 법 제98조의 3에 따른 미분양주택의 취득자에 대한 양도소득세 과세특례가 적용되는 것임.

부동산거래관리과－49, 2010. 1. 14.

「조세특례제한법」 제98조의 3 제2항에 따른 '미분양주택의 취득자에 대한 양도소득세의 과세특례'를 적용함에 있어 "사용승인 또는 사용검사(임시사용승인 포함)를 받은 주택"이라 함은 「건축법 시행규칙」 제16조 제2항 및 제17조 제3항에 따른 사용승인서 또는 임시사용승인서를 교부받은 주택을 말하는 것임.

부동산거래관리과－42, 2010. 1. 14.

「조세특례제한법」 제98조의 3 제1항에서 "2010. 2. 11.까지 매매계약을 체결하고 계약금을 납부한 경우"라 함은 "2010. 2. 11.까지 매매계약을 체결하고 계약금을 완납한 경우"를 말하는 것임.

재산세과－885, 2009. 12. 3.

「조세특례제한법 시행령」 제98조의 3 제1항 제5호에 해당하는 시공자가 위탁자가 되고 「신탁업법」에 의한 신탁회사가 수탁자가 되는 신탁계약을 체결(위탁자인 시공자가 수익자가 되는 경우에 한함)하여, 신탁회사로부터 「조세특례제한법」 제98조의 3에 따른 미분양주택을 분양받은 거주자가 관할 시장·군수·구청장으로부터 미분양주택임을 확인하는 날인을 받은 매매계약서 사본을 납세지 관할 세무서장에게 제출하는 경우 동 규정의 양도소득세의 과세특례를 적용받을 수가 있는 것임.

재산세과－790, 2009. 11. 19.

「조세특례제한법」 제98조의 3(미분양주택의 취득자에 대한 양도소득세의 과세특례) 제1항을 적용함에 있어 자기가 건설한 신축주택은 2009. 2. 12.~2010. 2. 11.까지의 기간 중에 공사에 착공(착공일이 불분명한 경우에는 착공신고서 제출일을 기준으로 함)하고, 사용승인 또는 사용검사(임시사용승인을 포함함)를 받은 경우에 적용되는 것으로, 위 기간이 지난 후에 증축하는 부분(그 부수토지 포함)은 당해 과세특례가 적용되지 아니함.

재산세과－439, 2009. 10. 12.

거주자가 공동으로 소유하고 있는 토지에 2009. 2. 12.부터 2010. 2. 11.까지의 기간 중 공동으로 공사에 착공(착공일이 불분명한 경우에는 착공신고서 제출일 기준)하고, 같은 기간 중에 사용승인 또는 사용검사(임시사용승인 포함)를 받아 토지 지분대로 취득한 주택의 경우 각 소유자별 주택 및 그 부수토지에 대해 「조세특례제한법」 제98조의 3 "미분양주택의 취득자에 대한 양도소득세의 과세특례"가 적용되며, 감면대상 양도소득 금액은 같은 법 시행령 제40조 제1항에 따라 계산하는 것임.

재산세과-333, 2009. 9. 30.

「조세특례제한법」 제98조의 3 "미분양주택 취득자에 대한 양도소득세 과세특례"를 적용받는 주택을 양도함으로써 감면받은 양도소득세에 대하여는 농어촌특별세가 비과세되는 것임.

재산세과-159, 2009. 9. 9.

「조세특례제한법」 제98조의 3 제2항을 적용함에 있어 2009. 2. 12.부터 2010. 2. 11.까지의 기간 중에 주택 신축공사에 착공한 토지를 취득하여 주택을 완성한 경우에는 동 과세특례가 적용되지 않는 것임.

재산세과-1699, 2009. 8. 17.

1. 「조세특례제한법」 제98조의 3 "미분양주택의 취득자에 대한 양도소득세의 과세특례"를 적용함에 있어 자기가 건설한 신축주택은 2009. 2. 12.부터 2010. 2. 11.까지의 기간 중에 공사에 착공(착공일이 불분명한 경우에는 착공신고서 제출일 기준)하고, 2009. 2. 12.부터 2010. 2. 11.까지의 기간 중에 사용승인 또는 사용검사(임시사용승인 포함)를 받은 주택에 대하여 적용하는 것으로서, 감면대상 양도소득 금액은 「조세특례제한법 시행령」 제40조 제1항에 따라 계산하는 것임.
2. 이 경우, 토지의 취득일부터 신축주택의 취득일 전일까지 발생한 토지의 양도소득금액은 과세특례가 적용되지 않는 것으로서, 「조세특례제한법 시행령」 제40조 제1항에 따라 토지의 감면대상 양도소득금액을 계산시 산식 분모의 취득당시 기준시가란 토지 취득당시 기준시가를 말하는 것임.
3. 위 규정은 고가주택에 해당하는 경우에도 적용되는 것으로서, 수도권과밀억제권역 밖의 지역인 경우 주택 및 그 부수토지에 대한 면적 제한은 없으나 수도권과밀억제권역 안의 지역인 경우에는 대지면적이 660㎡ 이내이고 주택의 연면적이 149㎡(공동주택의 경우에는 전용면적 149㎡) 이내인 주택 및 그 부수토지에 한하여 적용하는 것임.
4. 또한, 위 규정을 적용함에 있어 하나의 건물이 주택과 주택 외의 부분으로 복합되어 있는 경우와 주택에 부수되는 토지에 주택 외의 건물이 있는 경우에는 주택부분(이에 부수되는 토지 포함)에 대하여만 동 감면 규정이 적용되는 것임.

재산세과-1629, 2009. 8. 7.

주택 외의 시설과 주택을 동일건축물로 건설 · 공급하는 건축주가 2004. 4. 30. 전에 「건축법」

제11조에 따라 건축허가를 신청하여 건설한 주택(2009. 2. 11.까지 매매계약이 체결되지 아니한 주택에 한정함)으로서 해당 건축주가 공급하는 주택은 「조세특례제한법」 제98조의 3 "미분양주택 취득자에 대한 양도소득세 과세특례" 규정을 적용받을 수 있는 것임.

재산세과-1450, 2009. 7. 15.

1. 자기가 건설한 신축주택으로서 2009. 2. 12.~2010. 2. 11. 기간 중에 공사에 착공하고 사용승인을 받은 주택(주택 부수토지 포함)을 양도하는 경우 토지의 취득일부터 신축주택의 취득일 전일까지 발생한 토지의 양도소득금액은 「조세특례제한법」 제98조의 3 '미분양주택에 대한 양도소득세 과세특례'가 적용되지 아니함.
2. 이 경우, 「조세특례제한법 시행령」 제40조 제1항에 따라 토지의 감면대상 양도소득금액을 계산시 산식 분모의 취득당시 기준시가란 토지 취득당시 기준시가를 말함.

재산세과-998, 2009. 5. 20.

시공사가 시행사에 대한 공사대금채권을 신탁회사에 신탁하고 이에 따라 신탁회사가 시행사로부터 공사대금채권에 갈음하여 공사 중인 주택을 분양받은 후 신탁회사가 당해 주택을 거주자에게 분양하는 경우 당해 주택은 「조세특례제한법 시행령」 제98조의 3 제1항 제5호에 해당하지 아니하는 것임.

14 | 비거주자의 주택취득에 대한 양도소득세의 과세특례 (조특법 §98의 4)

가. 특례 대상자

「소득세법」 제120조에 따른 국내사업장이 없는 비거주자

나. 특례 대상 주택

「조세특례제한법」 제98조의 3 제1항에 따른 미분양주택 외의 주택

다. 취득기간 요건

2009. 3. 16.부터 2010. 2. 11.까지의 기간 중에 위 "나"에 해당하는 주택을 취득(2010. 2. 11.까지 매매계약을 체결하고 계약금을 납부한 경우를 포함한다)할 것

라. 특례 내용(2009. 5. 21. 이후 최초로 양도하는 분부터 적용)

양도소득세의 100분의 10에 상당하는 세액을 감면하고, 감면세액의 20%를 농어촌특별세로 과세한다.

15 수도권 밖의 지역에 있는 미분양주택의 취득자에 대한 양도소득세의 과세특례(조특법 §98의 5)

가. 미분양주택의 범위

다음 중 어느 하나에 해당하는 주택을 말한다.

1) 「주택법」 제54조에 따라 주택을 공급하는 사업주체가 같은 조에 따라 공급하는 주택으로서 해당 사업주체가 입주자모집공고에 따른 입주자의 계약일이 지난 주택단지에서 2010. 2. 11.까지 분양계약이 체결되지 아니하여 선착순의 방법으로 공급하는 주택
2) 「주택도시기금법」에 따른 주택도시보증공사(이하 이 조에서 "주택도시보증공사"라 한다)가 같은 법 시행령 제22조 제1항 제1호 가목에 따라 매입한 주택으로서 주택도시보증공사가 공급하는 주택 (2015. 6. 30. 개정 : 주택도시기금법 시행령 부칙)
3) 주택의 시공자가 해당 주택의 공사대금으로 받은 주택으로서 해당 시공자가 공급하는 주택
4) 「법인세법 시행령」 제92조의 2 제2항 제1호의 5 및 제1호의 8에 따라 기업구조조정부동산투자회사등이 취득한 주택으로서 해당 기업구조조정부동산투자회사등이 공급하는 주택
5) 「자본시장과 금융투자업에 관한 법률」에 따른 신탁업자가 「법인세법 시행령」 제92조의 2 제2항 제1호의 7 및 제1호의 9에 따라 취득한 주택으로서 해당 신탁업자가 공급하는 주택

나. 취득기간 요건

거주자 또는 「소득세법」 제120조에 따른 국내사업장이 없는 비거주자가 2010. 2. 11. 현재 수도권 밖의 지역에 있는 미분양주택을 2011. 4. 30.까지 「주택법」 제38조에 따라 주택을 공급하는 해당 사업주체 등과 최초로 매매계약을 체결하고 취득(2011. 4. 30.까지 매매계약을 체결하고 계약금을 납부한 경우를 포함한다)할 것

다. 소재지 요건

수도권(서울, 인천, 경기도) 밖에 소재하는 주택일 것

라. 특례 내용(2010. 5. 14. 이후 최초로 계약하는 분부터 적용)

1) 양도소득세 감면

미분양주택 취득일부터 5년 이내에 양도함으로써 발생하는 소득에 대하여는 양도소득세에 분양가격(「주택법」에 따른 입주자 모집공고안에 공시된 분양가격을 말한다) 인하율에 따른 감면율을 곱하여 계산한 세액을 감면하고, 해당 미분양주택의 취득일부터 5년이 지난 후에 양도하는 경우에는 해당 미분양주택의 취득일부터 5년간 발생한 양도소득금액에 분양가격 인하율에 따른 감면율을 곱하여 계산한 금액을 해당 미분양주택의 양도소득세 과세대상소득금액에서 뺀다. 이 경우 공제하는 금액이 과세대상소득금액을 초과하는 경우 그 초과금액은 없는 것으로 한다.

가) 분양가격 인하율

분양가격 인하율은 다음의 계산식에 따라 계산한다.

$$\text{분양가격 인하율} = \frac{\text{입주자 모집공고안에 공시된 분양가격} - \text{매매계약서 상의 매매가격}}{\text{입주자 모집공고안에 공시된 분양가격}} \times 100$$

나) 분양가격 인하율에 따른 감면율

① 분양가격 인하율이 100분의 10 이하인 경우 : 100분의 60

* 분양가격 인하율이 "0"인 경우도 포함함.

② 분양가격 인하율이 100분의 10을 초과하고 100분의 20 이하인 경우 : 100분의 80

③ 분양가격 인하율이 100분의 20을 초과하는 경우 : 100분의 100

▶▶ 5년간 발생한 양도소득금액

$$= \text{양도소득금액} \times \frac{(\text{취득일부터 5년이 되는 날의 기준시가} - \text{취득당시의 기준시가})}{(\text{양도당시의 기준시가} - \text{취득당시의 기준시가})}$$

* 감면세액 계산 방법

: 취득일부터 5년 이내 양도시에는 세액감면방식에 따르고, 취득일부터 5년 경과 후 양도시

에는 소득금액차감방식에 따름(제2장 제7절 4. 양도소득세의 감면 참고)

2) 주택 수 계산

1세대 1주택 비과세 및 다주택 중과 규정 적용시 미분양주택은 해당 거주자의 소유주택으로 보지 아니한다.

3) 장기보유특별공제액 및 세율

(1) 장기보유특별공제액 : 1세대 2주택 이상인 경우에도 장기보유특별공제 적용(양도일 현재 1세대 1주택인 경우에는 특례 공제율 적용)

(2) 세율 : 1세대 2주택 이상이거나 보유기간이 2년 미만인 경우에도 누진세율 적용

4) 농어촌특별세 비과세

미분양주택 과세특례를 적용받더라도 농어촌특별세를 비과세 한다.

마. 특례 배제 대상

다음 각 호의 주택은 과세특례가 적용되지 아니한다.

1) 매매계약일 현재 입주한 사실이 있는 주택

2) 2010. 5. 14.부터 2011. 4. 30.까지의 기간("미분양주택 취득기간") 중에 사업주체등*과 매매계약을 체결한 매매계약자가 해당 계약을 해제하고 매매계약자 또는 그 배우자(매매계약자 또는 그 배우자의 직계존비속 및 형제자매를 포함한다)가 당초 매매계약을 체결하였던 주택을 다시 매매계약하여 취득한 주택

* 사업주체 등 : 위 가. 1)에 따른 사업주체, 가. 2)에 따른 대한주택보증주식회사, 가. 3)에 따른 시공자, 가. 4)에 따른 기업구조조정부동산투자회사등 및 가. 5)에 따른 신탁업자를 말한다.

3) 미분양주택 취득기간 중에 해당 사업주체등으로부터 당초 매매계약을 체결하였던 주택을 대체하여 다른 주택을 매매계약하여 취득한 주택

관련예규 및 판례요약

수도권 밖 미분양주택과 관련된 예규, 판례

조심 2014부 2333, 2014. 8. 26.

청구인과 분양사 간에 쟁점취득가액에 쟁점주택을 분양하기로 하는 의사의 합치가 있는 점, 청구인이 계약과 동시에 잔금을 포함하여 분양대금 전액을 납부하고 쟁점주택을 취득한 점, 인하율도 정상적인 선납할인율 OO%(3년, 시중금리 연△%)와 달리 □□%에 달하는 점 등에 비추어, 쟁점취득가액은 중도금 등을 선납함에 따라 시중금리만큼 납입대금을 할인받은 것이 아니라 쟁점주택의 당초 분양가격이 □□% 만큼 인하된 것으로 보는 것이 타당하므로 처분청이 쟁점주택의 분양가격 인하율을 0%로 보아 양도소득세 감면율 60%를 적용하여 양도소득세를 과세한 처분은 잘못임.

조심 2014중 2849, 2014. 8. 20.

청구인과 분양사 간에 쟁점취득가액에 쟁점주택을 분양하기로 하는 의사의 합치가 있는 점, 청구인이 계약과 동시에 잔금을 포함하여 분양대금 전액을 납부하고 쟁점주택을 취득한 점, 인하율도 정상적인 선납할인율 OO%(3년, 시중금리 연△%)와 달리 □□%에 달하는 점 등에 비추어, 쟁점취득가액은 중도금 등을 선납함에 따라 시중금리만큼 납입대금을 할인받은 것이 아니라 쟁점주택의 당초 분양가격이 □□% 만큼 인하된 것으로 보는 것이 타당하므로 처분청이 쟁점주택의 분양가격 인하율을 0%로 보아 양도소득세 감면율 60%를 적용하여 양도소득세를 과세한 처분은 잘못임.

부동산거래 - 18, 2012. 1. 10.

미분양주택현황을 제출하지 않은 경우에도 2010. 2. 11. 현재 미분양주택임이 확인되고, 미분양주택취득기간 중에 사업주체 등과 최초로 매매계약을 체결하고 계약금을 납부한 사실이 확인되는 경우 「조세특례제한법」 제98조의 5에 따른 과세특례를 적용받을 수 있는 것임.

부동산거래 - 1089, 2011. 12. 30.

2011. 3. 30. 시행사와 수분양권자 간에 수도권 밖에 소재하는 미분양주택에 대한 매매계약을 체결한 후 2011. 10. 25. 해당주택의 신탁업자와 수분양권자 간에 신탁재산 처분에 따른 매매계약서를 작성하여 2011. 11. 30. 수분양권자 명의로 소유권을 이전한 경우 해당주택은 「조세특례제한법」 제98조의 5가 적용되지 않는 것임.

부동산거래-1020, 2011. 12. 7.

「조세특례제한법」(2010. 5. 14. 법률 제10285호로 개정된 것) 제98조의 5의 개정규정은 이 법 시행(2010. 5. 14.) 후 최초로 계약하는 분부터 적용하는 것임.

부동산거래-833, 2011. 9. 30.

과세특례 적용 대상이 되는 수도권 밖의 지역에 있는 미분양주택에는 분양전환된 건설임대주택은 제외되는 것임.

부동산거래-536, 2011. 6. 30.

미분양주택 확인 날인을 받지 못한 경우 또는 미분양주택 취득기간 경과 후에 미분양주택 확인 날인을 받는 경우에도 2009. 2. 12. 현재 미분양주택임이 확인되고 미분양주택 취득기간 중에 사업주체와 최초로 매매계약을 체결하고 계약금을 납부한 사실이 확인되면 과세특례 적용됨.

부동산거래관리과-130, 2011. 2. 10.

거주자가 미분양주택을 미분양주택 취득기간(2010. 5. 14.~2011. 4. 30.) 중에 「주택법」 제38조에 따라 주택을 공급하는 해당 사업주체 등과 최초로 매매계약을 체결하고 취득하는 경우에는 「조세특례제한법」 제98조의 5 및 같은 법 시행령 제98조의 4의 규정이 적용되는 것이며, 「주택법」 제38조에 따라 미분양주택 취득기간 중에 계약이 체결되고 해제된 주택을 당초 매매계약자 또는 그 배우자 등이 아닌 제3자가 같은 기간 중에 계약하고 취득하는 주택(「조세특례제한법 시행령」 제98조의 4 제2항 각 호에 해당하는 주택은 제외)은 「조세특례제한법 시행령」 제98조의 4 제1항 제1호에 따른 미분양주택에 해당되는 것임.

부동산거래관리과-1295, 2010. 10. 26.

수도권 밖의 지역에 있는 미분양주택의 취득자에 대한 양도소득세의 과세특례(「조세특례제한법」 제98조의 5)를 적용함에 있어 분양가격 인하율이 100분의 10 이하인 경우(분양가격을 인하율이 0인 경우를 포함함) 감면율은 100분의 60을 적용함.

부동산거래관리과-1054, 2010. 8. 13.

1. 「법인세법 시행령」 제92조의 2 제2항 제1호의 5 및 제1호의 8에 따라 기업구조조정부동산투자회사등이 취득한 주택으로서 해당 기업구조조정부동산투자회사등이 공급하는 주택은 「조세특례제한법」 제98조의 5 제1항에 따른 양도소득세 과세특례를 적용받을 수 있는 것이나, 귀 질의가 이에 해당하는지는 사실판단할 사항임.
2. 한편, 위 '1'에 따른 양도소득세 과세특례는 매매계약일 현재 입주한 사실이 있는 주택은 적용되지 않는 것임.

부동산거래관리과-963, 2010. 7. 22.

「주택법」 제38조에 따라 주택을 공급하는 해당 사업주체가 물적분할로 신설된 법인에 「상법」 제530조의 10에 따라 공급하는 주택의 권리와 의무를 승계한 경우 물적분할로 신설된 법인과 최초로 매매계약을 체결하고 취득한 주택은 「조세특례제한법」 제98조의 5 제1항을 적용받을 수 있음.

부동산거래관리과-847, 2010. 6. 24.

「주택법」에 따른 대한주택보증주식회사가 같은 법 시행령 제107조 제1항에 따라 매입한 주택으로서 대한주택보증주식회사가 공급하는 주택 또는 대한주택보증주식회사가 사업주체로부터 매입한 환매조건부 미분양주택을 환매기간 내에 사업주체가 환매하여 분양하는 주택은 「조세특례제한법 시행령」 제98조의 4 제1항에 규정된 미분양주택에 해당하는 것임.

부동산거래관리과-802, 2010. 6. 9.

「조세특례제한법」 제98조의 5에 따른 양도소득세 과세특례를 적용함에 있어 분양가격 인하율은 같은 법 시행령 제98조의 4 제4항에 따라 산정하는 것으로서, 분양가격 인하금액은 입주자 모집공고안에 공시된 분양가격에서 매매계약서 상의 매매가격을 차감한 금액이므로 매매계약자가 매매대금을 선납함에 따라 할인받은 금액은 포함되지 않는 것임.

16 준공후 미분양주택의 취득자에 대한 양도소득세의 과세특례 (조특법 §98의 6)

가. 특례 대상자

거주자 또는 「소득세법」 제120조에 따른 국내사업장이 없는 비거주자

나. 특례 대상 주택

다음 중 어느 하나에 해당하는 주택을 말한다.

1) "사업주체등"이 "준공후 미분양주택"을 2011. 12. 31.까지 임대계약을 체결하여 2년 이상 임대한 주택으로서 거주자 또는 비거주자가 해당 사업주체등과 최초로 매매계약을 체결하고 취득한 주택
2) 거주자 또는 비거주자가 "준공후 미분양주택"을 사업주체등과 최초로 매매계약을 체결하여 취득하고 5년 이상 임대한 주택(거주자 또는 비거주자가 「소득세법」 제168조

에 따른 사업자등록과 「민간임대주택에 관한 법률」 제5조에 따른 임대사업자등록을 하고 2011. 12. 31. 이전에 임대계약을 체결한 경우에 한정한다)

> **임대기간의 계산**
>
> 준공후 미분양주택의 임대기간은 다음 각 호의 방법에 따라 계산한다.
>
> ① 임대인이 「소득세법」 제168조에 따른 사업자등록과 「민간임대주택에 관한 법률」 제5조에 따른 임대사업자등록을 한 후 임대를 개시하는 날부터 기산할 것
>
> ② 상속인이 상속으로 인하여 피상속인의 임대주택을 취득하여 임대하는 경우에는 피상속인의 임대기간을 상속인의 임대기간에 합산할 것

다. 사업주체 등의 범위

다음 중 어느 하나에 해당하는 자를 말한다.

1) 「주택법」 제54조에 따라 주택을 공급하는 사업주체
2) 「주택도시기금법 시행령」 제22조 제1항 제1호 가목에 따라 주택을 매입한 주택도시보증공사
3) 주택의 공사대금으로 해당 주택을 받은 주택의 시공자
4) 「법인세법 시행령」 제92조의 2 제2항 제1호의 5, 제1호의 8 및 제1호의 10에 따라 주택을 취득한 기업구조조정부동산투자회사등
5) 「법인세법 시행령」 제92조의 2 제2항 제1호의 7, 제1호의 9 및 제1호의 11에 따라 주택을 취득한 「자본시장과 금융투자업에 관한 법률」에 따른 신탁업자

라. 준공후 미분양주택의 범위

“준공후 미분양주택”이란 「주택법」 제54조에 따라 공급하는 주택으로서 같은 법 제29조에 따른 사용검사(임시 사용승인을 포함한다) 또는 「건축법」 제22조에 따른 사용승인(같은 조 제3항 각 호의 어느 하나에 따라 건축물을 사용할 수 있는 경우를 포함한다)을 받은 후 2011. 3. 29. 현재 분양계약이 체결되지 아니하여 선착순의 방법으로 공급하는 주택을 말한다.

다만, 해당 주택 및 이에 부수되는 토지의 기준시가의 합계액이 취득 당시(법 제98조의 6 제1항 제1호의 주택은 최초 임대 개시 시) 6억원을 초과하거나, 주택의 연면적(공동주택의 경우에는 전용면적)이 149제곱미터를 초과하는 주택은 제외한다.

마. 준공후 미분양주택에서 제외되는 주택

다음 각 호의 주택은 준공후 미분양주택에서 제외된다.

1) 해당 주택이 준공된 후 입주한 사실이 있는 주택
2) 2011. 3. 29.부터 2011. 12. 31.까지의 기간 중에 사업주체등(「주택법」 제54조에 따라 주택을 공급하는 해당 사업주체 및 제1항 각 호의 어느 하나에 해당하는 사업자를 말한다)과 매매계약을 체결한 매매계약자가 해당 계약을 해제하고 매매계약자 또는 그 배우자(매매계약자 또는 그 배우자의 직계존속・비속 및 형제자매를 포함한다)가 당초 매매계약을 체결하였던 주택을 다시 매매계약하여 취득한 주택
3) 2011. 3. 29.부터 2011. 12. 31.까지의 기간 중에 해당 사업주체등으로부터 당초 매매계약을 체결하였던 주택을 대체하여 다른 주택을 매매계약하여 취득한 주택

바. 특례 내용(2011. 3. 29. 현재 준공후 미분양주택에 해당되는 주택을 2011. 5. 19. 이후 최초로 양도하는 분부터 적용)

1) 양도소득세 감면

준공후 미분양주택 취득일부터 5년 이내에 양도함으로써 발생하는 소득에 대하여는 양도소득세의 100분의 50에 상당하는 세액을 감면[위 나. 1)의 요건을 갖춘 주택에 한정한다]하고, 그 취득일부터 5년이 지난 후에 양도하는 경우에는 해당 주택의 취득일부터 5년간 발생한 양도소득금액의 100분의 50에 상당하는 금액을 해당 주택의 양도소득세 과세대상소득금액에서 뺀다. 이 경우 공제하는 금액이 과세대상소득금액을 초과하는 경우 그 초과금액은 없는 것으로 한다.

▶▶ 5년간 발생한 양도소득금액

$$= \text{양도소득금액} \times \frac{(\text{취득일부터 5년이 되는 날의 기준시가} - \text{취득당시의 기준시가})}{(\text{양도당시의 기준시가} - \text{취득당시의 기준시가})}$$

* 감면세액 계산 방법

: 취득일부터 5년 이내 양도시에는 세액감면방식에 따르고, 취득일부터 5년 경과 후 양도시에는 소득금액차감방식에 따름(제2장 제7절 4. 양도소득세의 감면 참고)

2) 주택 수 계산

1세대 1주택 비과세 및 다주택 중과 규정 적용시 미분양주택은 해당 거주자의 소유주택으로 보지 아니한다.

3) 장기보유특별공제액 및 세율

(1) 장기보유특별공제액 : 1세대 2주택 이상인 경우에도 장기보유특별공제 적용(양도일 현재 1세대 1주택인 경우에는 특례 공제율 적용)

(2) 세율 : 1세대 2주택 이상이거나 보유기간이 2년 미만인 경우에도 누진세율 적용

4) 농어촌특별세 과세

미분양주택 과세특례를 적용받는 경우 감면세액의 20%에 상당하는 세액은 농어촌특별세를 과세한다.

관련예규 및 판례요약

준공후 미분양주택과 관련된 예규, 판례

부동산거래관리과-492, 2012. 9. 17.

「조세특례제한법」 제98조의 6에 따른 준공후 미분양주택의 취득자에 대한 양도소득세의 과세특례를 적용할 경우 2011. 3. 29. 현재 입주한 사실이 있는 주택은 해당 준공후 미분양주택에 해당하지 아니하는 것임.

17 | 미분양주택의 취득자에 대한 양도소득세의 과세특례 (조특법 §98의 7)

가. 특례 대상자 : 거주자

* 법률에서는 내국인으로 규정하고 있으나, 양도소득세에 대한 특례 규정이므로 거주자에 한정함.

나. 미분양주택의 범위

미분양주택이란 「주택법」 제54조에 따라 주택을 공급하는 사업주체가 같은 조에 따라 공급하는 주택으로서 해당 사업주체가 입주자 모집공고에 따른 입주자의 계약일이 지난 주택단지에서 2012. 9. 23.까지 분양계약이 체결되지 아니하여 선착순의 방법으로 공급하는 주택을 말한다.

이 경우 취득가액이 9억원 이하인 주택으로 한정한다.

다. 미분양주택에서 제외되는 주택

다음 각 호의 주택은 미분양주택에서 제외된다.

1) 사업주체등과 양수자 간에 실제로 거래한 가액이 9억원을 초과하는 주택. 이 경우 양수자가 부담하는 취득세 및 그 밖의 부대비용은 포함하지 아니한다.
2) 매매계약일 현재 입주한 사실이 있는 주택
3) 2012. 9. 23. 이전에 사업주체등과 체결한 매매계약이 2012. 9. 24.부터 2012. 12. 31.까지의 기간("미분양주택 취득기간") 중에 해제된 주택
4) 위 3)에 따른 매매계약을 해제한 매매계약자가 미분양주택 취득기간 중에 계약을 체결하여 취득한 미분양주택 및 해당 매매계약자의 배우자[매매계약자 또는 그 배우자의 직계존비속(그 배우자를 포함한다) 및 형제자매를 포함한다]가 미분양주택 취득기간 중에 원래 매매계약을 체결하였던 사업주체등과 계약을 체결하여 취득한 미분양주택

라. 취득기간 요건

미분양주택을 2012. 9. 24.부터 2012. 12. 31.까지 사업주체 등과 최초로 매매계약(계약금

을 납부한 경우에 한정한다)을 체결하거나 그 계약에 따라 취득한 경우에 특례가 적용된다.

마. 사업주체 등의 범위

다음 중 어느 하나에 해당하는 자를 말한다.

1) 「주택법」 제54조에 따라 주택을 공급하는 사업주체
2) 「주택도시기금법 시행령」 제22조 제1항 제1호 가목에 따라 주택을 매입한 주택도시보증공사
3) 주택의 공사대금으로 해당 주택을 받은 주택의 시공자
4) 「법인세법 시행령」 제92조의 2 제2항 제1호의 5, 제1호의 8 및 제1호의 10에 따라 주택을 취득한 기업구조조정부동산투자회사등
5) 「법인세법 시행령」 제92조의 2 제2항 제1호의 7, 제1호의 9 및 제1호의 11에 따라 주택을 취득한 「자본시장과 금융투자업에 관한 법률」에 따른 신탁업자

바. 특례 내용(2012. 10. 2. 이후 최초로 양도하는 분부터 적용)

1) 양도소득세 감면

미분양주택 취득일부터 5년 이내에 양도함으로써 발생하는 소득에 대하여는 양도소득세의 100분의 100에 상당하는 세액을 감면하고, 해당 미분양주택의 취득일부터 5년이 지난 후에 양도하는 경우에는 해당 미분양주택의 취득일부터 5년간 발생한 양도소득금액을 양도소득세 과세대상소득금액에서 공제한다. 이 경우 공제하는 금액이 과세대상소득금액을 초과하는 경우 그 초과금액은 없는 것으로 한다.

▶▶ 5년간 발생한 양도소득금액

$$= \text{양도소득금액} \times \frac{(\text{취득일부터 5년이 되는 날의 기준시가} - \text{취득당시의 기준시가})}{(\text{양도당시의 기준시가} - \text{취득당시의 기준시가})}$$

* 감면세액 계산 방법

: 취득일부터 5년 이내 양도시에는 세액감면방식에 따르고, 취득일부터 5년 경과 후 양도시에는 소득금액차감방식에 따름(제2장 제7절 4. 양도소득세의 감면 참고)

2) 주택 수 계산

1세대 1주택 비과세 및 다주택 중과 규정 적용시 미분양주택은 해당 거주자의 소유주택으로 보지 아니한다.

3) 농어촌특별세

미분양주택 과세특례를 적용받는 경우 감면세액의 20%에 상당하는 세액은 농어촌특별세를 과세한다.

관련예규 및 판례요약

취득가액 9억원 이하인 미분양주택과 관련된 예규, 판례

서면부동산-4484, 2016. 8. 23.

조특법상 미분양주택의 취득자에 대한 양도소득세의 과세특례요건을 적용시, 2012. 9. 24. 현재 미분양주택임이 확인되고 2012. 9. 24.부터 2012. 12. 31.까지 사업주체 등과 최초로 매매계약을 체결하고 계약금을 납부한 사실이 확인되는 경우에는 양도소득세 과세특례가 적용되는 것임.

서면부동산-2896, 2016. 3. 25.

「조세특례제한법」 제98조의 7(미분양주택의 취득자에 대한 양도소득세의 과세특례) 제1항은 2012. 9. 23.까지 분양계약이 체결되지 아니하여 선착순의 방법으로 공급하는 주택으로서 2012. 12. 31.까지 매매계약을 체결한 경우에 적용되는 것으로, 2012. 9. 23. 이전에 매매계약을 체결하고 취득한 경우 과세특례를 적용할 수 없는 것임.

법인-381, 2014. 9. 11.

공익사업 지역의 토지를 시행자로부터 직접 취득하여 공장용지로 사용하는 경우 공익사업 시행자에게 양도하는 경우 과세특례 적용 가능하며, 이 경우 법인전환에 따른 양도소득세 이월과세는 종료되는 것임.

부동산납세-507, 2014. 7. 18.

「조세특례제한법」 제98조의 7 및 같은 법 시행령 제98조의 6의 규정을 적용할 때 2012. 9. 24. 현재 미분양주택임이 확인되고 2012. 9. 24.부터 2012. 12. 31.까지 사업주체 등과 최초로 매매계약을 체결하고 계약금을 납부한 사실이 확인되는 경우에는 양도소득세 과세특례가 적용되는 것임.

부동산거래-87, 2013. 2. 22.

사업주체등이 미분양주택 현황을 지연제출하는 경우에도 해당 미분양주택 취득가액이 9억원 이하이고, 2012. 9. 24. 현재 미분양주택임이 확인되며, 미분양주택취득기간 중에 사업주체등과 최초로 매매계약을 체결(계약금을 납부한 경우에 한함)하거나 그 계약에 따라 취득한 경우에는 「조세특례제한법」 제98조의 7에 따른 과세특례를 적용받을 수 있는 것임.

부동산거래-73, 2013. 2. 8.

「조세특례제한법」 제98조의 7 및 같은 법 시행령 제98조의 6에 따른 양도소득세 과세특례대상 미분양주택은 2012. 9. 24.부터 2012. 12. 31.까지 「주택법」 제38조에 따라 주택을 공급하는 사업주체 등과 최초로 매매계약을 체결하거나 그 계약에 따라 취득한 경우에 한함.

서면법규-36, 2013. 1. 15.

위탁자가 토지의 개발을 신탁 회사에 위탁하였다가 신탁해지로 인하여 일부 미분양주택의 소유권을 이전받은 이후, 「주택법」 제38조에 따른 사업주체에 해당하는 위탁자가 직접 수분양자와 분양(매매) 계약을 최초로 체결한 경우에도 「조세특례제한법」 제98조의 7에 따른 미분양 주택의 취득자에 대한 양도소득세의 과세특례 규정을 적용 가능함.

부동산거래-686, 2012. 12. 21.

「조세특례제한법 시행령」 제98조의 6 제3항 제2호에 따른 주택의 공사대금으로 해당 주택을 받은 주택의 시공자에는 주택의 공사대금으로 해당 미분양주택을 대물변제 받은 경우의 시공자를 포함하는 것임.

부동산거래-662, 2012. 12. 7.

미분양주택의 취득자에 대한 양도소득세의 과세특례를 적용할 때 매매계약일 현재 입주한 사실이 있는 주택은 과세특례 대상 미분양주택에서 제외함.

부동산거래-658, 2012. 12. 6.

2012. 9. 23. 이전에 주택을 공급하는 사업주체와 체결한 매매계약이 2012. 9. 23. 이전에 해제된 주택은 「조세특례제한법」 제98조의 7에 따른 미분양주택에 해당하는 것임.

부동산거래관리과-630, 2012. 11. 20.

미분양주택 취득기간(2012. 9. 24.~2012. 12. 31.) 전에 계약 체결 및 계약금의 일부(5%)를 납부한 경우 미분양주택의 취득자에 대한 양도소득세 과세특례(조특법 §98의 7) 적용 여부에 대한 귀 질의와 관련하여 「조세특례제한법」 제98조의 7 및 같은 법 시행령 제98조의 6에 따른 양도소득세 과세특례대상 미분양주택은 「주택법」 제38조에 따라 주택을 공급하는 사업주체가 같은 조에 따라 공급하는 주택으로서 해당 사업주체가 입주자 모집공고에 따른 입주자의 계약일이 지난 주택단지에서 2012. 9. 23.까지 분양계약이 체결되지 아니하여 선착순의 방법으로 공급하는 주택을 말하는 것임.

부동산거래관리과-570, 2012. 10. 25.

2012. 9. 23. 이전에 주택을 공급하는 사업주체와 체결한 매매계약이 2012. 9. 23. 이전에 해제된 주택은 「조세특례제한법」 제98조의 7에 따른 미분양주택에 해당하는 것임.

18 신축주택의 취득자에 대한 양도소득세의 감면(조특법 §99)

가. 특례 대상자 : 거주자(주택건설사업자는 제외)

나. 신축주택 취득기간

신축주택 취득기간은 1998. 5. 22.부터 1999. 6. 30.까지의 기간(국민주택의 경우에는 1998. 5. 22.부터 1999. 12. 31.까지의 기간)으로 한다.

다. 신축주택의 범위

신축주택이란 다음 중 어느 하나에 해당하는 주택(이에 딸린 해당 건물 연면적의 2배 이내의 토지를 포함한다)를 말한다.

1) 자기가 건설한 주택(「주택법」에 따른 주택조합 또는 「도시 및 주거환경정비법」에 따른 정비사업조합을 통하여 조합원이 취득하는 주택을 포함한다)으로서 신축주택취득기간 사이에 사용승인 또는 사용검사(임시 사용승인을 포함한다)를 받은 주택

2) 주택건설사업자로부터 취득하는 주택으로서 신축주택 취득기간에 주택건설업자와 최초로 매매계약을 체결하고 계약금을 납부한 자가 취득하는 주택

   이 경우 「주택법」에 따른 주택조합 또는 「도시 및 주거환경정비법」에 따른 정비사업조합을 통하여 취득하는 주택으로서 다음 중 어느 하나에 해당하는 주택을 포함한다.

   ① 「주택법」에 의한 주택조합 또는 「도시 및 주거환경정비법」에 의한 정비사업조합("주택조합 등")이 그 조합원에게 공급하고 남은 주택("잔여주택")으로서 신축주택 취득기간 내에 주택조합 등과 직접 매매계약을 체결하고 계약금을 납부한 자가 취득하는 주택

② 조합원이 주택조합 등으로부터 취득하는 주택으로서 신축주택 취득기간 경과 후에 사용승인 또는 사용검사를 받는 주택. 다만, 주택조합 등이 조합원 외의 자와 신축주택 취득기간 내에 잔여주택에 대한 매매계약(매매계약이 다수인 때에는 최초로 체결한 매매계약을 기준으로 한다)을 직접 체결하여 계약금을 납부받은 사실이 있는 경우에 한한다.

라. 신축주택에서 제외되는 주택

1) 고가주택(또는 고급주택)
2) 매매계약일 현재 다른 자가 입주한 사실이 있는 주택
3) 1998. 5. 21. 이전에 주택건설업자와 주택분양계약을 체결한 분양계약자가 당해 계약을 해제하고 분양계약자 또는 그 배우자(분양계약자 또는 그 배우자의 직계존비속 및 형제자매를 포함한다)가 당초 분양계약을 체결하였던 주택을 다시 분양받아 취득한 주택 또는 당해 주택건설업자로부터 당초 분양계약을 체결하였던 주택에 대체하여 다른 주택을 분양받아 취득한 주택. 다만, 「소득세법 시행규칙」 제71조 제3항의 규정에 의한 사유(취학, 근무상의 형편, 질병의 요양에 따른 주거이전)로 당해 주택건설업자로부터 다른 주택을 분양받아 취득하는 경우의 주택을 제외한다.
4) 개인으로부터 분양권을 구입하여 취득하는 주택

마. 감면 내용

1) 양도소득세 감면

신축주택을 취득한 날부터 5년 이내에 양도함으로써 발생하는 소득에 대해서는 양도소득세의 100분의 100에 상당하는 세액을 감면하며, 해당 신축주택을 취득한 날부터 5년이 지난 후에 양도하는 경우에는 그 신축주택을 취득한 날부터 5년간 발생한 양도소득금액을 양도소득세 과세대상소득금액에서 뺀다.

▶▶ 5년간 발생한 양도소득금액

$$= 양도소득금액 \times \frac{(취득일부터\ 5년이\ 되는\ 날의\ 기준시가 - 취득당시의\ 기준시가)}{(양도당시의\ 기준시가 - 취득당시의\ 기준시가)}$$

* 감면세액 계산 방법

: 취득일부터 5년 이내 양도시에는 세액감면방식에 따르고, 취득일부터 5년 경과 후 양도시에는 소득금액차감방식에 따름(제2장 제7절 4. 양도소득세의 감면 참고)

2) 주택 수 계산

1세대 1주택 비과세 규정을 적용할 때 신축주택과 그 외의 주택을 보유한 거주자가 그 신축주택 외의 주택을 2007. 12. 31.까지 양도하는 경우에만 그 신축주택을 거주자의 소유주택으로 보지 아니한다.

3) 농어촌특별세

신축주택 과세특례를 적용받는 경우 감면세액의 20%에 상당하는 세액은 농어촌특별세를 과세한다.

관련예규 및 판례요약

신축주택 취득 감면의 적용요건과 관련된 예규, 판례

서면부동산-10, 2015. 5. 12.
거주자가 주택건설사업자로부터 신축주택을 취득하여 5년이 경과한 후에 양도하는 경우에는 「조세특례제한법 시행령」 제40조 제1항의 규정을 준용하여 계산한 양도소득금액을 양도소득세 과세대상소득금액에서 차감하는 것임.

서면법규-875, 2014. 8. 13.
취득일부터 5년이 되는 날의 기준시가는 취득일부터 5년이 되는 날 현재 고시되어 있는 「부동산 가격공시 및 감정평가에 관한 법률」에 의한 개별주택가격 및 공동주택가격을 적용하는 것임.

조심 2013서 66, 2014. 5. 1.
「조세특례제한법」 제99조에 따른 신축주택을 그 취득한 날부터 5년이 경과한 후에 양도하는 경우 그에 따른 양도소득세의 과세표준 및 세액은 신축주택을 취득한 날부터 5년간 발생한 양도소득금액을 과세대상양도소득금액에서 직접 차감하는 방법으로 산정하여야 하고, 취득한 날부터 5년 이내에 양도하는 경우와 마찬가지로 그 양도소득금액에 대한 세액을 감면하는 방법으로 산정할 것은 아니라 할 것임.

부동산납세-69, 2013. 10. 1.
「조세특례제한법」 제99조의 신축주택을 취득일로부터 5년이 지난 후 양도시 취득일부터 5년간 발생한 양도소득금액(감면소득금액)을 같은 법 시행령 제40조 제1항에 따라 계산하고 동 감면소득금액을 전체 양도소득금액에서 뺀 후 양도소득과세표준을 계산하는 것임.

조심 2012서 4501, 2013. 3. 19.

「조세특례제한법」 제99조 신축주택의 취득자에 대한 양도소득세 감면규정은 신규주택의 수요를 촉진하여 주택건설경기를 부양하고자 도입된 것으로서 신축주택을 취득 후 양도시 신축주택의 보유기간 중에 발생한 양도소득세를 감면하는 조항일 뿐 당초부터 보유하던 종전주택에서 발생한 양도소득금액까지 감면대상으로 하는 것은 아니라고 할 것이므로 처분청이 같은 법 시행령 제40조 제1항 산식 중 분모의 "취득당시의 기준시가"를 "종전주택의 취득당시 기준시가"를 적용하여 양도소득세를 과세한 처분은 잘못이 없다고 판단됨.

조심 2012서 5122, 2013. 3. 19.

「조세특례제한법」 제99조 제1항 본문에서 "당해 부동산을 취득한 날부터 5년간 발생한 양도소득금액"이라 함은 동법 제40조 제1항의 산식으로 계산한 금액을 말한다고 규정하고 있고, 동 산식의 양도소득금액은 「소득세법」 제95조 제1항의 규정에 의한 양도소득금액이므로 청구주장을 받아들이기 어려움.

부동산거래-41, 2013. 1. 25.

임대 중에 있는 주택을 취득하여 양도하는 경우에는 「조세특례제한법」 제99조에 따른 신축주택의 취득자에 대한 양도소득세의 감면 규정이 적용되지 아니하는 것임.

대법 2010두 3725, 2012. 6. 28.

「조세특례제한법」상 신축주택을 취득한 날부터 5년이 경과한 후에 양도하는 경우 그에 따른 양도소득세 과세표준 및 세액은 신축주택을 취득한 날부터 5년간 발생한 양도소득금액을 양도소득세 과세대상 소득금액에서 차감하는 방법으로 산정하여야 함.

헌재 2010헌바 430, 2011. 6. 30.

주택시장이 과열되거나 주택이 투기수단으로 전락하는 것을 방지하기 위하여 감면대상이 되는 신축주택 취득기간과 규모를 제한하고, 주택시장의 실수요자인 거주자로 한정하고 있으므로 자금동원 능력 및 주택에 대한 실 수요의 측면에서 거주자와 다른 법인을 포함하지 아니한 것은 조세평등주의에 위배되지 아니함.

서면4팀-2529, 2007. 8. 29.

「조세특례제한법」 제99조의 적용시 고가주택에 해당하는지 여부는 매매계약을 체결하고 계약금을 납부한 날 당시의 「소득세법」상 고급주택기준을 적용하는 것이며 전용면적은 당시의 「주택건설촉진법 시행규칙」에 따름.

서면5팀 - 2159, 2007. 7. 27.

「조세특례제한법」 제99조의 신축주택과 그 외의 주택을 보유한 거주자가 일반주택을 2007. 12. 31.까지 양도하는 경우 신축주택을 거주자의 소유주택으로 보지 않음.

서면5팀 - 2094, 2007. 7. 18.

거주자가 신축주택 취득기간에 취득한 신축주택은 취득한 날부터 5년 이내에 양도함으로써 발생한 소득에 대하여 양도소득세를 감면하는 것임.

서면4팀 - 2300, 2005. 11. 23.

신축주택 취득자에 대한 양도소득세 감면 적용시 분양권의 일부 지분을 배우자로부터 증여받거나 명의변경하여 취득하는 주택(지분)은 포함하지 아니하는 것임.

서면4팀 - 2251, 2005. 11. 17.

매매 또는 증여로 분양권의 명의를 변경받아 취득하는 주택은 신축주택 취득자에 대한 양도소득세 과세특례를 적용하지 아니함.

서면4팀 - 2094, 2005. 11. 7.

신축주택 취득자에 대한 양도소득세 감면 적용시 신축주택이 고가주택에 해당하는 경우 이를 적용하지 아니하는 것임.

서면4팀 - 1865, 2005. 10. 12.

국민주택 규모 이상의 주택을 1999. 10. 6. 계약체결한 경우 신축주택의 취득자에 대한 양도소득세 감면을 적용하지 아니함.

서면4팀 - 1844, 2005. 10. 10.

신축주택 취득자에 대한 양도소득세 감면 적용시 조합원이라 함은 신축주택의 사용승인일 또는 사용검사일(임시사용승인일 포함) 현재의 조합원을 말하는 것임.

서면4팀 - 1741, 2005. 9. 23.

신축주택 취득자에 대한 양도소득세 감면은 소유자가 거주하지 않아도 감면을 적용받을 수 있는 것임.

서면4팀 - 1581, 2005. 9. 1.

「조세특례제한법」 제99조의 양도소득세 감면을 받을 수 있는 조합원은 신축주택의 사용승인일 또는 사용검사일 현재의 조합원을 말하는 것임.

서면4팀 - 1435, 2005. 8. 17.

신축주택 취득자에 대한 양도소득세 감면 적용에서 제외되는 고가주택은 매매계약을 체결하고 계약금을 납부한 날 당시의 기준을 적용하는 것임.

서면4팀-1847, 2004. 11. 16.

신축주택의 취득에 대한 양도소득세 감면 규정을 적용받을 수 있는 조합원은 신축주택의 사용승인일 또는 사용검사일(임시사용승인일 포함) 현재의 조합원을 말하는 것임.

재재산 46014-88, 2003. 3. 26.

신축주택 취득기간 내에 매매계약하고 계약금을 납부한 자가 사망해 당해 주택의 분양권이 상속인에게 승계되어 취득하는 주택은 양도세 감면대상 아님.

서일 46014-10940, 2002. 7. 22.

분양권을 배우자로부터 증여받아 취득하는 주택은 신축주택 취득자에 대한 양도세 감면대상 아님.

신축주택 취득 감면범위와 관련된 예규, 판례

서면4팀-3328, 2007. 11. 19.

신축주택에 대한 양도소득세 감면 규정을 적용함에 있어 취득한 날부터 5년간 발생한 양도소득금액이라 함은 「조세특례제한법 시행령」 제40조 제1항의 규정을 준용하여 계산한 금액을 말함.

재재산-1416, 2006. 11. 15.

「조세특례제한법」상 신축주택의 양도소득세 과세특례 규정 적용시 하나의 건물이 주택과 주택 외의 부분이 복합되어 있는 경우와 주택부수토지에 주택 외의 건물이 있는 경우에는 그 주택부분만을 주택으로 봄.

서면4팀-2368, 2005. 11. 30.

신축주택 취득자에 대한 양도소득세 감면이 배제되는 고가주택이란 매매계약을 체결하고 계약금을 납부한 날 당시의 「소득세법 시행령」 제156조의 고급주택 기준을 적용하는 것임.

서면4팀-2018, 2005. 10. 31.

「조세특례제한법」 제99조 제1항의 신축주택의 일부지분에 대한 소유권을 배우자에게 이전함으로써 공동명의로 한 경우 이전한 배우자 지분에 대하여는 감면규정을 적용받을 수 없음.

서면4팀-559, 2005. 4. 12.

1998. 5. 22. ~ 1999. 6. 30. 사이에 취득한 주택을 취득일로부터 5년이 경과한 시점에서 양도하는 경우 '5년간 발생한 양도소득'(「조세특례제한법 시행령」 제40조 제1항의 규정을 준용하여 계산)을 차감하여 양도소득세를 계산함.

서면4팀 - 298, 2005. 2. 24.

신축주택의 전용면적이 165m^2 이상이고 양도시점의 양도가액이 5억원을 초과하는 경우 고급주택 기준에 해당하여 감면대상 신축주택에 해당하지 않음.

서일 46014 - 10531, 2002. 4. 24.

1세대 2주택자가 '신축주택' 취득 후 이를 5년 내에 양도하는 경우, 양도세 100% 감면하며, 그 감면세액의 20% 상당 농어촌특별세가 과세됨.

서일 46014 - 10039, 2001. 8. 29.

'1998. 5. 22.~1999. 6. 30.'(국민주택은 1999. 12. 31.까지)에 사용승인 등을 받은 자가 건설주택 또는 매매계약하여 취득한 신축주택에 대한 양도세 감면에 있어, 그 '취득일'은 「소득세법」상 취득시기를 적용함.

신축주택 취득한 경우 기타 1세대 1주택 비과세 판정과 관련된 예규, 판례

서면5팀 - 2752, 2007. 10. 16.

「조세특례제한법」 제99조의 신축주택은 1세대 1주택 비과세 판정시 거주자의 소유주택으로 보지 아니하는 것이며, 1세대 2주택 중과세율이 적용되지 아니함.

서면4팀 - 4074, 2006. 12. 14.

신축주택이 1세대 1주택이면서 고가주택에 해당하는 경우에는 「소득세법」 제95조 제3항 및 동법 시행령 제160조를 적용한 후 「조세특례제한법」 제99조를 적용하는 것임.

서면5팀 - 676, 2006. 11. 2.

1세대 1주택 판정시 「조세특례제한법」 제99조의 신축주택은 당해 거주자의 소유주택으로 보지 아니하는 것임.

서면4팀 - 1517, 2005. 8. 26.

「소득세법」상 1세대 1주택의 요건을 갖춘 고가주택이면서 「조세특례제한법」상 신축주택에 대한 양도소득세 과세특례 규정이 적용되는 신축주택을 양도한 경우에는 「소득세법」 제95조 제3항을 적용하지 아니함.

서면4팀 - 1262, 2005. 7. 21.

자기가 건설한 신축주택의 취득일이란 사용검사필증교부일, 사실상 사용일, 임시사용승인일 중 빠른 날로 하는 것임.

서면4팀-1152, 2005. 7. 8.

일시적인 2주택자에 대한 비과세특례 적용시 「조세특례제한법」상 신축주택은 당해 거주자의 소유주택으로 보지 아니함.

19 신축주택의 취득을 위한 주택양도에 대한 양도소득세의 특례 (조특법 §99의 2, 2005. 12. 31. 폐지)

거주자가 2000. 9. 1.부터 2001. 12. 31.까지의 기간(특례적용기간) 중에 기존주택을 양도하고 특례적용기간 내에 주택건설사업자로부터 신축주택을 최초로 취득하는 경우에 기존주택을 양도함으로써 발생하는 소득에 대하여는 「소득세법」 제104조 제1항의 규정에 불구하고, 양도소득세의 세율을 100분의 10으로 한다. 본 규정은 2000. 12. 29. 법 개정시 신설된 것으로서 2000. 9. 1. 이후 최초로 양도하는 분부터 적용된다(법 부칙 §20).

※ 본 조항은 2006. 1. 1. 이후 양도분부터는 적용하지 아니한다.

20 신축주택 등 취득자에 대한 양도소득세 과세특례 (조특법 §99의 2, 2013. 5. 10. 신설)

가. 취 지

정부는 침체현상이 지속되고 있는 부동산시장의 수급불균형을 완화하고, 보유주택이 매각되지 않아 어려움을 겪고 있는 하우스푸어를 지원하기 위하여 2013. 4. 1. 부동산 대책을 발표하였고, 2013. 5. 10. 신축주택 등 취득자에 대한 양도소득세 과세특례제도를 신설하였다.

이에 따라 거주자 또는 비거주자가 2013. 4. 1.~2013. 12. 31. 기간 동안 신축주택·미분양주택·1세대 1주택자가 소유한 주택을 취득하는 경우 취득 후 5년간 발생한 양도차익에 대한 양도소득세 100%를 감면받을 수 있다. 취득일부터 5년이 지난 후에 양도하는 경우에는 해당 주택의 취득일부터 5년간 발생한 양도소득금액을 해당 주택의 양도소득세 과세대상소득금액에서 공제한다. 이 경우 공제하는 금액이 과세대상소득금액을 초과하는 경우 그 초과금액은 없는 것으로 한다.

〈참고〉 **양도소득세 과세특례(조특법 §99의 2) 요약**

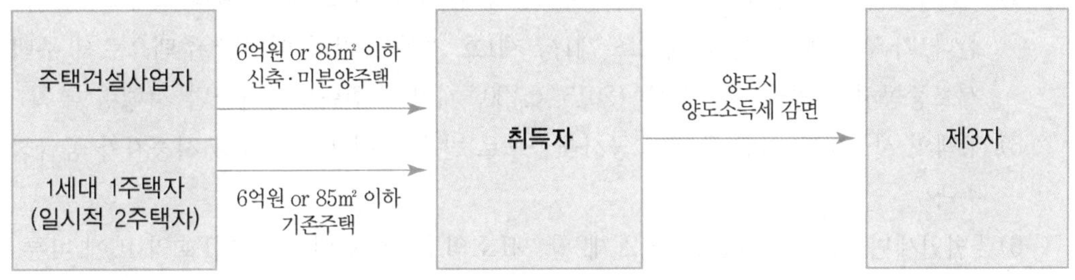

나. 적용대상자

거주자 또는 비거주자

다. 특례 대상 주택의 유형

특례 대상 주택은 아래와 같다.

1) 신축주택 등(신축주택, 미분양주택)
2) 1세대 1주택자의 주택

▶▶ 주거용 오피스텔도 특례 적용 가능

라. 신축주택 등의 범위

신축주택 등이란 다음 중 어느 하나에 해당하는 주택을 말한다.

1) 「주택법」 제54조에 따라 주택을 공급하는 사업주체가 같은 조에 따라 공급하는 주택으로서 해당 사업주체가 입주자모집공고에 따른 입주자의 계약일이 지난 주택단지에서 2013. 3. 31.까지 분양계약이 체결되지 아니하여 2013. 4. 1. 이후 선착순의 방법으로 공급하는 주택
2) 「주택법」 제15조에 따른 사업계획승인(「건축법」 제11조에 따른 건축허가를 포함한다)을 받아 해당 사업계획과 「주택법」 제54조에 따라 사업주체가 공급하는 주택(입주자모집공고에 따른 입주자의 계약일이 2013. 4. 1. 이후 도래하는 주택으로 한정한다)
3) 주택건설사업자(20호 미만의 주택을 공급하는 자를 말하며, 1)과 2)에 해당하는 사업주체는 제외한다)가 공급하는 주택(「주택법」에 따른 주택을 말하며, 이하 4)부터 8)

까지에서 같다)

4) 「주택도시기금법」에 따른 주택도시보증공사(이하 이 조에서 "주택도시보증공사"라 한다)가 같은 법 시행령 제22조 제1항 제1호 가목에 따라 매입한 주택으로서 주택도시보증공사가 공급하는 주택 (2015. 6. 30. 개정 ; 주택도시기금법 시행령 부칙)

5) 주택의 시공자가 해당 주택의 공사대금으로 받은 주택으로서 해당 시공자가 공급하는 주택

6) 「법인세법 시행령」 제92조의 2 제2항 제1호의 5, 제1호의 8 및 제1호의 10에 따른 기업구조조정부동산투자회사등이 취득한 주택으로서 해당 기업구조조정부동산투자회사등이 공급하는 주택

7) 「자본시장과 금융투자업에 관한 법률」에 따른 신탁업자가 「법인세법 시행령」 제92조의 2 제2항 제1호의 7, 제1호의 9 및 제1호의 11에 따라 취득한 주택으로서 해당 신탁업자가 공급하는 주택

8) 자기가 건설한 주택으로서 과세특례 취득기간(2013. 4. 1.~2013. 12. 31.까지) 중에 사용승인 또는 사용검사(임시사용승인을 포함한다)를 받은 주택. 다만, 다음의 주택은 제외한다.

① 「도시 및 주거환경정비법」에 따른 주택재개발사업 또는 주택재건축사업을 시행하는 정비사업조합의 조합원이 해당 관리처분계획에 따라 취득하는 주택

▶▶ 재개발 · 재건축 원조합원이 관리처분계획에 따라 취득하는 경우는 감면배제됨. 다만, 재개발 · 재건축 아파트의 일반분양분은 신축 · 미분양 주택에 해당하며, 재개발 · 재건축된 주택을 제3자가 취득하는 경우 양도자의 1세대 1주택 여부를 확인하여 감면대상 여부를 판단함(기재부 보도자료, 2013. 5. 7.).

② 거주하거나 보유하는 중에 소실 · 붕괴 · 노후 등으로 인하여 멸실되어 재건축한 주택

▶▶ 자기소유 주택을 철거 후 토지 위에 개인이 주택을 신축하는 경우 주택을 신축하여 취득한 본인은 감면대상이 되지 않으나, 이를 제3자가 매입하는 경우 신축주택에 해당됨(기재부 보도자료, 2013. 5. 7.).

9) 「주택법 시행령」 제4조 제4호에 따른 오피스텔(이하 이 조에서 "오피스텔"이라 한다) 중 「건축법」 제11조에 따른 건축허가를 받아 「건축물의 분양에 관한 법률」 제6조에 따라 분양사업자가 공급(분양 광고에 따른 입주예정일이 지나고 2013. 3. 31.까지 분양계약이 체결되지 아니하여 수의계약으로 공급하는 경우를 포함한다)하거나 「건축법」 제22조에 따른 건축물의 사용승인을 받아 공급하는 오피스텔(제4호부터 제8호까지의 방법으로 공급 등을 하는 오피스텔을 포함한다) (2016. 8. 11. 개정 ; 주택법 시행령 부칙)

마. 특례 배제 신축주택 등

다음에 해당하는 신축주택 등은 특례 적용이 배제된다.

1) 사업주체등*과 양수자 간에 실제로 거래한 가액이 6억원을 초과하고 연면적(공동주택 및 오피스텔의 경우에는 전용면적을 말한다)이 85㎡를 초과하는 신축주택등. 이 경우 양수자가 부담하는 취득세 및 그 밖의 부대비용은 포함하지 아니한다.

   * 사업주체 등 : 위 "라"의 1) 및 2)에 따른 사업주체, 3)에 따른 주택건설사업자, 4)에 따른 대한주택보증주식회사, 5)에 따른 시공자, 6)에 따른 기업구조조정부동산투자회사등, 7)에 따른 신탁업자, 8)에 따른 주택을 건설한 자 및 9)에 따른 분양사업자 또는 건축주

2) 2013. 3. 31. 이전에 사업주체등과 체결한 매매계약이 과세특례 취득기간 중에 해제된 신축주택등

3) 위 2)에 따른 매매계약을 해제한 매매계약자가 과세특례 취득기간 중에 계약을 체결하여 취득한 신축주택등 및 해당 매매계약자의 배우자[매매계약자 또는 그 배우자의 직계존비속(그 배우자를 포함한다) 및 형제자매를 포함한다]가 과세특례 취득기간 중에 원래 매매계약을 체결하였던 사업주체등과 계약을 체결하여 취득한 신축주택등

4) 위 "라" 9)에 따른 오피스텔을 취득한 자가 다음 각 목의 모두에 해당하지 아니하게 된 경우의 해당 오피스텔

   ① 취득자가 취득일부터 60일이 지난 날부터 양도일까지 해당 오피스텔의 주소지에 「주민등록법」에 따른 주민등록이 되어 있거나 임차인의 주민등록이 되어 있는 경우

   ② 「임대주택법」 제6조에 따른 임대사업자(취득 후 「임대주택법」 제6조에 따른 임대사업자로 등록한 경우를 포함한다)가 취득한 경우로서 취득일부터 60일 이내에 임대용 주택으로 등록한 경우

   ※ 미분양주택을 건설사가 그 동안 임대용으로 사용하고 있는 경우 미분양주택에 포함됨(기재부 보도자료, 2013. 5. 7.).

바. 1세대 1주택자의 주택의 범위

"1세대 1주택자의 주택"이란 다음 중 어느 하나에 해당하는 주택("감면대상기존주택"이라 한다)을 말한다.

* 감면대상기존주택에는 주택에 부수되는 토지로서 건물이 정착된 면적에 지역별로 정하는 배율(도시

지역 안의 토지는 5배, 도시지역 밖의 토지는 10배)을 곱하여 산정한 면적 이내의 토지를 포함한다.

* 1주택을 여러 사람이 공동으로 소유한 경우 공동소유자 각자가 그 주택을 소유한 것으로 보되(각기 다른 주택의 지분을 일부씩 보유하는 경우 1세대 다주택자에 해당함, 기재부 보도자료, 2013. 5. 7.), 1세대의 구성원이 1주택을 공동으로 소유하는 경우에는 그러하지 아니하다.

1) 2013. 4. 1. 현재 「주민등록법」 상 1세대(부부가 각각 세대를 구성하고 있는 경우에는 이를 1세대로 본다)가 매매계약일 현재 국내에 1주택(주택은 「주택법」에 따른 주택을 말하며, 「주택법」에 따른 주택을 소유하지 아니하고 2013. 4. 1. 현재 「주민등록법」에 따른 주민등록이 되어 있는 오피스텔을 소유하고 있는 경우에는 그 1오피스텔을 1주택으로 본다)을 보유하고 있는 경우로서 해당 주택의 취득 등기일부터 매매계약일까지의 기간이 2년 이상인 주택
2) 국내에 1주택을 보유한 1세대가 그 주택("종전의 주택"이라 한다)을 양도하기 전에 다른 주택을 취득함으로써 일시적으로 2주택이 된 경우[위 1)에 따라 1주택으로 보는 오피스텔을 소유하고 있는 자가 다른 주택을 취득하는 경우를 포함한다]로서, 종전의 주택의 취득 등기일부터 1년 이상이 지난 후 다른 주택을 취득하고 그 다른 주택을 취득한 날(등기일을 말한다)부터 3년 이내에 양도하는 종전의 주택. 다만, 취득 등기일부터 매매계약일까지의 기간이 2년 이상인 종전의 주택으로 한정함.

1세대의 판정(기재부 보도자료, 2013. 5. 7.)

- 부부 중 1인만 별도세대를 구성하고 있는 경우 1세대로 간주하되, 별도 세대에 각각 동거인이 있는 경우는 2세대에 해당함.
- 1세대 판정은 2013. 4. 1.을 기준으로 하므로, 2013. 4. 1. 후에 세대분리 하여도 2세대가 되지 아니함.

사. 특례 배제 감면대상기존주택

다음에 해당하는 주택은 특례 적용이 배제된다.

1) 감면대상기존주택 양도자와 양수자 간에 실제로 거래한 가액이 6억원을 초과하고 연면적(공동주택 및 오피스텔의 경우에는 전용면적을 말한다)이 85제곱미터를 초과하는 감면대상기존주택. 이 경우 양수자가 부담하는 취득세 및 그 밖의 부대비용은 포함하지 아니한다.
2) 2013. 3. 31. 이전에 체결한 매매계약을 과세특례 취득기간 중에 해제한 매매계약자

또는 그 배우자[매매계약자 또는 그 배우자의 직계존비속(그 배우자를 포함한다) 및 형제자매를 포함한다]가 과세특례 취득기간 중에 계약을 체결하여 취득한 원래 매매계약을 체결하였던 감면대상기존주택

3) 감면대상기존주택 중 오피스텔을 취득하는 자가 취득 후 위 "마" 4) 각 목의 모두에 해당하지 아니하게 된 경우의 해당 오피스텔

아. 과세특례 취득기간(신축주택 등 및 감면대상기존주택 취득기간)

신축주택 등 및 감면대상기존주택 과세특례는 2013. 4. 1.~2013. 12. 31.까지 사업주체 등* 과 최초로 매매계약을 체결하여 그 계약에 따라 취득(2013. 12. 31.까지 매매계약을 체결하고 계약금을 지급한 경우를 포함한다)한 경우에 적용된다.

* 사업주체 등 : 위 "마" 1)에 따른 사업주체 등 & 감면대상기존주택 양도자

자. 과세특례 적용 방법

신축주택 등을 취득일부터 5년 이내에 양도함으로써 발생하는 양도소득에 대하여는 양도소득세의 100분의 100에 상당하는 세액을 감면하고, 취득일부터 5년이 지난 후에 양도하는 경우에는 해당 주택의 취득일부터 5년간 발생한 양도소득금액을 해당 주택의 양도소득세 과세대상소득금액에서 공제한다. 이 경우 공제하는 금액이 과세대상소득금액을 초과하는 경우 그 초과금액은 없는 것으로 한다.

▶▶ 5년간 발생한 양도소득금액의 계산(조특령 §40 ① 준용)

$$= \text{양도소득금액} \times \frac{(\text{취득일부터 5년이 되는 날의 기준시가} - \text{취득당시의 기준시가})}{(\text{양도당시의 기준시가} - \text{취득당시의 기준시가})}$$

* 감면세액 계산 방법

: 취득일부터 5년 이내 양도시에는 세액감면방식에 따르고, 취득일부터 5년 경과 후 양도시에는 소득금액차감방식에 따름(제2장 제7절 4. 양도소득세의 감면 참고)

차. 1세대 1주택 비과세 및 다주택 중과 관련 내용

신축주택 등 및 감면대상기존주택은 1세대 1주택 비과세(「소득세법」 제89조 제1항 제3호) 및 다주택 중과(「소득세법」 제104조 제1항 제4호부터 제7호까지) 규정을 적용할 때 신

축주택 등은 해당 거주자의 소유주택으로 보지 아니한다.

카. 특례 배제 지역

해당 과세특례 규정은 전국 소비자물가상승률 및 전국 주택매매가격상승률을 고려하여 부동산 가격이 급등하거나 급등할 우려가 있는 지역으로서 대통령령으로 정하는 지역에는 적용하지 아니한다.

타. 신축 · 미분양주택 및 1세대 1주택자의 주택 확인절차 및 방법

1) 신축 · 미분양주택

가) 사업주체 등은 감면대상인 신축주택등 현황을 다음 기한까지 시장 · 군수 · 구청장에 제출

① 2013. 3. 31.까지 분양계약이 체결되지 아니한 주택 : 2013. 6. 30.까지

② 그 밖의 신축주택등 현황 : 매매계약을 체결한 날이 속하는 달의 말일부터 1개월 이내

나) 사업주체 등은 매매계약 체결 즉시 매매계약서에 시장 · 군수 · 구청장으로부터 신축주택등 확인날인을 받아 계약자에 교부하고 신축주택등 확인대장을 작성 · 보관

다) 취득자는 추후 양도세 감면신청시 신축주택등 확인날인을 받은 매매계약서 사본을 납세지 관할 세무서장에 제출

2) 1세대 1주택자의 주택

가) 감면대상기존주택 양도자는 매매계약 체결한 날부터 30일 이내에 매매계약서에 시장 · 군수 · 구청장으로부터 감면대상기존주택 확인날인을 받아 계약자에 교부

나) 취득자는 추후 양도세 감면신청시 감면대상기존주택 확인날인을 받은 매매계약서 사본을 납세지 관할 세무서장에 제출

파. 농어촌특별세

신축주택 등 취득자에 대한 양도소득세의 과세특례를 적용받는 경우 감면세액의 20%에 상당하는 세액은 농어촌특별세를 과세한다.

하. 적용시기

신축주택 등 취득자에 대한 양도소득세의 과세특례 규정은 2013. 5. 10. 이후 최초로 양도하는 분부터 적용한다(2013. 5. 10. 법률 제11759호 부칙 §2).

21 | 신축주택의 취득자에 대한 양도소득세의 과세특례 (조특법 §99의 3)

가. 특례 대상자 : 거주자(주택건설사업자는 제외)

나. 신축주택 취득기간별 특례 요건

신축주택 취득기간	특례 요건
2000. 11. 1.~2001. 5. 22.	수도권 밖에 소재 & 국민주택
2001. 5. 23.~2002. 12. 31.	고급주택(고가주택) 제외
2003. 1. 1.~2003. 6. 30.	서울, 과천 및 5대 신도시 밖에 소재 & 고가주택 제외

| 택지개발예정지구로 지정 · 고시된 5대 신도시 지역 |

분 당	일 산	평 촌	산 본	중 동
분당구 분당동 수내 1, 2, 3동 정자 1, 2, 3동 서현 1, 2동 율동 이매 1, 2동 야탑 1, 2, 3동 구미동 금곡동(일부)	일산구 마두동 주엽동 대화동(일부) 일산동(일부) 장항동(일부) 백석동(일부)	안양시 비산동(일부) 관양동(일부) 평촌동(일부) 호계동(일부) 당동(일부)	안양시 안양동(일부) 군포시 산본동(일부) 금정동(일부)	부천시 원미구 중동(일부) 상동(일부) 약대동(일부) 부천시 소사구 소내동(일부) 부천시 오정구 삼정동(일부)

다. 신축주택의 범위(이에 딸린 해당 건물 연면적의 2배 이내의 토지를 포함함)

1) 주택건설사업자로부터 취득한 신축주택의 경우

가) 신축주택 취득기간 중에 주택건설업자와 최초로 매매계약을 체결하고 계약금을 납부한 자가 취득한 신축주택

나) 「주택법」에 따른 주택조합 또는 「도시 및 주거환경정비법」에 따른 정비사업조합("주택조합 등"이라 한다)을 통하여 취득하는 주택으로서 "주택조합 등"이 그 조합원에게 공급하고 남은 주택("잔여주택"이라 한다)으로서 신축주택 취득기간 이내에 주택조합 등과 직접 매매계약을 체결하고 계약금을 납부한 자가 취득하는 주택

다) 조합원이 주택조합 등으로부터 취득하는 주택으로서 신축주택 취득기간 경과 후에 사용승인 또는 사용검사를 받는 주택. 다만, 주택조합 등이 조합원 외의 자와 신축주택취득기간 내에 잔여주택에 대한 매매계약(매매계약이 다수인 때에는 최초로 체결한 매매계약을 기준으로 한다)을 직접 체결하여 계약금을 납부받은 사실이 있는 경우에 한한다.

* 조합원 : 「도시 및 주거환경정비법」 제74조의 규정에 의한 관리처분계획의 인가일(주택재건축사업의 경우에는 제28조의 규정에 의한 사업시행인가일) 또는 「주택법」 제15조의 규정에 의한 사업계획의 승인일 현재의 조합원을 말한다.

2) 자기가 건설한 신축주택(「주택법」에 따른 주택조합 또는 「도시 및 주거환경정비법」에 따른 정비사업조합을 통하여 조합원이 취득하는 주택을 포함한다)의 경우

신축주택 취득기간에 사용승인 또는 사용검사(임시 사용승인을 포함한다)를 받은 신축주택

* 조합원 : 「도시 및 주거환경정비법」 제74조의 규정에 의한 관리처분계획의 인가일 또는 「주택법」 제15조의 규정에 의한 사업계획의 승인일 현재의 조합원을 말한다.

라. 신축주택에서 제외되는 경우

1) 고가주택(또는 고급주택)

2) 매매계약일 현재 입주한 사실이 있는 주택

3) 2001. 5. 23. 전에 주택건설업자와 주택분양계약을 체결한 분양계약자가 당해 계약을 해제하고 분양계약자 또는 그 배우자(분양계약자 또는 그 배우자의 직계존비속 및 형

제자매를 포함한다)가 당초 분양계약을 체결하였던 주택을 다시 분양받아 취득한 주택 또는 당해 주택건설업자로부터 당초 분양계약을 체결하였던 주택에 대체하여 다른 주택을 분양받아 취득한 주택을 말한다. 다만, 「소득세법 시행규칙」 제71조 제3항의 규정에 의한 사유(취학, 근무상의 형편, 질병의 요양에 따른 주거이전)로 당해 주택건설업자로부터 다른 주택을 분양받아 취득하는 경우의 주택을 제외한다.

4) 개인으로부터 분양권을 구입하여 취득하는 주택

마. 과세특례 내용

1) 양도소득세 감면

신축주택 취득일부터 5년 이내에 양도함으로써 발생하는 소득에 대해서는 양도소득세를 면제하고, 해당 신축주택의 취득일부터 5년이 지난 후에 양도하는 경우에는 그 신축주택의 취득일부터 5년간 발생한 양도소득금액을 양도소득세 과세대상소득금액에서 뺀다.

▶▶ 5년간 발생한 양도소득금액

$$= 양도소득금액 \times \frac{(취득일부터\ 5년이\ 되는\ 날의\ 기준시가 - 취득당시의\ 기준시가)}{(양도당시의\ 기준시가 - 취득당시의\ 기준시가)}$$

* 감면세액 계산 방법

: 취득일부터 5년 이내 양도시에는 세액감면방식에 따르고, 취득일부터 5년 경과 후 양도시에는 소득금액차감방식에 따름(제2장 제7절 4. 양도소득세의 감면 참고)

2) 주택 수 계산

1세대 1주택 비과세 규정을 적용할 때 신축주택과 그 외의 주택을 보유한 거주자가 그 신축주택 외의 주택을 2007. 12. 31.까지 양도하는 경우에만 그 신축주택을 거주자의 소유주택으로 보지 아니한다.

3) 농어촌특별세

신축주택 과세특례를 적용받는 경우 감면세액의 20%에 상당하는 세액은 농어촌특별세를 과세한다.

바. 신축주택 과세특례 개정 내용[3)]

구 분	2000. 12. 29. 신설	2001. 8. 14. 개정 등
입법취지	비수도권지역의 신축국민주택의 수요진작	전국에 소재한 고가주택을 제외한 신축주택의 수요진작(면제범위 확대)
신축주택 소재지역	비수도권에 한정 * 수도권 :「조세특례제한법 시행령」 별표7의 제1호의 수도권	-2001. 5. 23.~2002. 12. 31. : 전국(수도권 포함) -2003. 1. 1. 이후 : 서울, 과천, 5대신도시 지역을 제외한 지역
면제대상 신축주택의 규모	국민주택(25.7평) 이하	<u>모든 주택(고가주택 제외)</u>
신축주택 취득기간	-비수도권 : 2000. 11. 1.~2001. 12. 31.	-비수도권 : 2000. 11. 1.~2003. 6. 30. -수 도 권 : 2001. 5. 23.~2003. 6. 30. ※ 단, 서울, 과천, 5대신도시 지역 : -2001. 5. 23.~2002. 12. 31. -2002. 12. 31.이전에 착공하여 2003. 6. 30. 이전에 완공한 자가건설 신축주택
양도소득세 면제가 인정되는 양도자의 범위	○일반분양자의 경우 : 최초 분양계약자가 신축주택에 대한 잔금을 지불(등기)한 후 양도한 경우 * 최초 분양계약자가 신축주택의 분양권을 양도하거나 개인의 분양권을 구입하여 취득한 신축주택은 제외	○일반분양자의 경우 : 좌동
	○주택조합 또는 재개발조합의 조합원이 취득하는 경우 : 최초 조합원뿐만 아니라 조합원의 지위를 승계한 자도 해당	○주택조합 또는 재개발조합의 조합원 : 사업계획승인일 등 현재의 조합원으로 한정 * 사업계획승인일 등 이후 조합원 지위 승계자는 제외

3) 국세청,「2019 양도소득세 실무해설」

구 분	2000. 12. 29. 신설	2001. 8. 14. 개정 등
적용시기	○신축주택 감면 -2001.1.1. 이후 최초 양도분부터 적용(2000.12.29. 조특법 부칙 §2 ②)	○신축주택감면 -2001.8.14. 이후 최초 양도하는 분부터 적용(2001.8.14. 조특법 부칙 §5 ①) ○주택조합 또는 재개발조합의 조합원요건 -사업계획승인일 등 현재의 조합원 2002.1.1. 이후 최초로 조합원의 지위를 취득하는 분부터 적용(2001.12.31., 조특법 부칙 §11) -조합원 지위승계자 2001.12.31. 이전 결성된 조합원으로부터 지위를 승계한 조합원의 경우에는 2001.12.31.까지 승계한 경우에 한하여 적용하되, 2002.1.1. 이후 승계한 경우에는 적용배제
보도자료발표 및 법령개정공포	2001.11.1. 보도자료 발표 2000.12.29. 법령개정 공포	2001.5.23. 보도자료 발표 2001.8.14. 법령개정 공포

사. 경과규정

1) 2002. 12. 11. 법 개정 전에는 모든 지역에 소재하는 신축주택이 본조의 양도소득세 과세특례 대상이 될 수 있었으나, 법 개정으로 부동산가격 급등지역・급등우려지역에 소재하는 신축주택은 양도소득세의 감면대상에서 제외하도록 개정되어 2003. 1. 1. 이후 최초로 양도하는 분부터 적용된다. 다만, 2002. 12. 31. 이전에 본조의 규정에 의하여 주택건설업자와 최초로 매매계약을 체결하고 계약금을 납부하였거나 자기가 건설한 신축주택으로서 사용승인 또는 사용검사(임시사용승인을 포함)를 받은 신축주택을 2003. 1. 1. 이후 양도하는 경우 양도소득세의 감면 및 양도소득세 과세대상 소득금액의 계산에 관하여는 개정규정에 불구하고, 종전의 규정을 적용한다. 또한, 법 제99조의 3 제1항 제2호의 규정에 의한 신축주택으로서 2002. 12. 31. 이전에 당해 신축주택에 대한 공사에 착수하여 2003. 6. 30. 이전에 사용승인 또는 사용검사(임시사용승인을 포함한다)를 받은 경우에는 법 제99조의 3 제1항의 개정규정에 불구하고, 종전의 규정을 적용한다.

2001. 8. 14. 법 개정 전에는 수도권 외의 지역에 소재하는 국민주택규모 이하인 신축주

택의 경우에만 과세특례를 적용받을 수 있었으나, 동법 개정으로 2001. 8. 14. 이후 최초로 양도하는 분부터는 수도권지역에 소재하는 고급주택에 해당되지 않는 모든 신축주택의 경우에도 본조의 과세특례를 적용받을 수 있게 되었다. 한편, 2001. 8. 14. 법 개정 전 규정상의 수도권이란 구 시행령 제99조의 3 제1항에 따라 구 시행령 별표 7의 규정에 의한 수도권을 말한다.

2) 고가주택의 감면배제

신축주택이 고급주택 또는 고가주택에 해당하는 경우에는 본조의 양도소득세 과세특례를 적용받을 수 없다.

2002. 12. 11. 법 개정시 본조의 양도소득세 과세특례 대상에서 제외되는 주택의 기준을 종전의 고급주택에서 고가주택으로 변경하였으며, 2003. 1. 1. 이후 최초로 양도하는 분부터 적용된다. 다만, 2002. 12. 31. 이전에 본조의 규정에 의하여 주택건설업자와 최초로 매매계약을 체결하고 계약금을 납부하였거나 자기가 건설한 신축주택으로서 사용승인 또는 사용검사(임시사용승인을 포함)를 받은 신축주택을 2003. 1. 1. 이후 양도하는 경우 양도소득세의 감면 및 양도소득세 과세대상 소득금액의 계산에 관하여는 개정규정에 불구하고 종전의 규정을 적용한다. 이 경우 매매계약을 체결하고, 계약금을 납부한 날 또는 자기가 건설한 신축주택으로서 사용승인 또는 사용검사를 받은 날 당시의 고급주택 기준을 적용한다.

2001. 8. 14. 법 개정 전에는 과세특례가 적용되는 주택은 국민주택규모 이하의 주택이어야만 했으나, 동법 개정으로 2001. 8. 14. 이후 최초로 양도하는 분부터는 고급주택에 해당되지 않는 모든 주택이 과세특례를 받을 수 있는 주택에 해당되었다.

3) 일반주택 비과세 판정시 신축주택 소유주택 제외

2003. 1. 1. 이후 ①서울, 과천, 5대 신도시에 소재하는 신축주택 또는 ②면적기준이 고급주택에 해당하지 않는 고가주택인 신축주택을 보유한 자가 <u>일반주택을 양도시</u> 1세대 1주택 비과세를 판정함에 있어 신축주택을 거주자의 소유주택으로 보지 않는 특례에 대해 대법원은 신법 부칙 제29조 제1항이 구법 제99조의 3 제1항 소정의 양도세 감면대상인 신축이 아닌 다른 주택을 신법 시행 이후 양도하는 경우까지 포함하는 것으로 보기 어렵다고 판시(대법 2007두 15124, 2008. 6. 12.)하였으나,

2010. 1. 1. 「조세특례제한법」 개정(법률 제9921호)시 종전 「조세특례제한법」(법률 제6762호, 2002. 12. 11. 개정) 부칙 제29조에 제3항을 신설하여 2002. 12. 31. 전에 주택건설업자와 최초로 매매계약을 체결하고 계약금을 납부하였거나, 자기가 건설한 신축주택으로서 사용

승인 또는 사용검사(임시사용승인을 포함한다)를 받은 신축주택에 대해서는 해당 주택이 서울, 과천, 5대 신도시에 소재하거나, 고급주택이 아닌 고가주택에 해당하더라도 이를 신축주택으로 보아 제99조 제2항 또는 제99조의 3 제2항을 적용(2007. 12. 31.까지 일반주택을 양도하는 경우 1세대 1주택 비과세 판정시 신축주택을 거주자의 소유주택으로 보지 않음)하도록 하였다.

「조세특례제한법」(2002. 12. 11. 법률 제6762호) 부칙 제29조

① 2002. 12. 31. 이전에 주택건설업자와 최초로 매매계약을 체결하고 계약금을 납부하였거나, 자기가 건설한 신축주택으로서 사용승인 또는 사용검사(임시사용승인 포함)를 받은 신축주택을 이 법 시행 후 양도하는 경우 양도소득세의 감면 및 양도소득세 과세대상 소득금액의 계산에 관하여는 종전규정을 적용하며 이 경우 매매계약을 체결하고 계약금을 납부한 날 또는 자기가 건설한 신축주택으로서 사용승인 또는 사용검사를 받은 날 당시의 고급주택 기준을 적용

② 자기건설신축주택으로서 2002. 12. 31. 이전에 당해 신축주택에 대한 공사에 착수하여 2003. 6. 30. 이전에 사용승인 또는 사용검사(임시사용승인 포함)를 받은 경우에는 종전규정 적용

③ 2002. 12. 31. 이전에 종전의 제99조 제1항 또는 제99조의 3 제1항에 따라 주택건설업자와 최초로 매매계약을 체결하고 계약금을 납부하였거나, 자기가 건설한 신축주택으로서 사용승인 또는 사용검사(임시사용승인을 포함한다)를 받은 신축주택에 대해서는 이를 제99조 제1항 또는 제99조의 3 제1항을 적용받는 신축주택으로 보아 제99조 제2항 또는 제99조의 3 제2항을 적용〈신설 2010. 1. 1.〉

관련예규 및 판례요약

신축주택의 취득자에 대한 과세특례와 관련된 예규, 판례

서면법규과-448, 2013. 4. 19.

[사실관계]

- 2001. 1. 19. 서울 목동 소재 아파트 단지 관리처분계획인가
- 2001. 12. 14. 甲은 조합원으로부터 조합원입주권을 승계취득함.
- 2002. 2. ○○. 조합원분양분 외 일반분양실시
- 2002. 5. ○○. 재건축아파트 공사착공

- 2005. 5. ○○. 甲, 1/2지분 배우자에게 증여
- 2005. 6. 23. 아파트 사용승인일
- 2012. 12. 21. 甲 및 배우자 위 아파트A 양도함.

[질의]

신축주택 취득자에 대한 감면(조특법 §99의 3) 계산시에 2001. 12. 31. 이전 승계조합원의 경우 분모의 취득 당시의 기준시가 적용 방법

[회신]

「조세특례제한법」(2001. 12. 29. 법률 제6538호로 개정되기 이전의 것) 제99조의 3의 규정에 의한 신축주택의 취득자에 대한 양도소득세의 과세특례를 적용함에 있어, 같은 법 시행령 제99조의 3이 대통령령 제17458호(2001. 12. 31.)로 개정되기 이전에 조합원의 자격을 승계 취득한 조합원의 감면대상 소득금액을 같은 법 시행령(2001. 12. 31. 대통령령 제17458호로 개정되기 이전의 것) 제40조 제1항의 계산식에 의하여 계산할 경우 분모의 '취득당시의 기준시가'는 감면대상 신축주택의 「소득세법」 제98조 및 같은 법 시행령 제162조 제1항 제4호에 따른 취득 당시의 기준시가를 적용하는 것임.

대법원 2012두 8588, 2013. 1. 31.

신축주택 취득일로부터 5년이 되는 날에 그 연도의 기준시가가 고시되지 않았더라도 사후에 그 연도의 기준시가를 알 수 있다면 취득일로부터 5년이 되는 날이 속한 연도의 기준시가를 적용하는 것이 타당하고 그 직전연도의 기준시가를 적용하는 것은 위법함.

* 현행 과세관청의 유권해석과 차이가 있으므로 적용시 추가검토가 필요한 사항임.

대법원 2010두 6878, 2012. 10. 25.

다가구주택을 가구별로 분양하지 아니하고 하나의 매매단위로 1인에게 양도한 경우 단독주택으로 보아야 하고, 「소득세법」에 규정된 단독주택의 고급주택 기준을 충족하는 이상 신축주택 감면대상에서 제외됨.

서울행정법원 2011구단 23767, 2012. 10. 17.

구주택과 신축주택이 동일한 부동산인 것처럼 두 부동산의 기준시가를 단순 비교하여 신축주택 취득을 위해 납부한 추가분담금이 반영되지 않아 위법한 점, 각 기간의 부동산가격변동과도 부합하지 않으며 일반분양 받은 경우와 달리 취급하는 것은 부당한 점 등에 비추어 조특법상 배분방법을 적용한 것은 위법함.

* 현행 과세관청의 유권해석과 차이가 있고, 확정판결 전이므로 적용시 추가검토가 필요한 사항임.

대법원 2010두 12675, 2012. 9. 27.

고가주택 여부를 판단하는 기준은 양도 당시의 가액으로 규정하고 있고 양도소득세 감면 여부는 양도되는 자산의 양도시기를 기준으로 판단하여야 하므로 기존주택 양도 당시의 신축주택

기준시가를 기준으로 신축주택이 고가주택에 해당한다고 본 것은 위법하다고 볼 수 없음.

대법원 2010두 3725, 2012. 6. 28.

「조세특례제한법」상 신축주택을 취득한 날부터 5년이 경과한 후에 양도하는 경우 그에 따른 양도소득세 과세표준 및 세액은 신축주택을 취득한 날부터 5년간 발생한 양도소득금액을 양도소득세 과세대상 소득금액에서 차감하는 방법으로 산정하여야 함.

* 종전 과세관청의 유권해석은 대법원의 판단과 달랐으나, 2013. 1. 1. 「소득세법」 제90조 제2항 신설(대법원 판결내용과 같음)하여 소급적용(2013. 1. 1. 이후 신고, 결정 또는 경정하는 분부터 적용)

대법원 2010두 1606, 2010. 5. 13.

1세대 2주택 해당여부를 판단하기 위한 주택의 개수를 산정함에 있어서는 물리적 사회적으로 하나의 주택이라는 개념을 전제로 한바, 신축주택과 같이 1/2지분에 대하여도 양도세 감면받는 주택 역시 신축주택으로 봄이 상당함.

재재산-694, 2009. 4. 2.

「조세특례제한법」 제99조의 3에 따른 신축주택을 신축주택 취득기간 안에 취득한 후 재개발 등으로 당해 신축주택이 조합원입주권으로 전환되어 양도되는 경우에도 양도소득에 대한 양도소득세를 감면할 수 있는 것이나, 당초 취득한 신축주택에 대한 양도소득 범위 내에서 감면하는 것임. 이 경우 당초 취득한 신축주택에 대한 양도소득은 조합원입주권 양도에 따른 양도차익을 관리처분계획 인가일 현재 당해 신축주택의 평가액에 해당하는 금액으로 안분한 금액을 말하는 것임.

재재산-881, 2008. 12. 1.

「조세특례제한법 시행령」 제99조의 3 제3항 제2호에 따라 조합원이 주택조합 등으로부터 취득하는 주택으로서 '신축주택 취득자에 대한 양도소득세 과세특례가 적용되는 신축주택 취득기간(2001. 5. 2.~2003. 6. 30. 이하 같음)' 경과 후에 사용승인 또는 사용검사를 받는 경우에도 「조세특례제한법」 제99조의 3에 따른 '신축주택의 취득자에 대한 양도소득세 과세특례'를 적용함. 다만, 주택조합 등이 조합원 외의 자와 신축주택 취득기간 내에 잔여주택에 대한 매매계약을 직접 체결하여 계약금을 납부받은 사실이 있는 경우에 한함.

대법원 2007두 21242, 2008. 2. 14.

「조세특례제한법」 소정의 신축주택은 분양 당시나 취득 당시를 기준으로 공부상 및 실질상 주택만을 의미하는 것으로 해석함이 상당함.

서면4팀-3498, 2007. 12. 7.

「조세특례제한법」 제99조의 3의 규정에 의한 신축주택은 그 신축주택 외의 주택을 2007. 12.

31.까지 양도하는 경우에 한하여 해당 신축주택을 거주자의 주택으로 보지 아니함.

서면4팀-3351, 2007. 11. 20.

신축주택의 취득자에 대한 양도소득세 과세특례는 주택건설사업자를 제외한 거주자에게 적용되는 것임.

서면5팀-2864, 2007. 10. 31.

2002. 12. 31. 이전에 공사를 착수하여 2003. 1. 1.~2003. 6. 30. 기간 중에 사용승인 또는 사용검사를 받은 경우로서 고가주택에 해당하지 아니하는 경우 신축주택에 대한 양도소득세 감면이 적용됨.

서면5팀-2816, 2007. 10. 24.

신축주택기간에 취득한 신축주택을 그 취득일로부터 5년 이내에 양도함으로써 발생하는 소득에 대하여는 양도소득세의 100분의 100에 상당하는 세액을 감면함.

서면4팀-2769, 2007. 9. 20.

신축주택 취득기간 중에 주택건설업자와 최초로 매매계약을 체결하고 계약금을 납부하고 취득한 신축주택은 취득일로부터 5년간 양도함으로써 발생하는 양도소득세를 감면하는 것임.

서면4팀-2694, 2007. 9. 13.

아파트 발코니를 개조한 경우 「조세특례제한법」 제99조의 3의 규정을 적용받지 못하는 고급주택의 판정은 매매계약을 체결하고 계약금을 납부한 날 당시에 따름.

서면4팀-2534, 2007. 8. 29.

신축주택 감면대상이 되는 주택을 취득한 자가 당해 주택의 50%를 배우자에게 증여하였다가 3년이 경과한 후 환원받아 양도하여 발생하는 소득은 양도소득세가 감면되지 아니함.

서면5팀-2337, 2007. 8. 20.

신축주택의 취득자에 대한 양도소득세 감면을 적용함에 있어 승계조합원의 경우 2001. 12. 31. 이전에 조합원 자격을 취득한 자에 한함.

서면4팀-2462, 2007. 8. 17.

신축주택과 일반주택 소유한 자가 일반주택을 양도하여 비과세를 받은 후 신축주택의 거주기간 및 보유기간의 계산은 소유주택으로 변경된 날부터 기산하는 것임.

서면4팀-2301, 2007. 7. 27.

감면대상 신축주택에서 제외되는 고급주택은 면적기준(주택건설업자와 최초 매매계약을 체결하고 계약금을 납부한 날의 고급주택 기준)과 가액기준(양도 당시 6억원 초과)을 모두 충족하여야 함.

서면4팀-33, 2006. 1. 9.
신축주택에 대한 양도소득세 감면 적용시 신축주택을 취득한 날부터 5년이 경과한 후에 양도하는 경우에는 당해 신축주택을 취득한 날부터 5년간 발생한 양도소득금액을 과세대상 소득금액에서 차감하는 것임.

재재산-1731, 2004. 12. 30.
신축주택의 취득자에 대한 양도소득세의 과세특례 규정을 적용함에 있어 주택건설사업자란 「주택법」에 의한 등록 여부에 관계없이 주택을 건설하여 판매하는 사업자를 말하는 것임.

재재산-1661, 2004. 12. 17.
신축주택이 고가주택에 해당하는 경우에는 과세특례를 적용하지 아니하는 것이며, 신축주택 외 일반주택을 양도함에 있어 신축주택의 실거래가를 확인할 수 없는 때에는 신축주택 외 일반주택 양도 당시 신축주택 및 부수토지의 가액이 6억원 초과시 고가주택에 해당함.

재재산-1648, 2004. 12. 15.
「조세특례제한법」 제99조의 3(신축주택의 취득자에 대한 양도소득세의 과세특례) 제1항 제2호의 특례규정은 신축주택 취득기간 이전에 임시사용승인을 받은 경우에는 적용하지 아니함.

서면4팀-1895, 2004. 11. 23.
「조세특례제한법」 제99조의 3 규정의 '신축주택'에 해당하는 경우에는 추후 다른 주택을 취득한 경우에도 당해 규정을 적용하는 것임.

서면4팀-1868, 2004. 11. 19.
신축주택 취득기간(2001. 5. 23.~2003. 6. 30.) 내에 사용승인 받은 직장조합주택으로서 동기간 전 이미 임시사용승인을 받아 입주한 경우라면 양도소득세 과세특례 적용대상 신축주택에 해당하지 않음.

서면4팀-1778, 2004. 11. 2. ; 재재산-881, 2008. 12. 1. ; 서울고법 2012누 22920, 2013. 3. 20.
분양권을 배우자로부터 상속받아 취득하는 주택은 신축주택 취득자에 대한 양도소득세 감면대상에 해당하지 않음.

서면4팀-1771, 2004. 11. 1.
주택건설업자와 최초의 매매계약에 따라 신축주택을 취득한 자의 양도세 과세특례에 있어, 고급주택기준은 면적기준, 가액기준을 모두 충족해야 과세특례가 적용되지 않는 고급주택에 해당하는 것임.

서면4팀 - 1570, 2004. 10. 6.

'신축주택의 취득자에 대한 양도소득세의 과세특례'에서 감면대상에서 제외하는 고가주택은 전용면적 165m^2 이상이고 동시에 실지거래가액이 6억원 초과하는 경우임.

서면4팀 - 1471, 2004. 9. 20.

재건축아파트를 분양받아 주무관청의 가사용승인을 받아 사용하다 양도하는 경우는 준공검사를 받지 못해 취득에 관한 등기를 못한 상태일지라도 미등기양도자산이 아님.

서면4팀 - 1431, 2004. 9. 15.

신축주택으로서 신축주택 취득기간 중에 당해 신축주택의 사용승인 또는 사용검사를 받지 못한 경우에는 신축주택의 취득자에 대한 양도소득세 과세특례규정을 적용받을 수 없음.

서면4팀 - 1376, 2004. 9. 1.

신축주택 취득자에 대한 감면주택대상에서 제외되는 고급주택의 범위 중 6억원 초과 여부는 양도 당시의 실지거래가액 기준으로 판단함.

서면4팀 - 1257, 2004. 8. 11.

신축주택의 취득자에 대한 양도소득세 과세특례는 주택건설사업자이거나 사업소득에 해당될 경우 적용되지 아니함.

서면4팀 - 1056, 2004. 7. 12.

신축주택의 취득자에 대한 양도소득세 과세특례규정은 신축주택 2채를 취득하여 양도하는 경우에도 적용됨.

서면4팀 - 657, 2004. 5. 12.

신축주택의 취득자에 대한 양도소득세의 과세특례 규정에 해당하는 신축주택은 소유자가 거주하지 않아도 감면을 적용받을 수 있는 것임.

재산 - 829, 2004. 3. 30.

신축주택 취득기간 전에 매매계약을 체결 및 계약금을 납부한 후 신축주택 취득기간 중에 잔금을 완납한 경우에는 신축주택의 취득자에 대한 양도소득세의 과세특례규정을 적용받을 수 없음.

재재산 - 190, 2004. 2. 12.

자기가 건설한 신축주택(주택조합 또는 정비사업조합을 통해 조합원이 취득하는 주택 포함)의 경우 거주자가 신축주택 취득기간 중에 당해 신축주택의 사용승인 또는 사용검사(임시사용승인 포함)를 받은 경우에 양도소득세 과세특례 적용됨.

서면1팀 - 158, 2004. 1. 31.

감면요건을 충족한 부부공동명의의 신축주택을 양도하는 경우로서 주택건설사업자와 최초로 매매계약을 체결하고 계약금을 납부한 자가 취득하여 취득등기 후 양도하는 신축주택의 지분은 같은 법 규정에 의한 양도소득세의 감면대상에 해당하는 것임.

22 농어촌주택등 취득자에 대한 양도소득세 과세특례 (조특법 §99의 4)

가. 개 요

1세대가 농어촌주택등 취득기간 중에 "농어촌주택등" 취득(자기가 건설하여 취득한 경우를 포함한다)하여 3년 이상 보유하고 그 농어촌주택등 취득 전에 보유하던 다른 주택("일반주택")을 양도하는 경우에는 그 농어촌주택등을 해당 1세대의 소유주택이 아닌 것으로 보아 「소득세법」 제89조 제1항 제3호에 따른 1세대 1주택 비과세 여부를 판정한다.

1) 농어촌주택등의 유형

과세특례대상 농어촌주택등의 유형에는 농어촌주택과 고향주택이 있다.

농어촌주택의 경우 2003. 8. 1.부터 2020. 12. 31.까지의 기간 일반주택을 양도하는 분부터 특례가 적용되며, 고향주택의 경우에는 2009. 1. 1. 이후 최초로 고향주택을 취득하는 분부터 특례가 적용된다.

2) 농어촌주택등 취득기간

① **농어촌주택** : 2003. 8. 1.부터 2020. 12. 31.까지의 기간

② **고향주택** : 2009. 1. 1.부터 2020. 12. 31.까지의 기간

나. 농어촌주택

농어촌주택이란 다음 요건을 모두 갖춘 주택을 말한다.

1) 취득 당시 다음의 어느 하나에 해당하는 지역을 제외한 지역으로서 「지방자치법」 제3조 제3항 및 제4항에 따른 읍 · 면 또는 인구 규모 등을 고려하여 대통령령으로 정하는 동에 소재할 것

가) 수도권지역. 다만, 「접경지역 지원 특별법」 제2조에 따른 접경지역(경기도 연천군, 인천광역시 옹진군 등) 중 부동산가격동향 등을 고려하여 대통령령으로 정하는 지역은 제외한다.
나) 「국토의 계획 및 이용에 관한 법률」 제6조에 따른 도시지역
다) 「소득세법」 제104조의 2 제1항에 따른 지정지역
라) 「부동산 거래신고 등에 관한 법률」 제10조에 따른 허가구역
마) 그 밖에 관광단지 등 부동산가격안정이 필요하다고 인정되어 대통령령으로 정하는 지역

2) 대지면적이 660제곱미터 이내일 것
3) 주택 및 이에 딸린 토지의 가액(「소득세법」 제99조에 따른 기준시가를 말한다)의 합계액이 해당 주택의 취득 당시 2억원(대통령령이 정하는 한옥은 4억원)을 초과하지 아니할 것

* 취득당시 기준시가 개정 연혁

취득시기	~2007년	~2008년	2009년 이후
기준시가	7천만원 이하	1억 5천만원 이하	2억원 이하

* 2007년 이전에 일반주택을 양도한 경우 : 일반주택 양도당시 농어촌주택의 기준시가 요건도 충족해야 함(1억원 이하).

4) 농어촌주택과 일반주택이 행정구역상 같은 읍 · 면 · 시 또는 연접한 읍 · 면 · 시에 있는 경우에는 과세특례 배제됨.

다. 고향주택

고향주택이란 다음 요건을 모두 갖춘 주택을 말한다.
1) 고향에 소재하는 주택일 것

고향의 범위

고향이란 다음 각 호의 요건을 모두 충족한 시 지역(이와 연접한 시 지역을 포함하며, 다음 각 호의 요건을 모두 충족한 군 지역에 연접한 시 지역을 포함한다)을 말한다. 이 경우 등록기준지등 또는 거주한 사실이 있는 지역의 시 · 군이 행정구역의 개편 등으로 이에 해당하지 아니한 경우에도 같은 시 · 군으로 본다.
① 「가족관계의 등록 등에 관한 법률」에 따른 가족관계등록부(법률 제8435호 「가족관계

의 등록 등에 관한 법률」 부칙 제4조에 따른 제적부 등을 포함)에 10년 이상 등재된 등록기준지(법률 제8435호 「가족관계의 등록 등에 관한 법률」 부칙 제2조로 폐지되기 전의 「호적법」에 따른 본적지 또는 원적지를 포함한다)

② 10년 이상 거주한 사실이 있는 지역

2) 취득 당시 인구 등을 고려하여 대통령령으로 정하는 시 지역(조특령 별표 12)에 소재할 것

| 고향주택 소재 지역 범위(§99의 4 관련) |

구 분	시 (26개)
충청북도	제천시
충청남도	계룡시, 공주시, 논산시, 보령시, 당진시, 서산시
강원도	동해시, 삼척시, 속초시, 태백시
전라북도	김제시, 남원시, 정읍시
전라남도	광양시, 나주시
경상북도	김천시, 문경시, 상주시, 안동시, 영주시, 영천시
경상남도	밀양시, 사천시, 통영시
제주도	서귀포시

* 비고 : 위 표는 「통계법」 제18조에 따라 통계청장이 통계작성에 관하여 승인한 주민등록인구 현황(2008. 12. 주민등록인구 기준)을 기준으로 인구 20만명 이하의 시를 열거한 것임.

3) 다음의 지역에 소재하지 아니할 것

① 수도권 지역

② 「소득세법」 제104조의 2 제1항에 따른 지정지역

③ 「관광진흥법」 제2조에 따른 관광단지

4) 대지면적이 660제곱미터 이내일 것

5) 주택 및 이에 딸린 토지의 가액(「소득세법」 제99조에 따른 기준시가를 말한다)의 합계액이 해당 주택의 취득 당시 2억원(대통령령이 정하는 한옥은 4억원)을 초과하지 아니할 것

6) 고향주택과 일반주택이 행정구역상 같은 읍 · 면 · 시 또는 연접한 읍 · 면 · 시에 있는 경우에는 과세특례 배제됨.

농어촌주택등의 증축 또는 부수토지의 추가 취득시 요건 판정

① 면적 및 가액 : 일반주택의 양도일까지 농어촌주택등의 증축 또는 그 부수토지의 추가 취득이 있는 경우에는 당해 증가된 건물 · 토지의 면적 및 가액을 포함하여 계산한다.
② 농어촌주택 등의 3년 이상 보유기간 요건 : 농어촌주택등의 증축 또는 그 부수토지의 추가 취득이 있는 경우에 있어서 농어촌주택등의 보유기간은 당초 농어촌주택등의 취득일부터 기산하여 계산한다.
③ 농어촌주택등의 취득기간 이내 취득 요건 : 농어촌주택등의 증축 또는 그 부수토지의 추가 취득이 있는 경우에 있어서 농어촌주택등 취득기간 이내의 취득 또는 지역요건, 고향요건에 해당하는지 여부의 판정은 당초 농어촌주택등의 취득일을 기준으로 한다.

라. 특례 및 추징

1) 1세대가 농어촌주택등 취득기간 중에 농어촌주택 또는 고향주택을 취득하여 3년 이상 보유하고 그 농어촌주택등 취득 전에 보유하던 일반주택을 양도하는 경우에는 그 농어촌주택 등을 해당 1세대의 소유주택이 아닌 것으로 보아 「소득세법」 제89조 제1항 제3호에 따른 1세대 1주택 비과세 여부를 판정한다.

2) 한편, 1세대가 농어촌주택 등의 3년 이상 보유 요건을 충족하기 전에 일반주택을 양도하는 경우에도 특례를 적용받을 수 있다.

3) 1세대가 수도권 내 「주택법」 제63조의 2 제1항 제1호에 따른 조정대상지역에 소재하는 2주택(개별주택가격 및 공동주택가격 합산 금액이 6억원 이하인 경우 한정)만을 소유하는 경우로서 2020. 12. 31.까지 그 중 1주택을 양도하고 양도소득세 예정신고기간 내에 농어촌주택등을 취득하는 경우에는 다주택자 중과세율 적용을 배제하고 장기보유특별공제액을 공제받을 수 있다.

4) 양도소득세의 특례를 적용받은 1세대가 농어촌주택 등을 3년 이상 보유하지 아니하게 된 경우에는 과세특례를 적용받은 자가 과세특례를 적용받지 아니하였을 경우 납부하였을 세액에 상당하는 세액*을 그 보유하지 아니하게 된 날이 속하는 달의 말일부터 2개월 이내에 양도소득세로 납부하여야 한다. 다만, 「공익사업을 위한 토지 등의 취득 및 보상에 관한 법률」 및 그 밖의 법률에 의한 수용(협의매수를 포함한다), 사망으로 인한 상속 또는 멸실의 사유로 인하여 당해 농어촌주택 또는 고향주택을 3년 이상 보유하지 아니하게 되는 경우에는 그러하지 아니하다.

* 납부할 세액 : 일반주택을 양도한 시점에서의 해당 일반주택에 대한 「소득세법」 제104조의 규정에 의하여 계산한 세액

관련예규 및 판례요약

농어촌주택 취득자에 대한 양도소득세 과세특례와 관련된 예규, 판례

조심-2019-중-3435, 2019. 11. 13.

대지면적 660㎡를 초과한다는 이유로 청구인에게 1세대 1주택 비과세 적용을 배제하여 양도소득세를 과세한 이 건 처분은 잘못이 있음.

서면-2018-부동산-3283, 2019. 11. 12.

일반주택을 보유한 자가 「조세특례제한법」 제99조의 4에 해당하는 농어촌주택을 2개 취득하는 경우에는 농어촌주택 등 취득자에 대한 양도소득세 과세특례 적용 되지 않음.

서면-2019-부동산-1500, 2019. 7. 24.

「조세특례제한법」 제99조의 4 제1항 제1호의 요건을 갖춘 주택을 취득하고 주택법에 따른 조정대상지역에 소재하는 2주택만을 소유하고 2020년 12월 31일까지 그 중 1주택을 양도하고 「소득세법」 제105조 제1항 제1호의 기한 내 농어촌주택을 취득하는 경우 같은 법 제104조 제7항을 적용하지 않음.

서면부동산-5527, 2016. 12. 30.

1세대가 취득한 농어촌주택과 보유하고 있던 일반주택이 행정구역상 같은 읍 · 면 또는 연접한 읍 · 면에 있는 경우에는 농어촌주택등 취득자에 대한 양도소득세 과세특례를 적용하지 않는 것임.

사전법령재산-371, 2016. 12. 22.

국내에 일반주택을 보유하는 1세대가 2003. 8. 1.부터 2017. 12. 31.까지의 기간 중에 「조세특례제한법」 제99조의 4 제1항에 따른 농어촌주택을 2개 취득하고 일반주택을 양도하는 경우 농어촌주택 등 취득자에 대한 양도소득세 과세특례를 적용할 수 없는 것임.

서면법령재산-2185, 2016. 10. 28.

농어촌주택 1채를 취득(자기가 건설하여 취득한 경우를 포함한다)하였으나 등기하지 아니하고 3년 이상 보유한 후 그 농어촌주택을 취득하기 전에 보유하던 등기된 다른 주택을 양도하

는 경우 그 농어촌주택을 해당 1세대의 소유주택이 아닌 것으로 보아 「조세특례제한법」 제99조의 4 【농어촌주택 등 취득자에 대한 양도소득세 과세특례】에 따른 과세특례 적용 가능함.

서면법령재산-1670, 2016. 7. 20.

일반주택(A주택) 1채를 보유한 1세대(갑)가 「조세특례제한법」 제99조의 4 제1항 각 호에 해당하는 1채의 농어촌주택(B주택)을 취득한 1세대(을)와 혼인한 경우로서 갑이 일반주택(A주택)을 양도하는 경우에는 농어촌주택(B주택)에 대하여 「조세특례제한법」 제99조의 4 "농어촌주택등 취득자에 대한 양도소득세 과세특례" 제1항(농어촌주택 3년 이상 보유하고 농어촌주택취득 전에 보유하던 주택을 매도하는 경우 1세대 1주택 과세혜택 적용)이 적용되지 아니함.

서면부동산-2932, 2016. 3. 25.

농어촌주택을 농어촌주택 취득기간(2003. 8. 1.~2017. 12. 31.) 내에 취득한 다음 멸실하고 다시 신축하거나, 또는 증축을 하는 경우에 해당 농어촌주택의 보유기간은 당초 농어촌주택의 취득일부터 기산하는 것임.

서면부동산-2560, 2016. 1. 26.

일반주택 및 농어촌주택 취득시점의 요건 등은 세대별로 판정하는 것으로 1세대가 농어촌주택을 취득한 후에 일반주택을 취득한 경우에는 농어촌주택 취득자에 대한 양도소득세 과세특례가 적용되지 않는 것임.

서면부동산-1239, 2015. 9. 8.

「조세특례제한법」 제99조의 4의 요건에 해당하는 농어촌주택을 소유하고 그 농어촌주택 취득 전에 보유하던 다른 주택을 양도할 때에 그 농어촌주택은 해당 1세대의 소유주택이 아닌 것으로 보아 「소득세법」 제89조 제1항 제3호의 규정을 적용하는 것임.

서면부동산-1128, 2015. 8. 27.

「조세특례제한법」 제99조의 4 제1항 제1호에 따른 농어촌주택 해당 여부를 판정할 때 취득당시 「국토의 계획 및 이용에 관한 법률」 제6조에 따른 도시지역에 소재하는 주택은 「조세특례제한법」 제99조의 4 제1항의 적용대상이 아닌 것임.

서면부동산-1165, 2015. 8. 27.

「조세특례제한법」 제99조의 4 제1항 제1호에 해당하는 농어촌주택을 농어촌주택 취득 기간 중에 상속으로 취득하고, 해당 농어촌주택 취득 전에 보유하던 다른 주택을 양도하는 경우에는 그 농어촌주택은 해당 1세대의 소유주택이 아닌 것으로 보는 것임.

부동산납세-2367, 2015. 2. 2.

농어촌주택과 농어촌주택을 취득하기 전에 보유하던 종전의 일반주택을 각각 1채씩 보유한 상태에서 1채의 새로운 주택을 취득하여 일시적 3주택이 된 경우에도 1채의 농어촌주택을 제외하고 「소득세법 시행령」 제155조 제1항의 일시적 1세대 2주택 특례를 적용하는 것임.

부동산납세-733, 2014. 9. 26.

농어촌주택 2채(B1,B2)를 취득하여 3년 이상 보유하다가 1채(B1 또는 B2)를 양도한 후에 농어촌주택 취득 전에 보유하던 다른 주택(A)을 양도하는 경우 남은 1채의 농어촌주택(B1 또는 B2)은 해당 1세대의 소유주택이 아닌 것으로 보아 A에 대해서 「소득세법」 제89조 제1항 제3호에 따른 1세대 1주택 비과세 규정을 적용하는 것임.

부동산납세-441, 2014. 6. 24.

일반주택 소유자(甲)의 사망으로 해당 일반주택을 그 배우자(乙)가 상속받아 양도하는 경우로서 甲과 乙이 일반주택 취득일부터 상속개시일까지 계속하여 동일한 주소 또는 거소에서 생계를 같이 하는 1세대를 구성한 경우에는 「조세특례제한법」 제99조의 4 제1항에 따른 양도소득세 과세특례를 적용받을 수 있는 것임.

부동산납세-100, 2014. 2. 25.

「조세특례제한법」 제99조의 4 제3항의 규정에 따른 "연접한 읍 · 면 · 시"라 함은 행정구역상 동일한 경계선을 사이에 두고 서로 붙어있는 읍 · 면 · 시를 말하는 것으로서 울산광역시와 경주시는 같은 항의 규정에 따른 "연접한 읍 · 면 · 시"에 해당하는 것임.

재재산-795, 2012. 9. 28.

「조세특례제한법」 제99조의 4 제1항의 과세특례요건을 모두 갖춘 농어촌주택 등과 일반주택을 보유하는 직계존속이 구성하는 세대와 1주택을 보유하는 직계비속이 구성하는 세대가 「소득세법 시행령」 제155조 제4항에 따라 동거봉양합가하는 경우, 직계비속 세대가 합가 전부터 보유하던 1주택을 합가일로부터 5년 이내에 양도하는 경우 이를 1세대 1주택으로 보아 「소득세법 시행령」 제154조 제1항을 적용하는 것임.

부동산거래관리과-577, 2012. 10. 26.

「조세특례제한법」 제99조의 4 제1항 제1호 나목의 "대지면적이 660제곱미터 이내"인지 여부는 주택과 한울타리 내에 있고 실제 거주용으로 사용되는 부분을 기준으로 판단하는 것임.

부동산거래관리과-1274, 2010. 10. 21.

1주택을 수인이 공유로 취득한 경우 「조세특례제한법(2005. 12. 31. 법률 제7839호로 개정된 것)」 제99조의 4 제1항에 따른 농어촌주택 해당여부는 소유지분에 관계없이 해당 주택을 기준으로 판정하는 것임.

부동산거래관리과-1340, 2010. 11. 8.

1세대가 농어촌주택등 취득기간(2003. 8. 1.부터 2011. 12. 31.까지의 기간) 전에 취득한 주택이 멸실되어 농어촌주택등 취득기간 중에 다시 건축한 경우 해당 주택은 「조세특례제한법」 제99조의 4 제1항 제1호 및 제2호에 따른 농어촌주택 및 고향주택에 해당하지 아니함.

부동산거래관리과-172, 2010. 2. 3.

「조세특례제한법」 제99조의 4 제1항 제1호 각 목의 요건을 모두 갖춘 농어촌주택 건축 중에 상속으로 건축주의 지위를 승계하여 2003. 8. 1.~2011. 12. 31. 중에 완성한 경우에는 동 규정에 따른 양도소득세 과세특례가 적용되는 것임.

재산세과-570, 2009. 2. 17.

농어촌주택에는 농어촌주택 취득기간 내에 취득하여 당해기간 경과 후 멸실하고 재건축한 주택을 포함하는 것임.

재산세과-407, 2009. 2. 4.

「조세특례제한법」 제99조의 4(농어촌주택등 취득자에 대한 양도소득세 과세특례) 제1항을 적용함에 있어 동항 제1호에 규정된 농어촌주택의 취득에는 농어촌주택 취득기간(2003. 8. 1.부터 2011. 12. 31.까지의 기간) 중에 유상 또는 무상 취득한 경우와 자기가 건설하여 취득한 경우 및 기존에 취득한 토지에 신축하여 취득하는 경우를 모두 포함하는 것임.

서면4팀-3484, 2007. 12. 6.

거주자가 농어촌주택 취득기간 중에 요건을 갖춘 농어촌주택을 취득하고 3년 이상 보유하고 당해 농어촌주택 취득 전에 보유하던 일반주택을 양도하는 경우 농어촌주택을 주택으로 보지 않음.

서면4팀-2721, 2007. 9. 17.

「국토의 계획 및 이용에 관한 법률」에 의한 도시지역 및 허가구역에 소재하는 주택을 취득한 경우 농어촌주택 취득자에 대한 양도소득세 과세특례를 적용하지 아니함.

서면5팀-2211, 2007. 8. 1.

2003. 8. 1.부터 2008. 12. 31.까지의 기간 중에 요건을 갖춘 농어촌주택을 취득하여 3년 이상 보유하고 다른 일반주택을 양도하는 경우 농어촌주택을 1세대의 소유주택으로 보지 않음.

서면5팀-1448, 2007. 5. 3.

농어촌주택과 보유하던 일반주택이 행정구역상 같은 읍 · 면 또는 연접한 지역에 소재하는 경우 농어촌주택 취득자에 대한 과세특례는 적용되지 않음.

서면5팀 - 1252, 2007. 4. 17.

농어촌주택 취득기간 중에 농어촌주택을 취득하여 3년 이상 보유하고 당해 농어촌주택 취득 전에 보유하던 다른 주택을 양도하는 경우 농어촌주택은 1세대 1주택 비과세 적용시 소유주택으로 보지 아니함.

서면5팀 - 242, 2007. 1. 19.

농어촌주택 취득 이후에 다른 주택을 취득하여 양도하는 경우 농어촌주택 취득자에 대한 과세특례를 적용받을 수 없음.

서면4팀 - 66, 2006. 1. 18.

농어촌주택 취득기간(2003. 8. 1.~2005. 12. 31.) 중에 요건을 갖춘 '농어촌주택'을 취득하여 3년 이상 보유하고 농어촌주택 취득 전에 보유하던 다른 주택을 양도하는 경우 농어촌주택은 당해 1세대의 소유주택이 아닌 것으로 보아 1세대 1주택 비과세를 적용함.

서면4팀 - 1646, 2005. 9. 12.

취득하는 농어촌주택의 대지면적이 660m^{2}를 초과하는 경우 농어촌주택 취득자에 대한 양도소득세 과세특례를 적용받을 수 없는 것임.

서면4팀 - 1555, 2005. 8. 31.

자기가 건설한 농어촌주택은 농어촌주택 취득기간 내에 당해 농어촌주택의 사용승인 또는 사용검사(임시사용승인 포함)를 받은 경우 농어촌주택 취득자에 대한 양도소득세 과세특례를 적용함.

서면4팀 - 767, 2005. 5. 16.

재건축조합원으로써 당해 조합을 통하여 취득한 입주권을 양도하는 경우 「조세특례제한법」 제99조의 4에 해당되는 농어촌주택은 1세대 1주택 비과세 판정시 주택으로 보지 않음.

서면4팀 - 604, 2005. 4. 22.

「조세특례제한법」 제99조의 4 규정에 의한 농어촌주택을 취득하여 3년 이상 보유하고 농어촌주택 취득 전에 보유하던 다른 주택을 양도하는 경우에는 당해 농어촌주택을 1세대의 소유주택이 아닌 것으로 보아 1세대 1주택 비과세규정을 적용함.

서면4팀 - 115, 2005. 1. 14.

「조세특례제한법」 제99조의 4 농어촌주택 취득자에 대한 양도소득세 과세특례 적용시 농어촌주택으로 주거를 이전하지 않더라도 양도소득세 과세특례가 적용됨.

서면4팀 - 1409, 2004. 9. 10.

농어촌주택 취득자에 대한 양도소득세 과세특례는 취득기간 내에 취득하여 보유하다가 동기간 경과 후 철거하고 신축하는 경우에도 적용됨.

23 | 중소기업 간의 통합에 대한 양도소득세의 이월과세 (조특법 §31)

가. 개 요

중소기업 간의 통합으로 인하여 소멸되는 중소기업이 사업용고정자산을 통합에 의하여 설립된 법인 또는 통합 후 존속하는 법인("통합법인"이라 한다)에 양도하는 경우 그 사업용고정자산에 대해서는 이월과세를 적용받을 수 있다.

이월과세란?

"이월과세(移越課稅)"란 개인이 해당 사업에 사용되는 사업용고정자산 등("종전 사업용고정자산등"이라 한다)을 현물출자(現物出資) 등을 통하여 법인에 양도하는 경우 이를 양도하는 개인에 대해서는 「소득세법」 제94조에 따른 양도소득에 대한 소득세("양도소득세"라 한다)를 과세하지 아니하고, 그 대신 이를 양수한 법인이 그 사업용고정자산 등을 양도하는 경우 개인이 종전 사업용고정자산등을 그 법인에 양도한 날이 속하는 과세기간에 다른 양도자산이 없다고 보아 계산한 「소득세법」 제104조에 따른 양도소득 산출세액 상당액을 법인세로 납부하는 것을 말한다.

나. 중소기업 간의 통합

중소기업 간의 통합이란 소비성서비스업을 제외한 사업을 영위하는 중소기업자가 당해 기업의 사업장별로 그 사업에 관한 주된 자산을 모두 승계하여 사업의 동일성이 유지되는 것으로서 요건을 모두 갖춘 것을 말한다.

① 통합으로 인하여 소멸되는 사업장의 중소기업자가 통합 후 존속하는 법인 또는 통합으로 인하여 설립되는 법인의 주주 또는 출자자일 것

② 통합으로 인하여 소멸하는 사업장의 중소기업자가 당해 통합으로 인하여 취득하는 주식 또는 지분의 가액이 통합으로 인하여 소멸하는 사업장의 순자산가액(통합일 현재의 시가로 평가한 자산의 합계액에서 충당금을 포함한 부채의 합계액을 공제한 금액을 말한다) 이상일 것

1) 소비성서비스업

소비성서비스업을 영위하는 자는 해당 이월과세를 적용받을 수 없다. 이 경우 소비성서비스업이란 다음 각 호의 어느 하나에 해당하는 사업을 말하며, 소비성서비스업과 다른 사업을 겸영하고 있는 경우에는 부동산양도일이 속하는 사업연도의 직전사업연도의 소비성서비스업의 사업별 수입금액이 가장 큰 경우에 한한다.

가) 호텔업 및 여관업(「관광진흥법」에 따른 관광숙박업은 제외한다)

나) 주점업(일반유흥주점업, 무도유흥주점업 및 「식품위생법 시행령」 제21조에 따른 단란주점 영업만 해당하되, 「관광진흥법」에 따른 외국인전용유흥음식점업 및 관광유흥음식점업은 제외한다)

다) 그 밖에 오락·유흥 등을 목적으로 하는 사업으로서 기획재정부령으로 정하는 사업

2) 중소기업자

중소기업자란 「중소기업기본법」에 의한 중소기업자를 말한다.

3) 순자산가액 계산 방법

순자산가액은 통합일 현재의 시가로 평가한 자산의 합계액에서 충당금을 포함한 부채의 합계액을 공제한 금액을 말한다.

이 경우 사업장의 순자산가액을 계산함에 있어서 영업권은 포함하지 아니한다.

한편 순자산가액을 계산할 때 '시가'라 함은 불특정다수인 사이에 자유로이 거래가 이루어지는 경우에 통상 성립된다고 인정되는 가액을 말하며 수용·공매가격 및 감정가액 등 「상속세 및 증여세법 시행령」 제49조의 규정에 의하여 시가로 인정되는 것을 포함한다.

4) 사업용 고정자산

사업용 고정자산이란 해당 사업에 직접 사용하는 유형자산 및 무형자산을 말한다. 이 경우 1981. 1. 1. 이후에 취득한 부동산으로서 「법인세법 시행령」 제49조 제1항 제1호의 규정에 의한 업무와 관련이 없는 부동산("업무무관부동산"이라 한다)을 제외한다. 한편, 업무무관부동산에 해당하는지의 여부에 대한 판정은 양도일을 기준으로 한다.

5) 과점주주 사업승계시 통합 배제

설립 후 1년이 경과되지 아니한 법인이 출자자인 개인(「국세기본법」 제39조 제2호의 규정에 의한 과점주주에 한한다)의 사업을 승계하는 것은 이를 통합으로 보지 아니한다.

6) 이월과세 적용대상자산의 취득가액

가) 원 칙

이월과세를 적용할 때 이월과세 적용대상자산의 취득가액은 해당 자산 취득당시의 실지거래가액으로 한다.

나) 예 외

취득당시의 실지거래가액이 불분명한 때에는 통합일 현재의 해당 자산에 대하여 다음 각 호의 규정을 순차로 적용하여 계산한 금액을 「소득세법 시행령」 제176조의 2 제2항 제2호의 규정을 준용하여 환산한 가액으로 한다.

(1) 「부동산 가격공시에 관한 법률」에 의한 감정평가법인이 감정한 가액이 있는 경우 그 가액. 다만, 증권거래소에 상장되지 아니한 주식등을 제외한다.

(2) 「상속세 및 증여세법」 제38조 · 동법 제39조 및 동법 제61조 내지 제64조의 규정을 준용하여 평가한 가액

▶▶ 환산취득가액 계산(「소득세법 시행령」 제176조의 2 제2항 제2호 준용)

$$\text{통합일 현재의 가액 } [(1) \text{ 또는 } (2)] \times \frac{\text{취득당시의 기준시가}}{\text{양도당시의 기준시가 (소득령 §164 ⑧에 해당하는 경우에는 동항에 따른 기준시가)}}$$

7) 이월과세액의 납부(추징)

양도소득세 이월과세를 적용받은 내국인이 사업용 고정자산을 양도한 날부터 5년 이내에 일정한 사유가 발생하는 경우에는 해당 내국인은 사유발생일이 속하는 달의 말일부터 2개월 이내에 이월과세액(통합법인이 이미 납부한 세액을 제외한 금액을 말한다)을 양도소득세로 납부하여야 한다.

가) 납부(추징) 사유

(1) 통합법인이 소멸되는 중소기업으로부터 승계받은 사업을 폐지하는 경우

(2) 이월과세를 적용받은 내국인이 통합으로 취득한 통합법인의 주식 또는 출자지분의 100분의 50 이상을 처분하는 경우

나) 사업 폐지의 판단기준

통합법인이 통합으로 인하여 소멸되는 사업장의 중소기업자로부터 승계받은 사업용고정자산을 2분의 1 이상 처분하거나 사업에 사용하지 않는 경우 사업의 폐지로 본다. 다만, 다음 각 호의 어느 하나에 해당하는 경우에는 그러하지 아니한다.

(1) 통합법인이 파산하여 승계받은 자산을 처분한 경우

(2) 통합법인이 「법인세법」 제44조 제2항에 따른 합병, 같은 법 제46조 제2항에 따른 분할, 같은 법 제47조 제1항에 따른 물적분할, 같은 법 제47조의 2 제1항에 따른 현물출자의 방법으로 자산을 처분한 경우

(3) 통합법인이 「조세특례제한법」 제37조에 따른 자산의 포괄적 양도에 따라 자산을 장부가액으로 양도한 경우

(4) 통합법인이 「채무자 회생 및 파산에 관한 법률」에 따른 회생절차에 따라 법원의 허가를 받아 승계받은 자산을 처분한 경우

다) 주식 또는 출자지분의 처분의 판단기준

주식 또는 출자지분의 처분에는 유상이전, 무상이전, 유상감자 및 무상감자를 포함한다. 다만, 다음 각 호의 어느 하나에 해당하는 경우에는 그러하지 아니한다.

(1) 이월과세를 적용받은 내국인("해당 내국인"이라 한다)이 사망하거나 파산하여 주식 또는 출자지분을 처분하는 경우

(2) 해당 내국인이 「법인세법」 제44조 제2항에 따른 합병이나 같은 법 제46조 제2항에 따른 분할의 방법으로 주식 또는 출자지분을 처분하는 경우

(3) 해당 내국인이 「조세특례제한법」 제37조에 따른 자산의 포괄적 양도, 제38조에 따른 주식의 포괄적 교환·이전 또는 제38조의 2에 따른 주식의 현물출자의 방법으로 과세특례를 적용받으면서 주식 또는 출자지분을 처분하는 경우

(4) 해당 내국인이 「채무자 회생 및 파산에 관한 법률」에 따른 회생절차에 따라 법원의 허가를 받아 주식 또는 출자지분을 처분하는 경우

(5) 해당 내국인이 법령상 의무를 이행하기 위하여 주식 또는 출자지분을 처분하는 경우

라) 적용시기

이월과세액 납부(추징) 규정은 2013. 1. 1. 이후 승계받은 사업을 폐지하거나 취득한 주식 또는 출자지분을 처분하는 분부터 적용한다(2013. 1. 1. 법률 제11614호 §11).

* 2012. 12. 31. 이전은 추징규정 없음.

관련예규 및 판례요약

중소기업 간의 통합에 대한 양도소득세의 이월과세와 관련된 예규, 판례

서면부동산-3981, 2016. 8. 23.

부동산임대업을 영위하던 거주자가 법인과의 통합계약에 따라 사업용 고정자산인 토지를 법인에게 양도하고 법인이 해당 토지 위에 있는 구건물의 철거를 완료하여 건물을 신축한 후 부동산임대업에 사용하는 경우 「조세특례제한법」 제31조에 따른 중소기업간의 통합에 대한 양도소득세의 이월과세를 적용받을 수 있는 것임.

서면법령재산-1743, 2016. 4. 15.

개인인 부동산임대 사업자가 「조세특례제한법」 제31조에 따른 중소기업간의 통합에 대한 양도소득세 이월과세를 적용받은 후, 구건물을 철거하고 신축한 임대사업용 건물의 극히 일부를 통합법인이 임대사업의 관리 목적만으로 사용하는 경우에는 계속하여 양도소득세 이월과세를 적용받을 수 있는 것임.

대법 2014두 40661, 2014. 12. 24.

영업용 고정자산의 양도인이 구 조특법 제31조 제1항, 제3항에 따라 통합일이 속하는 과세연도의 과세표준신고시까지 이월과세적용신청을 함으로써 양도소득세 이월과세가 적용되는 경우에는 그 사업용 고정자산의 양도에 따른 양도소득세 전부에 대하여 이월과세가 적용된다고 봄이 타당함.

대법 2014두 37931, 2014. 10. 15.

「조세특례제한법」 제31조의 중소기업 간의 통합에 대한 양도소득세의 이월과세 등 규정은 중소기업자가 당해 기업의 사업장별로 그 사안에 관한 주된 자산을 모두 승계하여 사업의 동일성이 유지되는 경우에 적용되는 것임.

부동산거래관리과-59, 2013. 2. 5.

"중소기업 간의 통합"에는 주금 또는 출자금의 납입방법에 관계없이 해당 중소기업의 사업장별로 그 사업에 관한 주된 자산을 모두 승계하여 사업의 동일성이 유지되는 것으로서 「조세특례제한법 시행령」 제28조 제1항에 따른 요건을 모두 갖춘 경우를 포함하는 것임.

부동산거래관리과-1008, 2011. 12. 2.

「조세특례제한법 시행령」 제28조 제1항 제2호의 순자산가액은 통합일 현재의 시가로 평가한 자산의 합계액에서 충당금을 포함한 부채의 합계액을 공제한 금액을 말하는 것이며, 이 경우

기업회계기준에 따른 우발부채는 부채에 포함되지 아니하는 것임.

서면법규-1376, 2012. 11. 20.

중소기업간 통합으로 인하여 소멸하는 사업장의 순자산가액이 부수(0 이하)인 경우 양도소득세 이월과세를 적용할 수 없음.

재재산-278, 2011. 4. 19.

「조세특례제한법 시행령」 제28조 제1항 후단에서 "설립 후 1년이 경과되지 아니한 법인"은 중소기업 간의 통합에 의하여 설립된 법인 또는 통합 후 존속하는 법인이 설립 후 1년이 경과되지 아니한 경우가 해당되는 것이며,

거주자인 부부가 각각 영위하던 개인기업의 사업장별 사업용 고정자산의 전부를 현물출자하여 2012. 12. 31.까지 법인(「조세특례제한법 시행령」 제29조 제3항에 따른 소비성서비스업을 경영하는 경우는 제외)으로 전환하는 경우 그 사업용 고정자산에 대해서는 「조세특례제한법」 제32조를 적용받을 수 있는 것임.

부동산거래-562, 2012. 10. 18.

제조업과 부동산임대업을 영위하는 중소기업이 제조업을 영위하는 법인과 통합한 후 존속하는 법인이 제조업만을 영위하는 경우에는 사업의 동일성이 유지되는 것으로 볼 수 없음.

부동산거래관리과-1222, 2010. 10. 4.

「조세특례제한법」 제31조에 따른 중소기업 간의 통합에 대한 양도소득세의 이월과세는 각 사업장별로 적용하는 것임. 또한, 동 규정을 적용함에 있어 "중소기업자"는 「중소기업기본법」 제2조에 따른 기업을 영위하는 자를 말하는 것으로서, 2 이상의 사업장이 있는 경우 중소기업 해당 여부는 해당 내국인의 전체 사업장을 기준으로 판단하는 것이며 그 중 공동사업장이 있는 경우에는 해당 공동사업장 전체를 기준으로 판단하는 것임.

부동산거래관리과-594, 2010. 4. 21.

1. 「조세특례제한법 시행령」 제28조 제1항 제2호에 따른 "통합으로 인하여 소멸하는 사업장의 순자산가액(통합일 현재의 시가로 평가한 자산의 합계액에서 충당금을 포함한 부채의 합계액을 공제한 금액)"에서 공제대상 부채에는 같은 법 제31조 제1항에 따른 양도소득세 이월과세액은 포함되지 아니하는 것임.
2. 「조세특례제한법 시행령」 제28조 제1항 본문 후단의 "설립 후 사업을 개시한 날이 1년이 경과되지 아니한 법인이 출자자인 개인(「국세기본법」 제39조 제2항의 과점주주에 한한다)의 사업을 승계하는 경우"에서 '출자자인 개인'에 출자자(「국세기본법」 제39조 제2항의 과점주주에 한한다)가 아닌 개인은 포함되지 아니하는 것임.

부동산거래관리과－479, 2010. 3. 26.

「조세특례제한법 시행령」 제28조 제1항 제2호를 적용함에 있어 통합으로 인하여 소멸하는 사업장의 중소기업자가 당해 통합으로 인하여 취득하는 주식 또는 지분의 가액은 취득당시의 시가임.

부동산거래관리과－116, 2010. 1. 22.

1. 「조세특례제한법 시행령」 제28조 제1항 후단에서 "설립후 1년"이 경과되지 아니한 법인이 출자자인 개인(「국세기본법」 제39조 제2항의 규정에 의한 과점주주에 한한다)의 사업을 승계하는 것은 이를 통합으로 보지 아니하는 것임.
2. 위 규정에서 "설립"이란 "법인설립등기일"을 의미하는 것이며, 법인설립 후 1년이 경과하였더라도 조세의무를 면탈하기 위하여 휴업기간이 있는 경우에는 그 휴업기간을 제외하고 위 규정을 적용하는 것임.

재재산－1355, 2007. 11. 12.

「조세특례제한법」 제31조 제1항의 규정에 의한 중소기업간 통합에 대한 양도소득세 이월과세는 동법 시행령 제28조 제1항의 규정에 따라 통합에 의하여 설립된 법인 또는 통합 후 존속하는 법인이 통합으로 인해 소멸되는 기업의 사업장별로 그 사업에 관한 주된 자산을 모두 승계하여 사업의 동일성이 유지되는 경우에 한하여 적용되는 것임.

서면5팀－1086, 2007. 4. 3.

「조세특례제한법」 제31조(중소기업 간의 통합에 대한 양도소득세의 이월과세) 및 같은 법 시행령 제28조의 규정을 적용함에 있어서 통합중소기업 간에 동일한 중소기업업종을 주업으로 영위하여야 하는 것은 아니나, 통합법인은 통합으로 소멸되는 중소기업 사업장의 사업에 관한 주된 자산을 모두 승계하여 당해 사업의 동일성이 유지되어야 하는 것임.

24 | 법인전환에 대한 양도소득세의 이월과세(조특법 §32)

가. 개 요

거주자가 사업용 고정자산을 현물출자하거나 사업 양도·양수의 방법에 따라 법인(소비성서비스업을 경영하는 법인은 제외한다)으로 전환하는 경우 그 사업용 고정자산에 대해서는 이월과세를 적용받을 수 있다.

한편, 새로 설립되는 법인의 자본금이 사업용 고정자산을 현물출자하거나 사업양수도하여 법인으로 전환하는 사업장의 순자산가액 이상이어야 한다. 이 경우 순자산가액은 "중소기업간의 통합에 대한 양도소득세의 이월과세" 규정을 적용할 때의 계산 방법을 준용한다.

소비성서비스업

① 호텔업 및 여관업(「관광진흥법」에 따른 관광숙박업은 제외)
② 주점업(일반유흥주점업, 무도유흥주점업 및 「식품위생법 시행령」 제21조에 따른 단란주점 영업만 해당하되, 「관광진흥법」에 따른 외국인전용유흥음식점업 및 관광유흥음식점업은 제외)
③ 그 밖에 오락·유흥 등을 목적으로 하는 사업으로서 기획재정부령으로 정하는 사업

나. 법인전환의 방법

법인전환의 방법에는 현물출자와 사업양도·양수의 방법이 있다.

1) 현물출자

거주자가 사업장별로 해당 사업에 사용한 사업용 고정자산을 새로이 설립되는 법인에 현물출자하는 방법을 말한다.

2) 사업양도·양수의 방법

해당 사업을 영위하던 자가 발기인이 되어 법인으로 전환하는 사업장의 순자산가액 이상을 출자하여 법인을 설립하고, 그 법인설립등기일부터 3개월 이내에 해당 법인에게 사업에 관한 모든 권리와 의무를 포괄적으로 양도하는 것을 말한다.

다. 사업용 고정자산의 범위 및 이월과세 적용대상자산의 취득가액

사업용 고정자산의 범위 및 이월과세 적용대상자산이 취득가액 계산 방법은 중소기업간의 통합에 대한 양도소득세의 이월과세 규정을 적용할 때와 동일하다.

라. 이월과세액의 납부(추징)

1) 2013. 1. 1. 이후 승계 받은 사업을 폐지하거나 취득한 주식 또는 출자지분을 처분하는 분(2013. 1. 1. 법률 제11614호 부칙 §11)

법인전환으로 설립된 법인의 설립 등기일부터 5년 이내에 일정한 사유가 발생하는 경우

에는 이월과세를 적용받은 거주자가 사유발생일이 속하는 달의 말일부터 2개월 이내에 이월과세액(해당 법인이 이미 납부한 세액을 제외한 금액을 말한다)을 양도소득세로 납부하여야 한다.

가) 납부(추징) 사유

(1) 법인전환으로 설립된 법인이 이월과세를 적용받은 거주자로부터 승계받은 사업을 폐지하는 경우
(2) 이월과세를 적용받은 거주자가 법인전환으로 취득한 주식 또는 출자지분의 100분의 50 이상을 처분하는 경우

나) 사업 폐지의 판단기준

법인전환에 따라 설립되는 법인("전환법인"이라 한다)이 현물출자 또는 사업 양도 · 양수의 방법으로 취득한 사업용 고정자산의 2분의 1 이상을 처분하거나 사업에 사용하지 않는 경우 따른 사업의 폐지로 본다. 다만, 다음 중 어느 하나에 해당하는 경우에는 그러하지 아니한다.

(1) 전환법인이 파산하여 승계받은 자산을 처분한 경우
(2) 전환법인이 「법인세법」 제44조 제2항에 따른 합병, 같은 법 제46조 제2항에 따른 분할, 같은 법 제47조 제1항에 따른 물적분할, 같은 법 제47조의 2 제1항에 따른 현물출자의 방법으로 자산을 처분한 경우
(3) 전환법인이 「조세특례제한법」 제37조에 따른 자산의 포괄적 양도에 따라 자산을 장부가액으로 양도한 경우
(4) 전환법인이 「채무자 회생 및 파산에 관한 법률」에 따른 회생절차에 따라 법원의 허가를 받아 승계받은 자산을 처분한 경우

다) 주식 또는 출자지분의 처분의 판단기준

주식 또는 출자지분의 처분에는 유상이전, 무상이전, 유상감자 및 무상감자를 포함한다. 다만, 다음 각 호의 어느 하나에 해당하는 경우에는 그러하지 아니한다.

(1) 이월과세를 적용받은 내국인("해당 거주자"라 한다)이 사망하거나 파산하여 주식 또는 출자지분을 처분하는 경우
(2) 해당 거주자가 「법인세법」 제44조 제2항에 따른 합병이나 같은 법 제46조 제2항에 따른 분할의 방법으로 주식 또는 출자지분을 처분하는 경우
(3) 해당 거주자가 「조세특례제한법」 제37조에 따른 자산의 포괄적 양도, 제38조에 따른

주식의 포괄적 교환・이전 또는 제38조의 2에 따른 주식의 현물출자의 방법으로 과세특례를 적용받으면서 주식 또는 출자지분을 처분하는 경우

(4) 해당 거주자가 「채무자 회생 및 파산에 관한 법률」에 따른 회생절차에 따라 법원의 허가를 받아 주식 또는 출자지분을 처분하는 경우

(5) 해당 거주자가 법령상 의무를 이행하기 위하여 주식 또는 출자지분을 처분하는 경우

2) 2012. 1. 1.~2012. 12. 31. 사업을 폐지하거나 유상감자하는 분

법인전환으로 설립되는 법인이 다음 중 어느 하나에 해당하는 경우에는 이월과세를 적용받은 양도소득세 산출세액을 해당 거주자로부터 징수한다.

(2011. 12. 31. 법률 제11133호 부칙 §12)

① 해당 법인이 법인전환 후 5년 이내에 사업을 폐지하는 경우

▶▶ 추징세액 : 이월과세액 중 해당 법인이 미납부한 금액

② 해당 법인이 법인전환 후 5년 이내에 법인전환 당시 자본금의 100분의 50 이상을 유상감자하는 경우

▶▶ 추징세액 : 해당 법인의 유상감자액이 법인전환 당시 자본금에서 차지하는 비율을 이월과세액 중 해당 법인이 미납부한 금액에 곱한 금액

* 2011. 12. 31. 이전은 추징규정 없음.

관련예규 및 판례요약

법인전환에 대한 양도소득세의 이월과세와 관련된 예규, 판례

기준법령재산-147, 2016. 10. 14.

법인으로 전환하여 이월과세를 적용받은 법인이 추징배제 사유에 개정되기 전 적격합병(피합병)된 경우에는 이월과세액을 추징함.

서면부동산-922, 2015. 7. 22.

「조세특례제한법」 제32조 제1항에 따라 법인전환에 대한 양도소득세의 이월과세를 적용(2009. 10월)받은 후 같은 조 제5항에 따라 이월과세액을 납부할 사유가 발생(2014. 5월)한

경우, 납부기한(2015. 6. 1.)까지 무납부한 경우에는 납부기한의 다음 날부터 기산한 납부불성실가산세를 가산하는 것임.

서면부동산-429, 2015. 7. 3.

거주자가 사업용고정자산을 현물출자하여 법인으로 전환하는 경우로서 새로이 설립되는 법인의 자본금이 현물출자로 인하여 법인으로 전환하는 사업장의 순자산가액 이상인 경우에는 「조세특례제한법」 제32조 제1항에 따라 법인전환에 대한 양도소득세의 이월과세를 적용받을 수 있는 것임.

서면법규-1259, 2014. 12. 1.

거주자 2인이 공동사업을 운영하다가 해당 공동사업의 사업용 고정자산 전부를 현물출자하는 경우 「조세특례제한법」 제32조를 적용받을 수 있음.

상속증여-401, 2013. 7. 23.

「조세특례제한법」 제32조 제1항에 따른 양도소득세 이월과세를 적용받은 거주자가 법인설립일로부터 5년 이내에 법인전환에 따라 취득한 주식 또는 출자지분의 100분의 50 이상을 처분하는 경우에는 이월과세액(해당 법인이 이미 납부한 세액을 제외한 금액을 말함)을 양도소득세로 납부하여야 하는 것임.

조심 2012중 4394, 2013. 1. 24.

청구인의 개인사업 법인전환에 따른 쟁점부동산 현물출자는 이월과세 적용요건을 충족하고, 법정기한 내 이월과세적용신청서도 제출한 점 등을 종합할 때, 처분청이 이월과세를 적용을 배제하여 과세한 이 건 처분은 잘못임.

대법원 2012두 11607, 2012. 9. 27.

'출자'는 '출연'과 본질적으로 다른 개념으로 재산을 출연하여 의료법인을 설립하고 자산과 부채를 의료법인에 포괄적으로 양도한 경우 이월과세 적용을 받을 수 없고 세무공무원의 비공식적인 답변은 과세관청의 공적 견해표명에 해당하지 아니하여 신뢰보호 원칙에 반하는 것으로 볼 수 없음.

부동산거래관리과-0838, 2011. 10. 5. ; 법규과-1253, 2011. 9. 23.

「조세특례제한법」 제32조에 따른 법인전환에 대한 양도소득세의 이월과세 적용시 순자산가액의 시가는 「법인세법 시행령」 제89조 제1항에 해당하는 가격, 같은 조 제2항 제1호의 감정가액, 「상속세 및 증여세법」 제61조 내지 제64조의 규정을 준용하여 평가한 가액의 순서대로 적용하는 것임.

부동산거래관리과-482, 2012. 9. 11.

「조세특례제한법」 제32조에 따른 법인전환에 대한 양도소득세의 이월과세를 적용할 때 거주자가 사업용 고정자산의 일부만을 현물출자하여 법인으로 전환하는 경우에는 동 규정을 적용받을 수 없는 것임.

부동산거래관리과-469, 2012. 9. 7.

임대업 등을 영위하는 거주자가 법인으로 전환하기 전 사업장의 순자산가액 미만으로 출자하여 법인을 설립하는 경우 해당 법인에게 사업용 고정자산을 포괄적으로 양도하는 때에도 「조세특례제한법」 제32조 및 같은 법 시행령 제29조 제2항에 규정된 사업 양도・양수의 방법에 따른 양도소득세의 이월과세를 적용받을 수 없는 것임.

부동산거래관리과-413, 2011. 5. 20.

건축물이 없는 토지를 임대한 임대업자가 임대용으로 사용하던 해당 토지를 현물출자 또는 사업 양도・양수의 방법에 따라 법인으로 전환하는 경우 해당 토지는 「조세특례제한법」 제32조를 적용받을 수 없는 것임.

부동산거래관리과-355, 2011. 4. 26.

「조세특례제한법」 제32조【법인전환에 대한 양도소득세의 이월과세】 및 같은 법 시행령 제29조 제5항을 적용함에 있어 사업용 고정자산을 현물출자하거나 사업양수도하여 법인으로 전환하는 사업장의 순자산가액 계산시 관계회사대여금, 출자금, 미수금을 순자산에서 제외할 수 없는 것임.

부동산거래관리과-148, 2011. 2. 15.

공동사업자인 거주자와 비거주자가 공동으로 소유하는 사업용 고정자산을 「조세특례제한법」 제32조에 따라 현물출자하여 법인으로 전환하는 경우에는 거주자의 지분에 한하여 이월과세를 적용받을 수 있는 것임.

재재산-1187, 2010. 12. 10.

「조세특례제한법」 제32조 제1항에 따른 사업용 고정자산은 당해 사업에 직접 사용하는 유형자산 및 무형자산을 말하는 것이므로, 귀 질의와 같이 사업에 사용할 목적으로 건설 중인 자산(공장용지포함)은 사업용 고정자산에 포함되지 아니하는 것임.

부동산거래관리과-1451, 2010. 12. 7.

부동산임대업을 영위하는 개인사업자가 해당 사업장의 사업용 고정자산을 사업 양도・양수의 방법으로 비영리사단법인으로 전환하는 경우 그 사업용 고정자산에 대해 「조세특례제한법」 제32조 제1항에 따른 법인전환에 대한 양도소득세의 이월과세가 적용되지 아니하는 것임.

부동산거래관리과-1020, 2010. 8. 5.

「조세특례제한법」 제32조(법인전환에 대한 양도소득세 이월과세)를 적용함에 있어 "사업용 고정자산"이라 함은 당해 사업에 직접 사용하는 유형자산 및 무형자산을 말하는 것으로서, 귀 질의와 같이 건설 중인 자산(부수토지 포함)에 대하여는 당해 규정이 적용되지 않는 것임.

재산세과-220, 2009. 9. 15.

거주자가 2개 이상의 사업장을 현물출자 또는 사업 양도 · 양수방법에 의하여 법인으로 전환하는 경우 각 사업장별로 당해 사업용 고정자산에 대하여 「조세특례제한법」 제32조(법인전환에 대한 양도소득세의 이월과세) 규정을 적용하는 것임.

재산세과-157, 2009. 9. 9.

거주자가 「조세특례제한법」 제32조에 따른 '법인전환에 대한 양도소득세 이월과세'가 적용되는 사업용 고정자산 등을 법인에게 현물출자 등을 통하여 양도하는 경우에는 양도소득세를 과세하지 아니하고, 이를 양수한 법인이 당해 사업용 고정자산 등을 양도하는 경우 개인이 종전 사업용 고정자산 등을 동 법인에게 양도한 날이 속하는 과세기간에 다른 양도자산이 없다고 보아 계산한 양도소득산출세액 상당액을 법인세로 납부하는 것임.

재산세과-39, 2009. 8. 27.

「조세특례제한법」 제32조 제1항의 규정에 의하여 양도소득세 이월과세를 적용받고자 하는 자는 현물출자 또는 사업양수도를 한 날이 속하는 과세연도의 과세표준신고기한까지 새로이 설립되는 법인과 함께 이월과세적용신청서를 납세지 관할 세무서장에게 제출한 경우에 한하여 동 규정에 따른 양도소득세의 이월과세를 적용받을 수 있는 것임.

법규재산 2009-0018, 2009. 2. 17.

「조세특례제한법」 제32조 【법인전환에 대한 양도소득세의 이월과세】 에 따라 소멸하는 사업장의 순자산가액 계산시 관계회사대여금(중국현지법인 출자금 및 대여금), 장기미수 외상매출금을 순자산에서 제외할 수 없는 것임.

재산세과-4361, 2008. 12. 23.

귀 질의의 경우, 개인의료기관을 운영하는 자가 의료기관의 전 재산을 무상으로 출연하여 의료법인을 설립하는 경우로서 출연재산 중 양도소득세 과세대상 재산에 담보된 채무를 의료법인이 인수하는 경우 당해 채무액에 상당하는 부분은 「조세특례제한법」 제32조의 법인전환에 대한 양도소득세의 이월과세 규정이 적용되지 아니함.

재산세과－2246, 2008. 8. 14.

「조세특례제한법」 제32조(법인전환에 대한 양도소득세의 이월과세) 규정을 적용함에 있어서 '사업양수도방법'이라 함은 당해 사업을 영위하던 자가 발기인이 되어 전환하는 사업장의 순자산가액 이상을 출자하여 법인을 설립하고, 그 법인설립일부터 3월 이내에 당해 법인에게 사업에 관한 모든 권리와 의무를 포괄적으로 양도하는 것을 말하는 것이며, 이 경우 동일한 업종으로 전환하거나 사업의 종류를 추가 또는 변경하는 경우도 포함함.

재산세과－2027, 2008. 7. 31.

개인병원을 영위하는 개인사업자가 현금을 출연하여 비영리 의료법인을 설립한 후 당해 의료법인에 개인병원의 토지 및 건물을 포함하여 사업에 관한 권리와 의무를 포괄 양도・양수하는 경우 「조세특례제한법 시행령」 제29조 제2항의 사업양수도 방법에 해당하지 아니하여 같은법 제32조의 「법인전환에 대한 양도소득세의 이월과세」를 적용받을 수가 없는 것임.

서면2팀－1176, 2007. 6. 15.

귀 질의의 경우, 거주자가 사업용 고정자산을 현물출자하거나 「조세특례제한법 시행령」 제29조 제2항 규정이 정하는 사업양수도방법에 따라 2009. 12. 31.까지 법인(소비성서비스업을 영위하는 법인을 제외)으로 전환하는 경우 당해 사업용 고정자산에 대하여는 「조세특례제한법」 제32조 제1항 규정에 의한 이월과세를 적용받을 수 있는 것이나, 법인을 설립한 후에 사업용 고정자산을 현물출자한 경우에는 동 규정을 적용받을 수 없는 것임.

서면4팀－709, 2005. 5. 7.

「조세특례제한법」 제32조 제2항에서 규정한 '새로이 설립되는 법인의 자본금'에서의 '자본금'이란 법인의 기업회계기준에 의한 대차대조표상의 자본금을 의미하는 것임.

25 | 영농조합법인에 현물출자시 양도소득세 면제 등 (조특법 §66)

가. 양도소득세 면제 대상(조특법 §66 ④)

1) 개 요

농업인이 2021. 12. 31. 이전에 농지 또는 「초지법」에 따른 초지(이하 "초지"라 한다)를 영농조합법인에 현물출자함으로써 발생하는 소득에 대해서는 양도소득세를 면제하는데, 현물출자한 자산에 담보된 채무 중 법인이 인수하는 채무가액에 상당하는 소득을 제외한 소득에 대한 양도소득세 100%를 감면한다.

"초지"의 범위

기획재정부 재산세제과-158, 2013. 3. 12.

[질의내용]

「조세특례제한법」 제68조(같은 법 제66조, 舊 「조세감면규제법」 제58조)에서 규정하고 있는 '「초지법」에 따른 초지'의 의미

(제1안) 「초지법」 제5조【초지조성의 허가】에 따라 초지조성의 대상이 되는 토지의 소재지를 관할하는 시장·군수로부터 허가를 받아서 조성된 초지를 말함.

(제2안) 「초지법」 제2조 초지의 정의조항에 해당하는 사실상 초지로 이용되는 토지를 말함.

(제3안) 「초지법」 제2조의 정의에 부합하고, 같은 법 제3조【초지조성의 제한】에 해당하지 않는 토지를 말함.

[회 신]

1안이 타당함.

2) 농업인의 범위

「농어업·농어촌 및 식품산업 기본법」 제3조 제2호 가목에 따른 농업인으로서 현물출자하는 농지·초지 또는 부동산("농지등"이라 한다)이 소재하는 시(특별자치시와 「제주특별자치도 설치 및 국제자유도시 조성을 위한 특별법」 제10조 제2항에 따른 행정시를 포함한다. 이하 이 조에서 같다)·군·구(자치구인 구를 말한다. 이하 이 조에서 같다), 그와 연접한 시·군·구 또는 해당 농지등으로부터 직선거리 30킬로미터(2014. 12. 31.까지 양도분은 20㎞) 이내에 거주하면서 4년 이상 직접 경작한 자를 말한다.

3) 농지의 범위

전·답으로서 지적공부상의 지목에 관계없이 실제로 경작에 사용되는 토지와 그 경작에 직접 필요한 농막·퇴비사·양수장·지소·농로·수로 등에 사용되는 토지로 한다.

다만, 「조세특례제한법 시행령」 제66조 제4항 각 호의 1에 해당하는 농지(위 "1. 마"에서 설명한 주거지역 등 편입농지, 농지 외로 환지예정지 지정된 토지)를 제외한다.

4) 면제세액의 납부

양도소득세를 면제받은 자가 그 출자지분을 출자일부터 3년 이내에 다른 사람에게 양도

하는 경우에는 그 양도일이 속하는 과세연도의 과세표준신고를 할 때 아래와 같이 계산한 세액을 양도소득세로 납부하여야 하며, 이 경우 이자 상당액을 가산한다.

※ 납부하여야 하는 세액 = 당해 농지에 대한 감면세액 × (3년 이내에 양도한 출자지분 / 총출자지분)
※ 이자 상당액 = 감면을 받은 과세연도의 종료일 다음 날부터 납부 사유가 발생한 과세연도의 종료일까지의 기간 × 1일 1만분의 2.5

한편, 면제세액의 납부는 농지를 현물출자하기 전에 자경하였던 기간과 현물출자후 출자지분 양도시까지의 기간을 합한 기간이 8년 미만인 경우에 납부하되, 이 경우 상속받은 농지의 경작기간을 계산함에 있어서 피상속인이 경작한 기간은 상속인이 이를 경작한 기간으로 본다.

나. 양도소득세 이월과세 대상(조특법 §66 ⑦)

1) 개 요

농업인이 2021. 12. 31. 이전에 영농조합법인에 「농어업 · 농어촌 및 식품산업 기본법」 제3조 제1호 가목에 따른 농작물재배업 · 축산업 및 임업에 직접 사용되는 부동산(위 “가”에 따른 따른 농지 및 초지는 제외한다)을 현물출자하는 경우에는 이월과세를 적용받을 수 있다.

2) 농업인의 범위

위 “가. 2)”와 같다.

26 | 영어조합법인에 현물출자시 양도소득세 면제(조특법 §67 ④)

가. 개 요

어업인이 2021. 12. 31. 이전에 어업용 토지 등을 영어조합법인과 「농어업경영체 육성 및 지원에 관한 법률」에 따른 어업회사법인에 현물출자함으로써 발생하는 소득에 대해서는 양도소득세를 면제하는데, 현물출자한 자산에 담보된 채무 중 법인이 인수하는 채무가액에 상당하는 소득을 제외한 소득에 대한 양도소득세 100%를 감면한다.

나. 어업인의 범위

「수산업법」에 의한 어업인으로서 현물출자하는 어업용 토지 등이 소재하는 시(특별자치시와 「제주특별자치도 설치 및 국제자유도시 조성을 위한 특별법」 제10조 제2항에 따른 행정시를 포함한다. 이하 이 조에서 같다) · 군 · 구(자치구인 구를 말한다. 이하 이 조에서 같다), 그와 연접한 시 · 군 · 구 또는 해당 어업용 토지등으로부터 직선거리 30킬로미터(2014. 12. 31.까지 양도분은 20㎞) 이내에 거주하면서 직접 어업에 종사하는 자를 말한다.

다. 어업용 토지 등의 범위

양식어업에 직접 사용되는 토지 및 건물을 말한다.

라. 면제세액의 납부

양도소득세를 면제받은 자가 그 출자지분을 출자일부터 3년 이내에 다른 사람에게 양도하는 경우에는 그 양도일이 속하는 과세연도의 과세표준신고를 할 때 아래와 같이 계산한 세액을 양도소득세로 납부하여야 하며, 이 경우 이자 상당액을 가산한다. 한편, 한다. 다만, 「해외이주법」에 의한 해외이주에 의하여 세대전원이 출국하는 경우에는 면제세액(이자 상당액 포함)을 납부하지 아니한다.

※ 납부하여야 하는 세액 = 당해 농지에 대한 감면세액 × (3년 이내에 양도한 출자지분 / 총출자지분)

※ 이자 상당액 = 감면을 받은 과세연도의 종료일 다음 날부터 납부 사유가 발생한 과세연도의 종료일까지의 기간 × 1일 1만분의 2.5

27 | 농업회사법인에 현물출자시 양도소득세 면제 등(조특법 §68)

가. 양도소득세 면제 대상(조특법 §68 ②)

1) 개 요

농업인이 2021. 12. 31. 이전에 농지 또는 초지(「초지법」에 따른 초지를 말함)를 농업회사법인(「농지법」에 따른 농업법인의 요건을 갖춘 경우만 해당한다)에 현물출자함으로써 발생하는 소득에 대해서는 양도소득세를 면제하는데, 현물출자한 자산에 담보된 채무 중 법인이 인수하는 채무가액에 상당하는 소득을 제외한 소득에 대한 양도소득세 100%를 감면한다.

2) 농업인 및 농지의 범위

위 24. 가. 2) 및 3)에서 설명한 내용과 같다.

3) 면제세액의 납부

양도소득세를 면제받은 자가 그 출자지분을 출자일부터 3년 이내에 다른 사람에게 양도하는 경우에는 그 양도일이 속하는 과세연도의 과세표준신고를 할 때 아래와 같이 계산한 세액을 양도소득세로 납부하여야 하며, 이 경우 이자 상당액을 가산한다.

※ 납부하여야 하는 세액 = 당해 농지에 대한 감면세액 × (3년 이내에 양도한 출자지분 / 총출자지분)

※ 이자 상당액 = 감면을 받은 과세연도의 종료일 다음 날부터 납부 사유가 발생한 과세연도의 종료일까지의 기간 × 1일 1만분의 2.5

한편, 면제세액의 납부는 농지를 현물출자하기 전에 자경하였던 기간과 현물출자 후 출자지분 양도시까지의 기간을 합한 기간이 8년 미만인 경우에 납부하되, 이 경우 상속받은 농지의 경작기간을 계산함에 있어서 피상속인이 경작한 기간은 상속인이 이를 경작한 기간으로 본다.

나. 양도소득세 이월과세 대상(조특법 §68 ③)

1) 개 요

농업인이 2021. 12. 31. 이전에 농업회사법인에「농어업·농어촌 및 식품산업 기본법」제3조 제1호 가목에 따른 농작물재배업·축산업 및 임업에 직접 사용되는 부동산(위 “가”에 따른 농지 및 초지는 제외한다)을 현물출자하는 경우에는 이월과세를 적용받을 수 있다.

2) 농업인의 범위

위 “24. 가. 2)”와 같다.

28 국가에 양도하는 산지에 대한 양도소득세의 감면 (조특법 §85의 10)

거주자가 「산지관리법」에 따른 산지(「국토의 계획 및 이용에 관한 법률」에 따른 도시지역에 소재하는 산지를 제외)로서 2년 이상 보유한 산지를 2020. 12. 31. 이전에 「국유림의 경영 및 관리에 관한 법률」 제18조에 따라 국가에 양도함으로써 발생하는 소득에 대해서는 양도소득세의 100분의 10에 상당하는 세액을 감면한다.

(2016. 1. 1. 전에 국가에 산지를 양도한 경우에 대해서는 법 제85조의 10 제1항의 개정 규정에도 불구하고 종전의 규정에 따름)

29 양도소득세 감면의 종합한도(조특법 §133)

「조세특례제한법」에 따라 양도소득세 감면을 적용받는 경우 감면한도는 양도시기별로 다음과 같이 계산한다.

가. 2018. 1. 1. 이후 양도분

감면 유형	과세기간별 한도		5개 과세기간 한도	
	한도1	한도2	한도3	한도4
① 제33조 【사업전환 무역조정지원기업에 대한 과세특례】	√			
② 제43조 【구조조정대상부동산의 취득자에 대한 양도소득세의 감면 등】	√			
③ 제69조 【자경농지에 대한 양도소득세의 감면】	√			√
④ 제69조의 2 【축사용지에 대한 양도소득세의 감면】	√			√
⑤ 제69조의 3 【어업용 토지등에 대한 양도소득세의 감면】	√			√
⑥ 제69조의 4 【자경산지에 대한 양도소득세의 감면】	√			√
⑦ 제70조 【농지대토에 대한 양도소득세 감면】	√		√	√
⑧ 제77조 【공익사업용토지 등에 대한 양도소득세의 감면】 중 감면율 10%(현금보상) 및 15%(일반채권보상) 적용분 「공공주택 특별법」등 대통령령으로 정하는 법률에 따라 협의매수 또는 수용됨으로써 발생하는 소득 중 감면율	√			√

감면 유형	과세기간별 한도		5개 과세기간 한도	
	한도1	한도2	한도3	한도4
30%(보상채권 3년 이상 만기보유) 및 40%(보상채권 5년 이상 만기보유) 적용분				
⑨ 제77조의 2【대토보상에 대한 양도소득세 과세특례】	√			√
⑩ 제77조의 3【개발제한구역 지정에 따른 매수대상 토지 등에 대한 양도소득세의 감면】	√			
⑪ 제85조의 10【국가에 양도하는 산지에 대한 양도소득세의 감면】	√			
⑫ 법률 제6538호 부칙 제29조【아파트형공장의 감면에 관한 경과조치】	√			
한 도	1억원	2억원	1억원	2억원

※ 자경농지・축사용지 감면을 적용받는 경우로서 2017. 12. 31. 현재 사업인정고시가 된 사업지역 내에서 사업시행자가 취득한 토지 면적이 전체 사업지역 면적의 1/2 이상인 경우에 해당하는 사업지역 내 토지를 2019. 12. 31.까지 양도하는 경우에는 종전 감면한도 적용

나. 2016. 1. 1. 이후 양도분

※ 법 제69조(자경농지에 대한 양도소득세의 감면)에 따라 양도소득세 감면을 적용받는 경우로서 2016. 1. 1. 전에 「공익사업을 위한 토지 등의 취득 및 보상에 관한 법률」 제22조에 따라 사업인정고시가 된 사업지역 중 사업시행자의 토지 취득 비율 등 대통령령으로 정하는 요건을 충족하는 사업지역 내 토지를 2017. 12. 31. 이전에 해당 공익사업의 시행자에게 양도하는 경우에는 법 제133조 제1항 제1호의 개정규정에도 불구하고 종전의 규정을 적용함.
법률 제1360호 「조세특례제한법」 일부개정법률 부칙 제63조에서 "대통령령으로 정하는 요건을 충족하는 사업지역"이란 해당 공익사업의 시행자가 2015. 12. 31. 현재 전체 사업지역 면적의 2분의 1 이상의 토지를 취득한 사업지역을 말함.

다. 2011. 7. 15. 이후 양도분

감면 유형	과세기간별 한도		5개 과세기간 한도		
	한도1	한도2	한도3	한도4	한도5
① 제33조【사업전환 무역조정지원기업에 대한 과세특례】	√	√			
② 제43조【구조조정대상부동산의 취득자에 대한 양도소득세의 감면 등】	√	√			
③ 제69조【자경농지에 대한 양도소득세의 감면】		√			√
④ 제69조의 2【축사용지에 대한 양도소득세의 감면】		√			√
⑤ 제70조【농지대토에 대한 양도소득세 감면】	√	√	√	√	√
⑥ 제77조【공익사업용토지 등에 대한 양도소득세의 감면】 중 감면율 10%(현금보상) 및 25%(일반채권보상) 적용분	√	√		√	√
⑦ 제77조【공익사업용토지 등에 대한 양도소득세의 감면】 중 감면율 40%(보상채권 3년 이상 만기보유) 및 50%(보상채권 5년 이상 만기보유) 적용분		√			√
⑧ 제77조의 3【개발제한구역 지정에 따른 매수대상 토지 등에 대한 양도소득세의 감면】	√	√			
⑨ 제85조의 10【국가에 양도하는 산지에 대한 양도소득세의 감면】	√	√			
⑩ 법률 제6538호 부칙 제29조【아파트형공장의 감면에 관한 경과조치】	√	√			
한 도	1억원	2억원	1억원	2억원	3억원

적용 방법

- 5개 과세기간의 감면받을 양도소득세액의 합계액
  : 당해 과세기간에 감면받을 양도소득세액과 직전 4개 과세기간에 감면받은 양도소득세액을 합친 금액으로 계산한다.
  ex) 2013년 감면한도 계산시 : 2008년, 2009년, 2011년, 2012년에 감면받은 양도소득세와 2013년에 감면받을 양도소득세를 합산함.
  : 경과규정 : 한도4, 한도5를 적용할 때 2010. 12. 31. 이전에 ⑥[조특법 제77조 중 100분의 20 및 100분의 25의 감면율을 적용받는 경우를 말함)에 따라 감면받은 세액은 이를 합산하지 아니한다(2010. 12. 27. 법률 제10406호 부칙 §49).
- 감면받는 양도소득세액의 합계액은 자산양도의 순서에 따라 합산한다.

라. 2011. 1. 1.~2011. 7. 14. 양도분

감면 유형	과세기간별 한도		5개 과세기간 한도		
	한도1	한도2	한도3	한도4	한도5
① 제33조 【사업전환 무역조정지원기업에 대한 과세특례】	√	√			
② 제43조 【구조조정대상부동산의 취득자에 대한 양도소득세의 감면 등】	√	√			
③ 제69조 【자경농지에 대한 양도소득세의 감면】		√			√
④ 제70조 【농지대토에 대한 양도소득세 감면】	√	√	√	√	√
⑤ 제77조 【공익사업용토지 등에 대한 양도소득세의 감면】 중 감면율 20%(현금보상) 및 25%(일반채권보상) 적용분	√	√		√	√
⑥ 제77조 【공익사업용토지 등에 대한 양도소득세의 감면】 중 감면율 40%(보상채권 3년 이상 만기보유) 및 50%(보상채권 5년 이상 만기보유) 적용분		√			√
⑦ 제77조의 3 【개발제한구역 지정에 따른 매수대상토지 등에 대한 양도소득세의 감면】	√	√			
⑧ 제85조의 10 【국가에 양도하는 산지에 대한 양도소득세의 감면】	√	√			
⑨ 법률 제6538호 부칙 제29조 【아파트형공장의 감면에 관한 경과조치】	√	√			
한 도	1억원	2억원	1억원	2억원	3억원

적용 방법

- 5개 과세기간의 감면받을 양도소득세액의 합계액
  : 당해 과세기간에 감면받을 양도소득세액과 직전 4개 과세기간에 감면받은 양도소득세액을 합친 금액으로 계산한다.
  ex) 2011년 감면한도 계산시 : 2007년, 2008년, 2009년, 2010년에 감면받은 양도소득세와 2011년에 감면받을 양도소득세를 합산함
  : 경과규정 : 한도4, 한도5를 적용할 때 2010. 12. 31. 이전에 ⑥[조특법 제77조 중 100분의 20 및 100분의 25의 감면율을 적용받는 경우를 말함)에 따라 감면받은 세액은 이를 합산하지 아니한다.(2010. 12. 27. 법률 제10406호 부칙 §49)
- 감면받는 양도소득세액의 합계액은 자산양도의 순서에 따라 합산한다.

마. 2010. 1. 1.~2010. 12. 31. 양도분

감면 유형	과세기간별 한도		5개 과세기간 한도	
	한도1	한도2	한도3	한도4
① 제33조【사업전환 무역조정지원기업에 대한 과세특례】	√	√		
② 제43조【구조조정대상부동산의 취득자에 대한 양도소득세의 감면 등】	√	√		
③ 제69조【자경농지에 대한 양도소득세의 감면】		√		√
④ 제70조【농지대토에 대한 양도소득세 감면】	√	√	√	√
⑤ 제77조【공익사업용토지 등에 대한 양도소득세의 감면】 중 감면율 20%(현금보상) 및 25%(일반채권보상) 적용분	√	√		
⑥ 제77조【공익사업용토지 등에 대한 양도소득세의 감면】 중 감면율 40%(보상채권 3년 이상 만기보유) 및 50%(보상채권 5년 이상 만기보유) 적용분		√		√
⑦ 제77조의 3【개발제한구역 지정에 따른 매수대상토지 등에 대한 양도소득세의 감면】	√	√		
⑧ 제85조의 10【국가에 양도하는 산지에 대한 양도소득세의 감면】	√	√		
⑨ 법률 제6538호 부칙 제29조【아파트형공장의 감면에 관한 경과조치】	√	√		
한 도	1억원	2억원	1억원	3억원

적용 방법

- 5개 과세기간의 감면받을 양도소득세액의 합계액
  : 당해 과세기간에 감면받을 양도소득세액과 직전 4개 과세기간에 감면받은 양도소득세액을 합친 금액으로 계산한다.
  ex) 2010년 감면한도 계산시 : 2006년, 2007년, 2008년, 2009년에 감면받은 양도소득세와 2010년에 감면받을 양도소득세를 합산함.
- 감면받는 양도소득세액의 합계액은 자산양도의 순서에 따라 합산한다.

바. 2008. 1. 1.~2009. 12. 31. 양도분

감면 유형	과세기간별 한도		5개 과세기간 한도	
	한도1	한도2	한도3	한도4
① 제33조【사업전환 무역조정지원기업에 대한 과세특례】	√	√		
② 제43조【구조조정대상부동산의 취득자에 대한 양도소득세의 감면 등】	√	√		
③ 제69조【자경농지에 대한 양도소득세의 감면】		√		√
④ 제70조【농지대토에 대한 양도소득세 감면】	√	√	√	√
⑤ 제77조【공익사업용토지 등에 대한 양도소득세의 감면】	√	√		
⑥ 제77조의 3【개발제한구역 지정에 따른 매수대상토지 등에 대한 양도소득세의 감면】	√	√		
⑦ 법률 제6538호 부칙 제29조【아파트형공장의 감면에 관한 경과조치】	√	√		
한 도	1억원	2억원	1억원	3억원

적용 방법

-5개 과세기간의 감면받을 양도소득세액의 합계액

: 당해 과세기간에 감면받을 양도소득세액과 직전 4개 과세기간에 감면받은 양도소득세액을 합친 금액으로 계산한다.

ex) 2009년 감면한도 계산시 : 2005년, 2006년, 2007년, 2008년에 감면받은 양도소득세와 2009년에 감면받을 양도소득세를 합산함.

-감면받는 양도소득세액의 합계액은 자산양도의 순서에 따라 합산한다.

사. 2006. 1. 1.~2007. 12. 31. 양도분

감면 유형	과세기간별 한도	5개 과세기간 한도
① 제33조【사업전환 무역조정지원기업에 대한 과세특례】	√	
② 제34조【중소기업의 금융채무상환 등에 대한 과세특례】	√	
③ 제41조【중소기업의 주주 등의 자산증여에 대한 법인세 등 과세특례】	√	
④ 제43조【구조조정대상부동산의 취득자에 대한 양도소득세의 감면 등】	√	
⑤ 제69조【자경농지에 대한 양도소득세의 감면】	√	√
⑥ 제70조【농지대토에 대한 양도소득세 감면】	√	√
⑦ 제77조【공익사업용토지 등에 대한 양도소득세의 감면】	√	
⑧ 법률 제6538호 부칙 제29조【아파트형공장의 감면에 관한 경과조치】	√	
한 도	1억원	1억원

적용 방법

- 농지대토에 대한 양도소득세 감면 종합한도액은 2006. 1. 1. 이후 양도하여 대토하는 분부터 적용한다(2005. 12. 31. 법률 제7839호 부칙 §36 ①).
- 농지감면한도액(5개 과세기간 한도액)
  : 농지감면한도액은 당해 과세기간에 감면받을 양도소득세액과 직전 4개 과세기간에 감면받은 양도소득세액의 합계액으로 계산한다.
  : 2005. 12. 31. 이전 종전의 「조세특례제한법」 제69조의 규정에 의하여 감면받은 세액은 이를 합산하지 아니한다.
- 감면받는 양도소득세액의 합계액은 자산양도의 순서에 따라 합산한다.

아. 2002. 1. 1.~2005. 12. 31. 양도분

감면 유형	과세기간별 한도
① 제43조【구조조정대상부동산의 취득자에 대한 양도소득세의 감면 등】	√
② 제69조【자경농지에 대한 양도소득세의 감면】	√
③ 제77조【공익사업용토지 등에 대한 양도소득세의 감면】	√
④ 법률 제6538호 부칙 제29조【아파트형공장의 감면에 관한 경과조치】	√
한 도	1억원

* 양도소득세 감면의 합계액은 자산양도의 순서에 따라 1억원을 한도로 하여 계산한다.

경과규정 : 2001. 12. 29. 법률 제6538호 부칙 §28

① 이 법 시행 당시 도시계획법의 규정에 의한 주거지역·상업지역 또는 공업지역에 편입되거나 「도시개발법」 그밖의 법률의 규정에 의하여 환지처분전에 농지 외의 토지로 환지예정지 지정을 받은 농지의 양도에 대한 양도소득세의 면제에 관하여는 제69조 제1항 단서의 개정규정에 불구하고 종전의 규정에 의한다.

② 거주자가 2002. 1. 1.부터 2003. 12. 31.까지 제69조의 개정규정에 의한 자경농지를 양도함으로써 발생하는 양도소득(제1항의 규정에 의한 양도소득을 포함한다)에 대하여 양도소득세를 감면받는 경우 그 양도소득세액 감면의 종합한도에 관하여는 제133조 제2항 및 제3항의 개정규정에 불구하고 종전의 규정에 의한다. 이 경우 종전의 제133조 제2항 및 제3항 중 "3억원"은 각각 "2억원"으로 한다.

자. 2001. 12. 31. 이전 양도분

감면 유형	과세기간별 한도		
	한도1	한도2	한도3
① 제43조【구조조정대상부동산의 취득자에 대한 양도소득세의 감면 등】	√		√
② 제60조【공장의 지방이전에 대한 양도소득세의 감면 등】	√		√
③ 제70조【목장의 이전에 대한 양도소득세의 감면 등】	√		√
④ 제71조【5년 이상 가동한 공장의 이전에 대한 양도소득세 등의 감면 등】	√		√
⑤ 제77조【공익사업용토지 등에 대한 양도소득세의 감면】	√		√
⑥ 제78조【개발사업시행자에 대한 양도소득세 등의 감면】	√		√

감면 유형	과세기간별 한도		
	한도1	한도2	한도3
⑦ 제79조【국가 등에 양도하는 토지 등에 대한 양도소득세 등의 감면】	√		√
⑧ 제80조【국민주택건설용지 등에 대한 양도소득세 등의 감면】	√		√
⑨ 법률 제4666호 조세감면규제법 개정법률 부칙(1993. 12. 31.) 제16조 제2항(동항 제1호 및 제3호 제외) · 제3항 및 제6항에 의한 양도소득세의 감면	√		√
⑩ 제69조【자경농지에 대한 양도소득세의 감면】		√	√
한 도	1억원	3억원	3억원

적용 방법

-“한도3”에 의한 양도소득세 감면의 종합한도액의 계산은 다음 각 호의 순서에 의한다.

① “한도1”에 의한 양도소득세 감면의 합계액은 자산양도의 순서에 따라 1억원을 한도로 하여 계산

② “한도2”에 의한 양도소득세 감면액을 3억원을 한도로 하여 계산

참고자료

□ 참고문헌

책　　명	저 자	출판사	발간연도
부동산세제실무해설	삼일회계법인	삼일회계법인	1995
부동산공시법 및 세법	이원준 · 이우진	건국대학교출판부	2000
세법학총론	최명근	세경사	2003
세법총론 · 각론	오윤	한국학술정보(주)	2015
일반조세법	이동식	준커뮤니케이션즈	2011
세법강의	이창희	박영사	2019
2016 조세개요	기획재정부	기획재정부	2016
알기쉬운 2015 지방세	서울특별시	서울특별시	2015
지방세3법 해설과 실무사례	심영택외 2인	삼일인포마인	2015
종합부동산세 실무해설	국세청	국세청	2019
재개발 · 재건축 · 도시개발 세무실무	김영인	이택스코리아	2015
양도소득세 실무해설	국세청	국세청	2019
양도소득세 이론과 실무편람	이상조 · 장병채 · 박찬웅	이택스코리아	2014
양도소득세 정석편람	한연호	이택스코리아	2015
상속세 · 증여세 실무해설	국세청	국세청	2019
상속세와 증여세 실무	최성일	삼일회계법인 삼일인포마인	2016
상속 · 증여세 실무편람	김완일 · 고경희	이택스코리아	2016
상속 · 증여세 실무해설	박훈	삼일인포마인	2016
간추린 개정세법(2008~2019)	기획재정부	기획재정부	2009~2019
조세법전	삼일회계법인	삼일회계법인	2020
상속세 · 증여세 실무해설	한국세무사회	한국세무사회	2019
개정세법 주요내용	한국세무사회	한국세무사회	2020
상속증여세	임채문, 김주석	㈜광교이택스	2020
조세법전	한국세무사회	한국세무사회	2020

□ 참고사이트

- 법제처 : www.moleg.go.kr
- 삼일인포마인 : www.samili.com

| 저 | 자 | 소 | 개 |

■ 김 치 태

■ 학력
- 서울 장훈고
- 국립세무대학 내국세학과(10회)
- 경희대학교 국제법무대학원(조세법학 전공 석사)

■ 경력
- 국세청 조사, 세원관리(재산)
- 국가청렴위원회 혁신인사기획관실(인사), 실태조사단 조사관 등
- 국민권익위원회 제도개선총괄담당관실, 공익보호지원과, 홍보담당관실
- 국민권익위원회 고충처리국 재정세무민원과 행정사무관
- (現)국민권익위원회 운영지원과(인사) 서기관

■ 박 천 수

■ 학력
- 서울시립대학교 세무전문대학원(세무학 전공 석사)

■ 경력
- 충청남도 예산·태안군청
- 행정안전부 지방세정책과, 지방세운영과 주무관
- 한국지방세연구원 인사·기획팀장
- 행정안전부 지방세특례제도과 세무조사·감면운영팀장
- (現)국무총리실 조세심판원 행정사무관

■ 저서 및 논문
- 지방세 세무조사 실무(행정안전부, 2019)
- 지방세 쟁점별 실무해설(삼일인포마인, 2020)
- 지방세 조문별 해설(더존테크윌, 2020)

■ 김 승 한

■ 학력
- 국립세무대학 내국세학과(3회)
- 고려대학교 정책대학원(경제학 석사)
- 수원대학교 대학원(경영학 박사)

■ 경력
- 종로, 마포, 광화문, 안양, 성남, 동수원, 평택세무서 근무
- 중부지방국세청 조사국, 납세자보호관실 근무
- 경기도 지방세심위위원, 수원, 동수원 국세심사위원
- 한국세무사회, 중부지방세무사회, 세무사고시회 임원
- 세무대학세무사회 회장, 한국세무사 석·박사회 부회장
- (現)세무법인호연 대표세무사, 수원대학교 대학원 객원교수, 중부지방국세청 정부포상 공적심사위원

■ 저서 및 논문
- 위법, 부당한 조세행정에 대한 납세자권리구제 연구(석사)
- 납세자와 과세권자의 납세순응도 인식차이 연구(박사)
- 합법적으로 안내는 세금의 기술(청림출판사, 2006. 공저)

■ 이 제 희

■ 학력
- 서울 영락고
- 국립세무대학 내국세학과(14회)

■ 경력
- 일선세무서 재산세과, 조사과, 법인세과, 부가가치세과
- 국세청 징세과
- 국민권익위원회 운영지원과(인사) 근무
- 국민권익위원회 재정세무민원과 행정사무관
- 중앙행정심판위원회 재정경제심판과 행정사무관

■ 자격
- 세무사

개정증보판 **부동산세제 이론과 실무해설**

2004년 2월 20일 초판 발행
2020년 7월 10일 7판 발행

저 자 김 치 태
박 천 수
김 승 한
이 제 희

저자협의 인지생략

발 행 인 이 희 태
발 행 처 **삼일인포마인**
서울특별시 용산구 한강대로 273 용산빌딩 4층
등록번호 : 1995. 6. 26 제3－633호
전 화 : (02) 3489－3100
F A X : (02) 3489－3141
I S B N : 978－89－5942－892－2 93320

♣ 파본은 교환하여 드립니다.

정가 80,000원

삼일인포마인 발간책자는 정확하고 권위 있는 해설의 제공을 목적으로 하고 있습니다. 다만 그 완전성이 항상 보장되는 것은 아니고 또한 특정 사안에 대한 구체적인 의견제시가 아니므로, 적용결과에 대하여 당사가 책임지지 아니합니다. 따라서 실제 적용에 있어서는 충분히 검토하시고, 저자 또는 능력 있는 전문가와 상의하실 것을 권고합니다.